本书出版承蒙霍英东博士(铭源基金有限公司)热心赞助

本书出版得到黄遵宪基金会有限公司大力支持

陈铮编

国家清史编纂委员会·文献丛刊

黄遵宪全集

中华书局

上

图书在版编目(CIP)数据

黄遵宪全集/陈铮编.—北京:中华书局,2005
ISBN 7 - 101 - 04490 - 5

Ⅰ.黄…　Ⅱ.陈…　Ⅲ.黄遵宪(1848～1905)—全集　Ⅳ.
C52

中国版本图书馆 CIP 数据核字(2005)第 021074 号

责任编辑:柳宪

国家清史编纂委员会·文献丛刊

黄 遵 宪 全 集
(全 二 册)
陈 铮 编
＊
中 华 书 局 出 版 发 行
(北京市丰台区太平桥西里38号　100073)
http://www.zhbc.com.cn
E - mail:zhbc@zhbc.com.cn
北京瑞古冠中印刷厂印刷
＊
787×1092 毫米 1/16·105¼印张·8 插页·1607 千字
2005 年 3 月第 1 版　2005 年 3 月北京第 1 次印刷
印数 1 - 2000 册　定价:258.00 元

ISBN 7 - 101 - 04490 - 5/K·1926

国家清史编纂委员会出版委员会

黃遵憲全集

選堂題

黄遵宪中年像

黄遵宪像

人境庐修复后的正门

黄遵宪《明治名家诗选序》手稿（首末页）

黄遵宪上郑钦使禀文一页

日本杂事诗最初稿冢碑阴志

黄遵宪《山歌》手稿一页

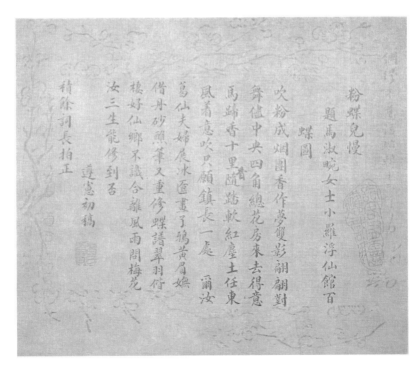

黄遵宪词手迹

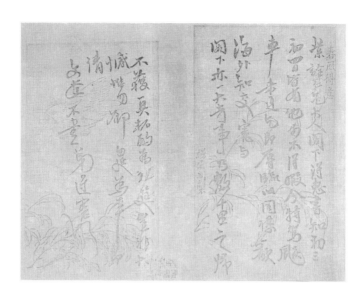

黄遵宪致王韬函

黄遵宪致宫岛诚一郎等函

黄遵宪致梁鼎芬函

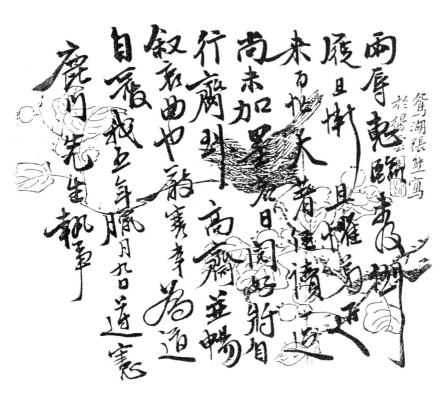

黄遵宪致冈千仞函

黄遵宪致梁启超函（末页）

黄遵宪与大河内辉声笔谈原稿

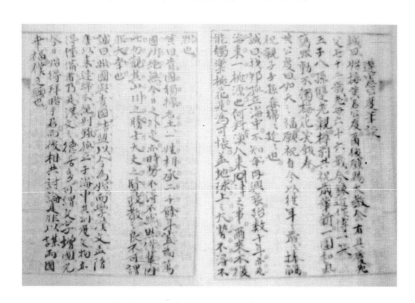

黄遵宪与宫岛诚一郎笔谈原稿

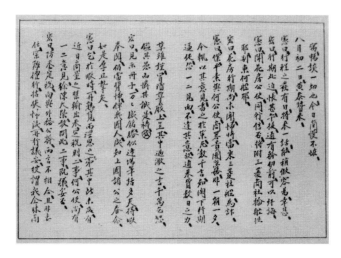

黄遵宪与朝鲜赴日本修信使金宏集笔谈

总　序

戴　逸

二〇〇二年八月,国家批准建议纂修清史之报告,十一月成立由十四部委组成之领导小组,十二月十二日成立清史编纂委员会,清史编纂工程于焉肇始。

清史之编纂酝酿已久,清亡以后,北洋政府曾聘专家编写《清史稿》,历时十四年成书。识者议其评判不公,记载多误,难成信史,久欲重撰新史,以世事多乱不果。中华人民共和国成立后,中央领导亦多次推动修清史之事,皆因故中辍。新世纪之始,国家安定,经济发展,建设成绩辉煌,而清史研究亦有重大进步,学界又倡修史之议,国家采纳众见,决定启动此新世纪标志性文化工程。

清代为我国最后之封建王朝,统治中国二百六十八年之久,距今未远。清代众多之历史和社会问题与今日息息相关。欲知今日中国国情,必当追溯清代之历史,故而编纂一部详细、可信、公允之清代历史实属切要之举。

编史要务,首在采集史料,广搜确证,以为依据。必藉此史料,乃能窥见历史陈迹。故史料为历史研究之基础,研究者必须积累大量史料,勤于梳理,善于分析,去粗取精,去伪存真,由此及彼,由表及里,进行科学之抽象,上升为理性之认识,才能洞察过去,认识历史规律。史料之于历史研究,犹如水之于鱼,空气之于鸟,水涸则鱼逝,气盈则鸟飞。历史科学之辉煌殿堂必须岿然耸立于丰富、确凿、可靠之史料基础上,不能构建于虚无飘渺之中。吾侪于编史之始,即整理、出版《文献丛刊》《档案丛刊》,二者广收各种史料,均为清史编纂工程之重要组成部分,一以供修撰清史之用,提高著作质量;二为抢救、保护、开发清代之文化资源,继承和弘扬历史文化遗产。

清代之史料,具有自身之特点,可以概括为多、乱、散、新四字。

一曰多。我国素称诗书礼义之邦,存世典籍汗牛充栋,尤以清代为盛。盖清代统治较久,文化发达,学士才人,比肩相望,传世之经籍史乘、诸子百家、文字声韵、目录金石、书画艺术、诗文小说,远轶前朝,积贮文献之多,如恒河沙数,不可胜计。昔梁元帝聚书十四万卷于江陵,西魏军攻掠,悉燔于火,人谓丧失天下典籍之半数,是五世纪时中国书籍总数尚不甚多。宋代印刷术推广,载籍日众,至清代而浩如烟海,难窥其涯涘矣。《清史稿艺文志》著录清代书籍九六三三种,人议其疏漏太多。武作成作《清史稿艺文志补编》,增补书一万零四百三十八种,超过原志著录之数。彭国栋亦重修《清史稿艺文志》,著录书一万八千零五十九种。近年王绍曾更求详备,致力十馀年,遍览群籍,手抄目验,成《清史稿艺文志拾遗》,增补书至五万四千八百八十种,超过原志五倍半,此尚非清代存留书之全豹。王绍曾先生言:"余等未见书目尚多,即已见之目,因工作粗疏,未尽钩稽而失之眉睫者,所在多有。"清代书籍总数若干,至今尚未能确知。

清代不仅书籍浩繁,尚有大量政府档案留存于世。中国历朝历代档案已丧失殆尽(除近代考古发掘所得甲骨、简牍外),而清朝中枢机关(内阁、军机处)档案,秘藏内廷,尚称完整。加上地方存留之档案,多达二千万件。档案为历史事件发生过程中形成之文件,出之于当事人亲身经历和直接记录,具有较高之真实性、可靠性。大量档案之留存极大地改善了研究条件,俾历史学家得以运用第一手资料追踪往事,了解历史真相。

二曰乱。清代以前之典籍,经历代学者整理、研究,对其数量、类别、版本、流传、收藏、真伪及价值已有大致了解。清代编纂《四库全书》,大规模清理、甄别存世之古籍。因政治原因,查禁、篡改、销毁所谓"悖逆"、"违碍"书籍,造成文化之浩劫。但此时经师大儒,联袂入馆,勤力校理,尽瘁编务。政府亦投入巨资以修明文治,故所获成果甚丰。对收录之三千多种书籍和未收之六千多种存目书撰写详明精切之提要,撮其内容要旨,述其体例篇章,论其学术是非,叙其版本源流,编成二百卷《四库全书总目》,洵为读书之典要、后学之津梁。乾隆以后,至于清末,文字之狱渐戢,印刷之术益精,故而人竞著述,家娴诗文,各握灵蛇之珠,众怀昆冈之璧,千舸齐发,万木争荣,学风大盛,典籍之积累远迈从前。惟晚清以来,外强侵凌,干戈四起,国家多难,人民离散,未能投入力量对大量新出之典籍再作整理,而政府档案,深藏中秘,更无由一见。故不仅不知存世清代文献档案之总数,即书籍分类如何变通、版本度藏应否标明,加以部居舛误,界划难清,亥豕鲁鱼,订正未遑。大量稿本、抄本、孤本、珍本,土埋尘封,行将渐灭。殿刻本、局刊本、精校本与坊间劣本混淆杂陈。我国自有典籍以来,其繁杂混乱未有甚于清代典籍者矣!

三曰散。清代文献、档案,非常分散,分别度藏于中央与地方各个图书馆、档案馆、博物馆、教学研究机构与私人手中。即以清代中央一级之档案言,除北京第一历史档案馆所藏一千万件以外,尚有一大部分档案在战争时期流离播迁,现存于台湾故宫博物院。此外,尚有藏于沈阳辽宁省档案馆之圣训、玉牒、满文老档、黑图档等,藏于大连市档案馆之内务府档案,藏于江苏泰州市博物馆之题本、奏折、录副奏折。至于清代各地方政府之档案文书,损毁极大,但尚有劫后残馀,璞玉浑金,含章蕴秀,数量颇丰,价值亦高。如河北获鹿县档案、吉林省边务档案、黑龙江将军衙门档案、河南巡抚藩司衙门档案、湖南安化县永历帝与吴三桂档案、四川巴县与南部县档案、浙江安徽江西等省之鱼鳞册、徽州契约文书、内蒙古各盟旗蒙文档案、广东粤海关档案、云南省彝文傣文档案、西藏噶厦政府藏文档案等等分别藏于全国各省市自治区,甚至清代两广总督衙门档案(亦称《叶名琛档案》),英法联军时遭抢掠西运,今藏于英国伦敦。

清代流传下之稿本、抄本,数量丰富,因其从未刻印,弥足珍贵,如曾国藩、李鸿章、翁同龢、盛宣怀、张謇、赵凤昌之家藏资料。至于清代之诗文集、尺牍、家谱、日记、笔记、方志、碑刻等品类繁多,数量浩瀚,北京、上海、南京、广州、天津、武汉及各大学图书馆中,均有不少贮存。丰城之剑气腾霄,合浦之珠光射日,寻访必有所获。最近,余有江南之行,在苏州、常熟两地图书馆、博物馆中,得见所存稿本、抄本之目录,即有数百种之多。

某些书籍,在中国大陆已甚稀少,在海外各国反能见到,如太平天国之文书。当年在太平军区域内,为通行之书籍,太平天国失败后,悉遭清政府查禁焚毁,现在中国,已难见到,而在海外,由于各国外交官、传教士、商人竞相搜求,携赴海外,故今日在外国图书馆中保存之太平天国文书较多。二十世纪内,向达、萧一山、王重民、王庆成诸先生曾在世界各地寻觅太平天国文献,收获甚丰。

四曰新。清代为传统社会向近代社会之过渡阶段,处于中西文化冲突与交融之中,产生一大批内容新颖、形式多样之文化典籍。清朝初年,西方耶稣会传教士来华,携来自然科学、艺术和西方宗教知识。乾隆时编《四库全书》,曾收录欧几里得《几何原本》、利玛窦《乾坤体仪》、熊三拔《泰西水法》、《简平仪说》等书。迄至晚清,中国力图自强,学习西方,翻译各类西方著作,如上海墨海书馆、江南制造局译书馆所译声光化电之书,后严复所译《天演论》、《原富》、《法意》等名著,林纾所译《茶花女遗事》、《黑奴吁天录》等文艺小说。中学西学,摩荡激励,旧学新学,斗妍争胜,知识剧增,推陈出新,晚清典籍多别开生面、石破天惊之论,数千年来所未见,饱学宿儒所不知。突破中国传统之知识框架,书籍之内容、形式,超经史子集之范围,越子曰诗云之牢笼,发生前所未有之革命性变化,出现众多新类目、新体例、新内容。

清朝实现国家之大统一,组成中国之多民族大家庭,出现以满文、蒙古文、藏文、维吾尔文、傣文、彝文书写之文书,构成为清代文献之组成部分,使得清代文献、档案更加丰富,更加充实,更加绚丽多彩。

清代之文献、档案为我国珍贵之历史文化遗产,其数量之庞大、品类之多样、涵盖之宽广、内容之丰富在全世界之文献、档案宝库中实属罕见。正因其具有多、乱、散、新之特点,故必须投入巨大之人力、财力进行搜集、整理、出版。吾侪因编纂清史之需,贾其馀力,整理出版其中一小部分;且欲安装网络,设数据库,运用现代科技手段,进行贮存、检索,以利研究工作。惟清代典籍浩瀚,吾侪汲深绠短,蚁衔蚊负,力薄难任,望洋兴叹,未能做更大规模之工作。观历代文献档案,频遭浩劫,水火兵虫,纷至沓来,古代典籍,百不存五,可为浩叹。切望后来之政府学人重视保护文献档案之工程,投入力量,持续努力,再接再厉,使卷帙常存,瑰宝永驻,中华民族数千年之文献档案得以流传永远,沾溉将来,是所愿也。

黄遵宪全集总目

上 册

下 册

前　言

黄遵宪,字公度,号东海公、法时尚任斋主人、水苍雁红馆主人、布袋和南①、公之它、观日道人、拜鹃人等。清道光二十八年四月二十七日(1848 年 5 月 29 日)出生于广东省嘉应州(今梅州市)攀桂坊。同治十年(1871)岁试第一名补廪膳生,翌年取拔贡生。十二年应乡试,次年赴京应廷试。光绪三年(1877)起历任驻日本使馆参赞官、驻美国旧金山总领事、驻英国使馆参赞、新加坡总领事,奉命办结江南五省教案,与日本交涉苏州开埠事宜,出任湖南长宝盐法道、署湖南按察使,参与湖南维新改革活动。黄遵宪又是清末有成就的诗人。卒于光绪三十一年二月二十三日(1905 年 3 月 28 日)。

一

黄遵宪的生平著述、思想和实践活动对清末的政治思想和历史文化产生过重要的正面影响。

(一) 维护国家主权,保护华侨权益的外交活动

黄遵宪是清末有所作为的外交活动家之一。光绪三年十月二十三日(1877 年 11 月 26 日),黄遵宪随从中国首任驻日本公使何如璋赴日,任使馆参赞官。时值日本明治维新初期,政治已生变化,经济实力增强,吞并琉球之心业已显露。黄遵宪坚决反对日本吞并琉球的图谋,一面协助何如璋向总署陈述保护琉球对于朝鲜和台湾安全的重要性,一面揭露日本阻止琉球对清政府

---

① "布袋和南",许多论著认为是"布袋和尚"之误。据多件黄遵宪手迹清晰不误。"和南"为僧人合掌敬礼之意。

进贡，吞并琉球的企图。他还利用与日本友人的交往，以笔谈形式谴责日本政府吞并琉球"专属鼠偷狗窃之行，可耻孰甚"，表示救援琉球的态度。由于清政府的软弱退让，光绪五年(1879)，琉球终于被日本吞并，并改为冲绳县。

同光之际，俄国侵占中国新疆大片领土的同时，又派兵舰游弋黄海和日本海，由北向南扩张，朝鲜首当其冲。光绪六年(1880)，黄遵宪作《朝鲜策略》，并向朝鲜赴日修信使指出沙俄"欲得志于亚细亚"，为此"必自朝鲜始"，认为"今日之急务，莫急于防俄"，提出朝鲜"防俄之策"则是"亲中国，结日本，联美国，以图自强"，共同抵御沙俄南侵的策略。黄遵宪的主张曾引起朝鲜当局的重视。

黄遵宪还是近代中日两国文化交流和民间交往的推动者。使日期间，他在繁忙的使馆公务之馀，以文人身份，广泛结交日本汉学家，留下了大量笔谈手稿、往来书信、唱和诗词、序跋书评，推介各自国家的历史文化，介绍民情习俗，相互切磋，彼此交流，增进民间学者之间的深厚友谊，无论是在当时还是对后来的中日文化交流都有重要的影响。

光绪八年二月(1882年3月)黄遵宪调任美国旧金山总领事之时，恰逢美国国会通过限制中国移民律例，掀起排华浪潮，阻挠中国人入境，刁难中国学生和商人游客，歧视入境的华人，限制从业华人，制造借口逮捕华人。对此，黄遵宪在任上围绕抵制美国排华，维护华侨华商合法权益事宜，向驻美使臣郑藻如连上数十件禀文，报告交涉情况，阐明自己的外交思想，提出进行此项斗争的主张和方法。在总理衙门的支持下，经过黄遵宪从实际出发，分别情况，据理力争，维护了华侨华商华人的合法权益和尊严，令华侨华人"无不感戴恩泽"。

光绪十六年三月(1890年4月)随驻英公使薛福成抵伦敦任使馆参赞，负责下行文批及例行公牍，并为薛福成拟备与英外交部官员会晤时的问答草稿。

光绪十七年九月(1891年10日)黄遵宪赴新加坡总领事任，详细考察南洋华侨情况，了解到广大华侨拳拳爱国之心，但他们在国外财产难以保护，回国时却受"奸胥劣绅"的"勒索讹诈"，以至诬陷，因而不敢回国。黄遵宪如实上书薛福成报告情况，申述必须"扫除积弊"，公布保护华侨合法权益的新章。光绪十九年八月(1893年9月)，光绪帝谕准华侨归国，严禁骚扰勒索华侨的行为，就是依据黄遵宪考察的情况，采纳了他的建言。因而南洋华侨始终感激和怀念黄遵宪。

甲午中日战争爆发后,黄遵宪从新加坡奉调回国。战后他被委派处理江南五省未结的教案。他坚持原则,区别对待,依法处理,使五省教案在"无赔款、无谢罪、无牵涉正绅、无波及平民"的情况下得以妥善了结。

光绪二十二年三月(1896 年 4 月),黄遵宪作为全权代表与日本驻上海总领事进行苏州开埠谈判。他与对方展开"唇枪舌战",驳斥日方把苏州作为租界的要求,草拟了开辟苏州通商口岸的六条议案,其实质是"施政之权在华官,管理之权在华民"。但在日方的压力下,清政府终于作出妥协,放弃了黄遵宪的六条议案。

黄遵宪为实践"伸自主之权,保公众之益"的外交思想作了力所能及的外交努力,并取得了一定程度的效果。但在当时的历史条件下,外交上的斗争不可能取得完全胜利,这也令黄遵宪感到痛心。甲午战败,《马关条约》签订;八国联军入侵,《辛丑条约》订立,都使黄遵宪悲痛欲绝。

(二) 倡导"我手写我口"的晚清新派诗人

黄遵宪十五六岁"即学为诗",后奔走四方,"虽一行作吏,未遽废"。他生平诗作颇丰,诗词之多达千馀首。使日期间,他广泛搜集和了解日本的历史和现状,写成《日本杂事诗》二百首,以诗歌形式向朝野有识之士介绍日本的历史和明治维新后实行改革的变化。使英期间,公务稍懈,他开始将以往诗作荟萃成编,虽然他四十岁以前所作"多随手散佚",于光绪十七年(1891)辑成《人境庐诗草》四卷,二百馀首。其后又有六卷本,辑诗三百馀首,四卷本有而被删除者九十馀首。光绪二十四年(1898)"放归"祖籍后扩充成十一卷,于其故后宣统三年(1911)在日本印行,收古今体诗六百馀首,而后又有多种印本。1961 年还有《人境庐集外诗辑》面世,其中除四卷本删去的 94 首外,还有其他补辑,共 291 首。本书编辑过程中又补辑一批散佚国内外的诗词曲赋联作品。

黄遵宪自称"吾论诗以言志为体,以感人为用";又说"诗之为道,性情欲厚,根柢欲深。此其事似在诗外,而其实却在诗先"。他倡导"我手写我口"。黄遵宪诗作题材广泛,有众多与中外友好唱和作品,有许多充满爱国激情的佳作,有反映琉球事件、中法战争、甲午中日战争、八国联军侵华等历史事件的诗篇,有记述海外见闻、介绍国外历史文化的诗歌,还有鼓舞斗志、催人进取的"军歌",等等。

善于吸纳民歌内容和采集民歌风格，是黄遵宪诗歌的一个突出特点，其作品《山歌》、《新嫁娘》、《幼稚园上学歌》、《小学校学生相和歌》等均有浓郁的民歌色彩。诚如梁启超所说，"近世诗人，能熔入新思想以入旧风格者，当推黄公度"。胡适认为"黄遵宪是有意作新诗的"。人们称誉黄遵宪是晚清诗界革命的重要人物。

（三）立志变法维新，维护民权

黄遵宪走出国门，目睹明治维新初期的日本社会新貌如同洞见"中华以外天"，视野为之扩大，立志撰写《日本国志》，坚持"详近而略古，详大而略小"，"牵涉西法，尤加详备"的原则，以备"朝廷咨诹询谋"，并于光绪十一年（1885）秋撰成，希冀打破"荒诞"的闭关自守，仿效日本"取法泰西"，"革故鼎新"，相信中国也将"收效无穷"。

甲午战败，《马关条约》的签订给黄遵宪以极大震动，从而逐渐走上变革社会实践的道路，加入强学会，创办《时务报》。光绪二十二年（1896）秋，黄遵宪赴京受光绪帝召见，他在回答光绪帝询问"泰西政治何以胜中国"时，认为"泰西之强，悉由变法"。翌年，黄遵宪奉命赴任湖南长沙长宝盐法道、署湖南按察使。在湘期间，他妥善处理了积压的许多案件，参与湖南维新志士陈宝箴、谭嗣同、唐才常、熊希龄、江标和梁启超等发起的维新活动，设立湖南南学会、保卫局、课吏馆、迁善所、时务学堂、不缠足会等，鼓吹"采西人之政、西人之学，以弥缝我国政学之敝"，使湖南成为戊戌维新运动最活跃的地区，推动全国维新变法运动的发展。黄遵宪的行动受到光绪帝的重视，谕其"迅速来京"，授以三品京堂充任出使日本大臣。黄遵宪因病未及就道北上，滞留上海治病，而北京发生政变，湖南维新活动受挫，维新志士遭受诋毁与打击。光绪二十四年八月二十六日（1898 年 10 月 11 日），黄遵宪拖着憔悴的病体，被"放归"嘉应原籍，终结了政治生涯。

（四）"放归"故里，为教育救中国尽义务

黄遵宪"深知东西诸大国之富强由于兴学，而小学校为尤重"，认定"教育乃救中国之不二法门"。黄遵宪"放归"故里后，屡次拒绝再出山的邀请，致力于发展家乡教育事业。光绪二十九年（1903），他联络一批嘉应地方文人，设立嘉应兴学会议所，亲任所长。次年把东山书院改为师范学堂，计划一年免费培养师范生二百人左右，以发展小学教育。他还派人赴日本弘文学院师范速成班学习,培训师范学堂师资。黄遵宪还要求各乡村成立兴学公所,开展调查适龄幼童工作,选好校所,扩大入学人数。他设想:偏僻闭塞条件困难的村邑,可采取开设讲习会方式,仿专科学校,分科肄业,实现速成教育。

黄遵宪临终前在致梁启超讨论生死观问题的信中说:"余之生死观略异于公,谓一死则泯然灭耳。然一息尚存,尚有生人应尽之义务,……无辟死之法,而有不虚生之责。"这段话语可谓是黄遵宪对自己生命价值的归结。

二

黄遵宪生平著述颇丰。他生前行世的有《日本杂事诗》和《日本国志》,亲自定稿的《人境庐诗草》在他逝世后屡次刊印,后有钱仲联先生的《人境庐诗草笺注》出版。20世纪50年代后《人境庐集外诗辑》和新加坡郑子瑜、日本实藤惠秀编校的《黄遵宪与日本友人笔谈遗稿》先后面世,近年还有郑海麟、张伟雄的《黄遵宪文集》(日本版)和吴振清等的《黄遵宪集》出版。一些书刊也陆续刊发一批黄遵宪的作品。这些出版物为黄遵宪研究提供了许多重要资料和方便。但是还有相当数量的黄遵宪著述分散在国内外,尚未搜集整理出版,还没有一部内容比较完备的黄遵宪著作集。

20世纪80年代伊始,编者在老一辈学者的鼓励下,便着手广泛搜集国内外黄遵宪的著述,以编辑出版一部内容比较完备的黄遵宪著作集,全面、系统地反映黄遵宪的生平思想和实践活动为目标,以满足深入了解和研究黄遵宪的需要,历时二十馀年,其间90年代一度中断,2004年复始,终于编竣《黄遵宪全集》。《黄遵宪全集》在以下几方面作些努力,具有若干特点。

(一) 内容丰富,收文较全

经过二十多年的努力,从北京、天津、苏州、上海、嘉兴、杭州、广州、梅州和香港地区,日本、韩国、新加坡等各级图书馆、博物馆、档案馆、纪念馆、图书报刊,以及私人手中搜集到各类黄遵宪的著述一百五十万字左右。全书分为诗词、文录、函电、公牍、笔谈和专著六编,成为迄今为止第一部收入作品最多的黄遵宪著作集。其中诗词编,除收入集主生前定稿的《日本杂事诗》和《人境庐诗草》外,还有《人境庐诗辑补》,其内容既包括后人整理出版的《人境庐集外诗辑》的诗,也包括一批新搜集到的散佚诗词,全集总计汇集诗篇一千一百三十馀首。此外,《人境庐词曲赋联》部分辑录词作十馀首,其中若干首系首次披露,还有一批曲赋和联语。

文录编共收集主论述和短篇文章五十五篇,其中有《朝鲜策略》《南学会第一、二次讲义》,有为国内外特别是日本学者的著作撰写的序跋和评论,还有寿序、传略和碑铭等。

黄遵宪调任驻美国旧金山总领事和驻新加坡时期有一批禀文,反映了他维护华侨华人合法权益的努力和外交方面的思想;他奉命任湖南长宝盐法道、署湖南按察使期间的批札、告示、章程等,记录着他维护人身权利,参与维新改革的实践,以及其他方面的公牍,均编入全集的公牍编,共计六十馀件。

黄遵宪与国内外友好有众多书信往来,散佚国内外,其数量难以准确估计,以往先后发表了数十封到百封,而本集函电编所收书信和电文二百二十馀封,增加一倍多。其中第一次收集到多封黄遵宪致李鸿章、张之洞、刘坤一和陈宝箴的电报。这批函电是研究黄遵宪的珍贵资料。

黄遵宪任驻日使馆参赞官的几年里,在繁忙的日常公务之馀,还经常与非官方的日本朋友交往,交流中日两国的历史和文化。他和使馆的同事们克服了语言障碍,频繁与日本汉学家采用书写汉字的方式进行交谈。至今在日本还珍藏有大量一百多年前黄遵宪等与日本友人笔谈手稿,笔谈的内容广泛,这无疑对研究黄遵宪和中日两国文化交流史具有重要的史料价值。本集第五编笔谈,共收入黄遵宪与日本友人大河内辉声、宫岛诚一郎、冈千仞和增田贡等笔谈四种,其中后三种系首次经整理后收入本集。本编还收录了光绪六年(1880)黄遵宪在日本与朝鲜赴日本修信使金宏集的三次笔谈。

全集第六编是专著《日本国志》,这是经过新式分段标点的简化字横排本。《日本国志》是黄遵宪使日期间在广泛收集日本历史和现状资料的基础上经十多年编纂而成的志书,全面、系统记述日本的历史,特别着重介绍日本转向学习西方资本主义国家做法,实行明治维新,进行政治、经济、军事、思想、文化方面的革新,国家由弱变强的现状,寄托着作者希望中国朝野上下仿效日本,学习西法,实行维新改革,实现富国强兵的理想。

(二)重视著作底本选择,增强可信度

黄遵宪生平著作,既有已刊作品,也有大量未刊著述。已刊作品中还有集主生前刊印或定稿与其去世后由他人整理发表之别。已经印行的著作还存在不同版本。至于经后人发表的作品与手稿之间差异的现象则比较常见。本集在收录著作力求齐全的同时,也在所据著作底本选择方面做出努力,尽可能采用可信度较高的底本。

《日本杂事诗》有多种版本,本集采用的是黄遵宪生前的定本,即光绪二十四年(1898)长沙富文堂重刊本;《人境庐诗草》则用作者生前的定稿,即辛亥年(1911)初印十一卷本。《日本国志》是以光绪二十四年(1898)上海图书集成印书局印本为底本加以新式标点分段。

黄遵宪逝世百年来,特别是20世纪80年代以来发表了一批黄遵宪的未刊著述,颇有价值。本集在收录同类著述时,如手稿存世,则尽可能追寻原件,采用手稿作底本,纠正第二手资料的失误。例如:上郑钦使禀文是以梅县档案馆馆藏的原稿作底本。本集所收的许多书信,无论是早已抄录还是新近补辑的,凡有条件的均以手稿为依据。无手稿可寻的作品也尽量查找最先刊载的原文,减少转载过程中发生的脱误。例如收入本集的第一封信,即1873年致周郎山论诗函所据为《岭南学报》所发表的黄遵宪遗稿全文,内容比较后来各版本所辑的完整。以往所见《时务报告白》均是摘要,本集所据则是《申报》发表的全文。《与日本友人大河内辉声等笔谈》则采用经编校者提供的《黄遵宪与日本友人笔谈遗稿》1992年的最新改定稿,该稿对原版本做了些补充改正。

(三)关于收入著作的整理工作

本集在收入的著作整理、考订、注释等方面做了许多工作。

首先是整理与点校。全书均进行新式标点分段,其中《日本国志》是首次进行标点整理,内容涉及整个日本古今历史,标点的难度较大。黄遵宪与日本友人宫岛诚一郎、冈千仞和增田贡笔谈是第一次根据日本收藏的笔谈原稿及日方笔谈人当时的部分抄写稿进行整理编辑而成。

第二是写作时间考订。本集采用分类(即分编)、各类(编)内按著作时间先后编排。但黄遵宪的大量书信和其他著述没有署明具体的写作时间。编者根据著作的内容或相关史事等加以考订,大多数作品已推断出写作的时间,大体上做到按时间先后编次。有关时间考订的主要依据则在题注中做出简要说明。

第三是校勘工作。黄遵宪的著作已经刊布于世的有些也存在不同版本,其中既有详略不同,也有文字歧异。本集也做了一些校勘工作。例如:黄遵宪致梁启超书信有的已在梁启超主办的《新民丛报》发表,经与手稿比较,当时发表的多为节略。又如黄遵宪与宫岛诚一郎等笔谈手稿与宫岛抄写本之间也有所不同。再如近年新编黄遵宪文集的一些文字与手稿或早年刊本之间也有所不同。本集对其部分择要加以校注说明。

第四是增加注释。本集除上述题注和校注外，还有一些编者酌加的注释，其内容包括文字衍误疑问、历史背景情况、重要人物简介等。此外，根据"笔谈"部分的特殊情况，四种与日本友人笔谈前另加"编辑整理说明"。

总而言之，《黄遵宪全集》大体上达到收文较多、内容丰富的预期目标，也做了多方面的整理工作。但本集还存许多不足之处，如黄遵宪长期任驻外公职，已从日本搜集到了较多著述，但还有不少资料有待深入整理；美国、英国和新加坡方面的有关资料也有待挖掘。国内也有些已知的资料线索尚未得到，难免还有许多遗漏。已收入的著作，也有一些未能寻找到更好的底本；整理工作、特别是标点和考订方面的舛误更是难免，诸多缺点和遗憾均期待专家学者指教。

三

《黄遵宪全集》从开始编辑到编竣出版的二十多年里，得到海内外许多学者和团体单位的热情支持、帮助与合作。本集吸纳了许多学者长期以来搜集、整理、积累的黄遵宪著作成果，多位学者为编辑本书给予合作，做出贡献。从这个意义上讲，本书做的是集大成的工作。

方行先生从 20 世纪五六十年代起就开始收集黄遵宪著作，拟编"黄公度集"，后因故中止。80 年代初，因本职工作关系，编者曾约请他编辑黄遵宪集，但他公务忙碌，无暇顾及，便将已有的部分资料提供本集编者采用，鼓励编者做此工作。

汤志钧先生始终关注本集编辑工作，提供了有关资料，考订过一些著作的写作时间。

新加坡学者郑子瑜先生从 20 世纪 80 年代初以来，向编者提供了他与日本实藤惠秀先生编校的《黄遵宪与日本友人笔谈遗稿》的最新改订稿并为其加注，以及其他著作。

陈捷女士承担了本书第五编中的黄遵宪《与日本友人宫岛诚一郎等笔

谈》、《与日本友人冈千仞等笔谈》和《与日本友人增田贡等笔谈》以及部分书信和序跋等的收集和整理工作。

陈左高先生在 80 年代为本书所收《日本国志》进行了第一遍标点，后经其他先生反复校订。

杨天石先生长期致力于黄遵宪研究和资料收集工作，无保留地向编者提供有关资料。郑海麟先生应允利用他所搜集整理的黄遵宪著作。孔祥吉先生将有关资料提供本书使用。

本书采用或参考了前辈学者的有关成果，其中主要有：钱仲联先生的《人境庐诗草笺注》及《人境庐文钞》等，高崇信、尤炳圻合校的《人境庐诗草》，北京大学中文系近代诗研究小组编辑的《人境庐集外诗辑》，钟叔河先生的《日本杂事诗广注》和吴天任的《清黄公度先生遵宪年谱》等，特此说明，并表谢忱。

为本集提供黄遵宪资料的国内外主要单位有：中国国家图书馆、首都博物馆、北京大学图书馆、中国社会科学院近代史研究所图书馆、中国科学院图书馆、南开大学图书馆、上海图书馆、华东师范大学图书馆、浙江图书馆、杭州市图书馆、嘉兴博物馆、广州市图书馆、梅州市梅县档案馆、梅州市黄遵宪故居纪念馆、日本早稻田大学图书馆、日本国会图书馆、日本东京都立中央图书馆、日本善邻书院中国语学校等，在此深表谢意。

还要衷心感谢以各种方式关心、支持和帮助本书编辑出版工作的有关人士。他们是：龚书铎、李希泌、袁英光、王汝丰、王晓秋、黄爱平、梁通（怡然）、管林、李吉奎、汪叔子、张求全、姜义华、谢俊美、张永芳、盛邦和、李玲、陈伟桐、夏晓虹、赵慎修、钟贤培、刘雨珍、吴振清、杨冀岳、刘高等，日本善邻书院院长、宫岛诚一郎先生曾孙宫岛吉亮先生，中华书局李侃、刘德麟、何双生、吴杰、陈东林、李岩、熊国祯、沈锡麟、沈致金、冯宝志、余喆、刘尚荣先生等和付出辛勤劳动的刘德麟编审协助审阅了大部分编成稿并提出了很好的改正意见。

感谢知名的前辈学者饶宗颐（选堂）先生为本集题写书名。

本书的编辑出版得到国家清史编纂委员会的资助，特表谢忱。

编　者
二〇〇五年元月

编 辑 说 明

一、本书搜集黄遵宪著作力求完备。全书共收录集主著作150万字,分为诗词、文录、函电、公牍、笔谈和专著六编。分别收录:诗1135首(长诗作为一首计,而不按段落计)、词11首、曲赋2首、联语19对;文录55篇;函电226通;公牍64件;笔谈5种;专著为《日本国志》。书前有图16张;书后附录黄遵宪传记资料选辑5种。

二、本书所收著作的底本选择:凡有作者手稿可寻的,尽量以手稿为依据;已刊著作采用作者生前的定本为底本;有不同版本的著述,择善而从,尽量采用第一手资料。本书所收著作均注明所据底本、出处。

三、本书部分著述有编者加的题注(加"＊")和页末注(加序号)。题注主要说明该件有关情况、写作时间考订;注文内容或指出底本的文字舛误衍脱,或不同版本比校,或史事及人物简介等。

四、本书各编内的收文大体上按写作或发表的时间先后编次;原件未署日期的,则据编者考订的时间编排;有年、月而无法确定日的,排在该月末;只能确定年份的,排于该年末;只可推定其写作时间段的,则置于该时段末。

五、本书第一编所收诗词共为四部分:

《日本杂事诗》:以黄遵宪的定稿本,即光绪二十四年(1898年)长沙富文堂重刊本为底本(据中国科学院图书馆藏1957年赖伯陶抄本),参考了钟叔河先生的《日本杂事诗广注》。

《人境庐诗草》:据刻本,参照钱仲联先生的《人境庐诗草笺注》(上海人民出版社1981年版)本,原诗夹注从页末注移至正文,长诗分段有所归并,每首诗加编序号。整理时参考了高崇信、尤炳圻校点的《人境庐诗草》(1930年版）。

《人境庐诗辑补》：这是以上两种诗集外的诗补辑，采用了北京大学中文系近代诗研究小组编的《人境庐集外诗辑》（中华书局 1960 年版）所辑诗作，收入时不一一注明出处；此外还增辑了一批散佚国内外的诗作，在题注中说明出处。

《人境庐词曲赋联》。

六、本书第二编文录，包括演讲、论说、序跋、书评、题词、碑铭等短篇著述，一律按时间先后排列。

七、第三编收录的二百多封函电，多数是以珍藏于国内外的手稿为底本，有半数以上是首次结集发表。函电标题均由编者重拟。

八、第四编所收公牍，主要是黄遵宪先后出任美国旧金山和新加坡总领事，以及湖南长宝盐法道、署湖南按察使任内的文书。其中《上郑钦使（藻如）禀文》是以梅县档案馆藏手稿为底本，文字与已刊印本有所出入。湖南按察使任内的札文和湖南南学会等文件，录自《湘报》，所标时间多系《湘报》出版日期。

九、受语言局限，黄遵宪任驻日使馆参赞官期间，与通晓汉学的日本友人交往时采用书写汉字交谈方式，留下了大量笔谈手稿，内容广泛而生动。这是研究黄遵宪著述的重要组成部分，本书把它辑入第五编。该编收入以下五种笔谈：

《与日本友人大河内辉声等笔谈》：1968 年郑子瑜、实藤惠秀先生编校出版了《黄遵宪与日本友人笔谈遗稿》（早稻田大学东洋文学研究会出版）。20世纪 80 年代，承蒙两先生惠赐该书，并应允将该书编入《黄遵宪全集》，郑先生特为此书进行改订，并于 1992 年 5 月批示本集编者："这是最新改订本，编黄集时请以此为依据。"本集所收该篇笔谈即以此为底本，并摘要增加了一些郑先生、实藤先生等所写的注释（主要是笔谈中涉及日本方面的历史人物简介）。

《与日本友人宫岛诚一郎等笔谈》、《与日本友人冈千仞等笔谈》和《与日本友人增田贡等笔谈》，是根据保存于日本的笔谈原稿整理首次发表的。整理方法请参见各自笔谈的"编者整理说明"。

《与朝鲜修信使金宏集笔谈》：金宏集本为金弘集（避清高宗讳改"弘"为"宏"），是朝鲜派往日本的"修信使"，黄遵宪等与他会见，进行笔谈，发表政见，递交《朝鲜策略》。本书所收笔谈是以金宏集《修信使日记》所记为底本。

十、本书第六编所收专著即《日本国志》,以光绪二十四年(1898年)上海图书集成印书局印本为底本,经新式标点分段,并改为简体字横排版。《日本国志》涉及日本国的历史、政治、财经、地理、典章、官制、人物众多,受编者知识限制,遗留若干处尚未点断,已标点的错误难免,有祈指正。

十一、本书收录的笔谈手稿中保存若干黄遵宪致友人的书信,以及唱和诗词联语等,对此采取以下做法:(1)与笔谈内容无关的,予以抽出,分别编入相关编中;(2)如将其抽出后不影响阅读笔谈的,亦予抽出,编入相关的编中;(3)抽出后影响笔谈的连贯性和阅读的,则保留原处,仅在相关编的相应处列出标题,并注明全文见本集某部分,以免两处重复。

十二、本书收文各篇或节的标题下括号内中西历对照的写作时间,系编者所加。《日本国志》卷首《中东年表》内各年所注公元年份,亦系编者所加。

上 册 目 录

第一编 诗 词

第二编　文　录

第三编　函　电

第四编　公　牍

第五编 笔 谈

第一编

诗词

日本杂事诗 二〇〇首

洪 士 伟 序

（光绪五年 1879年）

公度先生,岭南名下士也,情挚而品端,才赡而学博。己卯之岁,吾友王君紫诠广文为东洋之游。王君向固与予结文字之缘而敦苔岑之契者,即抵东洋,获晤先生,谈及贱名,过蒙推许。先生谬采虚声,远通尺素,并示以所著《日本杂事诗》二卷,云将付梓。回环雒诵,恍觉身到扶桑旸谷之区,遍历三山,得以览其名胜,阅其形势,而备知其国政土风也。

因思诗歌之作,代有传人。古者辖轩所采,太史所陈,类皆藉以验风俗之盛衰,考政事之得失。自时厥后,竞尚辞华,冀追风雅,组织愈工,意旨愈晦。非不标新竞秀,各自名家;然求其指事敷陈,足资考证,不失古人遗意,往往罕觏焉。盖诗自三百篇后,分门别类,体制迥殊。河梁赠答,不可施于庙堂;温李新声,难以用诸咏古。登临则宜李杜,风月则宜王孟,属辞比事则宜元白,岩栖谷饮则宜陶韦,随园前辈早已言之。故即有沈博绝丽之才,精微独造之诣,亦难别分流派,独倡宗风。然叙事则取其详,摛辞则取其洁,寓褒讥于温柔敦厚,蕴经济于诡侇新奇。俾诵之者如听邹衍之谈天,如睹伏波之聚米,则真所谓扫除绮习,空所依傍者矣。

先生以南国之隽才,作东瀛之参赞。时当中外通好,遣使往来。朝廷念日本与边境毗连,华人多往贸易,声灵久播,用切怀柔,特简何子峩侍读持节往临,而以张鲁生太守副之。先生志在匡时,娴于外事,遂以入幕之郗超,为乘风之宗悫,资其硕画,睦彼邻邦。先生于遄征之际,览其山川,询其民物,溯其肇造之始,悉其沿革之由。耳有所闻,鲜更可数;目有所见,犀照无遗。爰于公馀,编为韵语。又虑略而不详,阅多费解,特变诗人之例,为史氏之书。事纪以诗,诗详以注。夫古人著作,类多有所感触,忧愤抑郁,爰寄诸长言咏叹之中。先生负有为之才,值可为之地,有所展布,自足以扶时局而建殊勋,固非古人所可同语也。兹托诗歌以资海外掌故,殆思之深而虑之远乎! 方今海宇宴安,远人麇至,边陲藩服,气象顿殊,则诹远情、师长技,必将月异而岁不同。若复拘文牵义,守故蹈常,安能远抚长驾,使幽暗之乡,荒徼之域,同效壤奠,共乐升平欤? 先生之成此,若谓提唱风雅,鼓吹休明,俾椎跣之伦,潜移默化,成为风俗,于以乐同文之治,而输效顺之诚,抑亦意中事也。他日撑犁知戴,海波不扬,棻木译歌,塞风永靖,则归义之章,奉圣之乐,非先生其孰能图王会而耀册府也哉!

光绪五年春王正月　乡愚弟洪士伟拜序

王　韬　序

（光绪六年　1880 年）

海外诸邦,与我国通问最早者,莫如日本。秦汉间方士,恒谓海上有三神山,可望而不可即;而徐福竟得先至其境,宜乎后来接踵往者众矣,然卒不一闻也。隋唐之际,彼国人士往来中土者,率学成艺精而后去。奇编异帙,不惜重价购求。我之所无,往往为彼之所有。明代通商以来,往者皆贾人子,硕望名流从未一至。彼中书籍,谈我国之土风、俗尚、物产、民情、山川之诡异、政事之沿革,有如烛照犀燃。而我中国文士所撰述,上自正史,下至稗官,往往语焉而不详,袭谬承讹,未衷诸实,窃叹好事者之难其人也。

咸丰年间,日本定与美利坚国通商,泰西诸邦先后麇至。不数年而日人崇尚西学,仿效西法,卒然一变其积习。我中朝素为同文之国,且相距非遥,商贾之操贸迁术前往者,实繁有徒。卫商睦邻,宜简重臣,用以熟刺外情,宣扬国威。于是何子峨侍讲、张鲁生太守实膺是任,而黄君公度参赞帷幄焉。公度,岭南名下士也,今丰顺丁公尤器重之,亟欲延致幕府。而君时公车北上,以此相左。既副皇华之选,日本人士耳其名,仰之如泰山北斗,执贽求见者户外屦满。而君为之提唱风雅,于所呈诗文,率悉心指其疵谬所在。每一篇出,群奉为金科玉律,此日本开国以来所未有也。

日本文教之开,已千有馀年。而文章学问之盛,于今为烈,又得公度以振兴之,此千载一时也。虽然,此特公度之馀事耳。方今外交日广,时变益亟,几于玉帛兵戎,介乎两境。使臣持节万里之外,便宜行事,宜乎高下从心。而刚则失邻欢,柔则亵国体,所谓折冲于樽俎之间,战胜于坛坫之上者,岂易言哉!今公度出其嘉猷硕画,以佐两星使于遗大投艰之中,而有雍容揖让之休,其风度端凝,洵乎不可及也。又以政事之暇,问俗采风,著《日本杂事诗》二卷,都一百五十四首。叙述风土,纪载方言,错综事迹,感慨古今;或一诗但纪一事,或数事合为一诗,皆足以资考证。大抵意主纪事,不在修词,其间寓劝惩,明美刺,存微恉;而采据浩博,搜辑详明,方诸古人,实未多让。如阮阅之知彬州,曾极之宦金陵,许尚之居华亭,信孺之官南海,皆以一方事实,托诸咏吟。顾体例虽同,而意趣则异。此则扬子云之所未详,周孝侯之所未纪。奇搜《山海》以外,事系秦汉而还。仙岛神洲,多编日记;殊方异俗,咸入风谣。举凡胜迹之显湮,人事之变易,物类之美恶,岁时之送迎,亦并纤悉靡遗焉,洵足为巨观矣。

余去岁闰三月,以养疴馀闲,旅居江户,遂得识君于节署。嗣后联诗别墅,画壁旗亭,停车探忍冈之花,泛舟捉墨川之月,游屐追陪,殆无虚日。君与余相交虽新,而相知有素,三日不见,则折简来招。每酒酣耳热谈天下事,长沙太息无此精详,同甫激昂逊兹沉痛,洵当今不易才也。余每参一议,君亦为首肯。逮余将行,出示此书,读未终篇,击节者再。此必传之作也,亟宜早付手民,俾斯世得以先睹为快。因请于公度,即以余处活字板排印,公度许之,遂携以归。旋闻是书已刻于京师译馆,洵乎有用之书,为众目所共睹也。排印既竟,即书其端。若作弁言,则我岂敢。

光绪六年二月朔日　遯窟老民王韬拜手撰

自　序

(光绪十一年十月　1885 年 11 月)

此篇草创于戊寅之秋,脱稿于己卯之春。日本名宿若重野成斋安绎、冈鹿门千仞、青山铁枪延寿、蒲生子闇重章诸君子皆手加评校,丹黄烂然,溢于简端。余为之易稿者四。缮录既毕,上之译署。译署以聚珍版印之。其后香港循环报馆、日本凤文书坊又各缩为巾箱本。东人喜读中人之诗,中人又喜闻东国之事,一时风行,遐迩流布。余在外九年,友朋贻书询外事者,邮筒络绎。余倦于酬答,辄以此卷应之。

家大人服官粤西,同寮中亦多求索者。顾所印之本,均系活字版,购之书肆,不可复得。乙酉春仲,家大人榷税梧州,乃以译署本召募手民,付之剞劂。余从二万里外来梧省亲,适睹其成。

窃自念古今著述无虑千百家,今人皆不及古人,独于纪述外国之书,则世愈近者书愈佳。盖古人多传闻疑似之词,而今则舟车所通,足迹所至,得亲读其书,与其国士大夫互相质难,以求其是,所凭藉者不同故也。虽然,今之地球万国,风气日开,闻见日广,今日所诧为新奇奥僻者,安知更历数十年不又视为故常,斥为浅陋乎? 则是篇也,谓之为椎轮可也,谓之为刍狗亦可也。

光绪十一年十月　公度黄遵宪自叙于梧州榷舍

自　序

（光绪十六年七月　1890 年 8 月）

余于丁丑之冬,奉使随槎。既居东二年,稍与其士大夫游,读其书,习其事。拟草《日本国志》一书,网罗旧闻,参考新政。辄取其杂事,衍为小注,弗之以诗,即今所行《杂事诗》是也。时值明治维新之始,百度草创,规模尚未大定。论者或谓日本外强中干,张脉偾兴,如郑之驷;又或谓以小生巨,遂霸天下,如宋之鹏,纷纭无定论。余所交多旧学家,微言刺讥,咨嗟太息,充溢于吾耳。虽自守居国不非大夫之义,而新旧同异之见,时露于诗中。及阅历日深,闻见日拓,颇悉穷变通久之理;乃信其改从西法,革故取新,卓然能自树立。故所作《日本国志》序论,往往与诗意相乖背。久而游美洲,见欧人,其政治学术,竟与日本无大异。今年日本已开议院矣,进步之速,为古今万国所未有。时与彼国穹官硕学言及东事,辄敛手推服无异辞。使事多暇,偶翻旧编,颇悔少作,点窜增损,时有改正,共得诗数十首;其不及改者,亦姑仍之。嗟夫! 中国士夫,闻见狭陋,于外事向不措意。今既闻之矣,既见之矣,犹复缘饰古义,足已自封,且疑且信;逮穷年累月,深稽博考,然后乃晓然于是非得失之宜,长短取舍之要,余滋愧矣! 况于鼓掌谈瀛,虚无缥渺,望之如海上三山,可望而不可即者乎! 又况于排斥谈天,诋为不经,屏诸六合之外,谓当存而不论,论而不议者乎！觇国岂易言耶！稿既编定,附识数语,以志吾过。

光绪十六年七月　黄遵宪自序于英伦使馆

后　记

（光绪五年三月　1879年4月）

此诗征引日本书籍,不能不仍用其年号。《日本史》,中土少传本,惟近世李氏申耆《纪元篇》、林乐知《四裔年表》,虽偶有误,尚可考其世也。余别作《中东年表》,附《日本志》。诗中所有年号、世系,今不复详注。

光绪龙飞纪元五年春三月　遵宪自识

后　记

（光绪二十四年四月　1898年5月）

此诗光绪己卯上之译署,译署以同文馆聚珍板行之。继而香港循环报馆、日本凤文书坊,又复印行。继而中华印务局、日本东西京书肆,复争行翻刻,且有附以伊吕波及甲乙丙等字,衍为注释,以分句读者。乙酉之秋,余归自美国,家大人方榷税梧州,同僚索取者多,又重刻焉。丁酉八月,余权臬长沙,见有悬标卖诗者,询之又一刻本。今此本为第九次刊印矣。此乃定稿,有续刻者,当依此为据,其他皆拉杂摧烧之可也。

戊戌四月　公度又识

卷　一

一

立国扶桑近日边,外称帝国内称天。

纵横八十三州地,上下二千五百年。

日本国,起北纬线三十一度,止四十五度;起偏东经线十三度,止二十九度。地势狭长,以英吉利里数计之,有十五万六千六百零四方里。全国濒海,分四大岛、九道、八十三国,户八百万。口男女共三千三百万有奇。一姓相承,自神武纪元至今岁己卯明治十二年,为二千五百三十九年。内称曰天皇,外称曰帝国。隋时,推古帝上炀帝书,自名"日出处天子"。余此诗采摭诸书,曰皇曰帝,悉从旧称,用《公羊传》"名从主人"之例也。

二

泰初一柱立天琼,岳降真形地始成。

西有和华东诺册,一夸手造一胎生。

纪神武以前事为《神代史》,曰:开辟之初,有国常立尊,为独化之神。七传至伊弉诺尊、伊弉册尊,为耦生之神。二尊以天琼矛下探沧溟,锋镝凝结成磁驭卢岛,名为国柱。因下居,成夫妇。先以淡路洲为胞,钟灵孕祥,乃生八大洲,馀岛则矛头滴潮濡沫所凝者。泰西人有《创世记》,称耶和华手造天地万物,七日而成,同一奇谭。

三

荡荡诸尊走百灵,荒唐古史过山经。

海神长女生鹣羽,天祖初皇法脊令。

《神代史》又言:伊弉诺尊、伊弉册尊见脊令相交,始知交婚,是为初皇。又曰:琼琼杵尊有山幸,与兄火阑易海幸,后失于海。兄索之急,乃自投海中。海神妻以长女,复得海幸,获潮满琼、潮涸琼二宝。神女有孕,告琼琼杵尊:生子勿往视。不听,窃窥之,有卧龙盘儿,惊跃入海。产室葺以鹣羽、茅草,未及覆甍,故号为鹣鹕草葺不合尊。尊生神武。

四

蓁云挥剑日挥戈,屡逐虾夷奏凯歌。

西讨东征今北伐,古来土著既无多。

日本土人即虾夷,盖如台湾之生番,蠢蠢如豕鹿,声音状貌皆少异日本,称为"毛人",亦呼为倭奴。古所谓长须国者也。日本开国在日向、大隅,自西而东,盖逐虾夷而居之。神武、崇神、武尊、神功,皆力征经营,中叶专设征夷大将军以为镇抚。唐时,陆奥一道犹尽属虾夷。近三百年,聚于奥北一岛,有口虾夷、奥虾夷之称。维新后,置北海道,设官开拓,闻其种类只存数千云。神武初,起师征夷,曰:"吾日神之孙,而向日征虏,逆天道矣,不如随影讨之。"蓁云剑,武尊征夷之剑也。

五

避秦男女渡三千，海外蓬瀛别有天。

镜玺永传笠缝殿，倘疑世系出神仙。

崇神立国始有规模，史称之曰御肇国天皇，即位当汉孝武天汉四年，计徐福东渡既及百年矣。日本传国重器三：曰剑，曰镜，曰玺，皆秦制也。臣，曰命，曰大夫，曰将军，皆周秦制也。自称曰神国，立教首重敬神。国之大事，莫先于祭。有罪则诵禊词以自洗濯，又方士之术也。当时主政者，非其子孙，殆其徒党欤？《三国志》、《后汉书》既载求仙东来事，必建武通使时使臣自言。今纪伊国有徐福祠，熊野山亦有徐福墓，其明征也。至史称开国为神武天皇，考神武至崇神，中更九代，无一事足纪，神武其亦追王之词乎？总之，今日本人实与我同种。彼土相传本如此。宽文中作《日本通鉴》，以谓周吴泰伯后。源光国驳之曰："谓泰伯后，是以我为附庸国也。"遂削之。至赖襄作《日本政纪》，并秦人徐福来，亦屏而不书。是皆儒者拘墟之见，非史家纪实之词、阙疑之例也。

六

剑光重拂镜新磨，六百年来返太阿。

方戴上枝归一日，纷纷民又唱共和。

中古之时，明君良相，史不绝书。外戚颛政，霸者迭兴。源、平以还，如周之东君，拥虚位而已。明治元年，德川氏废，王政始复古，伟矣哉，中兴之功也！而近来西学大行，乃有倡美利坚合众国民权自由之说者。

《山海经·海外东经》："旸谷上有扶桑，十日所浴，在黑齿北，居水中，有大木，九日居下枝，一日居上枝。"日本称君为日，如大日灵贵，饶速日命皆是。

七

呼天不见群龙首，动地齐闻万马嘶。

甫变世官封建制，竞标名字党人碑。①

明治二年三月，初改府、藩、县合一之制，以旧藩主充知事。而萨、长、肥、土旋上表请还版图。至三年七月，竟废藩为县。各藩士族亦还禄秩，遂有创设议院之请。而藩士东西奔走，各树党羽，曰自由党，曰共和党，曰立宪党，曰改进党，纷然竞起矣。

---

　　① 光绪十一年十月(1885 年 11 月)广西梧州高博厚堂重刊本(以下简称"梧州本")无此首，长沙定稿本新增。

八

狐箭牛枢善愚民，百济新罗悉主臣。
腰石手弓亲入阵，浪传女国出神人。

日本取法汉制，皆由百济、新罗来。神功皇后始通二国。后《魏志》、《汉书》所谓卑弥呼，封亲魏倭王者也。史言：仲哀讨熊袭，有神告后宜先征新罗。弗从，崩。后摄位，遂发师西征。航海，祝曰："吾奉天神言，越海远征，苟捷有功，则波臣当手梳吾发，分为二。"浴于海，如其言。遂结两髻如男子，亲执巨弩。时后有娠十月矣，复取石挟腰，祝曰："凯旋生于兹。"至新罗，新罗主面缚降，封府库、收图籍而还，十四月乃生应神。是皆神道设教以愚黔首者。志书谓"以妖惑众，侍婢千馀人不见其面"，胥由此也。然新罗、百济、高丽遂称西藩。旋遣使通魏，史书竟称为女王国。至郭璞注《海经》，犹称"倭在带方东，以女为王"。易世称其人，皆以女系国，功可谓神也已。日本今古英雄，推丰臣秀吉。余谓使黑面小猴见此老妇，必当慑伏不敢动耳。

九

女王制册封亲魏，天使威仪拜大唐。
一自覆舟平户后，有人裂诏毁冠裳。

日本典章文物，大半仿唐。当时瞻仰中华，如在天上，遣唐之使，相望于道。唐乱使绝，高行云游之僧，尚时通殷勤。唐宋间，亦遣使答之。元祖肆其雄心，欲抚有两国。范文虎帅舟师十万，遇飓舟覆，归者三人。以元之雄武，灭国五十，风起涛作，不克奏肤功，天为之也。然至是，日人有轻我之心矣。明中叶时，萨摩无赖，寇我沿海。及丰臣秀吉攻朝鲜，八道瓦解。明误听奸民沈惟敬言，议和而授封。使者赍诏至，秀吉初甚喜，戴冕披绯衣以待。及宣诏至"封尔为日本王"，秀吉遽起，脱冕抛之地，且裂书怒骂曰："我欲王则王，何受髯虏之封！且吾而为王，若王室何？"复议再征高丽。日本人每讳言贡我；而明人好自夸大，视之若属国。吾谓"倭奴国王"之印，"亲魏倭王"之敕，见于《三国志》、《后汉书》。《北史》云："其后并受中国爵命，江左历晋、宋、齐、梁、朝聘不绝"云。其时，壤地褊小，慕汉大，受封，此不必讳也。至隋帝之书曰"皇帝问倭皇好"，既邻国之辞矣。唐宋通好，来而不往，偶一遣使赍书，或因议礼不就而去，以小事大则有之，以臣事君则未也。至明成祖树碑寿安镇国之山，封足利义满为王，而不知乃其将军。虽义满称臣纳贡，然未有代德而有二王，于日本则为僭窃。神宗封秀吉，诏书至，为毁裂，此又何足夸哉！

一〇

载书新付大司藏,银汉星槎夜有光。

五色天章云灿烂,争夸皇帝问倭皇。

我朝龙兴辽沈,声威所至,先播旸谷。又以彼二百年中,德川氏主政,讲道论德,国方大治,故海波不扬。迩以泰西诸国弛禁成盟,念两大同在亚西亚,同类同文,当倚如辅车,于同治辛未,遣大藏卿伊达宗城来结好。至光绪三年,朝议遣使修报,恭赍国书,践修旧好,载在盟府。彼国臣民,多额手相庆。

一一

鳄吼鲸呿海夜鸣,捧书执耳急联盟。

群公衮衮攘夷策,独幸尊王藉手成。

泰西通商,自和兰外,旧皆禁绝。德川氏初,海禁尤严,律法:漂风难民归自异国者,锢终身。孝明帝之甲辰,美利坚始请互市,幕府拒之。己酉三四月,美、英船复来。癸丑,美国水师将官披理帅四兵船来,俄人亦帅兵踵至。安政甲寅、乙卯、丙辰,复迭来劫盟。初,许以泊船供困乏;继许其馆宾礼接。至戊午六月,始与美国定互市则十四条。七月,与和兰、与英、与俄皆定条约。是为开港之始。时孝明欲攘夷,德川家定主政,审力不敌,不敢奉诏。处士横行,以外夷披猖,大辱国,而幕府孱弱偷安,不足议,始倡尊王以攘夷之论。至明治元年,德川氏遂废。事皆详《邻交志》下篇中。

一二

玉墙旧国纪维新,万法随风倏转轮。

杼轴虽空衣服粲,东人赢得似西人。

既知夷不可攘,明治四年,乃遣大臣使欧罗巴、美利坚诸国。归,遂锐意学西法,布之令甲,称曰维新,媺善之政,极纷纶矣,而自通商来,海关输出逾输入者,每岁约七八百万银钱云。然易服色,治宫室,焕然一新。

一三

羲和有国在空桑,手握灵枢八极张。

今世日官翻失御,如何数典祖先忘。

自钦明十四年,由百济遣历博士来,始行夏时。后袭用元嘉历,复用仪凤历,复用大衍历、长庆宣明历。长庆宣明历行之最久,凡八百馀年。至贞享元年,始行元授时历。虽设历官,所业不精,仅一贺氏传其家学。第从高丽、琉球沿用我法而已。别详《天文志》中。余友沈梅士往告余云:《山海经》曰:"羲和之国有女名羲和,浴日于甘渊。《归藏·启筮》曰:空桑之苍苍,八极之既张,乃有夫羲和。是主日月,职出入以为晦明。又曰:瞻彼上天,一晦一明,有夫羲和之子,出于旸谷。疑此邦在昔有精天象历算之学者,上古本与中国通,用为日官,遂以国为氏,复以氏命官,故官号羲和也。"其然,岂其然乎?

一四

纪年史创春王月,改朔书焚夏小正。

四十馀周传甲子,竟占龟兆得横庚。[①]

明治五年十一月九日诏曰:"太阳历从太阳躔度立月,有日子多少之差,无季候早晚之变;每四岁置一闰日,七十年后仅生一日之差,比太阳历实为精密。"遂祭告太庙,行改历礼。又诏以是年十二月三日为明治六年一月一日。盖自神武纪元,当周惠王之十七年辛酉,凡二千五百馀年,历甲子四十馀周,皆用夏时,及是废之矣。

一五

神仙楼阁立虚空,海飓狂吹压屋风。

四面涛声聋两耳,终年如住浪华中。

多雨,尤多大风。余所居室,木而不石,四面皆玻璃,风作则颠摇鼓动,如泛一叶之舟于大海中,为之怦怦心动矣。

一六

巨海茫茫浸四围,三山风引是耶非?

蓬莱清浅经多少,依旧蜻蜓点水飞。

立国至今,版图如旧。神武至太和,登山望曰:"美哉国乎!其如蜻蜓之点水乎!"故日本又名蜻蜓洲。史言:"海外三神山,风引不得至。"《山海经》注又言:"蓬莱在海中,上有仙人宫阙,以金银为之,禽兽皆白。"稗官小说称多长春之草、不死之药。今海外万国,舟车悉通,恶睹所谓圆峤、方壶?盖燕、齐方士,知君房东来踪迹,遂借以肆其矫诬,实则今日本地也。疆域皆别详《地理志》中。

---

①　此首梧州本无,长沙定稿本新增。

一七

翠华驰道草萧萧，深苑无人锁寂寥。

多少荣花留物语，白头宫女说先朝。

神武起日向，建都橿原，即畿内太和境。后迁徙不一，多在太和，日本读大倭、大和音为耶马台，故《魏志》称为耶马台国。以日本为国号，自孝德始。至桓武帝，都平安城，为今西京，定鼎千余年矣，明治二年乃迁东京，銮舆西幸，偶一驻跸而已。谨按《使东述略》曰："西京以山为城，无垣郭雉堞，周环数十里，有贺茂川萦贯其中。过故宫，守吏导入，有紫宸殿，殿屏图三代、汉、唐名臣像。循殿西行，过曲廊，涉后园，落叶满阶，鸣禽在树。有瀑名青龙，水喧石㟁，泠泠然作琴筑声。静对片时，尘虑俱息"云。

《荣花物语》，出才嫔赤染卫门手，皆纪藤原道长骄奢之事。道长三女为后，故多叙宫壶。

一八

前朝霸主识龙蟠，富岳荒川极大观。

留与东迁新定鼎，万家春树锦城宽。

通国以武藏、上总为坦沃。江户本远山某所居。德川家康初起参河，丰臣秀吉语之曰："江户，霸气之所钟，子宜筑城居。"于是家康遂徙焉，筑石为城，高垒深濠，一如大坂。德川氏还政，参与大久保利通请迁都。越明治元年，遂东迁，因幕府为宫殿焉。旧都自大和外，摄津、近江、长门、丰前皆曾一至，东京实始至也。凡东京所辖之户四十三万五千九百余。

一九

九州地脉阻昆仑，裨海环瀛水作门。

圆峤方壶虽妄语，分明世外此桃源。

四面环海，自德川氏主持锁港，益与诸国相隔绝，然承平无事，闭户高卧者二百余年。有客长崎者为言：商贾交易以诚信，妇姑无勃豀声，道有拾遗者，必询所主归之。商人所佣客作，令司笕钥，他出，归无失者，盛哉此风，所谓人崇礼让，民不盗淫者耶！

二〇

萨摩材武名天下，水户文章世不如。

几辈磨刀上马去，一家修史闭门居。

材武以萨摩为最。赖子成曰:"吾涉览其国,虽屠贩,勇决过人,卒然争斗,动辄至杀人自杀。"维新之际,其国英杰首唱纳土撤藩,故功臣居十之六;长门次之。称文学者,有肥前、安艺、水户三藩,而水户三藩为最。源光国作《日本史》时,开彰考馆,名士多从之游,藏书尤富。余老友青山延寿是藩人,父延于,兄延光,世治史学,具有典型。

二一

舟鲛衡鹿富良材,椎结夷风草昧开。

昨夕屠鲸今射虎,明朝跣足读书来。

北海一道,旧属松前侯。明治二年,割分十一国。初令诸藩分任垦辟,后专设开拓使治之。山林薮泽,上腴之奥区,民不耕种,日腰弓弶箭,驱狐狸,捕鲸鱼,文身蓬首,穴居血饮,而浑沌未凿,易受约束。近稍有读书者。

二二

一洲桦太半狉榛,瓯脱中居两国邻。

罗刹黑风忽吹去,北门管钥付何人?

桦太洲,一名库页岛,西邻俄属,南与日本北海道天盐犬牙相衔。费雅喀、俄罗斯、日本、虾夷人杂居其中。初亦不知属何国地,俄使初来,即议画疆界,至明治八年十一月,乃定归于俄,而举千岛属日本。桦太居民皆渔海猎山以自给。山多椵松,海多鲑鳟,掘炭捕鲸之利尤厚。闻白主太洞岁出昆布不知几千万石云。

二三

拔地摩天独立高,莲峰涌出海东涛。

二千五百年前雪,一白茫茫积未消。

直立一万三千尺,下跨三州者为富士山,又名莲峰,国中最高山也。峰顶积雪,皓皓凝白,盖终古不化。

二四

濯足扶桑海上行,眼中不见大河横。

只应挂杖寻云去,手挈卢敖上太清。

与富士山并称三山者,加贺白山、越中立山,盖于齐为巨擘焉。水以信浓河为最长,以琵琶湖为最大矣。然国中虽少高山大河,而林水丘壑,大有佳处。《使东杂咏》纪沿海光景,既如读郦元《水经》、柳州游记。其中山水名胜之区,闻陆奥之松岛、丹后之天桥、立安艺之宫岛,尤山层云秀,怀灵抱异云。恨蜡屐无缘,未能一游耳!

二五

一震雷惊众籁号,沉沉地底涌波涛。

累人日夜忧天坠,颇怨灵鳌戴未牢。

地震月或数回,甚则墙壁栋宇皆摇簸。先闻汹汹声,如大风鼓涛而来。初至颇怪,久亦习惯。累月不震,土人反疑。安政乙卯,江都大震,死者二三万人。父老谓数十年当有一厄,惴惴常惧之。

二六

倚天铜佛古于树,挂月玉镜寒生苔。

对人露立总不语,曾见源平战斗来。

镰仓八幡宫有铜佛,高今尺三十九尺馀,径广十六丈有奇。铜镜一,古色斑驳。住僧云神功皇后物也,一千七百馀年矣。又有源赖朝之胄、平秀吉之刀、信元之角弓、家康之竹杖。镰仓本重镇,源赖朝开霸府即此地也。德川以前,北条氏、足利氏皆居此,以管领关东。镰仓,余未至,闻之何大臣云。

二七

石塔光明照夜灯,武尊宫阙郁瓟棱。

至今洒涕吾嬬语,携酒相寻白鸟陵。

史言:日本武尊征东夷,泛海相模,风涛大作,宠姬橘媛投海,暴风遂止。凯旋过碓日岭,东望怀橘媛,叹曰:“吾嬬已矣!”后人因号东陲为“吾媛国”。及崩,葬,白鸟从陵出,目为白鸟陵,今有祠。

二八

南朝往事久灰尘,岁岁樱花树树春。

手挈铜铃拜遗像,呜呼碑下吊忠臣。

楠正成者,南朝殉难之臣,日本比之文文山、岳少保。源光国题其碑曰“呜呼忠臣楠子之墓”。墓在凑川,有樱花数百树,手泽所留,重于大璧;尚有神铃、塑像,能文者皆纪之。

二九

芝山宫殿剩丰碑，摇动春风见菟葵。

二百馀藩齐洒涕，不堪哀诵式微诗。

德川氏主政二百馀年，深仁厚泽，民不能忘。还政以来，父老过芝山东照宫，多有焚香泣拜者。旧藩士族，维新后穷不自聊，时时有盛衰今昔之慨。

三〇

臣连伴造称官氏，藤橘源平数世家。

将相王侯真有种，至今寥落族犹华。

旧皆世官，故氏族最重。古所谓臣连、伴造，以官有世功，以官为氏。其后赠姓命氏，自垂仁始。姓有升降，以氏为宠号，自天武始。氏之宠号既定，《宏仁姓氏录》所载，旧姓有千百氏。诸藤专朝，不举他族，而旧族皆降在皂隶矣。源平迭兴，枝叶之蔓，分宗立长，割据国郡，其长者犹古氏上，其族人称家子、郎党，蔓衍天下。数百年之藩，大都藤、橘、源、平四姓也。维新废藩，犹称为华族，以别齐民。

三一

国造分司旧典刊，百僚亦废位阶冠。

紫泥铃〔钤〕印青头押，指令惟凭太政官。

上古封建，号为国造，奉方职者一百四十有四。后废国造，置国司，犹变封建为郡县也。天智十年，始置太政大臣、三公首职，犹汉相国。左大臣、右大臣，相沿至今。然自武门柄政，复为封建，太政官势同虚设。明治维新后，乃一一复古，斟酌损益，于汉制、欧罗巴制彬彬备矣。曰太政官，有大臣参议，佐王出治，以达其政于诸省。凡九省：曰外务，曰内务，曰大藏，曰陆军，曰海军，曰文部，曰工部，曰司法，曰宫内。而外设三府、三十五县，于北海道别设开拓使。省有卿，有大辅少辅，有大少书记官，有几等属官，若吏胥。府有知事，县有令，有书记官、属官。府县之事上于诸省，诸省受成于太政官。各卿皆参知政事。太政官中复有调查、赏勋、法制三局，有总裁，即以参议分任之，亦设书记官，以隶各省所上之事。诸省事有疑难者，上太政官；太政官示之，曰指令。每省所辖事，又随事分局。官凡十七等，而统以八位。位有从正，自十等官而下无位焉。皆别详《职官志》中。

三二

议员初撰欣登席，元老相从偶跨间。

岂是诸公甘仗马，朝廷无阙谏无书。

太政官权最重。后设元老院,国有大事,开院议之。府县于明治十一年始选议员,以议地方事,亦略仿西法上、下议院之意。此固因民之所欲而为之,规模犹未定也。旧有弹正台,后废。西法多民出政而君行政,权操之议院,故无谏官。日本君主之国,而亦无之。

三三

堂堂黼座设朝仪,神武初元立国时。

一百一声闻祝炮,满城红日早悬旗。

朝贺大礼,岁有三大节:曰新年,曰天长,十一月三日。二月二十①相传为神武即位纪元之日,曰纪元节,尤重之。官皆大礼服诣宫朝贺,放祝炮一百一声,人家皆悬画日旗,以伸庆也。

三四

肘挟毡冠插锦貂,肩盘金缕系红绡。

前趋客座争携手,俯拜君前小折腰。

朝会皆大礼服,以免冠为礼。冠或肘挟,或手执。冠制皆狭长,前后锐而中尖,以白黑羽为饰;皆毡衣革履,有勋爵者夤金线于袖,自肩至腰,斜披以红缘白绫,以系勋章,文武臣皆佩剑。新年朝贺,邻国公使皆在列,见客趋而前,皆握手通殷勤。入朝进退皆三鞠躬,无拜跪礼矣。明治六年,始易服色,然官长居家,无不易旧衣者。

三五

金菊花浓黼幕张,鸡冠剑佩立成行。

司书载笔司勋赏,拜手重光旭日章。

赏勋无五等之爵,而有勋号,曰勋一等、勋二等,时时赐金。又仿泰西宝星例,给印章,亦画日,有旭日重光章、旭日单光章。菊为王章,官舍行幕皆图绘之。

三六

减租恩诏普酥膏,硕鼠疲民敢告劳。

归语老农吾土乐,宽仁长戴帝天高。

民无私田。计明治七年,租税定额,全国有米一千二百八十三万七千六百九十二石馀,易米以钱,计八年收楮币五千一百五十万五千九百六十七元。明治十年减租,计收三

---

① 纪元节应为二月十一日。

千五百五十三万八千七百九十四元。考日本初仿唐班田之制,取诸民者二十之一耳。延喜、天历后,豪强兼并,其制遂坏。镰仓米①,每以军兴加赋,后不复除。及丰臣秀吉兴,亟正经界,平租税。然古者每段三百六十步,裁为三百步,而收税如故,于是益重所赋,率取十四,谓之四公六民。德川氏因之,世官益多,用益繁,大率皆取民之半,甚者或六公四民,七公三民,民困极矣。明治中兴,诸侯悉去图籍,奉田归公,亦用古法,诸国公田,皆随乡土估价赁租,凡值百者收三分。然值百之息,岁不过十,是十分而三也,民犹不堪。今君仁厚,于十年正月一日,复减租为二分五。然较之我国四十取一,乃叹吾民之凿井耕田,真不知帝力何也! 馀详《食货志》中。

三七

剪纸频将花样翻,司农用印不辞烦。

法同手实名头会,绝少催租吏到门。②

造纸,画为界,分行如罫。所有文凭计簿之类,均购而书之。官又造方纸约寸许,分赭黑青黄红紫各类,以当分厘钱元十百之数,名为印纸,即以作税券。纸中每刻王面,或古人像,华人所名为"头税"者也。课取物税之外,如烟草类,用此课税。凡一切买卖、借贷、典质之事,莫不计税。应用此纸而不用者,罚漏税银二十倍。惟官不督责,听民间自占其数,购取而自用之。盖近乎宋人手实之法,而无胥徒检核之扰,无吏役催促之苦,行之甚精善也。

三八

左券都凭官契来,鼠牙雀角不疑猜。

若非一纸文书在,无地能容避债台。

民间借贷不用印纸者,讼于官,官不理。一切诉讼,亦均以官纸为凭。

三九

六幹〔斡〕五均官尽备,踦零都数法俱严。

禁烟禁酒工言利,独握牢盆不道盐。

凡以酒营业者,必先领准牌,乃许发卖,名营业税。或酿造,或贩卖,又分别纳税。官派员检查,令酒人于盛酒器标识其数,如或隐匿偷税,皆重课罚金。业烟草者,法亦如之。

---

① 镰仓米,疑为镰仓以来。
② 此首梧州本无,长沙定稿新增。

性所领准牌,必携之在身,以备查检。烟草或盛于箱,或裹以纸,或束之如书卷,皆必用印纸粘于一拆必损之处。盖西人之课烟酒税,大类如此。明治十年,计酒税、烟草税,共收银二百七十馀万元,后又递加。日用各物,无不课税者,惟盐独无政,盖滤沙熬波,随处而有,故不能税耳。

四〇

闻说和铜始纪年,孔方渐变椭成圆。

通神使鬼真能事,土价如金纸作钱。

银钱,始见显宗朝,然莫详所来。史言:天武三年,对马始出白金。十二年,有废银钱用铜钱之令。持统八年,始设铸钱司。元明和铜元年,铜钱始有文,曰"和铜开珍"。圣武天平感宝元年,陆奥贡黄金,四年始铸金钱。近世宽永复铸铁钱,沿革不尽可详。凡铸钱,皆不以易代更其式,有圆,有椭圆,有浑圆,有方,有长方;多无孔、无轮郭;重或数两,纵横六七寸,小则二三分,轻数铢而已。今所用者,尚有宽永、文久,又有天宝①,以一当百。明治四年,金、银、铜三货并铸,式皆精美。六年,复造纸币,当墨西哥银钱一枚者,曰金一元。又有半元、二十钱、十钱者,描画龙凤,中有"明治通宝"字,竟与通行货币等。

四一

铸山难得矿常开,永乐钱荒不再来。

海外有商争利薮,国中何地筑谼台。

源义政上表成祖称:"臣国土瘠民贫,铜钱散失,公私索然,请赐钱。"成祖颁以永乐钱五十万贯,复由商舶邻国运来,遂通行国中。后以一文当四文用。矿产不多,新铸金银多为西人攫去。外国债一千馀万,内国债二亿馀万,分年还偿,皆详《食货志》中。然日人近方锐意通商,自丝茶外,输出物品远及于欧罗巴,得利与否,未可知耳。

四二

中将登坛妙指挥,宫妃鹄立亦戎衣。

连环拐马连珠炮,更请君王看一围。

海陆军制,皆别详《兵志》中。海陆军皆有操练场,小队每日习之,间数月一大操。君及母后、妃后,或临观焉。戎服督队,容肃而仪简。兵仿西法,枪炮连发,分屯互击,若对敌者,步伐整齐,颇可观。唯产马不良,少驾弩弱耳。

---

① "天宝",似为"天保"。

四三

拜手中臣罪被除,探汤剪爪仗神巫。

竟将老子箧中物,看作司空城旦书。

古无律法,有罪,使司祝告神。害稼穑、污斋殿为天罪,奸淫、蛊毒为国罪,皆请于神被除之。轻去爪发,重惩赎物。今尚传有中臣祓祠,即其事也。且有汤法,入泥镬中煮沸,使讼者手探之,以董正虚实。是皆余所谓方士法门也。刑于无刑,真太古风哉!至推古乃作宪法,后来用大明律,近又用法兰西律,然囹圄充塞,赭衣载道矣。

四四

棠阴比事费参稽,新律初颁法未齐。

多少判官共吟味,按情难准佛兰西。

府县止理民事,刑讼专司于裁判所,而直隶司法省。明治六年,颁新律纲领,参用大明律、泰西律,然法多未备。判官上事,每日吟味其事情,难于判结云云。"吟味",公牍中语,谓审度也。近又由司法省撰《民法》、《刑法》二书,专用法兰西律,交元老院议之,未及颁行。馀俟详《刑法志》中。

四五

春风吹锁脱琅珰,夕铺朝糜更酒浆。

莫问泥犁诸狱告,杀身亦引到天堂。①

牢狱极为精洁,饮食起居均有常度。病者或给以酒浆。但加拘禁,不复械系。一切诸苦,并不身受。虽定罪处绞者,行刑时,或引教士及神官、僧人为之讽经,俾令忏悔,仍祝以来生得到天堂云。

四六

时检楼罗日历看,沉沉官屋署街弹。

市头白鹭巡环立,最善鸠民是鸟官。②

警视之职,以备不虞,以检非为。总局以外,分区置署。大凡户数二万以上,设一分署,六十户巡以一人。司扞撤者,持棒巡行,计刻受代,皆有手札录报于局长。余考其职,

---

① 此首梧州本无,长沙定稿本新增。
② 此首梧州本无,长沙定稿本新增。

盖兼《周官》司救、司市、司暴、匡人、撢人、禁杀戮、禁暴氏、野间氏、修间氏数官之职。后世惟北魏时设候官，名曰白鹭，略类此官。西法之至善者也。

四七

照海红光烛四围，弥天白雨挟龙飞。

才惊警枕钟声到，已报驰车救火归。

常患火灾，近用西法，设消防局，专司救火。火作，即敲钟传警，以钟声点数定街道方向。车如游龙，毂击驰集。有革条以引汲，有木梯以振难。此外则陈奋者、负罂者、毁墙者，皆一呼四集，顷刻毕事。

四八

火齐珠悬照夜光，粉墙碧瓦第相望。

白桑板记公卿姓，紫逻途联左右坊。

街道甚修治，曰某区，曰某町，曰几番地，图记分明，人家皆名于门。高官大府，亦以二三寸木板悬楣上，曰从一位、正二位某。多嫌旧式湫隘，红墙翠瓦，玲珑云起。门外柱立灯塔，夜则然灯，巡逻者时时环门。

四九

新绿在树残红稀，荒园菜花春既归。

堂前燕子亦飞去，金屋主人多半非。

德川氏时，旧藩邸宅皆在东京，广厦杰阁，今皆没入官，或改官舍，或为民居。其荒凉者，鞠为茂草矣。因记杜工部诗曰："王侯邸宅皆新主，文武衣冠异昔时。"甚切近事也。

五〇

维摩丈室洁无尘，药鼎茶瓯布置匀。

导脉竹筳窥脏镜，终输扁鹊见垣人。

官府所属，皆有病院，以养病者。花木竹石，陈列雅洁，萃医于中，以调治之，甚善法也。不治之疾，往往送大医院，剖验其受病之源，亦西法。

五一

博物千间广厦开，纵观如到宝山回。

摩挲铜狄惊奇事，亲见委奴汉印来。

博物馆,凡可以陈列之物,无不罗而致之者。广见闻,增智慧,甚于是乎! 赖有金印一,蛇纽,方寸,文曰:"汉委奴国王",云筑前人掘土得之。考《后汉书》,建武中元,委奴国奉贡朝贺,光武赐以印绶,盖即此物也。

五二

握要钩元算不差,网罗细碎比量沙。

旁行斜上同周法,治谱谁知出史家?

统计表者,户口、赋税、学校、刑法等事,皆如史家之表,月稽而岁考之,知其多寡,即知其得失。西人推原事始,谓始于《禹贡》。余考其法,乃史公所见周谱之法也。

五三

欲言古事读旧史,欲知今事看新闻。

九流百家无不有,六合之内同此文。

新闻纸,以讲求时务,以周知四国,无不登载。五洲万国,如有新事,朝甫飞电,夕既上板,可谓不出户庭而能知天下事矣。其源出邸报,其体类乎丛书,而体大、而用博,则远过之也。

五四

削木能飞诩鹊灵,备梯坚守习羊坽。

不知尽是东来法,欲废儒书读墨经。

学校甚盛,唯专以西学教人。余考泰西之学,墨翟之学也。尚同、兼爱、明鬼、事天,即耶稣十诚,所谓敬事天主、爱人如己。他如:化,征易:若龟为鹑;动物之化。五合,水火土,离然铄金,腐水离木;金石草木之化。同重、体、合、类;异,二、体、不合、不类。此化学之祖也。以百物体质之轻重相较,分别品类之异同。西人淡气、轻气、炭气、养气之说仿此。均,发均县,轻重而发绝,不均也;均,其绝也莫绝。此重学之祖也。一,少于二,而多于五,说在重。非半弗斱。倍,二尺馀尺,去其一。圜,一中同长。方,柱隅四灌。圆,规写殳。方,柱见股。重其前,弦其股。法,意规圆三。此算学之祖也。临鉴立,景,二光夹一光,足被下光,故成景于上;首被上光,故成景于下;鉴近中,则所鉴大;远中,则所鉴小。此光学之祖也。皆著《经上、下》篇。

《墨子》又有《备攻》、《备突》、《备梯》诸篇。《韩非子》、《吕氏春秋》备言墨翟之技,削鸢能飞,非机器攻战所自来乎? 古以儒墨并称,或称孔墨,孟子且言天下之言归于墨,其纵横可知。后传于泰西,泰西之贤智者衍其绪馀,今遂盛行其道矣。

又如《大戴礼》,曾子曰:"如诚天圆而地方,则是四角之不掩也。"《周髀》注:"地旁沱四隤,形如覆槃。"《素问》:"地在天之中,大气举之。"《易乾凿度》:"坤母运轴"。《苍颉》云:"地日行一度,风轮扶之。"《书·考灵曜》:"地恒动不止,而人不知。"《春秋·元命苞》:"地右转,以迎天。"《河图·括地象》:"地右动,起于毕。"非所谓地球浑圆、天静地动乎?《亢仓子》曰:"蜕地谓之水,蜕水谓之气。"《关尹子》曰:"石击石生光,雷电缘气而生,可以为之。"《淮南子》曰:"黄埃、青曾、赤丹、白矾、元砥,历岁生泐,其泉之埃,上为云;阴阳相薄为雷,激扬为器。上者就下,流水就通,而入于海。炼土生木,炼木生火,炼火生云,炼云生水,炼水反土。"中国之言电气者,又详矣。

　　机器之作,《后汉书》张衡作候风地动仪,施关发机,有八龙衔丸,地动则振龙发机吐丸,而蟾蜍衔之。《元史》:顺帝所造宫漏,有玉女捧时刻筹,时至则浮水上。左右二金甲神,一悬钟,一悬钲,夜则神人按更而击,奇巧殆出西人上。若黄帝既为指南车,诸葛公既为木牛流马,杨么既为轮舟,固众所知者。

　　相土宜、辨人体、穷物性,西儒之绝学。然见于《大戴礼》、《管子》、《淮南子》、《抱朴子》及史家方伎之传、子部艺术之类,且不胜引。至天文、算法,本《周髀》,盖天之学。彼国谈几何者,译称借根方为东来法。宋秦九韶作《数学九章》十八卷,中载立天元一之法,即借根之法所本也。火器之精,火器始金、元间,赵瓯北《陔馀丛考》有《火炮》一篇可征。得于普鲁斯人,为元将部下卒,彼亦具述源流。近同文馆丁韪良说,电气道本于磁石引针、琥珀拾芥。凡彼之精微,皆不能出吾书。第我引其端,彼竟其委,正可师其长技。今东方慕西学者,乃欲舍己从之,竟或言汉学无用,故详引之,以塞蚍蜉撼树之口。

　　英吉利、法兰西、德意志语学学校,随处而有,故通西语者甚多。学校隶于文部省。东京大学生徒凡百馀人,分法、理、文三部。法学则英吉利法律、法兰西法律、日本今古法律;理学有化学、气学、重学、数学、矿学、画学、天文地理学、动物学、植物学、机器学;文学有日本史学、汉文学、英文学。以四年卒业,则给以文凭。此四年中,随年而分等级。所读皆有用书,规模善矣。别详《文学志》中。

五五

化书奇器问新编,航海遥寻鬼谷贤。
学得黎韃归善眩,逢人鼓掌快谈天。

　　学校卒业者,则遣往各国,曰海外留学生。日本唐时遣使我国,每有留学生,官制、礼教,皆亦趋亦步。今于泰西,亦如此也。

　　东京又有中学。师范学校卒业,则许为人师。教之之法,凡分七级,有性理学、天文学、地学、史学、数学、文学、商贾学。分年受业,循第七级而至一级。由浅入深,由粗入细,由约入博。其书籍皆归实用,其课程皆有定则。月许给数日假,日给数时假。其同方同业,群萃州处,以一先生教数十人,则师逸而功倍,盖教法皆得之泰西。余尝纵观其地,而叹其善。闻东人好博鹜广,不能专精,然可以想见泰西学校之盛也。德意志国花之安译有《德国学校论略》,自言无人不学,无地无学,无事无学。郭筠仙侍郎言:"泰西人材悉出于学校。"呜呼,其信然矣!

五六

五经高阁竟如删,太学诸生守兔园。

犹有穷儒衣逢掖,著书扫叶老名山。

学校诸书,自西学外,日本书有舆地学,有史学;中学则唐宋八家文、《通鉴揽要》、《二十一史约编》,而"五经"、"四子"皆束之高阁矣。

五七

欲争齐楚连横势,要读孙吴未著书。

缩地补天皆有术,火轮舟外又飞车。

海陆有士官学校,专以教帅兵者。凡地之险要,器之精良,阵之分合,兵之进退,营垒之坚整,手足之纯熟,一一有成书,绘以图,贴以说。图说所未尽者,以木土肖其形,一览可知。不啻聚米之为山也,又身验而力行之,无事之时,若临大敌者。西人有恒言"简将难于练兵"。兵可数月而成,将非积年不能成材也,宜其强矣。日人之为陆军也,取法于法与德;为海军,取法于英。

五八

深院梧桐养凤凰,牙签锦帙浴恩光。

绣衣照路鸾舆降,早有雏姬扫玉床。

明治九年,国后出藏金,命择士族、华族女百人,延师教之,曰女子师范学校,亦三年得为女师。开黉之日,卒业之时,国后亲临,鸾铃载道,公卿命妇,亦褰裳偕至。长者簪笔,幼者执简,跪迎于门,膜拜于堂,彤管纪史,称为盛典焉。校中勤慧者,时赐书赐衣。

五九

捧书长跪藉红毹,吟罢拈针弄绣襦。

归向爷娘索花果,偷闲钩出地球图。

女子师范学校亦多治西学,而有女红一业,谓妇功居四德之一也。曹大家《女诫》亦有译本。校中等级次第,大略与中学相同。若宣文缝纱私自受业者,亦往往而有。有迹见泷,教女弟子凡一二百人,颇有五六岁能作书画者。

六〇

联袂游鱼逐队嬉，捧书挟策雁行随。

打头栗凿惊呼蓍，怅忆儿童逃学时。

　　附女子学校，有幼儿园，皆教四五岁小儿。鸟兽草木，日用器具，或画图，或塑形，以教之以名。教之剪纸画罫，抟土偶，叠方胜，以开其知识。教之唱歌、说话、习字，陈一切蹴鞠、秋千之类，于放学时听之游戏，以诱掖其心，节宣其气。课程皆有一定不易之刻。坐立起止，皆若以兵法部勒之，泰西之教法也。校中有保姆，有训导。

六一

国学空传卜部名，三轮寺额未分明。

天然丨川横纵画，万国翻同堕地声。①

　　或言神代原有文字，至推古朝尚存，藏于卜部家。近世平田笃允倡为神学之说，所据如镰仓八幡寺、和洲三轮寺额，皆模糊不可辨。余取观之，略似蝌蚪形，或如鸟篆书，亦不知始于何年。惟世传有肥人书，有萨人书，如一二五，作丨川川，今虾夷尚沿用之。五字之外，或变换点画，如阿剌伯数字，或画作〇囗，或作鸟兽草木形之类。盖万国造字，象形之先，必先计数，如一、二，丨、川。正如阿字为字母之首，小儿堕地，先作此声，如天地之元音也。

六二

东方乐久忘夷靺，上古文难辨隶蝌。

欲藉舌人通寄象，只须五字熟摩多。②

　　《孝经纬》曰：东夷之乐曰靺乐。《元语》曰：东夷之乐曰朝离。音皆不可考。今所传伊吕波四十七字外，有五十母字谱，不出"支微"、"歌麻"二韵。其发端之五音，为阿衣乌噎喔，能统摄众音。考悉昙字母四十七字，其初十二字，谓之摩多。摩多，即母也。其三十五字，谓之体文。今五十母字中之阿衣乌噎喔，即梵书摩多，知其法实出于悉昙字记。唐时传教、空海二僧，亦从遣唐使留学，当贞元间，并受悉昙学于梵僧，可知其所自来矣。

六三

航海书来道遂东，虚辞助语惜难通。

至今再变佉卢字，终恨王仁教未工。

---

　　①　此首梧州本无，长沙定稿本新增。
　　②　此首梧州本无，长沙定稿本新增。

《古语拾遗》曰:上古之事,口耳相传耳。自王仁赍《论语》、《千文》来,人始识字。然《国史》案云:初教汉文时,悉皆指象以名,而助语虚辞,无象可指。其土语又皆实字在前,虚字在后,与汉文不相应,故教之甚难也。

六四

《论语》初来文尚古,《华严》私记字无讹。

老僧多事工饶舌,假字流传伊吕波。

汉籍初来,令王子大臣受学,仅行于官府。然至于唐时,表奏章疏,皆工文章。即私著之书,余见唐开元时马道手箱《华严经音义私记》,以和训附注其下,尚无假字。盖日本学汉文虽甚难,而文只一种,王、段博士接踵而来,遣唐学生又多高材,故自能斐然成章。至唐德宗朝,僧空海欲民便于用,乃借汉字伊、吕、波四十七字以附土音,创为亻、口、八,遂别成日本文矣。或曰上古既有伊、吕、波,圣德太子营法隆寺,木工尝用之;或曰伊、吕、波实出《涅槃经》,皆臆说也。

六五

不难三岁识之无,学语牙牙便学书。

春蚓秋蛇纷满纸,问娘眠食近何如?

伊吕波四十七字,已综众音,点画又简,易于习识。伊为イ,吕为口,波为ハ,仁为二,保为ホ,边为ヘ,止为卜,知为チ,利为リ,奴为ヌ,留为ル,远为ヲ,和为ワ,加为カ,与为ヨ,多为夕,礼为レ,曾为ソ,津为ツ,称为ネ①,奈为ナ,良为ラ,武为ム,宇为ウ,乃为ノ,井为ヰ,於为オ,久为ク,也为や,末为マ,计为ケ,不为フ,己为コ,江为エ,天为テ,阿为ア,左为サ,幾为キ,由为ユ,女为メ,美为ミ,之为シ,惠为エ,比为ヒ,毛为モ,世为セ,寸为ス,以假其偏旁,名片假字。其假字则伊吕波之草书也。故彼国小儿学语以后,能通假字,便能看小说、作家书矣。假字或联属汉文用之,单用假字,女人无不通者。

六六

难得华同是语言,几经重译几分门。

字须丁尾行间满,世世仍凭洛诵孙。

日本为中土语言有三种:曰吴音,曰汉音,曰支那音。汉籍初来,经生博士皆以口授,是曰汉音。唐宋遣使,常以缁流,江南名山戴笠云游者,接踵而至,口传经典,归教其徒,是曰吴音。卅年以来,中外结约,英吉利、米利坚学者,每据我字典译以彼文,如所刻《华英字

---

① "称"误,当为"祢"。

《典》之类。日本之通西字者，复从其书以求我音，是为支那音。释氏称震旦亦曰支那，今欧罗巴人称中土音略近之，日本因沿其称。今士大夫之通汉学者，时时操汉音。吴音，大抵近闽之漳、泉，浙之乍浦，而变而愈远，实不可辨。汉吴参错，闽浙纷纭，又复言人人殊。王、段所授，远不可考。三百年来，长崎通商者多漳、泉人，而乍浦购铜之船，每岁一来，所操土音，本大异中原，东人误以为正音也。其称五为讹，称十为求，沿汉音而变者也。称一为希多子，二为夫带子，此土音也。市廛细民，用方言者十之九，用汉言者十之一而已。其读汉文多颠倒读之，注上、中、下、甲、乙等字于行间以为识，间附土音为释。物茂卿所谓"句有须，丁有尾"也。

六七

博士来从继体初，五经亦自劫灰馀。

航头古典欺人语，何处瑯环觅异书。

君房所赍之书，盖不可考。日本史称有《典》、《坟》，亦因中人误传而附会者。殆为当时焚书，故不得赍欤？应神十六年，徵王仁于百济，始有《论语》。时并有《千文》。考李道《千文注》云：钟繇始作《千文》献晋武帝。应神当武帝时，殆钟氏《千文》也。继体七年，百济遣五经博士段扬尔。十年又遣汉安茂来，始有五经。《日本纪》以《礼》、《乐》、《书》、《论语》、《孝经》为五经。余来东后，遍搜群籍。足利学校、水户书库皆藏书极富者，未闻有逸书也。欧阳公《日本刀歌》曰："徐福行时书未焚，逸书百篇今尚存。令严不许传中国，举世无人识古文。先王大典藏蛮貊，苍波浩荡无通津。"亦儒者妄想。明丰坊因之，遂有伪《尚书》之刻，是亦姚兴《舜典》得自航头之故智也。

六八

《论语》皇疏久代薪，海神呵护尚如新。

《孝经》亦有康成注，合付编摩郑志人。

逸书固无存，惟皇侃《论语义疏》日本尚有流传。乾隆中开四库馆，既得之市舶，献于天禄矣。《宋史》称僧奝然献郑注《孝经》，陈振孙《书录解题》之后，不复著录。日本天明七年，冈田挺之得之《群书治要》中。是书魏征撰，久佚。天明五年，尾张藩世子命诸臣校刊，有督学细井德民识之，曰承和、贞观之间，经筵屡讲是书。正和中，北条实时请于中秘，写藏文库。及神祖命范金至台庙，献之朝。是今之活字铜板也。旧五十卷，今存四十七卷，其三卷亡。是亦一佚书也。考《治要》采书，不著撰人。其定为郑注者，殆相传云尔，或挺之据陆氏《释文》定之也。郑注《孝经》，不见于郑志目录及赵商碑铭，唐人至设十二验以疑之。然宋均《孝经纬》注引郑《六艺论》序《孝经》有云：玄又为之注。《大唐新语》亦引郑《孝经序》。均《春秋纬》又注云：为《春秋孝经略说》。是皆作注之证。此注既与《释文》所引郑注合，文贞之书，日本珍弄，具有源流，决非赝鼎，可宝贵也。至信阳太宰纯所刻之古文《孝经》，山井鼎、物茂卿亦自谓误编，故不足述。

六九

西条书记考文篇,曾入琳琅甲乙编。

道学儒林寻列传,东方君子国多贤。

山井鼎《七经孟子考文》,著于《四库·五经总义》类目中,颇称许之。芸台相国校勘五经,所称"足利本"即此也。物徂徕云:"昔在邃古,吾东方国冥冥乎罔知觉。有王仁氏,而后民始识字;有吉备氏,而后经艺始传;有菅原氏,而后文史可诵;有惺窝氏,而后人人知称天语圣。四君子者,虽世尸祝乎学宫可也。"盖日本之学,源于魏,盛于唐,中衰于宋元,复兴于明季,以至于今日。自藤原肃始为程朱学,肃字敛夫,号惺窝,播磨人。师其说者凡百五十人,尤著者曰林信胜、一名忠,字子信,号罗山,西京人。林春胜、一名恕,字之道,号鹅峰,信胜子。林信笃、一名戆,字直民,号凤冈,春胜子。林衡、字德铨,号述斋,本岩村城主,嗣林氏,为信胜八世孙。木下贞幹、字直夫,号锦里,西京人。新井君美、字在中,号白石,江户人。室直清、字师礼,号鸠巢,江户人。柴野邦彦、字彦辅,号栗山,赞歧人。那波觚、字道圆,号活所,播磨人。山崎嘉、字敬义,号闇斋,西京人。浅见安正、字绸斋,近江人。德川光国、字子龙,号常山,水户藩主。安积觉、字子光,号澹泊斋,世仕水户藩。贝原笃信、字子诚,号益轩,世仕筑前藩。中井积善、字子庆,号竹山,大坂人。佐藤垣、字大道,号惟一斋,江户人。尾藤孝肇、字志尹,号二洲,伊豫人。古贺朴、字纯风,号精里,世仕佐贺藩。古贺煜、号侗庵,朴子。赖襄、字子成,号山阳外史,安艺人。为阳明之学者凡六人:中江原为之首,原字惟命,号藤树,近江人。其徒之善者曰熊泽伯继,字了介,号蕃山,西京人。又有伊藤维桢,字源佐,号仁斋,西京人。不甚喜宋儒,而讲学自树一帜。其徒七十人,尤者曰伊藤长允。字元藏,号东涯,维桢子。物茂卿获生氏,名双松,以字行,号徂徕,江户人。之学,由《史》、《汉》而上求经典,学识颇富,近伊藤而指斥宋儒空谈则过之。门徒六十四人,尤者曰太宰纯、字德夫,号春台,信浓人。服部元乔、字子迁,号南郭,西京人。龟井鲁、字道载,号南冥,筑前人。帆足万里。字鹏卿,号愚亭,世仕日出城主。更有古学家,专治汉、唐注疏,共六十人,尤者曰细井德民、字世馨,号平洲,尾张人。中井积德、字处叔,号履轩,大坂人。藤田一正、字子定,号幽谷,水户人。藤田彪、字斌卿,号东湖,一正子。会泽安、字伯民,号正志斋,水户人。松崎复、字明复,号慊堂,肥后人。安井衡、字仲平,号息轩,世仕妖肥城主。盐谷世宏、字毅侯,号宕阴,江户人。说经之书,自《七经孟子考文》外,则有《论语解》、《四书古义》、伊藤维桢著。《论语征》、《大学解》、《中庸解》、物茂卿著。《论语古训》、太宰纯著。《大学新疏》、《周易广义》、《论语广义》、新井君美著。《学庸解》、《论语乡党翼解》、中江原著。《朱易衍义》、《孟子要略》、《孝经刊误附考》、山崎嘉著。《易诗书仪礼戴记春秋语孟绎解》、皆川愿著。《九经谈》、太田元贞著。《七经雕题》、中井积德著。《冢注四书》、冢田虎著。《论语大疏》、《孟子精蕴》、《周易象义》、太田元贞著。《四书辑疏》、安部井聚著。《论语语由述志》、龟井鲁著。《论语辑说》、《左传辑释》、安井衡著。《善身堂一家言》,龟田兴著。备志之以劝好学。

七〇

斯文一脉记传灯，四百年来付老僧。

始变儒冠除法服，林家孙祖号中兴。

日本保元以降，区宇云扰，士大夫皆从事金革，惟浮屠氏始习文。中间斯文不坠于地，赖儒僧也。及藤原肃出，始锐然为洙泗学，继之者林信胜。藤氏始为僧，后归于儒。信胜初读书僧院，有老和尚欲强度之，不可。然是时儒者犹别立名目，秃其颅，不列儒林。信胜之孙信笃，慨然以人道即儒道，不可斥为制外，请于德川常宪，许种发叙官，为大学头，世始知有儒。史记之曰此元禄四年正月十四日事。三百年来，文教大兴，德川将军拔用林氏父子，为之倡也。罗山子恕、弟信澄，皆举秀才。

七一

海外遗民竟不归，老来东望泪频挥。

终身耻食兴朝粟，更胜西山赋采薇。

朱之瑜，字鲁玙，日本称曰舜水先生，浙江馀姚贡生。明亡，走交趾，数来日本，遂家焉。水户藩源光国执弟子礼甚恭。年八十馀卒，源氏为题其墓曰"明征士"，从其志也。舜水善讲学，一时靡然向风，弟子多著名。郑芝龙客台湾，曾寄书舜水，欲乞师图复明。鲁监国之臣曰王翊，在馀姚大岚山败亡者，亦其友也。亡国遗民，真能不食周粟者，千古独渠一人耳。《馀姚县志》无传，余属沈梅史采其事归补之。同时陈元赟客尾张，戴曼公客纪伊。后又有张斐携舜水幼孙来。海禁既严，未至，引去。然日本甚重其文，有张非文《莽苍园集》行于世。

七二

昌平庙貌尚崔巍，列郡胶庠半劫灰。

几辈断断守残缺，捧经抱器拜门来。

史言：大宝元年，文武帝谒学，始行释奠礼。及清和帝诏新修释奠式于五畿七道，可知当时学校既盛。中间武门主柄，僧徒横行，吾道遂微。德川氏兴，投戈讲艺，彬彬极盛。朱舜水客水户，复绘其式，为建学宫。诸藩效之，规模一如中土，闻会津尤闳敞。在东京者，德川常宪书"大成殿"字于上，鸟革翚飞，轮奂俱美。年来西学大行，各藩文庙或改为官署，废弃者半。一二汉学之士，潦倒不得志于时，犹硿硿抱遗编、守祭器，可哀也已。

七三

叩阍哀告九天神，几个孤忠草莽臣。

断尽臣头臣笔在，尊王终赖读书人。

自德川氏崇儒术,读书明大义者,始知权门专柄之非。源光国作《日本史》,意尊王室,顾身属懿亲,未敢昌言。后有布衣高山彦九郎、蒲生秀实者,始著论,欲尊王攘夷,议起哗然,以尊王为名,一倡和百。幕府严捕之,身伏萧斧者不可胜数。然卒赖以成功,实汉学之力也。何负于国,欲废之耶?斯文在兹,神武、崇神在天之灵,其默相之。

明治二年,源氏、蒲生氏、高山氏,皆遣使祭其家,且赐其子孙米。

七四

纪事编年体各存,黄门自立一家言。

兵刑志外征文献,深恨人无褚少孙。

汉文之史有六部:《国史》为编年体。水户藩源光国始作《大日本史》,是为纪传。又有水户藩臣青山延光作《日本纪事本末》,三体备矣。此外则赖山阳《日本政纪》,实仿朱子《通鉴纲目》。又有《日本外史》,纪执政大将军,故曰"外史"。惟《日本史》只有纪、传,无表,志亦兵、刑二篇而已。故搜求典礼,网罗政事,戛戛乎其难矣。闻源氏草创十志而未成,曰神祇,曰佛事,曰天文,曰舆地,曰职官,曰食货,曰氏族,曰舆服,并兵刑而十。其稿今存史馆。然二百余年无继起而毕业者,盖以纪载多阙,不能成书故也。蒲生氏有《职官志》、《山陵志》,已刻。又闻欲作氏族等志,而亦未成也。

七五

Sorai

徂徕而外有山阳,馀子文章亦擅场。

南驾越裳北高丽,六鳌晓策跃扶桑。

物茂卿之《徂徕集》、赖子成之《山阳文诗》,国人无不知其名,三百年来古文家之领袖也。以余所见,盐谷世宏、安井衡、斋藤谦、字有终,号北堂,伊势人。古贺朴,实卓然能成一家言。馀外则林孺、字长孺,号鹤梁,江户人。柴野邦彦、尾藤孝肇,室直清、大宰纯、服部元乔、山县孝孺、字次公,号周南,长门人。中井积善、中井积德、木下贞幹、新井君美、安藤焕图、字东璧,号东野,野州人。佐藤坦、安积信、字思顺,号艮斋,陆奥人。柴野允升、字应登,号碧海,邦彦子。古贺煜、藤田彪、伊藤维桢、伊藤长允、中江原、松永遐年、字昌三,号尺五堂,西京人。熊泽伯继、安积觉、山崎嘉、汤浅元桢、字之祥,号常山,备溪人。皆川愿、字伯恭,号淇园,西京人。赖惟宽、字千秋,号春水,襄父。贝原笃信、龟井鲁、千叶元之、字子元,号芸阁,西京人。龙公美、字君玉,号草庐,山城人。细井德民、斋藤馨、字子德,号竹堂。长野确、字孟确,号丰山,伊豫人。藤森大雅、字纯风,号宏庵,江户人。藤泽辅、字元发,赞岐人。广濑谦、字吉甫,号庄旭,丰后人。篠崎弼、字承弼,号小竹,浪华人。坂井华、字公实,号虎山,安艺人。野田逸、字子明,号笛浦,丹后人。青山延干、字子世,号掘斋,水户人。青山延光、字伯卿,号佩弦斋,延干子。中村和、字□□,水户人。贯名苞、字君茂,号海屋,阿波人。摩嶋宏、字子毅,号松南,西京人。松崎复、太田元贞、字公幹，号锦城，加贺人。太田墩、字叔复，号晴轩，元贞人。朝川鼎、字五鼎，号善庵，江户人。龟田兴、字公龙，号鹏斋，上野人。山本信有、字喜六，号北山，江户人。秦鼎、字士铉，号沧浪，尾张人。春田嚚、字九皋，号真庵，□□人。苏我章、字子明，号耐轩，江户人。大桥顺、字顺藏，号讷庵，江户人。佐久间启，字子明，号象山，信浓人。闻皆以文名世。余所交诸友，亦多能手。盖东人天性善属文，使如物茂卿之言，以汉音顺读之，诚不难攀跻中土，高丽、安南何论焉。

七六

观风若采《扶桑集》，压卷先编《侍宴诗》。

读尽凌云兼丽藻，终推帝子独工辞。

诗始于大友皇子《侍宴诗》，曰："皇明光日月，帝德载天地。三才并泰昌，万国表臣仪。"殊有天地开辟、日月重光气象。总集之编有《扶桑集》、《怀风藻》、《凌云集》、《本朝丽藻经国集》。延喜、天历之间，称郁郁乎文矣，然未有专集。其后能以诗鸣者曰新井君美、著有《白石诗稿》。梁田邦美、字景鸾，号蜕岩，江户人，有《蜕岩文集》。祇园瑜、字伯玉，号南海，纪伊人，有《南海集》。秋山仪、字子羽，号玉山，丰后人，有《玉山诗集》、《玉山遗稿》。菅晋师、字礼卿，号茶山，备后人，有《黄叶夕阳村舍诗稿》。赖惟柔、字千祺，号杏坪，安艺人。赖襄、梁孟纬、字公图，号星岩，美浓人，有《星岩集》。广濑建，字子基，号淡窗，□□人，有《远思楼诗钞》。皆名家也。

七七

岂独斯文有盛衰，旁行字正力横驰。

不知近日鸡林贾，谁费黄金更购诗？

诗，初学唐人，于明学李、王，于宋学苏、陆，后学晚唐，变为四灵。逮乎我朝，王、袁、赵、张船山。四家最著名，大抵皆随我风气以转移也。白香山、袁随园尤剧思慕，学之者十八九。唐时有小野篁慕香山，欲游唐。小说家称：人见海上楼阁，道以待白香山来，殆即日本也。《小仓山房随笔》亦言，鸡林贾人争市其稿，盖贩之日本，知不诬耳。七绝最所擅场，近市河子静、号宽斋，上毛人。大洼天民、号诗佛，□□人，有《诗圣堂集》。柏木昶、字永日，号如亭，信浓人，有《晚晴堂集》。菊池五山，字□□，□□人，有《五山堂诗话》。皆称绝句名家。文酒之会，援毫长吟高唱，往往逼唐、宋。近世文人，变而购美人诗稿，译英士文集矣。

七八

一千五百年前纸，在在神灵为护持。

如见古人如见佛，焚香百拜展经时。

西京知恩寺僧彻定者，藏西魏陶仵虎《菩萨处胎经》，纸墨皆不蚀，神似钟太傅。世传北魏诸碑,结构正同,知当时体固如此也。陶仟虎跋,典质朴茂,云一切经乘,搜访尽录,则此卷亦凤毛麟角矣。西魏大统庚午,距今岁己卯,为一千五百有十年,墨迹尚存,岂非怪事。盖日本喜收藏,兵燹之乱,虽经武门迭争,而释教盛行,斯文寄于浮屠,故能历劫不磨耳。彻公又藏有唐苏庆节《大楼炭经》、按《唐书》,庆节,苏烈之子,高宗乾封三年卒。史称庆节封武邑县公,而此卷题章武公,当是改封于烈卒之后,史未究言之。马道手箱《华严经音义私记》,皆唐人手笔。此外有僧怀素《千文》墨迹,于天德寺僧义应家见之。宋刘松年《养蚕图》一卷、僧贯休《罗汉图》一卷、李龙眠《降龙伏虎罗汉图》二幅,于大藏卿大隈重信家见之。张颠草书墨迹,于宫岛诚一郎家见之。小野篁书佛经一卷、朱子《屈曲》诗二首,于东京府书籍馆中见之。岳少保书,于故参议大久保利通家见之,云其墨迹在萨摩书库也。元明以下至不胜纪。然伪者至多,购之又动称千金。

七九

　　铁壁能逃劫火烧,金绳几缚锦囊苞。
　　彩鸾诗韵《公羊传》,颇有唐人手笔钞。①

　　佛寺多以石室铁壁藏经,秘笈珍本,亦赖之以存。变法之初,唾弃汉学,以为无用,争出以易货,连樯捆载,贩之羊城。余到东京时,既稍加珍重,然唐钞宋刻,时复邂逅相遇。及杨惺吾广文来,余语以此事,并属其广为搜辑,黎莼斋星使因有《古逸丛书》之举。此后则购取甚难矣。

卷　　二

八〇

　　竭民膏血造浮屠,佞佛甘称三宝奴。
　　匹马出宫偷祝发,上皇尊号半僧徒。

　　自钦明时,佛法东来,苏我马子首信之。推古以还日崇尚。至圣武,自称"三宝奴",后祝发为沙弥胜满,是为天皇披薙之始。至花山天皇,信右大臣兼家之言,夜潜出宫,至花山元庆寺削发。其后禅位皇子者,多半为僧。僧徒盛时,上自公侯,下至庶民,不建寺

———————————

　　①　此首梧州本无,长沙定稿本新增。

塔,不列人数。堂宇之崇,佛像之大,工巧之妙,庄严之奇,有如鬼斧神工。又令七道诸国建寺,各用其国正税。于是举国之费十分而五,一寺度僧岁三四百人,举国之民秃首过其半。多家蓄妻子,口啖腥膻,甚至群聚为盗,窃铸钱货。党徒相攻,敢劫关白之第,入太政大臣家,掠财物,夺庄园;且率徒党发山陵,入宫殿,劫神舆。后宇多帝时,至毁闱截帘,破行事障子。帝乃御腰舆,逃匿内大臣私第。暴乱淫纵,天下所未有也。

八一

佛阁沉沉覆黑天,黄标百万数堆钱。

大师自主鸳鸯寺,梵嫂同参鹦鹉禅。①

本愿寺号一向宗,僧亲鸾为教主。其法谓不必离俗,不必出家;但使蓄妻子,茹荤酒,此心清净即为佛徒。日本之民,因是半为僧矣。明治六年,下令凡僧徒均许食肉、娶妻。僧妻曰库里,曰大黑。大黑,俗所称为司财之神也。维新后,僧徒田产多没入官,而势始衰矣。

八二

不须偏袒覆袈裟,唤作山僧未出家。

却变神山称佛国,只须一语妙莲华。

僧日莲专以唱《法华经》题目为宗,谓口念佛即心奉佛,佛必以其力鉴临而庇护之。信从者益众。此皆以大智具雄力者。故余谓日本僧比之唐僧,实有过之。被服如中土,惟严寒均蒙纱衣,亦谓之袈裟,不必着水田衣、行偏袒礼也。

八三

乘槎浮海寄深叹,象法东来遍佛坛。

独有青牛出关去,流沙遥隔路漫漫。

三教独无道教。盖日本自称神国,世世有神官司祭祀者。张鲁、寇谦之符箓科仪,反不能行矣。

八四

万头骈刃血模糊,脚踏升天说教图。

今日铸金悬十字,几人宝塔礼耶稣。②

---

① 此首梧州本无,长沙定稿本新增。

② 此首梧州本无,长沙定稿本新增。

自天主教徒作乱于天草，罹于锋镝者，约三十万人。于是德川氏益严教禁，铸十字架
耶稣像于铁板，令士民践踩，以验其信否。又于通衢大道竖牌曰："禁止切支丹宗门。"维
新以后，徇各使之请，所有在地踏像、当道立木概行撤废。然日本信教者，要不甚众也。

八五

三千神社尽巫风，帐底题名列桂宫。

蚕绿橘黄争跪拜，不知常世是何虫。

俗最敬神，《延喜式》所载神名帐，悉数之不能终也。国中大小神社凡三千馀座。昔
有所谓"常世虫"者，产于橘树，如蚕，绿有黑点。有大生部多能宠灵是虫，而诳人曰神也。
于是巫觋奔趋，所在迎神，设几筵，罗供帐。神或语人曰："吾能福尔。"于是相叫呼曰："福
至矣！"乃至鬻田园、饥妻子，尚以为布施不足云。

八六

沐猴跳舞排猿女，吠吠唁声闹隼人。

执盖膝行铃手引，一人独拜九天神。①

日本最重祭礼，每岁于十一月举行新尝祭。祭日，门部纠察出入，隼人司分立朝集堂
前，开门，乃发犬吠声入宫。大臣率中臣、忌部、御巫、猿女，左右前行。主殿官二人执烛，
一人执营盖，二人执盖网，均膝行。掌典引铃前导。帝亲奏祭告文，臣下不得窥视。今其
仪少杀，然典礼犹甚重也。详《礼俗志》中。

八七

青衫绿袄导双骑，鳆汁鱼羹列十台。

锦袋悬胸文在手，共瞻天使祭陵来。②

古山陵多不可考，惟四亲庙每岁遣使祭告。祭文纳之锦袋，或敕史捧于手，或随员挂
于首。派警部四骑随从，二导前，二护后。所供神馔，例设十台，有鳆汁，有鱼羹。

八八

万众头攒日荫霭，千行肃肃拜神官。

何时重睹威仪盛，剑已飞天玺久刓。③

---

① 此首梧州本无，长沙定稿本新增。
② 此首梧州本无，长沙定稿本新增。
③ 此首梧州本无，长沙定稿本新增。

古列于大祀者,为践祚大尝祭。每帝即位,预令所司卜定国郡为郡,命之供器具,供营缮,供调使。祭日,千官毕集,举国若狂。今亦无此盛典矣。

八九

玉叶金枝共一家,剪桐分赐日兄花。

定知禁脔无人近,不见天孙下嫁车。①

凡皇子皆为亲王,皇女为内亲王。至于五世,乃有王名,称某宫。旧制限帝族自为婚配,亲王即与内亲王为婚。惟延历十一年诏曰见任大臣,良家子孙,听娶三世王。惟藤原朝臣,奕世相承,辅相王室,特听娶二世王。蒲生秀实曰不取同姓,儒家名为周道,知周以前不辟同姓矣。礼之质文,古今不同如此。

九〇

得宝无须聘妇钱,新弦唱彻想夫怜。

同牵白发三千丈,共结红丝一百年。②

婚嫁及时,媒周旋二姓间,使两小相识,既语,乃诣官告婚,遂用红定,谓之结纳。白发一,以白麻制之,如发然。熨斗一,以鲍鱼制之。鱼双,酒一樽,衣一领,带一围。贫富虽有差,更无聘钱也。

九一

绛蜡高烧照别离,乌衣换毕出门时。

小时怜母今怜婿,宛转双头绾色丝。③

大家嫁女,更衣十三色,先白,最后黑。黑衣毕,则登舆矣。母为结束,盘五彩缕于髻。满堂燃烛,兼设庭燎。盖送死之礼,表不再归也。

九二

红珊簪子青罗伞,黑油镜台黄竹箱。

姊妹两行携手送,一双新屐是新娘。

嫁装数器,有单笥,盛衣服。有长持,寝具。有黑棚,列妆具。有厨子,有钓台。各什器并厨下

---

① 此首梧州本无,长沙定稿本新增。
② 此首梧州本无,长沙定稿本新增。
③ 此首梧州本无,长沙定稿本新增。

物。贫家无奁器,亦不升舆,步行入婿家,着新屦者,即新娘也。

九三

三千大神监誓词,万亿菩萨作盟司。

君看壶头双蛱蝶,夫夫妇妇不相离。[①]

　　新妇入门就席,南面坐。婿北面坐。媒为行酌。肴必用干乌贼,羹用蛤。壶饰以雌雄胡蝶,以金银纸为之。既饮交杯,媒唱《高砂曲》。相传高砂有松,化为翁媪,千岁不死,故合卺必歌此曲。曲有曰:"三千三百三十二座大神兮,百千万亿化身菩萨兮,为我盟司。"

九四

义儿有传半呼甥,归妹占爻许配兄。

似此冒宗齐赘婿,最难议礼鲁诸生。

　　日本赘婿为子,即冒其姓,自足利氏始。时尚武竞争,多养他人子以固党羽。因妻以女,俾奉先祀。后侯国无子,各贪袭爵,遂踵成风俗。或妻死,继室以妹。有司议曰:"为人后者为之子,妻妹即其妹,是兄妹为婚也,不可。"或又曰:"女夫谓之婿,己所生谓之子,今既并于一人之身,于姊谓之婿,于妹谓之子,何分歧为?且父母于姊妹均谓之女,未尝称配嗣子者为妇。既女而不妇,姊妹何择焉,可。"议礼之家,纷如娶讼云。

　　日本细民之家,亦多娶从妹为妇者,后禁之。又蒲生君平曰:自足利氏后,天下馀子多以男嫁人。而无子将择后者,必先议其币多少,而后定议。

九五

覆鹈产殿映灯红,汤饼筵开笑语中。

五月吾妻桥上望,画旗争飐鲤鱼风。

　　生子,每别筑产舍,曰生衙。《古事纪》所谓"覆鹈羽作产殿"是也。一索得男,喜呼他人以假父。年十五时,假父为之魁头结发。《日本风土记》所载,尚有桑弧蓬矢以射四方之遗,亦假父立其事。初生,逢五月,制旗如鲤,高插门楣,以祝多子。或曰取鲤登龙门之意。

----

① 此首梧州本无,长沙定稿本新增。

九六

春在梅梢月柳梢,红阑屈曲影相交。

别开待阙鸳鸯社,不愿鸠居占鹊巢。①

古迎妻必造屋,名曰妻屋。《古事纪》以天御柱建口寻殿,即妻屋也。中叶以后,多招赘婿,以男子嫁人,遂入其宫而治朕栖矣。

九七

游部君兼石作公,歌桓护葬习丧容。

紫衣丹首黄金目,甲作传家善食凶。②

始造石棺者,赐姓曰石作大连公。古有土部,紫衣带剑,世掌凶仪。又有游部者,遇国大丧,必令二人掌殡事:一曰祢,负刀持戈;一曰余比,奉酒食,司秘祝。世袭其职,名游部君。古法部省有丧仪司,凡葬具有鼓、角、幡、钲、铙、楯,咸有定式。惟一品及大政大臣别有方相,黄金四目,以之辟凶云。

九八

炮声殷地国旗斜,素霎相随广柳车。

大小红皆披吉服,神官浇酒客持花。

习神教者,自殓至反哭,皆以神官主持。葬日,神官冠纱袜而登席。神官中立拍掌,其俗敬神皆拍手。《周礼·春官·大祝》:辨九拜,四曰振动。郑大夫曰:动读作董,振动,以两手相击。《经典释文》云:今倭人拜,以两手相击,如郑大夫之说,盖古之遗法。复喃喃诵祝文。丧子旁立,不亲祭,亦不哭泣。会葬之客,手执花前供,鞠躬进退。又学西法,国有大丧,则半悬国旗以告哀。他国亦如之,以示吊。葬日放炮,随其官等级如一等官十九炮、二等官十五炮。会葬,皆大礼服,如吉礼。

无三年之丧,丁艰亦不解任,以丧之重轻给假日多寡而已。以黑为缘者,丧家之名刺也。友人主丧者,亦用黑缘刺,讣告即用友名,此谊则甚古也。

九九

散路抛钱买路行,莲花妙法写铭旌。

桐棺三寸如人立,易履相迎入化城。

---

① 此首梧州本无,长沙定稿本新增。

② 此首梧州本无,长沙定稿本新增。

旧多用火葬，木棺直立如佛龛。延僧诵经，以药水拭其体，使尸软如泥，乃令死者合掌跌坐，外糊以纸，书"南無阿弥陀佛"六字，或"南無妙法莲华经"七字。葬之日，前列纸幡二三十，亦书六字七字。如棺和撒钱而行，曰买路钱。编竹为化人城。主人多置草履，会葬者易草履入城。出，易屦归。丧家初用白衣白巾，葬，易彩衣而归。

一〇〇

乌啼月落写哀思，剪发翻同练行尼。
红泪洒来题赤字，不堪石阙独含悲。①

僧又为之制谥，或曰"月落乌啼庵主"，或曰"绿树院重阴居士"。夫死，妻辄剪发去饰，更名用谥，称曰某院，俗称"赤信女"。盖以碑面镌夫妻谥，其未亡人则涂以朱，故有此名也。

一〇一

插花浇水拂杨枝，台笠相从拜墓碑。
迎佛诵经邀客酒，忌辰算到百周时。

扫墓则濯碑以水，折花枝插其旁，无祭礼。遇忌日，百年如一日，往往有以数十周、百周招客者。

一〇二

芒鞋竹杖佛接引，柳车草船神送迎。
画旗猎猎夜风卷，时有经声杂鬼声。②

跌坐立棺中，其装束多布袜麻鞋，或附以杖笠，云往西天到佛国也。不别立宗庙。富贵家于邸中作室，佣僧护之。中供佛像，左右列木主。每祭必修佛事。七月，作盂兰会于庙，招魂树竹城，四隅敷蒲席数重。以野蔬象牛马，或编柳为车，削竹为轮，谓幽魂将驾而来也。

一〇三

不环不钏不钗光，雅头袜子足如霜。
蓬山未至人多少，都道温柔是婿乡。

女子皆肤如凝脂，发如漆，盖山川清淑之气所钟也。宫装皆被发垂肩，民家多古装束。

---

① 此首梧州本无，长沙定稿本新增。
② 此首梧州本无，长沙定稿本新增。

七八岁时，了①髻双垂，尤为可人。长，耳不环，手不钏，髻不花，足不弓鞋。皆以红珊瑚为簪，出则携蝙蝠伞。带宽咫尺，围腰二三匝，复倒卷而直垂之，若襁负者。衣袖尺许，不缝掖，襟广，微露胸，肩脊亦不尽掩，傅粉如面然，殆《三国志》所谓"丹朱坌身"者耶。《志》又言："男女无别而不淫。"今妇女亦不避客，举止大方，无羞涩态，然不狎眠，犹古风也。

一〇四

骀荡春风士女图，妾眉如画比郎须。

并头鹦鹉双双语，此唤檀那那彼奥姑。②

妇既嫁薙眉，男至老无须，本旧俗。今效西人，皆眉如远山，鬐如戟矣。维新以来，有倡男女同权之说者。豪家贵族，食则并案，行则同车。时逢国典，或有家庆，张灯夜会，为跳舞之戏，多妇媚士依，双双而至。呼夫曰"檀那"，奴婢之于主人亦然。盖即"檀越"，佛教盛行，沿梵语也。呼妇曰"奥姑"，他人亦用此称。《辽史国语解》："凡纳后，即族中选尊者一人，当奥而坐，以主其礼，谓之奥姑。"袭辽人语也。日本语言本于梵音百之二三，本于辽东语亦百之一。近则妇人亦颇有通英语者。

一〇五

眉心点翠额安黄，云鬈堆鸦学艳妆。

绣葆呱呱怀抱里，小姑居处尚无郎。

多女仆。旧藩时，诸侯入朝，呼以司浣濯，供洒扫，亦或侍寝，相沿成风。又有女子名曰外妇，又曰权妻，亦计月输租，以养其家，朝秦暮楚，听人去留。或生子，因买为妾，或留子去母。此真《战国策》所谓不嫁而嫁过毕也。鬈分两翼如鸦鬐，名岛田鬐。或如蜂腰，名天神鬐。女也；作蛇盘鬐为一撮，妇也。

一〇六

繁华南部记烟花，七十鸳鸯数狭邪。

欲聘狸奴先问价，红笺分送野猫家。③

呼妓为猫。考《贵耳集》称："学舍燕集，点妓。各斋集正出帖子，用斋印，书仰弟子某人到处祇直燕集，专有一等野猫儿卜庆等充报。"则南宋时亦同此称呼也。

---

① "了"，似当为"丫"。

② 此首梧州本无，长沙定稿本新增。

③ 此首梧州本无，长沙定稿本新增。

一〇七

弹尽三弦诉可怜，沉沉良夜有情天。

楼头月照人团聚，到老当如鸡卵圆。①

业歌舞者称艺妓，甚类唐宋营妓、官妓。士夫聚饮辄呼之，不为怪。德川氏盛时，各藩诸侯寄帑于京，金吾不禁，纵之冶游。故吉原、深川，皆为销金之窟。旧有谣曰："倡家妇，如有情，月尾三十见月明，团团鸡卵成方形。"喻无情也。然近日改历，晦夜竟可见月，冶游亦不复前此之盛矣。

一〇八

狭巷阴宫狱气凄，马缨一树夜乌栖。

花阴月黑羊车过，供鬼揶揄作鬼妻。

娼妓所居室曰："贷座敷"。官籍其名，课其税，故悬灯曰"官许"。不由官许为"私卖淫"，夜去明来，人谓之"地狱女"。其与西人杂居者曰"罗纱牝"，戏言"羊妻"也。

一〇九

当垆少女似罗敷，精舍安排莞簟铺。

茶鼎酒铛亲料理，语郎团坐且须臾。

卖酒卖茶，皆以少女当垆。酒楼曰"料理屋"。

一一〇

锦棚悬鹄插雕弧，孔雀屏开列画图。

左右射来齐中目，拍肩都道子南夫。

射所，铺红氍毹于地，缚彩为棚，中蒙以皮。竹弓翎箭，相去寻丈，中者铿然作声。雏姬环侍，互拍其肩，以为笑乐，盖比之北里、南瓦。颜其场曰"扬弓店"。

一一一

回廊曲曲护屏风，香案镂银拍板红。

衔得杨花入窠里，便夸姹女数钱工。②

------

① 此首梧州本无，长沙定稿本新增。

② 此首梧州本无，长沙定稿本新增。

设肆卖曲者为"杨花"。所奏曲多男女怨慕之辞,有萨、土佐各派,竹本氏一派最盛行。贫家多业此觅食,驱使其母如奴婢。谚有言曰:"生女勿吁嗟,盼汝为杨花。"

一一二

压帽花枝挂杖钱,冶春词唱小游仙。

杏黄衫子黄桑屐,自赏翩翩美少年。

俗好游,春秋佳日,携酒插花,屐声裙影,妆束如古图画中人。

一一三

追风快马缠锦绦,袜胸帕首弓在弢。

一声雁落血如雨,金原秋冷霜天高。

游侠之士好猎射,秋深辄入山,流连忘反,骑马皆不施鞍勒。

一一四

覆院桐阴夏气清,汲泉烹茗藉桃笙。

竹门深闭云深处,尽日惟闻拍掌声。

喜园亭,贫家亦花木竹石,位置幽而雅,门设常关。行其庭,阒然如无人者。余常访友,笔谈半日,不闻人声;呼童点茗,亦拍手而已,使人翛然有出尘之想。

客来必出寒具,或呼酒浆,出妻子跪献盏,殷殷之意可感也。

一一五

山深太古日如年,小屋阴凉树插天。

拜疏公庭争乞假,要从热海浴温泉。

西法,夏月各官许给假三十日,日本亦仿之。豆州热海有温泉,老树参天,游者云集,诸省郎吏多尽室而行者。

一一六

斜阳红映酒旗低,食榼归时袖各携。

都为细君留割肉,自拚空酳醉如泥。

嗜酒,喜歌舞,《魏志》、《汉书》既言之。今犹古风,大率皆粆饵之资过于饭蔬,游宴之费多于居室云。然亲朋雅集,皆相戒勿大嚼。少啜羹汤,馀则以竹筐袖归其家,以遗妻子。亦有行厨,以小木箧,作二三层,游山甚便携取也。

一一七

湘帘半卷绮窗开,帕腹悄头烂漫堆。

道是莲池清净土,未妨天女散花来。

喜洁,浴池最多。男女亦许同浴。近有禁令,然积习难除。相去仅咫尺,司空见惯,浑无惭色。

一一八

短衣窄袖曼胡缨,意态纵横一座倾。

耳后生风鼻头火,拓弦时作俄鸥声。①

有习枪所,悬铁为的,亦用弹,轰然作声,辄流星迸散。少年辈每入座练习,以为欢笑。

一一九

解鞘君前礼数工,出门双锷插青虹。

无端一语差池怒,横溅君衣颈血红。

士大夫以上,旧皆佩双刀,长短各一,出门横插腰间,登席则执于手,就坐置其旁。《山海经》既称倭国衣冠带剑矣。然好事轻生,一语睚眦,辄拔刀杀人,亦时时自杀。今禁带刀,而刺客侠士犹纵横。史公称"侠以武乱禁",惟日本为甚。

一二〇

当王徽号贵黄华,时唤臣僚共斗花。

淡极秋容翻富贵,疏篱茅舍到官家。②

自朱雀帝时,始为菊合,凡分两朋,以角优劣,谓之合。斗歌曰歌合,斗诗曰诗合,斗扇曰扇合,斗画曰绘合,斗鸡曰鸡合,当时语也。王公以下各赐物。嵯峨帝尝为《菊花赋》,故历朝尤赏菊,菊遂为皇族徽志。今御苑尚栽菊数百盆,每盆开花,有至五六百枝者。花时,必招各国使者及诸省院长次官为竟日之游。

---

① 此首梧州本无,长沙定稿本新增。
② 此首梧州本无,长沙定稿本新增。

一二一

狗吠声腾马足驰，狩衣草屦古威仪。

锦旗日曜红轮影，来看公侯习犬追。①

　　旧有犬射，编竹为城，纵犬于城内，驰逐而射之。皆公卿贵人亲执辔，狩衣草屦，妆束古朴。其磬控纵送，均有法度，名曰犬追物。设台四隅，招邀贵客凭轼而寓目焉。君后亦亲临观礼。

一二二

朝曦看到夕阳斜，流水游龙斗宝车。

宴罢红云歌绛雪，东皇第一爱樱花。

　　樱花，五大部洲所无。有深红，有浅绛，亦有白者，一重至八重，烂熳极矣。种类樱桃，花远胜之，疑接以他树，故色相亦变。三月花时，公卿百官，旧皆给假赏花，今亦香车宝马，士女征逐，举国若狂也。东人称为花王，墨江左右有数百树，如雪如霞，如锦如荼。余一夕月明，再游其地，真如置身蓬莱中矣。

　　东京以名胜闻者，木下川之松，日暮里之洞，龟井户之藤，小西湖之柳，堀切之菖蒲，蒲田之梅花，目墨之牡丹，泷川之丹枫，皆良辰美景、游屐杂沓之所也。

一二三

抟花作饭胜胡麻，嚼蕊流酥更点茶。

费尽挼莎才结果，果然团子贵于花。②

　　有卖樱饭者，以樱和饭。有卖樱饼者，团花为馅，或煎或蒸，谚有"团子贵于花"之谣。卖樱茶者，点樱为汤，少下以盐，人谓可以醒酒。花枝或插于帽，或裹于袖，或系于带，游客归时，满城皆花矣。

一二四

殿春花事到将离，云似人愁水似思。

一尺落花和泪雨，手添香土吊梅儿。③

---

　　①　此首梧州本无，长沙定稿本新增。
　　②　此首梧州本无，长沙定稿本新增。
　　③　此首梧州本无，长沙定稿本新增。

墨江左右堤，樱花数百树。木母寺旁，有一坟名"梅儿"。相传古有美人梅若，以三月十五日化去。是日遇雨，都俗谓之"泪雨"。名流赏花，必吊其坟。

一二五

镜槛新开响屡忙，溶溶四壁照花光。

为渠一笑三年住，却记衣襟未染香。[1]

东京每有斗花会，任辇车牛，名种毕集。每于四壁嵌玻璃，光影迷离，如到四禅天矣。士女裙屐，云集鳞萃。日本诸花，颜色敷腴，光艳独绝。或言比校华种香味少逊，鼻观徐参，知其语真实不虚也。

一二六

银字儿兼铁骑儿，语工歇后妙弹词。

英雄作贼夗央[2]殉，信口澜翻便传奇。[3]

演述古今事，谓之演史家，又曰落语家。笑泣歌舞，时作儿女态，学伧荒语。所演事实，随口编撰。其歇语必使人解颐，故曰落语。

一二七

枣花泼过翠萍生，沫碎茶沉雪碗轻。

矮室打头人对语，铜瓶雨过悄无声。

自僧千光游宋赍茶归，始栽之背振，后遂蔓衍。北条泰时，初尚之。至丰太阁之臣，有茶博士官，赐禄三千石，子孙世其业。或费千金求其诀，不可得。及德川氏，每春遣使赍瓮收茶，曰"御茶壶"，藩属望尘拜趋道路。烹茶在丈室，劣容一二人，旧名"数奇屋"。时逢战争，鼙鼓震天，茶室独悄然无声，盖密谋之所也。而茶博士即借以窃权卖爵，无所不至。凡室忌华，器忌新。然珍木怪竹，朽株瘿枝，搜求之幽岩邃谷之中，或历数十年而后得。得其一以献，贫儿为富翁矣。器必用苦窳缺敝之物，曰某年造，某匠作，乃至一破瓯，一折匙，与夏鼎商彝同贵重，积金盈斗不可偿。争是而兴大狱者有之，因是而释战争者有之。器有风炉、有筥、有炭挝、有火筴、有鍑、有交床、有纸囊、有碾、有罗合、有则、有水方、有漉水囊、有瓢、有竹夹、有熟盂、有畚、有札、有涤方、有滓方、有巾。其候火、拣泉、

---

①　此首梧州本无，长沙定稿本新增。

②　底本原如此，似即为鸳鸯。

③　此首梧州本无，长沙定稿本新增。

吹沫、点花、辨味、侔色之法，微妙不可言传。盖碾茶煮之，故费工夫也。然稽之陆氏《茶经》、蔡氏《茶录》，正相同，惟不下盐耳。

一二八

百练真成绕指柔，幻人妙术过婆猴。

随身一卷东黄祝，行脚能周五大洲。①

练习技巧，最为擅能，凡走索、上竿、戴竿、跃圈、跳丸、跳铃、跃剑、抛球、旋盘、转桶，至于吞刀吐火，无一不有，亦无一不能。西人马戏，必聘日本人以斗巧艺，而日本戏法遂遍于五部洲矣。或以为幻术，则妄语也。

一二九

柳燧荷囊事事俱，小盆亲饷淡巴菰。

一声湘管含芬递，喜食人间烟火无。

呼烟曰淡巴菰。《鲒埼亭赋》、《芝峰类说》朝鲜人著。皆谓出日本，日本人乃谓出中土，盖皆自吕宋来。庆长十年，烟草始来日本。淡巴菰，西人语也。男女皆喜吸之。客来，携小筐出。筐有抽屉，旁置火炉。三寸烟管外，唾壶、齿签，纤悉俱备。行则插腰间。柳燧，东人以名西制自来火也。

一三〇

月支氍毹花千色，王母琉璃酒百钟。

破产争求番舶物，只赢不买阿芙蓉。

西国进口货，以毡革布为大宗。富贵之家，必用地衣，骋妍斗巧，每从数万里购之。一火炉石，有值千金者。葡萄美酒每出供客。故虽不食鸦片烟，而流出金钱岁有七八百万。然鸦片禁极严。明治六年颁新律：贩卖者斩决，吸食者徒。呜呼，善矣！

一三一

鲤鱼风紧舶来初，唐馆豪商比屋居。

棉雪糖霜争购外，人人喜问上清书。

长崎与我通商既三百馀年，每岁舶以八九月至。旧有唐馆，多以糖、棉花入口，皆日用必需物也。书画纸墨，尤所欣慕。近世文集，朝始上木，夕既渡海。东、西二京文学之

---

①　此首梧州本无，长沙定稿本新增。

士,每得奇书,则珍重篋衍,夸耀于人。而赝鼎纷来,麻沙争购,亦所不免。修好以后,得之较易矣。各口流寓商民,今有三千馀人。

一三二

敲碎银花剥镜菱,莹莹光映玉壶澄。

暑中胜服清凉散,争买舶来函馆冰。

江都无冰,严寒凝水面,一二日即解。箱馆有藏冰,夏五六月,由轮舟来,沿街卖之。

一三三

让叶劳薪插户前,人人都道是新年。

故乡正作消寒会,兽炭红炉一九天。

新年皆插松枝竹叶于门。设龙虾者肖其体,以祝老人康健。又用乌薪,呼为"住",言安居于是。插叶于橙,曰"让叶"。橙音"代代",谓世世子孙有让德也。西历岁首,皆在我长至后十日。

一三四

零落街头羽板稀,已捐团扇过时衣。

儿时嬉戏都如梦,不见翩翩蛱蝶飞。①

旧俗,于正月间分朋抛球,以彩杖遏而格之,以睹②胜负,谓之"球杖",或谓之"玉打"。女儿团绵为球,络以五彩,谓之"手球"。又插羽于木柰子,以彩板承而跳之,翩翩如蛱蝶,谓之"羽子板"。是月也,市店罗列如锦绣天街。今渐革矣。

一三五

蛭子神丛奏鼓箛,花糕分饷到千家。

凤音纪月元猪日,谁记东京录梦华?③

旧俗,凡三月三、五月五、七月七、九月九,谓之"节句",略如华俗。惟十月谓之"上无月"。上无,日本律名,本名凤音,乐家相传为应钟。应钟,十月律也。亥日谓之"元猪",士庶作糕以相馈送。是廿日,商贾罢市,各具酒馔燕集,谓之"蛭子会"。蛭子,神名。所

---

① 此首梧州本无,长沙定稿本新增。
② 睹,当为赌。
③ 此首梧州本无,长沙定稿本新增。

在庙市,纷纷祈福。

一三六

进贤冠顶玉交枝,高髻峨峨花四枝。

廿六阶分舆服志,礼容如见汉官仪。①

推古十一年始定冠位,凡十二阶,如曰大礼、小礼、大义、小义,以名为别。天智三年,改二十六阶,如曰大紫、小紫、大锦、小锦,以制为别。《唐书》称粟田真人来聘,冠进德冠,顶有华花四披云。至天武十四年,又更爵位号,凡四十八阶。详《礼俗志》中。

一三七

天吴紫凤颇文华,凭取花纹认世家。

三百年来夸衣被,葵能卫足竟如花。

贵贱之服,旧颇悬绝。朝会,锦衣绣裹,明王志坚有《倭锦袍歌》:"天吴紫凤恍忽似,水底鲛人亲自缫。"言其华美也。故家世族,皆以花草禽兽等为徽帜,绘其二于袖,或一或三于背,名曰纹,以之识姓氏。如藤原氏为藤花,菅原氏为梅花,皆有定制,不能滥混。德川氏之徽为葵叶。德川氏之还政也,故将军庆喜仍给官禄,以终其身。

一三八

一双角子影娉婷,问取年华近算丁。

种得瓟花添鬓福,愿花常好鬓常青。②

古俗,男子分发为二,左右结之,饰以贯珠。《日本纪》注:"年十五六,束发于额,十七八分为角子。"额发,《古事纪》称为"瓟花",后世名为"鬓福"。

一三九

白题胡舞翻新样,黄胖春游学少年。

脱却垂檐莞笠子,十分圆月到鹠颠。③

剃头发数寸,曰月代,犹言月样也,又名十河额,宇士新称为黄鹠颠。数十年前,多戴垂檐白莞笠,后改用平顶一字,今皆用伞矣。

---

① 此首梧州本无,长沙定稿本新增。
② 此首梧州本无,长沙定稿本新增。
③ 此首梧州本无,长沙定稿本新增。

一四〇

对镜惭看薄薄胡，时粆①孤负好头颅。

青青不久星星出，间引毛锥学种须。②

维新以前，公卿以下，皆剃面不蓄须髯，盖如僧俗。士庶不须，则始于德川氏时。近学西俗，得髯则绝伦超群矣。

一四一

六尺湘裙贴地拖，折腰相对舞回波。

偶然风漾中单露，酒晕无端上颊涡。

女子亦不着裤，里有围裙，《礼》所谓"中单"。《汉书》所谓中裙，深藏不见足，舞者回旋，偶一露耳。五部洲惟日本不着裤，闻者惊怪。今按《说文》："袴，胫衣也。"《逸雅》："袴两股，各跨别也。"袴即今制，三代前固无。张萱《疑曜》曰："袴即裤，古人皆无裆。有裆起自汉昭帝时上官宫人。"考《汉书·上官后传》："宫人使令皆为穷袴。"服虔曰："穷袴，前后有裆，不得交通。"是为有裆之袴所缘起。惟《史记》叙屠岸贾，有"置其袴中"语；《战国策》亦称韩昭侯有敝袴，则似春秋战国既有之，然或者尚无裆耶。观马缟《古今注》曰："袴，盖古之裳。周武王以布为之，名曰褶。敬王以绘③为之，名曰袴，但不缝口。至汉章帝时，以绫为之，名曰口。"所称周制，不知何所据。然亦可知有裆缝口之袴起于汉，无疑也。汉魏以来，殆遂通行。日本盖因周秦之制不足怪耳。特新罗、高丽皆有袴。《南史》："新罗国呼袴曰'柯半'。"《南齐书》："永明中，高丽使至，服穷袴。"日本服制，大半模仿中土，不知何以独遗此也。然考《延喜式》缝殿寮中有袴，或曰官家用之，或又曰源、平以前，民家亦常用之。

一四二

锦衾双袖剪文罗，未许春寒到被窝。

始识寝衣长过半，牺尊莫误凤莎莎。

被有两袖，长九尺有奇，卧则覆于上，更以其半覆足。《诗》、《礼》所谓衾，《论语》所谓寝衣，长一身有半也。孔注曰"今之被"，本简而明。宋儒不知古制，以被为衣，遂多臆说。以郑康成之博洽，而注牺尊尚曰："牺读为莎，如凤凰之羽莎莎然。"汉儒去古未远，犹有此误。

---

① 粆，当为妆。

② 此首梧州本无，长沙定稿本新增。

③ 绘，似当为缯。

一四三

声声响屟画廊边，罗袜凌波望若仙。

绣作莲花名藕覆，鸳鸯恰似并头眠。

袜前分歧为二靫，一靫容拇指，一靫容众指。《致虚阁杂俎》："太真作鸳鸯并头莲袜，名曰藕覆。"

屐有如丌字者，两齿甚高，又作反凹者。织蒲为苴，皆无墙有梁。梁作人字，以布绠或纫蒲系于头。必两指间夹持用力乃能行，故袜分两歧。考《南史·虞玩之传》："一屐著三十年，冀断以芒接之。"古乐府："黄桑柘屐蒲子履，中央有丝两头系。"知古制正如此也。附注于此。

一四四

千门万户未分明，面面屏风白自生。

数尺花茵尘不动，偶闻橐橐有靴声。

古宫室之制，名"足一腾宫"，树一柱中央，以义字形木结束之，名曰冰木屋，上作鸱尾，名曰坚鱼。覆茅于上而已，神庙犹用之。今制闻始自韩人，室皆离地尺许，以木为板，藉以莞席。入室则脱屦户外，袜而登席。近或易席以茵，穿革靴者许之升堂矣。无门户、窗牖，以纸为屏，下承以槽，随意开阖，四面皆然，宜夏而不宜冬也。中人之家，大率湫隘，多茅衣而木瓦；旧藩巨室，则曲廊洞房，畸零而潦曲，每不知东西南北之何向。室中必有阁以庋物，有床第以列器皿、陈书画。室中留席地，以半掩以纸屏，架为小阁；以半悬挂玩器，则缘古人床第之制，而亦仍其名。楹柱皆以木，而不雕漆。昼常掩门，而夜不扃钥。寝处无定所，展屏风、张帐幔则就寝矣。每日必洒扫拂拭，洁无纤尘。

一四五

花茵重叠有辉光，长跪敷袿客满堂。

除却凤衔丹诏至，未容高坐踞胡床。

坐起皆席地，两膝据地，伸腰危坐，而以足承尻后。若跃坐，若蹲踞，若箕踞，皆为不恭。坐必设褥，敬客之礼，旧有敷数重席者。有君命则设几，使者宣诏毕，亦就地坐矣，皆古礼也。因考《汉书·贾谊传》："文帝不觉膝之前于席。"《三国志·管宁传》："坐不箕股，当膝处皆穿。"《后汉书》："向栩坐板坐积久，板乃有膝、踝、足指之处。"朱子又云："今成都学所，存文翁礼殿刻石，诸像皆膝地危坐，两蹠隐然见于坐后帷裳之下。"今观之东人，知古人常坐皆如此。盖古人无几，故不能垂足而坐。高坐之设，萌于赵武灵王，兴于六朝，盛于北宋，而道行于元，三代之前，凭则有几，《诗》所谓"授几有缉御"，《孟子》所谓"隐几而卧"，皆是也。寝则有床，《诗》所谓"载寝之床"，《易》所谓"剥床以辨"，皆是也。然床、几或以凭依，或以庋物，或以寝处，皆非坐具。至应劭《风俗通》："赵武灵王作胡床"，乃以为坐。然汉时犹皆席地。《贾谊传》"不觉膝之前，暴胜之登堂坐定，隽不疑据地以示尊敬"，皆可知也。东汉之末，有斲木为坐具者，其名仍谓之床，或谓之榻，如管宁、向栩所坐，或于地上加板，未必离地咫尺也。魏晋后，观《魏志·苏则传》："文帝据床拔刀。"《晋书》："桓伊据胡床，取笛作三弄。"《南史》记僧真诣江敩，登榻坐，敩令左右移吾床让客。狄当、周赳诣张敷，就席，敷亦令左右移床远客。《邺中记》曰："石虎所坐几，悉漆雕画。"则似为高坐，然皆高客贵人始有之。《语林》曰：孙冯翊往见任元褒，门吏凭几见之。孙请任推此吏，曰得罚体痛，以横木挟持，非凭几也。夫门吏不许凭几，则知所谓移床远客者，非尊敬之客不许坐也。又其时坐榻坐几，尚皆跪坐。《梁书·侯景传》："升殿踞胡床，垂脚而坐。"史特记之，以为殊俗骇观。知虽有床几，亦不如今坐耳。至唐，又改木榻而穿以绳，名曰绳床。《演繁露》："穆宗长庆二年，见群臣于紫宸殿，御大绳床。"然不名椅子。至宋初，乃名之。丁晋公《谈录》："窦仪雕起花椅子二。"王铚《默记》："徐铉见李后主，卒取椅子相待。"诸书椅本作倚，后乃借桐椅之椅为之。此后诸书屡见椅子，如《贵耳集》云："今之交椅，古之胡床也。今诸郡守、僚，必坐银交椅。"《桯史》载荷叶交椅。《曲洧旧闻》有锦椅背。至宋时，颇加缘饰，殆已盛行与。然观古图画，唐以前人物无坐几者，宋画亦不尽设几。窃疑胡床本西俗，赵武灵王始学为之。元入中国，因其旧习，乃通行耳。日本制度多半仿唐，唐时尚席地，故亦无之。近十年来亦有矣。

一四六

雪泥深尺护檐牙，瓦背浓阴四角遮。
不用茅龙衣屡换，一年一度屋开花。①

　　木屋少用瓦，多以苇席覆之。村居贫民，于屋上涂泥，厚及一尺，杂植以草花。春二三月，山行望之如锦。盖草根盘结，可以御雨。涂涂之附，则正如把娄国之猪脂涂壁，可以辟寒也。

一四七

染指流涎各欲尝，既调勺药又和姜。
食单蔬谱兼组议，合补东人江户香。②

---

① 此首梧州本无。
② 此首梧州本无，长沙定稿本新增。

炙鳢鱼,谓之"蒲烧"。割有法,燔有法,浸以美酒,衬以佳酱,勺药、芥、姜,随意所适。江户最工治之,诸国名曰"江户香"。日本食品,鱼为最贵。尤善作脍,红肌白理,薄如蝉翼。芥粉以外,具染而已。又喜以鱼和饭,曰"肉盒饭",亦曰"骨董饭"。多用鳗鱼,不和他品,腥不可闻也。

一四八

落莅芦菔作家常,饭稻羹鱼沁肺凉。

踏破菜园新作梦,大餐饱食大官羊。

多食蔬菜,火熟之物,亦喜寒食。寻常茶饭、萝卜、竹笋而外,无长物也。近仿欧罗巴食法,或用牛羊。

一四九

琼芝作菜绿荷包,槐叶清泉尽冷淘。

蔬笋总无烟火气,居然寒食度朝朝。①

石花菜生海石上,一名琼芝。煮之成冻,用方匣以铜线作筛眼,纳菜于中,以木杆筑送,溜出如缕,冰洁可爱,华人所名为"东洋菜"者也。东人能食生冷,饭日一熟,以水或茶冷淘食之。笋脯果干,即便下箸。寻常人家,每间日或数日始一举火,不为怪也。

一五〇

何物坚鱼字所无,侯鲭御馔各登厨。

儒生习礼疑蚔酱,口到今人嗜亦殊。②

坚鱼,名加追沃,汉名未详,或书作鲣字。大者尺馀,小九寸许,能调和百味。自王侯至黎庶,聂而为脍,卤而为脯,风而为挺,渍而为醢,煎而为膏,函封瓮闭,苞苴千里,无日不享其用,而挺之用最广。岁时吉席,无此不成礼;饮馔调和,无此不成味。沿海皆有,土州、势州为最佳。《盉簪录》:"日僧兼好小说,记镰仓有鱼名鲣,耆老言此鱼从前不上鼎俎,仆隶下人不肯啮其首,今亦充膳羞。"古今嗜好不同乃如此。

一五一

甚嚣尘上逐人行,日本桥头晚市声。

别有菜场鱼店外,丹枫落叶卖山鲸。

自天武四年,因浮屠教禁食兽肉,非饵病不许食。卖兽肉者隐其名曰药食,复曰山鲸。所悬望子,画牡丹者,豕肉也;画丹枫落叶者,鹿肉也。凡市肆,居卖曰大问屋,贩卖曰卖捌所,贱卖曰大安卖,零卖曰小间物屋,易钱曰两替屋。酒曰铭酒,铭同名。茶曰御茶,御为日本通用之字,义若尊字。又日本书函函外题名必曰某某殿、某某样,亦尊之之词,皆不知何所仿也。附注于此。饭店曰御茶渍,鸡子曰玉子,和面以肉曰鸭南蛮,菜蔬曰八百屋,栗曰九里,和兰薯曰八里半,鱼饭曰寿志屋,酱曰味噌。凡右所录,彼皆笔之书者,故略举一二。若语言之殊,则五方土音,亦各歧异。於菟谓虎,陬隅名鱼,译而录之,满纸侏偶矣,更无谓也。

一五二

镜饼琼粆乍上盘,盘中花果各阑干。
手携团月歌团雪,共饱妻孥欢喜丸。[1]

饼饵种类极为夥颐。碎杂米蒸曝为干糇,如雪之散盐,名曰琼粆。圆如镜,薄如铜片,曰镜饼。欢喜团一名团喜。《涅槃经》云:"譬如酥面、蜜姜、胡椒、荜茇、蒲陶、石榴、胡桃、樱子,如是和合,名欢喜丸。离是和合,无欢喜丸。"其制正如此。又以梅枝、桃枝、餲餬、桂心、黏脐、饆饠、馂子、团喜,谓之八种唐果子,其法必自唐人得来也。

一五三

笙清簧暖小排当,雅乐伶官各擅场。
合四乙工仍燕乐,谩夸古调谱清商。[2]

日本多用唐乐,有雅乐寮,伶官世守其业。物茂卿谓国乐为周、汉遗音,律亦周、汉之律。村濑之熙祖其说,征引十证,以证第八黄钟调为周、汉黄钟。又曰:"古乐正声,宋以来诸儒所未尝识,特传于我,而古音乃得复明。"余考日本之传华乐,实始于唐。隋文帝平陈,得华夏正声,置清商署。清商调,武后时犹存六十三曲。自唐乐变古,逮五代乱离,古音尽亡。谓日本所传为隋以前曲,以为周、汉古音尚存,不为无理。然日本伶人所用管色,乃正与燕乐谱相合。《宋史》燕乐书十字谱,曰合、四、乙、工、凡、上、勾、尺、六、五。今以校横笛,第一孔为壹越调,用六字,燕乐书即以六字为黄钟。横笛黄钟调用夕字,夕即尺字,燕乐书乃以尺字为林钟。则伶官相传壹越调为黄钟,黄钟调为林钟者,正与十字吻合。若据徂徕之说,以黄钟为周、汉黄钟,则字谱无一符同矣。说详《礼俗志》乐舞类。

---

[1]　此首梧州本无,长沙定稿本新增。
[2]　此首梧州本无,长沙定稿本新增。

一五四

吹螺竞作天魔舞，傅粉翻同脂夜妖。

红襦绣领碧绸袴，骑上屋山打细腰。①

　　猿乐名散乐，俗谓之"能"，又变为田乐。始自北条，盛于室町。及丰太阁亲自学之，王公贵人，皆丹朱扮身，上场为巾帼舞，与优人相伍。部中色长曰大夫，副曰喷基师，副末曰狂言师，歌工曰地讴。所奏曲词，多出于浮屠，装饰乃近于娼优。乐器有横笛、三鼓。三鼓，一曰大鼓，广于羯鼓，承以小床，用两杖击之；二曰小鼓，似细腰鼓，捧左右肩，拍以指；三曰横胴，挟左腋下，亦以指拍之。

一五五

金鱼紫袋上场时，鼍鼓声停玉笛吹。

乐奏太平唐典礼，衣披一品汉官仪。

　　日本尚有《兰陵王破阵乐》，戴假面具上场，有发扬蹈厉之概。《太平乐》者，四人对舞，皆绯衣，佩金鱼袋，俯仰揖让，沨沨乎雅音也。高似孙《唐乐曲谱》：明皇三十四曲，立部八曲，一太平安舞，二太平乐安舞，三破阵乐。高注曰：太平并周、隋遗音。考《齐书》，兰陵王入阵，必戴假面具，因为兰陵王破阵舞，则破阵亦因齐制也。日本唐时遣使习典章制度，此二曲盖得之于唐。乐作时，伶人十数，披裲裆衣，跪坐席外，旁列乐器，先击鼓。鼓停，舞者四人出，笙簧管籥诸乐杂作。一人吹笛，抑扬抗坠，极和而缓。舞止，乐亦止。余饮巨室家，巨室召宫中供奉伶人为此。千年之乐，不图海东见之。《后汉书》谓礼失求之野，不其然乎？

一五六

铿锵鼓舞只依稀，守乐伶官记半非。

弹到金镯涩河鸟，古音唯剩妃呼豨。

　　自《兰陵王》、《太平乐》舞乐外，传歌乐甚多，如《安世乐》、《王昭君》、《想夫怜》、《采桑》、《泛龙舟》、《玉树后庭花》、《秦王破阵乐》、《庆云乐》、《甘州》、《倾杯乐》、《夜半乐》、《长庆子》、《万岁乐》、《春莺啭》、《北庭乐》、《河水清》、《五常乐》、《裹头乐》、《武昌乐》、《应天乐》、《越天乐》、《孔子琴操》、《柳花苑》、《喜春莺》、《赤白桃李花》、《未央宫乐》、《海青乐》、《平蛮乐》、《拾翠乐》、《千秋乐》、《苏合香》、《轮台》、《六朝乐》、《剑器浑脱》、《打毬

---

　　①　此首梧州本无，长沙定稿本新增。

乐》《还京乐》《拔头》《苏芳菲》皆有之。然传其谱,不传其辞,而以乐器出之。只用五调,不用八十四调。余友沈梅士作《学乐录》,以为万宝常所作八十四调,只托空言,世不用之。观此,知其语不诬也。有老乐师加藤熙曾为余奏数乐,其音节不可考。盖世远[1]屡变,所存仿佛而已。曲名亦多误,白苎误白垫,张胡子误朝小子,景德误鸡德,乌白误乌向,苏幕遮误莫者。或以音讹,或以字讹。伶人世守,不知订正,不足怪也。又有《金獐涩河鸟》,不可考其讹。物徂徕疑为倭乐,恐未然,想亦唐乐之误耳。

一五七

仙词选定浅茅原,朝贵传宣朱雀门。

青摺肩衣红帕首,两行舞踏上歌垣。[2]

　　和歌每用之宴会,有《难波曲》,有《浅茅原曲》,有《八裳刺曲》。《日本纪》:"宝龟元年三月,葛井船津文武生藏六氏,男女二百三十人,供奉歌垣,服皆著青摺细布衣,垂红长纽。男女相并,分行徐进,每歌曲折,举袂为节。"又"天平六年,天皇御朱雀门,览歌垣,男女二百四十馀人,四品以上有风流者,交杂其中,正四位长田王为歌,以本末唱和。令士女纵观,极欢而罢。"

一五八

檀腹琵琶出锦囊,曾偕羯鼓谱霓裳。

大唐法曲今谁读,空记当年刘二郎。

　　最精琵琶。唐时有藤原朝臣贞敏学于刘二郎。二郎妻以女,赠以紫檀、紫藤琵琶各一面。归,为其国重器,闻现今犹存。

一五九

上悬绣幕下红毹,左列句当右大夫。

牙拨齐弹三味线,姑卢朱路复乌乌。[3]

　　三弦名三味线,以象牙为拨,拨如斧形。瞽师业此者,曰职,曰检校,曰勾当,曰都。其流派有曰山田、生田。女师之流派有曰长门,曰丰后。互立门户,各争微妙。市廛唱卖,多张幕设毹,如沪上说书。其音乌乌,则正类秦声也。

---

① 原文为远,疑为运。
② 此首梧州本无,长沙定稿本新增。
③ 此首梧州本无,长沙定稿本新增。

一六〇

玉箫声里锦屏舒，铁板敲停上舞初。

阿母含辛儿忍泪，归来重对话芝居。

俗喜观优，场屋可容千馀人。每一出止，张幕护之，绰板乱敲，彻幕复出。亦演古事，小大陈列之物，皆惟妙惟肖。场下施转轮，装束于内，轮转则上场矣。别有伶人述其所演事，如宋平话，声哀而怨。乐器止有三弦、笛子、钲鼓。优人有舞无歌，而侔情揣态，声色俱妙，观者每不知涕泣之何从也。其名曰"芝居"。因旧舞于兴福寺生芝之地，故缘以为名。

一六一

剖破焦桐别制琴，三弦揩击有馀音。

一声弹指推衣起，明月中天鹤在林。

亦有瑟、篴、云和箫、笛管、笙。物徂徕时，尚见隋人作《猗兰操》旧谱，云与明代所传殊异。然操琴者少，今访之，不可得矣。有三弦琴，不用弹拨，以左指按之，右指冠决捺而成音，清穆殊有意。孙登一弦琴、宋祖二弦琴外一别调也。日本乐器均仿汉制，此与长明无名抄《元元集》所称六弦琴，为所自制。

一六二

弦弦掩抑奈人何，假字哀吟伊吕波。

三十一声都怆绝，莫披万叶读和歌。

国俗好为歌。上古口耳相传，后借汉字音书之。伊、吕、波作，乃用假字。句长短无定，今通行五句三十一言之体，始素戋鸣尊《八云咏》。初五字，次七字，又五字，又七字，又七字，以三十一字为节。声哀以怨，使人辄唤奈何。《万叶集》，古和歌名作，有歌仙、歌圣之名。

一六三

《旧唐》列传夸先郡，东晋高流喜小名。

欲考通称寻氏上，何人谱学比蒲生。

有名，有字，有通称，有别号，多者或至十数名，莫能记识。命名多父子相袭，如父曰羲之，子曰献之，比比而然。古者世官，以官为姓。当允恭时，既极纷淆，乃正氏族，令冒乱者探汤以分曲直。至于天智，制定氏上，氏上，犹宗子也。天武因之，分姓为八品，使有升降。自藤、橘、源、平兴，而一姓专政，古氏上遂亡。自足利兴，而赘婿冒姓，即欲讨其宗派亦不可。蒲生君平精于谱学，亟欲厘正，草《氏族志》，而不能成稿，惜夫！今之著姓，多学唐人，称郡望，因地为氏。若参议大隈、寺岛、黑田、西乡、川村皆是也。此外新僻之姓，略录如左：曰北胁，曰手冢，曰股野，曰目黑，曰手洗，曰田麦股，曰夏目，曰肝付，曰班目，曰垫间口，曰桥爪，曰池尻，曰腹卷，曰有动，曰一色，曰是枝，曰猪野，曰乌尾，曰生驹，曰老马，曰犬饲，曰猪子，曰鹿伏兔，曰小鸟游，曰牛窪，曰狗，曰鱼角，曰鹈饲，曰玉虫，曰草薙，曰矢土，曰缬缬，曰孕石，曰印具，曰二瓶，曰酒匂，曰玉乃，曰儿玉，曰妻木，曰哥枕，曰夫妇木，曰可儿，曰妹尾，曰神鞭，曰九鬼，曰鬼越，曰甲乙女，曰左乙女，曰稻叶，曰望月，曰小花，曰四十住，曰五十岚，曰十八女，曰四月朔，曰七寸五分，曰万里姊小路。

一六四

金武初官典药头，禁方从此散沧洲。
刀圭本是西来法，翻令鸡林遣使求。

自允恭帝时，新罗遣医金武来，始知汉医。雄略时，百济使王有陵陀、潘量丰来，始有医书。后有丹波、和气二氏世习其业，为名医。丹波氏，出于汉灵帝。灵帝五世孙，曰阿知王，于应神时来。又有善那使主，为吴王照渊孙，于钦明时携医书及佛像来。至花山帝时，丹波雅忠最知医。高丽王后疾，遣使求之，不往。复书有"扁鹊岂入鸡林之云"语。典药头，医官名，外有法眼、药匠、药助、药允诸官。

一六五

几辈僧医守局方，后宗朱李亦偏长。
说经许郑医《灵》《素》，隔海同辉万丈光。

佛教盛时，医术亦寄于僧，后乃有儒而医者。旧用宋和剂方，曲直濑正庆始习丹溪、东垣之学。至名护屋丹水、后藤艮山、北山道长，再倡复古，专宗仲景，以上溯《灵》、《素》，医道日盛。丹水谓吾治病、不问病因之阴阳虚实，惟见症施治。艮山谓养精必藉酒肉，攻疾始藉药石。又谓能上溯《素》、《难》，旁及于张、葛、巢、孙诸家，不惑乎宋以后阴阳、王相、府藏分配之说，则思过半矣。道长尽扫温补诸论，言万病一毒，毒去则体安。其子歈引伸之曰："人身气、血、水三者循环不已，万病生于滞，去滞则复元矣。"皆能扫空理，征实状，其理略近于西医。此正如国朝经生家之舍宋学而求汉学矣。

一六六

是何虫豸竟能医，药笼同收败鼓皮。

搜得龙宫方外药，补笺脚气集中诗。①

多脚气疾。有远田澄庵者，世业此医。其法用水蛭箝于膝盖，俾吸水肿。即果腹，则置之水桶，别易一虫。久而觉痒，则肿退而疾除矣。余谓此方为中土所无。澄庵临别，谆谆求余他日作《杂事诗》续编，为补入其名，盖亦种树郭橐驼之类也。

一六七

摩腹能同揣骨神，居然着手便成春。

更烦带下名医手，缓结颏颜记秘辛。

有接骨法，跌损各伤，不用刀剖，但以手提弄按摩，即能复元。西医甚神之。然问其术，则如轮扁之不能自言也。诊脉外，或兼诊脚。别有腹诊法，竹田定加、松江意斋始创其术。至香川修德辈，直据腹之软硬弛张及动定伸缩等状，以辨虚实死生，竟十得八九。及濑邱斑阐发微旨，著《诊极图说》，世益宗之。近习西医，于卖淫娼妓，预防传毒，每遣官医用镜窥测，有疾者则引而去之。

一六八

遍搜《本草》谱群芳，千卷书传海上方。

采药如编十洲记，定知多少入医囊。②

《本草》之学，以华名证倭产，时有参差。至向井元升、著《和名本草》。贝原笃信，著《大和本草》。始亲验物产，以考物名。既而稻生直义著《庶物汇纂》一千卷。又有阿部照任，少乘漕船赴江户，遇飓漂入福建，留十八年，得《本草》，学而归。幕府命采药东海、北陆诸州，三至虾夷，得物甚富，石药尤多前人未道者。余所见诸书，皆佯色体状，辨味察色，以定其性质，各绘以图，系以说，其精审有过于华医。如汇集之，亦大观也。

一六九

正宗千锻出金精，薛烛犹惊弟子名。

秋水芙蓉光内敛，一挥头白不闻声。

---

① 此首梧州本无，长沙定稿本新增。

② 此首梧州本无，长沙定本新增。

正宗者,相模国人,冈崎氏,好炼刀。壮走四方,访锻师数十年。八十归,神而明之,遂成绝技。举世称为正宗,价值数千金。某侯好之,得以试囚,头落而无声。赝者极多。老儒根本通明,精相刀,告余曰:"正宗刀,内坚外柔,切铁如泥,而铓刃不顿,有金线,有玉光,有闪电,有流星,有回澜,细观乃得之。其气象温润而泽,缜密而栗。彼锋铓外露,若不可逼视者,伪也。"通明又言:"正宗之子为贞宗,弟子称十哲。义宏者,比颜子,其刀似正宗,而锐利过之。正宗不可得,得义宏亦可矣。"自欧公来,咏日本刀歌甚多。名为屈伸刀,则告者过也。刀环重者亦值数百金。

日本上古之剑,既有天羽斩、大叶刈、韴灵之名,所谓天丛云剑,乃为传国三器中之一。中古以来始贵刀,源氏之鬼斩、平氏之小乌尤著名。后鸟羽帝亲自督造,谓之御所锻。逮建武大乱,兵革相踵,名工益辈出。于是相模有正宗、贞宗,越中有义宏、则重,筑前有源左,美浓有兼氏。铸冶之良,莫盛于斯。自兵法改用枪炮,士夫又禁佩带,名刀遂绝响矣。

一七〇

论语宣文护绛纱,善才弟子妙琵琶。
插花叉画均能事,教妇先从小笠家。①

有小笠原氏礼,世习女礼,开塾设教,最为通行。其拜跪折旋,言辞謦欬,下至拂尘插花,均有法度,世称为"小笠流"。

一七一

星禽风角昔曾精,相地无人读宅经。
同此山川此形胜,青乌何事术无灵。

河洛、壬遁、龟蓍、星相、方技,旧有流传,国人如役小角、安倍晴明,皆以术著名。惟郭璞、杨厉之说,未有习者。

一七二

古佛留铭笔既奇,野人善草史能知。
几行先鸟模糊字,去访那须国造碑。

书法自韩来。碑之古者,有大和法隆寺金堂佛背铭、释迦佛像铭、那须国造碑、此碑中有永昌元年字。然日本无永昌纪元,故或疑为用伪周武氏号。或又曰永昌字形似朱鸟,天武有朱鸟号,因岁久残缺而

---

①　此首梧州本无,长沙定稿本新增。

讹也。多贺城碑，其规模皆似六朝人。《新唐书》云：建中元年，日本使者真人兴能来，善书。《书史会要》：南海商人自日本还，得国王弟与寂照书，自称野人若愚，章草之妙，中土亦能及，盖八法之传旧矣。以余所闻，延喜、天历间最多能品云，近亦多名手。初学书者，皆悬腕执笔，作二三寸大字，点画波撇，颇留古法，行草尤佳。

一七三

南苹师法南田笔，南北禅宗合一家。
偏是蛾眉工淡扫，青螺烟墨写秋花。

画法传自中土。初摹唐宋院体，后分数家，有土佐家，藤原经隆，土佐人。《五杂俎》言："倭画无皴法，但以笔细画，萦迴环绕，细如毫发。"即指土佐一派也。有雪舟家，僧等扬，号雪舟，游于明，始传北宗一派。有狩野家，狩野元信最有盛名。国朝吴中沈南苹始以南北合法相授受。有边华山、椿椿山，得恽氏真本，于是又传没骨法。近来晴湖、奥原氏。花蹊迹见氏，名泷。诸女史，得法于江稼圃，苏人，来游长崎，沙门铁翁等学之。而遥师郑板桥，画法又一变，花卉不喜著色，而老气横秋。

一七四

人间万事积薪叹，画师亦复古所无。
吹云画水寻常事，君看游鱼飞白图。[①]

用画龙法，以墨作水，以空白作鱼。泼墨于纸，或以笔描，或以指擦，或以唇吹之，渲染生动，正如临水观鱼，围围洋洋，曲肖物态，亦画家新法也。

一七五

镜影娉婷玉有痕，竟将灵药摄离魂。
真真唤遍何曾应，翻怪桃花笑不言。

燕海兰烟薰玻璃，以硫磺水涅之，使人影透入镜中，神态如生，此术出西人。近复以银硝纸承镜影，日光隙入，痕留淡墨。东国效之，名镜写真。写真之家，比间而居。东都佳丽，喜照艳妆，悬卖廛肆，良家子妇，亦不之吝也。

一七六

醉吸琼浆数百杯，手携楸局上霞台。
烂柯莫管人间世，且赌瀛洲玉袜来。

---

① 此首梧州本无，长沙定本新增。

围棋最多高手。亦用十九行、三百六十一子。惟行棋不行棋雅法,差异耳。高朋夜宴,酒阑席散,则楸枰罗列矣。局皆以楸木,下有四足。棋子黑者石,白者多以牡蛎壳为之。《夷门广牍》言:日本产如楸玉,琢为棋局。《杜阳杂篇》称:大中中,日本国王子来朝,言国东三万里有集真岛。岛上有凝霞台,台上有手谭池,以冷暖玉为棋子。此与橘中老叟、石室仙人同为神仙家诞言矣。亦有象棋,戏法略同,而有金银将、香车、桂马之名。《汉书》所谓"格五"。《酉阳杂俎》名为"蹇融",向不知所谓。今东人行棋,有布子成行,得五者胜,即此戏与。亦有弹棋。

一七七

朝市争趋海柘榴,贪同西母斗行筹。

夜深似有鲛人泣,空抱缲丝上蜃楼。

古无商贾,唯以有易无而已。至显宗朝,始见"粟斛换银钱"之语,则纪元一千二三百年时,始有贸易也。旧有海柘榴市,称为贾人群萃之所。通商以后,商业大行,各立社会。监银、市场、卖茶、牙郎、头取、肝煎,皆商名,一首一从也。宫室衣服,奢拟侯王。然其术不良,操筹握算,远不如西商,多先笑而后咷,中干而外强云。

一七八

左陈履宪右冠模,夏屋纷罗万象图。

聚族同谋轮囷秘,不过依样画葫卢。①

博览会或以时,如曰某年某会。或以地,如曰东京会、西京会。或以物,如丝会、茶会、棉会。皆随宜开设。至劝工场,则所在而有。五洲万国之物,自非天然之品,皆模形列价,以纵人摹拟。日本最善仿造,形似而用便,艺精而价廉。西人论商务者,咸妒其能,畏其攘夺云。

一七九

依样葫卢巧略同,镂金刻木总能工。

楚材借用推鞍部,蕃别传家数笔公。

一切工匠,皆自三韩来。金工、瓦工自崇神时,织工自应神时,木工、土工自雄略时,纸墨彩色工自推古时,革工自仁贤时,后有熟皮高丽者,世司其业。古大藏省管百济手部。手部管掌杂缝职,仍用百济人为之。《雄略纪》有鞍部贤贵,乃汉人也。惟石工、玉工不详所自。《古事记》有"八尺句璁五百津之御须麻流珠",或以为太古时天明王所造,是

---

① 　此首梧州本无,长沙定稿本新增。

固未可据。笔工亦不详所来。《姓氏录》云："右京诸蕃有笔氏,制十一种笔,因赐姓笔氏。"知亦汉人教之也。汉人及韩人来居日本者,谓之蕃别。

一八〇

雕镂出手总玲珑,颇费三年刻楮工。

鸾竟能飞虎能舞,莫夸鬼斧过神工。

雕刻之工,愈小愈巧。旧藩贵人作一器,或穷年累月乃毕业,真有棘刺之妙。博览会陈物,有象牙画扉两扇,纵二尺五寸,横半之,骤观始莫名其妙;细棘疏密相间,为胡瓜小菌,则仰者张盖,欹者卧根,木笔穗颖粟粟然。鱼六七头,首尾鳞鬣皆如生,其垂头屈足、雌雄相抱者为蛤蚧。缭须钳爪若游水,面则龙虾也。凡花之类,又十馀种,芍药、藤花、细菊、水仙,皆凌乱交错,布置在有意无意间。云东京工某造,价三百五十金。盖东人善购思,佐以利器,真若有神助,偃师傀儡,未必胜之。《杜阳杂编》称:飞龙卫士倭人韩志和,善雕木,作鸾鹤鸦鹊,凌云奋飞,复臂虎子,使猎蝇舞、凉州曲,殆不谬也。

一八一

滚滚黄尘掣电过,万车毂击复竿摩。

白藤轿子葱灵闭,尚有人歌踏踏歌。

小车形若箕,体势轻便,上支小帷,亦便卷舒。以一人挽之,其疾如风,竟能与两马之车争先后。初创于横滨,名人力车。今上海、香港、南洋诸岛仿造之,乃名为东洋车矣。日本旧用大轿,以一木横贯轿顶,两人肩而行。轿离地只数寸,乘者盘藤跌坐,四面严关,正如新妇闭置车帷中,使人悒悒。今昔巧拙不侔如此。

一八二

犬吠声来出隼人,大家角觚样翻新。

数他竿木逢场戏,几个翩翩善舞身?

有隼人,世习相扑戏。相扑,角觚也。植竿于肩,高出云表,儿缘而升,疑拙疑巧,捷若飞猱,翩如坠鸟,则有戴竿戏。以柱缚绳,飘然凌空,处女脱兔,索上相逢,摩肩而过,势若不容,则有高絚伎。黄金四目,蒙戎跳舞,一人假面,二人击鼓,掷与一钱,欢跃而去,则有狮子舞。俱贱者为之,借以营生。

一八三

执鞭高坐气扬扬,革履毡衣时世妆。

昨日文身今断发,自夸鳞介易冠裳。

仆御皆别为微族,鸟兽花草刺画其身,光怪陆离,不可逼视。明治初年,下令禁之,乃止。近驭马车者,皆剪发,著西服,意气扬扬,甚自得矣。

一八四

重译新翻树畜篇,劝农官舍榜书悬。

新来学得鸡桴粥,夸与人前说秘传。

泰西树艺养育之法,皆译其书,有劝农局举以教人。鸡之抱卵粥子,旧听其自生自长,取鸡子,去其鰕,使母鸡翼覆之,近始知以人事助厥母粥也。

一八五

一望高高下下田,旱时瑞穗亦云连。

归装要载良苗去,倘学黄婆种絮棉。

其土宜稻,九州所产,时有输入广东者。闻有旱稻,近印度苦旱,移植颇宜。曾向故内务卿索取,今译其说曰:旱稻有粳三种,有糯五种。性宜腴沃,瘠土埆田则宜培粪之。分苗插秧,深耕易耨,法与他种同。择地以英吉利人华氏所制寒暑针二十度以上为宜。播种于谷雨、立夏间,其收获也,早在九月,迟在十月。若六七十度热地,则春种夏收,岁可两熟。其地多雨,虽暑及百度,可无伤。否则择卑湿处,久旱亦不至枯槁。凡三百步地,岁获一石四五斗,大熟可得七八斗。粳宜作饭,糯宜造饼云。余客日本,知其濒海多雨,其土又宜种植,故因山为田,梯级云上,亦不忧旱荒。古名瑞穗国,殆有由然。今谓种于旱地,宜择湿土,则如频年晋、豫之灾,虑亦无济于旱。若五岭以南,或者迁地能良也。他日归,当携购其种。即不得如占城之稻、印度之棉著利无穷,苟少有稗益,亦当传播耳。所愿有心农学者试验之。

一八六

初胎花事趁春融,祝语丁宁休洗红。

一道裙腰频结束,尽将桃杏嫁东风。①

力求农学。欧洲植物家有曰雌雄配合法,谓花果草木,亦交合而后结子。凡蕊中所含黄粉,用蜜涂附,则花时风雨不伤,粉厚而实倍繁。考《文昌杂录》称:一媒姥见杏花多而不实,曰来春与嫁了此杏。乃索处子裙一腰系杏上,既而奠酒,呢喃颂祝,果结子无数。盖亦以酒浆膏粘之,但托以神巫而不通其理耳。

---

① 此首梧州本无,长沙定稿本新增。

一八七

采取头春到尾春，猩红染色样翻新。

自过谷雨茶船到，先拣龙团赠美人。

产茶以山城国为最佳。绿汤者，惟美利坚人喜购之，欧罗巴人不欲也。近年有西商延中人制红茶，味薄，远不如我产，制日多，价骤贱。日本出口之货，茶最为大宗，岁可得银钱四百万元，美人购之十七八云。谷雨前后所采，名曰头春，大暑前后名曰尾春，皆运来横滨，再装出口。其制造方法、价值数目，别详《物产志》中。

一八八

四茧缲成弱缕奇，海西争购舶来时。

都从素手纤纤出，跪树传夸女欧丝。

丝亦别详《物产志》中。制丝或用机器。又有一法，以手挽轮，力不如水火，而便于指爪。每四五茧能成一丝。西人喜其细，多购之。制丝皆以女工。《山海经》云："欧丝之野在大踵东，有女子跪据树欧丝。"

一八九

著手成春任意栽，未花移种到花开。

移家家具无多少，却带寒梅百树来。

善于种树。合抱之木，动辄迁植。多有花时移来，花后徙去者。土人移居，遂并其花木竹石，一一布置如旧。

一九〇

石墨沉沉阴火红，赤丹成颎出金铜。

百年千岁莫枯竭，下告黄泉上碧穹。

煤矿，肥前诸郡大小三百二十九所，肥后天章①郡六所，甲斐都留郡二所，常陆多贺郡四所，美浓可儿郡一所。铜山，河边郡四所，太和吉野郡三所，摄津河郡一所，飞驒吉城郡三所，下野安苏郡一所，岩代会津郡一所，陆前五造郡一所，越前大野郡十所，越后蒲原郡八所。所采斤数，别详《物产志》中。日本之铜不如吕宋、安南，煤不如台湾、磁州。然古者金银之山大都枯竭，地脉所钟，赖有此耳。开掘之法用泰西机器，为之甚便也。

---

① 天章，当是天草。

一九一

回青纯白洁无尘,色比官哥稍薄匀。

说是五郎亲手制,就中最爱爱莲人。

史言雄略十七年,始命土师连造清器。清器,陶器也。然崇神时,既有瓦博士,或言与寺工偕来自韩云。陶之佳品称尾张濑户、肥前今利。盘金描花者,称加贺九谷,颇输入外国。足利氏时,有伊势五郎者,曾至景德镇,专学青花,年七十归,携手造者,款曰"五郎大夫"。所制七种香盒,以画爱莲周茂叔像为最佳,纸薄磬声,几类定、汝,最为时宝。

一九二

不须攒剔亦玲珑,漆枕仇家手自工。

翻出六朝金碧画,缥霞先著退光红。

髹漆之器最称能品。泥金、描金、洒金,作云烟山水、花木鸟兽,虽巧画手亦复不如。又有缥霞彩漆,烂烂射人,而意采飞动。螺钿之器,雕嵌入微,手拭之若无痕者。《七修类稿》谓:诸制皆创自日本。天顺间,杨倭漆最工,效之,然究不及。若我宋元之攒犀、用朱、黄、黑三色漆,雕刻诸象,钻其间处,使层见叠出。又名西皮,亦名犀皮,即楚词之犀毗。宋元人所作至佳。张、杨之剔红、用厚朱漆镂之,名曰剔红。元朝西塘有张成、杨茂最得名。吴越之戗金,东人得之,则锦囊绣帙,什袭不啻,效之,亦不如我也。

一九三

开关转得丸泥力,修月还将七宝装。

何意鸹金螺钿外,更能炼石补天荒。①

陶器自盘金描花以外,有名七宝烧者,亦用铜丝作匡廓,杂采云母琉璃螺纹贝锦诸物以作采色,班阑陆离,其光煜煜。此又本漆器螺钿、铜器商金之法而用之磁器者。日本铜器多用枪金陷银法,《诗》:"鞗革有鸹。"郑笺云:"鸹,金饰貌。"《稗史类编》云:"尝见夏雕干戈,铜上相嵌以金。"古谓刻为商,又名商金。《宋史》百官鞍勒有陷银,《元史》作简银,即此法也。

一九四

十三行竹袖中收,宝扇家家爱聚头。

藏得秋山平远画,鸦青纸认折痕留。

---

① 　此首梧州本无,长沙定稿本新增。

折叠扇,实始于东人,一名聚头。削竹为十三行,长三四寸,插之腰间。亦有长二尺者。用泥金纸、乌木柄。《张东海集》称:永乐中,倭国以充贡,成祖分赐群臣,又仿其制以供赐予,遂遍用之。盖源义政称臣于我,以之充筐篚者也。然宋时既有流传,东坡谓:高丽白松扇,展之广尺许,合之止两指许。又江少虞《皇宋类苑》云:熙宁末,游相国寺,见卖日本扇者,琴漆柄,以鸦青纸如饼撲为旋风扇,淡粉画平远山水,笔势精妙,即折扇也。日本人喜书画,藏前明名家、国初诸老扇面至多。

一九五

轻于蝉翼薄于纱,阑画乌丝整又斜。

不用文人愁纸贵,淡黄遍种瑞香花。

造纸不以竹,用构用楮之法,同于中土。更有用芫花、莞花、瑞香花制者。瑞香或黄或白,皆可制。以莞花制者,名雁皮。皆至薄极韧,色洁白,无纤毫□□□之钩摹碑帖,实上品也。余又闻人言:凡树皮、草根,熬之成浆者,多可造纸云。近仿西法,复以败絮为之。《使东杂咏》诗注曰:"败絮,机器揉碎熬烂,视其白而茸也,用水调匀,由机出之。机轮递转,泻浆成幅,腐者新,厚者薄,湿者干,顷刻即就,坚致如雪。"

一九六

西京城比锦官雄,吴织何如汉织工。

菊叶葵枝盘大缘,飞鱼天马簇真红。

《三国志》所著倭锦,未知何如。史言:雄略十四年,吴人遣汉织、吴织女工来,始有织。西京所出锦至佳。《杜阳杂编》曾称:"女王国有明霞锦,光耀芬馥,五色相间。"可知其美艳矣。菊为王家徽志,葵为旧将军徽志,故织此甚多。真红天马锦、真红飞鱼锦,皆沿蜀锦名。

一九七

入网青鲨化虎难,皮留饰器味登盘。

鼠肠鱼翅均珍错,借箸同筹补食单。

近海多产鲨鱼,渔者折翅干之,贩卖中土,以为海错佳品,东人未有食者。海鼠即海参。剖其肠,蓄之以瓶,东人以为极品,顾中人未有食者。

一九八

紫带青条择海苔,如云昆布翠成堆。

珊瑚七尺交柯好,合与王家斗富来。

中人购海物者,以鲍鱼为大宗,次干鳕,次海苔,次鳎,次昆布。昆布,吾辈呼为海带者也。珊瑚,或红或白或黄,每有六七尺者。

一九九

异鱼怪鸟兼奇兽,图象争陈博览场。

几辈守株犹待兔,何人岐路哭亡羊。

《后汉书》谓其无虎豹牛马羊鹊。今有牛有马,而无虎豹。开港之初,见白兔,诧为异物,或不容数十百金买之。以毳毛为衣。曾无一羊,后乃从北直购千头归畜,然补牢既晚,且未知能蕃滋否耳。至奇异之物有不经见者,兽则海驴、海豹、海马、产北海;鸟则松鸡,似鸡而色白,产加贺。海鸟,红喙绿首,粉面黑身,足惟三趾,东人名为乌堕乌,产奥州。鱼有蛇婆,有黑鱼,似蜺而小,四足;有马鞭鱼,似鳝而长嘴;有琵琶鱼,有鹦哥鱼,有人面鱼,皆肖形名之。翻车鱼,形如提鼓,而有两翅。鱼虎形圆,有毛似蝟。海牛,似牛首,而全身有坚甲。鲭鱼,有鼻。博物馆中皆有之。

二〇〇

纪事只闻筹海志,征文空诵送僧诗。

未曾遍读《吾妻镜》,惭付和歌唱《竹枝》。

《山海经》已述倭国事,而历代史志于舆地风土,十不一真。专书惟有《筹海图编》,然所述萨摩事,亦影响耳。《明史·艺文志》有李言恭《日本考》五卷、侯继高《日本风土记》四卷,书皆不行于世。余从友人处假有《风土记》抄本,不著撰人,未审是侯本否。书极陋,不足观。唐人以下,送日本僧诗至多,曾不及风俗。日本旧已有史,因海禁严,中土不得著于录。惟朱竹垞收《吾妻镜》一部,故不能详。士大夫足迹不至其地,至者又不读其书,谬悠无足怪也。宋濂集有《日本曲》十首,《昭代丛书》有沙起云《日本杂咏》十六首。宋诗自言:"问之海东僧,僧不能答",亦可知矣。起云诗仅言长崎民风,文又甚陋。至尤西堂《外国竹枝词》,日本止二首。然述丰太阁事,已谬不可言。日本与我仅隔衣带水,彼述我事,积屋充栋;而我所记载彼,第以供一噱,余甚惜之。今从大使后,择其大要,草《日本志》,成十四卷。复举杂事,以国势、天文、地理、政治、文学、风俗、服饰、技艺、物产为次,衍为小注,串之以诗。余虽不文,然考于书,征于士大夫,误则又改,胡非向壁揣摩之谭也。第不通方言,终虑多谬,愿后来者订正之耳。

据光绪二十四年(1898年)长沙富文堂重刊本,

中国科学院图书馆藏赖伯陶先生1957年抄写本

人境庐诗草

康 有 为 序

（光绪三十四年五月二十四日　1908 年 6 月 22 日）

　　嵚崎磊落轮囷多节英绝之士,吾见亦寡哉! 苟有其人欤,虽生于穷乡,投于仕途,必能为才臣贤吏而不能为庸宦,必能为文人通人而不能为乡人;苟有其人欤,其为政风流,与其诗文之跌宕多姿,必卓荦绝俗而有其可传者也。吾于并世贤豪多友之,我仪其人欤,则吾乡黄公度京卿其不远之耶? 公度生于嘉应州之穷壤,游宦于新加坡、纽约、三藩息士高之领事官,其与故国中原文献至不接也。而公度天授英多之才,少而不羁,然好学若性,不假师友,自能博群书,工诗文,善著述,且体裁严正古雅,何其异哉! 嘉应先哲多工词章者,风流所被,故诗尤妙绝。及参日使何公子峨幕,读日本维新掌故书,考于中外之政变学艺,乃著《日本国志》,所得于政治尤深浩。及久游英、美,以其自有中国之学,采欧美人之长,荟萃熔铸而自得之,尤倜傥自负,横览举国,自以无比。而诗之精深华妙,异境日辟,如游海岛,仙山楼阁,瑶花缟鹤,无非珍奇矣。

　　公度长身鹤立,傲倪自喜,吾游上海,开强学会,公度以道员奏派办苏州通商事,挟吴明府德潚叩门来访。公度昂首加足于膝,纵谈天下事;吴双遣澹然旁坐,如枯木垂钓。之二人也,真人也,畸人也,今世寡有是也。自是朝夕过从,无所不语。闻公度以属员见总督张之洞,亦复昂首足加膝,摇头而大语。吾言张督近于某事亦通,公度则言吾自教告之。其以才识自负而目中无权贵若此。岂惟不媚哉,公度安能作庸人。卒以此得罪张督,乃闲居京师。翁常熟览其《日本国志》,爱其才,乃放湖南长宝道。时义宁陈公宝箴抚楚,大相得,赞变法。公度乃以其平日之学发纾之。中国变法,自行省之湖南起。与吾门人梁启超共事久,交尤深。于是李公端棻奏荐之,上特拔之使日本。而党祸作,公度几被逮于上海。日故相伊藤博文救之,乃免。自是久废无所用,益肆其力于诗。上感国变,中伤种族,下哀生民,博以环球之游历,浩渺肆恣,感激豪宕,情深而意远,益动于自然,而华严随现矣。公度岂诗人哉!而家父、凡伯、苏武、李陵及李、杜、韩、苏诸巨子,孰非以磊砢英绝之才郁积勃发而为诗人者耶?公度之诗乎,亦如磊砢千丈松,郁郁青葱,荫岩竦壑,千岁不死,上荫白云,下听流泉,而为人所瞻仰徘徊者也。

康有为序于挪威北冰海七十二度观日不没处,以为公度有诗,犹不没也。光绪三十四年夏至

自　序[*]

（甲戌　同治十三年四月八日　1874年5月23日）

此诗两卷,盖《人境庐诗草》之副本也。十年心事,大略具此。已别命书人缮写,携之行囊。然予有戒心,虑妙画通神,忽有肱箧之者,故别存之,以当勇夫之重闭。诗固不佳,然亦征往日身世之阅历,亦验他日学问之进退。将来相见,风雨对床,剪烛闲话,出此一本,公度自证之,吾弟又共证之,亦一快也。什袭珍重,等闲不遽以示人。

四月浴佛日　公度宪自书于汕头之行寓

自　序

（光绪十七年六月　1891年7月）

余年十五六,即学为诗。后以奔走四方,东西南北,驰驱少暇,几几束之高阁。然以笃好深嗜之故,亦每以馀事及之,虽一行作吏,未遽废也。土生古人之后,古人之诗号专门名家者,无虑百数十家,欲弃去古人之糟粕,而不为古人所束缚,诚诚戛戛乎其难。虽然,仆尝以为诗之外有事,诗之中有人;今之世界

---

[*]　甲戌为同治十三年,浴佛日为四月八日,序于同治十三年四月八日(1874年5月23日)。

于古,今之人亦何必与古人同。尝于胸中设一诗境:一曰复古人比兴之体;一曰以单行之神,运排偶之体;一曰取《离骚》乐府之神理而不袭其貌;一曰用古文家伸缩离合之法以入诗。其取材也,自群经三史,逮于周、秦诸子之书,许、郑诸家之注,凡事名物名切于今者,皆采取而假借之。其述事也,举今日之官书会典方言俗谚,以及古人未有之物,未辟之境,耳目所历,皆笔而书之。其炼格也,自曹、鲍、陶、谢、李、杜、韩、苏讫于晚近小家,不名一格,不专一体,要不失乎为我之诗。诚如是,未必遽跻古人,其亦足以自立矣。然余固有志焉而未能逮也。《诗》有之曰:"虽不能至,心向往之。"聊书于此,以俟他日。

光绪十七年六月在伦敦使署　黄公度自序

黄遵楷初印本跋

(辛亥九月　1911 年 10 月)

右诗十一卷,先兄手自裒集而未付梓。先兄下世,海内文人学士,折柬相追,欲读其诗而知人者,迄无虚岁。虽然,先兄著述初行于世者,曰《日本杂事诗》,所以觇国情,纪风俗,译署之官版也。《日本国志》,所以述职,知所驻国之形势变迁,由于世界各国之形势变迁相逼而成,则本国之从违,当求合于世界各国之形势以为断。故其分门别类,勒成全书,亟自刊行者,意在于借观邻国,作匡时之策也。先兄之书,至今谈时局者未尝不推崇之。而先兄之遇,每夺于将行其志,卒至放弃,且以忧死。终其身皆仰成于长吏,未尝有独当方面,以行其所怀抱者。其于诗也,虽以馀事及之,然亦欲求于古人之外,自树一帜。尝曰:人各有面目,正不必与古人相同。吾欲以古文家抑扬变化之法作古诗,取《骚》《选》乐府歌行之神理入近体诗。其取材,以群经三史诸子百家及许、郑诸注为词赋家不常用者;其述事,以官书会典方言俗谚及古人未有之物、未辟之境,举吾耳目所亲历者,皆笔而书之。要不失为以我之手,写我之口云。故其诗散见于宇内者,辄为世人所称颂。以非诗人之先生,而使天下后世,仅称为诗界革命之一人,是岂独先兄之大戚而已哉!

遵楷不肖,不能继承兄志有所建树,读先兄病笃之书,谓:"平生怀抱,一事无成,惟古近体诗能自立耳,然亦无用之物,到此已无可望矣。"呜呼! 先兄之不忍为诗人,而又不得不有求于自立之道,其怆怀身世为何如耶! 今海内鼎沸,干戈云扰,距先兄之下世者,仅六岁耳。先兄之不见容于当时,终自立于无用之地位,先兄之不幸,抑后于先兄者之不幸耶!然则先兄之哀集既竟,所不欲以付梓者,吾亦从而校雠以刊行之而已,夫复何言!

辛亥九月　五弟遵楷牖达谨跋

黄能立校刊后记

(辛未　1931年)

先祖遗著《人境庐诗草》,凡十一卷,为其毕生心血之结晶。全集未付剞劂,先祖即已弃养。民国前一年岁辛亥,几经展转请托,始获刊成千部,以之分赠亲友,瞬已告罄,而所费已不资矣。流布未普,海内人士欲读此书者,时来责言。能立虽屡谋集众力,再行校刊,以副社会之望,二十年来,均以人事多变而罢。伏思先人心血,为子孙者均宜发扬光大,何能久令湮没不彰。兹谨以个人之力,负此流布之责,于民国十九年六月,再校付印,至二十年三月而葳事。校印时有奇调奥义,获益于季岳杨老先生之启迪为多。而其俗体讹字,误于初版手民者,则承喻飞生先生指示不少。而徐志炘先生及先堂叔寿垣,且为分董印事之劳。诸先生之热诚爱护,所当深谢者也。先祖遗著,除此外,尚有《日本国志》四十卷、《日本杂事诗》二卷,早刊行于世。其文集若干卷,则拟俟诸异日云。

能立谨志

卷　一　七十二首

(同治三年至十二年　1864年至1873年作)

感　怀　三首

一

世儒诵《诗》、《书》,往往矜爪嘴。昂头道皇古,抵掌说平治。上言三代隆,下言百世俟,中言今日乱,痛哭继流涕。摹写车战图,胼胝过百纸。手持《井田谱》,画地期一试。古人岂我欺,今昔奈势异。儒生不出门,勿论当世事。识时贵知今,通情贵阅世。卓哉千古贤,独能救时弊。贾生《治安策》,江统《徙戎议》。

二

有清膺天命,仁泽二百年,圣君六七作,上追尧舜贤。熙、隆全盛时,盖如日中天。帷闼外戚患,干戈藩镇权,煽虐奄人毒,炀灶权臣奸。百弊咸荡涤,王道同平平。迩者盗潢池,神州冱腥膻。治久必一乱,法弊无万全。谓由吏惰窳,亦坐民殷阗。当世得失林,未可稽陈编。儒生拾古语,谓当罪己愆。庚申之役,有上疏请下罪己诏者。显皇十一载,忧虞怀深渊。拔擢尽豪杰,力能扶危颠。惟念大乱平,正当补弊偏。且濡浯溪笔,看取穹碑镌。

三

吁嗟两楹奠,圣殁微言绝。战国诸子兴,大道几灭裂。劫灰出秦燔,六籍半残缺。皇皇孝武诏,群言罢一切。别白定一尊,万世循轨辙。遗书一萌芽,众儒互拾掇。异同晰石渠,讲习布绵蕝。戴凭席互争,五鹿角娄折。洎乎许郑出,褒然万人杰。宋儒千载后,勃窣探理窟。自诩不传学,乃剽思、孟说。讲道稍僻违,论事颇迂阔。万头趋科名,一意相媚悦。圣清崇四术,众贤起颜颉。顾阎辟初涂,段、王扬大烈。审意得古训,沉晦悉爬抉。读史辨豕亥,订礼分袒袭。上溯考据家,仅附文章列。儒于九流中,亦只一竿揭。矧又某氏儒,涂径各歧别,均之筐篚物,操此何施设。大哉圣人道,百家尽囊括,至德如渊、骞,尚未一间达。区区汉宋学,乌足尊圣哲。毕生事钻仰,所虑吾才竭。

乙丑十一月避乱大埔三河虚 四首

一

六月中兴洗甲兵,金陵王气复升平。岂知困兽犹能斗,尚有群蛙乱跳鸣。一面竟开通寇网,三边不筑受降城。细民坚壁知何益,翘首同瞻大帅旌。

二

《南风》不竞死声多,生不逢辰可若何! 人尽流离呼伯叔,时方灾难又干戈。诸公竟以邻为壑,一夜喧呼贼渡河。闻说牙璋师四起,将军翻用老廉颇。

三

星斗无光夜色寒,一军惊拥将登坛。争功士聚沙中语,遇敌师从壁上观。

谁敢倚公为砥柱,可怜报国只心肝。东南一局全输却,当局翻成袖手看。

四

七年创痛记分明,无数沙虫殉一城。<small>己未二月,贼破嘉应,知州文壮烈公晟死之。从</small>
<small>而殉者万馀人。</small>逐鹿狂奔成铤走,伤禽心怯又弦惊。爷娘弟妹牵衣话,南北东西
何处行? 一叶小舟三十口,流离虎穴脱馀生。

拔自贼中述所闻 <small>四首</small>

一

红巾系我腰,绿纱裹我头。男儿重横行,阿嫂汝莫愁。

二

朝倾百斛酒,暮饱千头羊。时时赌博簺,夜夜迎新娘。

三

今日阿哥妻,明日旁人可。但付一马驮,何用分汝我。

四

四更起开门,月黑阴云堆。几时踏杀羊,老虎来不来?

潮 州 行

人生乱离中,所谋动乖忤。一夕辄三迁,踪迹无定所。自从居三河,谓是
安乐土。世情谁念乱,百事恣凌侮。交交黄鸟啼,此邦不可处。一水通潮州,
且往潮州住。是时北风寒,平江荡柔橹。行行将近城,炊烟密如缕。行舟忽不
前,有盗伏林莽。起惊贼已来,快橹飞如雨。舟人急系舟,挥戈左右拒。翻惧
力不敌,转逢彼贼怒,扣舷急相呼,不如任携取。流离患难来,行箧无几许。但
饱群贼囊,免更遭劫虏。一声霹雳炮,杀贼贼遽去。虎口脱馀生,惊喜泣相语。
回看诸弟妹,僵伏尚如鼠。起起呼使坐,软语相慰抚。扶床面色灰,谬言不畏
惧。吁嗟患难中,例受一切苦。须臾达潮州,急觅东道主。剪纸重招魂,招魂
江之浦。

喜闻恪靖伯左公至官军收复嘉应贼尽灭 <small>二首</small>

一

诸侯齐筑受降城,狂喜如雷堕地鸣。终累吾民非敌国,<small>嘉庆间剿办白莲教匪,仁</small>

宗诏曰："自古只闻用兵于敌国,未闻用兵于吾民,如蔓延日久,是贼是民,皆吾赤子,何忍诛戮。"显皇曾手书此诏,普告臣下云。又从据乱转升平。黄天当立空题壁,赤子虽饥莫弄兵。天下终无白头贼,中原群盗漫纵横。

二

恢恢天网四围张,群贼空营走且僵。举国望君如望岁,将军擒贼早擒王。十年窃号留馀孽,六百名城作战场。今日平南驰露布,在天灵爽慰先皇。

乱 后 归 家 四首

一

遂有还家乐,跳梁贼尽平。举家开笑口,一棹出江城。儿女团围坐,风波自在行。惊魂犹未定,夜半莫呼兵。

二

即别潮州去,还从蓬辣归。累人行箧少,滞我客舟迟。颠倒归来梦,惊疑痛定思。便还无处所,已喜免流离。

三

一炬成焦土,先人此敝庐。曾王父所建筑。有家真壁立,无树可巢居。小妇啼开箧,群童喜荷锄。苔花经雨长,狼藉满家书。

四

便免颠连苦,相依此一窝。窗虚添夜冷,屋漏得天多。豺虎中原气,蛟螭海上波。扫除勤一室,此志恐销磨。

送 女 弟 三首

一

阿爷有书来,言颇倾家赀。箱奁四五事,莫嫌嫁衣希。阿母开箧看,未看先长欷。吾家本富饶,频岁遭乱离。累叶积珠翠,历劫无一遗。旧时典衣库,烂漫堆人衣。今日将衣质,库主知是谁?扫叶添作薪,烹谷持作糜。尺布尚可缝,亲手自维持,行行手中线,离离五色丝,一丝一泪痕,线短力既疲。即此区区物,艰难汝所知。所重功德言,上报慈母慈。

二

中原有旧族,迁徙名客人。过江入八闽,展转来海滨。俭啬唐魏风,盖犹三代民。就中妇女劳,尤见风俗纯。鸡鸣起汲水,日落犹负薪。盛妆始脂粉,常饰惟綦巾。汝我张黄家,颇亦家不贫。上溯及太母,劬劳无不亲。客民例操作,女子多苦辛。送汝转念汝,恨不男儿身。

三

阿母性慈爱,爱汝如珍珠。一日三摩挲,未尝离须臾。今日送汝去,执手劳踟蹰。汝姑哀寡鹄,哀肠多郁纡。弟妹尚稚幼,呀呀求乳雏。太母持门户,人言胜丈夫。靡密计米盐,辛勤种瓜壶。一门多秀才,各自夸巾帼。粥粥扰群雌,申申詈女嬃。女须婉以顺,朝夕承欢娱。欢娱一以承,我心一以愉。待汝一月圆,归来话区区。

二 十 初 度

堕地添丁日,时平万户春。我生遂多事,臣壮不如人。离乱艰难际,穷愁现在身。摩挲腰下剑,龙性那能驯。

游 丰 湖 三首

一

西湖吾未到,梦想或遇之。濛濛水云乡,荷花交柳枝。今日见丰湖,万顷青琉璃。持问老东坡,杭、颍谁雄雌? 浃旬困积暑,泼眼惊此奇,恍如图画中,又疑梦寐时。人生为何事,毕世狂奔驰,黄尘没马头,劳劳不知疲。嗟我不能仙,岂能免人羁,要留一片地,自谋老来私。悠悠湖上云,耿耿我所思,下与鸥鹭盟,上告云天知。

二

浓绿泼雨洗,森森竹千个。亭亭立荷叶,万碧含露唾。四围垂柳枝,随风任颠簸。中有屋数椽,周遭不为大。罗山崎其西,丰湖绕其左。关门不见山,凿穴叠石作。前檐响穄稌,后屋旋水磨。扶筇朝看花,入夜不一坐。亭午垂湘帘,倦便枕书卧。偕妇说家常,呼儿问书课。敲门剥啄声,时有老农过。君看此屋中,非他正是我。行移家具来,坐待邻里贺。

三

斜阳照空林,徘徊未忍去。多恋究多累,掉头未可住。我生二十年,初受尘垢污。家计竭中干,俗状作先驱。飞鸟求枝栖,三匝方绕树。大海泛浮萍,归根定何处？渺茫发大愿，天意肯轻付。况今千里来，担簦期一遇。行锁矮屋中，蒸甑热毒注。密如营窠蜂，困似涸辙鲋。走雷转肠鸣，喝水乞沫呴。谁能出尘世，一脱束缚苦。回头望此湖，万顷迷烟雾。梦魂时一游，且记湖边路。

长子履端生

刚是花生日，春风蔼一庐。爱防牛折齿，惭咏《凤将雏》。急喜先求火，痴心到买书。长安传一纸，欢慰定何如？

杂　感　五首

一

少小诵《诗》、《书》，开卷动龃龉。古文与今言，旷若设疆圉。竟如置重译，象胥通蛮语。父师递流转，惯习忘其故。我生千载后，语音杂伧楚。今日六经在，笔削出邹鲁。欲读古人书，须识古语古。唐宋诸大儒，纷纷作笺注。每将后人心，探索到三五。性天古所无，器物目未睹。妄言足欺人，数典既忘祖。燕相说郢书，越人戴章甫。多歧道益亡，举烛乃笔误。

二

大块凿混沌，浑浑旋大圜。隶首不能算，知有几万年。羲轩造书契，今始岁五千。以我视后人，若居三代先。俗儒好尊古，日日故纸研。六经字所无，不敢入诗篇。古人弃糟粕，见之口流涎。沿习甘剽盗，妄造丛罪愆。黄土同抟人，今古何愚贤？即今忽已古，断自何代前？明窗敞流离，高炉爇香烟。左陈端溪砚，右列薛涛笺。我手写我口，古岂能拘牵。即今流俗语，我若登简编。五千年后人，惊为古斓斑。

三

造字鬼夜哭，所以示悲悯。众生殉文字，蚩蚩一何蠢。可怜古文人，日夕雕肝肾。俪语配华叶，单词画蚯蚓。古近辨诗体，长短成曲引。洎乎制义兴，卷轴车连轸。常恐后人体，变态犹未尽。吁嗟东京后，世茶文益振。文胜失则弱，体竭势已窘。后有王者兴，张网罗贤俊，决不以文章，此语吾敢信。但念废弃后，巧拙同泯泯。欲求覆酱瓿，已难拾灰烬。我今展卷吟，徒使后人哂。

四

周公作《礼》、《乐》，谓矫世弊害。秦皇焚《诗》、《书》，乃使民聋聩。宋祖设书馆;以礼罗措大。吁嗟制艺兴,今亦五百载。世儒习固然,老死不知悔。精力疲丹铅,虚荣逐冠盖。劳劳数行中,鼎鼎百年内,束发受书始,即已缚柧械。英雄尽入彀,帝王心始快。岂知流寇乱,翻出穮锄辈。诵经贼不避,清谈兵既溃。儒生用口击,国势几中殆。从古祸患来,每在思虑外。三代学校亡,空使人材坏。

五

谓开明经科,所得学究耳。谓开制策科,亦只策士气。谓开词赋科,浮华益无耻。持较今世文,未易遽轩轾。隋唐制科后,变法屡兴废。同以文章名,均之等废契。譬如探筹策,亦可得茂异。狗曲出何经,驴券书博士。所用非所习,只以丛骂詈。亦有高材生,各自矜爪觜。祖汉夸考据,媚宋争义理,彼此互是非,是非均一鄙。茫茫宇宙间,万事等儿戏。作诗一长吟,聊用自娱喜。

哭张心谷士驹 三首

一

匆匆事业了潮州,竟认潮州作首丘。哀泣一家新故鬼,此邦与汝定何仇?君之生之婚之卒暨双亲之殁,皆在潮州。

二

半盂麦饭一炉香,终有人来拜墓堂。将为君立嗣。只恨锦囊无剩稿,《广陵散》绝并琴亡。君殁后,余搜其遗稿及其先人稿,均不可得。

三

一队同游少年辈,两年零落九原多。频频泪到心头滴,便恐明朝两鬓皤。

山　歌 九首

土俗好为歌,男女赠答,颇有《子夜》、《读曲》遗意。采其能笔于书者,得数首。

一

自煮莲羹切藕丝,待郎归来慰郎饥。为贪别处双双箸,只怕心中忘却匙。

二

人人要结后生缘,侬只今生结目前。一十二时不离别,郎行郎坐总随肩。

三

买梨莫买蜂咬梨,心中有病没人知。因为分梨故亲切,谁知亲切转伤离。

四

催人出门鸡乱啼，送人离别水东西。挽水西流想无法，从今不养五更鸡。

五

邻家带得书信归，书中何字侬不知。等侬亲口问渠去，问他比侬谁瘦肥。

六

一家女儿做新娘，十家女儿看镜光。街头铜鼓声声打，打着中心只说郎。

七

嫁郎已嫁十三年，今日梳头侬自怜。记得初来同食乳，同在阿婆怀里眠。

八

自剪青丝打作条，亲手送郎将纸包。如果郎心止不住，看侬结发不开交。

九

第一香橼第二莲，第三槟榔个个圆，第四夫容五枣子，送郎都要得郎怜。

生　女

拜佛拈花后，居然见汝生。系丝谁健妇，争乳奈雏兄。觅果年来事，游山嫁毕情。一齐到心坎，杯酒醉还倾。

庚午六月重到丰湖志感

湖光潋潋柳阴阴，又作堤边叉手吟。客与名山同惜别，人逢旧雨渐交深。何时葛令移家住，犹是菟裘养老心。自拣黄柑亲手种，他年看汝绿成林。

游潘园感赋

神山左股割蓬莱，惘惘游仙梦一回。海水已干田亦卖，主人久易我才来。栖梁燕子巢林去，对镜荷花向壁开。弹指须臾千载后，几人起灭好楼台。

香 港 感 怀 十首

一

弹指楼台现，飞来何处峰？为谁刈藜藿，遍地出芙蓉。以鸦片肇祸，开港后进口益多。方丈三神地，诸侯百里封。居然成重镇，高垒矗狼烽。

二

岂欲珠崖弃,其如城下盟。帆樯通万国,壁垒逼三城。虎穴人雄据,鸿沟界未明。割地以后,每以海界争论。传闻哀痛诏,犹洒泪纵横。宣庙遗诏,深以弃香港为耻。

三

酋长虬髯客,豪商碧眼胡。金轮铭武后,香港城名域多利,即女主名也。宝塔礼耶苏。火树银花耀,毡衣绣缕铺。五丁开凿后,欲界亦仙都。

四

盗喜逋逃薮,兵夸曳落河。官尊大呼药,官之尊者,亦称总督。客聚众娄罗。王面镌金宝,蛮腰跨革靴。斑阑衣服异,关吏莫谁何。港不设关。

五

沸地笙歌海,排山酒肉林。连环屯万室,地势如环,故名上中下三环。尺土过千金。民气多羶行,夷言学鸟音。黄标千万积,翻讶屋沉沉。

六

便积金如斗,能从聚窟消。蛮云迷宝髻,脂夜荡花妖。龙女争盘镜,鲛人斗织绡。珠帘香十里,难遣可怜宵。

七

《博物》张华志,千间广厦开。摩挲铜狄在,怅望宝山回。大鸟如人立,长鲸跋浪来。官山还府海,人力信雄哉!

八

流水游龙外,平波又画桡。佛犹夸国乐,奴亦挟天骄。御气球千尺,驰风马百骁。街弹巡赤棒,独少市声嚣。

九

指北黄龙饮,从西天马来。飞轮齐鼓浪,祝炮日鸣雷。他国军舰初至,必然炮二十一响,以敬地主,西人名曰祝炮。中外通喉舌,纵横积货财。登高遥望海,大地故恢恢。

一〇

遣使初求地,高皇全盛时。乾隆四十八年,英遣使马甘尼来朝,即以乞地为言。六州谁铸错,一恸失燕脂。凿空蚕丛辟,嘘云蜃气奇。山头风猎猎,犹自误龙旗。

寓汕头旅馆感怀寄梁诗五

策策秋声木叶干,百端萧瑟入心肝。颠风断渡铃能语,古月悬天镜独看。

未到中年哀乐备,无多同调别离难。巡檐绕室行千遍,刚对孤灯又倚阑。

将至潮州又寄诗五

片帆遥指凤凰城,屈指家山尚几程。以我风尘憔悴色,共君骨肉别离情。一灯缩缩栖鸦影,四垒萧萧战马声。回首六年离乱事,梦馀犹觉客心惊。乙丑冬月避乱居潮州,兵退乃返。

铁 汉 楼 歌

湿云漠漠山有无,登城四望遥踟蹰。颓垣败瓦不可踏,劫灰昏黑堆城隅。刬苔剔藓觅碑读,字缺半亦形模糊。公无遗像有精气,恍惚左右神风趋。忆公秉政宣仁日,自许稷契君唐虞。英名卓卓惊殿虎,辣手赫赫锄城孤。同文狱起事一变,先生遂尔南驰驱。洞庭寒夜走蛟蜃,潇湘清昼啼猩鼯。臣心万折必东去,一生九死长征途。岂知章蔡恨未雪,谓臣虽死犹馀辜。如飞判使暗挟刃,来取逐客寒头颅。梅州太守亦义士,告语先生声呜呜。先生湛然色不变,崛强故态犹狂奴。有朋诿诿细料理,对客醑饮仍歌呼。呜呼先生真铁汉,品题不愧眉山苏。一楼高插北城角,中有七尺先生驱。铁石心肠永不变,腾腾剑气光湛卢。荔丹蕉黄并罗列,无有远迩群南膜。军书忽报寇氛炽,官民空巷争逃逋。先生独坐北楼北,双眼炯炯张虬须。跳梁小鼠敢肆恶,公然裂毁无完肤。迩来凋瘵渐苏息,无人收拾前规模。东坡已往仲谋死,起人忠义谁匡扶?金狄摩挲事如昨,铅水清泪流已枯。我来凭吊空恻怆,呀呀屋上啼寒乌。

和周朗山琨见赠之作

噫嘻乎儒生读书不识羞,动夸虎头燕颔径取万户侯。万户侯耳岂足道,乌知今日裨瀛大海还有大九州。贱子生辰南方陬,少年寂寂车前驹。当时乳虎气食牛,众作蝉噪嗤瞅啁。小技虫雕羞刻镂,中间离乱逢百忧。红尘蔽天森戈矛,我时上马看吴钩。呜呼不能用吾谋,驹伏辕下鹰在韝。看人貂蝉出兜鍪,幡然一笑先生休。矢人为矢辀人辀,兰台漆书吾箕裘。且呼古人相绸缪,打头屋小歌声遒。亦手帖括吟呻嘤,时文国小原莒邹,要知假道途必由。习为谐媚为便柔,招摇过市希急售。盗窃名器为奸偷,平生所耻羞效尤。谤伤争来撼树蜉,非笑亦有枪榆鸠。立志不肯随沉浮,一齐足敌众楚咻。皇皇使者来轩辀,玄珠出水黝然幽,珊瑚入网枝相樛。不才如宪亦兼收,一头放出千人稠。其旁一客为马周,炯炯秋水横双眸。谓生此文无匹俦,即此已卜公侯仇。噫嘻吾文原哑呕,公竟许我海与丘。感公知己泪一流,以公才气命不犹。文不瑎珮鸣琅璆,武不龙虎张旌旒。时时酒酣摩莂𣤶,萧条此意将白头。至今不愿为闲鸥,乘风犹来海上游。海波正寒风飀飀,中有蝮蛇从鸽鸳。盲云怪雨无停留,老蛟欲泣潜鱼忧。何物小魅不匿瘦,公然与龙为仇雠。苍梧回首云正愁,公从仙人来十洲。公其为龙求蟠虬,左揖洪崖右浮丘。招邀群策同力戮,号召百族相聚谋。铁锁重使支祁囚,赤文绿字光油油。重铭瑶宫修琼楼,呜呼此愿何时酬!

寄和周朗山 *

拍手引鸾凤,来从海上游。大鹏遇希有,两鸟忽相酬。金作同心结,刀期绕指柔。各平湖海气,商榷共登楼。

春夜怀萧兰谷 光泰

深巷曾无车马喧,闭关我自枕书眠。平生放眼无馀子,与汝论交过十年。既觉梦都随雨去,半开花欲放春颠。隔墙红遍千株树,何日能来看木棉?

闻诗五妇病甚

中年儿女更情长,宛转重吟妇病行。终日菜羹鱼酱外,帖书乞米药抄方。

怀 诗 五 **

万族求饶益,营营各一途。俗情日纷扰,吾道便愁孤。波静鱼依藻,枝高凤在梧。昨书言过我,翻又费招呼。

为诗五悼亡作 ***

画阁垂帘别样深,回廊响屧更无音。平生爱尔风云气,倘既消磨不自禁。

---

 * 诗草钞本共五首,定稿刊本存其第二首。
 ** 钞本共三首,刊本存第一首。
 *** 钞本为七律,刊本删去其中四句为绝句。

庚午中秋夜始识罗少珊文仲于矮屋中遂偕诗五共登明远楼
看月少珊有诗作此追和时癸酉孟秋也

万蚕食叶蚕声酣,三条红烛光炎炎。忽然大声出邻屋,偷窥有客掀襕衫。狂吟高歌彻屋瓦,两目虎视方眈眈。此人岂容交臂失,闯然握手惊雄谈。问名识是将家子,《金版》《玉匮》素所谙。是时发策问兵事,胸中武库胥包含。我方掀帘促膝坐,昂头有月来屋檐。此人此月此楼岂可负此夕,辄邀吾友同追探。巍巍明远楼,高插南斗南。钲声鼓声宵戒严,我来不避官吏嫌。蹑衣径上梯百尺,凭栏要到塔七尖。天风吹衣怕飞去,汝我左右相扶搀。纤云四卷天不夜,空中高悬圆明蟾。沉沉矮屋两行瓦,昨者煮海今堆盐。回头却望望东海,濛濛烟气团蔚蓝。其馀人家亿万户,水波不动澄空潭。三更夜深风露重,下士万蚁齐黑酣。大千世界共此月,今夕只照人两三。虽然无肴无酒不得谋一醉,犹有惊人好句同掀髯。别来此月几圆缺,三人两地同观瞻。匆匆三年忽已过,秋风重磨旧剑镡。羊城相见执手笑,追述往事同呢喃。男儿竟作可怜虫,等此蓄缩缠窠蚕。少珊少珊我且与汝登越王之高台,白云往来驾两骖。试寻黄屋左纛旧霸业,《阴符》发箧温《韬》、《铃》。不然泛舟南海南,乘风破浪张长帆。要借五十犗饵钓此巨鳌去,刳腹脔内供口馋。使君于此自不凡,何苦徒作风月谈。要抟扶摇羊角直上九万里,埋头破屋心非甘。噫嘻乎,埋头破屋心非甘!

羊　城　感　赋　六首

一

早潮晚汐打城门,玉漏声催铜鼓喧。百货均输成剧邑,五方风气异中原。舵舟舆轿山川险,帕首靴刀府帅尊。今古茫茫共谁语,越王台下正黄昏。

二

手挽三江尽北流,寇氛难洗越人羞。黄巢毒竟流天下,陶侃军难进石头。金陵未克以前,左帅致书曾文正公,谓当从广东进师。文正不谓然。左帅又言,于此始者于此终,粤贼当灭于粤。后其言竟验。铤鹿偶然完首尾,烂羊多赖得公侯。欃枪扫尽红羊换,从此当朝息内忧。

三

际海边疆万里开,臣佗大长信奇才。平蛮看竖擎天柱,朝汉同登浴日台。

南极星辰原北拱,东流海水竟西回。喁喁鹣鲽波涛阻,独有联翩天马来。

四

慷慨争挥壮士戈,洗兵竟欲挽天河。苦烦父老通邛筰,难禁奸民教尉佗。袄庙火焚氛更恶,鲛人珠尽泪犹多。纷纷和战都非策,聚铁虽坚奈错何!

五

战台祠庙岿然存,双阙嵯峨耸虎门。谁似伏波饶将略?犹闻蹈海报君恩。要荒又议珠崖弃,霸业弥思蠡屋尊。最是凋零苏武节,无人海外赋《招魂》。

六

木棉花落絮飞初,歌舞冈前夜雨馀。阁道鸢声都寂寞,市楼蜃气亦空虚。骑羊漫诩仙人鹤,驱鳄难除海大鱼。独有十三行外柳,重重深护画楼居。

卷　二　五十五首

（同治十二年至光绪三年　1873 年至 1877 年作）

寄　四　弟　二首

一

雏雁毛羽成,各各南北飞。与君为兄弟,义兼友与师。师严或伤和,肝鬲君所知。阶前百尺桐,浓绿侵须眉。树根两坐石,一平一嶔崎。我坐拾落叶,君立攀高枝。此读彼吟哦,形影长相随。有时隔屋语,亦复穴壁窥。当时忘此乐,亦已乐不疲。人生欢聚时,何知苦别离。

二

匏瓜系不食,壮夫是所羞。出门望长安,远在天尽头。贡士亲署名,行作万里游。念此当乖离,恩情日绸缪。今年槐花黄,挂帆来广州。亦谓此恨浅,待我过深秋。秋风亦已过,别恨终悠悠。欲归不得归,飘蓬迹沉浮。登高插茱萸,重阳风飕飕。以汝异乡思,知我游子忧。千里远相隔,已恨归滞留。何况万里别,益以十年愁。

人境庐杂诗*八首

一

春风吹庭树,树树若为秋。忽作通宵雨,来登近水楼。湿云攒岫出,叠浪拍天流。不识新波长,沙边有睡鸥。

二

门前几株树,树外一亭茅。唼絮鱼行水,衔绒鸟恋巢。月随瓜架漏,花入药栏交。难怪陶徵士,移居乐近郊。

三

亦有终焉志,其如绿鬓何。云闲犹作雨,水止亦生波。春暖先鸦起,湖宽让鲫多。门前亲种柳,生意未婆娑。

四

出屋梧桐长,都经手自栽。十年劳树木,百尺看成材。莽莽风云会,深深雨露培。最高枝上月,留待凤皇来。

五

紫藤花压架,开落到如今。旧雨伤黄土,残春怅绿阴。寻春犹惘惘,埋玉故深深。庭下闲叉手,多余恋旧心。

六

叶叶蕉相击,丛丛竹自鸣。萧萧传雨意,摵摵误秋声。露湿寒蛩寂,枝摇暗鹊惊。幢幢灯影暗,独坐到微明。

七

初日照高楼,迟迟树影收。苔痕缘壁漫,花气到帘留。春软鸡同粥,风和鹊亦柔。书声墙外过,有弟住东头。

八

耐冷斋头客,<small>西宁学署斋名,时诗五客此。</small>鳏鱼不寐馀。知君长犹坐,念我近何如？哀乐中年感,艰难远道书。杨梁诸子好,踪迹亦萧疏。

---

* 钞本共十首,刊本存前八首。

将应廷试感怀*

二十馀年付转车,自摩髀肉问何如? 暂垂鹏翼扶摇势,一学蝇头世俗书。荡荡天门争欲上,茫茫人海岂难居。寻常米价无须问,要访奇才到狗屠。

出　　门**

出门杨柳万条春,送我临歧意未申。得失鸡虫何足道,文章牛斗可能神。无穷离合悲欢事,从此东西南北人。手版脚靴兼帕首,任风吹堕软红尘。前辈戏语:西湖风月,不如东华软红香土。

由轮舟抵天津作***

遥指天河问析津,茫茫巨浸浩无垠。华夷万国无分土,人鬼浮生共转轮。敌国同舟今日事,太仓稊米自家身。大鹏击水南风劲,忽地吹人落软尘。

水　　滨****

来牛去马看频频,独立苍茫此水滨。避面青山难见我,打头黄土信抟人。东西市舶无分界,南北藩封此要津。七十二沽秋色满,不堪吹鬓半胡尘。

武清道中作 五首

一

始识风尘苦,吾生第一回。斗星随北指,云气挟东来。走竟偕牛马,臣初出草莱。海天千万里,南望几徘徊。

二

天到荒寒地,山犹懒刻镂。沙濛惟见日,树瘦尽如秋。长路漫漫苦,斜阳渺渺愁。岭南好时节,不为荔支留。

三

绿树如云拥,门前百尺桐。吾家正溪北,有弟住墙东。尽室团圞乐,行人

---

　* 此诗存钞本四首的第一首,并现题。

　** 此诗系钞本四首之四,改现题。

　*** 此诗钞本共四首,刊本存第一首。

　**** 此诗系钞本《由轮舟抵天津作》的第三首,后四句经改,并用今题。

梦寐中。茫茫百端集,到此意何穷。

四

唐魏风同俭,幽并气不豪。龙衣将瓦覆,牛矢压墙高。忧患家多口,荒凉地不毛。最怜罗马拜,中妇乞钱号。

五

居者与行者,劳劳同一叹。天恩才咫尺,民气不衣冠。地况穷荒远,人兼琐尾残。监门图一幅,谁上九重看。

早　行

堤长已历八九折,柝击犹闻四五更。凉风吹衣抱衾卧,残月在树啼乌声。东方欲明未明色,北斗三点两点星。腐儒饥寒苦相迫,驱车自唱行行行。

慷　慨

慷慨悲歌士,相传燕赵多。我来仍失志,走问近如何? 到处寻屠狗,初番见囊驼。龙泉腰下剑,一看一摩挲。

月　夜

梧桐庭院凤凰枝,六尺湘帘踠地垂。长记绮窗相对语,二三更后夜凉时。

代柬寄诗五兰谷并问诸友[*]四首

一

入梦江湖远,撑胸天地宽。长安人踏破,有客独居难。短榻鸣虫寂,孤灯落叶寒。不禁儿女语,琐屑写君看。

二

万树秋风起,吾心吹不归。袖留孤刺在,书自百城围。大海容鸥住,高云有鸟飞。酒痕和泪渍,时一检青衣。

三

亲健都寄福,芳兰各自花。云扶王父杖,余祖年六十六矣。酒暖冷官衙。诗五

* 此诗钞本共六首,刊本存四,其中第一首系钞本第一、六两首组合。

尊人官西宁学博。巢燕长依母,栖乌又有家。诗五近方续娶。上堂如照镜,莫叹鬓丝华。

四

覆地桐阴绿,中为人境庐。刚柔分日课,兄弟各头居。草草常留饭,匆匆亦读书。近来仍过我,见我衮师无。

狂歌示胡二晓岑曦

飞鸟不若姣凤,游鳞不若豢龙。虚誉不若疑谤,速拙不若缓工。高台落日多悲风,我剑子剑弓子弓。与子指手青云中,但须塞耳甘耳聋。苍蝇营营无万数,下士大笑声澎澎。

重九日雨独游醉中作

吹面风多冷意酣,萧萧寒雨滴重檐。宵来一醉长安市,竟夕相思大海南。遍插茱萸偏我少,无端萍梗为谁淹?故山岁岁登高去,蟹熟鲈香酒压担。

别赖云芝同年

结客须结少年场,占士能占男子祥。为云为龙将翱翔,担簦跨马毋相忘。苍梧之水悠且长,中有浔山山苍苍。前有龙翰臣、吕月沧,后朱伯韩、王定甫,灵芝继起殊寻常。浑金璞玉其器良,皇皇使者铁网张。摩挲三之贡玉堂,凤凰飞飞上高冈。立足未稳天风刚,吹尔敛翼下八荒。长安纨裤多清狂,阔眉广袖时世妆。日醉杜曲歌韦娘,红裙翠襦围银筯。朝朝暮暮乐未央,子独闭门寻羲皇。青鞋破帽暗无光,时或彳亍书贾坊。邂逅揖我谓我臧,子之外家吾故乡。通明移家趋华阳,至今乡音犹未忘。西风牵手情话长,比邻胡二工文章。因我识子摅肝肠,桃笙棋褥铺绳床,敲冰煮茗焚清香,左陈钟鼎右缥缃,往往道古称先王。繁星窥户月在墙,甲夜至丙言尤详。子言少孤早罹殃,机声灯影宵啼螀。阿母责读声琅琅,每至《蓼莪》泣数行。去年雏凤新求凰,左敖右翱招由房,和鸣锵锵期育姜。倚门倚闾久相望,不可以留行束装。春明门外多垂杨,寒雨乍断露始霜。今日送子天一方,贫士缩瑟无酒浆。只用好语深浅商,子足暂刖庸何伤。归与兄弟谋稻粱,问字之酒束脩羊。男唯女俞欢重堂,明年槐黄举子忙,呦呦鹿鸣谐笙簧,行听子歌承筐将。人生相见殊参商,吁嗟努力毋怠皇!

为萧少尉步青作

萧公,平远人,任河南永城县丞。咸丰五年,破城,妻女侄妇同时殉难。分祀昭忠、节烈祠。

守士穹官先败北,防河诸将亦笼东。哦松射鸭闲官耳,一死犹能作鬼雄。

乌 之 珠 歌

毅皇帝马,领侍卫某所进,西安将军所购也。宫车晏驾,马悲鸣于景山林树之间,卒以不食毙。微臣闻而感焉。

北风雨雪门不开,景山暂作金粟堆。《黄竹歌》停八骏杳,一马鸣诉悲风哀。此马远自流沙至,铁花满身黑云被。将军甫奏天马徕,雄姿已有凌云意。凤臆麟身人未知,内官频促黄门试。天颜一顾喜出群,便入天闲登上驷。春郊三月杨柳丝,九衢夹道飞龙旗。卧瓜吾仗引金钺,霓幢羽葆随黄麾。乌皮靴声地橐橐,龙纹盖影云迟迟。十五善射作前导,亲王贝勒相追随。中一天人御飞鞚,蹑电追风尘不动。黄鞯朱氍镂金鞍,顾影不鸣更矜宠。路旁遥指衣黄人,侧睐龙媒神亦悚。沙平风软四蹄轻,不闻人声惟马声。银花佩纷露黄带,红绒结顶飘朱缨。少年天子万民看,望尘不及人皆惊。銮仪校尉独惆怅,轻车步辇空随行。从官空费千金产,苦索飞龙求上选。奚官善相阿敦调,有此神骏无此稳。一朝忽泣天花雨,日惨云冥愁楚楚。都是攀髯不逮人,并鲜慰情胜无女。万花溅泪柳愁含,御床不扫空垂帘。六宫共抱苍梧痛,万国还惊白柰簪。多时不见宫中驾,一马悲嘶夜复夜。自蒙拂拭众人惊,奚啻黄金长声价。青丝络头伏道旁,反因受宠丛讥骂。何如死殉侍昭陵,风雨灵旗驰石马。先皇御宇十三年,金床玉几少晏眠。黄巾甫平白帽扰,战马每岁从周旋。望雒礼拜木兰返,十年往事犹目前。中兴未集弓剑闷,岂独此马哀呼天! 即今兵革犹未息,群胡化鬼扰西域。王师出关万虎貔,众马从人同杀贼。汝独一死报君恩,吁嗟龙性固难测。乌珠乌珠努力肯饱食,谅汝立功能报国。

田 横 岛

生王头,死士垄,一毛轻等丘山重。臣头百里走见王,王自趋前头不动。五百人头共一丘,人人视头同赘疣。背面事仇头亦羞,横来横来大者王小者侯,臣戴头来王勿忧。呜呼死士垄,乃为生王头。

和钟西耘庶常德祥津门感诗 八首

一

雷动星驰入贡车,舌人环列护爻闾。但占风雨都来享,偶断苞茅便问诸。宅北曾分羲仲命,绥南远赐赵佗书。康熙中用汤若望、南怀仁为钦天监,皆西人。盟津八百争朝会,犹记征祥纪白鱼。

二

八荒无事息兵车,七叶讴吟洽里闾。岂谓浮云变苍狗,竟教明月蚀詹诸。骊山烽火成焦土,牛耳牲盘捧载书。秋草木兰驰道静,白龙微服记为鱼。

三

六月中兴赋《出车》,金陵王气复充闾。华夷共主皆思服,尧舜如天尚病诸。荡寇重编归汉里,和戎难下绝秦书。只应文物开王会,珥笔曾夸太史鱼。

四

狼胱遗种等高军,万族相从到尾闾。魑魅入林逢不若,虾蟆吞月鉴方诸。昔闻靺鞨歌西乐,今见佉卢制左书。始受一廛壕镜地,有明师早漏多鱼。

五

执梃降王走传车,先擒月爱后东闾。难言赤狄初何种,终痛庭坚祀忽诸。两帝东西争战国,九州大小混方书。喁喁鶗鲽来无路,久已纵横海大鱼。

六

电掣重轮走水车,风行千里献比闾。移山未要嗤愚叟,捧土真能塞孟诸。黑齿雕题征鬼篆,赤文绿字诩天书。寻常弓矢疑堪用,闻道潮人驱鳄鱼。

七

鸾声阁道碾安车,元老相从话蹢闾。未雨绸缪彻桑土,御冬旨蓄备桃诸。借筹幸辟同文馆,警鼓惊传奔命书。相戒鲂鲔休出入,吞声私泣过河鱼。

八

东西南北走舟车,虎穴惊看插邑闾。七万里戎来集此,五千年史未闻诸。《考工》述物搜奇字,鬼谷尊师发秘书。教训十年民力盛,倘排犀手射鲸鱼。

福州大水行同张樵野丈荫桓龚霭人丈易图作

黑风吹海海夜立,倏忽平地生波涛。囊沙拥水门急闭,飞浪已越城墙高。

漂庐拔木无万数,安得江犍淮阳包。众头攒动乍出没,欲葬无椁栖无巢。攀崖缘壁幸脱死,饥肠雷吼鸣嗷嗷。中丞视民犹己溺,急起冒突挥露桡。鸥鸰毁室商救子,鱼鳖满城资渡桥。况闻移粟苏喘息,自雍及绛来千艘。流离琐尾得安宅,无复登屋声三号。天灾流行国代有,难得官长劳民劳。海疆东南正多事,水从西来纷童谣。曲突徙薪广恩泽,愿亟靖海安天骄。

将应顺天试仍用前韵呈霭人樵野丈[*]　四首

一

平生揽辔澄清志,足迹殊难出里闾。万一铅刀堪小试,可容韫椟便藏诸。舳棱魏阙宵来梦,简练《阴符》夜半书。一第区区何足道,频番缘木妄求鱼。

二

辙乱旗翻屡败车,行吟憔悴比三闾。未知吾舌犹存否,终望臣饥得食诸。辛苦低头就羁靮,功名借径寄诗书。若论稽古荣车服,久已临渊不羡鱼。

三

旁午军书议出车,沿边鹅鹳列为闾。眼看虎落环瓯脱,心冀燕仇复望诸。四海同袍征士气,频年赠策故人书。荷戈亦是男儿事,何必河鲂始食鱼。

四

齐东燕北走舟车,三载南云望倚闾。宦学无成便归去,父兄有命敢行诸。伤禽恶听连环弹,老蠹愁翻旧校书。碧海掣鲸公手笔,倘分勺水活枯鱼。

述怀再呈霭人樵野丈[**]　三首

一

呜呼制艺兴,今盖六百年。宋元始萌蘖,明制皇朝沿。十八房一行,群蚁趋附膻。诸书束高阁,所习唯《兔园》。古今昏不知,各各张空拳。士夫一息气,奄奄殊可怜。黼黻承平时,无贤幸无奸。小丑一窃发,外患纷钩连。但办口击贼,天下同拘挛。祖宗养士恩,几费大官钱。徒积汗牛文,焉用扶危颠。到此法不变,终难兴英贤。中兴名世者,岂不出其间。

---

[*]　此诗《初镐抄本》卷二题为《将应京兆试仍用前韵呈霭人方伯樵野廉访》。

[**]　此诗《初稿抄本》卷一题为《述怀再呈霭人方伯樵野廉访》。

二

汉家耀武功，累叶在西北。车书四万里，候尉三重译。物腐虫蠹生，月盈詹诸蚀。鼠盗忽窃发，犬戎敢相逼。惜哉臣年少，不及出报国。中兴六月师，群阴归殄灭。臣虎臣方叔，持节布威德。如何他人睡，犹鼾卧榻侧。白气十丈长，狼星影未匿。群狐舞天山，尊者阿古柏。公与秦晋盟，隐若树一敌。王师昨出关，军容黑如墨。猖猖桀犬吠，尚迟有苗格。东南鬼侯来，昼伏夜伺隙。含沙射人影，鬼蜮不可测。虎威狐辄假，鸥视鼠每吓。今年问周鼎，明年索赵璧。恫疑与虚喝，悉索无不力。荡荡王道平，如行入荆棘。普天同王臣，咸愿修矛戟。荷戈当一兵，吾亦从杀贼。

三

两汉举贤良，六朝贵门第。设科不分目，我朝重进士。孔孟生今日，必就有司试。岂能无斧柯，皇皇行仁义。宪也少年时，谓芥拾青紫。五岳填心胸，往往矜爪嘴。三战复三北，马齿加长矣。破剑破后衣，年年来侮耻。下争鸡鹜食，担囊走千里。时时发狂疾，痛洒忧天泪。群书杂然陈，所志非所事。枘凿殊方圆，如何可尝试？今上元二年，诏书下黄纸。帝曰尔诸生，尔其应大比。纷纷白袍集，臣亦出载贽。既不莘野耕，又难漆雕仕。龙门虽则高，舍此何位置。抡才国所重，得第亲亦喜。绕床夜起舞，何以为臣子？

大　狱　四首

一

国耻诚难雪，何仇到匹夫？既传通道檄，翻弃入关缯。事竟成狙击，危同捋虎须。阴谋图一逞，攘外计何愚！

二

万里滇南道，空劳秉节臣。就令戎伐使，已累汉和亲。况坐王庭狱，惟诬化外人。在旁鹰眼睨，按剑更生嗔。

三

洗血拚流血，鲸鱼海上横。人方投袂起，我始奉书行。重镇劳移节，群儿虑劫盟。怀柔数行诏，悔过复渝平。

四

休唱攘夷论，东西共一家。疏防司里馆，谢罪使臣槎。讵我持英荡，容人击副车。万方今一概,莫自大中华。

别张简唐思敬并示陈绰尚元焯 二首

一

马首欲东王事亟,乘辕改北故人归。别君泥醉杯中酒,独我愁看身上衣。万绪一时齐扰扰,三年同客更依依。平安寄语吾家去,为道腰支近稍肥。

二

平生四海论人物,早有张陈在眼中。一举云霄希有鸟,频年尘土可怜虫。试思科第定何物,长此羁贫却恼公。归问白眉吾好友,可能追逐共云龙。

三 十 初 度

学剑学书无一可,摩挲两鬓渐成丝。爷娘欢喜亲朋贺,三十年前堕地时。

将之日本题半身写真寄诸友

如此头颅如此腹,此行万里亦奇哉!诸公未见靴尖趯,待我扶桑濯足来。

又 寄 内 子

十年欢聚不知愁,今日分飞独远游。知否吾妻桥上望,日本东京有吾妻桥。淡烟疏柳几行秋。

卷 三 四十八首

(光绪三年至七年 1877 年至 1881 年作)

由上海启行至长崎 二首

一

浩浩天风快送迎,随槎万里赋东征。使星远曜临三岛,帝泽旁流遍裨瀛。大鸟扶摇抟水上,神龙首尾挟舟行。冯夷歌舞山灵喜,一路传呼万岁声。

二

满城旭影曜红旗,神武当年此肇基。竿木才平秦世乱,衣冠创见汉官仪。中原旧族流传远,_{长崎多有胜朝遗老后裔。}四海同家聚会奇。此土地民成此国,有人尽日倚栏思。

西乡星歌

西乡隆盛既灭,适有彗星见于日本西南境,国人遂名之为西乡星。

人不能容此嵚崎磊落之身,天尚与之发扬蹈厉之精神。除旧布新识君意,烂烂一星光射人。人人惊呼伯有至,昨为大盗今为厉。海上才停妖鸟鸣,天边尚露神龙尾。神龙本自西海来,蹈海不死招魂回。当时帝星拥虚位,披发上诉九天阊阖呼不开。尊王攘夷平生志,联翩三杰同时起。锦旗遥指东八州,手缚名王献天子。河鼓一将监众军,中宫匼卫罗藩臣。此时赤手同捧日,上有一人戴旒冕,是为日神之子天帝孙。下有八十三州地,满城旭彩辉红轮。乾坤整顿兵气息,光华复旦歌维新。

无端忽唱征韩议,汝辈婼阿难计事。参商水火不相能,拂衣大笑吾归矣。归来落拓不得志,牵狗都门日游戏。鼻端出火耳后风,指天画地时聚议。夜半拊床欲为帝,奋梃大呼投袂起。将军要问政府罪,胡驱吾辈置死地? 三千万众我同胞,忍令绞血输血税。死于饥寒死于苛政死于暴客等一死,徒死何如举大计。一时啸聚八千人,各负长刀短铳至。赤囊传警举国惊,守险力扼熊本城。雷池一步不敢过,天网所际难逃生。十二万军同日死,呜呼大星遂陨地! 将军之头走千里,将军之身分五体。聚骨成山血作川,噫气为风泪如雨。此外暗呜叱咤之声势,化为妖云为沴气。骑箕一星复归来,狼角光芒耀天际。吁嗟乎! 丈夫不能留芳千百世,尚能贻臭亿万载。生非柱国死非阎罗王,犹欲醩血书经化作魔王扰世界。英雄万事期一快,不复区区计成败。长星劝汝酒一杯,一世之雄旷世才。

石川鸿斋_英偕僧来谒张副使误谓为僧鸿斋作诗自辩余赋此诗以解嘲

谓僧为官非秃鹙,谓官为僧非沐猴。为官为僧无不可,呼马应马牛应牛。先生昨者杖策至,两三老衲共联袂。宽衣博袖将毋同,只少袈裟念珠耳。师丹

固非老善忘,鲁侯亦岂儒为戏! 知公迹僧心亦僧,不复拘拘皮相士。先生闻当
喜欲狂,自辩非僧太迂泥。但论普度一切心,安识转轮三世事。吾闻先达曾戏
言,莫如为僧乐且便。世间快意十八九,只恨酒色须逃禅。入宫有妻案有肉,
弃冠便作飞行仙。昨者大邦布令甲,宗门无用守戒法。周妻何肉两无忌,朝过
屠门夕拥妾。佛如有知亦欢喜,重愿东来度僧牒。溯从佛法初来东,稻目以后
争信崇。造经千卷塔七级,赐衣百袭粟万钟。帝王亦称三宝奴,上皇尊号多僧
徒。七道百国输正税,民膏民血供浮屠。将军柄政十数世,争挽强弓不识字。
斯文一脉比传灯,亦赖儒僧延不坠。西方菩萨东沙门,天上地下我独尊。尊君
为僧固君福,急掩君口听我言。九方何必分黄骊,两兔安能辨雌雄。鸿飞宁记
雪泥迹,马耳且任东风吹。

不忍池晚游诗[*]　十五首

> 上野有不忍池,亦名西湖,近郊胜地也。余每喜晚游,长夏暑热,或夜深始归,
> 得诗十数首。

一

开门看雨梦才醒,一抹斜阳映画屏。随着西风便飞去,弱花无力系蜻蜓。

二

蜃楼海气隐重城,浩浩风停远市声。四壁晚钟齐接应,分明不隔一牛鸣。

三

红板长桥雁柱横,两头路接白沙平。前呼后拥萧萧马,犹记将军警跸声。

四

如此江山信可怜,欢虞霸政百馀年。黄粱饱食红灯上,小户家家弄管弦。

五

百千万树樱花红,一十二时僧楼钟。白头乌哭屋梁月,此是侯门彼佛宫。

> 王师东下,以上野为战场,故近处王侯邸第、梵王宫殿,大半荒废矣。

六

羯鼓鼕鼕舞折腰,银釭衔璧酒波摇。炉香袅处瓶花侧,不挂当时黑鞘刀。

> 东人屋侧以隙地为供炉插花之所。旧时士夫皆佩双刀,宴饮时则悬于壁。今废此仪矣。

---

[*] 此诗《初稿抄本》无,《定稿刊本》新补。

七

薄薄樱茶一吸馀,点心清露挹芙蕖。青衣擎出酒波绿,径尺玻璃纸片鱼。

八

鸦背斜阳闪闪红,桃花人面薄纱笼。银鞍并坐妮妮语,马不嘶风人食风。
西人携眷出游者,每并辔齐行。

九

万绿沉沉喈一蝉,迷茫水气化湖烟。无端吹坠丰湖梦,不到丰湖又十年。

一〇

绝远穷荒海外经,风灾鬼难渡零丁。谁知大地山河影,只一微尘水底星。

一一

濛濛隔水几行竹,暗暗笼烟并是梅。微影模糊声荦确,是谁携屐踏花来。

一二

柳梢斜挂月如丸,照水摇摇颇耐看。欲写真容无此镜,不难捉影捕风难。

一三

不耐茫茫对此何,花如吉野月须磨。如鱼邪虎乌乌武,树底时时人唱歌。
吉野之樱,须磨之月,为东方名胜之最。

一四

三更夜深月上橹,荷花遥遥吐微馨。炉烟帖妥窗纱静,不解参禅也读经。

一五

山色湖光一例奇,莫将西子笑东施。即今隔海同明月,我亦高吟《三笠辞》。仲麻吕使于唐,将还,从明州上舟,望月作歌,世传为绝唱《三笠山辞》是也。

宫本鸭北以旧题长华园诗索和*

绕榭山花红欲然,林中结屋屋如船。人来蓬岛无宾主,境比桃源别洞天。近事披图谈斗虎,谓英、俄二国因突厥事。旧游濡笔纪飞鸢。曾使高丽。登楼北望方多事,未许偷闲作散仙。

樱　花　歌

鸧金宝鞍金盘陀,螺钿漆盒携叵罗。伞张胡蝶衣哆啰,此呼奥姑彼檀那。

＊　此诗《初稿抄本》卷三题为《鸭北又以旧题长华园诗索和》。

一花一树来婆娑,坐者行者口吟哦,攀者折者手挼莎,来者去者肩相摩。墨水泼绿水微波,万花掩映江之沱。倾城看花奈花何,人人同唱樱花歌。道旁老人三嗟咨,菊花虽好不如葵。即今游客多于卿,未及将军全盛时。将军主政国尚武,源蹶平颠纷斗虎。德川累世柔服人,渐变战场成乐土。将军好花兼好游,每岁看花载箫鼓。三百诸侯各质挐,争费黄金教歌舞。千金万金营香巢,花光照海影如潮。游侠聚作萃渊薮,真仙亦迷脂夜妖。合歌万叶写白纻,缠头每树悬红绡。七月张灯九月舞,一年最好推花朝。喷云吹雾花无数,一条锦绣游人路。明明楼阁倚空虚,玲珑忽见花千树。花开别县移花来,花落千丁载花去。十日之游举国狂,岁岁欢虞朝复暮。承平以来二百年,不闻鼙鼓闻管弦。呼作花王齐下拜,至夸神国尊如天。当时海外波涛涌,龙鬼佛天都震恐。欧西诸大日逞强,渐剪黑奴及黄种。芙蓉毒雾海漫漫,我自闭关眠不动。一朝轮舶炮声来,警破看花众人梦。我闻桃花源,洞口云迷离。人间汉魏了不知,又闻净土落花深四寸。每读《华严经》卷神为痴,拈花再拜开耶姬。上告丰苇原国天尊人皇百神祇,仍愿丸泥封关再闭一千载,天雨新好花,长是看花时。

陆军官学校开校礼成赋呈有栖川炽仁亲王

为将不知兵,是谓卒予敌。不教驱之战,岂能出以律。桓文节制师,苏张纵横策。制胜非有他,所贵在练习。日本二千年,本以武立国。幕府值季世,犬戎迭相逼。贤豪争勤王,蔚成中兴辟。环顾五部洲,沧海不可隔。函关一丸泥,势难复闭壁。勇夫且重闭,岂曰偃兵革。天孙茅缠稍,高丽铁铸的。古岂无利器,今合借他石。近年欧罗巴,兵法盖无匹。广轮四海图,上下千年籍。择长以为师,悉命译人译。广厦千万间,多士宅尔宅。群萃而州处,乃受观摩益。使指固借臂,伏足固借翼。得一良将才,胜百连城璧。是日营门开,军容荼火赫。贤王代临雍,客卿咸就席。组练简一千,距跃习三百。拐马熟连环,飞炮鸣霹雳。亦有轻气球,凌风腾千尺。隼人与相扑,馀技及刺击。粲粲西人服,竦立咸屏息。王告汝多士,勖哉宜勉力。刃当摩厉须,锥乃脱颖出。千日可不用,兢惕在朝夕。王告汝多士,豺虎在有北。养汝民脂膏,为民出锋镝。汝能扞城民,俾汝公侯伯。多士曰唯唯,拜手受诏敕。使者睹兹礼,欢欣目屡拭。念余捧载书,相见藉玉帛。同在亚西亚,自昔邻封辑。譬若辅车衣,譬若犄角立。所恃各富强,乃能相辅弼。同类争奋兴,外侮日潜匿。解甲歌太平,传之千万亿。

都　踊　歌

　　西京旧俗,七月十五至晦日,每夜亘索街上,悬灯数百。儿女艳妆靓服为队,舞蹈达旦,名曰都踊。所唱皆男女猥亵之词。有歌以为之节者,谓之音头。译而录之,其风俗犹之唐人《合生歌》,其音节则汉人《董逃行》也。

　　长袖飘飘兮髻峨峨,荷荷! 裙紧束兮带斜拖,荷荷! 分行逐队兮舞傞傞,荷荷! 往复还兮如掷梭,荷荷! 回黄转绿兮捋莎,荷荷! 中有人兮通微波,荷荷! 贻我钗鸾兮馈我翠螺,荷荷! 呼我娃娃兮我哥哥,荷荷! 柳梢月兮镜新磨,荷荷! 鸡眠猫睡兮犬不呵,荷荷! 待来不来兮欢奈何,荷荷! 一绳隔兮阻银河,荷荷! 双灯照兮晕红涡,荷荷! 千人万人兮妾心无他,荷荷! 君不知兮弃则那,荷荷! 今日夫妇兮他日公婆,荷荷! 百千万亿化身菩萨兮受此花,荷荷! 三千三百三十二座大神兮听我歌,荷荷! 天长地久兮无差讹,荷荷!

庚辰四月重野成斋安绛岩谷六一脩日下部东作鸣鹤蒲生絅斋重章冈鹿门千仞诸君子约游后乐园园即源光国旧藩邸感而赋此

　　泓峥萧瑟不可言,周遭水木围亭轩。夏初若有新秋意,褰裳来游后乐园。主人者谁源黄门,脱弃簪绂甘邱樊。夷齐、西山不可得,欲以此地为桃源。左挈舜水右澹泊,想见往往倾空尊。呜呼源平霸者起,太阿倒持归将军。黄门懿亲敢异议,聊借蕨薇怀天恩。一编帝纪光日月,开馆彰考非为文。高山九郎好痛哭,相继呼天叩帝阍。布衣文学二三子,协力卒使天皇尊。即今宾客纷裙屐,一堂笑语言温温。岂识当时图后乐,酒觞未举泪有痕。丰碑巍然颓祠倒,夕阳归鸦噪黄昏。愿起朱子使执笔,重纪竹帛贻子孙。

送宍户玑公使之燕京

　　《海外》《大荒经》,既称常方东。是有君子国,挂剑知儒风。唐宋时遣使,车书万里同。缁流唱金经,武士横雕弓。内国既多事,外使不复通。迩者海禁开,乘时多英雄。捧盘从载书,隔海飞朦朣。益知唇齿交,道谊在和衷。子今持使节,累叶家声隆。博学等黄备,抱德追菅公。冠垂华花枝,手撚梅花红。世所传《菅原道真奉使大唐图》,手持梅花二枝。考日本史,道真虽奉使命,实未来华。同行二三子,亦如贯珠骏。子能弥阙失,竹帛铭汝功。今日送子去,东西倐转蓬。扶桑遥回顾,旭影多朦胧。仰瞻阙庭高,我心亦忡忡。

大　阪

黑面猴王今已矣,尚馀石垒迭城濠。江山入眼花光媚,楼阁凌虚海气豪。横列东西青雀舫,旁通三百赤栏桥。昨宵茗宴今花会,多少都人载酒遨。

游　箱　根　四首

一

危途远盘纡,径仄鸟迹绝。一步不敢前,双足若被刖。人呼兜笼来,纵横宽尺八。脚手垂郎当,腰背盘曲折。舆人出裸国,皮绉龟兆裂。螭蛟绣满身,横胸施绛袜。两肩乍抬举,双杖互扶挈。前枝后更撑,仰攀俯若跌。有如蚁旋磨,又似蛇出穴。趺趺上竹鲇,蠢蠢爬沙鳖。噫风竹筒吹,汗雨蒸甑泄。劳倦时一歌,乡音鸟嘲哳。烟树绕千回,风花眩一瞥。峭壁俯绝壑,旁睨每挢舌。四山呼无人,一堕便永诀。畏途宁中止,弛担娄更迭。直穷绝顶高,始觉天地阔。

二

群峰插云中,结屋峰头住。濛濛万云海,凭空无寸土。开窗起看云,迷茫若无睹。一云忽飞来,一云不肯去;一云幻作龙,盘旋绕屋柱。关窗急遮拦,攒隙细如缕。须臾塞破屋,真气满庭户。解装张行囊,呼童共捞取。大风卷地来,团作黑烟聚。隐隐闻雷声,乍似婴儿怒。遥知百万家,已洒三尺雨。我方趺脚眠,梦骑赤龙舞。直倾天河水,远向并豫注。侧身起西望,梦堕云深处。
时山西、河南大旱。

三

举国无名川,一湖何滉瀁。环抱三百里,下窥五十丈。神武开辟来,亘古无消长。氿泉日穴出,洑流失归向。一碧湛空明,万象绝依傍。昂头只日月,两轮互摩荡。我来驾一舟,杳茫迷所往。谓是沧溟游,乘风破巨浪。何图众山顶,乃泛海荡荡。关东昔豪杰,割地争霸王。汤池据此险,漆城莫敢上。迩来司农官,又作填海想。凿脉干此湖,可得千沃壤。纷纷校得失,尧桀我俱忘。且作烟波徒,容与打双桨。

四

群山若堂防,依岩各㧬屋。家家争调水,曲笕引修竹,泠泠滴檐角,汩汩出岩腹。晓鸦犹未兴,已有游人浴。东屋鸣琴弦,西屋斗棋局,南屋垂钓竿,北屋罗简牍。蛟毫展凉簟,鹤氅被轻服。点白茶始尝,堆红果初熟。蕃舶从海来,蒲萄泛新渌。洪崖揖浮丘,萧史媚弄玉。鸡犬亦飞升,熊鱼得所欲。人生贵行乐,矧此神仙福。缠腰更骑鹤,辟俗还食肉。平生烟霞心,奈此桑下宿。行携《桃源图》,归我筼筜谷。

宫本鸭北索题晃山图即用卷中小野湖山诗韵

地球浑浑周八极,大块郁积多名山。汪洋巨海不知几万里,乃有此岛螽其间。关东八州特秀出,落落晃山天半悬。乱峰插云俯水立,怒涛泼地轰雷阗。坐令三百诸侯竭土木,胲民膏血供云烟。下有黑狮白虎踆踆跹跹伏阙下,上有琼楼玉宇高处天风寒。中间一人冕旒拟王者,今古拥卫僧官千。呜呼将军主政七百载,唯汝勋业差可观。即今霸图寥落披此卷,尚足令我开笑颜。古称海上蓬莱方壶圆峤可望不可即,我曰其然岂其然?

送秋月古香 种树 归隐日向故封即用其留别诗韵 *

昨日公侯今老农,飘然挂冠归旧封。忙时蜡屐闲扶筇,空山猿鹤长相从。舮楼帝阙春梦浓,醒来忽隔天九重。天风吹袂云荡胸,云胡不乐心溶溶。人生一别难相逢,落月屋梁思子容。他时子倘思吾侬,鸡鸣西望罗浮峰。

近世爱国志士歌 ** 十四首

日本自将军主政凡五百年,世不知有王。德川氏兴,投戈讲艺,亲藩源光国作《大日本史》,立将军传,略仿世家、载记及藩镇列传之例,世始知尊王之义。后源松苗作《日本史略》,赖襄作《日本外史》,益主张其说。及西人劫盟,幕府主和,诸藩主战,于是议尊王,议攘夷,议尊王以攘夷。继知夷之不可攘,复变而讲和戎之利,而大藩联衡,幕府倾覆,尊王之事大定矣。当家康初政,颇欲与外国通商。继而天草教徒作乱,遂一意锁港,杜绝内外,下令逐教士,炮击外船。甚至漂风难民,亦不许回国,

---

处以严刑。识者深忧之,而未敢昌言也。外舶纷扰,屡战屡蹶。有论防海者,有议造炮舰者,有欲留学外国者,德川氏皆严禁之。唱尊王者触大忌,唱通番者犯大禁,幕府均下令逮捕。党狱横兴,株连甚众。而有志之士,前仆后起,踵趾相接,视死如归。死于刀锯,死于囹圄,死于逃遁,死于牵连,死于刺杀者,盖不可胜数。卒以成中兴之业,维新之功,可谓盛矣。明治初年,下诏褒奖,各赠阶赏恤。今举其尤著十数人,著于篇,以兴起吾党爱国之士。

一

今日共尊王,九原君知否? 化鹤倘将来,摩挲柳庄柳。山县昌贞,字柳庄,甲斐人。著《柳子》十三篇,首曰《正名》,谓"名不正则言不顺,今以二千馀年之神统,三千万众之共主,而屈于一武人,名之不正孰甚焉。"后与竹内武部聚徒讲武。有上告者,告其考究江户险要,遂论死。

二

草莽臣正之,望阙辄哭谒。眼枯泪未枯,中有杜鹃血。高山正之,字仲绳,上野人。读史则泣,语王室式微则泣,访南朝诸将殉难之迹则泣,世名之"泣痴"。每至京师,必至二条桥遥望阙稽首曰:"草莽臣正之昧死再拜。"拜毕又污。后西游久留米,自刃于旅寓。

三

怒鞭尊氏像,泣述《山陵志》。可怜默默斋,犹复《不恤纬》。蒲生秀实,字君平,下野人。作《山陵志》以寓尊王,作《不恤纬》以寓攘夷。路过东寺,见足利尊氏像,大声数其罪,鞭之数百,乃去。上书幕府,几陷重法,由是自号"默默斋",不敢论事矣。

四

拍枕海潮来,勿再闭关眠。日本桥头水,直接龙动天。林子平,仙台人。好游,屡至长崎。接西人,考外事。尝谓自江户日本桥抵于欧罗巴列国,一水相通。彼驾巨舰,履大海如平地,视异域如比邻;而我不知备,可谓危矣。著《三国兵谈》及《三国通览》二书,欲合日本全国为一大城。幕府命毁其板,锢诸其藩。

五

文章亦小技,能动处士议。武门两石弓,不若一丁字。梁孟纬,字星岩,美浓人。少治陆王之学,工诗,与赖山阳齐名。外舰迭来,歌哭一寓于诗。戊午党狱,唱尊王者悉就缚。幕吏以星岩为其巨魁也,数其罪。时星岩已卧病,乃收其妻景婉,并下于狱。景婉亦能诗。

六

锁港百不知,惟梦君先觉。到今跌舌声,遍地设音学。渡边、华山二人,与高野长英等共译西书。英舰护送漂民归,幕府议曰:"彼以护送为名,而阴图传教、通商,意殊巨测,断不可以一二细民弛禁。"华山等腹非之,乃作《跌舌小记》、《蕃论私记》、《慎机论》,长英亦著《梦物语》,皆驳攘夷之非。幕府遂下令搜捕,严锢之。

七

只一衣带水，便隔十重雾。能知四国为，独君识时务。佐久间启，字象山，松代人。喜读西书，凡铳炮及筑垒、造舰诸技，皆研究其术。尝创意制迅发铳，曰比旧法铳利三倍。当时萨、长、肥、土诸藩议防海者，多师象山云。为门人吉田松阴画策航海，事发，并下狱，久之乃释。时水户藩士结党连名，请宣布攘夷诏。象山独主开港，将上书诣山阶亲王，陈其利害，为暴客刺死。

八

大夫四方志，胡乃死槛车。倘遂七生愿，祝君生支那。吉田矩方，字松阴，长门人。受兵学于佐久间象山。象山每言今日要务，当周航四海，庶不致观人国于云雾中。会幕府托和兰购兵舰，象山又曰："仰给于外，不如遣人往学之为愈也。"幕府不纳。矩方闻之感愤。时墨舰泊浦贺港，象山实司警卫事，乃密谋夜以小舟出港近墨船，伪为渔人堕水者。墨人救之，乃固请于墨将披理，求附载。披理奇其才，以犯禁故，仍送致幕府，请勿罪。幕府锢之其藩，密书寄象山曰："知时务如先生，今之俊杰也。今之诸侯，何者可恃？神州恢复，如何下手？茫茫八洲，置身无处。丈夫死所，何处为宜？乞告我。"矩方卒被刑。维新以来，长门藩士之以尊王立功者，多其门人。在狱中，又尝引楠正成语草《七生灭贼说》，其英烈可想也。

九

宁死不帝秦，竟蹈东海死。当时互抱人，今亦骑箕尾。僧月照，西京清水寺住持也。美舰泊浦贺，孝明帝敕令修禳灾法，赐以御书。月照出入公卿门，日谋勤王之事。幕府尤忌之。遂改姓易装，偕西乡隆盛避难于萨摩。闻追捕又至，又走日向，泊舟御舟浦。会望夜，天月霁朗，开宴吟赏。酒酣作歌示隆盛，遂相抱投海。时戊午十一月也。同舟平野国臣等争入海拯之，而月照遂死。隆盛后立功，为维新三杰，与当路不协，愤愤起兵，今亦死。

一○

手写御屏风，美哉犹有憾。君看红旗扬，神风扫夷舰。浮田一蕙，名可为，京师人，班画苑寄人。美舰之来，命其子八郎编入长洲队伍。既而和成，一蕙不胜愤。有乞画者，辄作《神风覆舰图》以与之。曾写御屏风，后上书论事。孝明询其人，则画人也。孝明叹曰："屏风所画，皆古来中兴事，朕对之实有惭色矣。"戊午党狱，一蕙父子亦拘系，寻押送江户。大学头池内某与八郎有旧交，同在狱，一日同鞫，池内意游移。及还囚室，怒骂之曰："汝非人也！大丈夫宁为沟中瘠，乌可屈节以事权贵哉！"久乃释之。

一一

鸡鸣晓渡关，乌栖夜系狱。长歌招和魂，一歌一声哭。黑川登几，常陆村农黑泽信助之妻也。少习国学，善和歌。戊午党祸兴，幕府锢水户藩齐昭。或语登几曰："子亦忧国之士，宜韬晦避祸。"登几曰："吾虽巾帼，当走京师，以雪君冤。"乃伪为巡诣诸国神佛者，已抵京，幕吏捕之，登几慨然曰："妾忧腥膻污我神州，故求之神佛耳，岂为藩主夤缘要路哉！"乃系之狱。后八年，朝廷下褒辞曰："汝一弱女子，乃尽力王事，始终不变，艰险备尝。特赐米十石以养之。"

一二

宗五汝宗五，呼天诉民苦。恨不漆头颅，留看民歌舞。佐仓宗五郎，下总国农人，为佐仓主堀田某封内民。堀田氏厚敛，民不能堪。农夫二百馀人合谋上诉。宗五郎曰："此事宜死生以之。"至江户，诉于堀田氏邸，诉于阁老久世和州，皆不允。宗五又曰："将军近日将谐东台庙，吾冒险为之，事终必成。"及期，乃缚诉疏于长竿头，潜匿下谷三枝桥下。将军乘大舆喝道来，宗五跃出投疏，卫士缚之。将军以责堀田氏。堀田氏乃轻税。而以越诉，故处宗五郎及其妻磔死，其子斩。既而堀田氏家多祟，乃为建祠，曰山口大明神，每岁以二月三日、八月三日祭之。

赤穗四十七义士歌

日本元禄十四年三月，天皇敕使聘于将军。将军命内匠头浅野长矩接伴。十四日，延使报谢诏命。仪未行，长矩卒拔刀击高家上野介、吉良义英。义英走仆不死。目付官就讯争故。长矩对："自奉命接伴，上野介每以非礼见遇，是以及事。"将军大怒，命囚长矩，责之曰："卿以愤争故，临国大礼，公然挥刃，以私怨灭公法。其赐死。"其弟大学头长广，收尸葬之泉岳寺。报至赤穗，长矩老臣大石良雄，聚众言曰："上野介尚在，吾曹惟有枕城而死耳。"共刺血盟誓，遣使告于长矩外亲户田氏定曰："内匠头有罪伏法，臣等谨服命矣。惟不共戴天之仇，俨然朝列，臣等无颜立于人世，敢含刃骈死，以殉孤城。请以此意报之目付官。"氏定答书曰："苟报之目付，达于公朝，恐将不利于大学头。"众乃更议。及收城使至，复请曰："浅野氏自胜国以来，世世蒙国恩。今大学头现在，愿赦罪继其家。"官使曰："诺。"良雄复语众曰："城亡与亡，乌敢以大学故而图存。虽然，舍此岂遂无死所哉！"各泣别去。明年三月，良雄等先后变姓名入江户，佯为贩夫，偬居义英第侧，以伺利便。义英畏仇，一夕三迁，莫测其踪迹。而尝以茶事为嬉，所喜茶人某，每会必与。大高忠雄乃佯为富商，从学茶燕法。十二月十日夜，义英将集饮于家，良雄等得茶人语，遂聚众举事。按第图，定部分。众皆戴铁兜，衷锁甲，外为救火吏服，担弓枪、长梯、大椎从之，神崎则休向导。夜四更至。至则挝门缘屋，乘高呼曰："内匠头家士为报仇来，敢出拒者斩。弱无力者、坐不动者，置之。"欢呼入室，每室烧烛，遍搜不能得，乃捕劫一人，导至寝所。有义英席卧被尚暖，众知其逃匿不远，更四出旁搜。间光兴至房侧，闻嗳嗳有耳语声，破户呼曰："得无在是耶！"众发矢奋枪薄之。房乃藏茶具者，有人乱掷物以拒。武林隆重揭烛，见一人著白衬衣在隐所，方拔刀欲起，隆重挽进，斫而殪之。额及背有枪痕，喜曰："此非亡主所手击者哉！"乃吹螺啸聚，以竿悬首，拥往泉岳寺长矩墓所。良雄预作具名书二通：一留义英外厅，一遣人赍诣弹正官仙石久尚第，自明其报仇，非抗国法。良雄等既至寺，以橐盘盛义英首，又出匕首，置碑趺上，锋刃外向，四十七士自呼名拜谒，环跪墓前，读祭文曰："去年三月十四日之事，臣等卑贱疏远，不与知其

状。然窃料我公与吉良、上野君，必有积怨深仇，非得已也。不幸仇人未得，而身死
国除，遂以一朝之愤，而亡百年之业。臣等食君之禄，应死君之事，苟觍颜视息，他日
蒙耻入地，将何面目见我公乎！臣等自谋此事，弃妻子，捐亲戚，奔走东西，不遑宁
处，凡一年又二百七十日于兹矣，常虑溘先朝露，所志不遂，重为世笑。赖天之明，君
之灵，昨夕四更，往攻吉良氏，臣等幸得藉手以毕先公未了之志。此匕首，昔公在时
割所爱以赐臣者，今谨以奉上，请公以此甘心仇人，以洗宿恨。"读毕，起取盘上首，以
匕首击之三。复相聚大哭。既出，见寺僧曰：某等之事毕矣。"仙石久尚以事闻。将
军命分囚之四诸侯邸。明年二月四日，就所拘之邸，令以屠腹死。命曰："前者浅野
内匠，所犯大不敬，论死如法。而吉良、上野介以无罪，原而不问，生杀皆出上旨。汝
等乃诬以主仇，结徒聚众，执持弓矢，擅杀朝臣，大逆不道，其赐自尽。"众皆稽首曰：
"自分应处极刑，乃赐剑自裁，此朝廷之仁也，某等死瞑目矣。"乃悉葬之长矩墓侧，各
为立碑。府下吊祭者填凑成市，数月不已，咸称四十七义士，各搜辑其姓氏、年甲遗
事，刊录成帙。所遗手泽，争宝藏焉。

　　四十七士人同仇，四十七士心同谋。一盘中供仇人头，哀哀燕雀鸣唧啾。
泥首泣诉围松楸，臣等无状恐为当世羞。君虽有臣不能为君持干揪，君实有弟
不获传国如金瓯。君亦有国民，不敢兴师修戈矛，犹复觍颜视息日日偷。臣等
非敢国法仇，伏念国亡君死实惟仇人由。当时天使来，奉命同会酬，环门观礼
千人稠。彼名高家实下流，高家世以知礼名，接伴官每事问之。骂我衣冠如沐猴，笑我
朝会啼秃鹙。我君怒如鲠在喉，拔剑一发不复收，乌知仇人不死翻贻家国忧。
臣等闻变行叹复坐愁，或言死拒或言死请无能运一筹。同官臭味殊薰莸，一国
蒙戎如狐裘，最后决意报仇同力戮，洒血书誓无悔尤。

　　四十七士同绸缪，蹢间伺隙忽忽岁一周。昨夜四更月黑至鸺鹠，众皆衷甲
撑铁兜。长梯大椎兼利锼，或逾高墉或逾沟。开门先刃铃下驺，大呼转斗如貔
貅。彼仇人者巧藏弆，如椽银烛遍宅搜。神恫鬼怒人焉廋，闯然首出霜锋抽。
彼盘之中血髑髅，先公犹识伧父面目不？此一匕首先公所赐绕指柔，请公含笑
看吴钩，勿复赍恨埋九幽。臣等愿毕无所求，愿从先君地下游。国家明刑有皋
繇，定知四十七士同作槛车囚，不愿四十七士戴头如赘疣，唯愿四十七士骈死
同首丘。将军有令付管勾。网舆分置四诸侯。明年赐剑如杜邮，四十七士性
命同日休。一时惊叹争歌讴，观者拜者吊者贺者万花绕家每日香烟浮，一裙一
屐一甲一胄一刀一矛一杖一笠一歌一画手泽珍宝如天球。自从天孙开国首重
天琼铧，和魂一传千千秋，况复五百年来武门尚武国多贲育俦。到今赤穗义士

某某某四十七人一一名字留，内足光辉大八洲，外亦声明五大洲。

罢美国留学生感赋

汉家通西域，正值全盛时。南至大琉球，东至高句骊，北有同盟国，帝号俄罗斯。各遣子弟来，来拜国子师。皇帝临辟雍，皇皇汉官仪。《石经》出玉箧，宝盖张丹墀。诸王立横卷，百蛮环泮池。於戏盛德事，慨想轩与羲。「自从木兰狩，国弱势不支。环球六七雄，鹰立侧眼窥。应制台阁体，和声帖括诗。二三老臣谋，知难济倾危。欲为树人计，所当师四夷。奏遣留学生，有诏命所司。第一选隽秀，其次择门楣。高门掇科第，若摘颔下髭。黄背好八股，肯令手停披。茫茫西半球，远隔天之涯。千金不垂堂，谁敢狎蛟螭。惟有小家子，重利轻别离。纥干山头雀，短喙日啼饥。但图飞去乐，不复问所之。蓝缕田舍奴，蓬头乳臭儿。优给堂飧钱，荣颁行装衣。舟中东西人，相顾惊复疑。此乃婆人子，胡为来施施。使者挈乘槎，四牡光骓骓。郑重诏监督，一一听指麾。广厦百数间，高悬黄龙旗。入室阒无人，但见空皋比。便便腹高卧，委蛇复委蛇。借问诸学生，了不知东西。各随女师去，雏鸡母相依。鸟语日啾唧，庶几无参差。就中高才生，每有出类奇。其馀中不中，太半悲染丝。千花红甂甀，四窗碧琉璃。金络水晶柱，银盘夜光杯。乡愚少所见，见异辄意移。家书说贫穷，问子今何居？我今膳双鸡，谁记炊炭廖。汝言盏无粮，何不食肉糜？客问故乡事，欲答颜忸怩。嬉戏替戾冈，游宴贺跋支。互谈伊优亚，独歌妃呼豨。吴言与越语，病忘反不知。亦有习袄教，相率拜天祠。口嚼天父饼，手翻《景教碑》。楼台法界住，香华美人贻。此间国极乐，乐不故蜀思。新来吴监督，其僚喜官威。谓此泛驾马，衔勒乃能骑。征集诸生来，不拜即鞭笞。弱者呼嚄痛，强者反唇稽。汝辈狼野心，不如鼠有皮。谁甘畜生骂，公然老拳挥。监督愤上书，溢以加罪辞，诸生尽佻达，所业徒荒嬉，学成供蛮奴，否则仍汉痴。国家糜金钱，养此将何为？朝廷命使者，去留审所宜。使者护诸生，本意相维持，监督意亦悔，驷马舌难追。使者甫下车，含怒故诋諆，我不知许事，我且食蛤蜊。监督拂衣起，喘如竹筒吹。一语不能合，遂令天地暌。郎当一百人，一一悉遣归。竟如瓜蔓抄，牵累何累累。当其未遣时，西人书交驰。总统格兰脱，校长某何谁。愿言华学生，留为国光辉。此来学日浅，难言成与亏，颇有聪颖士，利锥非钝槌。忽然筵席撤，何异蘐带褫。本图爱相助，今胡弃如遗？相公答书言，不过别瑕疵。一旦尽遣撤,哗然称为欺。怒下逐客令,施禁华工来。溯自西学行,极盛推康熙。算兼几何学,方集海外医。天士充日官,南斋长追随。广译《奇器图》,诸器何夥颐。惜哉国学舍,未及设狄鞮。矧今学兴废,尤关国盛衰。十年教训力,百年富强基。奈何听儿戏,所遣皆卑微,部娄难为高,混沌强书眉。坐令远大图,坏以意气私。牵牛罚太重,亡羊补恐迟。蹉跎一失足,再遣终无期。目送海舟返,万感心伤悲。<small>按:美国留学生于辛巳年裁撤,奏请派往者曾文正公,募集学生者丰顺丁日昌,率往者吴川陈兰彬,后派出使大臣,前监督高州区谔良、新会容增祥,后监督南丰吴嘉善,其僚友为金某。初率学生继派副使为新会容闳,哈佛学堂,亦其手造云。</small>

徐晋斋观察<small>寿朋</small>吴翰涛贰尹<small>广霈</small>随使美洲道出日本余饮之金寿楼翰涛即席有诗和韵以赠

铜琶高唱大江东,不许闲愁恼乃公。四海霸才能有几,<small>翰涛《赠王弢园书》云"落落寰中两霸才",又云"纵交深叹霸才稀"。</small>今宵欢乐又偕同。狂呼酒盏看樊素,醉拭刀铓辨正宗。离别寻常休怅怨,男儿志本在飞蓬。

流 求 歌

白头老臣倚墙哭,颓鬓斜簪衣惨绿,自嗟流荡作波臣,细诉兴亡溯天蹴。天孙传世到舜天,海上蜿蜒一脉延。弹丸虽号蕞尔国,问鼎犹传七百年。大明天子云端里,自天草诏飞黄纸。印绶遥从赤土颁,衣冠幸不珠崖弃。使星如月照九州,王号中山国小球。英荡双持龙虎节,绣衣直指凤麟洲。从此苞茅勤入贡,艳说扶桑蚕如瓮。酋豪入学还请经,天王赐袭仍归赠。尔时国势正称强,日本犹封异姓王。只戴上枝归一日,更无尺诏问东皇。黑面小猴投袂起,谓是区区应余畀。数典横征贡百牢,兼弱忽然加一矢。鲸鲵横肆气吞舟,早见降幡出石头。大夫拔舍君含璧,昨日蛮王今楚囚。畏首畏尾身有几,笼鸟惟求宽一死。但乞头颅万里归,妄将口血群臣誓。归来割地献商於,索米仍输岁岁租。归化虽编归汉里,畏威终奉吓蛮书。一国从兹臣二主,两姑未免难为妇。称臣称侄日为兄,依汉依天使如父。一旦维新时事异,二百馀藩齐改制。覆巢岂有完卵心,顾器略存投鼠忌。公堂才锡藩臣宴,锋车竟走降王传。刚闻守约比交邻,忽尔废藩夷九县。吁嗟君长槛车去,举族北辕谁控诉? 鬼畀明知不若人,虎性而今化为鼠。御沟一带水溶溶,流出花枝胡蝶红。尚有丹书珠殿挂,空将金印紫泥封。迎恩亭下蕉阴覆,相逢野老吞声哭。旌麾莫睹汉官仪,簪缨未改秦衣服。东川西川吊杜鹃,稠父宋父泣鹡鸰。兴灭曾无翼九宗,赐姓空存殷七族。几人脱险作遄逃,几次流离呼伯叔。北辰太远天不闻,东海虽枯国难复。毡裘大长来调处,空言无施竟何补? 只有琉球恤难民,年年上疏劳疆臣。

卷　四 二十六首

（光绪八年至十一年　1882 年至 1885 年作）

奉命为美国三富兰西士果总领事留别日本诸君子 五首

一

远泛银河附使舟,眼看沧海正横流。欲行六国连衡策,来作三山汗漫游。唐宋以前原旧好,弟兄之政况同仇。如何瓯脱区区地,竟有违言为小球。

二

占此江山亦足豪,凌虚楼阁五云高。人饶春气花多媚,山入波流地尚牢。六代风流馀蜡屐,百家磨炼惜名刀。廿年多少沧桑感,尽日凭栏首重搔。

三

海外偏留文字缘,新诗脱口每争传。草完明治维新史,吟到中华以外天。王母环来夸盛典,《吾妻镜》在访遗编。若图岁岁西湖集,四壁花容百散仙。

四

海水南旋连粤峤,斗星北望指京华。但烦青鸟常通讯,贪住蓬莱忘忆家。一日得闲便山水,十分难别是樱花。白银宫阙吾曾至,归与乡人信口夸。

五

沧溟此去浩无垠,回首江城意更亲。昔日同舟多敌国,而今四海总比邻。更行二万三千里,等是东西南北人。独有兴亚一腔血,为君户户染红轮。

为佐野雪津常民题舣亭

占得江山美,舣亭足胜游。高人欣对字,老子许登楼。海气鳌头日,天风鹏背秋。他时回首望,认此作并州。

海行杂感 十四首

正月十八日,由横滨展轮往美利坚,二月十二日到。舟中无事,拉杂成此。

一

东流西日奈愁何? 荡以天风浩浩歌。九点烟微三岛小,人间世要纵婆娑。

二

稗瀛大海善谈天,卯女童男远学仙。倘遂乘桴更东去,地球早辟二千年。

三

叠床恰受两三人,匜镜盂巾位置匀。寸地尺天虽局蹐,尽容稊米一微身。

四

青李黄甘烂熳堆,蒲桃浓绿泼新醅。怪他一白清如许,水亦轮回变化来。
食果皆购自欧、美二洲,储锡罐封固,出之若新摘者。水皆用蒸气,一经变化,无复海咸矣。

五

中年岁月苦风飘,强半光阴客里抛。今日破愁编日记,一年却得两花朝。
船迎日东行,见日递速,于半途中必加一日,方能合历。此次重日,仍作为二月初二,故云。

六

打窗压屋雨风声,起看沧波一掌平。我自冒风冲雨过,原来风雨不曾晴。

七

星星世界遍诸天,不计三千与大千。倘亦乘槎中有客,回头望我地球圆。

八

每每鸳鸯逐队行,春风相对坐调筝。才闻儿女呢呢语,又作胡雏恋母声。
同舟西人,多携眷属。有俄罗斯公使夫妇,每夕对坐,弹琴和歌,其声动心。

九

偶然合眼便家乡,夜二三更母在床。促织入门蛛挂壁,一灯絮絮话家常。

一〇

是耶非耶其梦耶? 风乘我我乘风耶? 藤床簸魂睡新觉,此身飘飘天之涯。

一一

一日明明十二时,中分大半睡迷离。黄公却要携黄姊,余居东时,曾戏刊一印曰“东海黄公”。遮眼文书一卷诗。

一二

家书琐屑写从头,身在茫茫一叶舟。纸尾只填某日发,计程难说到何州。

一三

拍拍群鸥逐我飞，不曾相识各天涯。欲凭鸟语时通讯，又恐华言汝未知。

一四

盖海旌旗辟道开，巨轮擘浪炮鸣雷。西人柄酌东人酒，长记通盟第一回。

日本与泰西立约，实自嘉永癸丑美将披理以兵劫盟始。所率军舰七艘，由太平洋东来。同舟日本人有读《披理盟纪行》者，将至时，犹能指其出师处也。

逐 客 篇

华人往美利坚，始于道咸间。初由招工，踵往者多，数至二十万众。土人以争食故，哗然议逐之。光绪六年，合众国乃遣使三人，来商订限制华工之约。约成，至八年三月，议院遂藉约设例，禁止华工。感而赋此。

呜呼民何辜，值此国运剥。轩顼五千年，到今国极弱。鬼蜮实难测，魑魅乃不若。岂谓人非人，竟作异类虐。茫茫六合内，何处足可托？华人渡海初，无异凿空凿。团焦始蜗庐，周防渐虎落。蓝缕启山林，丘墟变城郭。金山蟹堁高，伸手左右攫。欢呼满载归，群夸国极乐。招邀尽室行，后脚踵前脚。短衣结椎髻，担簦蹑草屩。酒人率庖人，执针偕执斲。抵掌齐入秦，诸毛纷绕涿。后有红巾贼，刊章指名捉。逋逃萃渊薮，趋如蛇赴壑。同室戈娄操，入市刃相斫。助以国网宽，日长土风恶。渐渐生妒争，时时纵谣诼。谓彼外来丐，只图饱囊橐。地皮足一踏，有金尽跳跃。腰缠得万贯，便骑归去鹤。谁肯解发辫，为我供客作。或言彼无赖，初来尽祖膊。喜如虫扑缘，怒则兽噬搏。野蛮性嗜杀，无端血染锷。此地非恶溪，岂容食人鳄。又言诸娄罗，生性极龌龊。居同狗国秽，食等豕牢薄。所需日百钱，大觳难比较。任彼贱值佣，我辈坐腠削。眼见手足伤，谁能忍毒蠚？千口音饶饶，万目瞪灼灼。联名十上书，上请王斟酌。骤下逐客令，此事恐倍约。万国互通商，将以何辞却？姑遣三人行，藉免众口铄。掷枭倘成卢，聊一试蒲薄。谁知糊涂相，公然闭眼诺。噫嘻六州铁，谁实铸大错？从此悬厉禁，多方设扃钥。丸泥便封关，重门复击柝。去者鹊绕树，居者燕巢幕。关讯到过客，郊游及游学。国典与邻交，一切束高阁。东望海漫漫，绝远逾大漠。舟人呼印须，津吏唱公莫。不持入关繻，一来便受缚。但是黄面人，无罪亦笼掠。慨想华盛顿，颇具霸王略。檄告美利坚，广土在西漠。九夷及八蛮，一任通卬笮。黄白红黑种，一律等土著。逮今不百年，食言兽不怍。吁嗟五大洲,种族纷各各。攘外斥夷戎,交恶詈岛索。今非大同世,只挟智勇角。芒砀红番地,知汝重开拓。飞鹰倚天立,半球悉在握。华人虽后至,岂不容一勺。有国不养民,譬为丛驱爵。四裔投不受,流散更安着?天地忽踾踧,人鬼共咀嚼。皇华与大汉,第供异族谑。不如黑奴蠢,随处安浑噩。堂堂龙节来,叩关亦是躩。倒倾四海水,此耻难洗濯。他邦互效尤,无地容飘泊。远步想章亥,近功陋卫霍。芒芒问禹迹,何时版图廓?

纪　　事

甲申十月,为公举总统之期。合众党欲留前任布连,而共和党则举姬利扶兰。两党哄争,卒举姬君。诗以纪之。

吹我合众筲,击我合众鼓,擎我合众花,书我合众簿。汝众勿喧哗,请听吾党语。人各有齿牙,人各有肺腑。聚众成国家,一身比尺土。所举勿参差,此乃众人父。击我共和鼓,吹我共和筲,书我共和簿,擎我共和花。请听吾党语,汝众勿喧哗。人各有肺腑,人各有齿牙。一身比尺土,聚众成国家。此乃众人父,所举勿参差。此党夸彼党,看我后来绩。通商与惠工,首行保护策。黄金准银价,务令昭画一。家家田舍翁,定多十斛麦。凡我美利坚,不许人侵轶。远方黄种人,闭关严逐客。毋许溷乃公,鼾睡卧榻侧。譬如耶稣饼,千人得饱食。太阿一到手,其效可计日。彼党斥此党,空言彼何益。彼党讦此党,党魁乃下流。少作无赖贼,曾闻盗人牛。又闻挟某妓,好作狭邪游。聚赌叶子戏,巧术妙窃钩。面目如鬼蜮,衣冠如沐猴。隐慝数不尽,汝众能知不?是谁承馀窍,竟欲粪佛头。颜甲十重铁,亦恐难遮羞。此党讦彼党,众口同一咻。某日戏马台,广场千人设。纵横乌皮儿,上下若梯级。华灯千万枝,光照绣帷撤。登场一酒胡,运转广长舌。盘盘黄须虬,闪闪碧眼鹘。开口如悬河,滚滚浪不竭。笑激屋瓦飞,怒轰庭柱裂。有时应者者,有时呼咄咄。掌心发雷声,拍拍齐击节。最后手高举,明示党议决。演说事未已,复辟纵观场。铁兜绣裲裆,左右各分行。宝象黄金络,白马紫丝缰。橐橐安步靴,林林耸肩枪。或带假面具,或手执长枪。金目戏方相,黑脸画鬼王。仿古十字军,赤旆风飘扬。齐唱爱国歌,曼声音绕梁。千头万头动,竞进如排墙。指点道旁人,请观吾党光。众人耳目外,重以甘言诱。浓绿茁芽茶,浅碧酿花酒。斜纹黑普罗,杂俎红氍毹。琐屑到钗钏,取足供媚妇。上谒士雕龙,下访市屠狗。墨屎与侏张,相见辄掌手。指此区区物,是某托转授。怀上花名册,出请纪谁某。知君有姻族,知君有甥舅。赖君提挈力,吾党定举首。丁宁复丁宁,幸勿杂然否。四年一公举,今日真及期。两党党魁名,先刻党人碑。人人手一纸,某官某何谁。破晓车马声,万蹄纷奔驰。环人各带刀,故示官威仪。实则防民口,预备国安危。路旁局外人,各各揿眼窥。三五立街头,徐徐撚颔髭。大邦数十筹,胜负终难知。赤轮日可中,已诧邮递迟。俄顷一报来,急喘竹筒吹。未几复一报,闻锣惊复疑。抑扬到九天,啼笑奔千儿。夜半筹马定,明明无差池。轰轰祝炮声,雷响云下垂。巍巍九层楼,高悬总统旗。吁嗟华盛顿,及今百年矣。自树独立旗,不复受压制。红黄黑白种,一律平等视。人人得自由,万物咸遂利。民智益发扬,国富乃倍蓰。泱泱大国风,闻乐叹观止。乌知举总统,所见乃怪事。怒挥同室戈,愤争传国玺。大则酿祸乱,小亦成击刺。寻常瓜蔓抄,逮捕遍官吏。至公反成私,大利亦生弊。究竟所举贤,无愧大宝位。倘能无党争,尚想太平世。

冯 将 军 歌

冯将军,英名天下闻。将军少小能杀贼,一出旌旗云变色。江南十载战功高,黄袿色映花翎飘。中原荡清更无事,每日摩挲腰下刀。何物岛夷横割地,更索黄金要岁币。北门管钥赖将军,虎节重臣亲拜疏。将军剑光方出匣,将军谤书忽盈箧。将军卤莽不好谋,小敌虽勇大敌怯。将军气涌高于山,看我长驱出玉关。平生蓄养敢死士,不斩楼兰今不还。手执蛇矛长丈八,谈笑欲吸匈奴血。左右横排断后刀,有进无退退则杀。奋梃大呼从如云,同拚一死随将军。将军报国期死君,我辈忍孤将军恩。将军威严若天神,将军有令敢不遵。负将军者诛及身,将军一叱人马惊。从而往者五千人,五千人马[①] 排墙进。绵绵延延相击应,轰雷巨炮欲发声,既戟交胸[②] 刀在颈。敌军披靡鼓声死,万头窜窜纷如蚁。十荡十决无当前,一日横驰三百里。吁嗟乎! 马江一败军心慑,龙州拓地贼氛压。闪闪龙旗天上翻,道咸以来无此捷。得如将军十数人,制梃能挞虎狼秦。能兴灭国柔强邻,呜呼安得如将军!

---

① 高崇信、尤炳炘校点《人境庐诗草》作"人众"。
② 高崇信、尤炳炘校点《人境庐诗草》作"戟既交胸"。

九姓渔船曲

白石青溪波作镜,翩翩自照惊鸿影。本来此事不干卿,偏扰波澜生古井。使君五马从天来,八闽张罗网贤才。何图满载珊瑚后,还有西施网载回。西施一舸轻波软,原是官船当娃馆。玉女青庐隔牖窥,径就郎怀歌婉转。婉转偎郎倚郎坐,不道鲁男真不可。此时忍俊未能禁,此夕消魂便真个。门前乌柏天将曙,搴帷重对双星诉。君看银潢一道斜,小星竟向鹊桥渡。鹊桥一渡太匆匆,割臂盟寒忍负侬。不愿邮亭才一夕,宁将歌曲换三公。纷纷礼法言如雨,风语华言相诖误。欲乞春阴巧护花,绿章宁向东皇诉。略言臣到庚宗宿,大堤花艳惊人目。为求簏室梦泉丘,敢挈阿娇贮金屋。弹章自劾满朝惊,竟以风流微罪行。如何铁石心肠者,偏对梨涡忽有情。雅娘传语鸩媒妒,侬家世世横塘住。相当应嫁弄潮儿,不然便逐浮梁贾。张罗得鸟虽有缘,将珠抵鹊宁非误。祸水真成薄命人,微瑕究惜《闲情赋》。刚说高飞变凤凰,无端打散惊鸳鸯。金钗敲断都由我,团扇遮羞怕见郎。永丰坊柳丝丝绿,抛却一官剩双宿。莫将破甑屡回头,且唱同舟定情曲。

感　怀

下阻黄垆上九天,白云望断眼空悬。濛濛寒雨又寒食,浩浩长流总逝川。万里游惟图一饱,三年泪忍到重泉。此身俯仰都惭愧,鞅掌犹言我独贤。

卷　五　二十七首

（光绪十一年至十五年　1885 年至 1889 年作）

八月十五夜太平洋舟中望月作歌

茫茫东海波连天,天边大月光团圆。送人夜夜照船尾,今夕倍放清光妍。一舟而外无寸地,上者青天下黑水。登程见月四回明,归舟已历三千里。大千世界共此月,世人不共中秋节。泰西纪历二千年,只作寻常数圆缺。舟师捧盘登舵楼,船与天汉同西流。虬髯高歌碧眼醉,异方乐只增人愁。此外同舟下床客,梦中暂免供人役。沉沉千蚁趋黑甜,交臂横肱睡狼藉。鱼龙悄悄夜三更,波平如镜风无声。一轮悬空一轮转,徘徊独作巡檐行。我随船去月随身,月不离我情倍亲。汪洋东海不知几万里,今夕之夕惟我与尔对影成三人。

举头西指云深处,下有人家亿万户。几家儿女怨别离,几处楼台作歌舞。悲欢离合虽不同,四亿万众同秋中。岂知赤县神州地,美洲以西日本东,独有一客欹孤篷。此客出门今十载,月光渐照鬓毛改。观日曾到三神山,乘风竟渡大瀛海。举头只见故乡月,月不同时地各别。即今吾家隔海遥相望,彼乍东升此西没。嗟我身世犹转蓬,纵游所至如凿空。禹迹不到夏时变①,我游所历殊未穷。九州脚底大球背,天胡置我于此中? 异时汗漫安所抵,搔头② 我欲问苍穹。倚栏不寐心憧憧,月影渐变朝霞红,朦朦晓日生于东。

归过日本志感

旧游重到一凄然,电掣光阴又四年。老辈渐闻歌薤露,沧波真易变桑田。出关符传行人玺,横海旌旗下濑船。今日荷戈边塞去,可堪雪窖复冰天。

舟 中 骤 雨

极天唯海水,水际忽云横。云气随风走,风声挟雨行。鹏垂天欲堕,龙吼海齐鸣。忽出风围外,沧波万里平。

到 香 港

水是尧时日夏时,衣冠又是汉官仪。登楼四望真吾土,不见黄龙上大旗。

到 广 州

秋风独上越王台,吊古伤今几霸才。表里山河故无恙,因越南事,今始解严。逍遥天海此归来。沧波淼淼八千里,圆月匆匆一百回。自抚头颅看髀肉,侧身东望重徘徊。

---

① 高崇信、尤炳炘校点《人境庐诗草》作"改"。
② 同上书作"搔首"。

肇 庆 舟 中

稳卧孤篷底，迷茫夜气微。使星正西向，零雨怅东归。灯影侵孤枕，波声荡四围。行藏无一是，万事付沾衣。

将至梧州志痛

洒尽灯前泪，偏沾身上衣。呼天惟负负，恋母尚依依。吹树风何急，寻巢鸟独飞。殷勤看行箧，在日寄当归。

游 七 星 岩

归帆正借好风吹，却为看山误我期。急水渐趋江合处，奇峰横出路穷时。欲寻柯斧仙何处？肇庆有烂柯山，云即王质观棋之处。久困津梁佛亦疲。返景入林人坐久，昏鸦何事独归迟？

夜宿潮州城下

九曲潮江水，遥通海外天。客程馀百一，江路故回旋。犬亦乡音吠，鸥依岸影眠。橹声催欸乃，既有晓行船。

夜　　泊

一行归雁影零丁，相倚双凫睡未醒。人语沉沉篷悄悄，沙光淡淡竹冥冥。近家乡梦心尤亟，拍枕涛声耳厌听。急趁天明催橹发，开门斜月带残星。

远　　归

人人相见各开颜，载得春风入玉关。邻里关心问筐篚，儿童拍手唱刀环。且图傍岸牵舟住，竞说乘槎犯斗还。海外名山都看遍，杖藜还看故乡山。

乡人以余远归争来询问赋此志感

欢迎海客远游归，各认容颜半是非。六合外从何处说？十年来渐故人稀。糟床争送墙头酒，针线愁牵身上衣。旧识新交遍天下，可如亲戚话依依。

今　夕

相逢都怪鬓毛苍，今夕重依灯烛光。已去年华一弹指，无穷心事九回肠。云中蜃气楼台幻，海外龙堆道路长。身世茫茫何可说？呼儿炊饭熟黄粱。

春夜招乡人饮

春风漾微和，吹断檐前雪。寒犬吠始停，众客互排闼。出瓮酒子酽，欹壁烛奴热。花猪间黄鸡，亦足供铺歠。团坐尽乡邻，无复苛礼设。以我久客归，群起争辩诘。初言日本国，旧是神仙窟。珊瑚交枝柯，金银眩宫阙。云馀白傅宅，锦留太真袜。今犹骖鸾来，眼见非恍惚。子乘仙槎去，应识长生诀。灵芝不死药，多少祕筐箧。或言可伦坡，索地始未获。匝月粮惧罄，磨刀咸欲杀。天神忽下降，指引示玉牒。巨鳌戴山来，再拜请手接。狂呼登陆去，炮响轰空发。人马合一身，手秉黄金钺。野人走且僵，惊群鬼罗刹。即今牛货洲，利尽西人夺。金穴百丈深，求取用不竭。又言太平洋，地当西南缺。下有海王宫，蛟螭恣出没。漫空白雨跳，往往鱼吐沫。曾有千斛舟，随波入长舌。天地黑如盘，腥风吹雨血。转肠入轮回，遗矢幸出穴。始知出鱼腹，人人庆复活。传闻浮海舟，尽裹十重铁。叠床十八层，上下各区别。牛羊豕鸡狗，万物萃一筏。康庄九达间，周庐千户辟。船头逮船尾，巡行认车辙。其人好楼居，四窗而八达。千光璧琉璃，五色红鞑鞨。杰阁高入云，明明月可掇。出入鬼仙间，多具锁子骨。曾见高绠伎，行绳若飞越。犁鞭善眩人，变态尤诡谲。常闻海客谈，异说十七八。太章实亲见，然否待子决。诸胡饱腥膻，四族出饕餮。饤盘比塔高，硬饼藉刀截。菜香苜蓿肥，酒艳葡萄泼。冷淘粘山蠔，浓汁爬山鳖。动指思异味，谅子固不屑。古称美须眉，今亦夸白皙。紫髯盘蟠虬，碧眼闪健鹘。子年未四十，鬅鬙须在颊。诸毛纷绕涿，东涂复西抹。得毋逐臭夫，习染求容悦。子如夸狄强，应举巨觥罚。谬称夜郎大，能步禹迹阔。试披地球图，万国仅蚍蛡。岂非谈天衍，妄论工剽窃。一唱十随和，此默彼又聒。醉喝杯箸翻，笑震屋瓦裂。平生意气颇，滔滔论不歇。到此穷诘屈，口箝舌反结。自作沧溟游，积日多于发。所见了无奇，无异在眉睫。《山经》伯翳知，《坤图》怀仁说。足迹未遍历，安敢遽排訐。大鹏恣扶摇，暂作六月息。尚拟汗漫游，一将耳目豁。再阅十年归，一一详论列。

小　女

一灯团坐话依依,帘幕深藏未掩扉。小女挽须争问事,阿娘不语又牵衣。日光定是举头近,海大何如两手围?欲展地球图指看,夜灯风幔落伊威。

即　事

墙外轻阴淡淡遮,床头有酒巷无车。将离复合风吹絮,乍暖还寒春养花。一醉䰞腾如梦里,此身飘泊又天涯。打窗山雨琅琅响,犹似波涛海上槎。

下　水　船　歌

电光一掣光闪天,洪波直泻无回旋。饥鹰脱韝兔走穴,驰轮下阪箭离弦。君看我舟疾如驶,世间快事那有此。潮头拍拍鸥乱飞,舟人叫绝篙师喜。一山当头一对面,倏忽两山都不见。群山转瞬眼欲花,况又山头云万变。江随山转气益骄,蹴沙啮石波横跳。山虽百折舟一直,拍耳惟觉风刁刁。风声水声相鼓荡,舷倾榄侧终无恙。风乘我耶我乘风,便凌霄汉游天上。年来足迹遍五洲,浮槎曾到天尽头。长风破浪奚足道,平生奇绝输此游。忽闻隔岸唱邪许,纤夫努力力如虎。百丈横牵上濑舟,三朝三暮见黄牛。

闭　关

郁郁松阴外,深深一闭关。暂游二万里,小住两三间。云懒随龙卧,风微任鸟还。墙头山自好,何必诩神山。

春暮偶游归饮人境庐

某水某山我故乡,今时今日好容光。频年花事春三月,独我蓬飘天一方。门外骊驹犹在道,堂前燕子稳栖梁。金盆月艳蒲萄绿,便拟狂飞千百觞。

拜曾祖母李太夫人墓

郁郁山上松,呀呀林中乌。松有荫孙枝,乌非反哺雏。我生堕地时,太婆七十五。明年阿弟生,弟兄日争乳。太婆向母怀,伸手抱儿去,从此不离开,一日百摩抚。亲手裁绫罗,为儿制衣裳。糖霜和面雪,为儿作饦馄,发乱为梳头,脚腻为暖汤。东市买脂粉,靧面日生香。头上盘云髻,耳后明月珰。红裙绛罗襦,事事女儿妆。牙牙初学语,教诵《月光光》。一读一背诵,清如新炙簧。三岁甫学步,送儿上学堂。知儿故畏怯,戒师莫严庄。将出牵衣送,未归踦闾望。问讯日百回,赤足足奔忙。春秋多佳日,亲戚尽团聚。双手擎掌珠,百口百称誉。我家七十人,诸子爱渠祖,诸妇爱渠娘,诸孙爱渠父。因裙便惜带,将缣难比素。老人性偏爱,不顾人笑侮。邻里向我笑,老人爱不差。果然好相貌,艳艳如莲花。诸母背我骂,健犊行破车。上树不停脚,偷芋信手爬。昨日探鹊巢,一跌败两牙。嚏血喷满壁,盘礴画龙蛇。兄妹昵我言,向婆乞金钱。直倾紫荷囊,滚地金铃圆。爷娘拊我耳,劝婆要加餐。金盘脍鲤鱼,果为儿下咽。伯叔牵我手,心知不相干。故故摩儿顶,要图老人欢。儿年九岁时,阿爷报登科。剑儿大父傍,一语三摩娑。此儿生属猴,聪明较猴多。雏鸡比老鸡,异时知如何? 我病又老耄,情知不坚牢。风吹儿不长,那见儿扶摇。待儿胜冠时,看儿能夺标。他年上我墓,相携著宫袍。前行张罗伞,后行鸣鼓箫。猪鸡与花果,一一分肩挑。爆竹响墓背,墓前纸钱烧。手捧紫泥封,云是夫人诰。子孙共罗拜,焚香向神告:儿今幸胜贵,颇如母所料。世言鬼无知,我定开口笑。大父回顾儿,此言儿熟记。一年记一年,儿齿加长矣! 儿是孩提心,那知太婆事。但就儿所见,依稀记一二。太婆每出入,笼东挂一杖。后来杖挂壁,时见垂帷帐。夜夜携儿眠,呼娘搔背痒。展转千搔腰,殷殷春雷响。佛前灯尚明,窗隙见月上。大父搴帘来,欢笑时鼓掌。琐屑及乡邻,讥诃到官长。每将野人语,眩作鬼魅状。太婆悄不应,便知婆欲睡。户枢徐徐关,移踵车轮曳。明朝阿娘来,奉匜为盥洗。欲饭爷捧盘,欲羹娘进匕。大父出迎医,缕缕讲脉理。咀嚼分尝药,斟酌共量水。自儿有知识,日日见此事。几年举场忙,几年绝域使。忽忽三十年,光阴迅弹指。今日来拜墓,儿既须满嘴。儿今年四十,大父七十九。所喜颇聪强,容颜类如旧。周山看松柏,不要携杖走。跪拜不须扶,未觉躬伛偻。挂珠碧霞犀,犹是母所授。绣补炫锦鸡,新自粤西购。一手搴颔髭,一手振袍袖,打鼓唱迎神,红毡齐泯首。上头爇红香,中间酌黄酒。青箬苞黍粽,紫丝络莲藕。大父在前跪,诸孙跪在后。森森排竹笋,依依伏杨柳。新妇外曾孙,是婆定昏媾。阿端年始冠,昨年已取妇。随兄擎腰扇,阿和亦十五。长樛次当孙,此皆我儿女。青青秀才衣,两弟名谁某。少者新簪花,捧觞前拜手。次第别后先,提抱集贱幼。一家尽偕来,只恨不见母。母在婆最怜,刻不离左右。今日母魂灵,得依太婆否? 树静风不停,草长春不留。世人尽痴心,乞年拜北斗。百年那可求? 所愿得中寿。谓儿报婆恩,此事难开口。求母如婆年,儿亦奉养久。儿今便有孙,不得母爱怜。爱怜尚不得,那论贤不贤。上羡大父福,下伤吾母年。吁嗟无母人,悠悠者苍天!

遣　闷

花开花落掩关卧,负汝春光奈汝何? 天下事原如意少,眼中人渐后生多。声声暮雨萧萧曲,去去流光踏踏歌。今日今时有今我,茶烟禅榻病维摩。

寒　食

几日春阴画不成,才过寒食又清明。霏霏红雨花初落,袅袅白波萍又生。栏外轻寒帘内暖,竹中微滴柳梢晴。浮云万变寻常事,一瞬光阴既娄更。

夜　饮

长风吹月过江来,照我华堂在手杯。莫管阴晴圆缺事,尽欢三万六千回。胸中五岳撑空起,眼底浮云一扫开。玉管铜弦兼铁板,与君扶醉上高台。

《日本国志》书成志感

湖海归来气未除,忧天热血几时摅。《千秋鉴》借《吾妻镜》,四壁图悬人境庐。改制世方尊白统,《罪言》我窃比《黄书》。《王船山集》有《黄书》。频年风雨鸡鸣夕,洒泪挑灯自卷舒。

十月十九日至沪初随何大臣如璋使日本即于是日由上海东渡今十二年矣

百年有几相逢日,一别重来十二年。海水萍踪仍此地,岁星荔实忽周天。长江浪击轰云炮,绝漠寒深大窖毡。公正南归吾北上,欲论近事恨无缘。子峩先生自塞外赐环,由沪来潮,余方由港往沪,故差池不得相见。

由潮州溯流而上驶风舟行甚疾

借得南风便,无嫌上水船。千帆张鸟翼,一席尽鸥眠。树若迎人立,桅随倚枕偏。篙师相对语,今夕且神仙。

夜泊高陂其地多竹

一篷凉月冷于秋,万竹潇潇俯碧流。欲拟勾当留不得,明年何处梦黄州?

卷　　六 六十四首

（光绪十六年至十七年　1890年至1891年作）

自香港登舟感怀

又指天河问析津,东西南北转蓬身。行行遂越三万里,碌碌仍随十九人。
久客暂归增别苦,同舟虽敌亦情亲。龙旗猎猎张旃去,徙倚阑干独怆神。

过安南西贡有感* 五首

一

沧海归来伏著书,平生豪气未全除。仰看跕跕飞鸢堕,转忆乡人下泽车。

二

高下连云拥百城,一江直溯到昆明。可怜百万提封地,不敌弹丸一炮声。

三

神功远拓东西极,圣武张皇六十年。不信王师倒戈退,翻将化外弃南天。

四

九真象郡吾南土,秦汉以前既版图。一自三杨倡议后,珠崖永弃不还珠。

五

班超投笔气如山,万里封侯出玉关。今岂无人探虎穴,宝刀难染血痕殷。

锡兰岛卧佛

大风西北来,摇天海波里。茫茫世界尘,点点国土墨。虽曰中国海,无从

＊　此诗《初稿抄本》载卷四题为《过安南堤岸有感》。

问禹迹。近溯唐南蛮,远逮汉西域,旧时《职贡图》,依稀犹可识。自明遣郑和,使节驰络绎。凡百马流种,各各设重译。金叶铸多罗,玉环献摩勒。每以佛光明,表颂帝威德。苏禄率群臣,渤泥挈尽室。阇斑被绣缦,扶服拜赤帝。是虽蛮夷长,窃号公侯伯。比古小诸侯,尚足称蒲璧。其他鸟了部,争亦附商舶。有诏镇国山,碑立高百尺。以此明得意,比刻之罘石。及明中叶后,朝贡渐失职。岂知蕞尔国,既经三四摘。铁围薄福龙,大半供鸟食。我行过九真,其次泊息力。婆罗左右望,群岛比虮虱。咸归西道主,尽拔汉赤帜。日夕兴亡泪,多于海水滴。行行复行行,便到师子国。浩浩象口水,流到殑伽山。遥望窣堵波,相约僧跻攀。中有卧佛像,丈六金身坚。右叠重累足,左握光明拳。虽具坚牢相,软过兜罗棉。水田脱净衣,鬓云堆华鬘。大青发屈蠡,围金耳垂环。就中白毫光,普照世大千。八十种好相,一一功德圆。是谁摄巧匠,上登忉利天。刻此牛头檀,妙到秋毫颠。或言佛涅槃,波罗双树间。此即荼维地,斯语原讹传。惟佛有神力,高踞两山巅。至今双足迹,尚隔十由延。或言古无人,只有龙鬼仙。其后买珠人,渐次成市廛。此亦妄造语,有如野狐禅。实则经行地,与佛有大缘。参天贝多树,由此枝叶繁。独怪如来身,不坐千叶莲。既付金缕衣,何不一启颜?岂真津梁疲,老矣倦欲眠。如何沉沉睡,竟过三千年?吁嗟佛灭度,世界眼尽灭。最先王舍城,大辟禅师窟。迦叶与阿难,结集佛所说。尔来一百年,复见大会设。恒河左右流,犍槌声不绝。其后阿育王,第一信佛法。能役万鬼神,日造八万塔。举国施与佛,金榜国门揭。九十六外道,群言罢一切。复遣诸弟子,分授十万偈。北有大月氏,先照佛国月。四开无遮会,各运广长舌。汉家通西域,声教远相接。金人一入梦,白马来负笈。绳行复沙度,来往踵相蹑。总持四千部,重译多于发。华言通梵语,众推秦罗什。后分律法论,宗派各流别。要之佉卢字,力大过仓颉。南有狮子王,凿字赤铜镍。当时东西商,互通度人筏。但称佛弟子,能避鬼罗刹。遂使诸天经,满载商人箧。鸟喙茀子洲,畏鬼性骇怯。一闻地狱说,心畏睒摩杀。赖佛得庇护,无异栖影鸽。国主争布金,妃后亦托钵。尊佛过帝天,高供千白氎。乐奏梵音曲,讼听番僧决。向来文身人,大半著僧衲。达摩浮海来,一花开五叶。语言与文字,一喝付抹杀。十年勤面壁,一灯传立雪。直指本来心,大声用棒喝。非特道家统,附会入庄、列。竟使宋诸儒,沿袭事剽窃。最奇宗喀巴,别得大解脱。不生不灭身,忽然佛复活。西天自在王,高踞黄金榻。千百毡裘长,膜拜伏上谒。西戎犬羊性,杀人日流血。喃喃诵经声,竟能消杀伐。藏卫各蕃部,无复事鞭挞。即今奔巴瓶,改法用金梜。论彼象教力,群胡犹震慴。综佛所照临,竟过九州阔。极南到朱波,穷北逾靺鞨。大东渡日本,天皇尽僧牒。此方护佛齿,彼土迎佛骨。何人得钵缘,某日是箭节。庄饰紫金阶,供养白银阙。倒海然脂油,震雷响金钹。香云幢幡云,九天九地彻。五百虎狮象,遍地迎菩萨,谓此功德盛,当历千万劫,有国赖庇护,金瓯永无缺。岂知西域贾,手不持寸铁,举佛降生地,一旦尽劫夺。我闻舒五指,化作狮子雄,能令众醉象,败窜头笼东。何不救兽王,俾当敌人冲?我闻捓大力,手张祖王弓。射过七铁猪,入地千万里。何不矢一发,再张力士锋?我闻四海水,悉纳毛孔中,蛟龙与鱼鳌,众生无不容。何不口一吸,令化诸毛虫?我闻大千界,一击成虚空。譬掷陶家轮,极远到无穷。何不气一喷,散为鞞蓝风?我闻三昧火,烧身光熊熊。千眼金刚杵,头出烟焰红。何不呼阿奴,一用天火攻?我闻安息香,力能救毒龙。尾击须弥山,波涛声汹汹。何不呼小婢,悉遣河神从?我闻阿修罗,横攻善见宫。流尽赤蚌血,藕丝遁无踪。何不取天仗,压制群魔凶?我闻毗琉璃,素守南天封。薜荔鸠槃荼,万鬼声喁喁。何不饬鬼兵,力助天王功?惟佛大法王,兼综诸神通。声闻诸弟子,递传术犹工。如何敛手退,一任敌横纵。竟使清净土,概变腥膻戎?五方万天祠,一齐鸣鼓钟。遥望西王母,虎齿发蓬蓬。合上皇帝号,万宝朝河宗。佛力遂扫地,感叹摧肝胸。佛不能庇国,岂不能庇教。奈何五印度,竟不闻佛号。古有《韦陀》书,云自梵天造。贵种婆罗门,挟此肆凌傲。凡夫钝根辈,分定莫能校。自佛倡平等,人各有业报。天堂与地狱,善恶人所召。卑贱众首陀,吹螺喜相告。亦有婆罗门,渐渐服教导。食屑鹁鸠行,夜行鸺鹠叫。涂灰身半裸,拜月脚左跷。各弃事天业,回向信三宝。大地阎浮提,慈云遍覆帱。何意梵志辈,势盛复鼓噪。灰死火复然,尾大力能掉。别创温都名,布以人皇诏。佛头横着粪,诃骂杂嘲诮。尽驱出家人,一一出边徼。外来波斯胡,更立祆神庙,千牛拜火光,万马拜日曜。嗣后摩诃末,采集各经要。一经衍圣传,一剑镇群暴。谓此哥罗尼,实以教忠孝。天使乘白马,口宣天所诰。从则升九天,否则杀左道。教主兼霸王,黄屋建左纛。继以蒙古主,挟势尤桀骜。以彼转轮王,力大谁敢较。迩来耶苏徒,遍传《新旧约》,载以通商舶,助以攻城炮。谓天只一尊,获罪无所祷,一切土木像,荒诞尽可笑,顶上舍利珠,拉杂付摧烧。竟使佛威德,灯灭树倾倒。摩耶抚钵哭,迦叶捧衣悼。像法二千年,今真末劫到。恶王魔波旬,更使众魔娆。天人八部众,谁不生悲恼?噫嗟五大洲,立教几教皇。惟佛能大仁,首先唱天堂。以我悲悯心,置人安乐乡。古分十等人,贵贱如画疆。惟佛具大勇,自弃铜轮王。众生例平等,一律无低昂。罪畏末日审,报冀后世偿。佛说有弥勒,福德莫可当。将来僧祇劫,普渡胥安康。此皆大德慧,倾海谁能量。古学水火风,今学声气光。辩才总无碍,博综无不详。独惜说慈悲,未免过主张。臂称穷鸽肉,身供饿虎粮。左手割利刃,右手涂檀香。冤亲悉平等,善恶心皆忘。愈慈愈忍辱,转令身羸尪。兽蹄交鸟迹,一听外物戕。人间多虎豹,天上无凤凰。虎豹富筋力,故能恣强梁。凤凰太文彩,毛羽易摧伤。惟强乃秉权,强权如金刚。吁嗟古名国,兴废殊无常。罗马善法律,希腊工文章。开化首埃及,今亦归沦亡。念我亚细亚,大国居中央。尧舜四千年,圣贤代相望。大哉孔子道,上继皇哉唐,血气悉尊亲,声名被八荒。到今四夷侵,尽撤诸边防。天若祚中国,黄帝垂衣裳。浮海率三军,载书使四方。王威镇象主,鬼族驯狼䝮。归化献赤土,颂德歌白狼。共尊天可汗,化外胥来航,远及牛贺洲,鞭之如群羊。海无烈风作,地降甘露祥,人人仰震旦,谁侮黄种黄?弱供万国役,治则天下强。明王久不作,四顾心茫茫。

温则宫朝会

万灯悬耀夜光珠,绣缕黄金匝地铺。一柱通天铭武后,三山绝岛胜方壶。如闻广乐钧天奏,想见重华《盖地图》。五十馀年功德盛,女娲以后世应无。

重　雾

碌碌成何事,有船吾欲东。百忧增况瘁,独坐屡书空。雾重城如漆,寒深火不红。昂头看黄鹄,高举挟天风。

伦敦大雾行

苍天已死黄天立,倒海翻云百神集。一时天醉帝梦酣,举国沉迷同失日。芒芒荡荡国昏荒,冥冥蒙蒙黑甜乡。我坐斗室几匝月,面壁惟拜灯光王。时不辨朝夕,地不识南北。离离火焰青,漫漫劫灰黑。如渡大漠沙尽黄,如探岩穴黝难测。化尘尘亦缁,望气气皆墨。色象无可名,眼鼻若并塞。岂有盘古氏,出世天再辟。又非阿修罗,搅海水上击。忽然黑暗无间堕落阿鼻狱,又惊恶风吹船飘至罗刹国。出门寸步不能行,九衢遍地铃铎声。车马鸡栖匿不出,楼台蜃气中含腥。天罗磕匝偶露缺,上有红轮色如血。暖暖曾无射目光,凉凉未觉炙手热。吾闻地球绕日日绕球,今之英属遍五洲,赤日所照无不到,光华远被天尽头。乌知都城不见日,人人反抱天堕忧。又闻地球气蒸腾化为雨,巧算能知雨点数。此邦本以水为家,况有灶烟十万户。倘将四海之雾铢积寸算来,或尚不如伦敦城中雾。

在伦敦写真志感

人海茫茫着此身,苍凉独立一伤神。递增哀乐中年感,等是寻常行路人。万里封侯从骠骑,中兴名相画麒麟。虎头燕颔非吾事,何用眉头郁不申。

得梁诗五书

廿年踪迹半天下,数尽新交总不如。四海几人真我友,万金一纸当家书。相期云汉高飞鹄,难忘江湖同队鱼。事事蹉跎落人后,可堪君尚逐前车。余得拔萃后四年,举于乡。诗五亦知之。余常以此为戏。

今　别　离　四首

一

别肠转如轮,一刻既万周。眼见双轮驰,益增中心忧。古亦有山川,古亦有车舟。车舟载离别,行止犹自由。今日舟与车,并力生离愁。明知须臾景,不许稍绸缪。钟声一及时,顷刻不少留。虽有万钧柁,动如绕指柔。岂无打头风,亦不畏石尤。送者未及返,君在天尽头,望影倏不见,烟波杳悠悠。去矣一何速,归定留滞不?所愿君归时,快乘轻气球。

二

朝寄平安语,暮寄想思字。驰书迅已极,云是君所寄。既非君手书,又无君默记。虽署花字名,知谁箝缄尾。寻常并坐语,未遽悉心事。况经三四译,岂能达人意!只有班班墨,颇似临行泪。门前两行树,离离到天际。中央亦有丝,有丝两头系。如何君寄书,断续不时至?每日百须臾,书到时有几?一息不相闻,使我容颜悴。安得如电光,一闪至君旁。

三

开行喜动色,分明是君容。自君镜奁来,入妾怀袖中。临行剪中衣,是妾亲手缝。肥瘦妾自思,今昔毋得同。自别思见君,情如春酒浓。今日见君面,仍觉心忡忡。揽镜妾自照,颜色桃花红。开箧持赠君,如与君相逢。妾有钗插鬓,君有襟当胸,双悬可怜影,汝我长相从。虽则长相从,别恨终无穷。对面不解语,若隔山万重。自非梦来往,密意何由通。

四

汝魂将何之,欲与君相随。飘然渡沧海,不畏风波危。昨夕入君室,举手搴君帷。披帷不见人,想君就枕迟。君魂倘寻我,会面亦难期。恐君魂来日,是妾不寐时。妾睡君或醒,君睡妾岂知。彼此不相闻,安怪常参差。举头见明月,明月方入扉。此时想君身,侵晓刚披衣。君在海之角,妾在天之涯。相去三万里,昼夜相背驰。眠起不同时,魂梦难相依。地长不能缩,翼短不能飞,只有恋君心,海枯终不移。海水深复深,难以量相思。

忆胡晓岑

一别匆匆十六年,云龙会合更无缘。隔邻呼饮记同巷,积岁劳思奇一笺。无数波涛沧海外,何时谈话酒杯前? 太章走遍东西极,天外瀛洲别有天。

感　事　三首

一

酌君以葡萄千斛之酒,赠君以玫瑰连理之花。饱君以波罗径尺之果,饮君以天竺小团之茶。处君以琉璃层累之屋,乘君以通幰四望之车。送君以金丝压袖之服,延君以锦缦围墙之家。红氍贴地灯耀壁,今夕大会来无遮。褰裳携手双双至,仙之人兮纷纷如麻。绣衣曳地过七尺,白羽覆髻腾三叉。襜褕乍解双臂袒,旁缀璎珞中宝珈。细腰亭亭媚杨柳,窄靴簇簇团莲华。膳夫中庭献湩乳,乐人阶下鸣鼓笳。诸天人龙尽来集,来自天汉通银槎。衣裳阑斑语言杂,康乐和亲欢不哗。问我何为独不乐,侧身东望三咨嗟?

二

吾闻弇州西有极国,积苏累块杳无极。又闻昆仑山高万馀里,增城九重天尺咫。此皆钧天帝所都,聚窟亦属神仙徒。元洲长洲本幻渺,丹水赤水疑有无。又闻西方大秦国,远轶南海波斯胡。水晶作柱夜光络,绣缕织罽黄金涂。黎轩善眩虽略妄,张骞凿空原非诬。谈天足征邹子说,《盖地》亦列王母图。东西隔绝旷千载,列国崛兴强百倍。道通南徼仍识途,舟绕大郎竟超海。衣裳之会继兵车,跂行蠕动同一家。穆满辙迹所不到,今者联翩来乘槎。吁嗟乎! 芒芒九有古禹域,南北东西尽戎狄。岂知七万馀里大九洲,竟有二千年来诸大国。

三

地球浑浑周八极,天设区域限西北。绳行沙度不可涉,黑风况畏罗刹国。咄哉远人来扣关,凿地忽通西南蛮。贾胡竟到印度海,师船还越大浪山。婆罗苏禄吾南土,从此汉阳咸入楚。长蛇封豕恣并吞,喁喁鹈鲽来无路。可仑比亚尤人豪,搜索大地如追逃。裹粮三月指西发,极目所际惟波涛。行行匝月粮且罄,舟人欲东鬼夜号。忽然大陆出平地,一钓手得十五鳌。即今美洲十数国,有地万里民千亿。世人已识地球圆,更探增冰南北极。精卫终偿填海志,巨灵竟有擘山力。华严楼阁虽则奇,沧海桑田究难测。堂堂大国称支那,文物久冠亚细亚。流沙被德广所及,却特威远蔑以加。宋明诸儒骛虚论,徒诩汉大夸皇华。谬言要荒不足论,乌知壤地交犬牙。鄂罗英法联翩起,四邻逼处环相伺。着鞭空让他人先,卧榻一任旁侧睡。古今事变奇到此,彼己不知宁勿耻。持被入直刺刺语不休,劝君一骋四方志。

寄怀左子兴领事秉隆

古人材艺今俱有,却是今人古不如。十载勋名辅英荡,一家安乐寄华胥。头衔南岛蛮夷长,手笔西方象寄书。闻说狂歌敲铁板,大声往往骇龙鱼。

送承伯纯厚吏部东归

他日是非谁管得,当前聚散亦飘蓬。茫茫海水摇天绿,说到归心谅总同。

岁暮怀人诗 三十六首

一

三年秉节辉英荡,万里持戈老玉门。太息韩江流水去,近来心事与谁论?
何子峨宫詹。

二

卅年冷署付蹉跎,归去空山卧薜萝。写到哀辞哭金鹿,黄门老泪定无多。
潘孺初户部。

三

既死奸谀胆尚惊,四夷拱手畏公名。一篇荐士通天表,独尔怜才到鲰生。
邓铁香鸿胪。

四

门第将军双戟围,长安花好马如飞。只怜同听秋声馆,瘦竹疏桐鹤不肥。
志伯愚宫詹仲鲁编修。

五

祭酒今为天下师,帝尧苗裔汉官仪。文星光照银潢水,流到人间万派奇。
盛伯熙祭酒。

六

要使天骄识凤麟,传闻星使出词臣。毡裘大长惊相问,李揆中朝第一人。
李仲约侍郎。

七

岛夷史读《吾妻镜》,清庙节传《我子编》。写取君诗图我壁,自夸上下五千年。文芸阁编修。

八

自笑壶丘慁郑巫,有时弹指说兰阇。四朝盟会文山积,排比成书有意无。
袁爽秋户部。

九

十载承明校石渠,搜罗《七录》更无馀。传闻《大典》藏蛮貊,欲访人间未见书。王柉卿户部。

一〇

天竺新茶日本丝,中原争利渐难支。相期共炼补天石,一借丸泥塞漏卮。
陈次亮户部。

一一

怀仁久熟《坤舆志》,法显兼通佛国言。闻说荷囊趋译馆,定从绝域念辀轩。沈子培户部。

一二

典属从公欲请缨,吓蛮草诏喜谈兵。迷云毒雾飞鸢坠,曾佐星轺万里行。
杨虞裳刑部。

一三

汉学昌明二百年,儒林中有妇人贤。绛纱传授宣文业,自诩家姑王照圆。
王莲生编修。

一四

天边雄镇北门管,海内通儒东塾书。膝下传经幕中檄,数君才调有谁如?
于晦若侍郎。

一五

释之廷尉由参乘,博望封侯自使槎。官职诗名看双好,纷纷冠盖逊清华。
张樵野廷尉。

一六

一疏尊崇到许君,壁中古字发奇芬。郘亭弟子湖州法,讽籀人人解《说
文》。汪柳门侍郎。

一七

粉署归来作昼眠,花砖徐步日如年。不知新旧《唐书》注,红烛增修得几
篇?唐春卿侍讲。

一八

赤嵌城高海色黄,乍销兵气变文光。他年番社编《文苑》,初祖开山天破
荒。邱仙根工部。

一九

老去头陀深闭关,悔将游戏到人间。杨枝骆马今都去,负杖闲看乌石山。
龚蔼人方伯。

二〇

百人同队试青衫,记得同歌宵雅三。上溯乾嘉数毛郑,瓣香应继著花庵。
温慕柳检讨。

二一

高柳深深闭户居,看儿画扇妇抄书。著书注到萍蒲懒,恨不将身化作鱼。
胡晓岑明经。

二二

结客须结少年场,占土能占男子祥。二十年前赠君语,于今憔悴鬓微霜。赖云芝孝廉。

二三

走遍环球西复东,莼鲈归隐卧吴淞。可怜一副伤时泪,洒尽吞花卧酒中。王紫铨广文。

二四

十洲三岛浮槎去,汗漫狂游久未还。输与清闲阳朔令,朝朝拄笏饱看山。陈雁皋明府。

二五

闻君近入焦山去,欲访要离伴伯鸾。一个蜗庐置何处?漫山风雨黑如磐。梁星海太守。

二六

娓娓清谈玉屑霏,仲宣体弱不胜衣。十年面壁精勤甚,多恐量腰减带围。黄仲韬编修。

二七

骨肉凋零感慨多,玉关人老鬓微皤。金壶自写《神伤赋》,每念家山辄奈何! 许竹篔星使。

二八

教儿兼习蟹行字,呼婢闲调䴔舌音。十载蓬莱作仙吏,公庭花落屋庐深。杨星垣观察。

二九

珠江月上海初潮,酒侣诗朋次第邀。唱到招郎《吊秋喜》,桃花间竹最魂消。陈乙山工部。

三〇

石鼓摩挲拜孔林,每谈佛性说仙心。赤松辟谷知难学,要学先生戏五禽。钟子华茂才。

三一

拔萃簪花十五馀,倾城看杀好头颅。不知今日灵和柳,犹似当年张绪无。陈再芎明经。

三二

风雨寒更守一庐,墓门夜夜泣啼乌。多情人惯伤心语,更谱哀弦十斛珠。

刘少莩秀才。

三三

十七年来又悼亡,续弦仍复谱求皇。鬖鬖四十罗敷喜,摩挲郎须细看郎。

梁诗五孝廉。

三四

两两鸳鸯挟凤雏,调羹食性各谙姑。一家寿母红氍拜,最羡君家家庆图。

梁辑五孝廉。

三五

新声五十瑟弦调,爱我诗曾手自抄。远隔蓬山思甲帐,此生无福比文箫。

三六

悲欢离合无穷事,迢递羁危万里身。与我周旋最怜我,寒更孤烛未归人。

春　游　词

垂柳含春春意多,几分婀娜几婆娑? 车声怒马尘黄麴,桥影横虹水绿波。并坐竞夸中妇艳,缓归争唱少年歌。黄鸡白日堂堂去,欲唤玲珑奈老阿!

郁　郁

郁郁久居此,依依长傍人。梨花今夜雨,燕子隔年春。门掩官何冷,灯孤仆亦亲。车声震墙外,滚滚尽红尘。

登巴黎铁塔

塔高法国三百迈突,当中国千尺。人力所造,五部洲最高处也。

拔地崛然起,峥嵘矗百丈。自非假羽翼,孰能蹑屦上? 高标悬金针,四维挂铁网。下竖五丈旗,可容千人帐。石础森开张,露阙屹相向。游人企足看,已惊眼界创。悬车倏上腾,乍闻辘轳响。登塔者皆坐飞车,旋引而上。人已不翼飞,迥出空虚上。并世无二尊,独立绝依傍。即居最下层,登眺之处,分为三层。其最下层高五十迈突,当中国十六丈四尺。高已莫能抗。苍苍覆大圜,森芒列万象。呼吸通帝座,疑可通肸蚃。自天下至地,俯察不复仰。但恨目力穷,更无外物障。离离画方罫,万顷开沃壤。微茫一线遥,千里走河广。宫阙与城垒,一气作苍莽。不辨牛马人,沙虫粉扰攘。我从下界来,小大顿变相。未知天眼窥,么麽作何状。北风冰海来,秋气何飒爽。海西数点烟,英伦郁相望。缅昔百年役,西历一千三百馀年,法国绝嗣,英王以法王四世非立外孙,欲兼王法国,法人不允,遂开战争,凡九十馀年,世谓之百年之役。裂地争霸王。驱民入锋镝,倾国竭府帑。其后拿破仑,盖世气无两。胜尊天单于,败作降王长。欧洲古战场,好胜不相让。即今正六帝,各负天下壮。等是蛮触争,纷纷校得丧。嗟我秭米身,尫弱不自量。一览小天下,五洲如在掌。既登绝顶高,更作凌风想。何时御气游,乘球恣来往。扶摇九万里,一笑吾其傥!

苏彝士河

龙门竟比禹功高,亘古流沙变海潮。万国争推东道主,一河横跨两洲遥。破空推凿地能缩,衔尾舟行天下骄。他日南溟疏辟后,大鹏击水足扶摇。南美洲之巴拿马,方疏凿未毕。

九月十一夜渡苏彝士河

云敛天高暑渐清,沉沉鱼钥夜三更。侵衣雪色添秋冷,绕槛灯光混月明。夜渡此河,皆于船头置电灯,光照数十里,两岸沙堆,皎洁如雪。大漠径从沙碛度,双轮徐碾海波平。忽思十五年前事,曾在蓬莱岛上行。日本南海道播磨峡中,亦两岸相接,而山清雅,令人移情,丁丑冬过此。

舟泊波塞是夕大雨盖六月不雨矣

流沙亘千里,绝塞比龙堆。飞隼盘云去,明驼载水来。破荒三尺雨,出地一声雷。溽暑都销尽,当风殊快哉!

卷 七 五十首

（光绪十七年至二十年　1891年至1894年作）

夜登近海楼

曾非吾土一登楼,四野风酣万里秋。烂烂斗星长北指,滔滔海水竟西流。

昂头尚照秦时月,放眼犹疑禹画州。回首宣南苏禄墓,记闻诸国赋共球。

续 怀 人 诗 十六首

一

创获奇香四百年,散花从此遍诸天。支那奇字来何处?絮问蔫菸说药烟。

日本伊藤博文。君能通古今事,多智谋,口含烟不辍。尝问余:"哥伦坡得南北美洲,始有淡巴菰,今四百年耳。而华人乃有蔫字、菸字,何故?"余言:"蔫本香草,菸为败叶,皆假借字。"君意释然。然唐译《毗耶那杂事律》云:"在王城婴病,吸药烟瘳损。佛言以两碗相合,置孔,引长管吸之。"其式如今阿拉伯人歃烟筒,但未知所用何药物耳。

二

帕首靴刀走北门,竟从逋盗作忠臣。一腔热血兴亚会,认取当年蹈海人。

榎本武扬。

三

宪宪英英伟丈夫,不将韬略学孙吴。恨无舞袖回旋地,戏倒天吴拆海图。

大山岩。

四

不关魏晋兴亡事,自署羲皇上古人。白竹兜笼黄木屐,科头可用护寒巾。

浅田惟常。君本德川氏遗臣,后遂不仕。维新后毡衣革履,君概置不用,独乘竹兜笼,以二人舁之行,不着帽。余赠以道士巾,则大喜。会亲友仿其式而枙造之。

五

得诗便付铜弦唱,对局何曾玉袜输。绕鬓青青好颜色,绝伦还似旧髯无。

重野安绎。东人称君为三绝,一能诗,一善弈,一美髯也。

六

长华园里好亭楼,每到花时载酒游。岁岁花开频入梦,桑干梦醒梦并州。

宫本小一。君官外部,有园曰长华,岁岁觞余于此。临别时为诵贾浪仙句,故云。

七

袖中各有赠行诗,向岛花红水碧时。只恨书空作唐字,独无炼石补天词。

大沼厚、南摩纲纪、龟谷行、岩谷脩、蒲生重章、青山延寿、小野长愿、森鲁直、冈千仞、鲈元邦,皆诗人也。壬午春,余往美洲,设饯于墨江酒楼,各赋诗送行,多有和余留别韵者。森槐南,鲁直之子,年仅十六,兼工词,曾作《补天石传奇》示余。真东京才子也。别后时时念之。

八

一龛灯火最相亲,日日车声辗麹尘。绝胜海风三日夜,拿舟空访沈南频。

宫岛诚一郎,君住麴町,与使馆隔一街耳。每见辄论诗。昔画师沈南蘋客长崎。赖山阳闻其名走访之,阻风三日夜,及至,而南蘋已归,以为平生恨事。

九

已破家山剩故侯,秦筝赵瑟尚风流。可能网载西施去,不解风波不解愁。

秋月种树。

一〇

曾观《菩萨处胎卷》,又访《那须国造碑》。直引蛇行横蟹足,而今安用此毛锥?岩谷脩、日下部东作,皆工书法。日本谓西人为蟹行书,而伊吕波假名乃如画蛇。

一一

无端碌碌随官去,仍是铿铿说教师。黄面瞿夷金指爪,可曾嫁毕女先医?

麦嘉缔,本美国教师,张副使邀作随员。在宁波时,养金氏女习西医。近闻纽约考试得一等官医文凭。日本归时,已二十五岁,夷言夷服,言他日当为觅嫁黄种人云。

一二

几年辛苦赋同袍,胆大于身气自豪。得失鸡虫何日了,笑中常备插靴刀。

傅烈秘。同官金山领事,初行限制华工例,余与傅君遇华船至,则出视。一日过海关,有工人群集,一人出一手枪指余辈云:"如敢引华人入境,当以此相赠。"君手摸靴中铳,复笑谓之曰:"汝敢否!"

一三

绕朝赠策送君归,魏绛和戎众共疑。骂我倭奴兼汉贼,函关难闭一丸泥。

朝鲜金宏集①。

一四

褒衣博带进贤冠,礼乐东方万国看。尺二玺书旗太极,是王外戚是王官。

闵泳翊。奉使美国时,在金山见之。其国书称大朝鲜国开国五百有几年。闵即王妃之弟云。

一五

东方南海妃呼豨,身是流离手采薇。深庭骊龙都睡熟,记君痛哭赋《无衣》。琉球马兼才。初使日本,泊舟神户,夜四鼓,有斜簪颓髻、衣裳褴褛者,径入舟,即伏地痛哭。知为琉球人。又操土音,不解所谓②。

---

① 高崇信、尤炳圻校点《人境庐诗草》下有:"光绪六年,曾上书译署,请将朝鲜废为郡县,以绝后患。不从,又请遣专使主持其外交。廷议又以朝鲜政事向系自主,尼之。及金宏集使日本,余为作《朝鲜策》,令携之归,劝其亲中国,结日本,联美国。彼国君臣集众密议,而闻者哗噪,或上书诋金为秦桧,并弹射及余,谓习圣教而变夷言,盖受倭奴之指使,而为祆教说法云。"

② 高崇信、尤炳圻校点《人境庐诗草》有下文:"时复摇手,虑有倭人闻之。既出一纸,则国王密敕,为言今日阻贡,行且废藩,终必亡国。令其求救于使臣者也。"

一六

波臣流转哭涂穷,犹自低回说故宫。中有丹书有金印,蛮花仙蝶粉墙红。

向德宏。向、马皆世族,德宏一微官,然间关渡海,屡求救援,国亡后,誓死不归,或言今犹寓闽中云。王宫有花名胡蝶红,亦德宏所言。

新嘉坡杂诗 十二首

一

天到珠崖尽,波涛势欲奔。地犹中国海,人唤九边门。南北天难限,东西帝并尊。万山排戟险,嗟尔故雄藩。

二

本为南道主,翻拜小诸侯。巧夺盟牛耳,横行看马头。黑甜奴善睡,黄教佛能柔。遂划芒芒迹,难分禹画州。

三

华离不成国,黔首尚遗黎。家蓄獠奴段,官尊鸭姓奚。英官护卫司,用华文译其姓为奚,最贪秽。神差来却要,天号改撑犁。《益地》图王母,诸蛮尽向西。

四

王屋沉沉者,群官剑佩磨。开衙尊鸟了,检历籍娄罗。巢幕红鹰集,街弹白鹭多。独无关吏暴,来去莫谁何。

五

裸国原狼种,初生赖豕嘘。吒吒通鸟语,袅袅学虫书。吉贝张官伞,干兰当佛庐。人奴甘十等,只愿饱朱儒。

六

纣绝阴天所,梨鞬善眩人。偶题木居士,便拜竹王神。飞蛊民头落,迎猫鬼眼瞋。一经簪笔问,语怪总非真。

七

化外成都会,迁流或百年。土音晓鴂舌,火色杂鸢肩。马粪犹馀臭,牛医亦值钱。奴星翻上座,甜鼎半成仙。

八

不着红蕖袜,先夸白足霜。平头拖宝靸,约指眩金钢。一扣能千万,单衫但裲裆。未须医带下,药在女儿箱。

九

绝好留连地,留连味细尝。侧生饶荔子,偕老祝槟榔。红熟桃花饭,黄封椰酒浆。都缦都典尽,三日口留香。

一〇

舍影摇红豆,墙阴覆绿蕉。问山名漆树,计斛蓄胡椒。黄熟寻香木,青曾探锡苗。豪农衣短后,遍野筑团焦。

一一

会饮黄龙去,驮经白马来。国旗飐万舶,海市幻重台。宝藏诸天集,关门四扇开。红髯定何物,骄子复雄才。

一二

远拓东西极,论功纪十金。如何伸足地,不到尽头天。宝盖缝花网,金函护叶笺。当时图职贡,重检帝尧篇。

以莲菊桃杂供一瓶作歌

南斗在北海西流,春非我春秋非秋。人言今日是新岁,百花烂熳堆案头。主人三载蛮夷长,足遍五洲多异想。且将本领管群花,一瓶海水同供养。莲花衣白菊衣黄,夭桃侧侍添红妆。双花并头一在手,叶叶相对花相当。浓如旃檀和众香,灿如云锦纷五色。华如宝衣陈七市,美如琼浆合天食。如竞筲鼓调筝琶,蕃汉龟兹乐一律。如天雨花花满身,合仙佛魔同一室。如招海客通商船,黄白黑种同一国。一花惊喜初相见,四千馀岁甫识面。一花自顾还自猜,万里绝域我能来。一花退立如局缩,人太孤高我惭俗。一花傲睨如居居,了更妩媚非粗疏。有时背面互猜忌,非我族类心必异。有时并肩相爱怜,得成眷属都有缘。有时低眉若饮泣,偏是同根煎太急。有时仰首翻踌躇,欲去非种谁能锄。有时俯水暝不语,谁滋他族来逼处。有时微笑临春风,来者不拒何不容。众花照影影一样,曾无人相无我相。传语天下万万花,但是同种均一家。古言猗傩花无知,听人位置无差池。我今安排花愿否,拈花笑索花点首。花不能言我饶舌,花神汝莫生分别。唐人本自善唐花,或者并使兰花梅花一齐发。飙轮来往如电过,不日便可归支那。此瓶不干花不萎,不必少见多怪如橐驼。地球南北倘倒转,赤道逼人寒暑变。尔时五羊仙城化作海上山,亦有四时之花开满县。即今种花术益工,移枝接叶争天功。安知莲不变桃桃不变为菊,回黄转绿谁能穷？化工造物先造质，控抟众质亦多术。安知夺胎换骨无金丹，不使此莲此菊此桃万亿化身合为一。众生后果本前因，汝花未必原花身。动物植物轮回作生死，安知人不变花花不变为人。六十四质亦么麽，我身离合无不可。质有时坏神永存，安知我不变花花不变为我。千秋万岁魂有知，此花此我相追随。待到汝花将我供瓶时，还愿对花一读今我诗。

眼　　前

眼前男女催人老，况是愁中与病中。相对灯青恍如梦，未须头白既成翁。添巢燕子双雏黑，插帽花枝半面红。不信旁人称岁暮，且忻生意暖融融。

寓章园养疴

海色苍茫夜气微，一痕凉月入柴扉。独行对影时言笑，排日量腰较瘦肥。平地风波听受惯，频年哀乐事心违。笠檐蓑袂桃榔杖，何日东坡遂北归？

番　客　篇

山鸡爱舞镜，海燕贪栖梁。众鸟各自飞，无处无鸳鸯。今日大富人，新赋新婚行。插门桃柳枝，叶叶何相当。垂红结彩球，绯绯数尺长。上书大夫第，照耀门楣光。中庭寿星相，新筑供中央。隐囊班丝细，坐褥棋局方。两旁螺钿椅，有如两翼张。丹楹缀锦联，掩映蛎粉墙。某某再拜贺，其语多吉祥。中悬剥风板，动摇时低昂。遍地红藤簟，泼眼先生凉。地隔衬搜白，水纹铺流黄。深深竹丝帘，内藏合欢床。局脚福寿字，点画皆银镶。蚊帱挂碧绡，犀毗堆红箱。旁室铜澡盆，满储七香汤。四壁垂流苏，碎镜随风飏。华灯千百枝，遍绕曲曲廊。庭下众乐人，西乐尤铿锵。高张梵字谱，指挥复抑扬。弇口铜洞箫，芦哨吹如簧。此乃故乡音，过耳音难忘。蕃乐细腰鼓，手拍声铿铿。喇叭与毕栗，骤听似无腔。诸乐杂沓作，引客来登堂。白人挈妇来，手携花满筐。鼻端撑眼镜，碧眼深汪汪。裹头波斯胡，贪饮如渴羌。蚩蚩巫来由，肉袒亲牵羊。馀皆闽粤人，到此均同乡。嘻嘻妇女笑，入门道胜常。蕃身与汉身，均学时世妆。涂身百花露，影过壁亦香，洗面去丹粉，露足非白霜。当胸黄亚姑，作作腾光芒。沓沓靸履声，偕来每双双。红男并绿女，个个明月珰。单衫缠白叠，尖履拖红帮。垂垂赤灵符，滟滟绯交裆。一冠攒百宝，论价难为偿。簇新好装束,争来看新郎。头上珊瑚顶,碎片将玉瓖。背后红丝條,交辫成文章。新制绀绫结,衣补亦宝装。平头鹅顶靴,学步工趋跄。今行亲迎礼,吉日复辰良。前导青罗伞,后引绛节幢。驾车四骝马,一色紫丝缰。薄纱宫灯样,白昼照路旁。海笛和云锣,八鸾鸣玱玱。帕首立候人,白鹭遥相望。到门爆竹声,群童喜欲狂。两三戴花媪,捧出新嫁娘:举手露约指,如枣真金刚。一镮五百万,两镮千万强。腰悬同心镜,衬以紫荷囊。盘金作绲带,旋绕九回肠。上下笼统衫,强分名衣裳。平生不著袜,今段破天荒。明珠编成屦,千绯当丝缫。车轮曳踵行,蛮婢相扶将。丹书悬红纸,麒麟与凤凰。一双龙纹烛,华焰光煌煌。第一拜天地,第二礼尊嫜。后复交互拜,于飞燕颉颃。其他学敛衽,事事容仪庄。拍手齐欢呼,相送入洞房。此时箫鼓声,已闻歌鲦鲿。点心嚼月饼,钉座堆冰糖。啖蔗过蔗尾,剖瓜馀瓜囊。流连与波罗,争以果为粮。赤足络绎来,大盘荐膻荞。穿花串鱼鲊,薄纸批牛肪。今日良宴会,使我攒眉尝。食物十八品,强半和椒姜。引手各抟饭,有秔有黄粱。蒲桃百瓶酒,破碎用斗量。呼么复喝六,拇战声琅琅。颇黎小海鸥,举白屡十觞。既醉又饱腹,出看戏舞场。影戏纷牵丝,幻人巧寻橦。蓝衫调鲍老,玉瞳辉文康。蹋鞠肩背飞,迅若惊兔翔。白打唱《回波》,引杖相击撞。金吾今弛禁,赌钱亦无妨。初投升官图,意取富贵昌。意钱十数人,相聚捉迷藏。到手十贯索,罔利各筹防。名为叶子戏,均为钱神忙。醉呼解酲酒,渴取冰齿浆。饮酪拣灌顶,烹茶试头纲。吹烟出菸叶,消食分槟榔。旧藏淡巴菰,其味如詹唐。倾壶挑鼻烟,来自大西洋。一灯阿芙蓉,吹气何芬芳。分光然石油,次第辉银釭。入夜有火戏,语客留徜徉。行坐纷聚散,笑谈呼汝叩。中一蒜发叟,就我深深商。指问座上客,脚色能具详。上头衣白人,渔海业打桨。大风吹南来,布帆幸无恙。初操牛头船,旁岸走近港。今有数十轮,大海恣来往。银多恐飞去,龙阛束万锗。多年甲必丹,早推蛮夷长。左边黑色儿,乃翁久开矿。宝山空手回,失得不足偿。忽然见斗锡,真乃无尽藏。有如穷秀才,得意挂金榜。沉沉积青曾,未知若干丈。百万一紫标,多少聚钱蚘。曷鼻土色人,此乃吾乡党。南方宜草木,所种尽沃壤。椰子树千行,丁香花四放。豆蔻与胡椒,岁岁收丰穰。一亩值十钟,往往过所望。担粪纵馀臭,马牛用谷量。利市得三倍,何意承天贶。右坐团团面,实具富者相。初来锥也无,此地甫草创。海旁占一席,露处辟榛莽。蜃气嘘楼台,渐次铲叠嶂。黄金准土价,今竟成闾巷。有如千户侯,列地称霸王。善知服食方,百味作供养。闻有小妻三,轮流搔背痒。长颈狝猴面,此物信巨狙。自从缚马足,到处设鱼网。夥颐典衣库,值十不一当。一饮生讼狱,谁敢倾家酿。搜索遍筐箧,推敲到盆盎。自煎罂粟膏,载土从芒砀。鸡泊窃更鹜,颠倒多奇想。龙断兼赝鼎,巧夺等劫掠。积钱千百万,适足供送葬。君看末座客,挥扇气抗爽。此人巧心计,自负如葛亮。千里封鲊羹,绝域通枸酱。积著与均输,洞悉万物状。锦绣离云爵,妙能揣时尚。长袖善新舞,胡卢弃旧样。千帆复万箱,百货来交广。遂与西域贾,逐利争衰旺。即今论家资,问富过中上。凡我化外人,从来奉正朔。披衣襟在胸,剃发辫垂索。是皆满洲装,何曾变服著。初生设汤饼,及死备棺椁。祀神烛四照,宴宾酒三酌。凡百丧祭礼,高曾传矩矱。风水讲龙砂,卦卜用龟灼。相法学《麻衣》,推命本《砾碌》,礼俗概从同,口述仅大略。千金中人产,咸欲得封爵。今年燕晋饥,捐输颇踊跃。溯从华海来,大抵出闽骆。当我鼻祖初,无异五丁凿。传世五六叶,略如华覆萼。富贵归故乡,比骑扬州鹤。岂不念家山,无奈乡人薄。一闻番客归,探囊直启钥。西邻方责言,东市又相斫。亲戚恣欺凌,鬼神助咀嚼。曾有和兰客,携归百囊橐。眈眈虎视者,伸手不能攫。诬以通番罪,公然论首恶。国初海禁严,立意比驱鳄。借端累无辜,此事实大错。事隔百馀年,闻之尚骇愕。谁肯跨海归,走就烹人镬。言者袂掩面,泪点已雨落。满堂杂悲欢,环听咸唯诺。到此气惨伤,箛鼓歇不作。橐橐拍板声,犹如痛呼謈。道咸通商来,虽有分明约。流转四方人,何曾一字著。堂堂天朝语,只以供戏谑。譬彼犹太人,无国足安托?鼫鼠苦无能,橐驼苦无角。同族敢异心,颇奈国势弱。虽则有室家,一家付飘泊。仓颉鸟兽迹,竟似畏海若。一丁亦不识,况复操笔削。若论佉卢字,此方实庄岳。能通左行文,千人仅一鹗。此外回回经,等诸古浑噩,不如无目人,引手善扪摸。西人习南音,有谱比合乐。孩童亦能识,识则夸学博。识字亦安用,蕃汉两弃却。愚公传子孙,痴绝谁能药?近来出洋众,更如水赴壑。南洋数十岛,到处便插脚。他人殖民地,日见版图廓。华民三百万,反为丛驱雀。螟蛉不抚子,犬羊且无鞟。比闻欧澳美,日将黄种虐。向来寄生民,注籍今各各。《周官》说保富,番地应设学。谁能招岛民,回来就城郭?群携妻子归,共唱太平乐。

养疴杂诗* 十七首

　　病疟经年,医生劝以出游,遂往槟榔屿、麻六甲、北蜡等处,假居华人山庄,所见多奇景,随意成吟,亦未录草。病起追忆之,尚得数十首①。

一

万山山顶树参天,树杪遥飞百道泉。谁信源头最高处,我方趺脚枕书眠。

二

月黑风高树影沉,鸟噤虫息夜惜惜。柴门似有谁遥撼,晓起纵横虎迹深。

三

树密山重深复深,穿云渡水偶行吟。欲寻归路无牛矢,转问无人迹处寻。

四

高高山月一轮秋,夜半椰阴满画楼。分付驯猿攀摘去,渴茶渴酒正枯喉。

五

钩天一醉梦模糊,喔喔鸡鸣病渐苏。南斗起看翻在北,不知仍是注生无?

六

老妻日据灶觚听,邻有神符治病灵。佛祖不如天使贵,劝余多诵《可兰经》。

七

波光淡白月黄昏,何物媻娑石上蹲。欲废平生无鬼论,回头却是黑昆仑。

八

处裈残蝨扫除清,绕鬓飞蚊不一鸣。高枕胸中了无事,如何不睡又天明?

九

桃花红杂柳花飞,水软波柔碧四围。五尺短绳孤棹艇,小儿欢曳鳄鱼归。

一〇

一溪春水涨瀰瀰,闲曳烟蓑理钓丝。欲觅石头无坐处,却随野鹭立多时。

一一

竹外斜阳半灭明,卷帘欹枕看新晴。雨尘飘漾香烟袅,中有蛛丝屋角横。

一二

单衣白袷帐乌纱,寒暖时时十度差。冬亦非冬夏非夏,案头常供四时花。

---

* 《初稿抄本》无此诗,当戊戌政变后"放归"嘉应期间补作。

① "数十首",疑为"十数首"。

一三

颓墙残月竹冥冥，闪闪微灯三两星。绛帕白衣偏袒舞，时闻巷犬吠流萤。

一四

灯红月白可怜宵，羯鼓如雷记里遥。异种名花新合乐，知谁金屋别藏娇。

中西流娼所生女，以父母异种，故皆色白发黑，非常美秀。富商多纳为姬妾，别营屋居之。夜半月高，弦索齐鸣，而击鼓唱歌，均沿用巫来由旧习，往往声闻数里。

一五

千形万态树扶疏，欲唤无名口又茹。重译补笺新草木，马留名字蟹行书。

一六

一声长啸海天空，声浪沉沉入海中。又挟馀声上天去，天边嘹唳一归鸿。

一七

荡荡青天一纸铺，团团红日半轮孤。波摇海绿云翻墨，谁写须臾万变图？

卷　八　五十七首

（光绪二十年至二十三年　1894年至1897年作）

悲　平　壤*

黑云草山山突兀，俯瞰一城炮齐发。火光所到雷硠礚，肉雨腾飞飞血红。翠翎鹤顶城头堕，一将仓皇马革裹。天跳地踔哭声悲，南城早已悬降旗。三十六计莫如走，人马奔腾相践踩。驱之驱之速出城，尾追翻闻饿鸱声。大东喜舞小东怨，每每倒戈飞暗箭。长矛短剑磨铁枪，不堪狼藉委道旁。一夕狂驰三百里，敌军便渡鸭绿水。一将囚拘一将诛，万五千人作降奴。

东　沟　行**

濛濛北来黑烟起，将台传令敌来矣，神龙分行尾衔尾。倭来倭来渐趋前，

---

* 《初稿抄本》无此诗，杨徽五《榕园续录》云："《悲平壤》、《台湾行》诸作，则先有其题，家居时乃补作。"以下《东沟行》、《哀旅顺》、《哭威海》等同此。

** 此诗亦系戊戌回乡后补写。

绵绵翼翼一字连,倏忽旋转成浑圆。我军瞭敌遽飞炮,一弹轰雷百人扫,一弹星流药不爆。敌军四面来环攻,使船使马旋如风,万弹如锥争凿空。地炉煮海海波涌,海鸟绝飞伏蛟恐,人声鼓声嚜不动。漫漫昏黑飞劫灰,两军各挟攻船雷,模糊不辨莫敢来。此船桅折彼釜破,万亿金钱纷雨堕,入水化水火化火。火光激水水能飞,红日西斜无还时,两军各唱铙歌归。从此华船匿不出,人言船坚不如疾,有器无人终委敌。

哀　旅　顺 [*]

海水一泓烟九点,壮哉此地实天险。炮台屹立如虎阚,红衣大将威望俨。下有深池列巨舰,晴天雷轰夜电闪。最高峰顶纵远览,龙旗百丈迎风颭。长城万里此为堑,鲸鹏相摩图一噉。昂头侧睨何眈眈,伸手欲攫终不敢。谓海可填山易撼,万鬼聚谋无此胆。一朝瓦解成劫灰,闻道敌军蹈背来。

哭　威　海 ^{**}

台南北,若唇齿;口东西,若首尾;刘公岛,中间峙。嗟铁围,薄福龙;龙偃屈,盘之中;海与陆,不相容,敌未来,路已穷;敌之来,又夹攻;敌大来,先拊背。荣城摧,齐师溃;南门开,犬不吠;金作台,须臾废。万钧炮,弃则那。炮击船,我奈何!船资敌,力犹可;炮资敌,我杀我。危乎危,北山嘴;距南台,不尺咫;十里墙,薄如纸;李公睡,戴公死。寇深矣,事急矣!麾海军,急上台;雷轰轰,化为灰。山号跳,海惊猜,击者谁?我实来。南复北,台乌有;船子子,东西口。天大雪,雷忽发;船薮裂,龙见血。鬼夜哭,船又覆;地日蹙,龙局缩。坏者撞,伤者斗;破者沉,逃者走。噫吁戏!海陆军,人力合,我力分。如蟃屈,不得伸;如斗鸡,不能群。毛中虫,自戕身;丝不治,丝愈棼;火不戢,火自焚。遁无地,谋无人。天盖高,天不闻。四援绝,莫能救。即能救,谁死守?炮未毁,人之咎。船幸存,付谁某?十重甲,颜何厚!海漫漫,风浩浩。龙之旗,望杳杳。大小李,愁绝倒。岿然存,刘公岛。

---

[*]　此诗亦戊戌回乡后补作。
^{**}　此诗亦戊戌回乡后补作。

偕叶损轩大庄夜谈

频岁华胥睡未酣，又扶残醉到江南。更无旧雨谁堪语？欲访名山奈未谙。花尚含苞春过半，月刚留影夜初三。丁当檐铁君休问，抽得闲身且絮谭。

乙未二月二十七日公祭沈文肃公祠

管弦合沓钟鼓喧，左炉右鼎腾香烟。翩然被发乘云下，知公未遂神龙蟠。凭阑东望大江去，旁通闽海百由延。增城赤嵌矗孤岛，下有膏沃千良田。柘浆茶荈作银气，红尘四合城郭阗。生番攫人食人肉，侧有饿虎贪垂涎。当时倭奴轶我界，公统王师居中权。大官婵娟主和议，公唾谓不值一钱。侧闻近者议输币，乃竭水衡倾铜山。南门管钥东流柱，摇摇竟如风旌悬。流求两属忽改县，举族北辕王东迁。公言尺寸不许让，兴灭继绝兼保藩。毡裘大长议分岛，公尚摇手谓不然。岂期舐糠遂及米，神州亦竟污腥膻。巍峨巨舰古未有，凿破混沌成方圆。《考工》作记智述物，云房石栈相钩连。后来汉帜成一队，椎轮筚路推公先。病中呢喃造铁甲，欲聚众铁城三边。东沟一战炮雷震，轰轰洞击七札穿。人船兵甲各糜化，虫沙万数鱼鳖千。威海刘岛据坚要，漆城孰上池难填。蠖息蜷伏不敢出，如引铁锁封喉咽。天骄横肆地险失，坐令蚍蚁咸无援。曹蜍李志奄奄气，仰求敌国垂哀怜。言为众生乞生命，手书降表黄龙笺。恐公闻此气山涌，妄语诡公船犹全。就中邓林二死士，躬蹈烈火沉重渊。愿公遣使携葆羽，垂手接引援上天。金戈铁马英灵在，倘借神力旋坤乾。吁嗟公去十六载，今日何月时何年。捧觞再拜席未散，又闻奔命囊书传。是日闻澎湖之警。

为同年吴德潇寿其母夫人

罗太恭人，渠县人。归澄江知府吴公笏丞，道光己丑进士。

郁郁龙象山，松柏森苍苍。中有丹山鸟，哀鸣复回翔。树下即方池，池旁多鸳鸯。封缸有美酒，罗列东西厢。新妇厨下来，徐徐捧羹汤。长孙华花冠，幼孙明月珰。再拜拜寿母，愿母举一觞。呼潇汝来前，未言泪盈眶。瞿瞿心目中，曷尝须臾忘。汝父初闻丧，星奔去澄江。露宿衣鸡斯，雨泣铃郎当。沉沉永宁城，凄风摇阴房。切脉雾乱丝，背面欹空床。病名我不知，何由知医方？回头看我面，眼语诸儿郎。复指白衣冠，当作收敛装。汝时口啖饼，学哭嬉枢旁。为汝换锦袍,随兄爇炉香。朝发泸州头,丹旐魂飞扬。暮宿巴江尾,白鸡鸣凄怆。体夫罥重棺,骑奴嘲空囊。家有垂白母,犹待儿治丧。遥遥二千里,如何到家乡?明年汝兄归,捧棺交汝兄。逝者遂已矣,存者称未亡。我今七十三,忽忽四十霜。食梅难得甜,啖蔗难得浆。何图见孙曾,欢笑同此堂。潚也奉母言,手书告其朋。同年黄遵宪,曾历各海邦。西俗重妇女,安居如天堂。一簪值十万,一衣百万强。登楼客持裾,试马夫引缰。梦中不识役,矧乃身手当。虽则同女身,苦乐何参商?吁嗟三代后,女学将毋忘。执业只箕帚,论功惟酒浆。所托或寒微,持身备嫔嫱。拳拳事女君,缩缩足循墙。人权绌已甚,世情习为常。周婆欲制礼,胡儿惟有娘。将此语人人,人人疑荒唐。人生于父母,犹戴日月光。同是鞠育恩,谁能忍分张?当时黔蜀交,塞道嗥豺狼。驱儿就兄学,虎口儿勿惊。黄巾动地来,捉人锁琅珰。弃家匿深山,视盎无宿粮。蜀姜与蜀锦,殷勤远寄将。口书勉儿学,儿学毋怠荒。山中多黄檗,甘苦母自尝。母苦儿则知,不知母何望。潚今富学行,非母曷有成。斯实备父德,岂徒慰姑嫜。作妇甘卑屈,为亲宜显扬。显扬万分一,恩义终难详。盘龙恭人诰,雕螭节孝坊。悠悠《鹿鸣》诗,并坐歌笙簧。歌我《述德篇》,彤管何芬芳。持节谢有母人,念兹永勿忘。

马关纪事* 五首

一

既遣和戎使,翻贻骄倨书。改书追玉玺,绝使复轺车。唇齿相关谊,干戈百战馀。所期捐细故,盟好复如初。

二

卅载安危系,中兴郭子仪。屈迎回鹘马,羞引汉龙旗。正劳司宾馆,翻惊力士椎。存亡家国泪,凄绝病床时。

三

括地难偿债,台高到极天。行筹无万数,纳币一千年。辽、金岁币银二十万两,以今计之,合一千年乃有此数。恃众忘蜂虿,惊人看雀鹯。伤心偿博进,十掷辄成骿。

---

* 此诗系戊戌回乡后补作。

四

竟卖卢龙塞,非徒弃一州。赵方谋六县,楚已会诸侯。地引相牙犬,邻还已夺牛。瓜分倘乘敝,更益后来忧。

五

蕞尔句骊国,群知国必亡。本图防北狄,迁怒及西皇。患转深蝉雀,威终让虎狼。朝鲜自主后,日本公使三浦某合党谋乱,扰及王宫。王避居于俄罗斯使馆半年。弟兄同御侮,莫更祸萧墙。

晚　渡　江

扰扰悲生事,孤篷自往还。霞红眉欲笑,山绿鬓遥删。鱼底星辰睡,鸥边天地闲。号咷矶外水,莫更向人间。

降　将　军　歌*

冲围一舸来如飞,众军属目停鼓鼙。船头立者持降旗,都护遣我前致词。我军力竭势不支,零丁绝岛危乎危。龟鳖小竖何能为?岛中残卒皆疮痍。其馀鬼妻兵家儿,锅底无饭枷无衣。纥干冻雀寒复饥,六千人命悬如丝。我今死战彼安归?此岛如城海如池。横排各舰珠累累,有炮百尊枪千枝。亦有弹药如山齐,全军旗鼓我所司。本愿两军争雄雌,化为沙虫为肉糜。与船存亡死不辞,今日悉索供指麾。乃为生命求恩慈,指天为正天鉴之。中将许诺辞不欺,诘朝便为受降期。两军雷动欢声驰,磷青月黑阴吹风。鬼怕催促不得迟,浓薰芙蓉倾深卮。前者阖棺后舆尸,一将两翼三参随。两军雨泣咸惊疑,已降复死死为谁?可怜将军归骨时,白幡飘飘丹旐垂。中一丁字悬高桅,回视龙旗无孑遗。海波索索悲风悲,悲复悲,噫嘻嘻!

五月十三夜江行望月

洒泪填东海,而今月一圆。江流仍此水,世界竟何年。横折山河影,谁攀阊阖天?增城高赤嵌,应照血痕殷。

---

* 此诗系戊戌回乡后补作。

台 湾 行*

　　城头逢逢雷大鼓,苍天苍天泪如雨。倭人竟割台湾去,当初版图入天府。天威远及日出处,我高我曾我祖父。艾杀蓬蒿来此土,糖霜茗雪千亿树。岁课金钱无万数,天胡弃我天何怒。取我脂膏供仇虏,眈眈无厌彼硕鼠。民则何辜罹此苦?亡秦者谁三户楚,何况闽粤百万户。

　　成败利钝非所睹,人人效死誓死拒。万众一心谁敢侮,一声拔剑起击柱。今日之事无他语,有不从者手刃汝。堂堂蓝旗立黄虎,倾城拥观空巷舞。黄金斗大印系组,直将总统呼巡抚。今日之政民为主,台南台北固吾圉。不许雷池越一步,海城五月风怒号。飞来金翅三百艘,追逐巨舰来如潮。前者上岸雄虎彪,后者夺关飞猿猱。村田之铳备前刀,当辙披靡血杵漂。神焦鬼烂城门烧,谁与战守谁能逃?一轮红日当空高,千家白旗随风飘。搢绅耆老相招邀,夹跪道旁俯折腰。红缨竹冠盘锦絛,青丝辫发垂云髻。跪捧银盘茶与糕,绿沉之瓜紫蒲桃。将军远来无乃劳,降民敬为将军犒。将军曰来呼汝曹,汝我黄种原同胞。延平郡王人中豪,实辟此王土来芬茅,今日还我天所教。国家仁圣如唐尧,抚汝育汝殊黎苗,安汝家室毋诔诔。将军徐行尘不嚣,万马入城风萧萧。呜呼将军非天骄,王师威德无不包。我辈生死将军操,敢不归依明圣朝。噫嚱吁!悲乎哉!汝全台,昨何忠勇今何怯,万事反复随转睫。平时战守无预备,曰忠曰义何所恃?

度辽将军歌**

　　闻鸡夜半投袂起,檄告东人我来矣。此行领取万户侯,岂谓区区不余畀。将军慷慨来度辽,挥鞭跃马夸人豪。平时搜集得汉印,今作将印悬在腰。将军向者曾乘传,高下句骊踪迹遍。铜柱铭功白马盟,邻国传闻犹胆颤。自从驲节驻鸡林,所部精兵皆百炼。人言骨相应封侯,恨不遇时逢一战。雄关巍峨高插天,雪花如掌春风颠。岁朝大会召诸将,铜炉银烛围红毡。酒酣举白再行酒,拔刀亲割生蠡肩。自言平生习枪法,炼目炼臂十五年。目光紫电闪不动,袒臂

---

　　* 此诗系戊戌回乡后补作。
　　** 此诗系戊戌回乡补作。

示客如铁坚。淮河将帅巾帼耳,萧娘吕姥殊可怜。看余上马快杀贼,左盘右辟谁当前? 鸭绿之江碧蹄馆,坐令万里销烽烟。坐中黄曾大手笔,为我勒碑铭燕然。么麽鼠子乃敢尔,是何鸡狗何虫豸? 会逢天幸遽贪功,它它籍籍来赴死。能降免死跪此牌,敢抗颜行聊一试。待彼三战三北馀,试我七纵七擒计。两军相接战甫交,纷纷鸟散空营逃。弃冠脱剑无人惜,只幸腰间印未失。将军终是察吏才,湘中一官复归来。八千子弟半摧折,白衣迎拜悲风哀。幕僚步卒皆云散,将军归来犹善饭。平章古玉图鼎钟,搜箧价犹值千万。闻道铜山东向倾,愿以区区当芹献。藉充岁币少补偿,毁家报国臣所愿。燕云北望忧愤多,时出汉印三摩挲。忽忆《辽东浪死歌》,印兮印兮奈尔何!

闰月饮集钟山送文芸阁学士廷式假归怀陈伯严吏部三立

泼海红霞照我杯,江山如此故雄哉。马蹄蹴踏西江水,相约扶桑濯足来。

用写经斋体送叶损轩之申江

几日萧疏雨滴檐,送君一舫水新添。闰馀桐叶闲来数,去后桃花笑复拈。索和诗笺停玉版,判依文稿阁牙签。夫馀立国今何似,为我探询海外髯。

立秋日访易实甫顺鼎遂偕游秦淮和实甫作[*]　外补一首

袖里《魂南》一束诗,茫茫相对两情痴。看扬玉海尘千斛,喜剩青溪橹一枝。鹝首赐人天亦醉,龙泉伴我世谁知? 死亡无日难相见[①],况又相逢便说离。

又　和　实　甫^{**}

九州莽莽匆匆走,两鬓萧萧渐渐枯。欲访蓬莱难附鹤,暂攀杨柳可藏乌。笔留白石飞仙语,袖有青溪小妹图。犹是人间干净土,莫将乐园当穷途。

---

　　* 梁启超《饮冰室诗话》刊此诗题作《乙未秋偕实甫同泛秦淮实甫出魂南北集嘱题成此》,共二首,刊本存第一首,改为现题。查上海图书馆藏原稿,题为《乙未立秋日访易实甫偕坐山亭复同泛秦淮实甫用前韵作诗和韵答之》,诗文为楷体字,诗后题"雪澄同年老兄以题易实甫《魂北》《魂南》集见示,因录此乞正遵宪未定稿",系行书。

　　① "难相见",上海图书馆藏手稿作"何时见"。

　　** 此诗《饮冰室诗话》等均题为《夜泛秦淮和实甫》,文字有不同。

玄武湖歌和龙松岑继栋

大江滚滚流日夜,降幡屡竖石头下。别有苍茫一片湖,山势周遭潮不打。湖光十里擎风荷,游人竞说安乐窝。船头箫管驴背酒,吴娘楚客时经过。城南暑郁蒸如瓫,汗雨横流湿衣缝。笳鼓欣停战伐声,篷船合作清凉梦。一客新自天边来,唐春卿侍郎。一客卧起丛书堆。龙松岑户部。承平公子文章伯,同坐有沈蔼苍、王雪澄两观察、何诗孙太守。酒龙诗虎争崔嵬。天风浩浩三万里,吹我犯斗星槎回。河山不异风景好,今者不乐何为哉?江城明媚雨新霁,菱叶莲蓬送香气。井阑莫问燕支山,钟声尚认鸡鸣埭。闲闲十亩逍遥游,莽莽六朝兴废事。珠楼绮阁未渠央,青盖黄龙奈何帝。盛衰漫唱《百年歌》,哀乐且图今日醉。酒波光溢金叵罗,银鲈锦鸭甘芳多。强颜作欢攒眉饮,茫茫对此如愁何。夕阳映郭空波明,柳丝漾绿芦芽青。平生旧游若在眼,仿佛上野湖心亭。上野西湖,为日本东京游宴佳处。美酒肥牛酣大嚼,头冠腰箭恣欢谑。遥想将军渡海归,相从凯唱从军乐。

九月初三夜招袁重黎柯巽庵
梁节庵、王晋卿诸君小饮和节庵韵。

袅袅风波又此秋,青溪几曲映清流。疏篷剪烛人重话,短鬓簪花老渐羞。杯影惊心倾海水,角声催晚逼城楼。兼葭别有凄凄恨,不向中央怨阻修。

上海喜晤陈伯严

飒飒秋风夜气深,照人寒月肯来临。矶头黄鹄重相见,海底鳗鱼未易寻。伯严到沪,访我三日不值。大地山河悲缺影,中年丝竹动欢心。横流何处安身好?从子商量抱膝吟。

题黄佐廷赠尉遗像 三首
佐廷,名季良,番禺人。光绪十年七月初三日,在闽江扬武船中殉难。诏以云骑尉承袭。方敌船围困马江,佐廷自以照像寄其父道平,自言能为忠臣即是孝子。卒践其言,年仅二十五耳。

一

泼海旌旗爇血红,防秋诸将尽笼东。黄衫浅色靴刀备,年少翻能作鬼雄。

二

不如乌鸟《陈情表》,生属猴年寄母书。读到季良男百拜,泪痕点点照衣裾。

三

不将褒鄂画凌烟,飒爽英姿尚凛然。一语冲君冠上发,有人降表写龙笺。

赠梁任公同年　六首

一

列国纵横六七帝,斯文兴废五千年。黄人捧日撑空起,要放光明照大千。

二

佉卢左字力横驰,台阁官书帖括诗。守此毛锥三寸管,丝柔绵薄谅难支。

三

白马东来更达摩,青牛西去越流沙。君看浮海乘槎语,倘有同文到一家?

四

寸寸河山寸寸金,佹离分裂力谁任?杜鹃再拜忧天泪,精卫无穷填海心。

五

又天可汗又天朝,四表光辉颂帝尧。今古方圆等颡趾,如何下首让天骄?

六

青者皇穹黑劫灰,上忧天坠下山隤。三千六百钓鳌客,先看任公出手来。

寄　女　三首

一

团团鸡子黄,滟滟花猪肉。双鸡日馈洎,毋许窃更鹜。饭蒸杭稻香,酒泼葡萄绿。庖丁日解牛,碎切煮烂熟。吹沫成白波,碾尘积红曲。罨以自然鼎,浓过留香粥。我日啜此计,十载未餍足。勿告而翁知,知之恐眉蹙。牛旁侍阎罗,黄金犴四目。云欲取屠人,横叉入地狱。佛自爱众生,我自食天禄。嗟予患疟后,负风几欲伏。计臂小半分,量腰剩一束。两颊旋深涡,而今渐平复。须白一二茎,双鬓尚垂绿。朝朝软饱后,行行扪余腹。寄汝近时影,祝我他时福。

二

江南二三月,夹道花争妍。谁家女如云,各各扶婢肩。碧罗湖水媚,茜纱秋云娟。就中最骄诩,绣罗双行缠。一裙覆百金,一袜看千钱。婷婷复袅袅,纤步殊可怜。笑谓蛮方人,半是赤足仙。新样尖头鞋,略仿浮海船。上绣千鸳鸯,下刺十丈莲。指船大如许,伸脚笑欲颠。汝辈闻此语,当引扇障颜。父母谁不慈,忍将人雕镌。幸未一缸泪,买此双拘挛。迩闻西方人,设会同禁烟。意欲保天足,未忍伤人权。吁嗟复吁嗟,作俑今千年。

三

宝塔高十层,巍峨天主堂。寒人欲上天,引手能扶将。指挥十字架,闪闪碧眼光。土人手执箠,驱之如虎狼。苏州大都会,新辟通商场。蜃气嘘作楼,马鬣化为墙。行有女欧丝,条条出空桑。载我金钱去,百帆复千箱。我奉大府檄,奔走吴之江。一月三往来,往来趁夜航。彼酋领事官,时时从商量。喜则轩眉笑,怒或虬髯张。岂免斗唇舌,时复摅肝肠。世人别颜色,或白亦或黄。黑奴汝所知,汝曾至南荒。昔有女王国,曾封亲魏王。文身易断发,鳞介被冠裳。自我竖降幡,亦附强国强。汝弟捧地球,手指海中央。区区黑子大,胡为战则赢?汝母口诵经,佛国今何方?如何伏魔者,怒目无金刚?聪明汝胜母,书付汝参详。慎勿给人看,看则疑荒唐。

感怀呈樵野尚书丈即用话别图灵字韵

海南巨鳄顽不灵,非人非鬼绝睹聆。诎强弥隙百无策,罔两铸鼎谁能铭?方今五洲犹户庭,云帆飙舰来不停。海波漫漫檠不掩,天阙荡荡门无扃。突然太行扼井陉,欲上无梯驰无轮。守门猖猖黑犬吠,传书杳杳飞鸾青。背盟绝客出何经?更索巨岛屯飞舲。蛙蛤相呼只取闹,蛟螭攫人先染腥。我生遇合如径廷,累百感心万劳形。西迹万里大漠绝,东居三年濛雨零。于今忽作闭口瓶,焚香依佛昼锁厅。平生踪迹默自数,将南忽北飘浮萍。故乡梅花今已馨,在山泉水催我听。归携片石问君平,客槎奈犯牵牛星。

放歌用前韵

归来归来兮穷鬼舍我揶揄鬼不灵,我目无睹耳无聆。迷阳迷阳伤吾足,岂能绝漠渡碛远勒《燕然铭》。平生履海如户庭,风轮逐地驰不停。忽然凤凰受诒鸩告绝，百灵闭门门昼扃。行趋太行越井陉，莫绁马兮朝展軨。攀云观日俯视众山小，复走江南江北饱看青山青。不然痛饮读《骚经》，望衡九面浮湘舲。秋风袅袅一叶渡江去，金焦山下下探水窟蛟龙腥。噫吁乎！穷边瓯脱多王廷，尚有五岳留真形。我乡我土大有好山水，犹能令我颜丹鬓绿不复齿发嗟凋零。肩囊腰剑手钵瓶，归来归来兮左楼右阁中有旋马厅。二松五柳四围杂桃李，坐看风中飞絮波中萍。寒梅著花幽兰馨，《小山》、《招隐》君其听。归来归来兮菜香饭熟茶馀睡觉独自语，京华北望恋恋北斗星。

题樵野丈运甓斋话别图

光绪丙戌，尚书奉使美国，道出广州，倪豹岑中丞为作此图。

四海复四海，九州更九州。既逾海西极，尚非天尽头。今之墨利坚，佛说牛贺洲。通商五十载，聚众千百俦。金椎南北道，铁耜东西畴。世族庾氏庾，专门犄人犄。吉莫制革履，蒙戎缝旃裘。下至洒削技，亦挟瓦甓售。人人辇金归，金山高瓯窭。初辟合众国，布告东诸侯。红黄黑白种，万族咸并收。无端画禹迹，不使隙地留。争食哄鸡虫，别味殊薰莸。横下逐客令，相率合力戮。丸泥封函关，划道分鸿沟。欲使越地舟，同歌箜国篌。公时秉英簜，御侮持干掫。逆阪善转丸，密室工藏彄。谓有百金产，当免南冠囚。按约往美之华工，应往来自便。美人谓诡托者多，亦欲限禁。凡犯禁者，概加以囚禁。公与外部议：华工在美，苟有千金产者，即不许禁。已诺行，而华工不解此意，转以哄争废约。凿山通蚕丛，筑台高环榴。拔帜已归汉，右袒翻为刘。议此约时，上下议员颇有袒护华工者。岂图五丁力，竟招众楚咻。华言造蜚语，越调腾怨讴。我时居京都，逢人说因由。恨不后车从，参预前箸筹。乙酉九月，遵宪归自美国。明年春，公由豹岑中丞驰檄召至广州，命仍充金山总领事。宪以限禁华工之例，祸争未已，虑不胜任，力辞。而争约出于华氏，亦非意计所及也。逮公唱刀环，我复随轩辅。契阔六七载，烟波杳悠悠。忽然地轴翻，东海嗟横流。黄尘滚滚来，蔽天森戈矛。辽东十万家，血染红髑髅。何物掉尾鲸，公然与龙仇。中有枳首蛇，飞飞从鸧鹙。盲云杂怪雨，波寒风飕飕。鲂鲔戒出入，蛟螭互蟠蟉。公复探虎穴，径驱车前驺。丝辔暗无华，云旌惨垂旒。谓我识涂马，召我来咨诹。檄我千里船，揖我百尺楼。战旗卷风急，腊鼓催年遒。竦立诵玺书，未语鲠在喉。皇帝问东皇，两国非寇仇。元元一家子，所愿兵革休。侧闻哀痛诏，泪珠荧双眸。何期尺一书，按剑明珠投。和戎盟已定，辟港事方稠。我奉大府檄，寻约毋效

尤。夜郎挟天骄,自比黑面猴。鸮音不革响,马逸难维娄。定议法六条,未审
然与不。喜公告典属,语妙言无邮。公亦定载书,气夺藩之酋。颇如云从龙,
上下相应求。平生蹑公后,学步随沉浮,公使美、日、秘三国,使日本国。宪初官日本参赞,
继任美国总领事。超擢出骖乘,公由皖南道奉旨召见,授三品卿,充总理各国事务大臣,宪亦由候补
道奉使德国。误犯凌斗牛。公使日本不纳,宪亦因德使误听,致生违言。凡公所亲历,我亦
穷追搜。古称绝域使,例比谭天邹。献环诩《盖地》,折箠夸防秋。《王会》征
《职贡》,使父亲怀柔。今日渡西海,受节先包羞。紫凤短褐倒,黄龙清酒酬。
与公共此役,积岁丛百忧。艰难比天险,嗟怨惟鬼谋。一灯话畴昔,累夕言呫
嗫。宪也初识公,同客齐之罘。哦诗商旧学,漉酒酎新篘。抵掌当世务,时时
摩膊胹。尔时会秦赵,重狱穷共兜。时以滇南苗人杀马嘉利事,合肥傅相与威妥玛会议于
此。吁嗟海大鱼,已如鱼中钩。尚能趹巨浪,展翼摩天游。指东覆蟠木,图南
包小球。环顾四海波,依然完金瓯。即当绘图时,今亦一星周。二老话升平,
一室何清幽。入门竹数竿,翠覆云油油。登盘献橙橘,绕屋围松楸。茫茫大瀛
海,寸地才一沤。门前水只尺,便通浮海舟。海水绿摇天,中函今古愁。公自
翔丹凤,我行从白鸥。再阅二十年,重对话绸缪。

和沈子培同年曾植

荡荡门开翼不飞,九天为正有天知。鸠媒绝我言何巧,猿臂封侯数本踦。
缥缈三山信徐市,横纵六里听张仪。云中指点回车路,且任东风马耳吹。

游仙词仍用沈乙庵韵

玉宇扬尘海尽飞,丁宁无遣世人知。误移紫凤图难补,欲探青鸾足又踦。
恶水叠经鬼罗刹,散仙犹诩汉官仪。思归送远天风曲,遥听红墙玉笛吹。

元朱碧山银槎歌

王阮亭《居易录》:"槎,元银工朱碧山制,吏部侍郎孙北海家物。"《苑西集》又
云:"宋荔裳观察所藏,后归于余。"冯海宴《金石索》言:"近藏曾宾谷家,左镌'朱华玉
造',右'至正壬寅',图书'碧山'二字,皆小篆也。"或仿其制,出以宴客,为作此歌。

华灯照夜张铜荷,酒池滟滟吹白波。主人醉客出奇器,错落绝胜银颇罗。
玉芒锋杀巧削楮,珊枝盘屈纷交柯。中虚龙腹深兀兀,下锐凤尾飞莎莎。滑稽

满注妙能转,浑脱安稳平不颇。拍浮凌波舞白鸟,蜿蜒张翅旋丹螺。槎头有人五铢服,挟书傲睨颜微酡。蓬莱三山在台琖,《逢原记》:"李适之酒器有蓬莱琖,上有三山,象三岛。"靴尖一趯时来过。下镌"至正壬寅"字,朱华手造无差讹。吁嗟大元起漠北,灭国五十挥天戈。大瓶斝酒四白象,行幕鸣鼓干明驼。珠盘玉瓮鸦鹘石,万邦琛贲来求和。使星任指东西极,亦饮白鹊擎金鹅。承平日久文物盛,巧工亦复高巍峨。一杯流传六百载,急觞饮我忧益多。天乎平户覆舟后,寇来又见东海倭。玉尘百斛输不尽,黄龙十舰弃则那。绣衣使者虽四出,强颜媚敌还遭诃。即今回槎令逐客,竟隔上阑遮银河。《居易录》:"杯有篆二十八字云:'欲度银河隔上阑,时人浪说贯银湾。如何不觅天孙锦,只带支机片石还?'"追思虞揭作高会,《苑西集》:元时虞、揭二公,各令碧山制槎为寿。朝回花底恒鸣珂,清谈定穷星宿海,欢饮应赋《天马歌》。海鸥盗去杯羽化,尚窃形似工研磨。坐观桑田几兴废,如抚铜狄三摩娑。肆工述物亦若寙,朝官退食无委蛇。攒眉对饮长太息,银槎银槎奈尔何!

为何翙高兵部藻翔题象山图　四首

一

裨瀛大海四围环,半在虚无缥缈间。天戴尧时州禹迹,分明认取自家山。

二

叩门海客偶谈瀛,发箧《阴符》或论兵。糜尽虫沙剩猿鹤,拭干残泪说闲情。

三

说教祆神方造塔,讹言王母又行筹。年来洗耳胸无事,一味贪眠看水鸥。

四

十七史从何处说,茫茫六合赋何愚。骑驴倒看云烟过,只好商量入画图。

酬曾重伯编修　二首

一

诗笔韩黄万丈光,湘乡相国故堂堂。谁知东鲁传家学,竟异南丰一瓣香。上接孟荀骀论纵,旁通骚赋楚歌狂。澧兰沅芷无穷竟,况复哀时重自伤。

二

废君一月官书力,读我连篇新派诗。《风》《雅》不亡由善作,光丰之后益矜奇。文章巨蟹横行日,世变群龙见首时。手擷芙蓉策虬驷,出门惝惘更寻谁?

上 黄 鹤 楼

矶头黄鹄日东流,又此阑干又此秋。<small>乙未五月客鄂,方与客登楼,忽闻台湾溃弃之报,遂兴尽而返。</small>鼾睡他人同卧榻,婆娑老子自登楼。能言鹦鹉悲名士,折翼天鹏慨督州。洒尽新亭楚囚泪,烟波风景总生愁。

上 岳 阳 楼

巍峨雄关据上游,重湖八百望中收。当心忽压秦头日,<small>近见西人势力范围图,竟将长江上下游及浙江、湖南指入英吉利属内矣。</small>画地难分禹迹州。从古荆蛮原小丑,即今砥柱孰中流? 红髯碧眼知何意,挈镜来登最上头。<small>是日有西人登楼者。</small>

长沙吊贾谊宅

寒林日薄井波平,人去犹闻太息声。楚庙欲呼天再问,湘流空吊水无情。儒生首出通时务,年少群惊压老成。百世为君犹洒泪,奇才何况并时生。

书　　愤 <small>五首</small>

一

一自珠崖弃,<small>胶州。</small>纷纷各效尤。<small>旅顺、大连湾、威海卫、广州湾。</small>瓜分惟客听,薪尽向予求。秦楚纵横日,幽燕十六州。未闻南北海,处处扼咽喉。

二

岂欲亲豺虎,联交约近攻。如何盟白马,无故卖卢龙。<small>光绪二十二年使俄密约,已以胶州许之。</small>一着棋全败,连环结不穷。<small>德取胶州,俄人不问。论者已知意在旅顺矣。</small>四邻墙有耳,言早泄诸戎。

三

扰扰无穷事,吁嗟景教行。乍闻祆庙火,已见德车旌。过重牵牛罚,横挑啮犬争。挟强图一逞,莫问出师名。<small>杀二教士,遂失胶州。</small>

四

古有羁縻地,今称隃领州。竟闻秦失鹿,转使鲁无鸠。<small>各国势力范围图,独中国无分。</small>地动山移恐,天悬日坠忧。君看黑奴国,到此属何洲?

五

弱肉供强食,人人虎口危。无边画瓯脱,有地尽华离。争问三分鼎,横张十字旗。波兰与天竺,后患更谁知?

支　离

举鼎膑先绝,支离笑此声。穷途竟何世,馀事作诗人。技悔屠龙拙,时惊叹蜡新。剖胸倾热血,恐化大千尘。

卷　九　一三六首

(光绪二十四年至二十五年　1898年至1899年作)

纪　事

贯索星连熠熠光,穹庐天盖暮苍苍。秋风鼓吹妃呼豨,夜雨铃声劬秃当。十七史从何处说,百年债看后来偿。森森画戟重围柝,坐觉今宵漏较长。

放　归

绛帕焚香读道书,屡烦促报讯何如。佛前影怖栖枝鸽,海外波惊涸辙鱼。上海道蔡钧,遽以兵二百名围守,捧枪鹄立,若临大敌。寓沪西人,惧余蹈不测,议聚众劫余他徙,而日本驻京公使亦请于总署。余虑其重滋余罪也,转为之栗惧。此地可能容复壁,廿五夜,得总署报云:"查康未匿黄处,上意业已释然,已有旨放归"云。无人肯就问箯舆。玉关杨柳辽河月,却载春风到旧庐。

九月朔日启程由上海归舟中作

月黑霜凝点客衣,寥天雁影乍南飞。一池水问干何事,万里风劳远送归。测镜回看星贯索,解装待问石支机。旁人莫误三能望,遥指银潢望紫微。

到　家

处处风波到日迟,病身憔悴尚能支。少眠易醒藏蕉梦,多难仍逢剪韭时。

大海走鳗寻有迹,老翁失马卜难知。援琴欲鼓《拘幽操》,月在中天天四垂。

感　事　八首

一

授受元辰纪上仪,帝尧训政典留贻。谁知高后垂帘事,又见成王负扆时。
九鼎齐鸣惊雉雊,千金悬格购龙医。白头父老纷传说,上溯乾嘉泪欲垂。

二

上变飞腾赤白囊,两端首鼠疾奔忙。刚闻赤板连名奏,便召长枪第六郎。
驰骑锁门谋大索,屯桥阻水伺非常。珠襦武帐诸臣侍,亟诏明晨幸未央。

三

推车弄顶看文康,变态真如傀儡场。五百控弦谋劫制,一丸进药失先尝。
传书信口诃西母,改制称尊托素王。九死一生仍脱走,头颅声价重天亡。

四

金瓯亲卜比公卿,领取冰衔十日荣。东市朝衣真不测,南山铁案竟无名。
芝焚蕙叹嗟僚友,李代桃僵泣弟兄。闻道诉天兼骂贼,好头谁斫未分明。

五

父子相从泣狱扉,老翁七十荷征衣。一家草索看生缚,三寸桐棺待死归。
凿空虚槎疑汉使,涉江奇服怨湘妃。可怜时俊才无几,瓜蔓抄来摘更稀。

六

下诏曾宣母子离,初闻逐谏后笞儿。心肝谁奉藏衣诏?骨肉难征对簿词。
一网打馀高鸟尽,九泉曲处蛰龙知。恩牛怨李原无与,莫误忠奸读党碑。

七

师未多鱼遂漏言,如何此事竟推袁?栢人谁白屠王罪,改子终伤慈母恩。
金玦庬凉含隐痛,杯弓蛇影负奇冤。五洲变法都流血,先累维新案尽翻。

八

太白星芒月色寒,五云缥渺望长安。忍言赤县神州祸,更觉黄人捧日难。
压己真忧天梦梦,穷途并哭海漫漫。是非新旧纷无定,君看寒蝉噤众官。

人境庐之邻有屋数间余购取其地葺而新之有楼岿然独立无壁南武山人
为书一联曰陆沉欲借舟权住天问翻无壁受呵因足成之

半世浮槎梦里过,归来随地觅行窝。陆沉欲借舟权住,天问翻无壁受呵。

偶引雏孙问初月,且容时辈量汪波。湾湾几曲青溪水,可有人寻到钓蓑。

寒夜独卧虹榭

今时何时我非我,中夜起坐心旁皇。风声水声乌乌武,日出月出团团黄。层阴压屋天四盖,寒云入户山两当。回头下视九州窄,高飞黄鹄今何方?

小饮息亭醉后作

斜日江波听鹧鸪,鹧鸪啼处是吾庐。酒醅仍作思乡梦,径仄难为《益地图》。偶约故人同茗䒗,居然丈室坐莲须。朝朝捧牍应官去,忽忆吴江老钓徒。

仰　　天

仰天击缶唱乌乌,拍遍阑干碎唾壶。病久忍摩新髀肉,劫馀惊抚好头颅。篋藏名士株连箱,壁挂群雄豆剖图。敢托鸩媒从凤驾,自排阊阖拨云呼。

雁

汝亦惊弦者,来归过我庐。可能沧海外,代寄故人书。四面犹张网,孤飞未定居。匆匆还不暇,他莫问何如。

酬刘子岩同年瑛

铁汉楼高天四垂,岭云愁护党人碑。看花每溅啼鹃泪,绕树难安飞鸟枝。何地可名清净土,思君忽到太平时。一家乐寿兼文福,呼聿吟书买写诗。

己亥杂诗　八十九首

一

我是东西南北人,平生自号风波民。百年过半洲游四,留得家园五十春。

二

亦曾忍死须臾坐,正用此时持事来。今午垂帘春睡起,拥炉拈箸拨寒灰。

三

自携蜡屐自扶筇,偶亦偕行挈小童。积习未除官样俗,袖中藏得歙烟筒。

四

斜阳桥背立移时，偶有人过偶颔之。商略雨晴旋散去，不曾相识亦忘谁。

五

云中水火界相争，相触相磨便作声。此是寻常推阻力，人间浪作震雷惊。

《起世经》言雷声：一、云中风界与地界相触著；二、风界与水界相触著；三、风界与火界相触著，譬如树枝相揩，即有火虫。又谓虚空中生电光，以二电相触相对，相磨相打，故出光。此即西人干湿气相磨成雷电之说。力学气学，已见于佛经矣。

六

跳珠雨乱黑云翻，事外闲云却自闲。看到须臾图万变，终愁累却自家山。

七

老健真应饱看山，看山谁得几时闲？屡将游钓诳猿鹤，迟恐山灵笑汝孱。

八

梦回小坐泪潸然，已误流光五十年。但有去来无现在，无穷生灭看香烟。

九

日光野马息相吹，夜气沉沉万籁微。真到无闻无见地，众虫仍着鼻端飞。

一〇

抛书午倦睡醒时，走听盲翁负鼓词。漫说是非身后误，上场人事类儿嬉。

一一

天下英雄聊种菜，山中高士爱锄瓜。无心我却如云懒，偶尔栽花偶看花。

一二

费尽黄金匝地铺，算来十笏只区区。无端尚被西邻责，何况商量《益地图》。人境庐之邻有废屋，余以二百万钱购得之。然纵横不过数丈，而邻居逼处，更无可展拓，偶有营造，辄来责言。

一三

曲阑十步九徘徊，三面轩窗四扇开。夸道华严弹指现，只怜无地著楼台。

一四

墙外垂杨尽别家，平分水竹颇争差。万花烂漫他年事，第一安排旋复花。

一五

无端苞拆复捋莎，误尽人非郭橐驼。甫见萌芽生意尽，对花负负奈花何！

接梅花四五枝已生根矣，而浇花人日拆视而搔摩之，卒不得生。

一六

忍向当门再种兰,露翻风打莫重看。思量空谷安身好,犹恐他时画地难。
种兰。

一七

秋淫天漏雨萧萧,展叶抽条各自骄。同作绿阴同蔽日,如何修竹肯弹蕉。
种竹、种芭蕉。

一八

略买胭脂画折枝,明窗护以璧琉璃。物从中国名从主,绿比波稜红荔支。
绛藤、丹砂菊,皆德意志种,植之甚盛。余考中国花果,从海外来者,如葡萄、苜蓿,人所共知。此外名无定字,字从音译,如波罗蜜、波罗之类,大抵皆是。荔子或作离支,又作利支,知非华声。然今西南洋无此物。余询之西人,乃知本阿剌伯种也。今之玻璃,《汉书·西域传》作璧流璃,《说文》作璧琊,亦译音之名。

一九

絮棉吹入化春衣,渡海山薯足疗饥。一任转输无内外,物情先见大同时。

二〇

乱草删除绿几丛,旧花别换日新红。去留一一归天择,物自争存我大公。
种月季花。

二一

农业传家稷世官,可知粒食出艰难。妄夸天降忘人力,转当寒冰覆翼看。
《吕览》有《上农》、《任地》、《辨土》三篇,多述后稷之言。盖农家相传农学,尝谓"莫厥丰草,种之黄茂"一章,乃辨土宜察物性之学,训诂家失其旨矣。至"诞降嘉种,贻我来年",亦颂后稷配天之功,等于造物,非谓从天而降也。

二二

三千年上旧花枝,颇怪风人不入诗。我向秦时明月问,古时花可似今时。
《诗》有桃李花,有梅实,而不及梅花。赋咏梅花,始于六朝,极盛于唐。以植物之理推之,古时花未必佳,后接以他树而后盛耳。

二三

移桃接李尽成春,果硕花浓树愈新。难怪球西新辟地,白人换尽旧红人。

二四

筚路桃弧展转迁,南来远过一千年。方言足证中原韵,礼俗犹留三代前。
客人来州,多在元时,本河南人。五代时,有九族随王审知入闽,后散居八闽。今之州人,皆由宁化县之石壁乡迁来,颇有唐、魏俭啬之风,礼俗多存古意,世守乡音不改,故土人别之曰"客人"。方言多古语,尤多古音。陈兰甫先生云证之周德清《中原音韵》,多相符合。大埔林海岩太守则谓"客人"者,中原之旧族,三代之遗民,殆不诬也。

二五

男执干戈女甲裳,八千子弟走勤王。崖山舟覆沙虫尽,重带天来再破荒。

梅州之土人,今惟存杨、古、卜三族。当南宋时,户口极盛,其后黑、屙播迁,文、陆号召,土人争从军勤王。崖山之覆,州人士死者十盖八九,井邑皆空,故"客人"从他邑来。今丰顺、大埔,妇人皆戴银髻,称孺人,相传为帝昺口敕,此亦足补史传之缺也。

二六

野外团焦岭上田,世传三十子孙千。元时古墓明朝屋,上覆榕阴六百年。

土著有传世四五十者,从宁化来者,皆传二十馀世。朔其始基,知为元时矣。孙枝蕃衍,多者数千人,少亦千人。入明以后,坟墓世守无失。元时墓存一二而已。明时筑室,亦有存者。

二七

宰相表行多谱牒,大宗法废变祠堂。犹存九两系民意,宗约家家法几章。

各姓皆聚族而居,皆有祠堂。纠赀设牌,视捐金之多寡,以别位置。初意以联宗族,通谱牒。而潮州、惠州流弊亦或滋讼狱、生械斗,故乾隆间,江西巡抚辅德有禁祠之奏。

二八

世守先姑德象篇,人多列女传中贤。若倡男女同权论,合授周婆制礼权。

妇女皆勤俭,世家巨室亦无不操井臼、议酒食、亲缝纫者。中人之家,则无役不从,甚至务农业商,持家教子,一切与男子等。盖"客人"家法世传如此。五部州中,最为贤劳矣。

二九

宵娘侧足跛行苦,楚国纤腰饿死多。说向妆台供媚妾,人人含笑看黎涡。

有耶稣教士语余:西人束腰,华人缠足,惟州人无此弊,于世界女人,最完全无憾云。

三〇

反哺难期妇乳姑,系缨竟占女从夫。双双锦褓鸳鸯小,绝好朱陈嫁娶图。

多童养媳,有弥月即抱去,食其姑乳者。

三一

一声声道妹相思,夜月哀猿和《竹枝》。欢是团圆悲是别,总应肠断妃呼豨。

土人旧有山歌,多男女相思之辞,当系獠、疍遗俗。今松口、松源各乡尚相沿不改,每一辞毕,辄间以无辞之声,正如妃呼豨,甚哀厉而去。

三二

华灯挂壁祝添丁,吉梦征兰笑语馨。日问神游到何处,佛前别供处胎经。

日者言胎有神,某日在门,在碓磨,在厨灶,在仓库,在房床,在厕,在炉,在鸡栖,如兴工作,犯其神,则堕胎,或胎残缺。世皆遵信之。

三三

海国能医山国贫,万夫荷臿转金轮。最怜一二虬髯客,手举扶馀赠别人。

州为山国,土瘠产薄。海道既通,趋南洋谋生者,凡岁以万计,多业采锡,遇窖藏则暴富。近则荷兰之日里,英吉利之北蜡、槟榔屿,法兰西之西贡,皆有积赀至百数十万者。总计南洋华商,"客人"居十之三。同治年,有叶来事在吉隆,与土酋斗争,得其地。卒以无力割据,归之英人。此与坤甸罗大伯事略相类。

三四

秀孝都居弟子行,人人阴骘诵文昌。迩来《云笈》传抄贵,更写鸾经拜玉皇。

嘉道以来,所谓学术,只诵阴骘文耳。尝谓国朝学案,应别编文昌一派。近更有玉皇教,以关帝、吕祖、文昌为三圣,所传经卷,均自降鸾来,如《明圣经》之类。大抵本道家名目,而附会以儒家仁孝、释氏因果之说,士大夫多崇信之。

三五

枯骨如龟识吉凶,狐埋鸠占不相容。一年讼牒如山积,不为疑龙即撼龙。

溺于风水祸福之说,讼狱极多。

三六

螺壳漫山纸蝶飞,携雏扶老语依依。红罗伞影铜箫响,知是谁家扫墓归。

扫墓每在墦间聚食,喜食螺,弃壳于地,足以征其子孙之众多也。乐用铜箫,亦土俗。

三七

老树栖鸦子又孙,青青松柏半为薪。眼中酒化杯中泪,拜手今承主祭人。

拜曾祖母李太夫人墓。

三八

恨无永叔泷冈表,亦愧羲之誓墓文。说甚微官邀薄禄,纸钱在地酒浇坟。

拜先母吴太夫人墓。

三九

树静风停梦不成,枕函侧倚泪纵横。荷荷引睡施施溺,竟夕闻娘唤女声。

扫墓归不寐,隔壁有抚儿者,终夜有声。

四〇

黄鹄都非五尺童,日催人老日龙钟。呼名摩顶回头道,两颊差如百岁翁。

随李伯陶先生谒其母钟太孺人,年九十八矣。"百岁翁",谓余高祖也。

四一

五十年前事未忘,白头诸母说家常。指渠堕地呱呱处,老屋西头第四房。

四二

一路春鸠啼落花,十龄学步语牙牙。锦袍曾赋小时月,月照恒河鬓已华。

十龄学为诗,塾师以梅州神童蔡蒙吉"一路春鸠啼落花"句命题。余有"春从何处去,鸠亦尽情啼"语。师大惊,次日令赋"一览众山小"。余破题云:"天下犹为小,何论眼底山。"因是乡里甚推异之。"小时不识月",余进学时赋题也。

四三

忽想尻轮到五洲,海泓烟点小齐州。丁年破浪乘风兴,画壁留图作卧游。

四四

岁星十二遍周天,绕尽圆球剩半环。法界楼台米家画,总输三岛小神山。

余客海外十二年,环游地球,所未渡者大西洋海耳。山水秀明,日本为胜。

四五

长恨古人吾不见,又疑诸史半欺谩。女工铜镜委奴印,亲手摩挲对面看。

委奴国王之印,神功皇后之镜,皆现存博物馆中。

四六

乌呼碑下吊忠臣,蹈海人人耻帝秦。震地哭声涂地血,大东扶起一红轮。

德川氏之末,有处士高山九郎,见宫阙望山陵则痛哭。继而蒲生君平作《山陵志》,岩垣松苗修《国史略》,赖襄著《日本政纪》,世始知尊王。及美、英劫盟,举国复哗言攘夷,而将军主和,捕戮志士,前仆后起,则又唱尊王以攘夷。逮大藩连结,幕府倾覆,终知夷不可攘,再变而讲和戎之利。维新之业,成于二三豪俊,实基于在下之仁人君子心力之为也。呜呼!

四七

滔滔海水日趋东,万法从新要大同。后二十年言定谳,手书《心史》井函中。在日本时,与子峨星使言:"中国必变从西法。其变法也,或如日本之自强,或如埃及之被逼,或如印度之受辖,或如波兰之瓜分,则吾不敢知,要之必变。将此藏之石函,三十年后,其言必验。"

四八

一夫奋臂万人呼,欲废称臣等废奴。民贵遂忘皇帝贵,莫将让国比唐虞。

华盛顿。

四九

当时传檄开荒令,今日关门逐客书。浪诩皇华夸汉大,请看黄种受人锄。

华盛顿之拒英也,布告各国,言美利坚土广人稀,无论红黄黑白各种,到美国者,均一律看视。而光绪八年,竟行禁制华工之例。

五〇

赫赫红轮上大空,摇天海绿化为虹。从今要约黄人捧,此是扶桑东海东。

归舟太平洋,明日到日本矣。五更起,坐舵楼中待日出。极目所际,惟见水耳。俄顷,有万道虹光,上下照映,而日出矣,大如五车轮,顷刻已圆,势极迅疾。

五一

四百由旬道路长，忽逢此老怨津梁。沉沉睡过三千岁，可识西天有教皇。

由香港至锡兰岛。岛有卧佛，长三丈馀，佛灭度后即造此像云。

五二

上烛光芒曜日星，东西并峙两天擎。象形文字鸿荒祖，石鼓文同石柱铭。

埃及国石柱，为周以前物，字多象形。郭筠仙侍郎所谓体近大篆也。

五三

一刀截断大河横，省却图南六月程。海客欢呼土民怨，债台高筑与天平。

苏彝士河。

五四

琼阙丹房曜彩霞，烂红玫瑰雨天华。外孙鲁酒皇娥瑟，同醉西方阿母家。

英皇即位，今六十四年矣。普鲁斯王是其外孙，俄皇、丹主皆姻戚。贵寿福禄，世所希有。所居有五色宫殿。玫瑰花，皇族徽章也。

五五

生是天骄死鬼雄，全欧震荡气犹龙。世间一切人平等，若算人皇只乃公。

拿破仑纪功碑。

五六

万灯悬耀夜光珠，照出诸天夜燕图。缨络网云花散雨，居然欲界有仙都。

桑斯勒塞，法国之极大都会也。

五七

长夜漫漫日不光，黑风吹我堕何方？苍天已死黄天立，惟见团团鸡子黄。

九十月之交，伦敦每有大雾，咫尺不辨。余居英时，白昼然灯凡二十三日，车马非铃铎不敢行。

五八

眼底尘惊世界微，天风浩浩吹人衣。便当御气乘球去，饱看环瀛跨海归。

巴黎铁塔，高一千尺。

五九

浮沉飘泊年年事，偶寄闲鸥安乐窝。急雨打窗浪摇壁，无端平地又风波。

到新嘉坡二年，因患疟久病，初养疴章园。园在小岛，屋据海石上，风定月明，洁无纤翳，惟狂风一吼，则飞浪往往溅入窗户间，如泛舟大海中也。

六〇

云为四壁水为家，分付名山改姓佘。瘦菊清莲艳桃李，一瓶同供四时花。

潮州富豪佘家，于新嘉坡之潴水池边筑一楼，三面皆水。余借居养疴。主人索楼名，余因江南有佘山，名之曰佘山楼。杂花满树，无冬无夏，余手摘莲菊桃李同供瓶中，亦奇观也。

六一

上山如画重累人，结屋绝无东西邻。襟间海上一丸月，屐底人间万斛尘。

余养疴至槟榔屿，有谢姓者，邀余住竹士居。居在万山顶，初用土人昇篮舆而往，至峻绝处，则引手攀援而上，如猿猱然；再用一人护余足到山顶，绝巘俯海，一无所见，惟月初出时，若在我襟带间矣。

六二

甑蒸汗雨郁如珠，两腋清风习习俱。浴过凉波三百斛，才知灌顶妙醍醐。

客南洋群岛者，每晨起辄灌顶，用水数十斛。考《北史·徐之才传》，曾以此法治伏热病，盖以水制汗，使不敢出，久之，则并所受郁热滂沛而出，觉竟体清凉矣。

六三

三年团扇在怀袖，六月重裘仍带围。万里归槎北风急，经旬却换五时衣。

余客旧金山四年，全用夹衣；居英伦一年，未脱棉衣；庚寅六月间，曾御裘；住新嘉坡三年，仅一单衣，正二月或用薄纱。惟甲午十一月中旬，由坡回华，十日间炎风朔雪，每日更换，到上海乃重裘矣。

六四

蟹行草字画佉卢，蜡印红鹰两翼舒。君主花名民主押，箧中留得两除书。

官领事者，其主国例有文凭，日本名曰"认可状"。余官旧金山、新嘉坡总领事，存英君主、美民主签押官文各一纸，上有花字，末作一蜡印，印作巨鹰，舒翼独立，大如盘。

六五

梦里似曾迁海外，醉中不觉到江南。用东坡语。茫茫人海浮沉处，添得闲鸥又二三。香涛制府署两江总督，于受事日，即电奏调余回华，同时奏调者二三人，然有赋闲者。

六六

我行遍历三天下，松寥一阁天下奇。两鼎蟠螭碑瘗鹤，还有椒山手写诗。

焦山。

六七

黄鹤高楼又槌碎，我来无壁可题诗。擎天铁柱终虚语，空累尚书两鬓丝。

黄鹤楼已毁，南皮制府常语宾僚："将来炼铁有效，当改造铁壁，庶免火灾。"然铁政一局，黄饷五六百万，已易官为商矣。

六八

御屏丹笔记名新，天语殷殷到小臣。九牧盛名吾岂敢，知非牛李党中人。

数年以来，人才保荐，疆臣则陈右铭中丞二次，张香涛督部三次，刘岘庄督部、王夔石督部、荣仲华督部、廖穀似中丞，朝官则李莜园尚书、唐春卿侍郎、张野秋侍郎、徐子静侍郎各一次，而邓铁香鸿胪于光绪九年保奏使才，已有"久困下僚"之语。闻得旨交军机处记存，凡十数次云。

六九

丹楼彩日画中看,初上鸾坡举步难。劳动九重前席问,绣衣门外立天官。

故事,道府以下官,必先行引见,乃得召见。余因总理衙门征召至京,本有由吏部带领引见之旨,而部议尼之,乃奉特旨预备召见,盖异数也。

七〇

尧天到此日方中,万国强由法变通。惊喜天颜微一笑,百年前亦与华同。

召见时,上言:"泰西政治何以胜中国?"臣奏:"泰西之强,悉由变法。臣在伦敦,闻父老言,百年以前,尚不如中华。"上初甚惊讶,旋笑颔之。

七一

奉使虚闻结德车,却回舞袖到长沙。青鸾传到东皇信,又泛蓬莱八月槎。

七二

三诏严催倍道驰,《霸朝》一集感恩知。病中泣读维新诏,深恨锋车就召迟。

戊戌二月,上命枢臣进《日本国志》,继再索一部。奉使日本,由上特简,三诏敦促,有"无论行抵何处,著张之洞、陈宝箴传令攒程迅速来京"之谕。然余以久病,恨未能遽就道也。

七三

冷月严霜照一灯,柝铃风送响腾腾。案头英荡门前戟,岂有簠簋覆庾冰。

到沪病益亟,乃乞归,已奉旨俞允。或奏称康、梁尚匿余处,盖因其藏匿日本使馆而误传也。有旨命两江总督查看。上海道蔡钧张大其事,派兵围守。然余之所居,本上海道公所,且当时康已在香港矣。

七四

七十尚书出负戈①,三闾憔悴怨湘波。抚琴欲鼓《拘幽操》,辄唱臣难唤奈何。

七五

竟写梅边生祭祠,亦歌塞外送行诗。候人鹄立门如海,浪语风闻百不知。

围守之兵,擎枪环立,如设重围,外人不知为所犯何事,疑为大狱。险语惊人,遍海内外,知交探问,隔绝不通。然即问及余,余亦不知也。八月二十六夜,乃得旨放归。

七六

怜君胆小累君惊,抄蔓何曾到友生。终识绝交非恶意,为曾代押党碑名。

八月二十五日得一纸曰:□② 与□绝交。然乙未九月,余在上海,康有为往金陵谒南皮制府,欲开强学会,□力为周旋。是时,余未识康,会中十六人有余名,即□所代签也;又闻□与康至交,所赠诗有"南阳

---

① 高崇信等校点本《人境庐诗草》作"荷戈"。

② 自注中所用"□",指梁鼎芬。

卧龙"之语。及康罪发,乃取文悌参劾之摺,汇刊布市,盖亦出于无奈也。

七七

环门松竹喜相迎,倚树安栖鸽不惊。对镜头颅顾妻笑,几乎此事却干卿。
到家。

七八

菜佣酒保笑言欢,偶数江湖几谪官。瓜蔓环门兰在室,呼儿重检《汉书》看。

七九

花落庭空对紫薇,画帘重处漾斜晖。衔雏燕子浑无赖,眼见人瞋故故飞。

八〇

寒灯说鬼鬼啾啾,夜雨言愁我欲愁。只有蓬山万重隔,未容海客说瀛洲。

八一

左列牛宫右豕圈,冬烘开学闹残年。篱边兀坐村夫子,极口娲皇会补天。

八二

寒炉爆栗死灰然,酒冷灯昏倦欲眠。惊喜读书声到耳,细听仍是《八铭篇》。《八铭篇》,乡塾时文课本也。

八三

风雨鸡鸣守一庐,两年未得故人书。鸿离鱼网惊相避,无信凭谁寄与渠①。

八四

颈血模糊似未干,中藏耿耿寸心丹。琅函锦箧深韬袭,留付松阴后辈看。

八五

古佛孤灯共一龛,无人时与影成三。何方化得身千百,日换新吾对我谭。

八六

地球捧问海中央,多少红毛国几方?听说龙飞周甲宴,挽须要去问英皇。
小孙及外孙皆八九岁。

八七

相约儿童放学时,小孙拍手看翁嬉。平生两事轰轰乐,爆竹声腾鹞子飞。
粤俗呼纸鸢为鹞子。

八八

镜中岁岁换容仪,讳老无妨略镊髭。今日发斮悬不起,星星知剩几茎丝。

---

① 梁启超《饮冰室诗话》录此诗,题作《己亥岁暮怀梁任甫》。

八九

蜡馀忽梦大同时,酒醒衾寒自叹衰。与我周旋最亲我,关门还读自家诗。

己亥续怀人诗 二十四首

一

白发沧江泪洒衣,别来商榷更寻谁? 闲云野鹤今无事,可要篮舆共扶持。
义宁陈右铭先生。

二

纷纭国是定维新,一疏惊人泣鬼神。寻遍东林南北部,一家钩党古无人。
宛平徐子静。

三

荐贤略似孔文举,下狱还因吕步舒。一编选佛科名录,便是司空城旦书。
贵筑李苾园先生。

四

金华讲殿共论思,圣祖文宗旧典贻。指问鸡栖庭下树,可容别筑凤凰池?
海盐张菊生。

五

优孟衣冠笑沐猴,武灵胡服众人啾。问君薙发新王令,换却顽民多少头。
咸阳李孟符。

六

龙泉知我剑随身,三斗撑胸热血新。是我眼中神俊物,熊罴男子凤凰人。
凤凰熊秉三。

七

南岳云开筚路初,归来秋雨卧相如。零星几卷灵鹣阁,只算江郎制锦馀。
元和江建霞。

八

我歌乐府《寿人》曲,君作师儒绍圣篇。烂漫众雏环我拜,登堂公瑾是同年。达县吴季清。

九

文如腹中所欲语,诗是别后相思资。三载心头不曾去,有人白皙好须眉。
义宁陈伯严。

一〇

念我平生同队鱼，又念丈人屋上乌。翩翩公孙才似舅，因君问讯今何如。

长沙俞恪士、南昌罗邠岘。伯严子名衡恪，即其甥也。

一一

臣罪当诛父罪微，呼天呼父血沾衣。白头元鬓哀蝉曲，减尽维摩旧带围。

宛平徐研父。

一二

一卷生花《天演论》，因缘巧作续弦胶。绛纱坐帐谈名理，胜似麻姑背痒搔。福州严又陵。

一三

兼综九流能说佛，旁通四部善谈天。红灯夜雨围炉话，累我明朝似失眠。

仁和夏穗卿。

一四

平生著述老经师，绝妙文章幼妇词。今日皋皮谈改制，《黄书》以外录《明夷》。善化皮鹿门。

一五

闪电双眸略似嗔，知君龙性未能驯。同游莫学梁园客，自负山膏好骂人。

福州郑苏庵。

一六

自家家法自家妆，乡里传夸马粪王。花样时文笋尖脚，可容儿女再商量。

鄞县王菀生。

一七

船山大隐师承远，东海褰冥学派新，编到《沅湘耆旧录》，难为君称作龙身。

浏阳欧阳瓣䕮。

一八

屈指中兴六七公，论才考德首南丰。笼人意气谈天口，转似区区隘乃翁。

湘乡曾重伯。

一九

少年罪状在《金荃》，中岁骖鸾便学仙。《魂北》《魂南》今哭遍，再倾泪海哭桑田。龙阳易实甫。

二〇

四壁青山乱叠书，蓬蒿没径闭门居。记曾元子坊边遇，手挈筠篮贯柳鱼。
丹徒陈善馀。

二一

相约乘槎万里遥，天风吹散各蓬飘。屋梁月黑思君梦，忽梦平生吴铁乔。
顺德何蔚高。

二二

头颅碎掷哭浏阳，一凤而今剩楚狂。龟手正需洴澼药，语君珍重百金方。
浏阳唐袚臣。

二三

背负灵囊欲大包，东西游说日哓哓。冶佣酒保相携去，幸免门生瓜蔓抄。
顺德麦孺博、南海韩树园、三水徐君勉。

二四

谬种千年《兔园册》，此中埋没几英豪。国方年少吾将老，青眼高歌望尔
曹。李炳寰、蔡艮寅、唐才质。

腊月二十四日诏立皇嗣感赋 四首

一

汉家累叶子孙千，朱果祥占瓜瓞绵。十世忽遭阳九厄，再传失纪仲壬年。
《千秋金鉴》惩储贰，九降纶音慎择贤。今日小宗承大统，典书岂忘帝尧篇。

二

先皇遗恨鼎湖弓，世及家传总大公。谁误礼经争继统，妄拚尸谏效孤忠。
弟兄共托施生莺，男子偏迟吉梦熊。片纸病中哀痛诏，前星翘首又移宫。

三

齐东野语尽荒唐，读诏人人泣数行。怪事闻呼奈何帝，佹诗敢唱厉怜王。
袖中禅代谁经见？管外窥天妄测量。钩尽甘陵南北部，庶人横议亦刊章。

四

家居撞坏虑纤儿，天下膏粱百不知。朝贵预尊天子父，王骄甘作贼人魁。
亢龙守蛰存身日，瘈狗相牙掷骨时。玉匣缄名黄带盛，承平重忆说雍熙。

卷　十 七十六首

（光绪二十六年　1900年作）

庚 子 元 旦 二首

一

喔喔天鸡又一鸣，双悬两曜展光明。承天仰看金轮转，震地讹传玉斧声。汉厄愁看正月卯，代来几协大横庚。自歌太乙迎神曲，终望馀年见太平。

二

乐奏钧天梦里过，瀛台缥缈隔星河。重华仍唱卿云烂，大地新添少海波。千九百年尘劫末，东西南国战场多。南洋、非洲均有战争。未知王母行筹乐，岁岁添筹到几何？

杜　鹃

杜鹃花下杜鹃啼，苦雨凄风梦亦迷。古庙衣冠人再拜，重楼关锁鸟无栖。幽囚白发哀蝉咽，久戍黄沙病马嘶。未抵闻鹃多少恨，况逢春暮草萋萋。

初闻京师义和团事感赋 三首

一

无端桴鼓扰京师，犹记昌陵鼎盛时。今日黄天传角道，非徒赤子弄潢池。冠缨且教宫人战，绣裙还充司隶仪。昼夜金吾曾不禁，未知盗首定何谁？

二

九百《虞初》小说统，神施鬼设诩兵谋。明知篝火均狐党，翻使衣冠习狗偷。养盗原由十常侍，诘奸惟赖外诸侯。竹筐麻瓣书团字，痛哭谁陈恤纬忧？

三

博带峨冠对旧臣，三年缄口讳维新。尽将儿戏尘羹事，付与尸居木偶人。绍述政行皆铁案，党人狱起又黄巾。即今刚赵来宣抚，犹信投戈是义民。

寄怀丘仲阏逢甲

沧海归来鬓欲残,此身商榷到蒲团。哀弦怕听家山破,醇酒还愁来日难。绕树乌寻谁屋好,衔雏燕喜旧巢安。朝朝曳杖看山去,看到斜阳莫倚栏。

感事又寄丘仲阏 二首

一

万目眈眈大九州,神丛争博正探筹。何堪白刃张拳党,大刀会、义和拳。更扰黄花落地秋。嘉庆癸酉,本于八月置闰,钦天监奏改为次年二月。而教匪所传经有"二八中秋,黄花落地"之语,贼党以为预兆,定谋纠乱。及改闰,林清等乃于九月十五日作乱于京师。石破真惊天压己,陆沉可有地理忧。前番尚得安身处,莫说寒芜赤嵌愁。

二

三边烽火照甘泉,闻道津桥泣杜鹃。帝释亦愁龙汉劫,天灾况值鼠妖年。流离苦语传黄蘖,盗窃迷香幻白莲。嘉庆中,白莲教匪倡乱,凡九年。传习京畿者,又变为八卦、荣华、红阳、白易诸名。今之义和拳,即离卦中徒党。见《那文毅公奏疏》。漫写哀辞金鹿痛,人间何事不颠连。

述 闻 八首

一

太阿倒授又移权,便到玄黄血战年。狂喝枭卢天一笑,怒诃狗脚帝三拳。垂虹上贯重轮日,泻海横分九点烟。毕竟图王图作贼,无端殿下比雷癫。

二

皇京一片变烟埃,二百年来第一回。荆棘铜驼心上泪,觚棱金爵劫馀灰。螟蛉果嬴终谁抚,猿鹤沙虫总可哀。只望木兰仍出狩,銮舆无恙贼中来。

三

说有苍天不死方,盗泉一饮众皆狂。人言细柳都儿戏,我欲传芭哭国殇。鬼吏三官明作贼,神兵六甲解擒王。古今多少昏荒事,并付盲翁负鼓场。

四

一拳打碎旧山河,两手公然斗柄捝。鹳鸫往来谣语怵,鱼龙曼衍戏场多。火焚祆庙连烽燧,辙涸羁臣乞海波。至竟辽东多浪死,尚夸十万剑横磨。

五

拔帜先登径上台,炮声震地忽轰雷。一齐扰扰嗟鱼烂,万目眈眈看虎来。
铁铸六州成大错,衣香七市付沉灰。联盟守约连名奏,赖有维持半壁才。

六

禹迹芒芒画九州,到今沧海竟横流。合纵敢拒三天下,雪耻将寻九世仇。
事势可如骑虎背,功名偏赏烂羊头。是谁画诺谁传诏? 一纸明贻万国羞。

七

忽洒龙漦翳太阴,臣夭主瘝到于今。风轮坏劫天难补,磐石无人陆竟沉。
揖盗开门终自误,虐臣衅鼓果何心。当时变政翻新案,早使忧臣泪满襟。

八

飞角侵边局早输,国家虽缺尚金瓯。剪分鹑首天何醉,再拜鹃声帝独忧。
藉寇终除钩党祸,函图看送罪臣头。祖功宗德王明圣,岂有乾坤一掷休。

七月十五夜暑甚看月达晓

空庭树静悄无鸦,太白光芒北斗斜。破碎山河犹照影,广寒宫阙定谁家?
光残银烛谈偷药,热逼金瓯看剖瓜。满酌清尊聊一醉,漫愁秋尽落黄花。

南汉修慧寺千佛塔歌

塔为南汉刘𬬮时建。第一层有铭文曰:"敬劝众缘,以乌金铸造首行千佛塔七层于敬州修慧寺,二行创塔亭,供养虔,繄归善土,望三行皇躬玉历千春,四行瑶图万岁,然愿郡坛□□,□□五行康平,禾麦丰饶,军民宁□,□六行雨顺调,□境歌咏,□□□□七行方隅。次以九宥三涂,□□□八行乐,亡魂滞魄,咸证人天。□□九行周围,常隆瞻敬。以大宝八年十行乙丑岁大吕之月,设斋庆赞。"十一行铭皆阴文。以光孝寺东西铁塔证之,其三面当尚有题名,如乾亨寺铜钟款,或并有众缘弟子名,然无从寻视矣。此塔创建至今九百余年,《广东通志》、《嘉应州志》皆失载,即吴石华广文《南汉金石志》,搜罗极富,亦不之及。塔高约三四丈,上七层为铁铸,下垒土筑成,无从攀登,故不知塔顶有铭。乙丑兵燹以后,略毁而未坏。嗣为群儿毁伤,日久遂圮。余归里后求之邻家,得塔一方,续得弟五层全层由下而上,塔铭在第一层,馀准此。又得弟三、弟四层之三方,乃弟二层之一方。考弟二层有七十七佛,像分五层,每层小佛十六、大佛一,占小佛位四。弟三层六十七佛,亦五层,每层小佛十四、大佛如上式。弟四层五十七佛,亦五层,每层小佛十二、大佛如上式。弟五层三十七佛,分四层,每层小佛十、大佛如上式。由是推知弟六层有十二佛，当是两层，每层六佛。每面二百五十佛，合计则千佛也。最高之七层为合尖顶，应无像。弟四层大佛旁有小字曰"东方善德佛"，"北方相德佛"，"西方无量寿佛"，南方残缺，以释典考之，当是"南方栴檀德佛"。佛皆跣坐敛袖，乘以莲花。自弟二层至弟六层，皆方隅，下有檐宽约四寸，檐角有蟾蜍形，似以之系铃者。唯弟一层无檐，有立像二，在两偶，似是四天王，其数应不在佛中也。考敬州于南汉主刘晟乾和三年，即潮州之程乡县升为州，领县一。修慧寺不入志中，寺址亦未悉所在。此塔距余家仅数牛鸣地，岿然立冈上，亦无塔亭。故老传言：乾隆初年，由前州牧王者辅于今之齐洲寺移来，寺去塔不远。然修慧寺何以易名，志既失载，又无碑可证矣。余所得残整各块，均置于人境庐，其塔铭则供息亭中，已嘱温慕柳检讨补入新志中，复作此诗以志缘幸。

天龙不飞海蛟起，遥斥洛州为刺史。万事萧闲署大夫，仍世风流作天子。无愁天子安乐公，黄屋左纛夸豪雄。当时十国均佞佛，此国佞佛尤能工。八万四千塔何处，敕司特用乌金铸。石跣铁盖花四围，宫使沙门名列署。千家设供争饭僧，百姓烧指添然灯。一州政得如斗大，亦造窣堵高层层。

此塔周围佛千位，十方弟子同瞻礼。宝林铜钟广劝缘，云华石室谁作记。坐花共数莲几枝，剔锈尚馀铭百字。铭文共一百十五字，完好者九十九字。下言人鬼共安康，上祝国皇寿千岁。噫嘻刘氏五十年，一方岭蜒殊可怜。画地为牢聚蛇毒，杀人下酒垂蛟涎。离宫深处即地狱，铁床汤镬穷烹煎。兔丝吞骨龙作醢，诸刘遗种无一金。人人被发欲上诉，亡魂怨魄谁解冤？

编玉为堂柱念四，媚川采珠人八千。垒山日输赎罪石，入城亦费导行钱。钱王媚佛善搜括，比此尚觉差安便。卖儿贴妇竭膏血，一塔岂有功德缘。尔时王此昏荒国，方诩极乐忉利天。红云张宴饱荔子，素馨如雪堆花田。朝出呼鸾引幢盖，暮归走马委珠钿。鱼英供壶甘露味，翠屏舞镜春风颠。大体双双学猪媚，微行侧侧携蟾仙。楼罗检历纵嬉戏，候窗设监酣醉眠。女巫霞裾坐决事，彼昏只倚常侍贤。自谓此乐千万岁，还丹不服贪流连。谁知执梃降王长，屈指造塔刚七年。

星流雨至时事改，风轮转劫无不坏。铜壶滴漏几须臾，倏忽到今九百载。金蚕往往卖珠市，玉鱼时时出银海。康陵荒废马坟空，此塔金身岿然在。赐田补钵亦荒芜，废像模铜失光彩。人间理乱百不闻，菩萨低眉犹故态。

吁嗟乎！佛虽无福亦无殃，而今宗教多荒唐。木铎广招诸弟子，天主教之传教者,名曰主教,曰神父,曰司铎。**白绢妄说空家乡**。《啸亭杂录》:白莲教以道祖为重,有天魔女巫诸名位。所传经卷,以"真空家乡无生父母"八字为真言,书于白绢,暗室供之。中西同异久积愤,一朝糜烂如蜩螗。谁人秉国竟养盗,坐引强敌侵畿疆? 天魔纷扰修罗战,神兵六甲走且僵。大千破碎六种动,恐与佛国同沦亡。长安北望泪如泻,空亭徘徊夕阳下,问佛不言佛羊哑。赵佗窃号何真降,孰能保此一方者?

五　禽　言 五首

一

不如归去! 不如归去! 博劳无父鹦无母,生小零丁长艰苦。毛羽虽成不自主,归去归去,归何处? 不如归去!

二

姑恶姑恶! 小姑谣诼。小姑谗我有间时,狞奴黠婢日助虐。十年不将雏,自叹妾命薄。作窠犹未成,亦愿受鞭扑。一意报姑恩,云何姑不乐? 姑恶姑恶!

三

泥滑滑! 泥滑滑! 北风多雨雪,十步九倾跌。前日一翼剪,昨日一臂折,阿谁肯护持,举足动牵掣。仰天欲哀鸣,口噤不敢说。回头语故雌,恐难复相活。泥滑滑!

四

阿婆饼焦! 阿婆饼焦! 阿婆年少时,羹汤能手调,今日阿婆昏且骄。汝辈不解事,阿婆手自操。大妇来,口哓哓;小妇来,声嚣嚣:都道阿婆本领高。豆萁然尽煎太急,炙手手热惊啼号。阿婆饼焦!

五

行不得也哥哥! 行不得也哥哥! 黑云盖野天无河,枝摇树撼风雨多,骨肉满眼各自他。三年病损瘦到骨,还欲将身入网罗。一身网罗不敢惜,巢倾卵覆将奈何? 行不得也哥哥!

再　述 五首

一

誓师仗钺大王雄,虐使连声晋宋聋。万国谈瀛惊创见,八方震电怒环攻。

寇来直指齐云观,兵起谁张救日弓？况是黑龙江上月,旌旗光照血波红。

二

玺书皇帝问东皇,亲爱从来昆弟行。岂有行人真坐罪,忍看邻国到唇亡。刚闻穷海通飞雁,翻又穿庐纵盗羊。五百岛民如并命,膏腴割尽可能偿。

三

存亡危急上呼天,联乞皇天悔祸延。朝议正为刘氏祖,里优忽唱李公颠。主盟牛耳方推长,宾馆鸿胪竟首悬。误尽攘夷南宋论,况逢毒手又空拳。

四

噂噂元老语踦间,沓沓群臣当殿趋。玉磬赂人终所客,翠华到处即迁都。预愁清酒黄龙约,尽倒天吴紫凤图。忍听王孙路旁泣,延秋月黑乱啼乌。

五

羽檄飞驰四百州,先防狼角后髦头。两端首鼠盟吴楚,一国蒙戎党李牛。天意岂忘黄种贵,帝星犹幸紫微留。横流忍问安身处,北望徘徊漆室忧。

七月二十一日外国联军入犯京师

压城云黑饿鸱鸣,齐作吹唇沸地声。莫问空拳驱市战,馀闻虿跊六军惊。波臣守辙还无恙,日驭挥戈岂有名。闻道重臣方受节,料应城下再寻盟。

闻车驾西狩感赋

史臣新纪中兴年,应数西迁第一篇。嵩室刚呼千万岁,帝车同仰九重天。齐人野语纷多故,海客谈瀛每浪传。今日君颜亲咫尺,秋风箫鼓竞导前。

有以守社稷为言者口号示之

万一群胡竟合围,城危援绝势难支。要知四海为家日,终异诸侯失国时。夺使只如争虎穴,劳王非敢战鱼丽。溥天颂德三年久,请听回中鼓吹辞。

中 秋 夜 月

曾闻太姆会群仙,霞绛云绷敞绮筵。齐唱《人间可哀曲》,却忘天上是何年。横争丛博拚孤注,醉掷陶轮碎大千。剩取山河月中影,不成沧海不成田。

读七月廿五日行在所发罪己诏书泣赋

读诏人人泣数行,朕躬不德股肱良。三年久已祈群望,此罪明知在万方。表里山河故无害,转旋日月定重光。婆娑凤尾亲批诺,遥想天颜惨不扬。

谕剿义和团感赋

是民是贼论纷歧,铸鼎图奸始共知。黄带亦编流寇传,绣衣重睹汉官仪。自天下降愚黔首,为帝驱除比赤眉。伏剑直臣犹未瞑,料应喜见中兴时。

闻驻跸太原

南海昆明付劫灰,西风汾水雁声哀。勤王莫肯倡先晋,乐祸人犹奉子颓。兵甲谁清君侧恶,衣冠各自贼中来。壶浆夹道民争献,愿祝桥从万里回。

闻车驾又幸西安

群公累月道旁谋,扰扰干戈未敢休。大白去天真一握,裨瀛环海更西流。河山形势成牛角,神鬼威灵尚虎头。端王所统虎头营,仍随扈西行。差喜长安今夜月,千年还照帝王州。

久旱雨霁丘仲阏过访饮人境庐仲阏有诗兼慨近事依韵和之　二首

一

生菱碎尽剩湖光,未落秋花半染霜。举目山河故无恙,惊心风雨既重阳。麻鞋衮衮趋天阙,华盖迟迟返帝乡。话到黄龙清酒约,唏嘘无语忍衔觞。

二

蒹葭秋老卧江湖,有客敲门梦乍苏。海外瀛谈劳炙輠,电中天笑诧投壶。自循短发羞吹帽,相对新亭喜雨珠。太白孤云高两角,不知曾湿汉旌无?

再用前韵酬仲阏　二首

一

夜雨红灯话《梦粱》,人言十事九荒唐。任移斗柄嗟王母,枉执干戈痛国殇。博戏几人朱果掷,劫灰遍地白莲香。残山一角携君看,差喜无须割地偿。

二

北望钧天帝所都，诏书昨拜执金吾。羞言玉玺褒新事，凄绝霓旌《幸蜀图》。牛李尚寻钩党祸，晋秦能作一家无？尊王第一和戎策，谁唱迎銮作先驱？

三 用 前 韵 二首

一

秋草滦河辇河路荒，牛车重又冒风霜。国人争看天魔舞，帝女难言神鹊祥。今尚拳拳持玺绶，人言籍籍扑缥囊。芜蒌豆粥艰辛处，应忆东朝乐未央。

二

无人伏阙谏青蒲，事误都由七尺孤。当璧咸尊十阿父，折箠思服小单于。黄袯拥护难为妇，宝玦凄凉乞作奴。同此王称同此祸，早知金狄谶非诬。

四 用 前 韵 二首

一

撼门环哭呼高皇，钟虡何人奉太常。堕地金瓯成瓦注，在天贯索指银潢。归元缥箧催函送，计口缗钱责币偿。索偿至四百五十兆两，以户口计之，是每人一缗钱也。岂独汉唐无此祸，五洲惊怪国人狂。

二

聚语踦闾二大夫，报书未服五单于。华离倘免分瓜苦，梦乱难迟蔓草图。借口岂徒征纪甗，空拳尚欲曜威弧。祷天莫作迁延役，早已荆榛万骨枯。

五 用 前 韵 二首

一

盗玺曾闻罪赞襄，如何在鼎九刑忘。君臣相顾如骑虎，父子难为隐攘羊。今日家居谁撞坏？老身社饭自思量。忽传罪己兴元诏，沾洒青霄泪万行。

二

掩抑鱼轩赋载驱，吞声在野鸽跦跦。扈行尚纵花门贼，入卫难征竹使符。旧梦百年仍锁港，残山半壁欲迁都。最怜黄鹤楼中客，西望长安泪眼枯。奏称"臣等自五月以来，惊魂欲断，泪眼将枯"云。

六 用 前 韵 二首

一

噫嘻诸将敢连衡,传檄清奸告四方。狼角尽除尘尽埽,龙颜重奉日重光。到今北阙犹朝拱,岂有西邻妄责偿。汾水秋风太行雨,几人南望感勤王。

二

天何沉醉国何辜,横使诸华扰五胡。照海红灯迎圣母,惊人铜版踏耶苏。奇闻竟合诸天战,改色愁看《盖地图》。到此鹊喧鸠聚语,犹夸魔术诩神符。

七 用 前 韵 二首

一

扰扰横开傀儡场,四方传笑国昏荒。梦鹦终悔临朝武,氏蜉应编异姓王。赐剑乍悲吴命短,执戈又吊《楚辞》殇。赖奸掩贼知难活,歼我良人孰索偿。谓南北殉难遭害诸君子。

二

落叶秋风怨帝梧,天寒谁为送寒襦。六宫亦写《寒丁帖》,九牧旁观《罔两图》。列仗黄麾函促送,蒙头毡毳病应苏。转旋龙驭归何日,恨未前驱手执殳。

八 用 前 韵 二首

一

惊天重鼓女祸簧,横逼君弦变履霜。跪地习闻提冒絮,夺门祸遂起萧墙。日中倾蜕何无忌,海外医龙竟有方。闻道八神齐警跸,人间早既唱《堂堂》。

二

鸾声夹道听欢呼,重睹官仪返上都。三月麛裘思德化,诸天龙节护曼殊。崇德初年,西藏达赖禅师遣使驰贺,奏称为曼殊皇帝。中央土复尊黄帝,十等人能免黑奴。赖我圣君还我土,人人流涕说康衢。

天 津 纪 乱 十二首

一

九载妖魔乱,先朝宝训垂。又逢年厄闰,复演卦重离。善禁刀能厌,神奸鼎共知。何堪三辅地,梦乱遂如丝。

二

竟屈将军贵,焚香启阁迎。啧经龙滴泪,图怪鸟罗平。大礼分舆马,同仇赋甲兵。红巾随衣绣,携手便偕行。

三

栈道烧先绝,军书阻不通。九天方设险,六国已环攻。雾暗军氛墨,波飞战血红。鹰瞵兼鹗视,高飏大旗风。

四

一概拳搥碎,喧腾万口哗。噫风倾海市,笑电掉雷车。薪积祆神火,莲开地狱花。忍看灰炮毒,糜尽万虫沙。

五

露布明光奏,翻夸士气扬。执戈童卫国,麾扇女勤王。赤手能擒虎,红头看烂羊。伤心骄愤诏,雪耻报先皇。

六

广募楼罗历,夸强曳落河。摩云飞白燕,出地叫苍鹅。空手婆猴技,齐声天马歌。赤流呜咽水,犹逞剑横磨。

七

二伯分藩地,诸胡互市场。虎牢同郑戍,鱼烂竟梁亡。仗剑空神博,霆轮又国殇。相州师一溃,从此隳边防。

八

谁绘流民状,冤霜苦泣零。沙黄嗥饿犬,月黑尾流萤。倭堕抛家髻,郎当阁道铃。不徒标卖宅,遍地帖《零丁》。

九

官作胡奴役,魔将鬼界围。惊雷从掌起,酣梦忽头飞。神亦钉铜版,人难护铁衣。吞声说离乱,辛苦客逃归。

一○

谁信勤王檄,都成乌合徒。兵笾纷白劫,国髯哭朱儒。张脉当螳臂,空谭捋虎须。计穷惟矢死,一死岂偿辜。

一一

都统开牙治,威仪比汉官。共和成宙合,馀怒及师团。锦绣千人伞,琅珰大吏冠。更留鞭血地,说付贼民看。

一二

古有蚩尤雾,师君又水仙。未闻召金狄,几欲死苍天。照影神人镜,弹词瞽女弦。并归《妖乱志》,传述太平年。

京 乱 补 述 六首

一

·王屋沉沉者,翻闻篝火鸣。潢池纷盗弄,枉矢竞流行。白棓天魔舞,丹书鬼卒名。人言十常侍,内应早连盟。

二

一炬咸阳火,群飞京洛尘。自天来剑侠,无地立环人。囊射匈奴血,鞭麾小婢神。将军三十六,妖服尽黄巾。

三

天竟生稑祸,人争唱《董逃》。空闻宣虎节,莫肯解牛刀。举国成狂病,群官作贼曹。驴王兼狗相,踊跃喜同袍。

四

万国纷驰檄,传闻客馆攻。鱼枯将海涸,龙睡尚天聋。雷斗枪云黑,星飞弹雨红。不堪掘残冢,肆虐到神丛。

五

亦有诛奸疏,泣陈王室忧。裂麻要帝诺,攀槛碎巨头。月晕蓬星见,山倾铁血流。终看胡骑入,抉眼在城楼。

六

热铁飞轮下,城门牡早亡。手持忘玉玺,事误泣金床。弃甲逃神将,函头索贼王。虏尘重扰扰,又换八旗扬。

京 师

郁郁千年王气旺,中间鼎盛数乾嘉。可怜一炬成焦土,留与东京说梦华。鹳鹆来巢公在野,鸱鸮毁室我无家。登城不见黄旗影,独有斜阳咽暮笳。

三　哀　诗 三首

一　袁爽秋京卿

士生板荡朝,非气莫能济。国家有妖孽,尤贵养正气。公官典客时,正值艰难际。初言义和拳,本出大刀会。先皇铸九鼎,早既斥魑魅。明明白莲教,遗孽传苗裔。邪术金钟罩,不过弄狡狯。宗社三百年,岂可付儿戏!继言诸大国,各有白马誓。预储大万金,始可戮一士。矧持英荡来,堂堂大国使。一客不能容,反纵瘈犬噬。问罪责主人,将以何辞对?封事两留中,痛哭再上疏:彼贼敢横行,实挟朝贵势。奈何朝廷尊,公与匪人比?盲师糊涂相,骄将偃蹇吏。掷国作孤注,作事太愦愦。速请黄钺诛,无得议亲贵。幸清君侧恶,斧钺臣不避。当璧天子父,不敢为尊讳,天潢盗弄兵,语直斥王字。呜呼批鳞难,况触投鼠忌。朝衣缚下狱,众口咸诟詈。白刃露霜锋,黄巾走尘骑。阿师呼大兄,红带夹道侍。欢哗杀二毛,万头相倾挤。公甫下囚车,拜问臣何罪?刑官纵马来,大骂囚无礼。岂容发口言,指天复画地。呼天声未终,滚地头已坠。恶耗四海传,何人不雨泪?

识公十数年,相见辄倒屣。追述潘邓说,许我以国器。<small>公赠诗有"孺初、伯讷两孤标,说士推君器后凋"之句。</small>同辈六七贤,推公最强记。喜谈佛老学,语我求出世。知公真名士,不独善文艺,未知比干心,竟为直谏碎。我实知公浅,负负心内愧。马关定约后,公来谒大吏。青梅雨霡霡,煮酒论时事。公言行箧中,携有《日本志》。此书早流布,直可省岁币。我已外史达,人实高阁置。我笑不任咎,公更发深喟。今日读公疏,倘得行公意,四百五十兆,何至贻民累。不独民累祛,中国咸受惠。即彼附贼徒,亦缓须臾毙。斥公助逆人,黄泉见亦悔。苍苍天九重,今尚浮云蔽。痛公不言隐,开卷辄流涕。盗首既伏诛,知公不为厉。定为社稷忧,骑龙谒天帝。

二　吴季清明府

世界随转轮,成坏各有劫。适值倾覆时,万法不必说。以君循吏才,三年官于越。无端桴鼓鸣,伏莽寇窃发。山县斗大城,城头黑云压。纷纷彼狼心,跃跃欲猪突。君昔理常平,手曾治大猾。鸮音不能革,生性成梼杌。到此播流言,官实通贼牒。作贼兼作官,满城耳喧聒。城中西教徒,积恶鬼罗刹。闪闪苍鹰眼,磨刀咸欲杀。

公知事不可,大声作瞋喝。反激虿虿怒,一霎尽灭裂。非无防御使,蠢蠢怯如鳖。噤不发一言,坐视民劫夺。此客甫断头,彼奴复流血。乱刀白雨点,混杀到手滑。狒犬狂号跳,奔马肆蹄啮。但是县衙人,一见辄摧捽。郎当子若孙,衣破脚不袜。同僚不肯留,望门走托钵。指名遍搜牢,牵发互辫结。驱羊入屠肆,执箠尚鞭挞。天堂变地狱,肉花碎片割。同时遭荼毒,彼此造何业?君一家遇难后,并尸于天主堂。堂中教士被害者共六人,少妇幼儿,皆以刀脔割其肉。肉既尽,乃毙之。君当就缚时,自知当永诀。上念我佛恩,如何得解脱。下伤我母慈,如何保生活。可怜八十母,萧条几黄发。

追忆六年前,春酒寿筵设。君披宫锦袍,手执先朝笏。公瑾与伯符,同年小一月。我歌《寿人》曲,登堂来拜谒。孙曾六七枝,一一芝兰苗。最小耳银珰,䪞面白胜雪。谁料彩衣舞,回旋仅一瞥。覆巢无完卵,雏鸟鸣亦绝。闻今既半年,未悉子存殁。家人畏惊倒,相戒咸结舌。入则围红裙,出乃易墨绖。母尚倚闾望,朝夕拜菩萨。念子归何迟,此别太契阔。家人诡以大府调往剿贼告其母。岂知望子台,早既堆白骨。以君精佛理,夙通一切法。明知入世事,如露如泡沫。佛力犹有尽,何况身生灭。将头临刃时,定知不惊怛。独怪耶稣教,瓣香曾未爇,如何偕教徒,一例受磨折。观君遭万变,已足空一切,只有《黄鸟》歌,哀吟代呜咽。

三　唐轵臣明经

呜呼汉家厄,十世到我皇。上承六七圣,德泽遍八荒。麕裘三月政,讴歌不能忘。忽传有疾诏,遍求千金方。千人万人和,重鼓女娲簧。珠襦坐武帐,奔走何跄跄。神鹊衔果来,天女实发祥。今当尧舜朝,益宜简元良。恩赐太子衣,有心见庬凉。恻恻君弦声,晨寒哀履霜。瀛台百尺高,远隔海中央。齐东野人语,传说多荒唐。贼相与瞀师,发短心甚长。亟欲奉前星,高置中宫旁。猪王一无知,好勇徒强梁。群小争拥戴,妄夸国富强。待封狼居胥,同进万年觞。

天适降神人,人人空拳张。张我虎神威,何难驱群羊!家家白莲花,满城吹迷香。直挑强邻怒,横纵国人狂。各国会师来,长驱莫敢当。遂令《春秋》笔,天王狩河阳。呜呼当此时,国势如螳蜋。东南外诸侯,亟亟宜勤王。上以肃宫禁,下以靖枪枪。外以杜邻责,免索岁币偿。奈和裘蒙戎,失路迷伥伥。转令一匹夫,起为董公倡。遥闻誓群师,风云奉龙骧。多鱼忽漏言,一网归沦亡。

画虎竟不成,刲羊亦无衁,成败非所论,此志良可伤。人言秘箧中,别藏法三章。意实主民权,假托尊王纲。又言三日谷,纵兵肆跳踉。掳掠得几何,概许归橐囊。是皆莫须有,秘狱谁能详。江南群盗数,纷纷说连衡。倘若出此策,自毁周身防,铸铁成大错,引刀还自戕。明明勤王师,转以贼名扬。君魂果衔冤,被发诉帝乡。援枹率犀甲,号召诸国殇。请帝乘白龙,还我苍天苍。芒芒此禹城,滔滔彼汉江。君听人间谣,处处歌《堂堂》。

和平里行和丘仲阆

潮阳县有碑曰"和平里"。碑九尺许,每字高二尺许,小字九,曰"宋庐陵文山文天祥题"。"和平里",不见于《宋史》。惟邓光荐《丞相传》云:"公驻和平市,攻陈懿党,意后隔海港,步骑未能遽前。而陈懿乃迎导北师张弘正,潜具舟济,轻骑直造督帐。"刘岳申《传》云:"公方饭五坡岭,步骑奄至,公不得脱,服脑子不死。众拥之上马,见张弘正于和平,大骂求死。"和平盖即此地。初,潮之士民请公移行府于潮。公进潮阳,诛懿党刘兴,适邹㵲、刘子俊等,亦以民兵数千自江西至。《指南录》所谓"稍平群盗,人心翕然",即此时事。邓中甫云:"因潮之民,阻山海之险,使假以岁月,增兵峙粮,以立中兴之本,亦吾国之莒、即墨也。乃逆懿惧诛,潜师夜袭,卒陷绝地,谓非天乎!"公于祥兴元年十一月屯潮阳,即往和平市。十二月十五日,趋海丰,入南岭。二十日被执,越七日入虏营。讨逆寇于此,见虏帅亦于此,先后凡一月有奇。里人获公书,珍袭而摹刻之,以公忠义之气,感人之深也。百世之下犹兴起,况亲见公书者耶?固其宜也。仲阆归自台湾,客于潮,作诗寄余。岁暮感事,因追和之,距文山住此时六百二十四年矣。庚子岁除前三日。

丰碑巍巍土花碧,大书"和平"字深刻。此乡曾驻勤王师,下马来拜文信国。澄潭小渚风不波,奇卉美箭枝交柯,手携酒壶背钓蓑,彼是文山安乐窝。日气火气蒸湿暑,人声鬼声杂风雨,身倚穷墙立圜土,此乃南冠囚絷处。少日里居殊安康,中年国难多抢攘。最公一生所践履,大都惶恐滩与零丁洋。红尘蔽天走胡骑,海水群飞无立地。飘流绝岛君若臣,行在朝衣频拭泪。自从辛苦贼中来,万死一生艰险备。今夕何夕梦稍安,此身却在和平里。想见淋漓落笔时,满腔揽辔澄清志。八千子弟方募兵,欲倚即墨复齐城。有田有成众一旅,天若祚宋期中兴。摩崖上刻浯溪颂,安知不署臣结名。崖山一哭舟尽覆,公竟囚车随北征。吁嗟乎!从古未闻纯是夷虏世,德祐即位,太后诏语。剪分鹑首天何醉。拨乱无闻平贼功,劫盟莫讲和戎利。丘生丘生吾与汝,坐视金瓯缺复碎。

想公驰檄召勤王，对我父老愧欲死。公魂归天在柴市，今日邻军犹设祭。矧公画日亲笔书，字字风霜留正气。孤城隐隐烟雾遮，大江溅沫飞春沙。《指南录·集杜驻潮阳》云："寒城朝烟淡，江沫拥春沙。"寒山片石月来照，中有光芒非公耶！

卷 十 一 十九首

（光绪二十七年至三十年　1901 年至 1904 年作）

聂 将 军 歌

聂将军名高天下闻，虬髯虎眉面色赭，河朔将帅无人不爱君。燕南忽报妖民起，白昼横刀走都市。欲杀一龙二虎三百羊，是何鼠子乃敢尔？将军令解大小团，公然张拳出相抵。空拳冒刃口喃喃，炮声一到骈头死。忽来总督文，戒汝贪功勋。复传亲王令，责汝何暴横。明晨太后诏，不许无理闹。夕得相公书，问讯事何如？皆言此团忠义民，志灭番鬼扶清人。复言神拳斫不死，自天下降天之神。国人争道天魔舞，将军墨墨泪如雨。呼天欲诉天不闻，此身未知死谁手，又复死何所！

大沽昨报炮台失，诏令前军作前敌。不闻他军来，但见聂字军旗入复出。雷声眈眈起，起处无处觅。一炮空中来，敌人对案不能食；一炮足底轰，敌人绕床不得息。朝飞弹雨红，暮卷枪云黑。百马横冲刀雪色，周旋进退来夹击。黄龙旗下有此军，西人东人惊动色。敌军方诧督战谁，中旨翻疑战不力。此时众团民，方与将军仇。阿师黄马袿，车前鸣八驺。大兄翠雀翎，衣冠如沐猴。亦有红灯照，巾帼嬴兜鍪。昨日拜赐金，满车高瓯窭。京中大官来，神前同叩头。懿旨五六行，许我为同仇。奖我兴甲兵，勉我修戈矛。将军顾轻我，将军知此不？军中流言各哗噪，作官不如作贼好。诸将窃语心胆寒，从贼容易从军难。人人趋叩将军辕，不愿操兵愿打拳。将军气涌遍传檄，从此杀敌先杀贼。将军日午罢战归，红尘一骑乘风驰，跪称将军出战时，闉门众多偻罗儿，排墙击案抱旌旗，嘈嘈杂杂纷指挥。将军之母将军妻，芒笼绳缚兼鞭笞，驱迫泥行如犬鸡，此时生死未可知，恐遭毒手不可迟，将军将军宜急追。将军追贼正驰电，道旁一军路横贯。齐声大呼聂军反，火光已射将军面。将军左足方中箭，将军右臂几化弹。是兵是贼纷莫辨,黄尘滚滚酣野战。将军麾军方寸乱,将军部曲已云散。将军仰天泣数行,众狂仇我谓我狂。十年训练求自强,连珠之炮后门枪。秃襟小袖毡氊装,蕃身汉心庸何伤!执此诬我谗口张,通天之罪死难偿,我何面目对我皇?外有虎豹内豺狼,謷謷犬吠牙强梁,一身众敌何可当?今日除死无可望,非战之罪乃天亡。天苍苍,野茫茫,八里台,作战场。赤日行空尘沙黄,今日被发归大荒。左右搀扶出裹疮,一弹掠肩血滂滂;一弹洞胸胸流肠,将军危坐死不僵。白衣素冠黑祸裆,几人泣送将军丧,从此津城无人防。将军母,年八十,白发萧骚何处泣?将军妻,是封君,其存其殁家莫闻。麻衣草屦色憔悴,旁人道是将军子。欲将马革裹父尸,万骨如山堆战垒。

夜　　起

千声檐铁百淋铃,雨横风狂暂一停。正望鸡鸣天下白,又惊鹅击海东青。<small>元杨允孚《滦京杂咏》:"新腔翻得《凉州曲》,弹出天鹅避海青。"自注曰:"海青击天鹅,新声也。海东青者,出于女真,辽极重之。"</small>沉阴曀曀何多日,残月晖晖尚几星。斗室苍茫吾独立,万家酣梦几人醒?

群　　公　四首

一

群公衮衮各名声,一死鸿毛等重轻。事事太阿权倒授,人人六等罪分明。兵威肯薄牵牛罚,党论犹嗟走狗烹。闻道谏臣归骨日,柳车迎拜极哀荣。

二

遁逃无地呼无天,到此惟馀冒刃拳。<small>启秀、徐承煜为联军所拘,卒见杀。廷雍亦被杀。</small>甲仗空迎回纥马,<small>联军入保定,廷雍出迎之。</small>血衣竟染汉臣鞭。操戈逼父心先死,<small>联军入城后,承煜托名保家全宗,逼乃父徐桐自经死。</small>按剑呵人目尚悬。<small>杀许侍郎、袁太常之诏,实出启秀手,监视行刑者,即徐承煜。</small>鹫立鹰瞵旗夹道,看君忍辱赴重泉。<small>启秀伏法时,八国各以兵押送,均闭目不视云。</small>

三

各戴头颅万里行,九州无处可偷生。上尊犹拜养牛赐,五鼎先看福鹿烹。<small>庄王在蒲州,赵舒翘及英年在西安,皆赐死。</small>断狱总应名国贼,犯颜犹记与天争。<small>有谕称:"首祸诸臣,叫嚣躁突,患在肘腋"云云。</small>伤心祸首兼戎首,万骨虽枯恨未平。<small>毓贤戍新疆,</small>

行至兰州,伏诛。

四

途穷日暮更何求,白首同拼一死休。衔刃尚希忠烈传,盖棺免索太师头。刚毅、徐桐、李秉衡皆自尽。彗星扫地应除旧,祸水滔天幸绝流。九庙有灵先诏在,朝衣趋谒定应羞。嘉庆癸酉八月,上以遇变,下罪己诏,中有"教匪变生肘腋,实由诸臣酿成汉、唐、宋、明未有之变"云。

奉谕改于八月廿四日回銮感赋

翘首齐瞻辇路尘,又迟銮驾阻时巡。翠华望遍今天下,玉玺犹持一妇人。万里河难塞瓠子,谕称"雨潦难行,且河决冲毁行宫,今方改造"云。九霄星未转钩陈。三公一国狐裘赋,谁是安危社稷臣?

和议成志感

天乎叔带召戎来,举国倾危九庙哀。拳勇竟遭王室乱,首谋尚纵贼人魁。谓革王戴漪未死。失民更为丛驱爵,毕世难偿债筑台。坐视陆沉谁任责,事平敢望救时才。

启　銮　喜　赋

千官万骑奉龙骧,跸路爰间扈从忙。罪首既诛昏墨贼,民心犹戴往黄皇。神灵拥护华舆稳,父老欢迎麦饭香。回首南山宫阙峻,定知在莒永无忘。

车驾驻开封府

竿摩辙乱逼西迁,琐尾流离倏一年。奉母蒙尘犹在郑,迎王望雨待归燕。诸侯香草方毡幕,西母蟠桃又绮筵。举首长安知日近,肯留河上再迁延。

李肃毅侯挽诗　四首

一

骆胡曾左凋零尽,大政多公独主持。万里封侯由骨相,中书不死到期颐。累孤卒挽周衰德,华衮优增汉旧仪。赐方龙补服,历来汉官所未有。他如赏紫缰,赐三眼花翎,于京师建专祠,均异数也。官牒牙牌书不尽,盖棺更拜帝王师。

二

连珠臣炮后门枪,天假勋臣事业昌。南国旌旗三捷报,北门管钥九边防。平生自诩杨无敌,诸将犹夸石敢当。何意马关盟会日,眼头铅水泪千行。

三

毕相伊侯久比肩,外交内政各操权。抚心国有兴亡感,量力天能左右旋。赤县神州纷割地,黑风罗刹任飘船。老来失计亲豺虎,却道支持二十年。公之使俄罗斯也,遵宪谒于沪上。公见语曰:"连络西洋,牵制东洋,是此行要策。"及胶州密约成归,又语遵宪曰:"二十年无事,总可得也。"

四

九州人士走求官,婢膝奴颜眼惯看。满箧谤书疑帝制,一床踞坐骂儒冠。总无死士能酬报,每驳言官更耐弹。人哭感恩我知己,廿年已慨霸才难。光绪丙子,余初谒公,公语郑玉轩星使,许以霸才。

寄题陈氏崝庐 二首

一

前者主人翁,我曾侍杖履。后者继主人,雁行吾兄弟。滔滔大江流,前水复后水。一息不停留,百川互输委。翁昔笑倚栏,早识生灭理。蓬蓬马鬣高,万古藏于是。一官甫归来,乃无托足地。生当大乱时,忠贤或祈死。人至以死祈,世事可知矣!嗟嗟我华种,受生即患始。尽是无父人,呼天失怙恃。弱肉供强食,谁能保没齿?翁今顺化去,万事责可已。呼龙下大荒,倘作种游戏。屋后《瘗鹤铭》,是翁记默示。阶前红杜鹃,是子所染泪。鹤冢鹊巢间,乃我寄题字。揣翁垂爱心,万一肯留视。

二

负墙一病叟,吞声几欲哭。居此三四世,手执茅衣屋。作犬不守门,作猱不升木。坐令田荒芜,万事付手束。自官教我耕,暂学种蔬蓣。横纵济尽通,方整帛有幅。门前桑竹茶,坐我树阴绿。携儿哺鸡雏,反盎有馀粥。倘官遂设施,庶几一年蓄。何期麦尝新,不及今兹孰。炭船溯湘来,篙工偶托足。称官老陈米,意比凶年谷。长沙露行客,肩挑笑歌逐。城中诸娄罗,莫敢侵半菽。沉沉石墨缘,穷搜到地轴。家家易金归,乐祸天雨粟。人人他不知,只知小人腹。帝清爱下民,赖官锡民福。官胡弃民归,世亦嫌薄禄。江神夹海若,蹴我国日蹙。无人救饥溺，听我饱荼毒。社时操豚蹄，待向墓前祝。

病中纪梦述寄梁任父　三首

一

阴风飒然来，君提君头颅。自言逆旅中，倏遇狙击狙。闪电刃一挥，忽如绛
市苏。道逢两神人，排云上天衢。此挹塞民袖，彼搴烈士襦。邂逅哭复歌，互讯
今何如。君言今少年，大骂余非夫。当服九世仇，折箠笞东胡。逐逐挥日戈，弯
弯射天弧。孰能张网罗，尽杀革命徒。汝辈主立宪，宁非愚欲迂。我方欹枕听，
鸣鸡乱惊呼。残日挂危檐，犹照君眉须。遥知白日光，明明耀子躯。子魂渡海
来，道有风波无？蛟螭日攫人，子行犹坦途。悬金购君头，彼又安蔽辜。在在神
护持，天固弗忍诛。君头倚我壁，满壁红模糊。起起拭眼看，噫吁瓜分图！

二

我生托此国，举国重科第。记昔持墨卷，出应群儿试。梦谒文宣王，旁立
朱衣吏。手指平头宪，云是汝名字。尔时意气盛，年少矜爪嘴。谓彼牛医儿，
徒一唐名士。不如《党锢传》，人人主清议。汪汪千顷波，陋比涔蹄水。捧龟诟
天呼，区区竟余界。乌知当是时，东海波腾沸。攘夷复尊王，佥议以法治。立
宪定公名，君民同一体。果遵此道行，日几太平世。我随使槎来，见此发深喟。
鸣呼专制国，今既四千岁。岂谓及余身，竟能见国会。以此名我名，苍苍果何
意。人言廿世纪，无复容帝制。举世趋大同，度势有必至。怀刺久磨灭，惜哉
吾老矣！日去不可追，河清究难俟。倘见德化成，愿缓须臾死。

三

子今归自美，云梦俄罗斯。愤作颠倒想，故非痴人痴。中原今逐鹿，此角
复彼犄。此鹿竟谁得，梦境犹迷离。辽东百万家，战黄血淋漓。不特薄福龙，
重重围铁围。哀彼金翅鸟，毛羽咸离披。方图食小龙，展翼漫天池。鼓衰气三
竭，遍体成疮痍。吁嗟自专主，<small>中俄条约中之称。</small>天鉴明在兹。人人自为战，人人
公忘私。人人心头血，濡染红日旗。我今托中立，竟忘当局危。散作枪炮声，
能无惊睡狮。睡狮果惊起，牙爪将何为？将下布宪诏，太阿知在谁？我惭嘉富
洱，子慕玛志尼。与子平生愿，终难偿所期。何时睡君榻，同话梦境迷。即今
不识路，梦亦徒相思。

据《人境庐诗草》刻本，参照钱仲联先生《人境庐诗草笺注》

人境庐诗辑补

别　岁[*] 甲子

我别旧岁去,曾吟别岁诗。光阴一弹指,行与今岁辞。今岁复旧岁,年年互相离;今人复旧人,年年互变□①。人生一百年,离别一百回。顾此须臾景,何用行迟迟。东家梅花开,西家柳絮飞。春风入帷来,岂非我相知。恋恋亦何益,去矣勿复思。

乙丑十二月辟乱大埔三河虚题南安寺壁八首^{**}　四首

一

偏隅下邑四无援,一任长蛇恣并吞。三月迁延寻死地,一城启闭失生门。流离琐尾无家别,蕉萃馈饥② 未死魂。是贼是民同赤子,天阴鬼哭总烦冤。

二

诸将南征气各豪,越人无力贼同袍。竟如三面张禽网,不会诸侯筑虎牢。登屋人惊流矢及,关城官既凿垣逃。黄人恃楚曾无备,一夕哀鸿四野号。

三

寒风瑟瑟夜飞沙,尽室相依水一涯。鹳鹆来巢公在野,鸱鸮毁室我无家。

---

[*] 此诗据《人境庐集外诗辑补遗》,按时序置于此。

① □似为"移"字。

^{**}《人境庐诗草》共八首,《定稿刊本》存四首,此为其馀四首。

② 馈饥,当为调饥。

亲朋生死纷传说,天地苍茫敢怨嗟! 已作战场糜烂①地,便归何处种桑麻?

四

凄凉石马吊荒邱,三河有翁仁夫墓。谁识茫茫一客愁? 可恨此邦难与处,曾非吾土强登楼。边才难得古人往,小丑犹存壮士羞。剩有白莲馀孽在,莫贻宵旰九重忧。

古从军乐乙丑 七首

一

男儿为名利,敢以身殉贼。东南有穷寇,兵氛幸未息。腰间三尺刀,一日三拂拭。欲行语耶娘,耶娘色如墨。去矣上马去,笑看黄金勒。

二

前营接后营,云有十万兵。军书数十卷,罗列兵姓名。其中十三四,馀糈吞馀□。朝廷方筹饷,主将金满籯。

三

前营卢雉呼,后营筝琶鸣。隔河列万帐,萧萧马无声。寇来冲我军,坚壁不与争。借问主将谁,酣醉正未醒。从来整以暇,乃称善用兵。

四

昨日贼兵移,我军尾其后。道有妇女哭,挟以上马走。夫婿昨伤死,还遗行怀酒。耶娘欲牵衣,手颤不敢救。今日报战功,正赖尔民首。

五

百人驱一贼,贼势少退却。辄惧困兽斗,不复穷追索。普天同王土,岂有分厚薄。我辈思立功,且以邻为壑。

六

纵寇如养鹰,用兵如脱兔。寇来我先遁,寇去我不顾。昨夜出掠野,卒然与贼遇。喧称奏凯归,斩馘以百数。急磨盾鼻墨,明日驰露布。

七

露布如流星,飞入甘泉宫。天子坐明堂,下诏嘉尔功。貂冠孔雀翎,头上光熊熊。破格求将材,国恩有独隆。寄语屠狗辈,故友今英雄。

---

① 糜烂,为糜烂。

军 中 歌 二首

一

将血拭刀光,刀光皎如雪。不愿砍人头,只愿薙贼发。

二

能识《千字文》,不如一石弓。寄语屠狗辈,故友今英雄。

喜闻恪靖伯左公至官军收复嘉应贼尽灭* 三首

一

万营筋鼓奏和声,狂喜如雷堕地鸣。竟为鲸鲵作京观,尽除狐兔剩芜城。
黄巾各遣仍归里,赤子虽饿莫弄兵。天下终无白头贼,中原群盗漫纵横。

二

黄沙嶂里月昏黄,群贼空营走且僵。举国望君如望岁,将军擒贼早擒王。
自从大地遭奇劫,无数名城作战场。十六年来今殄灭,在天灵爽慰先皇。

三

沙虫扰攘各西东,风后吹尘一扫空。盆子盗名终草寇,楚材崛起各英雄。
中兴江汉宣重武,万里车书复大同。夜半阴符今不读,纷纷诸将已成空。

南汉宫词丙寅 七首

一

日射龙鳌晓色红,百官封事入深宫。君王沉醉销金里,闻说先交女侍中。

二

晚风凉透杏红衫,袖底深藏玉笋尖。为折花枝偷试手,低头却怕候窗监。

三

一篆香烟袅碧纱,禁门深锁静无哗。簪□小字当窗写,谁是风流曹大家。

四

绝妙春宫士女图,地衣簇锦暖红铺。怪他鱼鸟浑无赖,都识风流学媚猪。

---

* 第一、二首诗草刊本已收,字句有异,故一并录此。

五

春暖鸳衾恋晓眠，浑忘今日斗花天。不能偷出楼罗历，累我输将买燕钱。

六

紫罗衫子郁金裙，传出珠鞍取次分。闻说荔枝湾不远，君王今日宴红云。

七

绿酒红灯别样春，深宫夜宴笑声新。御厨颁出金钱蚬，传旨无分门外人。

邻　妇　叹丙寅

寒霜凄凄风肃肃，邻妇隔墙抱头哭。饥寒将奈卒岁何，哭声呜呜往以复。典衣昨得三百钱，不堪官吏相逼促。纷纷虎狼来上门，手执官符如火速。哀鸣不敢强欢笑，笑呼阿兄呼阿叔。只鸡杯酒供一饭，断绝老翁三日粥。虎狼醉饱求无已，持刀更剜心头肉。自从今年水厄来，空仓只有数斗谷。长男远鬻少女嫁，剖钱见血血漉漉。官吏时时索私囊，私囊不许一钱蓄。小人何能敢负租，而今更无男可鬻。明日催租人又来，眼见老翁趋入狱。呜呼！眼见老翁趋入狱，遥闻长官高堂上，红灯绿酒欢未足。

二 十 初 度* 三首

一

皎皎长安月，漫漫京洛尘。出门今六载，万里望吾亲。阿母忙开酿，山妻笑买春。捧觞遥北向，稽祝八千椿。

二

我翁须发白，六十到平顶。自小承怜惜，将何解隐忧！十年兵革乱，终日稻粱谋。画肚知何策，人间富可求！

三

无数童骓乐，匆匆忽已过。诗书抛废半，岁月乱离多。夜夜阴符策，朝朝弹铗歌。人生近三十，万事莫蹉跎。

---

* "钞本"共四首，刊本存第一首。

春　阴 丁卯　八首

一

一带园林尽未真,轻云如梦雨如尘。空庭帘卷犹疑暝,远树花迷不见春。

二

积润微生虚白室,浪游□误踏青人。今年花柳都无色,似听梁间语燕暝。

三

一春光景总成阴,省识天公酝酿心。燕子不来庭悄悄,鸟儿徐爇昼沉沉。

四

漫天红雨飞无迹,隔水朱楼望转深。还是去衣还是酒,今番寒事费沉吟。

五

乞来不是好风光,悔向东皇奏绿章。轻暖轻寒无定着,成晴成雨费评量。

六

半是柳絮吹无影,一树梨花静有香。怪底鸣鸡惊午梦,起来翻道晓风凉。

七

近连小苑远前湾,总是重阴曲曲环。画境要参浓淡格,云容都在有无间。

八

对花□□人何处,中酒情怀境大闲。为倩笛声吹唤起,一弯新月上前山。

长子履端生

震壁啼声惊,重闱语笑哗。纷纷忙锦葆,艳艳炫灯花。家庆孙生子,童心我作爷。青青看两鬓,未敢少年夸。

新 嫁 娘 诗 * 五十二首

一

前生注定好姻缘,彩盒欣将定帖传。私看鸾庚偷一笑,个人与我是同年。

---

*　此诗《人境庐诗草》不收。1960 年版《人境庐集外诗辑》辑此诗 51 首;1989 年《梅州文史》第 2 辑刊载黄秉良辑此诗为 52 首。今以《人境庐集外诗辑》为底本,与张永芳《黄遵宪佚作〈新嫁娘诗〉版本对勘》一文所附 52 首对校,并补录一首。

二

脉脉春情锁两眉,阿浓刚及破瓜时。人来偶语郎家事,低绣红鞋佯不知。

三

屈指三春是嫁期,几多欢喜更猜疑。闲情闲绪萦心曲,尽在停针倦绣时。

四

问娘① 添索嫁衣裳,只是含羞怕问娘。翻道别家新娶妇,多多满叠镂金箱。

五

金钗宝髻新妆束,私喜阿侬今上头。姊妹旧时嬉戏惯,相看霞脸转生羞。

六

烛影花光耀数行,香车宝马陌头忙。红裙一路人争看,问是② 谁家新嫁娘?

七

珊珊云步③ 下舆初,几个阿鬟取次扶。未展花颜先露眼,不知夫婿貌何如?

八

青毡花席踏金莲,女使扶来拜案前。最是向人羞答答,彩丝双结共郎牵。

九

洞房四壁沸笙歌,伯姊诸姑笑语多。都道一声恭喜也,明年先抱小哥哥。

一〇

腰悬宝镜喜团圆,髻插银花更助妍。一见便教郎解带,此时心醉态嫣然。

一一

背面常教依壁角,私情④ 先已到衾窝。千回百转难猜度,毕竟宵来事若何?

一二

谁家年少看新娘,戏语诨词闹一房。恼煞总来捉人臂,要将⑤ 香盒捧槟榔。

一三

酒阑人静夜深时,闻道郎来佯不知。下整⑥ 钗头还理鬓,任他催唤故迟迟。

---

① "问娘",一作"向娘"。
② "问是",作"道是"。
③ "珊珊云步",作"姗姗莲步"。
④ "私情",作"私语"。
⑤ "要将",作"教将"。
⑥ "下整",作"乍整"。

一四

个人^① 催促那人看，此际思量正两难。毕竟惊鸿飞去好，管他窗外没遮阑。

一五

深藏被底心偏怯，乍解衾情笑亦庄。私怪檀郎太轻薄，破题先索口脂香。

一六

云鬟低拥鬓斜敧，此是千金一刻时。又是推辞又怜爱，桃花着雨漫支持。

一七

月影和烟上画梁，双鬟悄立整罗裳。守宫的的争矜艳，未许人前理宝床。

一八

卿须怜我我怜卿，道是无情却有情。几次低声问夫婿，烛花开尽怕天明。

一九

香糯^② 霏屑软于绵，纤手搓来个个圆。玉碗金瓯分送后，大家齐结好姻缘。

二〇

情意生疏怕见人，半含娇态半含颦。她家姊妹频来看，只管垂头弄绣巾。

二一

单衫轻卸怯微寒，皓质生香浸玉盘。背立锦屏深曲处，生憎女伴惯偷看。

二二

几分羞涩更矜持，心善防人人不知。乍见郎来伴掩避，背人却向绣帷窥。

二三

惯要低头私匿笑，有时回面却含娇。传神恰好^③ 春工画，此是新婚第二宵。

二四

鸡头凝白火齐丹，未许郎君仔细看。恰好深深碧罗帐，巧将灯影替遮阑^④。

二五

暗中摸索任伊人，到处香肌领略真。两腋由来生怕痒，故将玉臂曲还伸。

二六

玉钩青帐放迟迟，细腻风光应独知。生怕隔墙人有耳，嘱郎私语要呢呢。

---

① "个人"，作"者人"。
② "香糯"，作"得香"。
③ "恰好"，作"好情"。
④ "遮阑"，作"遮拦"。

二七

鸳衾春暖久勾当,红日三竿已上楼。蓦听笑声窗外闹,新人今尚未梳头。

二八

髻云高拥学盘鸦,一抹轻红傍脸斜。不识新妆① 合时否,倩人安个鬓边花。

二九

青油雨撒② 碧油缸,更送鱼双鸡一双。新串三朝馈女后,并肩絮语坐纱窗。

三〇

锦衣学制怕难工,彩线拈来任意缝③。同伴笑夸针黹好④,脸波一笑向人红。

三一

整鬓迎人当带笑,薰衣呼婢偶含嗔。新来几日生兼熟,一种情怀绝可人。

三二

零星细事⑤ 米同盐,刚要当家尽未谙。夜尽共郎详细述,鸳帷深处语喃喃。

三三

锦茵低坐茜裙抛⑥,乍觉心慵懒扫蛾⑦。为念别来新阿母⑧,思儿情更比儿多。

三四

箱囊收拾上金车,一月圆时更转家⑨。何许归期向郎道,画栏开到石榴花。

三五

迎门旧侣笑呵呵,东阁重开镜细磨。最是夜深相絮语,娘前羞道一声他。

三六

杏黄衫子在云箱,今日无端天气凉。吩咐侍儿归去取,却将红豆寄情郎。

---

① "新妆",作"新装"。
② "雨撒",作"雨繖",即"雨伞"。
③ "任意缝",作"着意缝"。
④ "针黹好",作"针黹巧"。
⑤ "细事",作"琐屑"。
⑥ "茜裙抛",作"茜裙拖"。
⑦ "扫蛾",作"扫娥"。
⑧ "新阿母",作"亲阿母"。
⑨ "更转家",作"要转家"。

三七

钿车归去笑声喧,瞥见情郎悄不言。却待无人相密约,夜深潜启绣楼门。

三八

平生从不识相思,今日才知此事奇。归去为郎稠迭语,一般滋味两人知。

三九

听得唤眠伴咳唾,只因羞睡懒趋承。宵深不耐郎催促,还把齐纨灭了灯。

四〇

低笑轻怜情意投,此乡真个是温柔。一枝红玉软如锦,递与香郎作枕头。

四一

玉镜遮开① 秋水明,茜纱窗启晓光迎。拈毫悄语烦郎手,学画双眉尚未成。

四二

十二珠帘护绣房,恹恹春困凭湘床②。羞眸斜睇娇无语,烂嚼红绒欲唾郎。

四三

曲曲雕阑夜已铺③,背灯偷解绣罗襦。娇羞不敢同郎看,十幅屏风秘戏图。

四四

偶然唐突变容光,做个生疏故试郎。一枕芙蓉向郎掷,道郎今夜莫同床。

四五

袖中携得绿荷包,戏与藏讴④ 赌那宵。还是枣仁是莲子,道郎⑤ 果甚是推敲⑥。

四六

鸳鸯被底久向衾,美满恩情值万金。深闭翠屏无个事,私将锦带结同心。

四七

几日情怀费我猜,腰支⑦ 无力眼难抬。枕边密与檀郎语,怪底红潮信不来。

---

① "遮开",作"奁开"。
② "凭湘床",作"卧湘床"。
③ "夜已铺",作"夜色铺"。
④ "藏讴",作"藏钩"。
⑤ "道郎",作"问郎"。
⑥ "是推敲",作"试推敲"。
⑦ "腰支",作"腰肢"。

四八

私将香草佩宜男,自顾腰围自觉惭。形迹怕教① 同伴睹,见人故意整罗衫。

四九

银灯红处② 坐商量,个里疑团那得详。好向花神密祈祷,嘱郎明日去烧香。

五〇

报产麟儿乍寝床,一时欢笑到重堂。锦绷抱向怀中看,道似阿爷还似娘。

五一

闲凭郎肩坐绮楼,香闺细事数从头。画屏红烛初婚夕,试问郎还记得不③?

五二

自家刚自做新娘,又见他家闹洞房。戏语倍工情胜昔,偷将私语教情郎④。

南溪纪游同石社诸君子作* 己巳

仲冬十一月,风寒日色薄。梁子贻我书,中有游山约。我虽驽弱姿,情绪颇不恶。行邀二三子,行行出南郭。磊磊南溪石,溪浅水半涸。其水迂以回,其石瘦如削。初入了无奇,屡转势益弱。山势到穷荒,天盖懒雕琢。忽然意想外,斗辟奇洞壑。一石十丈高,练影从空落。飞泉射入面,森森寒气作。一水窅然深,掷□□□□。掷石响水底,蛟龙梦顿觉。怒激水鸟飞,势欲与人搏。悚然舍此去,□□□□□。上顾石崖险,去天只一握。上无藤萝援,下有荆棘缚。苍苔石壁深,探手试扪摸。冷气湿人臂,滑绿不可捉。侧身我先登,以手不以脚。乍若蛇蝘蜒,又若蟹郭索。摩挲至绝顶,竦身力一跃。眼花强下窥,乃悔铸此错。一笑傲诸子,举手向空拍。愿招飞仙人,下此营楼阁。虎豹夜守炉,可以炼丹药。又疑此鬼谷,黑气阴漠漠。隔岭一石洞,何人手扃钥? 其旁千百石,槎牙露芒角。往时秋水来,汝屈如尺蠖。水落尔自出,胡为目灼灼。

① "怕教",作"怕被"。
② "银灯红处",作"金花银烛"。
③ "不",作"否"。
④ 此首录自张永芳文末附录第 44 首。
* 此诗据黄遵庚抄寄,录自《人境庐集外诗辑》。"己巳"为同治八年(1869 年)。

我来纵观览,徐行足彳亍。谓此非人境,鬼神所寄托。忽喜何处村,午鸡鸣喔喔。且住待诸子,心疑歧路各。传响空谷中,似闻声诺诺。须臾诸子来,面面色骇愕。深知奇无穷,此心已畏却。急觅别岭归,草露湿芒屩。荦确石径微,相扶尚颠扑。归来相视笑,此游乐不乐。

哭张心谷士驹 六首

一

日暮昏鸦噪上门,惊闻噩耗痛难言。不留一个天何酷,归去三生石倘存。乱离干戈丛万恨,死生文字泣孤魂。九重阊阖茫茫远,仰首呼空为诉冤。

二

麻衣如雪泣仓皇,惨惨孤儿事何伤。托命庸医身太贱,未名文苑史无光。田园寥落穷难忍,嫂妹零丁死不忘。珍重《墨庄》诗一卷,而今付与阿谁藏。尊公锡生先生有《墨庄诗草》于家藏。

三

一生事业了潮州,竟认潮州作首邱。绣葆春开汤饼会,画屏云护凤凰楼。尊人主讲榕江书院,生君于潮州。乙丑寇变,君与余家俱辟乱潮州,家姑遂于此归君。繁华往事归青冢,蕉悴劳人不白头。哀泣一家新故鬼,此邦与汝定何仇!君之双亲,前后没于潮州。

四

缠绵到死尚馀情,何竟凌虚撒手行。天意昙花容一见,人言业果种前生。春行冬令知非福,鬼抱仙才枉负名。二十一年真梦耳,可怜梦亦未分明。

五

黄鹄声哀孰忍听,素帷少妇太伶仃。出门惘惘才三月,在抱呱呱剩一星。坐使苦心容蝼蚁,终将遗泽付螟蛉。只鸡斗酒平生语,我若能文再补铭。

六

竹马同骑感昔游,髫龄意气更无俦。菊花新酒开诗社,余与心谷及家锡璋兄,均以早慧知名,里中称为三才。先凤曹师于壬戌之秋,在咏花书屋招饮赏菊,作忘年会。尔后时以诗社招邀,见辄呼为小友。荼韭馀香吊故楼,吾家香铁先生荼韭之舍,余与心谷辟乱在潮,时往临眺。一闪光阴真掣电,他生缘分更浮沤。思初道古嗟无辅,大鸟孤鸣孰唱酬?

山　歌　六首

土俗好为歌,男女赠答,颇有《子夜读曲》遗意。

一

送郎送到牛角山,隔山不见侬始还。今朝行过记侬恨,牛角依然弯复弯。

二

阿嫂笑郎学精灵,阿姊笑侬假惺惺。笑时定要和郎赌,谁不脸红谁算赢。

三

做月要做十五月,做春要作四时春。做雨要做连绵雨,做人莫做无情人。

四

见郎消瘦可人怜,劝郎莫贪欢喜缘。花房胡蝶抱花睡,如何安睡到明年。

五

人人曾做少年来,记得郎心那一时。今日郎年不翻少,却夸新样好花枝。

六

人道风吹花落地,侬要风吹花上枝。亲将黄蜡粘花去,到老终无花落时。

诗五大舅之西宁诗以志别　庚午　四首

一

欲雨不成雨,蓬门柳阴阴。攀枝别故人,使人何以任。不恨相别易,转恨相结深。别离亦常情,交深恨难禁。门前乌桕树,鸟飞辞故林。中有同栖鸟,鸣声愁人心。此去山水远,梦魂何处寻！且复斯须坐,莫令马骎骎。

二

骎骎马将去,牵衣告我语:"家有老祖母,年已七十五。阿兄自外归,才得三日聚。阿弟病消渴,腰瘦一尺许。欲不舍此行,何以将我父。亲在南海头,家在南溪坞。此去行役艰,归亦行役苦。"人生足别离,小别何足数。融融酒正绿,潇潇夜初雨。且为一夕欢,共君醉后舞。

三

遵宪有阿爷,离家九年矣。人言长安近,往来如尺咫。举头望白云,不知几千里。此身不能飞,眷眷无时已。今日送子去,使我愁如水。我自行路难,君自出门喜。眼见一月间,得以随杖履。

四

我思杖履随,温温笑语多。冷斋夜深时,春风漾微和。旧学加邃密,新诗细吟哦。不知较畴昔,相去复几何? 努力各自爱,毋使叹蹉跎。

吾　庐

士患声名早,人从阅历深。新交欣得剑,古调爱弹琴。狂妄忧天泪,迂疏入世心。吾庐风雨好,搔首一长吟。

知　音

士患声名早,文从阅历深。为争鸡鹜食,羞作凤凰吟。狂妄忧天泪,迂疏入世心。抚琴无限事,何处觅知音?

朝　云　墓[*] 庚午

一

小住湖山也不孤,有人冰玉伴林逋。当时我若随公谪,捧砚摊笺愿作奴。

二

彩云久散墓犹青,苔藓花中剩旧铭。参得六如真谛透,转嫌多事六如亭。

过丰湖书院有怀宋子湾先生 庚午

滇云燕雪久驰驱,万里归来此托居。我识公心在诗草,人言仙迹寄蓬壶。□□□□□□□,笠屐游踪似大苏。黄犊买来田二顷,可怜无分卧江湖。

丰 湖 櫂 歌 二首

游湖归来,惓惓在心,又作此歌,以志不忘。

一

不辨风声与水声,船头小坐爱波生。贪看树底斜阳好,又要舍舟湖上行。

二

十分累得野僧忙,山茗才供果又尝。若问客从何处至? 宋先生是我同乡。

---

[*] 第一首见钞本,第二首系黄遵庚钞存。庚午为同治九年(1870年)。

到花堁纳凉同萧兰谷梁诗五＊庚午 六首

一

野艇数尺人两三,菰蒲萧萧凉风酣,船底波绿侵人衫。舟人摇摇南溪南,
七分池馆三僧庵。

二

野树参差竹珑玲,荷花摇摇透微馨,不知谁家旧门庭。美人不来空波青,
湖中独立亭亭亭。

三

花奴高戴青油笠,生涯借花花作国。不妨我来作山贼,笋鞵竹帽出复没,
袖中偷贮枝枝碧。

四

短桥流水含斜阳,前头知是邓家庄。隔邻借树为围墙,就中树多风最凉,
旁径曲折通僧房。

五

新橙半熟山果红,落叶不到空庭空,老僧旁立佛当中。此外蒲团五六个,
团团刚好游人坐。

六

海气蒸云城作瓮,□□□□□□□,□□□□□□□。夕阳在山筘鼓动,
且图今宵作凉梦。

买　书 庚午 三首

一

古人爱后人,念无相饷遗。白头老著书,心传后人知。古人不并世,已恨
我生迟。犹赖一卷书,日与古人稽。我生最爱此,旁人呼为痴。明知难遍读,
虽多亦奚为。但念如良友,不可须臾离。见虽无多言,别当长相思。

二

我家梅水东,亦有屋三椽。分为东西头,藏书于其间。少小不知爱,悔不

＊ 此诗"庚午"为同治九年(1870 年),《人境庐集外诗辑》编者云此年诗五到西宁,疑原注年份有误。

读十年。中间劫火焚,字字成云烟。今日欲买书,又恨囊无钱。有如嗜酒人,无福居酒泉。道旁逢麹车,辄复口流涎。流涎终不得,默默我自怜。凡物当其无,乃知事艰难。

三

一切身外物,皆非我生有。我意招之来,偶然入我手。未必贤子孙,世世能相守。二百三百年,得此兕甲寿。但念我竟痴,爱书如爱友。我年若满百,亦共周旋久。此中有因缘,不得谓之偶。所以我买书,市廛竟日走。交臂或忽失,无心或又取。

题闱中号舍壁庚午 三首

一

又此风光又此秋,彩毫难扫黛眉愁。梦中嫁了金龟婿,蓦地惊人屋打头。

二

悄悄深垂一桁帘,困人天气思恹恹。不知时世妆何似,刚要安花又手拈。

三

团团小扇扑轻罗,酷暑熏人得且过。只怕西风太轻薄,重阳寒雨叶声多。

榜　　后*庚午 五首

一

满城风雨叶声干,瑟瑟秋深酿小寒。千佛经摊名细读,三山路远到良难。诸公自作违心论,当局谁能冷眼看?昨日今宵又明岁,一齐情绪入心肝。

二

两鬓青青默自怜,不知迟我又何年?折磨少受庸非福,文字无灵敢怨天。入世畏人讥小草,在山容我作清泉。长安万里吾亲舍,只愧趋庭未有缘。

三

人人科第羡登仙,制义抡才五百年。子集论文删帖括,祖宗养士费官钱。伤心曲学徒阿世,屈指中兴得几贤。安用毛锥讻一掷,有人纳粟出输边。

---

* 该诗《钞本》与黄遵庚先生钞本文句有差异,其中后二首文句不同,今并录于此。

四

无穷事愿付蹉跎①,转瞬韶华极易过②。署行看人夸具庆③,厚颜宁我④愧登科。转移风气终非易⑤,阅历名场既算多⑥。依旧青衿⑦ 依旧我,光阴人墨又相磨。

五

又踏槐花一次忙⑧,未知此愿几时偿⑨。满车⑩ 难慰操啼〔蹄〕祝,待价何能⑪ 韫匮藏。早岁声华归隐晦,旁人得失议文章。出门一笑吾归矣⑫,闻道东篱菊已黄。

到家哭仲叔墨农公 庚午

　　遵宪举子报罢,至潮州,闻叔去世,即驰归,于月之晦日到家。荒荒忽忽,今又两月,含泪濡墨,追述此篇。闰月二十九日。

昏鸦噪日暮,日暮行人至。仓皇哭叩门,哭声达门内。疾趋上中庭,双扉犹半闭。阿母下堂来,约略再拜跪。喧呼行人归,中庭哭声沸。叔母跑我前,手颤捉人臂。泣道何面目,不如早从死。孤儿跪我后,洒地血痕紫。口言儿不孝,儿孤儿之罪。太母唤我起,告尔病时事。呜咽不成声,十略述一二。又言弥留时,犹呼侄与弟。不肯留一见,彼苍彼何谓。呜呼彼苍苍,一何薄恩义。面惨交我心,且痛且懊悔。忽报大父来,掩泪各回避。整衣再拜起,问尔来奚自?初九在广州,海□□□寄。廿四到潮州,道路驰驱易。□□□□□,□言我蕉萃。海上风波恶,尔行得毋畏。讳此不忍言,两贮盈盈泪。回看小孤儿,

① 黄钞本作"入时妆束果如何"。
② 黄钞本作"子细思量未揣摩"。
③ 黄钞本作"自慰天生终有用"。
④ 黄钞本作"似闻人道"。
⑤ 黄钞本作"只赢好友栖依久"。
⑥ 黄钞本作"已算名场阅历多"。
⑦ 黄钞本作"依旧青衿"。
⑧ 黄钞本作"书在肩挑剑在囊"。
⑨ 黄钞本作"槐花空作一秋忙"。
⑩ 黄钞本作"明知"。
⑪ 黄钞本作"敢谓从今"。
⑫ 黄钞本作"且图一棹归来去"。

正牵我衣戏。头上小白冠,倒笼龙盘髻。问哥今归来,何物为赏赐?佯起抱儿去,痛将软语慰。阿母立堂下,驱妇罗酒食。一瓯黄鸡粥,强食那知味。阿母徐徐言,责尔何濡滞。家中百丧事,事事为祖累。深知逗留罪,低头不敢对。更深烛泪残,阿母驱我睡。复走中庭看,中设亡灵位。寒灯映丹旐,暗淡金碧字。记侄出门时,叔叔执我袂。日月曾几何,死生人事异。日夜望侄归,侄归叔知未?草草成一别,此别终天地。出门未三月,扰扰万绪起。更阑更秉烛,默坐如梦寐。

为小子履端寄翁翁 庚午

太翁且勿去,抱我门前戏。阿卓阿香姑,嘻嘻笑相依。大家都呼翁,如何我不是?摩抟太翁须,太翁笑不止。太翁不肯言,我问婆婆去。婆婆言翁翁,出门九年矣。翁翁出门时,尔娘未来此。手指头上铃,言是翁所赐。待翁归来时,教尔罗拜跪。履端今三岁,读诗未识字。小妹阿当廖,牙牙已出齿。翁翁俱未见,已见想欢喜。昨日翁来书,浓墨写红纸。我闻爷爷道,明年将归里。翁翁莫诳言,早早束行李。儿有新红袍,人人都道美。何时着上身,翁翁罗拜跪。

为张贞子丈题梅花生日图

春风昨夜入江城,吹送瑶仙下玉京。清风得来花自好,主人一笑我同生。前身明月论清福,每岁天寒订此盟。更谱南飞仙鹤曲,呼儿抆笛奏和声。

岁　暮* 二首

一

催租吏乍敲门去,问债人还载酒过。妻要赎衣儿索饼,一贫百事负心多。

二

岁又将阑奈尔何,一年好景半销磨。纸窗竹屋孤灯坐,寒雨梅花蜡屐过。客懒几回无语□,家贫百事负心多。仰天大笑搴衣起,且读《南山种豆歌》。

---

*《钞本》与黄遵庚钞存本"岁又将阑奈尔何"诗文句不同,今将黄钞本并录于此,以资比较。

寄和周朗山[*]　九首

一

出手柯亭笛,无端变徵声。爱才如共命,托分本三生。怪我头犹黑,夸人眼独明。_{君得余文,夸为过岭以来得士惟一人,以此颇为朋辈妒嫉。}感恩兼惜别,万绪忽纵横。

二

性不因人热,家犹怪叔痴。问君何所见,一面竟心知。大节深期许,奇缘剧别离。鼓琴舟独往,烟水怅情移。

三

相送不相见,无情水自流。欲行犹下榻,此去不同舟。咫尺千重隔,苍茫独立愁。罗浮风雨暗,无分梦同游。

四

淮海飘零客,孤蓬此去时。平生原寡合,相遇况多歧。江水摇兰枻,秋风动桂枝。感君知我意,拔尔更为谁?

五

出手柯亭笛,无端变徵声。因缘才一见,文字本三生。问姓惊穷老,论交识性情。不胜惆怅意,何喜到科名。

六

拍手引鸾凤,来从海上游。有文过屈宋,摸索到曹刘。得失两心印,仓皇一面谋。似君湖海气,许我共登楼。

七

宪也书生耳,终年独抱经。摩挲双鬓绿,徒倚一灯青。入世嫌□气,论诗爱性灵。平生飞动意,一烛转愁生。

八

一笑吟髭捻,怜才意转痴。共论文海外,都忘客天涯。古意深怀抱,新知剧别离。鼓琴舟独往,烟水又情移。

---

* 此诗钞本为五首,刊本卷一存一首,此处前四首为《人境庐集外诗辑补遗》所辑,后有黄遵庚钞寄为六首,除第七首“宪也书生耳”一首为钞本所无,其馀字句多异,现合辑于此,以供比较。

九

地北天南始,孤蓬此去时。一生能只友,相遇况多歧。江水摇兰枻,秋风动桂枝。感君知我意,知尔更为谁?

春　暮

柳花已化浮萍去,梅雨还催荔子然。门外春归都不管,鸟声灯影抱书眠。

怀 诗 五* 二首

一

月下梧桐影,徘徊夜不眠。近忧深望岁,小立每观天。检历惊春尽,离群在客光〔先〕。吾庐吾自爱,尤爱在山泉。

二

宪也贫非病,君贫妇病兼。一饥犹可忍,九死复何堪? 身世拘蓑笠,光阴误米盐。熟知文有忌,尔我更何嫌!

诗五大舅归自西宁相见有诗 辛未 四首

一

去年柳条青,惜君作别离。今年槐花黄,喜君相因依。相聚复相别,别时泪如縻。不怨人别促,所怨归迟迟。江湖风波寒,有鱼南北飞。贻我一千纸,字字皆心脾。上言崇明德,下言长相思。相思复相思,握手君来归。

二

宪有慈父母,自小承爱怜。有过亦包容,不肯刻求全。而君知我深,日夕绳我愆。况有隐微恶,尊亲所难言。君乃具苦心,百样相周旋。骤谏未即改,渐摩使之然。岂非君恩德,竟居父母间。所愧宪不德,未能见善迁。我虽如石顽,君当如金坚。

三

陶公居南郊,为人有素心。已以赏奇文,亦以闻良箴。我家与君家,十里隔山林。每一相从过,眷眷惜分阴。当其作别离,辄复情难禁。为兰贵同心,

---

* 刊本存第一首,此为钞本第二、三首。

为苔责同岑。岂自无他人,惟子知我深。为君除敝庐,待君张鸣琴。空谷深复深,何时来足音!

四

已无裘与马,亦复无金龟。沽酒谋一欢,呼童典春衣。尔我贫贱交,百事君所知。我家我父母,日食惟粥縻。君言饮馔丰,此来非所宜。夜雨黄粱熟,新霜野蔬肥。所图一夕欢,愿君勿复辞。感君为林宗,再拜进一卮。

诗五有南洋之行口占志别*

十年倦鸟暂知还,看汝高飞展羽翰。何日大鹏共驰逐,天风浩浩海漫漫。

无　题 四首

一

通辞未敢托微波,掩抑弦弦诉奈何。东海有鱼怜涸辙,南山无鸟枉张罗。低头自作停针语,羞面难为却扇歌。黄檗成林千万里,阿侬争奈苦心多。

二

自家亲制嫁衣裳,玉尺声催压线忙。天上白榆原隔水,江干黄竹是空箱。东邻未许分灯火,北斗难持挹酒浆。食取缠头争买笑,终羞人羡倚门倡。

三

平时不作叩头虫,不信丹砂看守宫。两意三心难作主,六张五角忽相逢。金蟾秋冷翻奔月,铜雀春深不锁风。昨夜玉人亲教我,琼箫吹彻韶难工。

四

无端风送叶声干,细雨灯前耐小寒。磨折信□今日尽,笑啼教觉此心酸。枝头鹊绕空三匝,冰上狐疑正两难。除却彭郎谁宋玉?三年人已隔墙看。

为梁诗五悼亡作**

画阁垂帘别样深,回廊响屧更无音。十年惜暖禁寒意,一片营斋作奠心。唧唧怕听黄口语,凄凄无复《白头吟》。平生爱尔风云气,倘既消磨不自禁。

---

　*　此诗据黄遵庚钞存,录自《人境庐集外诗辑》。黄遵庚认为此诗作于黄遵宪使日前,黄遵宪光绪三年(1877年)使日,姑编于此。

　**　刊本删去"十年惜暖……《白头吟》"四句,今钞本补录于此。

红　牙

红牙解按相思曲,铁障能解施议围。横扫千人好才调,沈郎腰瘦不胜衣。

游　仙　词　八首

一

新声屡奏《郁轮袍》,混入群仙亦足豪。夜半寥阳呼捉贼,九天高处又偷桃。

二

招摇天市闹喧哗,上界年年卜榜花。贯索困仓^① 齐及第,群仙校对字无差。

三

贝宫瑶阙矗千层,欲上天梯总未能。但解淮王炼金术,便容鸡犬共飞升。

四

上清科斗字^② 犹存,检点琅函校旧文。亲写绿章连夜奏,微臣眼见异风闻。

五

臣朔当年溺殿衙,颇烦王母口赍嗟。金盘玉碗今盛矢,定比东方罪有加。

六

星宫昨夜会群真,各自然犀说旧因。不识骑驴张果老,是何虫豸是前身。

七

新翻妙曲舞《霓裳》,何故人间遍播扬?分付雏龙慎防逻,不容捥笛傍红墙。

八

懊侬掷米不成珠,十斛珠尘又赌输。至竟如何施狡狯,亲骑赤凤访麻姑。

戏作小游仙诗

一局商山忽赌输,瀛洲玉袜近来无。乘槎下与龟鼋语,要借龙宫十斛珠。

---

① 困仓,当为困仓。
② 科斗字,指蝌蚪字。

哭周朗山 二首

一

仓皇一别意怦怦,洒血成诗作赠行。生死交情真业果,飘零身世尽浮萍。同时交臂翻相失,再见无缘况后生。期副墓铭珍重意,报公文苑传中名。寄余一书,详述其生平学术,意以志传见托。

二

一副生平知己泪,几年零落九原多。得君大有凌云气,谁料仍为《薤露》歌。穷苦文章关注命,江湖舟楫坠风波。《招魂》赋些知何益,枉自呼天唤奈何!

约诗五游阴那山时余将有京师之行 四首

一

名山好友两相当,结习平生各未忘。尘世几人多暇日,山灵于我况同乡。明年草绿王孙去,后路槐花举子忙。竹杖芒鞋青笠子,且容今日一徜徉。

二

出门西笑望长安,颇畏人间行路难。出世总嫌泉水浊,有山须共故人看。海天南北愁分手,尔我行藏此倚阑。免俗未能相祝慰,杏花红处更同鞍。

三

看山容易入山迟,世事茫茫那可知。未了岂徒婚嫁事,得闲且作钓游时。有灵山水惊知己,过眼云烟费去思。老我菟裘终在此,愿君莫漫作文移。

四

邓庄桂子留人处,潘馆荷花映日时。每借看山图聚首,况当来日属分离。长安今雨相知几,出岫浮云恋旧迟。某水某山共游处,留供别后话相思。

榜后上余蓉初祚馨师 三首

一

又被风吹九下天,神山将近忽回船。半生遇合如公少,四海论文道我贤。千里黄河翻九曲,一鸣大鸟待三年。饱闻慰藉殷殷语,两鬓摩挲只自怜。

二

金陈以外数方韩,二百年来括目看。一己屈伸关系小,斯文风气转移难。

有人用我思投笔,无地求仙且炼丹。闻道《郁轮袍》一曲,飞升早已上云端。

三

平生三战既三北,颇道文章未足凭。弹指流年三十近,惊心知己一人曾。鸡虫得失纷无已,牛斗神灵竟不能。自笑谋身尚无策,忧时感愤又填膺。

人境庐杂事诗 二首

一

扶筇访花柳,偶一过邻家。高芋如人立,疏藤当壁遮。絮谭十年乱,苦问长官衔。春水池塘满,时闻阁阁蛙。

二

无数杨花落,随波半化萍。未知春去处,先爱子规声。九曲阑回绕,三叉路送迎。猿啼兼鹤怨,惭对草堂灵。

将之京师应廷试感怀* 二首

一

巍峨百尺矗金台,西望长安笑口开。浮海船如天上坐,叩关人向日边来。三千多士纷齐集,十二周星又一回。多少文章台阁体,此中可有济时才?

二

六百年来作帝家,人人鼓掌说京华。也将鴂舌南蛮语,来品胭脂北胜花。诸将声名问河朔,承平人物溯乾嘉。即今走马诸年少,西抹东涂亦足夸。

由轮舟抵天津作** 三首

一

算曾过海踏金鳌,虽不能仙亦足豪。七十二沽寻扼塞,八千馀里怅波涛。神仙渐觉蓬瀛近,地脉潜分泰岱高。外侮内讧氛甚恶,十年前事首频搔。

二

来牛去马看频频,独立苍茫此水滨。避面青山难见我,打头黄土尽抟人。

---

* 此诗钞本题为《将之京师应试感怀四首》,刊本收其第一首,其第二首改题《出门》(见下)。

** 此为钞本四首之第二、三、四首,第三首刊本改题《水滨》,后四句改动,故录于此。

登车慷慨肠空热,行路寻常貌岂真。莫漫他年入图画,疲驴破帽过天津。

三

平平海已不扬波,中外同家久议和。地到腹心犹鼾睡,人来燕赵易悲歌。劳劳且耐泥涂辱,郁郁尤添块垒多。稍喜虎牢城戍固,诸侯剑佩早森罗。

慷　慨

牛马呼皆应,龙鸾气暂驯。世情初阅历,吾道果艰辛。荡荡真人海,纷纷正塞尘。东南将星陨,回望一沾巾。

代柬寄诗五兰谷并问诸友　三首

一

相去八千里,离怀何可宣。旧时此风雨,独我不家园。短榻虫吟壁,孤灯叶打门。不禁儿女语,重复对君言。

二

百战艰难后,中兴颂太平。从风荜粥至,不日柏梁成。箭待天山定,图争王母呈。长安居亦易,此日正时清。

三

梦里湖山远,胸中天地宽。长安人踏破,有客独居难。《金华子》:"有乡贡进士黄居难,字乐地,能为诗,欲比白居易也。"士杂幽并气,诗除郊岛寒。阿蒙三日别,刮目待君看。

书龚蔼人方伯乌石山房集田横岛齐侯坟二诗后* 三首

一

爽鸠氏后又蒲姑,吊古茫茫问故墟。难怪牛山频雪涕,不知无死乐何如。

二

海中孤岛外荒坟,秋草萧萧覆白云。等是兴亡数行泪,后人独有祭横文。

三

过去而今更未来,万年浩劫总成灰。他时匹马漳南过,再访黄初受禅台。

---

* 之罘岛有齐哀墓,盖田氏得齐,逃死于此,土人为造冢,因呼为齐王坟。原诗有"要知杜宇魂归日,曾向田横岛上翔"之句,并推其意,作此三诗。

上巳日寄家书书后

出门惘惘三年久,寄信频频五十封。入世来争鸡鹜食,隔天遥阻马牛风。云横大庾家何处?船引神山路未通。等是欲归归未得,雪泥踪迹任西东。

张樵野廉访以直北苦旱岭南乃潦诗见示次韵和之

十年离乱干戈后,可又灾荒动客愁。雨亦怨咨何论旱,春来萧瑟尚如秋。桑林恳祷神应鉴,漆室哀吟泪早流。燮理阴阳名相事,当朝谁为至尊忧。

裘　马

裘马翩翩最少年,狂飞绿酒写红笺。贪论今夜长安月,遍走城南尺五天。对酒当歌忽离别,拈花一笑亦因缘。凭君东望吾西望,隔海相思总渺然。

宫本鸭北以樱花盛开招饮长华园即席赋诗

阳春三月春风颠,群花齐放争春妍。东海龙君善游戏,夜呼雏龙起耕烟。此龙生性最狡狯,吐涎喷沫化为樱花万万千。黑江一岛最奇胜,皓皓如雪覆其巅。城北落落十数树,亦复烂熳春风前。平生泼眼诧创见,自诩奇福夸宿缘。鸭北主人固豪仕,座中诸子皆英贤。使星如月光光曜,我亦末座随星躔。今夕何夕开琼筵,酒酣起舞乐蹁跹。古称方丈三神山,谓此土是岂其然。蓬莱清浅虽屡变,此花独王垂千年。<small>东人呼樱花为花王。</small>我喜此花对花语,归将置汝罗浮巅。梅花雪白荔子丹,众花罗列堪比肩。南强北胜奚足狡,不如跻汝群仙班。呼龙挈花便西去,宠以辒辌乘以船。海中蛟螭足妖怪,护以霓幡安且便。龙兮龙兮努力载花去,我将上奏玉皇夸汝贤。

鹤田嫩姹先生今年八十夫人亦七十其子元缙官司法省来乞诗上寿赋此以祝

仙家占得旧桃源,一室雍和古谊敦。马援贻书垂雅训,于公治狱大名门。东方君子国多寿,南极老人是独尊。左指蓬壶右玄圃,捧觞想见笑言温。

关义臣□招饮座中作次沈梅士韵 *

夕阳忽西匿，严寒多积阴。今日不作乐，使人生忧心。饮酒炙肥牛，相携发狂吟。醉乡固安乐，岂有路崎嵚。忽闻隔座语，神州殆陆沉。斯人如不出，苍生忧实深。谓副岛种臣。且饮三百杯，明月既在林。

浪华内田九成以所著名人书画款识因其友税关副长原苇清风索题杂为评论作绝句十一首　仿渔洋山人论诗绝句体例，并附以注。

一

搜潜剔秘溯权舆，《木难》、《珊瑚》入网初。纸笔竟同金石重，尚功以后又新书。集录书画之书，以南齐谢赫之《古画品录》、梁庾肩吾之《书品》为最古。唐张怀瓘之《书断》、《画断》，宋米芾之《书史》、《画史》，后人亦最珍。然皆各自成书。明朱存礼之《珊瑚木难》，赵琦美之《铁网珊瑚》，始合书画为一。我圣祖仁皇帝钦定《佩文斋书画谱》，集千古大成。然诸书皆〈溯〉源流，述师法，辨真赝，传作者事略及历代题跋鉴藏。未有汇录款式，自成一书者。此书仿薛尚功《历代钟鼎彝器款识》之体，辑为二卷，分门别类，盖艺林之别枝也。

二

黄泥剥蚀土花斑，读到鸣呼涕尚潸。只恨韦编三绝暇，不将笔削署尼山。家书所重，北碑南帖。碑之有款识，《西岳华山庙碑》，后题云"郭香察书"，斯为最古。碑之古者，若"殷比干墓"、"乌呼有吴延陵君子之墓"，相传为孔子书。而论者又或疑之。若有款识，不至后世金石家聚讼纷如也。

三

癸庚字剩蟠夔鼎，甲午文留《瘗鹤铭》。考史备参年月日，细循纸尾读《黄庭》。金石家所录古钟鼎彝器，多具年月日、姓名，盖古人最重彝〈鼎〉，不曰"永用享"，则曰"子子孙孙永宝用"。备志之，所以重之也。惟阁帖所收，款识多阙。零缣剩楮，收自后人。在作书者，初未志年月、姓名以传之后世也。书家款识之详，自王右军始，后之善书者喜仿之。而考据家得借以证史传之讹，亦不无裨益也。《瘗鹤铭》无款识姓名，不知出谁手。然文中有"得于壬辰，化于甲午"，因得知为陶华阳书。

四

锦贉金褾某某图，未容画里任鸦涂。初从画苑标题目，隐约犹从石罅摹。古人图画，多指事为之。三代时，周明堂四门墉有尧舜之容、桀纣之象，有周公相成王、负斧扆、朝诸侯图。秦汉以下，见于史者，若《纣醉踞妲己图》，屏风图画列女，类皆指事象物之作。然《汉书》："金日磾母

〈死〉,上诏图画于甘泉,署曰休屠王阏氏。"武梁祠画像今犹存,自伏羲、黄帝以下有七十馀幅,具古人姓氏,或附以赞。盖古人写物图貌,意在法戒,故详其所画之事,而《画史》姓名,举皆阙略,则未尝于此争名也。自白描山水之法兴,而画家遂有宗门。迨宋徽宗设画苑,命题考试,以"古木无人径,深山何处钟"写意,而图不能无名。缘是而争胜,枯木竹石,寒江芦雁,各有名氏纪谁某矣。然据《博物要览》称:"古画上无名款者,多画苑进呈卷轴。"又《古画论》云:"古人题画,书于引首。"引首即赜。赜,卷首帖绫,又谓之玉池。可知画苑图名犹书于卷首,不着于画中。《画尘》所谓"元以前多不用款,或隐之石罅,恐伤画意"是也。近世画家,无不题款,每系于诗,且有布置疏密,于此见巧者。画虽小道,款犹细事,其源流既屡变矣。

五

外孙齑臼始曹娥,后起辞工数老坡。诗到题图文附尾,强添蛇足略嫌多。
"黄绢幼妇外孙齑臼"为书画题跋之祖。至宋,苏东坡最工此体,故有以苏氏题跋汇集成书者。夫子读《易》,系以《文言》。文章家之有题跋,古矣,移而入书画,初不过曰某校上,曰某人拜观。逮《书品》《画断》出,乃有以雌黄语附之纸尾者。然犹皆简而文也。自流俗沽名,意在标榜,于是图画征诗,连篇累牍。自书贾射利,欲增声价,得一书画,或假名流跋,或伪古人题,赝鼎溢充,续貂强附。转使书画跋一体,为文章家一大宗。宜乎贻笑通人,魏冰叔欲删题图诗,黄梨洲诮为批尾世界也。

六

锦砂红错墨横斜,笔妙居然萃一家。宛似交柯联碧树,竟同双手出黄华。
魏黄初元年《受禅表》,王朗文,梁鹄书,钟繇镌,此书之合作者。陈宣城王命顾野王画古贤,王褒书赞,此书画之合作者。宋王晓人物,李成作树石,此书画之合作者。此皆笔精墨妙,各擅绝技,故偶一为之,当时辄皆叹绝。近来雅流喜以乌丝兰① 画界,分征书画;聚头扇盛行,亦都以两面分写。譬之志碑者此文而彼铭,联诗者倡予而和汝;袈裟百衲,合之未尝不美也。余尝以绢素乞耕霭、花蹊诸女弟子合作巨幅,中村敬宇为题曰:"婀娜诸弟子,丰姿生笔下。相与绘群芳,五色粲如也。"伊世珍《瑯嬛记》:"有黄华者,双手能写二牍,或草或楷,挥毫不辍,各自有意。"

七

不无狂素老逾颠,亦有童乌早与玄。齿长几何亲自署,未容绛县苦疑年。
款识自署年齿者,宋元以后多有之。大抵暮年操笔,老而益工,则往往志作书之年以自表,若阁帖所收释怀素草书《千字文》是也。亦有弱冠弄翰,不异成人笔势。传称羲之年十二作书,卫夫人见其有老成之智,因流涕曰:"此子蔽吾书名矣。"《书断》称,晋皇甫定年七岁,善史书,从兄谧深奇之。若夫题跋书画,此体尤多,甚有临摹一帖,题识再三者。而中年人得意之书,识之于款,此体罕觏。岂非得之白叟黄童,尤为难能可贵欤!

八

压角香名手自裁,文人都让扫眉才。簪花格与回文锦,合作新编号《玉

---

① 兰,当为阑。

台》。苏若兰《回文图诗》为古今女子第一绝技。此卷所收朱淑真书,即跋是图也。又卫夫人《群史帖》末署云"李氏卫稽首和南",此亦女子之署款者。墨迹旧藏明项子京家,我朝宜兴程氏刻石曰《玉台名翰》,盖假徐陵《新咏》以名之。卫夫人书,名簪花格。

九

花甲寻常见不鲜,岁华纪丽俗先刊。他时莫付麻沙板,恐有齐东误牡丹。

此书卷末附录干支日月异称,亦标新领异之一助也。顾亭林《日知录》曰:"山东人刻《金石录》,于李易安后序'绍兴二年玄黓岁壮月朔',不知'壮月'之出于《尔雅》,而改为牡丹。"又《日知录》称,古人不以甲子名岁,其甲至癸、寅至丑二十二名,古人用以纪日,不以纪岁。岁则自有阏逢至昭阳为岁阳,摄提格至赤奋若十二名为岁名。以甲子纪岁,乃自新莽始。据此,则岁阳、岁名乃本名。而此卷称为异名,误矣。附识于此。

一〇

帝王署字试旁搜,别有婆娑凤尾修。若补花名书一卷,许多画鸭唱青头。

今人署款,有自花其名以防伪者,谓之花押。六朝以来,士夫文书,署名多用此体。《齐书》:斛律金不能作字,齐神武指屋角示之。库狄干署"干"字,乃逆上书之,时人号为穿锥是也。《魏志》:司马懿将统兵拒蜀,许允等谋因其人,请帝杀之。已书诏,优人于帝前唱"青头鸡"。"青头鸡"者,鸭也,欲帝速押诏书也。可知帝王亦自书押。又《晋书》:凡章奏皆批"诺"。"诺"字中"若"字有凤尾婆娑之形,故曰凤尾诺。《北史·齐后主纪》:穆提婆等卖官,乞书诏。后主连判文书二十馀纸,各作"依"字。《北齐书》称"各作花字",是画诺署依,亦皆花其体矣。此皆款识一类。尚可补此一门,广为搜辑也。

一一

试点雌黄细讨论,旁流亦自号专门。句须丁尾翻删却,展读无烦洛诵孙。

古人读书亦有款识,以分章断句。《乐〔礼〕记》:"三年视离经辨志。"《汉书》:"读书止,辄乙其处。"皆是也。《庄子》:"句有须,丁有尾。"可知古人读书,每以笔涂乙以为标记。日本刻书,时以假字及一二甲乙诸字附之字里行间,以便倒读,物茂卿谓之"句须丁尾"。此书汇粹古人款识而刻之,于坊间俗体弃而不用,殊觉大方可喜也。

诮沈梅史君诗

　　(诗见本集上册第五编《与日本友人大河内辉声等笔谈·戊寅笔话》第四卷第三十话,页566)

步高字韵诗

　　(诗见本集上册第五编《与日本友人大河内辉声等笔谈·戊寅笔话》第八卷第五十八话,页597)

扇　面　题　诗

（诗见本集上册第五编《与日本友人大河内辉声等笔谈·戊寅笔话》第十七卷第一一〇话,页 638）

过答拜石川先生[*]

望衡对宇比邻居,相见常亲迹转疏。今日芒鞋初过语,半帘花影一床书。

伞盖四言铭

（诗见本集上册第五编《与日本友人大河内辉声等笔谈·戊寅笔话》第二十三卷第一五九话,页 665）

和　源　桂　阁

（诗见本集上册第五编《与日本友人大河内辉声等笔谈·戊寅笔话》第二十五卷第一六八话,页 673）

咏　艺　妓

（诗见本集上册第五编《与日本友人大河内辉声等笔谈·戊寅笔话》第二十五卷第一六八话,页 674）

待艺妓不来作

（诗见本集上册第五编《与日本友人大河内辉声等笔谈·戊寅笔话》第二十五卷一六八话,页 674）

宫岛诚一郎父母寿诗

（诗见本集上册第三编光绪四年七月十九日至二十六日间至宫岛诚一郎函,页 294）

---

[*] 原编入日本东京文升堂 1878 年 8 月出版的《芝山一笑》诗集。该书辑录日本汉学家石川英与清使馆何如璋、黄遵宪等官员赠答诗 79 首。据夏晓虹《晚清社会与文化》（湖北教育出版社 2001 年 3 月版）。

暑中赋呈畊南先生索书*

畊南先生因吾友枢仙千里索书,余素不工书,求者多婉谢以自掩其拙。顾夙闻畊南诗名不敢却。京阪山水梦寐以之,酷暑中赋此代简,书竟便觉习习风生矣。

畊南仙史近如何,闻说园居水竹多。城市软尘红十丈,可能容我借吟窝。

次韵和宫岛诚一郎

(诗见本集上册第五编光绪四年五月十四日与宫岛诚一郎等笔谈,页722)

和宫岛诚一郎韵

(诗见本集上册第五编光绪五年闰三月二十五日与宫岛诚一郎等笔谈,页741)

姑录旧填词博一笑

(诗见本集上册第五编光绪五年闰三月二十五日与宫岛诚一郎等笔谈,页741)

次韵宫岛诚一郎戏赋

(诗见本集上册第五编光绪五年闰三月二十五日与宫岛诚一郎等笔谈,页741)

送 梅 史 归

(诗见本集上册第五编光绪五年十一月五日与宫岛诚一郎等笔谈,页754)

陪王韬增田贡游后乐园有感而作

(诗见本集上册第五编光绪五年四月五日与增田贡等笔谈,页803)

用川田瓮江韵赋呈紫诠先生**

神山风不引回船,且喜浮槎到日边。如此文章宜过海,其中绰约信多仙。司勋最健言兵事,宗宪先闻筹海篇。君著有《普法战纪》诸书甚富。团扇家家诗万首,

---

　* 据《翰墨因缘》上卷(日本明治17年11月名山馆版)。时间待考。

　** 此诗约写于光绪五年(1879年)使日期间。据南开大学藏手迹。此标题系编者所拟。日本明治17年版《翰墨因缘》上卷录此诗题作《奉赠羗园先生即用瓮江韵》。

风流多被画图传。

席中用川田瓮江韵赋呈
紫诠先生，即乞斧正。

弟黄遵宪公度拜草

大雪独游墨江酒楼归得城井锦原游江岛诗即步其韵* 七首

一

江楼高瞰水，朱栏欲倚危。凄风飒入座，冷若霜侵髭。响停万家展，更无人在兹。

二

浩浩白无际，回光照层楼。红日匿不出，寒威积楼头。借问羲皇鞭，子今何处游①？

三

寒樱冻欲僵，槎牙撑枯枝。随风雪飘荡，有如花落时。人言花时好，我云雪亦奇。

四

上云压重檐，下云埋断碣。远望木母祠，楼台半明灭。长堤万枝树，树树鸟飞绝。

五

烛龙睡不起，阴火潜木难。江声悄无波，微茫失涯岸。独有富士山，傲然虎而冠。

六

我起拔剑舞，秋水一何清。舞罢雪儿歌，宛转若为情。快呼三百杯，块垒浇不平。

七

天公好游戏，诡幻不可名。濛黑世界中，倏然放光明。愿天更雨襦，户户春温生。

＊ 黄遵庚存稿本题为《辛巳十月大雪独游墨江酒楼归得城井锦原游江岛即步其韵》。
① 黄遵庚藏手稿本作"游"，钞本作"浮"。

留别宫本鸭北

长华园里好亭楼,每到花时载酒游。今岁花开应入梦,愿风吹梦落并州。

海　行　杂　感* 二首

一

一气苍茫混渺冥,下惟水黑上天青。妄言戏造惊人语,龙母蛇神走百灵。

二

寥寥旷旷浩无边,一缕濛濛荡黑烟。惊喜舵楼齐拍手,满船同看两来船。

朝　鲜　叹**

有北有北鄂罗斯,展翼巨鹫张牙狮,欲囊卜合鞭四陲。梦中伸脚直东下,谅尔无过土耳其。吁嗟乎朝鲜! 吾为朝鲜危。一解。

雌王宝剑猴王刃,迩来又唱征韩论,踌躇四顾权且忍。有人欲杀西邻牛,宰肉平分先一分。吁嗟乎朝鲜! 何以待日本? 二解。

四夷交侵强邻逼,皇皇者华黯无色,保藩字小有何力! 黄龙府又黑龙江,方醢小龙供鸟食。吁嗟乎朝鲜! 汝毋恃上国。三解。

前有檀君后卫满,夜郎自大每比汉,几经内属几外叛。黄幄拜天九叩头,受降又留百世患。吁嗟乎朝鲜! 恨不改郡县。四解。

尊汉如天使如父,前儿在子求保护,四邻环伺眈眈虎。不能鸡口作牛后,高下句骊定谁土。吁嗟呼朝鲜! 奈何不自主? 五解。

山中之天海中市,中央如砥可辟世,列强画作局外地。嬴颠刘蹶百兴亡,任我华胥闭门睡。吁嗟乎朝鲜! 安得如瑞士! 六解。

峨冠博带三代前,蜷伏蠖息海中间,犹欲锁港坚闭关。土崩瓦解纵难料,不为天竺终波兰。吁嗟乎朝鲜! 朝鲜吾忍言? 七解。

----

* 此诗刊《新民丛报》第 27 号(1903 年 3 月)共 16 首,刊本卷四存 14 首,此为其第七、九首。
** 此诗据梁启超《饮冰室诗话》。《诗话》云此诗"盖癸未所作",即光绪九年(1883 年)作。

越　南　篇*甲申

　　於戏我大清,堂堂海外截。封贡三属藩,有若古三蘖。流求忽改县,句骊不成国。右臂既恐断,两足复悲刖。今日南越南,戎夏又交捽。芒芒吊禹迹,眼见日乖剌。溯当始祸萌,事由一身龁。无端犯王师,妄持虎须挦。天威震迭久,又恐张挞伐。当有祆教僧,教以求佛法。铤鹿急难择,饮鸩姑止渴。尔时路易王,挟强逞饕餮。假威许蒙马,染指思食鳖。虽逢国步艰,鞭长远莫及。南北万里海,从此生交涉。道咸通商来,来往寄蕃舶。偶思许田假,遂挟秦权喝。搏兔逞狮威,含鼠纵鸱吓。可怜雒雄王,蠢蠢正似鸭。丰岐初王地,手捧土一撮。弱肉供强食,一任鸾刀割。神弩不能飞,天柱亦随折。尾击须弥翻,掌鸣太华擘。山河寸寸金,攫取到手滑。新附裸狼腮,今复化鬼蜮。海口扼尔吭,定知国难活。同治中兴初,滇南扰回鹘。购运佛郎机,苦嫌鸟里阔。时有西域贾,请从间道达。直溯富良江,万里若庭阔。一符挟万枪,绝无吏纠察。归言取九真,无复烦兵卒。但鸣一声炮,全国归铃辖。豕蛇荐食心,闻此益坚决。遂以法王法,运彼广长舌。到今割地约,终画花名押。缅稽白雉来,初见於越纳。眉珠窃弩归,每每附南粤。颛臾等附庸,思摩当一设。或随降王梃,或拜夫人节。中间贤太守,龙度推士燮。远地日归化,常朝非荒忽。唐初设都护,穷海益震慑。安南仅道属,何尝称国别。陵夷五季乱,渐见蛮夷猾。曲矫与吴丁,拥兵日猖獗。方叹黎侯微,又歌李华发。陈氏甫代齐,虞公复不腊。中朝节度名,初未敢抹杀。帝号聊自娱,后乃纵僭窃。壮哉英国公,桓桓仗黄钺。三擒名王归,悬首在观阙。龙编入鳞册,得地十七八。复古郡县治,南人咸大悦。狼子多野心,豨勇复冒突。疆场互彼此,王命迭予夺。逮明中叶后,中干国力竭。置君无定棋,遣将多覆辙。遂议珠崖弃,坐视金瓯缺。巍峨鬼门关,从此论异域。夜郎妄比汉,更有吠尧桀。黎莫新旧阮,此亡彼兴勃。版图二千年,传国数十叶。雁去复雁来,狐埋更狐搰。蛮触虽屡争,同种出骆越。得失共一弓,磨击非两铍。而今入法界,尽将汉帜拔。吁嗟铜柱铭,真成交趾灭。乾隆全盛时,四海服鞭挞。忽有黎大夫,求救旄邱葛。兴灭字小邦,皇皇

　　*　此诗据梁启超《饮冰室诗话》。题下注"甲申",为光绪十年(1884年)。按中法战争中签订条约之事在光绪十一年(1885年),故"甲申"疑误。

大义揭。出关万熊罴,一月奏三捷。元夜失昆仑,忽而全师蹶。猿鹤与沙虫,万骨堆一穴。尔时金川平,国威震穷发。方统羽林军,大会长杨猎。西北五单于,渭桥伏上谒。当此我武扬,何难国耻雪! 鹃剿索伦兵,人人肃慎箬。倘命将军行,径取此獠杀。废藩夷九县,明正蹂田罚。赤土与朱波,左提复右挈。凯乐奏《兜离》,文化拓苍颉。或者南天南,尽将海囊括。胡为奸虏谋,转信中行说。金人作化身,非人就是物。桃根将李代,一意防虫啮。是何黎邱鬼,变态极诡谲。谓秦岂无人,尔蛮何太黠! 妄称佛诞日,亲拜天菩萨。化身魔波旬,竟许日三接。直从仇虏中,跻之亲王列。哀哀马革尸,弃置情太恝。赝鼎纳神奸,于史更污蔑。明明无敌兵,忽当小敌怯。岂其十全功,势成强弩末? 抑当倦勤年,乐闻有苗格? 每论武皇功,怪事呼咄咄。噫嘻大错铸,奚啻九州铁。迩来百年事,言之更蹙頞。国小亦一王,乃作无赖贼。乌艚十总兵,豢盗纵出没。国饷藉盗粮,公与海寇结。嗣后红巾乱,更作狼鼠窟。外人诘庇盗,遇事肘屡掣。王师迭出关,徒作驱鱼獭。闻今越南王,自视犹滕薛。君臣共鼾睡,忘是他人榻。无民即无地,地维早断绝。黄图转绿图,旧色尽涂抹。譬如黑风船,永堕鬼罗刹。何时楚南土,复编史《梼杌》。滇粤交犬牙,天地画瓯脱。舐糠倘及米,剥肤恐到骨。不见彼波兰,四分更五裂。立国赖民强,自弃实天孽。不见美利坚,终能脱羁绁。我来浪泊游,仰视鸢趺趺。神祠铜鼓声,海涛共鸣咽。精卫志填海,荆卿气成蜺。安得整乾坤,二三救时杰。共倾中国海,洒作黄战血。地编归汉里,天纪亡胡月。

香港访潘兰史题其独立图

四亿万人黄种贵,二千馀岁黑甜浓。可堪独立山入侧,多少他人卧榻容。

上宝佩珩鋆相国　二首

一

毡裘大长拜诸夷,争说王商状貌奇。玉册早编贤圣籍,丹书曾作帝王师。喜看岁晚馀苍桧,未用仙方饵紫芝。身历五朝文献备,请披一品集中诗。

二

褒衣博带进贤冠,曾向凌烟阁上看。一柱久撑天下计,八方环问相公安。平泉春暖花常好,沧海波平水不澜。闻道园亭名独乐,尚忧边事慨才难。

庚寅十月为沈递梅翊靖题梅鹤伴侣图时同客英伦 二首

一

等闲抛却万琼枝，来访仙槎海外奇。只恐旧时猿鹤怨，有人要作《北山移》。

二

频年愁病眼模糊，入手惊看好画图。翻扰罗浮故乡梦，不知梅既着花无？

新嘉坡杂诗* 四首

苍鹘开场日，黄貂伏腊时。偶循胡服□①，杂用汉官仪。翠叶盘三尺，金花帽几枝。迷离看两兔，莫更笑龟兹。

二

杂坐州闾会，新婚嫁娶图。摊钱争叶子，迭鼓闹花奴。蕃舞工飞燕，家传爱牧猪。官符经买取，不复禁金吾。

三

赤道何相迫，行天日欲烧。山炎头大痛，水冷背频浇。见月牛犹喘，语冰虫不号。琉璃黄竹簟，食睡到凉宵。

四

草木南方志，虫鱼后郑笺。鳄灵时搅海，犀影竟通天。市锦珠流泪，堆盘贝作钱。漫山飞石燕，更唱尾涎涎。

乙未秋偕实甫同泛秦淮实甫出魂南北集嘱题成此**

一卷先生自挽诗，神枯心死剩情痴。杜鹃再拜无穷泪，乌鹊三飞何处枝。生入玉门虽不愿，上穷碧落究谁知？尺书地下君先问，只恐回书说暂离。

损轩同年权上海同知赋诗见示依韵奉和***

半年从事贤劳后，抽得哦诗自在身。冷冗一官还自笑，婆婆二老最相亲。

---

* 此诗刊本卷七存十二首，馀四首据《人境庐集外诗辑补遗》录于此。该诗当作于使新嘉坡期间，酌编此处。

① 原稿字迹不清。

** 此诗二首，刊本存一首，题改为《立秋日访易实甫顺鼎遂偕游秦淮和实甫作》。

*** 此诗《人境庐集外诗辑补遗》编者云当是作者自新嘉坡回国在南京作，姑编于此。

纸烦箍尾消长日,酒趁遨头及早春。流水游龙车滚滚,看人捷足走红尘。

再题实甫魂南集[*]

江山如此魂安往,天地无情眼久枯!咄咄千年真怪事,茫茫四海竟穷途。分明清酒黄龙约,颠倒天吴紫凤图。望子归来愿母死,声声君听墓门乌。

为范肯堂当世题大桥遗照[**]

每过吾妻桥,便忆《吾妻镜》。微茫烟水寒,独照孤鸿影。

寒食日游莫愁湖[***]

官催军粮鸥呼急,蔼仓主筹边防局。夹抱文书雁行立,损轩司制府文案。众胥环门捉饕餮。上元陈谅山。忽然欲写游湖图,吹筒气喘长须奴,茶铛酒盏忙追呼。先生束卷置高阁,节庵钟山院长。我谢红髯言有约,急起同追半日乐。斜阳照阁空波明,柳丝半绿芦芽青,春光淡淡湖冥冥。花阴皂帽敲罗声,蹇驴磨痒徐徐行,回看湖月闻雨鸣。

以桃兰二花赠节庵承惠诗索和依韵奉答[****]

种花须种忘忧草,怜材要怜不材木。感君独抱惜花心,不惜衔泥入君屋。自从采撷到幽栖,谓剪榛菅拔尘俗。奇香偶偷国士名,空华难入《群芳录》。飘茵堕溷各有缘,回黄转绿真难卜。胸怀终古蕴菲芳,目色随时判荣辱。未必捐弃君子心,颇耐褒讥俗流目。亭亭灯影素心人,恻恻弦声白头曲。江南春暮群莺飞,桥上声凄杜鹃哭。风狂雨横正离披,得安高阁庸非福。春寒萧瑟不可言,壹意从君媚幽独。烦君为写桃源图,相期携手筧笏谷。

---

  [*]   此诗据黄遵庚钞存,录自《人境庐集外诗辑补遗》。此诗亦作于南京,姑编于此。
  [**] 此诗据黄遵庚钞存,录自《人境庐集外诗辑补遗》。此诗亦作于南京,姑编于此。
  [***] 此诗据黄遵庚钞存,录自《人境庐集外诗辑补遗》。此诗亦作于南京,姑编于此。
  [****] 此诗据黄遵庚钞存,录自《人境庐集外诗辑补遗》。此诗亦作于南京,姑编于此。

樵丈尚书六十有一赋诗敬祝[*]

入丁出丙寿星祥,四国传夸天上张。冠冕南州想风度,枢机北斗在文昌。金城引马迎朝爽,银汉归槎照夜光。挥麈雄谭磨钐气,独因忧国鬓苍苍。

以诗寿樵丈尚书蒙赐诗和答依韵赋呈^{**}

往迹云泥偶一论,喜公气海得常温。北山王事贤劳甚,南斗京华物望尊。横榻冰厅争问礼,公不由进士而兼署礼部侍郎,实异数也。鸣珂紫禁独承恩。吾粤先辈赐朝马者无几,即庄滋圃、骆文忠两协揆亦未拜此赐。玉缸酒暖朝回会,愿听春婆说梦痕。赐诗有海国春婆之语。

出 军 歌^{***} 八首

一

四千馀岁古国古,是我完全土。二十世纪谁为主?是我神明胄。君看黄龙万旗舞,鼓鼓鼓!

二

一轮红日东方涌,约我黄人捧。感生帝降天神种,今有亿万众。地球蹴踏六种动,勇勇勇!

三

南蛮北狄复西戎,泱泱大国风。蜿蜒海水环其东,拱护中央中。称天可汗万国雄,同同同!

四

绵绵翼翼万里城,中有五岳撑。黄河浩浩流水声,能令海若惊。东西禹步横庚庚,行行行!

---

* 据左鹏军《新见黄遵宪集外佚诗二首》(载《文教资料》2000 年第 1 期),手迹藏广州博物馆。张荫桓,字樵野,广东南海人,生于清道光十七年正月初四日(1837 年 2 月 8 日),六十一岁生辰当为光绪二十三年正月初四日(1897 年 2 月 3 日)。此诗当作于是日前后。

** 据左鹏军《新见黄遵宪集外佚诗二首》(载《文教资料》2000 年第 1 期),手迹藏广州博物馆。前诗呈张荫桓不久,张以诗答黄遵宪,黄则依韵作此诗答呈。

*** 此诗据梁启超《饮冰室诗话》。又见《人境庐集外诗辑》。取《出军歌》、《军中歌》、《旋军歌》各首末字则组成"鼓勇同行,敢战必胜,死战向前,纵横莫抗,旋师定约,张我国权"。

五

怒搅海翻喜山撼,万鬼同一胆。弱肉磨牙争欲啖,四邻虎眈眈。今日死生求出险,敢敢敢!

六

剖我心肝挖我眼,勒我供贡献。计口缗钱四万万,民实何仇怨! 国势衰微人种贱,战战战!

七

国轨海王权尽失,无地画禹迹。病夫睡汉不成国,却要供奴役。雪耻报仇在今日,必必必!

八

一战再战曳兵遁,三战无馀烬。八国旗飐笳鼓竞,张拳空冒刃。打破天荒决人胜,胜胜胜!

军　中　歌　八首

一

堂堂堂堂好男子,最好沙场死。艾灸眉头瓜喷鼻,谁实能逃死? 死只一回毋浪死,死死死!

二

阿娘牵裾密缝线,语我毋恋恋。我妻拥髻代盘辫,濒行手指面:败归何颜再相见,战战战!

三

戟门乍开雷鼓响,杀贼神先王。前敌鸣笳呼斩将,擒王手更痒。千人万人吾直往,向向向!

四

探穴直探虎穴先,何物是险艰! 攻城直攻金城坚,谁能漫俄延! 马磨马耳人磨肩,前前前!

五

弹丸激雨刀旋风,血溅征衣红。敌军昨屯千黑熊,今日空营空。黄旗一色盘黄龙,纵纵纵!

六

层台高筑受降城,诸将咸膝行。降奴脱剑鞠躬迎,单于颈系缨。四围鼓吹铙歌声,横横横!

七

秃发万头缠黑索,多少戎奴缚。绯红十字张油幕,处处夷伤药。军令如山禁残虐,莫莫莫!

八

不喜封侯虎头相,铸作功臣像。不喜燕然碑百丈,表示某家将。所喜军威莫敢抗,抗抗抗!

旋 军 歌 八首

一

金瓯既缺完复完,全收掌管权。胭脂失色还复还,一扫势力圈。海又东环天右旋,旋旋旋!

二

辇金如山铜作池,债台高巍巍。青蚨子母今来归,偿我民膏脂。民膏民脂天鉴兹,师师师!

三

玺书谢罪载书更,城下盟重订。今日之羊我为政,一切权平等。白马拜天天作证,定定定!

四

鹫翼横骞鹰眼恶,变作旄头落。盖海艨艟炮声作,和我凯旋乐。更谁敢背和亲约,约约约!

五

秦肥越瘠同一乡,并作长城长。岛夷索虏同一堂,并作强军强。全球看我黄种黄,张张张!

六

五洲大同一统大,于今时未可。黑鬼红蕃遭白堕,白也忧黄祸。黄祸者谁亚洲我,我我我!

七

黑山绿林赤眉赤,乱民不冥贼。镌羌破胡复灭狄,虽勇亦小敌。当敌要当诸大国,国国国!

八

诸王诸帝会涂山,我执牛耳先。何洲何地争触蛮,看余马首旋。万邦和战奉我权,权权权!

幼稚园上学歌 十首

一

春风来,花满枝,儿手牵娘衣。儿今断乳儿不啼,娘去买枣梨,待儿读书归。上学去,莫迟迟。

二

儿口脱娘乳,牙牙教儿语。儿眼照娘面,娘又教字母。黑者龙,白者虎,红者羊,黄者鼠。一一图,一一谱,某某某某儿能数。去上学,上学去。

三

天上星,参又商。地中水,海又江。人种如何不尽黄?地球如何不成方?昨归问我娘,娘不肯语说商量。上学去,莫徜徉。

四

大鱼语小鱼:世间有江湖。小鱼不肯信,自偕同队鱼,三三两两俱。可怜一尺水,一生困沟渠。大鱼北鹏鸟,小鱼饱鹈鹕。上学去,莫踟蹰。

五

摇钱树,乞儿婆。打鼗鼓,货郎哥。人不学,不如他。上学去,莫蹉跎。

六

邻儿饥,菜羹稀;邻儿饱,食肉糜:饱饥我不知。邻儿寒,衣裤单;邻儿暖,袍重襺:寒暖我不管。阿爷昨教儿,不要图饱暖。上学去,莫贪懒。

七

阿师抚我,抚我又怒我;阿师詈我,詈我又媚我。怒詈犹可,弃我无奈。上学去,莫游惰。

八

打栗凿,痛呼嚳;痛呼嚳,要逃学。而今先生不鞭扑,乐莫乐兮读书乐!上学去,去上学。

九

儿上学,娘莫愁;春风吹花开,娘好花下游。白花好黱面,红花好插头,嘱娘摘花为儿留。上学去,娘莫愁。

一〇

上学去,莫停留。明日联袂同嬉游:姊骑羊,弟跨牛;此拍板,彼藏钩。邻儿昨懒受师罚,不许同队羞羞羞!上学去,莫停留。

小学校学生相和歌* 十九首

一

来来汝小生,汝看汝面何种族?芒砀五洲几大陆,红苗蜷伏黑蛮辱。虬髯碧眼独横行,虎视眈眈欲逐逐。於戏我小生,全球半黄人,以何保面目?

二

来来汝小生,汝所践土是何国?身毒沦亡犹太灭,天父悲啼佛祖默。四千馀岁国仅存,盖地旧图愁改色。於戏我小生,胸中日芥蒂,芒芒此禹域。

三

来来汝小生,人于太仓稊米身。人非群力奚自存,裸虫三百不能群。菹龙柙虎人独尊,非众生恩其谁恩?於戏我小生,人不顾同群,世界人非人。

四

来来汝小生,汝之司牧为汝君。尊如天帝如鬼神,伏地谒拜称主臣。汝看东西立宪国,如一家子尊复亲。於戏我小生,三月麑裘歌,亦曾歌维新。

五

来来汝小生,汝身莫作瓶器盛。牛儿马儿堕地鸣,能饮能食能步行。三年鞠我出入腹,须臾失母难生成。於戏我小生,佛亦报亲恩,忘亲乃畜生。

六

听听汝小生,人各有身即天职。一身之外皆汝敌,一身之内皆汝责。人不若人吾丧吾,怙父倚天总无益。於戏吾小生,绝去奴隶心,堂堂要独立。

---

* 此诗据梁启超《饮冰室诗话》,梁说其为"近作",知是黄遵宪晚期所写。梁说明:"其歌以一人唱,章末三句,诸生合唱。"

七

听听汝小生,天赋良能毋自弃。谁能三头与六臂?谁不一心辖百体?听人束缚制于人,是犬縶尾牛穿鼻。於戏我小生,汝非狼疾人,奈何不自治?

八

听听汝小生,汝辈即是小团体。相亲相爱如兄弟,如友相助如盟会。一群苟败羊尽亡,敢惮为牺私断尾。於戏我小生,六经新注脚,要补合群谊。

九

听听汝小生,人不可无谋生资。嘴短懒飞雀啼饥,游手坐食民流离。黄金世界正在手,人出只手能维持。於戏我小生,而今廿世纪,便是工战期。

一〇

听听汝小生,人人要求普通学。不愿百鸟出一鹗,不愿牛毛变麟角。空谈高论不中书,一任代薪束高阁。於戏我小生,三年几巍科,何补国昏弱?

一一

听听汝小生,我爱我书莫如史。此一块肉抟抟地,轩顼传来百馀世。先公先祖几经营,长在我侬心子里。於戏我小生,开卷爱国心,掩卷忧国泪。

一二

听听汝小生,人言汝国多文辞。彼尖尖笔毛之锥,此点点墨染于丝。何物蟹行肆蚕食,努力努力争相持。於戏我小生,世无文弱国,今非偃武时。

一三

听听汝小生,欲求国强先自强。食案以外即战场,剑影之下即天堂。偕行偕行若赴敌,朝歌夕舞黑祸祸。於戏我小生,生当作铁汉,死当化金刚。

一四

听听汝小生,雪汝国耻鼓汝勇。芙蓉熏天天梦梦,鬼幽地狱随地涌。吸我脂膏扼我吭,使我健儿不留种。於戏我小生,谁甘鱼烂亡,忍此饮鸩痛!

一五

勉勉汝小生,同生吾国胄吾民。南音北音同华言,左行右行同汉文。索头椎髻古异族,久合炉冶归陶甄。於戏我小生,愿合同化力,抟我诸色人。

一六

勉勉汝小生,既为国民忍作贼!国民贵保民资格,国民要有民特色。任锄非种任瓜分,心肝直比黑奴黑。於戏我小生,焚尽白降幡,有我无他国。

一七

勉勉汝小生,汝读何书学何事?佛经耶约能救世?宗教神权今半废。莫问某甲圣贤书,我所信从只公理。於戏我小生,口唱汉儿歌,手点《尧典》字。

一八

勉勉汝小生,汝当尽职务民义。嬴颠刘蹶几兴废,蚩蚩不问官家事。栋折榱崩汝所知,天坠难逃天压己。於戏我小生,誓竭黔首愚,同救苍天死。

一九

勉勉汝小生,汝当发愿造世界。太平升平虽有待,此责此任在汝辈。华胥极乐华严庄,更赋六合更赋海。於戏我小生,世运方日新,日进日日改。

菊 花 砚 铭*

杀汝亡璧,况此片石。衔石补天,后死之责。还君明珠,为汝泪滴。石到磨穿,花终得实。

庚子事变感怀佚诗**

新亭对景莫沾衣,当日题诗海外归。坐对虞渊看日薄,一听邻笛久成啼。

黄公度廉访

侠 客 行***

忽而大笑冠缨绝,忽而大哭继以血。大笑者何为?笑我鼎镬甘如饴。大哭者何为?哭尔众生长沉苦海无已时。吁嗟!笑亦何奇,哭亦何奇,胸中块垒当告谁?平生胸吞路易十四十八九,挟山手段要为荆轲匕首张良椎。仗剑报仇不惜死,千辛万挫终不移。致命何从容,宁作可怜虫?岁寒知松柏,劲草扶颓风。君不见当今老学狂涛何轰轰,国魂消尽兵魂空。安得人人誓洒铁血红,拔出四亿同胞黑暗地狱中。

---

* 梁启超菊花砚为唐才常赠,谭嗣同题铭诗,江标篆刻,戊戌政变时丢失。1902 年(光绪二十八年)黄遵宪致函梁启超,告以找到该砚,并写此砚铭。录自《饮冰室诗话》第 170 节。

** 据张永芳著《黄遵宪研究》。

*** 据钱仲联先生手录,原载《广益丛报》分类合订排印本卷十二(苏州大学图书馆藏。据钱先生推定,约写于作者 1905 年去世前不久)。

人境庐词曲赋联

摸 鱼 儿[*] 与沈梅史联句赠源侯桂阁

试问他、旧时巢燕（黄），雕梁犹认芳苑（沈）。墨江春水波摇绿，终日画帘高卷（黄）。花似霰（沈）。却正是、江南草长飞莺乱（黄）。凭阑望远（沈）。谁得似清闲，蓬壶方丈，携住神仙眷（黄）。　　沧桑事，人世衣冠都换（沈）。惊看海水清浅（黄）。当年关左谊鼙鼓，曾向沙场征战（沈）。君不见（黄）。班师后、宫袍侍宴芙蓉殿（沈）。相逢恨晚（黄）。且射虎归来，旗亭夜饮，斗北横天半（沈）。

买 陂 塘^{**} 与沈梅史联句

柳棉飞、缘阴清润，旧时王谢池馆（沈）。偷闲半日游裙屐，水榭飞觞竞劝（黄）。啼鸟唤（沈）。早吩咐、奚奴先把锦囊齐展（黄）。毫丝脆管（沈）。听越艳吴姬，粤歌楚调，一霎按筝阮（黄）。　　清歌起，都把红牙敲遍。落花帘外香满（沈）。人未倦（黄）。怕万里、乡心振触春愁撩乱（沈）。蓬山不选（黄）。对松涛竹籁，斜阳影里，馀韵晚风卷（沈）。

---

* 据实藤惠秀、郑子瑜编校《黄遵宪与日本友人笔谈遗稿》戊寅笔话第十卷第六十四话。联句时间系 1878 年 4 月 26 日（光绪四年三月二十四日）。沈梅史，即沈文荥。

** 据郑子瑜、实藤惠秀编校《黄遵宪与日本友人笔谈遗稿》第十二卷第七十七话。标题系编者所拟。时间为"戊寅五月十一日"，即 1878 年 5 月 11 日（光绪四年四月十二日）。"人未倦"疑少两句十三字，上片"齐"，下片"撩"似为衍字。原文如此。

满 庭 芳[*]

弄玉箫柔，飞琼瑟缓，当筵齐唱新声。玉环绣葆，提抱上银觥。其弟子有三四岁能作书画者。争画云松仙鹤，更气毫、字写长生。褰裳拜，绛纱弟子，中女象文明。　　谁知巾帼内，有钟离养志，道韫垂名。想墨江富岳，毓秀钟灵。都羡史家彤管，传伟人、压倒公卿。蒲生氏《近世伟人传》中有女史传。君自笑、梅花同日，愿结岁寒盟。

花蹊女史生日赋词祝之

岭南黄遵宪

贺 新 郎[**]
乙未五月芸阁南归，饮集吴船，各抚《贺新郎》词，以志悲欢。

凤泊鸾飘也，况眼中苍凉烟水，此茫茫者！一片平芜飞絮乱，无复寻春试马。又渐渐夕阳西下。水软山温留扇底，展冰奁试照桃花写，影如此，泪重洒。

寻思罗袖临行把，竟明明蛟绡分剪，公然割舍。天到无情何可诉，只合埋忧地下！但何处得开酒社？相约须臾。毋死去，尽丁歌甲舞，今宵且。看招展，花枝惹。

双 双 燕[***] 题兰史罗浮记游图

罗浮睡了，试召鹤呼龙，凭谁唤醒。尘封丹灶，剩有星残月冷。欲问移家仙井。何处觅、风鬟雾鬓？只应独立苍茫，高唱万峰峰顶。　　荒径，蓬蒿半隐。幸空谷无人，栖身应稳。危楼倚遍，看到云昏花暝。回首海波如镜。忽露出、飞来旧影。又愁风雨合离，化作他人仙境。兰史所著《罗浮游记》，引陈兰甫先生"罗浮睡了"一语，便觉有对此茫茫、百端交集之感。先生真能移我情矣。辄续成之。狗尾之诮，不敢辞也。又兰史与其夫人，旧有偕隐罗浮之约，故"风鬟"句感及之。

---

*　迹见花蹊是日本明治时代女书画家，创办东京神田女子学校"迹见学园"（现迹见学院女子大学）。黄遵宪于光绪四年（1878年）迹见辑录的名人题词集《彤管生辉帖》题《满庭芳》词，于光绪六年出版。该词疑不像黄遵宪笔迹，但系黄遵宪词作似不伪。

**　此词原刊文廷式《云起轩词钞》。作于"乙未五月"，即光绪二十一年五月（1895年6月）。辑入《人境庐集外诗辑》。

***　此词原载刊梁启超《饮冰室诗话》。辑入《人境庐集外诗辑》。

天　香*

实甫以鹿港见惠，言"比宋末龙涎何如"，因抚此调志感。

黄熟仙乡，白光净域，金银与土同价。神丛一博，十斛珠玉，撒手公然割舍。沧波渺渺，烟断处、蓬莱干也。多少鲛人红泪，湿透临行冰帕。　　　天南采鸾谁跨？香包上刻一跨鸾人。认分明、鬻香长者。拉杂李僵唐湿，一齐捣麝。便有蜃楼云气，才过眼、还随海波泻。归去庐山，且分莲袍。实甫有别业在庐山。

天　香

实甫购鹿港香，归作扶鸾清供，又抚此赠之，录乞拍正。

心字篆成，头香烧过，沉沉碧落今夜。呼云引鹤，倾海敕龙，邀取灵箫鸾驾。银屏珠箔，问老母、可睡也①？海外人间天上，絮絮家长细语。　　　几度断肠花谢。又天风、雨新好者。新归连环肠断，不曾放下。拈到手中密线，此香又名线香。教萨保、重寻锦袍襦。线灭香销，灰终不化。

贺　新　凉

实甫临别，再抚此调见寄，次韵奉答，即送其还湘。

滚滚波东泻。剩六朝、媚人残月，一钩如画。黑塞青林都照过，还照空梁屋瓦。真要听、秋坟子夜。魂北魂南归何处？看蛟螭、白昼龙堂打。斩马剑，仍放下。　　　鸱夷一舸君行也。展眉头、大千秋色，愁来莫怕。燕子板桥名士鲫，付与柳生平话。听满坐、笑言哑哑。南部烟花东京梦，又承平、气象欢兵罢。嘻嘻乐，忘灯炧。

贺　新　郎

用前韵，题王木斋《吴船听雨图》。

乱雨跳珠泻。认王郎、乌衣年少，倚舷读画。生长六朝烟水地，久把乌篷当瓦。又听贯、吴娘子夜。烂熟江南肠断句，叠愁心、还任梅黄打。声声橹，丁

---

　　*　载易顺鼎《四魂外集·魂海集》，录自赵慎修《黄遵宪的集外词》（原载《中华文学史料（一）》）。约写于光绪二十一年（1895年）。以下四首同此。末句"莲袍"底本如此，"袍"似当为"社"。
　　①　此句疑脱一字，似为"曾"。

帘下。　　白头海客才归也。十九年、蛟宫鼍窟,风波吓怕。难得西窗红烛影,留作巴山雨话。看凫雁、随人哑哑。以水为家真乐境,便绿蓑、青笠归来罢。悄悄对,篆烟炧。

金　缕　曲

实甫题《吴船听雨图》和韵奉答。破绮语戒,故作"畔离骚"以广其意。

海水随杯泻。剩残山、青溪几曲? 丁簽如画。干尽桃花纨扇泪,莫论六朝宫瓦。又黑到、漫漫长夜。唤取花奴催羯鼓,便手如、白雨声声打。今不乐,休放下。　　一年容易秋风也。听乌篷、凄凄戚戚,逼人惊怕。我欲逃禅君破戒,且作拈花情话。何苦要、龙痴羊哑。一味妇人醇酒乐,把百年、乐尽歌才罢。君莫管,酒灯炧。

粉　蝶　儿　慢[*]

题马淑婉女士《小罗浮仙馆百蝶图》。

吹粉成烟,团香作梦,双影翩翩对舞。尽中央四角,总花房来去。得意马蹄香十里,随踏软红尘土。任东风,着意吹、只愿镇长一处。　　尔汝。葛仙夫妇。展冰奁、画了鸦黄眉妩。借丹砂醮笔,又重修蝶谱。翠羽偕栖好仙乡,不识合离风雨。问梅花、汝三生,能修到否?

遵宪初稿

（黄氏公度）

积馀词长拍正

人境庐散曲^{**} 同治庚午

题州牧彭翰孙南屏《磊园诗事图》园在嘉应州廨侧,南屏任州牧,就园营治花圃,觞咏其间,遂嘱画师写图。

(好事近)馀事也劳劳,趁官暇,吟情越高。大家拍手笑,相招,觅得诗天一角。

---

  *　据上海图书馆藏《徐乃昌亲友尺牍》原件,系楷体字。徐积馀,名乃昌。

  **　录自吴天任著《黄公度先生传稿》第八章新派诗之鼓吹。"同治庚午"为同治九年(1870 年)。

（山花子）诗天一角，休嫌小，当时迹已萧条。剔繁芜，砍薜雪消，洗荒凉，砌草人高，看吹过，春风一遭。东边西边烟插苗，前头后头脂坼苞。泼眼花光，远近遮要。

（驮环著）尽经营得巧，尽经营得巧。靠石安花，引水供鱼，结巢留鸟。一曲红阑稳抱。恰好茶炉酒盏，早安排几多诗料。看剪灯，蓬窗人悄，听击钵，朱梁韵绕。新旧调，短长谣，总笔底生花，与春争闹。

（近仙客）唤小吏把诗钞，尽日垂帘忙不了。这诗兴，月儿青天样高，胜西园，雅集图描。不信看这幅新奇稿。

（红芍药）者一个拥著锦袍，那一个系著银毫。者一个欹斜纱帽，那一边手写芭蕉，那一边看花索笑。算中间烛影红摇，便分现东坡貌。

（菊花新）俺想起尚书红杏气偏豪，便占住名园暮与朝，清福此中销，做一个闲鸥先导。

（驻马听）满眼蓬蒿，二百年来事尽消。风花过眼，雨水融痕，雪泥散爪。花神返去来难召，楚弓复得谁难料。难得诗豪，辟荒芜重迤著江南老。

（会河阳）听说江南，邮程未遥，有南国水土环绕。心焦，怕竹笋香肥莼羹味饱，动乡思，使君归了。须信这里的风光好，莫将那故里的酸咸较。

（红芍药）仰高行，似斗与杓，哦新韵，似玉和瑶。只为着生春手，便妙把甘棠万家种了。清闲赢得我逍遥，呼奚奴落花静扫。听花间趿履声高，一齐来领先生教。

（尾　声）长官似此清应少，宰相传家福自饶，须补上、芍药金围带一条。

彭翰孙上代曾任宰相。

小时不识月 [*] 以"小时不识月，呼作白玉盘"为韵

碧宇光澄，青春梦绕。旧事茫茫，予怀渺渺。月何分于古今，人犹忆乎少小。举头即见，依然皓魄团团；总角何知，漫道小时了了。昔李青莲神仙骨格，诗酒生涯。偶琼筵之小坐，向玉宇而翘思。清影堪邀，且喜三人共盏；韶华易逝，那堪两鬓已丝。未知过客光阴，几逢圆月；每望广寒宫阙，便忆儿时。细数

---

[*] 该赋作于"同治丁卯"（1867年）。佚名评："端庄流丽，情文相生，令人一读一击节。"据钱仲联辑《人境庐杂文钞》（载《文献》第七辑，1981年3月版）。

前尘,尚能仿佛。灯共人篝,果从母乞。鬓边之玉帽斜欹,膝下之彩衣低拂。骑来竹马,长干之侣欢然;梦入绳床,湘管之花鄂不。偶绮阁之春嬉,见玉阶之月色。忽流满地之辉,莫解中情之惑。几时修到,竟如七宝装成;何处飞来,不用一钱买得。只昨夜高擎珠箔,偶尔招邀;似春风吹入罗帏,未曾相识。何半钩兮弯环,复一轮兮出没。羌珠斗之光凝,更星潢之艳发。相逢倍觉依依,怪事辄呼咄咄。倘使层梯取得,愿登百尺之台;只应香饼分来,误指中秋之月。问天不语,愈极模糊。屡低头而思起,奈欲唤而名无。阿姊聪明,搴帘学拜;群儿三五,捉影相娱。几从华屋秋澄,凝眸谛视;每见银河夜转,拍手欢呼。如此心情,犹能揣度。曾圆缺之几回,已容颜之非昨。恐蟾兔其笑人,竟江湖之落魄。偶然今夕重逢,愿有新诗之作。想当日铜鞮争唱,都如宵梦一场;箕几番玉镜高悬,未及少年行乐。因慨夫老大依人,关山作客。桃园春色之宵,牛渚秋江之夕。谢公别处,客散天青;宛水歌中,沙寒鸥白。历数游踪,都成浪迹。空学浣花老友,儿女遥怜;只同中圣浩然,风流自适。孰若鬟挽青丝,头峣紫玉。捉花底之迷藏,向墙阴而踟蹰。银床高卧,翻疑地上霜华;翠袖同看,未解闺中心曲。可惜流光弹指,此景难追;即今皎魄当头,童心顿触。盖其别翻隽语,故作疑团。真粲花之有舌,拟琢玉以成盘。早岁香名,艳说谪仙位业;扁舟午夜,饱看采石波澜。仰公千载,对月三叹。我自惭绿鬓华年,曾无才调;恨未识锦袍仙客,相与盘桓。

题驻日本使馆门联*

放眼楼头,看海水南流,夕阳西下
寄怀天末,咏京华北望,零雨东归

与源桂阁对联

(联见本集上册第五编,《与日本友人大河内声辉等笔谈·己卯笔话》第十五卷第八十八话,页695)

---

* 据张永芳著《黄遵宪研究》。

赠源桂阁联*

桂阁贤侯雅鉴

好春时看诸天花雨
半夜里闻大海潮音

梅州黄遵宪

暖依村庄题额**

满堂宾客,三国之产,更无一人,红髯碧眼,纸笔云飞,笙歌雨沸,皆我亚洲,自为风气;

人生难得,对酒当歌,今我不乐,复当如何,纵横战国,此乐难得,奚怪有人,闭关谢客。

庚辰八月　黄遵宪醉书　应栗香先生属,时在暖依村庄。

挽宫岛一瓢联***

七十古来稀,况板舆迎养,牙笏胪欢,有子并推天下士;
大仙往何处,想柱杖蓬峰,悬瓢松岛,此身仍作地行仙。

宫岛一瓢老先生之灵几

后学黄遵宪顿首拜挽

新加坡琼州大厦天后宫题联****

人耳尽方言,听海客瀛谈,越人乡语
缠腰尽富豪,有大秦金缕,拂菻珠尘

---

* 据张永芳著《黄遵宪研究》,原载《梅县志》(广东人民出版社1994年版)。

** 题额时间为光绪六年八月(1880年9月)。据宫岛文书—宫岛写本。

*** 作于1880年12月19日(光绪六年十一月十八日)。黄遵宪致宫岛诚一郎、小森泽长政函中奉此挽联。

**** 此联当题于任新加坡总领事期间。录自张永芳著《黄遵宪研究》。

人境庐大门联 （二对）

一

结庐人境

伐檀河干

二

结庐在人境

步屣随春风

人境庐大厅联 *

踏遍九州烟，作倚枕卧游，经过名山，犹不忘法界楼台，米家书画

梦回五更月，正凭栏远望，朅来今雨，莫浪说齐人野语，海客瀛谈

人境庐屋舍联

万象函归方丈室

四围环列自家山

人境庐正厅联

药是当归，花宜旋复

虫还无恙，鸟莫奈何

题人境庐联

含景苍龙腾上气

天吴紫凤卧游图

人境庐西门联

朝晖爽气

晚节秋客

---

* 此联黄遵宪撰，由温仲和（慕柳）书写，署名柳介。

人境庐息亭联

有三分水,四分竹,添七分明月

从五步楼,十步阁,望百步长江

自制游艇题联（二对）

题额：

安乐行窝

其一：

以风波民,作天随子

借钓游处,学地行仙

其二：

尚欲乘长风破万里浪

不妨处南海弄明月珠

挽堂妹新玉联[*]

最不幸中国作女子身,绝无半点人权,玉折兰颓,哀死只应论命运

亦颇疑汝躯非寿者相,洒尽一腔热血,香消膏尽,戕生毕竟误聪明

吊温仲和联[**]

少年同志,卅载故交,寥落数星辰,伤哉梁木材颓,又弱一个

旧学商量,新知培养,评论公月旦,算到松江名宿,同列二何

荣禄第祖居联[***]

汪波千项春如海

好月十分花林缸

---

[*]　据管林《黄遵宪为堂妹写的挽联》,录自张永芳著《黄遵宪研究》。黄遵宪堂妹黄新玉于1903年9月8日(光绪二十九年七月十七日)病亡。

[**]　据张永芳著《黄遵宪研究》。温仲和,卒于1904年(光绪三十年),此联当题于是年。

[***]　据张永芳著《黄遵宪研究》。上联"项",似为"顷"误。

第 二 编

文 录

寄和周朗山诗跋 _{同治癸酉}

（同治十二年九月十六日　1873年11月5日）

琨，字朗山，安徽定远人，何师入幕宾也。壬申十一月，拔萃榜已发，于锁院中誊试，得一副本。日西斜，有短衣古服，须眉清疏者出，曰："孰黄生者？"余曰："宪是也。"则相视而笑，默默不得语，久而曰："此别何时再见矣？"余约于槐黄时。乃愀然曰："明经不第，不值一钱。余又将乘辕改北，背城借一也。"旋即出其所赠诗。次日谒师后，邀余见，昌言于众曰："过岭以来所见士，君一人耳。"又就诗中跋引伸之，无多语也。匆匆作别，差池不见。行至兴宁，又寄余数诗。余得之不乐，曰："朗山诗凄凉掩抑，乃至于此，吾惧其将死矣！"今年来省，急询其行踪，则已于三月病归自肇庆，竟于十九日卒于佛山之舟中。问其柩，知未反。余即携纸钱一束，展拜其殡，盖明日将发引矣。一棺萧然，泣且无泪。朗山有灵，殆感吾二人因缘之悭，犹欲待余一哭欤？呜乎！附录于此，志知己之感。执笔未下，又不知涕泗之何从也！

癸酉九月一十六日　遵宪记

据钱仲联辑《人境庐杂文钞》，《文献》第七辑

《人境庐诗草》自序

（同治十三年四月八日　1874年5月23日）

（文见本集上册第一编《人境庐诗草》，页68）

诰封通政大夫何淑斋先生暨德配范夫人
八旬开一寿序（代作）

（光绪四年四月　1878年5月）

　　国家威德远播,磅礴四海,古所谓梯航纳贽,重三四译而后至,或羲、轩以来未被声教者,皆结盟约,遣信使,通往来。日本密迩近邻,且为同文之国,天子尤慎其选。丙子八月,乃以翰林侍讲子峨何君膺其任。先是朝议推使才,子峨以亲老欲辞,其尊人淑斋先生贻书训勉之,子峨乃得慷慨秉节,乘槎而东。昔殷员外使回纥耳,昌黎既亟称其人无离别之色几微见于颜面。况海外万里之役,比回纥倍为险远,垂白老亲,乃寄书戒行,且以一心奉公相劝,自非真知轻重大丈夫而能之乎?

　　子峨到日本一年,置吏保商民,风流令行,百事具举,华彝太和。将于己卯四月,置酒于堂,以祝亲寿。人皆称子峨之才之德,余知其得于庭训者为多也。以余闻尊公及母夫人,皆事亲孝,治家严,凡钱谷布帛之人,推诸昆弟无不均;臧获婢妾,待之无不慈;自家庙祭田以及党庠乡序,秩然无不举。盖一以忠信之言,笃敬之,行将之。子孙循循奉教,皆以善闻里党。子峨更推而行之蛮貊,而亦无不行也。且先生固非徒宽大长者,其处物公方,乡之人尤为敬惮,后进中子弟有所就争质,必理谕势导,俾人人得当而去。族居数千人,从无一讼牒达于令长;乡邻有斗者,必多方劝阻止之。所贵乎天下士,能为人排难解纷耳,处则治一乡,出则治天下,无二道也。今欧罗巴合纵连横,日寻干戈,甚于战国。往往一介行李,遂固盟好,而弭兵戎。子峨他日必能资父事君,以折冲尊俎之间也。子峨勉乎哉!

　　子峨本文学侍从之臣,雍容和雅。其待人也,宽中而直柔,无亲疏贵贱如一。旌麾所临,环门者踵相接。吾知此一举也,捧筐筥,陈壶浆,跻公堂而酌兕觥者,我中土之人也。具枣栗,进几枝,汉学之士咸挟诗献图,且有书佉卢之字、奏鞑羯之乐而来者,西人之子、东人之子也。於戏,荣矣!《诗》有之曰:"王事靡盬,不遑将父。""王事靡盬,不遑将母。"《诗》又之曰:"驮驮征夫,每怀靡及。"盖古大夫之行役,往返跋涉,皆在道途,不遑启处,势固然欤!今之遣使驻节于他邦,得以交邻之暇,和乐燕恺,开筵以祝亲寿,公谊明而私恩亦尽,是又

《四牡》、《皇华》之诗人所不及躬其盛者也。厚以不才,亦从诸公后出使俄罗斯。诸公以厚犹子与子峨齐年,能悉其家世,驰书征余文。余文何足道,吾望子峨以报国恩者养亲志而已。抑吾闻日本为古蓬莱方壶,地中多仙草神芝,能延年。芝长,子峨其为余访而得之,介此文以献于其亲可也。

  钦差出使俄国全权大臣太子太保内大臣吏部左侍郎总理各国事务大臣奉天将军兼总督通家愚弟崇厚顿首拜撰

  钦差出使英法二国大臣赏戴花翎兵部左侍郎总理各国事务大臣前署广东巡抚翰林院编修愚弟郭嵩焘顿首拜书

  大清光绪四年,岁在著雍摄提格,律中南吕之月,日缠寿星之次,

  大清光绪纪元五年,青龙在屠维单阏,律中蕤宾之月,释迦诞日。

据钱仲联辑《人境庐杂文钞》,《文献》第八辑

《赖山阳书翰》跋

(光绪四年六月　1878 年 7 月)

吾尝读山阳之文矣。雄深雅健,数百年无与抗行者。不复谓其书法亦佳妙乃尔。能者固无不可耶! 晴窗展卷,每览之而不忍释手也。

光绪戊寅长夏　岭南黄遵宪跋

据宫岛文书一 J2《赖山阳书翰》卷末黄遵宪题跋

《中学习字本》序[*]

(光绪四年十月　1878 年 11 月)

尊宪来东,士夫通汉学者十知其八九,顾未见长三洲荧。顷儿玉士常持其书乞序。余素不晓书,然读其中吉田寅次之文,为之三叹也。

吉田者,亦节烈士,德川氏之季,以非罪毙江户狱中者。日本传国二千馀年,一姓相承,五洲未有。自将军擅政,大阿倒持,如周之东,君拥虚位。德川氏末造,二三有志之士,慨然思尊王复古,天下毫杰,靡然从之,一唱而和百,粉

---

[*] 《中学习字轨范》,别名《韵华帖》,儿玉士常编辑的字帖。

首碎身,无所顾恤,卒覆幕府,以蔚成明治中兴之业。何也? 盖圣贤之书,忠孝之道,习之者众,人人有忠君爱上之心,固结而郁发,不可抑遏,以克收其效也。若国政共主之治,民权自由之习,宁有此乎? 书固小道,然孔孟之道,即于是乎寓。吾愿习字者益思精其义而察其理也。

吉田往矣。长氏、儿玉氏皆汉学者流,试持吾言,问今之士大夫谓何如?

大清光绪四年戊寅十月　嘉应州黄遵宪序(印)

博罗廖锡恩书(印)

据〔日〕佐佐木真理子《黄遵宪驻日时期文学活动一斑》附手迹复印件

《先哲医话》跋

(光绪五年正月　1879 年 2 月)

《先哲医话》上下二卷,日本信浓人浅田宗伯撰。考文渊阁著录之书,凡医家类九十七部,一千五百三十九卷,列于存目者又九十四部,六百八十一卷。证之内外,药之气性,方之佐使,无不备也。然未有辑医论以成话者,医之有话,实自宗伯始。

夫医者,意也。病有万变,医无一定。自《和济局方》专主燥烈香热之品,而刘守真救以寒凉,至于张子和举一切病以汗、吐、下三法治之,东垣兴而重固脾,丹溪出而重滋阴,景岳作而重补阳。夫古之人覃精研思,竭毕生之心力以从事。当夫纵心孤往,必熟察夫天时之寒热,地气之燥湿,世运之治乱,人身之强弱,一旦豁然贯通,或凉或热,或补或伐,如良相治国,名将用兵,投之所向,无不如意。其一偏之论,皆其独得之秘也。或不察所由来,媛媛姝姝,守一先生之说,物而不化,是何异契舟求剑以为剑在是乎? 至鉴其无效,转谓古方适足以误人,如陈起龙、黄元御诋諆先哲,不遗馀力,抑又憨矣! 盖先医真积力久而有所独得,单词片语,皆精微之意行乎其间,虽涉一偏,学者能优而柔之,餍而饫之,复神而明之,用均无不效,又况其言之纯粹以精者乎!

是卷搜罗名言,间附评论,皆折衷精当。托始于后藤艮山,艮山盖唱复古之说者,而末卷多纪茝庭之论,于读经之审,运用之妙,尤三致意焉,非唯举先哲之法以示人,且示人以敩法之方。浅田氏于此,何其力勤而用心苦也。日本之知汉医,自新罗、百济来,逮隋唐而盛。其后李、朱之说大行,丹水友松首倡复古,医学昌明至于今。此书所录,自享元至文政凡十三人,取其尤著者耳。

浅田氏名惟常,号识此,一号栗园,旧幕府医官,今隐居不仕,以医名五大洲,著医书三十馀种,斯其一也。顷疗余疾,因得读其书。他日归,将致之医院,以补《金匮石室》之缺云。

大清光绪五年王正月　岭南黄遵宪公度跋并书(印)

据《先哲医话》手迹,日本明治十三年九月版

《日本杂事诗》后记

（光绪五年三月　1879 年 4 月）

（文见本集上册第一编《日本杂事诗》,页 7）

《日本文章轨范》序*

（光绪五年闰三月　1879 年 4 月）

天下事变,至于今日而既极矣。事变极则法无不备。然因他人之法,必择其善者立为轨范,使有所率而循焉,有所依而造焉,而学者乃不迷于所向。吾读五经四子之文,欲执一法以求之,曾不可得。古无所谓文,乃无所谓轨范耳。然自汉魏来逮于近世,萃天下贤智之士,以求工文章,无虑数十百家。不善者无论矣,其善焉者,各就其性情之所偏近,学问之所偏到,此长彼短,此是彼非,吾不知所择而一一学之,则驱车于蚁封马垤,且执鞭扬扬,欲与康衢大道同其驰骋,其败渍压覆也,必矣。杯盘也,爵罍也,不立之模而抟泥火中,鼓风而陶之,不为罄垦薛暴者又几希矣! 甚矣。文之不可无轨范也。

石川鸿斋,日本高才博学之士,外而汉籍,内而和文,于书无所不读。近者撰日本名文若干篇,命曰《轨范》,以示学者,仿谢氏《文章轨范》之例也。嗟夫! 学他人之法,不择其善者,而芒芒昧昧,竭日夜之力以求其似,不求其善,天下

---

* 《文章轨范》作者石川鸿斋读此序有评语:"洒落奇伟,妙在意外,中段取譬喻,裁云缝月之高手,殆似读老苏之文。仆何物,叨蒙华人赏誉,真一代奇福,可以夸耀万世。鸿斋拜读。"

之事,无一而可,岂独文章也哉!

　　　大清光绪五年闰三月　　岭南黄遵宪公度撰(印)

据再刻《日本文章轨范》序手迹

《养浩堂诗集》跋

(光绪五年九月　　1879 年 10 月)

　　此卷诗格益高,诗律益细,即随意挥洒之作,亦皆老苍无稚弱气,可称作者。

　　诗之为道,性情欲厚,根柢欲深。此其事似在诗外,而其实却在诗先,与文章同之者也。至诗中之事,有应讲求者:曰家法,曰句调,曰格律,曰风骨,是皆可学而至焉。若夫兴象之深微,神韵之高浑,不可学而至焉者。优而柔之,咏而游之,或不期而至焉,或积久而后至焉,或终身而不能一至焉。栗香之诗,得之于天者甚厚。有才人学人穷年莫能究者,而栗香以无意得之。然其蓄积于诗之先,讲求于诗之中者,有所未逮也。谬论请细思之。

　　　光绪己卯秋九月于霞关使馆　　黄遵宪记

据郑海麟辑录《黄遵宪遗墨》,录自丁日初主编《近代中国》第九辑

《近世伟人传》第四编书后

(光绪五年十一月　　1879 年 12 月)

　　"叩阍哀告九天神,几个孤忠草莽臣。断尽臣头臣笔在,尊王终赖读书人"。余之此诗,盖为蒲生秀实、高山彦九郎诸人作也。日本自德川崇儒,读书明大义者,始知权门专柄之非。源光国作《日本史》,意欲尊王,顾身属懿亲,未敢昌言。其后蒲生、高山诸子,始公然著论废藩。尊王攘夷之议起,一倡百和。幕府严捕之,身伏萧斧者不可胜数。然卒赖以成功,实汉学之力也。余读子阇《伟人传》,以君平为冠,喜引为同心。子阇此书,为近世功利说深中于人心,欲以道德维持之,故举诸君子以为劝。今四编告成,犹初意也。他日与子登富士之山,泛琵琶之湖,寻烟云缥渺、水波浩荡之处,我读君书,君读我诗,更相与酹酒,呼诸子之灵而吊之曰:"尔其上告神武、崇神在天之灵,以护斯文乎!"吾知

精魂义魄,旷世相感,必有被萝带荔、披发而下太荒者矣。

光绪己卯十一月　岭南黄遵宪公度

据郑海麟辑录《黄遵宪遗墨》,录自丁日初主编《近代中国》第九辑

冈千仞诗评

（光绪五年十二月十九日　1880年1月30日）

诗之为道,性情欲厚,根柢欲深。此事似在诗外,而其实却在诗先。舍是无以为诗。至诗中应讲求者,曰家法,曰格律,曰句调,曰风骨,凡此皆可学而至者也。若夫神韵之高浑,兴象之深微,此不可造而到焉者。优而柔之,渐而渍之,餍而饫之;或一蹴即至焉,或积久而后至焉,或终其身而不能一至焉,盖有天限,非人力之所能也。先生沉浸酣郁,其书满家,而中经乱离,惓惓君国,又深有风人之旨蕴蓄于中者,固可谓深且厚矣。此卷抚时感事,慷慨悲歌,不少名篇。顾炼格间有未纯,造句间有未谐;树骨甚峻,而亦过于露立,过于怒张,则讲求于诗之中者,似尚有所未至也。从事于学所能至者,而徐而俟之,他日造就,盖未可量也。譬犹龙驹凤雏,骨相既具,而神采未足;又譬犹名花异卉,苞蕊既含,而烂漫犹待。宪虽不才,拭目企之矣。

己卯腊月十九日　黄遵宪妄评

据郑海麟辑黄遵宪手稿复印件

题《近世伟人传》

（光绪六年二月十七日　1880年4月6日）

子闇自题曰:"蓬蓬布世三千部,支得饥寒可涉年。"今日余访其庐,谭次及此,余戏曰:"如此诚为良田矣。"子闇谓此书之利,如渊明种秫,为饮酒计耳;虽然,亦尝出以救亲友之穷者。余谓《唐书·杜甫传赞》"残膏剩馥,沾丐他人",不过称其工文。若子书,真乃不愧斯语也。酒酣,相与大笑而散。

光绪六年二月十七日　黄遵宪公度醉书于青天白日楼中

据郑海麟辑录《黄遵宪遗墨》,录自丁日初主编《近代中国》第九辑

《养浩堂诗集》跋

（光绪六年三月一日　1880年4月9日）

严沧浪云："诗有别肠。"余谓譬如饮酒，有一滴入唇，面辄发赪者，有一斗一石而醉者，有千钟百榼而醉者，其度量相去远甚，而要皆得之于天，不可勉为，故古人亦谓酒有别肠也。诗之为道，或白头老宿，学殖甚富，而月锻季炼，垒闷钝滞之气，终身未除。栗香此卷皆少作，虽树骨未峻，炼格未纯，而其运笔之妙，吐属之佳，一见而知为诗人。间有似宋元晚唐人处，亦不必自古人得来，而不觉神与古会。盖其得之于天者厚矣。江郎采笔，当在君处，才子才子！

庚辰三月朔日　黄遵宪公度识

据郑海麟辑录《黄遵宪遗墨》，录自丁日初主编《近代中国》第九辑

《养浩堂诗集》跋

（光绪六年五月　1880年6月）

诗有初读颇觉其佳，再读便索然无味者。栗香诗余既三读，当其佳处，犹使人恬吟高唱，不欲释手也。

庚辰五月于箱根宫下藤屋　黄遵宪复记

据郑海麟辑录《黄遵宪遗墨》，录自丁日初主编《近代中国》第九辑

评《万国史记序》

（光绪六年五月　1880年6月）

余与冈本监辅相知最深，其书成，举以示余。余恨其无志、无表，不足考治乱兴衰之大者，因为之发凡起例，冈本氏大以为然。何星使喜其书，亦惜其杂采西史，漫无别择，谓其叙述我国处，词多鄙陋不足取信。顾以汉文作欧米史者，编辑宏富，终以此书为嚆矢。书综纪万国，序上称三古，可谓一纵一横，论者莫当。

余从前亦欲作此书，自草条例，凡为列国传三十卷。为志十二：曰天文，曰

舆地,曰宗教,曰学术,曰食货,曰货殖,曰武器,曰船政,曰兵法,曰刑律,曰工业,曰礼俗;为表十七:曰年表,曰今诸侯表,曰疆域表,曰鄙远表,曰土产表,曰货殖表,曰税表,曰国债表,曰民数表,曰教表,曰学表,曰职官表,曰兵表,曰船表,曰炮台表,曰电线表,曰铁道表。顾以其书浩博,既非一朝一夕所能竟,又非一手一足所能成。积稿压架,东西驰驱,卒未成书。今观冈本氏所著,益滋愧也。

光绪庚辰五月识

据郑海麟辑录《黄遵宪遗墨》,录自丁日初主编《近代中国》第九辑

《仙桃集》序

(光绪六年五月　1880年6月)

古之人有以巾闻于世者,一为郭林宗之折角巾,一为陶渊明之漉酒巾。今乃又得之浅田先生之道士巾。先生疗余疾,余赠以巾。先生大喜,招其同志饮酒赋诗,属而和者数十人。数十人者又仿其巾而模造之,于是浅田巾之名名于通国。夫以先生之高风亮节,隐居不仕,亲戚情话,琴书消忧,所谓天子不得臣,诸侯不得友,其于二子,殆庶几焉。

顾东汉之末,宦官窃权,党锢狱起,知名之士,多被其害。林宗褒衣博带,周游群国,特委蛇以避难耳。而陶靖节值晋亡宋兴,其不为五斗米折腰,欲为胜国之顽民,不欲为新室之勋臣耳。余读其《述酒》诸诗,于沧桑之变,盖三致意焉。则取巾漉酒,亦借以浇其胸中之块垒已也。先生年少不陷于党祸,至今日则时方太平,优游足乐,弹冠而出可也,束带而立亦可也,夫何慕于二子而以黄冠为? 先生顷裒其诗属余序,余以此意质之。先生方左执卷,右执杯,折巾一角,呼童漉酒,科头箕踞,大笑而不答。既而曰:"子毋足知我! 且饮酒。"

光绪庚辰夏五月　岭南黄遵宪公度撰

据钱仲联辑《人境庐杂文钞》,《文献》第七辑

评《与某论冉求仲由书》

(光绪六年五月二十九日　1880年7月6日)

德行颜渊一节,谓祗就厄于陈蔡时说,自是确然。然据以谓圣门之列四科

者,不止此数人,则可疑;诸贤为不称其实,则未足也。

批驳处极有条理,具见读书用心。虽然,蒙窃以为圣门诸子未可轻议。由、求之为政事才,实不容疑也。《论语》一书称二子之为政事才者,不一而足,盖夫子尝称道之,此足取信于天下万世矣。作者所疑聚敛附益,及仕卫殉难二节,揣圣门大贤,断不至病民以媚季氏,为自好者所不为。陈氏厚施,民歌舞之,卒移齐祚。求之为此,或别有深心,欲使季氏敛怨,即以尊公室,未可知也。求以治赋称,抑或国用不足,欲以取之民者散之民,亦未可知也。夫子所谓鸣鼓而攻,或非夫子之言,或夫子有为言之。蒙考《论语》一书,实不出一手。自仲尼没,而儒之党派各分,弟子各就其所闻以记。汉之经生,分门别户,齐论鲁论,各有源流,观《汉书·艺文志》可知。即或求也并无此事,记者以误传,经生亦以误授,亦未可知也。此不容疑也。谓仲由死卫,为无见几之明,此近于据成败以论英雄。且夫子知其必死,无一贬语,而后人反加訾议,是智过夫子矣。亦不容疑也。

至谓二子无政绩足记,<small>有治蒲三善事,不得谓无一足纪也。</small>书缺有间,所流传于今日者,千万之一耳。且古人朴实,无盗名欺世之心,不如后人之墓志家传,连篇累牍,赖赖不休,固未易使其政绩传于后世。圣门七十二贤,其无事可记者,居十之八。宋明以后,从事孔庙之儒者,蒙读道学诸传,其所称述,往往近于圣人无一瑕疵。蒙不敢信宋后儒者,而疑孔门诸贤也。此又不容疑也。

谓春秋时待士极优,因责求、由不见用于世。不知若叔向,若子产,或出公族,或出世家。《左传》所谓羊舌氏世其家。至管夷吾举于士,则千古称鲍叔之荐贤、桓公之知人矣,皆未便与由、求疏远单寒之士同语也。以孔子之圣,而栖栖皇皇,不得展其志,又何论由、求? 此又不容疑也。

作者又疑由、求不应仕季氏。当时政权半由季氏,二子不仕鲁则已,苟仕鲁,舍季氏其谁氏? 明季贽[①] 议许澄[②] 不应仕元,谓为失身胡虏,不知许氏践元之土,食元之粟,当时君天下者为元,苟不仕元,其将谁仕? 季氏虽非元比,而论者所责,则同此迂阔矣。蒙又比之,当德川氏盛时,二百馀藩,奔走恐后,究其实,则僭霸耳。然苟责此二百馀年之臣,谓为无君,奚为而可! 季氏所为,

---

① 季贽,应为李贽。
② 许澄,应为许衡。

尚不如德川氏之手握政权,而谓二子呈媚僭窃之家,尽力乱贼之门,则可谓不论其世也。此又不容疑也。

读古人书,当观其大,当论其世。心有所疑者,则当博考旧说,融会而贯通之。圣人为万世一人,其门弟子之贤,亦必非后人所能及。蒙读朱注,于诸贤短处指摘不遗馀力,每讥其妄。故今读此篇,不自觉其言之烦碎也。山中无书,不获征引,以证成吾说。然断之以理,亦似可以共信。质之吾□□□□□□□□□□□[①] 鹿门以为何如? 蒙不学,虽谬妄,亦万不敢自居于师。谅之,恕之!

　　光绪庚辰五月二十九日在宫下楢屋浴起附赘此　　岭南黄遵宪

据郑海麟辑录《黄遵宪遗墨》,录自丁日初主编《近代中国》第九辑

《明治名家诗选》序

(光绪六年六月　1880 年 7 月)

居今日五洲万国尚力竞强、攘夺搏噬之世,苟有一国焉,偏重乎文,国必弱,故论文至今日,几疑为无足轻重之物;降而为有韵之声诗,风云月露,连篇累牍,又益等诸自郐无讥矣。虽然,古者太史巡行郡国,观风问俗,必采诗胪陈,使师瞽诵而告之于王。《春秋》为经世之书,孟子谓其因诗亡而作。昔通人顾亭林之言曰:"自诗之亡,而斩木揭竿之变起。"盖诗也者,所以宣上德、达民隐者也。苟郁而不宣,则防民之口,积久而溃,壅决四出,或酿巨患焉。然则诗之兴亡,与国之盛衰,未尝不相关也。

自余随使者东来,求其乡先生之诗。卓然成家者,寥落无几辈。而近时作者,乃彬乎质,有其文。余尝求其故,则以德川氏中叶以后,禁网繁密,学士大夫每以文字贾祸,故嗫嚅趑趄,几不敢操笔为文。维新以来,文网疏脱,捐弃忌讳,于是人人始得奋其意以为诗。余读我友城井氏之所选,类多杰作。其雍容揄扬,和其声以鸣国家之盛者,固不待言;偶有伤时感世之作,而缠绵悱恻,其意悉本乎忠厚,当路者亦未尝禁而斥之,是可以觇国运矣。以余闻欧罗巴固用武之国也,而其人能以诗鸣者,皆绝为当世所重。东西数万里,上下数千年,所

---

① 　郑海麟注此处缺十一字。

以论诗者，何必不同。尚武者不能废文，强弱之故，得失之林，其果重在此欤！抑有为之言，不必无用；而无用之用，又自有故欤！后有轺轩采风之便，其必取此卷读之。

　　大清光绪六年六月　　岭南黄遵宪公度序(印)

据日本村上佛山校阅、城井锦原修纂《明治名家诗选序》手迹

《藏名山房集》序

（光绪六年六月　1880 年 7 月）

　　天下万事万物，有迹可循者，皆后胜于前，独文章则今不如古，近古又不如远古。盖文章所言之理，今人所欲言者，古人既言之，掇拾其唾馀，窃取其糟粕，欲与古之人争衡，必有所不能。文章家之足自立者，其惟史乎！吾今日目之所接，耳之所遇，身之所遭，皆吾之所独，古之人莫得僭越之。文章家之史之大者，为古所绝无，其惟今日五大部洲之史乎！自欧米诸国接踵东来，举从古未通之国，从古未闻之事，一旦发泄之。问其政体，则以民为贵，以共和为政，以天下为公；问其学术，则尽水火之用，竭天地之蕴，争造化之功；问其国势，则国债库藏，动以亿数，徂练之师，陆则枪炮以万数，水则轮舶以百数；问其战争，则伏尸百万，流血千里，其甚者，寻干戈二三百载，不得休息。以及百丈之船，万钧之炮，周环地球；顷刻呼吸之电音，腾山蓦涧，越林穿洞；日行数千里之火车，飞凌半空之气球，凡夫邹衍之谭天，章亥之测地，齐谐之志怪，极古人所谓怪怪奇奇者，莫不有之；极古人荒唐寓言之所不及者，又有之。苟以是笔之于书，则夫欧米诸国，从百战百胜，艰难劳苦，以通东道者，皆适以供吾文章之用也。岂不奇哉！

　　昔人论史迁文，谓非独史才，亦网罗者博，有以资之。今五洲万国二千年之事，岂啻倍此。吾意数十年后，必有一学兼中西者，取列国之事，著之于史，以成古今未有之奇书。而不意东来日本，乃几几得之于冈子千仞。冈子向官编修，曾译米、法二志行于世。所为文章，指陈形势，抒写议论，类不受古人牢笼。余每读其文，未尝不叹为方今良史才也。往余与冈子相遇于昌平馆，冈子卒问余曰：“子每言不能为文，果何能？”余奋笔书曰：“能知五部洲之事。嘻！夫非曰能之，吾欲尽熟彼事，而后治吾文也。”今若俄、若英、若德、若奥、若意，

皆纵横寰海,以强盛闻。冈子尚有志译其书,余不将橐笔鼓箧、捐弃百事而从之游也乎!

　　光绪六年六月　　岭南黄遵宪序

据郑海麟辑录《黄遵宪遗墨》,录自丁日初主编《近代中国》第九辑

朝　鲜　策　略*　　[Strategy for Korea]

（光绪六年八月　　1880 年 9 月）

　　地球之上有莫大之国焉,曰俄罗斯。其幅帱之广,跨有三洲,陆军精兵百馀万,海军巨舰二百馀艘。顾以立国在北,天寒地瘠,故狁然思启其封疆,以利社稷。自先世彼得王以来,新拓疆土既逾十倍。至于今王,更有囊括四海,并吞八荒之心。其在中亚细亚,回鹘诸部落蚕食殆尽。天下皆知其志不小,往往合纵以相拒。土耳其一国,俄久欲并之,以英法合力维持,俄卒不得逞其志。方今泰西诸大,若德、若奥、若英、若法、若意,皆眈眈虎视,断不假尺寸之土以与人。俄既不能西略,乃幡然变计,欲肆其东封,十馀年来,得桦太洲于日本,得黑龙江之东于中国,又屯戍图们江口,据高屋建瓴之势。其经之营之,不遗馀力者,欲得志于亚细亚耳。朝鲜一土,实居亚细亚要冲,为形势之所必争。朝鲜危,则中东之势日亟。俄欲略地,必自朝鲜始矣。嗟夫! 俄为虎狼秦,力征经营三百馀年,其始在欧罗巴,继在中亚细亚,至于今日更在东亚细亚,而朝鲜适承其敝。然则策朝鲜今日之急务,莫急于防俄。防俄之策如之何? 曰亲中国,结日本,联美国,以图自强而已。

　　何谓亲中国? 东西北皆与俄连界者惟中国。中国地大物博,据亚洲形胜,故天下以为能制俄者莫中国若,而中国所爱之国又莫朝鲜若。朝鲜为我藩属已历千年,中国绥之以德,怀之以恩,未尝有贪其土地人民之心,此天下所共信者也。况我大清龙兴东土,先定朝鲜而后伐明,二百馀年字小以德,事大以礼。当康熙、乾隆朝,无事不以上闻,已无异内地郡县,此非独文字同、政教同、情谊亲睦已也,抑亦形势毗连,拱卫神京,有如左臂,休戚相关而患难与共。其与越

---

　　* 1880 年 8 月 2 日,黄遵宪与朝鲜赴日本修信使金宏集笔谈时说"今日情势,日本万万不能图朝鲜,仆策中既详言矣";翌年 7 月 8 日(光绪七年六月十三日)黄遵宪致王韬函又云:"去岁八月,有修信使金宏集来此,弟为之代作策论一篇,文凡万字。"此件当作于 1880 年 9 月。

南之疏远,缅甸之偏僻,相去固万万也。向者,朝鲜有事,中国必糜天下之饷竭天下之力以争之。泰西通例,两国争战,局外之国中立其间,不得偏助,惟属国则不在此例。今日朝鲜之事中国,当益加于旧,务使天下之人晓然于朝鲜与我谊同一家,大义既明,声援自壮。俄人知其势之不孤而稍存顾忌,日人量其力之不敌而可与连和,斯外衅潜消而国本益固矣。故曰亲中国。

何谓结日本? 自中国以外,最与朝鲜密迩者日本而已。在昔,先王遣使通聘,载在盟府,世世职守。至于近日,则有北豺虎同据肩背,日本苟或失地,八道不足自保;朝鲜一有变故,九洲、四国亦恐非日本能有。故日本与朝鲜实有辅车相依之势。韩赵魏合纵,秦不敢东下;吴蜀相结,魏不得南侵。彼以强邻交迫,欲联唇齿之交。为朝鲜者,自当捐小嫌而图大计,修旧好而结外援,苟使他日两国之轮舶铁船纵横于日本海中,外侮自无由而入。故曰结日本。

何谓联美国? 自朝鲜之东而往,有亚美利加者,即合众国之所都也。其土本为英属,百年之前,有华盛顿者,不愿受欧罗巴人苛政,发奋自雄,独立一国。自是以来,守先王遗训,以礼义立国,不贪人土地,不贪人人民,不强与他人政事。其与中国立约十馀年来,无纤介之隙。而与日本往来,诱之以通商,劝之以练兵,助之以改约,尤天下万国之所共知者。盖其民主之国,共和为政,故不利人有。而立国之始,由于英政酷虐,发奋而起,故常亲于亚细亚,常疏于欧罗巴,而其人实与欧罗巴同种。其国强盛,常与欧罗巴诸大驰骤于东西两洋之间,故常能扶助弱小,维持公义,使欧人不敢肆其恶。其国势偏近大东洋,其商务独盛大东洋,故又愿东洋各保其国,安居无事。即使其使节不来,为朝鲜者尚当远泛万重里之重洋而与之结好;而况其迭遣使臣,既有意以维系朝鲜乎? 引之为友邦之国,可以结援,可以纾祸。吾故曰联美国。

夫曰亲中国,朝鲜之所信者也;曰结日本,朝鲜之所将信将疑者也;曰联美国,则朝鲜之所深疑者矣。

疑之者曰:日本自平秀吉兴无名之师,荡摇我边疆,陵夷我城郭,荼毒我人民,赖明师攻守而后退;近年日本变从西法,鹰瞵鹗视,益不可测,江华之役,西乡隆盛志在生衅,亦因岩仓大久保诸人力争而后已,彼其志曷尝须臾忘郐哉! 条约之结,亦要盟不得不从耳,反与之喏,是何异开门而揖盗乎?

曰:西乡之议攻朝鲜也,二三大臣独排众议,执不可。彼非不欲荐食边鄙,以厚自封殖,顾度德量力,有所不能,则不如其已耳。朝鲜立国数千年,未尝无人,未尝无兵,无论攻之未必胜,即万一获胜,撤师则无复叛,留兵则无力,况日本有事朝鲜,中国势在必争。尔时日本遣使臣谒李伯相,伯相告以必争,又劝以徒伤和气,毫无利益,故其谋不行。彼知以日本攻朝鲜,已难操必胜,况加以中国之左提右挈,东征西讨,则日本必不支,故西乡之说卒不得行。既不敢行,又以朝鲜密迩近邻,存无滋他族,实逼处此之心,故汲汲然讲信修睦者,其意欲朝鲜自强而为海西屏蔽也。揣时度势,为日本计,必不得不出于此。况今日之日本,外强中干,朝野乖隔,府帑空虚,自谋之不暇乎!兵家有言,"知己知彼",故必知日本所以结朝鲜之故无可疑,然后知朝鲜之结日本亦无可疑。

疑之者又曰:绘图测地,我险既失,仁川一港,乃我帷闼,容彼往来,藩篱尽撤,非志图人国,彼安用测沿海之暗礁,侵畿辅之要地为哉?

曰:古有禁贩卖地图于邻国,杀之无赦者;古有引外国使臣绕道往来,不使其知我险要者,今非此之谓矣!今天下万国,互相往来,近而中东,远而欧美,凡沿海岩礁,皆编为图志,布之天下,以便航海,而远则海滨,近则国都,皆有外使终年驻扎,此通例也。盖力不足自守,虽拒之户外,而法取越南之边鄙,英与缅甸之国政,亦不克自保;力足以自强,虽延之卧榻,英之民遍居彼得俄,俄之民遍居伦敦英都,亦无足为害也。自强之道在实力,不在虚饰。日本之所为,乃万国之通例,非一家之诡谋也。况日本既不能谋人,则俾熟吾道,乃可以资救援;朝鲜素未知航海,则自识其险,乃可以资守护。从前日本因兵库开港,使臣驻京,抵死坚拒,至于一战再战,而后幡然改图,今行之亦十馀年矣。王公守国,乌系乎此哉!

疑之者又曰:朝鲜风气未与外熟,见彼东人异言异服,或群聚观看,或偶尔诟辱,维彼日人志在恫愒,至于管理之官亦敢拔刀以杀。苟和好出于真诚,岂漫无约束,竟肆恶以逞毒哉?

曰:日本性情好胜而不让,贪利而寡耻,见小而昧远,每每如此。特如此事,则两国细民猜嫌之未泯,非彼政府之意也。前草梁一馆虽日通商,而朝鲜所以困辱而禁制之者,实无所不备,彼心怀愤怒,非伊朝夕,加以釜山所居,类多对马穷民,彼辈无赖之徒,只求自利,安知大体?斗殴琐事,固非约束之所易及。观日本政府于拔刀一事,撤去山之城,亦可知其志矣。为朝鲜者,但当恪守条约,于彼之循理者,力加保护,然后于彼之无理者,严请究办,情意相孚,庶耦俱无猜矣。苟拘于薄物细故不能捐弃,而坐失至计,非智者所宜出也。

疑之者又曰：日本与我壤地相接，种类相同，子言结日本，吾固信之矣。若夫欧美诸国，去我数万里，饮食衣服不与我同，嗜币不通，言语不达，彼急急欲与我结盟者，非图利而何？彼利则我害，子言联美国，此鄙人之所大惑不解者也。

曰：美之为国，分国施政，而合三十七邦为合众国，统以统领，故得土不加广邻。其南邦有名檀香山国者，意求内附，彼且拒绝，而其国尚多旷土，其土多产金银，其人善于工商，为天下首富之国，故得土不加富。其不贪人土地，不贪人人民，此天下万国之所共信者也。而顾与英、法、德、意诸国选来乞盟，此即泰西所谓均势之说耳。今天下万国，纵横搏噬甚于战国，而列国星罗棋布，欲保无事，必期无甚弱、无甚强，互相维持而后可。苟有一国焉行其吞并则力厚，力厚则势强，势强则他国亦不克自安。欧洲一土，群雄角立，彼俄之眈眈虎视者，既无间可乘，故天下知其志必将东向，东向必自朝鲜始。俄苟有朝鲜，则亚西亚全势在其掌握，惟意所欲，而挟亚洲全局之势反而攻欧罗巴，势殆不可敌。泰西公法，毋得翦灭人国，然苟非条约之国有事，不得与闻。此泰西诸国所以欲朝鲜结盟也。欲朝鲜结盟者，欲取俄国一人欲占之势，与天下互均而维持之也。保朝鲜所以自保也。此非独美为然。然英、法、德、意以朝鲜地瘠，必赖战胜攻取，迭有创伤，以劫盟约，尚非其所愿。惟美国一国自以为信义素著，久为中东两国所信服，欲以玉帛，不以兵戎，故其来独先。然则美国之来，非特无害我之心，且有利我之心。彼以利我之心来，反疑为图利，疑为害我，是不达时务之说也。

疑之者又曰：朝鲜国小民贫，而与诸大国结盟，诛求无厌，供亿无艺，不将疲于奔命乎？风俗既殊，礼节亦异，接之非其道，不将疑而滋衅乎？

曰：古所谓牺牲玉帛，陈于境上，以待强国，以疲吾民者。古人以小事大之礼也，而今则无是。今之小国，若比利时，若瑞士，若荷兰国，皆自立，未闻诸大国之督责之、苛求之也。即使臣聘问、领事驻扎、资粮扉屦，皆彼自供。初至不过一朝见，终岁不过一宴飨，举凡郊劳赠贿，皆无有也。既无所供，安有疲应？至于仪文之末，酬应之细，彼亦犹人情。彼但知我无轻慢鄙夷之心，彼尚有何督过？况朝鲜贫瘠，无所利于通商。彼今者但欲缔盟而已，尚未必遣使臣、设领事乎，而又奚疑焉？

疑之者又曰：传教之士，煽诱小民，干预国政，稍稍以法裁抑，则动启哄争，或激事变，既与结约，应许传教，后患安有穷乎？

曰：天主教之专横，天下所共知。顾其敢于横行者，恃法兰西左袒之耳。

自法败于普,撤归护卫教王之兵,意大利遽以偏师夺取罗马,逐其教王,教王失所倚,势遂骤弱。至于近日,法亦屡抑教士。国变势,而天主教门益衰矣。但于立约之始,声明传教之士须遵国法,若有违犯,与齐民同罪,彼教士不得肆恶,则吾民不至滋事。至于美国所行乃耶苏教,与天主根源虽同,党派各异,犹吾教之有朱、陆也。耶苏宗旨向不干政,其人亦多纯良。中国自通商来,戕杀教士之案层见叠出,无一耶苏教者,亦可证其不为患也。彼教之意亦在劝人为善,顾吾中土周孔之道胜之何啻万万,朝鲜服习吾教,渐摩既深,即有不肖之徒从之,万不至迁乔木而入幽谷。然则听令传教,亦复何害? 斯又不必疑也。

疑之者又曰:诚如子言,天下有疏欧亲亚素称礼义之美国,联以为交,未尝不可。顾英、法、德、意从而效尤,接踵而至,则若之何?

曰:苟欲防俄,正利英、法、德、意诸国之结为盟约、互相牵制耳。且朝鲜即不利诸国之来,能终禁其不来乎? 今地球之上,无论大小国以百数,无一国能闭关绝人者。朝鲜一国,今日锁港,明日必开;明日锁港,后日必开,万不能闭关自守也必矣。万一不幸俄师一来,力不能敌,则诚恐国非己有,英、法、德、意不愿俄人之专有其土,则群起而争,溃坏决裂,殆不可收拾。前此有波兰一国,俄、德、澳取而分之;去年土耳其之役,俄师未撤,诸国交起,亦割分边地与澳与英与德而后已。朝鲜苟为之续,非吾之所忍言也。即曰仗先王先公之灵,群神群祀之福,天祚朝鲜,必无此事。而英、法、德、意迭遣兵船,要劫盟约,不战则不胜其扰,战而不胜则如缅甸之受制于英,安南之受制于法,亦事之所常有。幸不至此,则结一不公不平之条约,百端要求,百端剥削,非经历十数年兵强国富,不能更改,亦不知何以为国。正为防俄之吞并,惮英、法、德、意之要挟,联美国乃不得不亟亟焉。诚使趁美国使者之来,即议一公平之条约,则一列泰西之友邦,即可援万国之公法,既不容一人之专噬,又可为诸国之先导。为朝鲜造福,即为亚细亚造福。此之不为,尚疑乎哉!

群疑既释,国是一定,于亲中国则稍变旧章,于结日本则亟守条规,于联美国则急缔善约,而即奏请陪臣常驻北京,又遣使居东京,或遣使往华盛顿,以通信息;而即奏请推广凤凰厅贸易,令华商乘船来釜山、元山津、仁川港各口通商,以防日本商人之垄断,又令国民来长崎、横滨,以习懋迁;而即奏请海陆诸军袭用中国龙旗为全国徽帜,又遣学生往京师同文馆习西语,往直隶淮军习兵,往上海制造局学造器,往福州船政局学造船,凡日本之船厂、炮局、军营,皆可往学;凡西人之天文、算法、化学、矿学、地学,皆可往学。或以釜山等处开学校,延西人教习,以广武备。诚如是,而朝鲜自强之基基此矣。

盖于无事时结公平条约,一利也。中东两国与泰西所缔条约,皆非万国公例,其侵我自主之权,夺我自然之利,亏损过多,此固由未谙外情,抑亦威逼势劫使之然也。今朝鲜趁无事之时,与外人结约,彼不能多所要挟。即曰欧亚两土风俗不同、法律不同,难遽令外来商人归地方管辖,然第与之声明归领事官暂管,随时由我酌改,又为之定立领事权限,彼无所护符,即不敢多事;而其他绝毒药输入之源,杜教士蔓延之祸,皆可妥与商量,明示限制。此自强之基一也。

于通商亦有利焉。我亚西亚居天地正带,物产甚富。中国自唐宋以来,设市舶司,与人通商,所用金钱,皆从外国输入,数百年来,不可胜数。至于近日,金钱稍有流出,则以食鸦片之故也。日本受通商之害,则以易洋服、用洋货之故也。苟使不食洋药,不用洋货,则通商皆有利无害。朝鲜一国虽曰贫瘠,然其地产金银、产稻麦、产牛皮,物产固未尝不饶。吾稽去岁与日本通商之数,输入之货值六十二万,输出之货值六十八万,是岁得七八万矣。苟使善为经营,稍稍拓充,于百姓似可得利,而关税所入,又可稍补国用。此又自强之基也。

于富国亦有利焉。英国三岛止产煤炭,法国[①] 止产葡萄,秘鲁止产金银,皆以富闻于天下。他若印度之丝茶,古巴之糖,日本之棉,皆古无而今有,以人力创兴之,竟得大利。朝鲜土尚膏腴,物亦饶有,其人亦多聪明、善工作。彼极南之奥大利亚,极北之监察加,皆从古人迹不到之地,尚可开辟榛芜,化为沃壤,况于朝鲜之素居正带者乎? 苟使从事于西学,尽力以务财,尽力于训农,尽力于惠工,所有者广植之,所无者移种之,将来亦可为富国。又况地产金银,人所共知,若得西人开矿之法,随地寻觅,随时采掘,地不爱宝,民无游手,利益更无穷也。此又自强之基也。

于练兵又有利焉。中国圣人之道不尚武、不尚巧,诚以自治其国,但求修文守质,以期安静,不欲以嚣凌之习、机械之器导民以启争也。然但使他人不挟其所长,我亦守旧而不变。今强邻交迫,日要挟我,日侮慢我。同一乘舟,昔以风帆,今以火轮;同一行车,昔以骡马,今以铁道;同一邮递,昔以驿传,今以电线;同一兵器,昔以弓矢,今以枪炮。使两军有事,彼有而我无,彼精而我粗,

---

① "止产煤炭,法国"数字据郑海麟等《黄遵宪文集》补。

不及交绥,而胜负利钝之势既判焉矣! 朝鲜既喜外交,风气日开,见闻日广,既知甲胄戈矛之不可恃,帆樯桨橹之无可用,则知讲修武备,考求新法,可以固疆圉、壮屏藩。此又自强之基也。

　　既可以图利,又可以图强。国无寡小,但使有人、有财、有兵,即足以自立。彼瑞士、比利时犬牙交错于诸大之中尚能为国,况以朝鲜之素称名都、独当一面者乎? 朝鲜既强,将来欧亚诸大必且与之合纵以拒俄;苟其不然,坐视俄师之长驱,坐听他人之瓜分瓦解,而害可胜言哉! 语有之曰"两利相衡,则取其重;两害相衡,则取其轻。"况利害相去之甚远,而可不早决计乎!

　　嗟夫! 朝鲜一国,三面海滨,古称天险,惟西北壤地与我相接,数千年来,仰戴声灵,倾慕德化,惟知有中国。中国为政之体,极不愿疲中以事外,凡在藩服,惟冀其羁縻勿绝,服我王灵,但不敢箕踞向汉,即不愿损一兵、折一矢以立威。而朝鲜因是之故,朝野上下,皆修文教,守礼义,中国之衣冠礼乐,屡世恪守而莫敢失坠。老子所谓:"虽有舟舆,无所乘之;虽有甲兵,无所陈之,民至老死,不相往来。"诚天下之乐国矣。譬之家有慈父,其子饱食安居,无所事事,此朝鲜之大幸也。而不幸至今日,乃忽有天下莫强之俄罗斯与之为邻,而海道四辟又无险之可抢。然犹赖其国僻处东隅,民贫土瘠,故未至如印度之纳土与英,如越南之割地与法,如南洋加喇巴、小吕宋诸国之并于荷兰、并于西班牙。彼俄罗斯者又立国偏西,有诸大国与之牵制,未暇东顾,遂得如天之福世世相承,以至于今日。至于今日,防俄之策,其不得不亟亟然竭朝鲜一国之力以防俄。小固不可以敌大,寡不可以敌众,弱固不可以敌强,而又幸而有中国可以亲,有同受俄患力不足制朝鲜之日本可以结,有疏欧亲亚、恶侵人国之美利坚可以和。斯盖自先世箕子以来,迨乎今代,世宗立国,群后在天之灵所呵护而庇佑之,乃有此一机也。期所以乘此机者,正在今矣。前此三十年,中国以焚烟故,议罢互市,而一战于广东,再战于江宁,今且通商者十九处,结约者十四国矣。前此二十年,日本以劫盟故,志在攘夷,而一战于马关,再战于鹿儿岛。今则遍地皆西人,举国学西法矣。当二三十年前泰西诸国船舶犹未坚,枪械犹未精,英、法、美诸国之所要求者不过通商,故虽战而败,败而仍和,虽所缔条约所伤实多,而尚无大失。今则俄人之所大欲专在辟土,其船坚炮利又远胜于前,俄近将桦大洲屯兵移驻珲春,又于长崎赎买五十万银煤炭运往珲春,又遣大兵船二十馀号派来太平洋。而朝鲜锁港之说,仍与二三十年前之中国、日本相类,苟不知变计,恐欲求战而败,败而和,不可复得也。

嗟乎!嗟乎!时势之逼,危乎其危;机会之乘,微乎其微,过此以往,未知。或知举五大部或亲或疏之族咸为朝鲜危,而朝鲜切肤之灾乃反无闻之,知是何异处堂之燕雀遨游以嬉乎?惟智慧能乘时,惟君子能识微,惟豪杰能安危。是所望朝鲜之有人急起而图之而已。急起而图之,举吾策所谓亲中国、结日本、联美国,实力行之,策之上者也。踌躇不决,隐忍需时,亲中国不过守旧典,结日本不过行新约,联美国不过拯飘风之船,受叩关之书,第求不激变,第求不生衅,策之下者也。尔虞我诈,自剪其羽,丸泥封关,深闭固拒,斥为蛮夷,不屑为伍,迨乎事变之来,乃始卑屈以求全,仓皇失措,则可谓无策矣。

朝鲜立国千数百载,岂谓无人能悉利害,而顾甘于无策乎哉?决计在国主,辅谋在枢府;讲求时务、无立异同在廷臣;力破积习、开导浅识在士夫;发奋兴起、同心协力在国民。得其道则强,失其道则亡,一转移间,朝鲜之宗社系焉,亚细亚之大局系焉。

夫忠言逆耳利于行,良药苦口利于病,岂故为危悚之言以耸人听哉!吾借箸而筹此策,非吾心所忍,顾以时势之所逼,不得不出于此,乃不惮强颜以代谋,撄怒以苦诤。若夫吾策既行,济之以智勇,持之以忠信,随时而变通,随事而因应,下孚其群黎,内修其庶政,斯又环海生灵之庆,非此策之所能尽者矣!

据《黄遵宪文钞》,广东省文史研究馆钞(1962年仲夏)

《牛渚漫录》序

(光绪七年三月　1881年4月)

余尝以为泰西格致之学,莫能出吾书之范围。或者疑余言,余乃为之征天文算法于《周髀》盖天,征地圆地动之说于《大戴礼》、《易乾凿度》、《书考灵曜》,征化学之说于《列子》、《庄子》,征光学之说于《墨子》,征电气之说于《亢仓子》、《关尹子》、《淮南子》,征植物、动物之说于《管子》、《抱朴子》,闻者始缄口而退。挽近士夫喜新骛奇,于西人之医事,尤诧为独绝。见其器用之利,解剖之能,药物之精,辄惊叹挢舌,谓为前古之所未有,转斥汉医为迂疏寡效,卑卑无足道。噫嘻!何其不学之甚也!

余考古之俞跗能割皮解肌,结筋搦髓,华佗于针药所不能及者,辄使饮麻沸散破腹取病,复为缝腹,傅以神膏,此皆西人所谓穷极精能者,而古之汉医于二千馀年之前,固既优为之。若吾之望气察色,见垣一方,变化不测,洞阴究阳,则为西医之所无。然则汉医何遽不若西医乎?司马温公之论佛法,谓其精微不能出吾书。余谓西学无不如此。特浅学者流,目不识古,以己所未闻,遂斥为乌有,可谓蚍蜉撼树,不自量之甚也。

日本浅田先生为汉医,于举世心醉西法之时,坚守故说,百折不变,盖先生学问该博,多读古书,故实有所见而云然也。先生于刀匕馀暇,曾汇辑古人关涉医事之说,名为《牛渚漫录》。余受而读之,非惟医家诸说尽拔其萃,而于天地间万事万物之理,即此一篇,亦可以旁推而交通之。嗟夫!西人之学,每偏于趋新;吾党之学,每偏于泥古。彼之学术技艺,极盛于近来数十年中,古不及今,其重今无足怪也。吾开国独早,学术技艺,数千年前已称极盛,吾之重古人,古人实有其可重者在也。不究其异同,动则剿袭西人知新之语,概以古人所见,斥为刍狗,鄙为糟粕。乌乎,其可哉!余故读是编而叹息久之。

大清光绪七年春三月 岭南黄遵宪公度撰

据钱仲联辑《人境庐杂文钞》,《文献》第七辑

《读书馀适》序

(光绪七年五月 1881年6月)

从古硕学之士,必有二三著述为生平精意所寄者,而出其馀力,又往往缀为杂文[1],以发抒事理,考证[2] 古今。在作者或不甚爱惜,然承学之士,每欲为之永其传,诚以出自名儒,断非浅植者流所能为也。余考杂说之书,《四库》著录凡八十馀部,其出于高材鸿儒之撰述者,十居其五;而出于门生后进之所编辑者,又十居其五。盖博雅君子,积学既深,即随手掇拾,不必求工而书自足传。至亲所受业之人,即其师之遗簪弃履,尚什袭珍藏之不暇,况于其书,其郑重而欲传之,固其宜也。

余未渡东海,既闻安井息轩先生之名;逮来江户,则先生殁既二年[3],不及

---

① 此句钱仲联辑《人境庐杂文钞》(《文献》第七辑)作"而又往往出其馀力,缀为杂文"。

② "考证",《杂文钞》作"订证"。

③ "二年",《杂文钞》作"一年"。

相见。余读其著作,体大思精,殊有我朝诸老之风,信为日本第一儒者。物茂卿、赖子成辈,恐不足比数也。先生之书,既风行于世,顷其门人松本丰多氏,复举其《读书馀适》见示,盖先生盐松纪游之作,而松本氏[1] 手录而存之者也。余受而读之,纪事必核,择言必雅。譬如狮子搏兔,虽曰游戏,未尝不用全力。又譬之画龙者,烟云变灭,不得睹其全体,而一鳞一甲,亦望而知其为龙也。学问之道,固视其根柢何如,能者不能以自掩,不能者亦不能以袭取,信哉! 往岁余友曾以息轩遗文命余序,余深愧才学不称,执笔而复搁者再。今松本氏促余序此编,惴惴然而后下笔,犹自觉有举鼎绝脰之态也[2]。

大清光绪七年夏五月　岭南黄遵宪公度序

据郑海麟辑录《黄遵宪遗墨》,录自丁日初主编《近代中国》第九辑

《北游诗草》序

(光绪七年春　1881年春)

冈君将游北海,余饯之柳桥水阁。酒酣,赋赠一律,有"归来倘献富强策"句。君大悦,曰:"能道吾志。"盖北海一道,为日国北疆,实为豺虎所垂涎。君生东北,固悉外情,屡著论,论开拓防御之方。戊辰王师北征,藩主以为奥羽盟主,没收封土,改封二十八万石。君献策曰:"门阀世臣,诸失邑土者,移住北海,为国家辟草莽,可以谢罪于天下。"两伊达、片仓诸氏皆然之,率臣隶往拓其地,驱熊罴,除荆棘,郁然成都邑。君此游,阅历其地,一一赋诗咏之。归京日,出稿示余。其诗雄健磊落,写物状,纪风土,无一徒作者,使读者如身游其地,目击其状,而于北门锁钥不可一日忽之者,一篇中三致意焉。夫儒生迂阔寡效,为世所诟病也久矣,独日国屡收其效,尊王废藩之论,既出于一二儒生。而北海一道,莫大版图,无穷利益,举从古明君名相所未及经营者,一韦布之士,乃有以倡其议,而奏其功。今读君诗,尤足以感发。吾知后此执耒耜、操牙筹而往者日多,或将为日国之印度、之澳大利亚,亦终不可知。儒生空言无补,得君其亦可一雪此言也乎! 伊达氏即今年劝业会所得第一名誉赏牌者也。

---

① "松本氏",《杂文钞》作"松氏"。

② "犹自觉……之态也",《杂文钞》在"惴惴然而后下笔"前。

大清光绪辛巳春　岭南黄遵宪公度撰

据日本冈千仞《北游诗草》

《养浩堂诗集》序

（光绪七年六月　1881年7月）

余每读少陵怀谪仙诗曰："何时一樽酒，重与细论文。"未尝不叹良朋聚首为人世不易得之事也。夫文字之交，臭味相同，得一奇则共赏，得一疑则共析，比之亲戚之情话，骨肉之团聚，其乐有甚焉者；然而此乐正不数数觏也。今之人抗心希古，长吟远慕，每恨与古人生不同时。既同时矣，而两地睽隔，一秦一越，终身不相闻，不知谁某者容亦有之。即幸而彼此缔交，而渭北春树，江东暮云，惜别怅离，不得相见，其慨想又当何如！余与栗香，一居东海，一居北海，所谓风马牛不相及者也。自余有随槎之行，居麹町者四载，乃衡宇相望，昕夕过从。自是以来，墨堤之赏樱，西湖之折柳，龟井之看梅；春秋佳日，裙屐觞咏，未尝不相见，相见未尝不谈诗。栗香之诗，清新俊逸，余叹为天才。既为之校阅四五过，复系以评语累千万言。余生平交友遍天下，南北东西，大都以邮筒往复，商量旧学而已。不意于异国之人，乃亲密如此，窃自诧此缘为不薄矣。昔江辛夷一客耳，赖子山阳至度越阡陌远往长崎，待之九十日，卒以阻风，船不果至，空结遐想。余才虽不逮古人，而比之古人为幸良多。虽然，余亦倦游，行且归国，他时持此一卷，诵"重与细论文"之句，栗香其亦同此情乎！

光绪七年夏六月　岭南黄遵宪公度撰　荆州杨守敬惺吾书

据郑海麟辑录《黄遵宪遗墨》，录自丁日初主编《近代中国》第九辑

《斯文一斑》第七集评语*

（光绪七年八月　1881年9月）

精思卓识，非一孔之儒所能知。宋儒以诸葛公为儒者，特即其淡泊明志，宁静致远数语，谓有合于圣人之道，是执宋学之儒者以论古人耳。余观武侯治蜀，体国经野，纤悉必具，有三代之风。古之儒者体用兼备盖如是，而宋人得其

* 所标时间据"第九集"所署"光绪七年八月"（1881年9月）。

性命之谭尊之为儒,不知此种儒者,即司马先生所谓不识时务之儒生俗士,即武侯谓论宋言计动引圣人之流,孔明固不愿居是名也。夫乐毅下齐七十馀城,功业有足多者,其忠事燕惠,尤为战国第一流人。至管子本天下才,圣人称之曰仁,且曰"微管仲,吾其左衽",所以称之者至矣。考武侯治蜀,务则训农,如仲之治齐,其《出师表》"鞠躬尽瘁,死而后已"之语,与报燕惠五书相仿佛。武侯一生事业,莫能出管、乐之右,其自比管、乐,可谓自知明矣。宋儒重性命而轻事功,以管、乐为卑卑不足道。而既尊孔明为儒,乃不得不以自比管、乐为疑。是皆宋儒偏迂之见,乌足以以知孔明哉!

据《斯文一斑》第七集,1881 年(明治十四年)7 月日本斯文学会藏版

《斯文一斑》第八集评语[*]

(光绪七年八月　1881 年 9 月)

至论至论,非唯程门,即宋儒之最纯粹如朱子者,其所谓虚灵不昧之心,简静无为之学,皆禅家者流之说,求之孔门七千子微言,未尝有是也。余尝慨印度一土,物产富饶,人民智慧,然自古以来未尝以强国称,且屡亡其国,为异种别教之民所兼并、所吞噬,则以佛教之虚无寂灭,中于人心,其势必流于孱弱也。嗟夫宋人之于儒,号为得不传之学,使天下贤智之士靡然相从,其实乃剿袭佛家破坏之说以互相煽惑。程朱已矣,至于今日,学士大夫之聪明犹受其锢蔽,陷弱而不知返,可哀也夫!

附录:《斯文一斑》原文

(前略)程氏之门学者多矣。其终身沉沦不遇者固无可睹,若夫负望立朝,独有杨、尹二子,排和议,斥邪说,不为不直,而至经纶开济事业,则无足道者。朱子曰:龟山虽负重名,亦无煞活手段。又曰:当危急时,人所属而着数如此,所以使世上一等人笑儒者以为不足用,正坐此耳。又曰:绍兴初,和靖入朝,满朝□想,如待神明。然亦无大开发处。盖其平生退处静养,务取自适,而于世故物情不免隔膜之患。故大抵持□有馀而格致不足,笃行高义,表暴一世,而临事应变,气息奄奄,声实相戾。要之,佛理涂塞而

---

[*]　黄遵宪评语针对附录所录一段文字而发。评语时间当与"第九集"所标"光绪七年八月"同。

事功废,虚寂为崇而才干衰。有宋一代之弊所由来久矣!

据日本《斯文一斑》第八集,1881 年(明治十四年)7 月日本斯文学会藏版

《斯文一斑》第九集评语

(光绪七年八月　1881 年 9 月)

儒生泥古不通世变,多不知礼意。文折衷古今,善于断制,可谓五鹿岳岳,朱云折其角矣!

光绪七年八月敬读

据日本《斯文一斑》第九集,1881 年(明治十四年)7 月版

《近世伟人传》题词*

(光绪七年秋　1881 年秋)

若夫觞酌凌波于前,箫笳发音于后。足下鹰扬其体,凤叹虎视,谓萧曹不足俦,卫霍不足侔也。

光绪七年

子闇先生雅正

黄遵宪

据日本蒲生重章《近世伟人传》礼集四编卷上题词

《裴亭诗钞》批语二则**

(光绪四至七年间　1878 年至 1881 年间)

一

二诗①可入高士传。读其诗如见其人。

遵宪拜读

---

　*　蒲生重章在此文上眉注曰:"此语昨秋公度所赠。一别沧海万里,不可复晤,姑视此慰相思焉。"此注当写于光绪八年黄遵宪离日赴美任职前。从中可知黄遵宪题词为光绪七年秋。

　**　《裴亭诗钞》,日本蒲生重章著。黄氏批于使日期间。

　①　此处有诗钞作者眉注:"余与黄参赞好,所谓'二诗',谓《青天白日放歌行》及《辞议员》二诗也。"

二

峻嶒傲骨,可以撑持婆娑世界。诗亦苍老。

黄遵宪拜读

据日本蒲生重章著《聚亭诗钞》(青天白日楼藏梓)

《春秋大义》序*

(光绪四至七年间　1878 年至 1881 年间)

日本藤川三溪以所著《春秋大义》求序。余读其书,识议明通,断制精确,一字一义,必求其当。余既条举所见,系之简端,复发策而序之曰:

尊《春秋》者,莫先于孟子。孟子自称为窃取其义,而一则曰《春秋》天子之事,再则曰其事则齐桓、晋文,盖专以此事求《春秋》也。孔子之言曰:我欲托之空言,不如见诸行事之深切著明。《春秋》之事,诚天下万世是非之准、得失之林矣。彼说经者徒以辞求,穿凿附会,愈失而愈远,至以断烂朝报疑《春秋》为无用,亦未尝比其事而观之耳。

《春秋》之事,莫大乎尊王攘夷,汉土之读书者尽知之。而推而行之日本,其致用也远,其收效也尤速。日本自源、平以来,将军主政,太阿倒持,七百馀载,玉步未改,俨有二君,王章弁髦,不尊已甚矣。迨乎德川末造,欧米诸国接踵而来,皆以兵威劫成盟约,红髯碧眼,羊狼虎视,族类不同,语言亦异。于是举国之人,以其从古未通,骇然不知为何物,群名之曰夷,纷纷竞起倡尊攘之说。豪杰之士,或陷狱以死,或饮刃以殉,碎身粉骨有不恤者,为尊攘也;麛岛关镳战者再,弹丸雨飞,流血成海者,为尊攘也;七卿西奔,二藩合纵,锦旗东指,声罪黜霸,为尊攘也。凡所以鼓动群伦,同德同力,卒覆幕府,以成明治中兴之业,皆《春秋》尊攘之说有以驱之也。何其奇也!

夫《春秋》之事夥矣,而后世儒者谓专在尊攘,此亦南渡以来,愤宋室屡弱,有为之言,求之《春秋》,未必悉当。而日本行之,其效乃如此。此亦如直不疑之引经断狱,其谓子为君则非,其缚太子则未尝不是也。嗟夫! 通经所以致用也,苟实事求是,归于有用,则虽郢书燕说,而亦无不可,又何必一字一义之必

---

* 写于黄遵宪使日期间的光绪四年至七年(1878—1881 年)间。

求其当也哉！

以余闻藤川子固抱用世之志者也，故书此说以归之。

据钱仲联辑《人境庐杂文钞》，《文献》第七辑

《皇朝金鉴》序*

（光绪五至七年间　1879 年至 1881 年间）

日本之史，以汉文纪事者，莫善于《大日本史》，而其书实出水户藩士之手。水户藩号多贤，有青山云龙氏者，世以史学鸣。其伯子延先，继《日本史》后，为《纪事本末》一书，而史体益备。余来日本，即闻青山氏名，后得与其季子延寿交。

延寿官于史馆，平生所著述，多涉国史，与之征文考献，无能出其右者。顷复出其所著《皇朝金鉴》，索序于余。其书分类排纂，采辑古来明君良相、名儒大贤之事迹可为法鉴者，盖《世说》、《言行录》之体也。

今欧米诸国，互相往来。世之论者，好远骛博，辄惊其强盛，以为事事皆可取法，而以己国为鄙僿无足道。虽孩童妇女，亦夸拿破仑，誉华盛顿。老师宿儒，昧昧姝姝，守一先生之说者，遽斥为固陋。此其说似矣。虽然，余窃以为天下者，万国之所积而成者也。凡托居地球，无论何国，其政教风俗，皆有善有不善。吾取法于人，有可得而变革者，有不可得而变革者。其可得而变革者，轮舟也，铁道也，电信也，凡所可以务财、训农、通商、惠工者皆是也。其不可得而变革者，君臣也，父子也，夫妇也，凡关于伦常纲纪者皆是也。

日本立国二千馀年，风俗温良，政教纯美，嘉言懿行，不绝书于史。吾以为执万国之史以相比校，未必其遂逊于人。则以日本之史，教日本之人，俾古来固有之良，不堕于地，于世不无裨益，则亦何事他求哉？抑吾闻各国学校所以教人者，莫重于国史。米利坚立国仅百年，于地球最为新国，其学校亦以米国史为重。

圣人有言："切问近思，理固然也。"若夫译蟹行之字，钞皮革之书，今日之日本，正不乏人，余老友青山先生固不肯为，亦不能为也。

据钱仲联辑《人境庐杂文钞》（上），《文献》第七辑

---

*　此序写于使日期间。

《畿道巡回日记》序*

（光绪四至七年间　1878年至1881年间）

天下万事万物,皆托于地。举凡山川之夷险,物产之盈虚,民生之聚散,皆与国之盛衰相关,故善为国者,莫善于治地。地如此广莫也,万事万物之傅焉者,如此其纷繁也,必非不出户庭所能周知,故善志地者,莫善于记游。古人志地之书,以《三坟》、《八索》为最古,书皆不传。传者若《禹贡》,若《山海经》,皆身所经历叙述闻见之书也。然自东汉以后,词章日盛,山水方滋,学士大夫排日纪游之作,自马第伯《封禅仪》以下,无虑数十家,类皆模范山水,雕镂词章,夸丘壑之美,穷觞咏之乐。其尤雅者,亦不过流连旧墟,考订故迹,以供名流词客之清谭耳。求如李文公之《来南录》、孙文定之《南行记》,盖不可多得也。

自余来日本,知日本士大夫喜游,天性又善属文,故所见游记最多。然大都文人习气,无益于用。顷者生田水竹以《畿道巡回日记》见示,书凡数万言,于所闻见,能见其大。其叙事质而不俚,立论庄而不腐。余乃不禁为之熟读而三叹也。日本之为国,独立大海中,生田子所未至,独二州耳,然足迹限于一隅。方今轮船、铁路,纵横交错于五大部洲,生田子苟无事,何不裹数年之粮,西穷禹域,南访交趾,至澳大利亚折而西,泛舟过印度,达麦西,经波斯,入欧罗巴中原,遍历俄、德、意、法、英诸大国,然后越大西洋,吊华盛顿之所都,寻阁龙之所辟土,复绕太平洋而归。苟以其山川、物产、民俗笔于书,必更有可观。生田子未老,且有济胜之具,其亦有意于此乎? 嗟夫! 余倘能屏弃百事,遍游天下,舍生田子其谁从哉!

据钱仲联辑《人境庐杂文钞》(上),《文献》第七辑

评《送佐和少警视使于欧洲序》**

（光绪五至七年间　1879年至1881年间）

西法有必不可学者,有可学可不学者,有急急应学者。论物产之富,人才

之众,风教之美,吾皆胜于彼。所不及彼者,汽车、轮舶、电线及一切格致之学、器用之巧耳。彼抉其所长以务财训农,以通商惠工,以练兵讲武,遂坐收富强之效以凌轹我。彼百战积累,不知费几许金钱、几许岁月而后能者,吾学之而旦夕可成,此盖天之所以启我也。于此而犹不图奋发,是甘于自弱矣。噫!

矫健磊落,光烛星辰而上,气引江河而下。此题古人所未有,而文乃不懈,而及于古。

据郑海麟辑录《黄遵宪遗墨》,录自丁日初主编《近代中国》第九辑

评《爱国丛谈序》[*]

(光绪五至七年间　1879 年至 1881 年间)

知人贵论世,旧日尊攘之徒,其中浮鄙者,所谓攘夷意在尊王,尊王意在覆幕府,覆幕府在图富贵,诚不乏人。而忠肝义胆之士,实亦指不胜屈。时局一变,变为用夷。苟使数子者不死,其知机识时,亦必倾心外交,力学西法无疑也。此论极为有见。虽然,如佐久间象山之流,能于群言纷乱之时,力主开港,则尤为不可及哉!

据郑海麟辑录《黄遵宪遗墨》,录自丁日初主编《近代中国》第九辑

《日本杂事诗》自序

(光绪十一年十月　1885 年 11 月)

(文见本集上册第一编《日本杂事诗》,页 5)

先妣吴夫人墓志[**]

(光绪十一年十一月八日　1885 年 12 月 13 日)

夫人姓吴氏,庠生词英公之女。年十□,归我父砚宾先生。先王母梁夫人

---

[*] 评述时间推断在光绪五年(1879 年)至七年(1881 年)间。

[**] 据文末有"至光绪十一年八月,允假归,始择十一月八日卜葬于州西门之湖阳唇。奉吾父命,为文志诸幽。"知作于是时(1885 年 12 月 13 日)。

早弃养,曾祖母李太夫人年七十,老病辗转胥俟人。太夫人子孙蕃多,男女内外数十人,顾独爱吾祖与父。及吾母来,又最钟爱焉。日昧爽起,吾祖父偕入问夜安否,而吾母为之栉沐,为之盥洗。每食,吾祖进饭,吾父奉羹,吾母则掇箸,或以匕饲之。医来,则吾祖延医,而吾父调药,吾母量水。夜寝,吾母登榻上为按摩抑搔,吾祖吾父率诸孙辈围坐其下,嬉笑欢谑,时引述小说家言及乡曲琐事,刺刺不休。既而悄悄不应,则知太夫人已熟寝矣。乃相率退,休户枢,使无声,褰裳蹑履,车轮曳踵,拂动甚微。盖十数年如一日。太夫人每谓吾祖:"俗语有之,爱此裙、惜此带,是固然矣。顾吾爱新妇,实以新妇贤且孝,非爱汝辈故推及之也。"

吾家累叶丰饶,自己未、乙丑两经寇乱,骤以贫薄。吾父方官京师,俸微不足以赡。夫人乃典簪珥,治地一畦,杂种蔬菜,枝叶苞实,颖栗秀好,四时而不断。又以隙地为鸡栖豚栅,俾令孳息,夫人则指挥诸媳,定为功课:长者司庖,则次者灌园,少者视猪。如是轮流,无有闲暇。夫人手抱诸孙,时时巡察,甚且晨锄夕饮,身亲其业,以为劝率。丝履布袜,悉自营作,间或课女红为帉帨行滕,刺作花鸟草虫之形,呼令小婢卖之廛市。当是时也,吾家物无弃材,人无游手,堂皇庖湢,必整以饬。久而家人辈感化习熟,无烦督责,至争以手所蓄植者,割鲜献新,供甘旨以相夸美。以故日用所需,取诸宫中而具足。男钱女布,婚嫁稠叠,胥无阙礼,而六姻三族,岁时馈遗,丰约咸适,又能馀财周恤窭乏,而人皆忘其贫矣。夫人体气素强,至是以焦劳拮据,日渐羸瘦。时不孝遵宪辈均已长成,顾专令读书,不许问家人生产。偶请其节劳,则笑应曰:"我乐此不为疲耳。"或作激励之语,谓:"汝辈苟贤,吾岂屑为此?但使他日得一碗寻常茶饭,无事操作,于愿遂足,何论今也。"呜呼!岂知今日甫得微禄,而遂不能逮养耶?痛哉!痛哉!

夫人于道光八年七月二十三日生,于光绪九年正月初十日卒,春秋五十有六。先是,光绪七年春,随吾父宦粤西,暨往南宁,在道得疾,遂至不起。赴至家,上自继姑及妯娌姑妹,下逮婢妪,相向哭,皆失声,族戚邻里,叹息有泣下者。自夫人亡,吾父每语不孝兄弟辈曰:"自吾试礼闱,官农曹,在京廿馀年,得以晏然无内顾忧者,汝母力也。"吾祖亦曰:"吾行年七十有七,宗妇戚女中之能治家有贤声者,固不乏人,然实未见有处事执礼妥当详慎如汝母者。"呜呼!此可以知夫人之贤矣。

吾祖名际昇,诰封通奉大夫。吾父名鸿藻,咸丰乙卯科举人,今官广西知府。夫人生四子:长即不孝遵宪,由拔贡生中丙子科举人,以出使外国,充日本参赞官、美国总领事官,积劳洊升二品衔,分省补用道;次遵谟,江西试用县丞;次遵路,庠生;次遵楷,监生,州同衔。女二人:长适张润皋;次适梁国琨。孙四人:履端、履和、履垣、履通。遵宪之初适异国也,启夫人,谓男儿志四方,何论中外,因遂远行。及遭丧,遵宪方在金山,既不克视汤药,亲含殓,又以王事靡盬,不获奔丧。哀恳再四,至光绪十一年八月,允假归,始择十一月八日卜葬于州西门之湖阳唇。奉吾父命,为文志诸幽。于是追述懿德,泣志一二,既以诏后世子孙,永勿敢忘,亦以示知言君子,俾知有实征,无溢美云。

长男遵宪泣志

据钱仲联辑《人境庐杂文钞》,《文献》第八辑

曾祖母李太夫人述略*

(光绪十三年春　1887 年春)

太夫人李氏,城内翰林院检讨李公象元之裔孙也。祖官湖南郴州吏目,太夫人生于官署,故名郴姑。年十八来归,辅相词海府君,事无不咨商而行。词海公已殁,乃就养于云南嵩明州。居一二年,不乐,归。府君所遗商业,或居或卖,店夥辈必来禀命,由太夫人断行之。太夫人治家严,虽所爱,或不顺遂,辄怒责,或呼杖。诸孙妇十六七人,不许插花,不许掠耳鬓,不许以假发拖长髻尾。晨起如厕,必遍历孙妇室外。诸孙妇必于未明时严妆竟,闻太夫人履声,即出垂手立户外问安。或未见,辄问病耶? 睡耶? 咸惕息不敢违。

太夫人年七十时,长子方官云南,四子官福建。每岁十月,太夫人寿辰,必会亲戚,长幼咸集,酣嬉歌呼,作十日饮乃已,太夫人亦顾而乐之。及伯祖卒于官,四伯又殉难,太夫人为之伤心。日惟手一帙,夜则命人说《天雨花》诸说部,犹惨戚不怡。久而病,八十后卧床不复起行矣。

太夫人隆准大耳,面长方如男子相。生子六人,皆状貌鸿伟,人望而惮之。

---

* 文末有"事具《人境庐诗集·拜墓诗》中"。卷五《拜曾祖母李太夫人墓》诗中说"儿今年四十,大父七十九";"阿端年始冠,昨年已取妇"。据此当写于光绪十三年(丁亥,1887 年)。又据钱仲联《黄公度先生年谱》,定为该年春所作。

乳长尺馀,乳子则负于背,儿颔枕肩上,引乳就其口哺之,人以为贵相。以三子际熙得曾孙,钦旌五代同堂,赏银缎如制。初封宜人,继赠恭人,又赠夫人、一品夫人。遵宪生周岁,引与同寝,甫学语,即教以歌诗。事具《人境庐诗集·拜墓诗》中。

据钱仲联辑《人境庐杂文钞》,《文献》第八辑

《日本国志》自叙

(光绪十三年五月　1887 年 6 月)

(文见本集下册第六编《日本国志》)

叔弟公望铭辞*

(光绪十五年五月　1889 年 6 月)

吾闻君子之敬天命,犹孝子之奉亲闻,虽降荼毒,甘受不违。又闻达人之言命,斥造化为小儿,一任人世之殃庆祸福颠倒舛午,彼造物者曾不省訾,虽旨趣之各别,同渺茫而无归。人固无所逃死兮,死亦不必祈。第委心任运,而与化推移。胡志意之亢,气干之未衰,而自缩其期? 谓神仙为兵解,视蜕形犹委衣,事岂足信,亦非汝能。几谓勇士之赴义,甘鼎镬而始饴,无所为而为此,亦未必若是愚。谓妖梦幻妄之构于心,造于思,则向香以为朽,视白以为缁,本出于病迷。似则似矣,又胡为操刀之割,乃在无疾之时? 谓世为无鬼,鬼为无知,彼罔两儵忽,猗狂闪尸者,孰为设施? 又奚为双刃骈殉,萃此须臾,而不忒毫厘? 谓世为有鬼,鬼为有知,鬼死犹能为厉,岂人未死而鬼之敢欺? 且既已左弹而右鸮,香灭而兰萎,攫与俱往,其又将奚为? 以此问佛,佛多遁辞;以此问孔,孔曰未知。即起黄帝为士师而学断斯狱,亦不能劂其是非。理莫可诘,事则如斯。我作铭词,借舒吾悲。上以诘无可奈何妄言知命之贤圣,下以讯遭值事变不知纪极之何谁。

据钱仲联辑《人境庐杂文钞》,《文献》第八辑

---

* 黄遵宪叔弟公望(遵路)卒于光绪十五年五月十八日(1889 年 6 月 16 日),此件写作时间姑标是年五月。

《日本杂事诗》自序

（光绪十六年七月　1890 年 8 月）

（文见本集上册第一编《日本杂事诗》,页 6）

祭家簧山叔文*

（光绪十六年　1890 年）

十五年前,我居京都。公官礼曹,同一蜗庐。积雪沁骨,坚冰在须。榻张青灯,室然红炉。公每语我,口哕不合。鸡虫得失,米盐凌杂。街鼓三挝,语更沓沓。我倦卧听,倚壁欲瞌。公呼叔婶,速具暖汤。冷否饥否? 然薪炊粱。玉糁沃雪,罗卜饱霜。须臾母去,此情可忘? 公之书法,最为精能。立鹤矫龙,□□盘鹰。狂跳如虎,误点亦蝇。苦心经营,众所嗟矜。飞鸣冲天,少年得第。高翔木天,将登而踬。守不疗饥,扬徽卖字。义取金帛,曾无虚岁。一字三绢,尺幅寸金。下供缝纫,上佐烹饪。鸾飘凤泊,江湖浮沉。一十馀载,鬓霜已侵。公之善画,盖不由学。十四童试,争坐相角。皤然一童,老犹矍铄。鸡肋当拳,鸥视曰吓。公时拈笔,状为画图。厚唇弇口,涂之以朱。非鬼非人,蠢蠢如猪。万众拍掌,何物老儒? 中岁好道,画益高简。空山梅鹤,寒江芦雁。林茝刘芷,合掌赞叹。四百馀年,无此闲淡。早工时文,熟如澜翻。撑肠压卷,计数以千。改弦哦诗,每成大篇。貌袭杜陵,神追乐天。公之数学,穷极要眇。蹈江轶梅,精鹜八表。上搜天根,下抉鬼巧。精微不传,人竟不晓。虚中言命,姑布善相。灼龟之卜,撼龙之葬。九宫白黑,六壬虚旺。公以意揣,辄效不妄。我高我曾,累世华贵。中更丧乱,凡百憔悴。饥驱四方,以饱一家。予取予求,或犹疵瑕。公语雁高,贫固吾分。劳亦吾命,夫奚敢怨? 敝箪止饐,一传众咻。我实不济,人则何尤? 惟有公度,知我心耳。劝母恤言,但求尽己。顾我拮据,手仅十指。念我方寸,洒血能几? 举家嗷嗷,呼负而已。当言此时,滴泪如水。公之所服,

---

* 文末有"去年五月,我哭公望"。公望卒于光绪十五年五月十八日,故此文当写于光绪十六年（1890 年）。

短布单衣。行路识公，人或信疑。公之所食，粥豆羹荠。人弃如遗，公甘如饴。公之所处，劣仅一席。昂首碍楣，侧卧触壁。友朋揖让，舣顶交蹠。公自从容，人诮褊啬。频年染衣，京华尘土。中岁听鼓，江淮风雨。甫抵江南，即奔母丧。栾栾素冠，中又悼亡。一麾再出，司榷于沪。南通一局，又司莞库。最公践历，此最优裕。岂图星奔，又哭将父。公境愈厄，公心愈苦。人岂无情，木石为伍。忧能伤人，金销水腐。跄踉远归，乃觅葬处。公尝语我，运多迍邅。平生顺境，只在少年。《鹿鸣》赋归，卧于东山。门有绿杨，池有白莲。黄花散金，入秋愈妍。我持一卷，吟哦其间。百无忧虑，胸中浩然。我语慰公，老来菀枯。课子抱孙，亦足忘忧。公默不语，言讫摇头。今思此语，宁不然不？一棺戢身，万事皆已。修短有数，此亦命耳。我独念公，劳瘁一世。生人之乐，何尝尝试。科名官职，亦世所贵。草草如公，抑亦无味。丁戊之间，闻公善病。蓦然相见，虽瘦犹劲。须眉炯炯，神明殊胜。谓有晚福，蔗味愈永。多年不见，握手欢然。我将远行，意益拳拳。送我出门，见不有年。岂谓死别，曾不俄延？去年五月，我哭公望。寒风陨霜，子鹤又丧。又弱一个，能无凄怆！东望奉觞，公其尚飨！

据钱仲联辑《人境庐杂文钞》，《文献》第八辑

先祖荣禄公述略*

（光绪十七年二月　1891年3月）

府君讳际昇，字允初，先曾祖第六子也。幼随诸兄读书，警敏，善属文。二伯祖早夭，曾祖以襄理乏人，命之弃儒而业商。逮曾祖没，曾祖母李太夫人就养于云南，府君奉以行：驰驱蚕丛鸟道间，山行板舆，水行安舻，有呼唤，未尝不在前，遇安息，则咫尺不相离也。居云南二年，太夫人不乐，府君又奉以归，凡历一万六七千里，费时一年有奇，太夫人胥忘其劳。府君已归，仍业商，以辰出、以酉入，就太夫人问今日安否？饥耶寒耶？凡官文臧否，政之得失，士夫之贤不肖，必罄举以告。某村某乡相斗殴，有何鬼神，语连蜷不休，或引述小说家言，附会今事。又令儿孙辈背诵《千家诗》、《三字经》，给以儿童戏物，引作笑乐。伺太夫人倦，乃相率退，盖二十馀年如一日。

<hr>

* 黄际昇病殁于光绪十七年二月初九日（1891年3月18日），据此定为二月（3月）所作。

太夫人年八十,老且病,男女孙曾十数人,然延医察病,尝药量水,惟府君率吾母亲其事,他人未尝与;即与,太夫人亦不甚喜也。病至弥留,神明乱矣,忽呼府君,摩顶数四,继乃张目,执府君手曰:"汝作我好儿孙,汝亦有好儿孙报汝也。"太夫人室供一佛像,府君每夕必烧香,朔望则茹素,具衣冠肃拜,或诵《心经》数十遍。继祖母梁,不得太夫人欢,府君怒,或施夏楚,累数月不交一语。及太夫人殁,未尝见府君拜神,其于继祖母,亦不闻有谴诃声,人益知其大孝。

府君既以奉母故,不出乡里,而治事之才为众所推服。咸丰初,林文忠公奉命督师,有兵过州境,时知州文壮烈公晟于前夕半得檄曰:"明午具三千人食。"则大惊,夜漏未尽,遣人延府君,凌晨往。壮烈起迎曰:"奈何,仓卒何以备?"府君曰:"借典肆钱三百万,人给以百钱。"曰:"固然,然无炊具、无食具,何以了此事?"府君曰:"吾诚为之。"日将午,炊烟起,遣人鸣锣号于众曰:"州官买饭供兵食!"则争出熟饭,又市鱼肉蔬菜,陈于广场,兵自购食,犹有馀钱,咸扪腹帖耳去。壮烈叹曰:"黄老六天下才也。"

旧例,纳粮必罄纳,乃给以收票,贫户纳不足额,则不给,积欠愈多,胥吏转因其欠以为利。府君言于壮烈公,创设粮房于堂皇侧,无论多寡,先给小票,清数则汇易大票,至今便利之。

乙丑三四月大饥,斗米至千五百钱。府君先与州人士设立义仓,至是议者欲按户散赈。府君持不可,曰州人虽贫,而惜声名,重廉耻,今曰赈,则以持筹领米为愧。旧家贫士,不得分润者多矣,且仓米无多,如此恐不足数日粮,粮罄又何以为继?计不如卖粥,碗三钱,人得钱六,足饱一日,收其资,可以继籴,此名曰买,而实为赈也。从其言,全活者众。

咸同之间,流寇窜扰。府君辄偕州人募勇团练,屡保危城,而府君不自以为功。

府君晚岁,声望益重,族党姻邻,遇事辄就质府君。府君出一言,则满座尽欢,嫌疑悉释。有求为官吏缓颊者,辄曰:"子理直,何待言;不直,言之何益?讼则终凶,毋如息讼。"其倔强不理者,则诘责瞋骂,声若振霆,而理如破的,亦皆缩阻散去。遵宪知交遍海内外,亦见有二三治事才,而匆猝之间能肆应如此,则吾未之见也。

寿八十三。元配梁夫人,汲县知县念祖公之孙女,监生重熙公之女也。世承诗礼,以柔顺闻,年三十四卒。继配萧夫人;继配梁夫人。子四人:长即吾父鸿藻,咸丰乙卯科举人,由户部改官广西知府、思恩府知府;次翰藻;次鸾藻,同治庚午科举人,信宜县训导:均元配梁出。府君初以长子由户部主事加级,屡遇覃恩,递封至中宪大夫。长孙遵宪,初由二品衔分省候补道,遵筹饷例,请封资政大夫;继以出使美国总领事官、出使英国参赞官积劳,特旨赏给三代从一品封典,诰封荣禄大夫。

据吴天任编著《清黄公度先生遵宪年谱》

《人境庐诗草》自序

（光绪十七年六月　1891 年 7 月）

（文见本集上册第一编《人境庐诗草》,页 68）

图 南 社 序

（光绪十七年十一月　1891 年 12 月）

　　吾尝读《易》,离为文明之象,而其卦系于南方。考之《诗》、《书》所记,经传所载,《诗》之十五国,《春秋》之诸大国,其圣君名臣、贤士大夫,立德立言经纬天地者,大抵为北人,而圣人乃为是言者则何也? 盖时会所趋,习俗递变,古今时地,日异而月迁,若今之句吴于越,周断发文身之邦,椎髻卉服之俗也,而数百年来,冠冕之盛,甲于天下。推而至于八闽、百粤,咸郁郁乎有海滨邹鲁之风。乃至粤之琼州、闽之台湾,颙颙独居大海之中,古所谓蛙黾之与处,鱼鳖之不足贪者,而魁梧耆艾、英伟磊落之士,亦出乎其中。盖天道地气,皆自北而南,而吾道亦随之而南,圣人之言,不其然欤!

　　南洋诸岛,自海道已通,华民流寓者甚众,远者百数十年,颇有置田园,长子孙者。大都言华言,服华服,俗华俗,豪富子弟,兼能通象寄之书,识佉卢之字,文质彬彬,可谓盛矣! 夫新嘉坡一地,附近赤道,自中国视之,正当南离。吾意必有蓄道德、能文章者应运而出,而寂寂犹未之闻者,则以董率之乏人,而渐被之日尚浅也。前领事左子兴观察,究心文事,创立社课,社中文辞多斐然可观。遵宪不才,承乏此间,尤愿与诸子讲道论德,兼及中西之治法,古今之学术,窃冀数年之后,人材蔚起,有以应天文之象,储国家之用,此则区区之心,朝夕引领而企者矣。抑庄生有云:"鹏之徙于南溟也,风之积也不厚,则其负大翼也无力,而后乃今将图南。"今故取以名吾社,二三君子其共勉之。

光绪辛卯十一月　黄遵宪叙

据钱仲联辑《人境庐杂文钞》,《文献》第七辑

山 歌 题 记 光绪辛卯

(光绪十七年　1891 年)

十五国风,妙绝古今,正以妇人女子矢口而成,使学士大夫操笔为之,反不能尔。以人籁易为,天籁难学也。余离家日久,乡音渐忘,辑录此歌谣,往往搜索枯肠,半日不成一字。因念彼冈头溪尾,肩挑一担,竟日往复,歌声不歇者,何其才之大也?

钱唐梁应来孝廉作《秋雨庵随笔》,录粤歌十数篇,如"月子弯弯照九州"等篇,皆哀感顽艳,绝妙好词,中有"四更鸡啼郎过广"一语,可知即为吾乡山歌。然山歌每以方言设喻,或以作韵,苟不谙土俗,即不知其妙。笔之于书,殊不易耳。

往在京师,钟遇宾师见语,有土娼名满绒遮,与千总谢某昵好,中秋节至其家,则既有密约,意不在客,因戏谓:"汝能为歌,吾辈即去,不复嬲。"遂应声曰:"八月十五看月华,月华照见侬两家(以土音读作纱字第二音)。满绒遮,谢副爷。"乃大笑而去。此歌虽阳春二三月不及也。

又有乞儿歌,沿门拍板,为兴宁人所独擅场。仆记一歌曰:"一天只有十二时,一时只走两三间,一间只讨一文钱,苍天苍天真可怜!"悲壮苍凉,仆破费青蚨百文,并软慰之,故能记也。

仆今创为此体,他日当约陈雁皋、钟子华、陈再芗、温慕柳、梁诗五分司辑录。我晓岑最工此体,当奉为总裁,汇选成编,当远在《粤讴》上也。

据钱仲联辑《人境庐杂文钞》,《文献》第七辑

先考思恩公述略 *

（光绪十八年正月　1892 年 2 月）

府君讳鸿藻，字砚宾，号逸农，先祖长子也。少俊颖，年十三丧母，哀毁如成人。曾祖母李太夫人奇爱之，携之往滇，及归，而闻誉隆洽，声侪一黉，小试诗文，无不能者。顾屡试不得志，知州文壮烈公有子名星瑞，极赏府君文，屡试高等，至癸丑始进学。学使者，河南吴南池祭酒保奏。益发愤力学，逮咸丰丙辰举于乡。主试者王啸山侍御发桂。时年十八岁矣。当是时，家业鼎盛，府君请于先祖，输资为郎，遂以主事分户部贵州司行走，资粮刀布，仍取之于家。

府君日与都中贤士大夫游，文酒之会，欢宴无虚日，学业乃日进，若邓铁香鸿胪承修、钟遇宾侍郎孟鸿、何子莪宫詹如璋、龚蔼人方伯易图、秦文明廉访焕其尤著者也。或谑府君："人言长安不易居，故宋有黄居难，今以君处境，当继白居易为黄居易矣。"然中更丧乱，家乡荡尽，府君乃不得不分印结金以赡家，俸薄仍不足，复于天津、芝罘主潮人商业会馆。潮人会馆例延乡宦作董事，雍正间曾奉谕令董事保护商人，其体制略如领事。既久上春官不得第，益郁郁不乐，思改外官，而力未能也。

岁戊寅，遵宪随使日本，俸稍厚，乃改知府分发广西。到省后，选委要差。壬午充文闱外监试，己丑充文闱内监试，是冬檄署思恩府知府。思恩为王文成公旧治，有阳明书院，久倾圮矣，府君修复之，乞中丞请于朝，以文成公例入祀典。又请御书扁额，得"教衍云岩"四字，悬于书院。府君以朱陆学派，异流同源，因主张良知之说，举其平苗徭之功以劝勉，思人复知向学。及去任，遂以府君画像供座侧焉。广西土瘠产薄，安阳马中丞丕瑶创兴蚕利，府君一意奉行，先祖复贻书督之。府君与绅士约以种桑多寡课殿最，遣人往潮州购种分布。时以微服巡行塍野间，与老农村妪课晴话雨，笑语为乐。不数月，蔚然成林。中丞大喜，语僚属曰："以儒术饰吏治，黄太守之谓矣。"又手书柱铭以赠云："学道能精明世故，性天内见涵养工夫。"盖纪实也。

---

* 黄思恩卒于光绪十七年十二月二十七日（1892 年 1 月 26 日），据此述略定为光绪十八年正月（1892 年 2 月）作。

府君平生多顺境,咸同之间,发贼陷嘉应后,复聚歼于州,府君适居京,前后客京师二十年。庚申英法之难,府君又适归家。处乱世间,未尝见兵革,未尝厄水火,未尝遭风波。弱冠至老,居曾祖母丧外,未尝服缟素服。家政概由先祖综理。逮先祖开八秩、开九秩,府君率子弟上寿,又于同僚中广征诗文。称觞之日,州人士之登堂者盖十人而九,冠盖填咽于道,彩帏锦帐溢于门楣,时论荣之。

己丑撤棘,中丞宴两主试于独秀峰,甫行酒,乐作,时五弟遵楷得乡举,电报适至,中丞、主试各捧觞贺曰:"上有老父,下有佳子弟,福寿康强,政事文学,萃于一门,两省僚吏中,罕有其匹,此福信不易得也。"府君虽逊谢,意亦良慰。居思恩一年馀,闻先祖讣,乃徒跣驰归。府君素强健,平生不服药,至是以积毁,每举哀辄喘,岁晚感寒疾,不数日遂卒。

府君不事生产,南宁、梧州厘务,实粤西饷源。粤西毗连粤南,李扬才之乱,法兰西之难,王师联翩出关,飞刍挽粟,羽檄交驰,皆挹注于此。而府君受事,循环转运,算无遗策,不苛不滥,卒无失时,人始知其综核才。然处膏脂不能自润,宦粤西十年,卒之日,馀囊不及三百金也。

府君性和易,能鼓琴,尤善铜弦琴。喜剧谈,宾客满座,依依不少休,时杂以诙谐,文采葩流,枝叶横生,使听者忘倦。客不至,则遣小胥四处邀约,无贵贱老少,必强之来。音吐清亮,隔屋若相酬接。

少时喜读书,往往于半里外,犹能闻其声。所著有《逸农随笔》、《二笔》、《三笔》、《四笔》、《五笔》,其说因果、寓劝惩,体例如《阅微草堂》,论诗文,述掌故,则《容斋随笔》之类。已刊行《退思书屋诗文稿》若干卷藏于家。

子五人:遵宪、遵谟、遵路、遵楷、君实。

据吴天任编著《清黄公度遵宪年谱》

赠林文庆匾及跋[*]

（光绪二十年二月八日　1893年3月14日）

功追元化

---

[*] 黄遵宪任新加坡总领事的"癸巳之秋""染沉疴",经林文庆医治,"一月而复元",事在光绪十九年秋冬间。据吴天任《清黄公度先生遵宪年谱》,题匾系于光绪二十年二月八日。

文庆君年甫逾冠,在伦敦大学校习内外科,均得乔第。余重其人,特节书《华陀传》赠之。癸巳之秋,余染沉疴,西医久治不效,延君诊视,兼旬而病除,一月而复元。

《华陀传》所载剖腹摩膏及麻沸散,即今之西医。余既喜君以三万里外学成而归,上追二千年前绝业,洞见症结,手到春回,不独为君幸,兼为华人幸,故乐志之。

总领事黄遵宪书

据吴振清等编校《黄遵宪集》下卷

皇清诰授荣禄大夫盐运使衔候选道章公墓志铭*

（光绪十九年四月　1893 年 5 月）

公讳桂苑,通称芳琳,字明云,又字浃熙,姓章氏。自始祖二舍家于闽,世为长泰县人。及公之父,服贾南洋,又为新嘉坡人。曾祖义,祖雨水,父潮,皆以公贵,诰赠荣禄大夫。曾祖妣陈氏、祖妣王氏、妣颜氏,均诰赠一品夫人。自公父南来,以财雄边,门闾始大。子四人,公居长,遂世其业。

英国通例,凡卖烟酤酒,皆严禁私贩,令富豪纳巨饷以充商,如中国盐引然。前后业此者,多设侦骑,张密网,搜牢摘覆,而罔市利,即残膏剩馥,客途所余,捕获亦置之法,甚则举平生仇怨,引绳批根,嫁祸以中伤之,轻则罚锾,重则监禁,赭衣之民,充塞图圄。公任事十五年,一处以宽大之法,许卖戒烟丸,非私贩得,均勿罪,即踪迹得私,犹或亲造其庐告之曰:“汝事已败露,所藏匿者,幸即交余,余不汝疵瑕也。”故人人感愧,私贩几绝,而获利反优于人。公闻望日茂,群情翕服。国家屡试以事,而公亦罃罃竭思,忠以事上。

其在英国,初举为海门新疆甲必丹,继充街弹,司审判,继充参事局员,继又充按察司会审监狱所巡察。公于检非违,议庶政,皆无徇无隐,无枉无纵,华民倚以为重。隶闽籍者,联名上书,公推为一乡祭酒,总督益优礼之。

其在中国,则同治八年,福州筹防,公既输军实,复精购枪炮,凡旧式新法,

---

*　文中说公“卒于光绪十八年十二月二十五日……其明年四月,卜葬于新嘉坡之全昌园。孤子壬宪等以状乞余铭”,知此文作于光绪十九年四月(1893 年 5 月)。

皆绘图具说以上当道。光绪十年，法人构衅，今北洋大臣傅相李公饬令侦伺，公密设逻卒，遇敌船过境，辄短衣台监，审其船之广狭、入水之深浅、马力之虚实、炮之大小、煤之容积、兵之数目，以时电达。又请于英官守局外中立之例，严杜蠹民，毋得以军用资敌。傅相手书褒勉，有"忠勤可嘉"之语。

频年顺直、山东水灾，前山东巡抚宫保张公、今津海关前登莱青道盛公，皆委令筹赈。公多方奖劝捐，涓滴一以归公，筹赈者咸愧谢弗及。

公既拥厚资，性又好施，善举无不与，凡施医院、给孤独园、恤嫠会，自一族之义庄、同县之会馆，以及其他国之礼拜堂、博物馆、植物园，求者踵门，濡笔立应。义浆仁粟，络绎在道，至不可以数计。而其所尤乐为者：一为义学，槟榔屿公校、和兰女塾、葡萄牙幼学，皆赖公以成。近年又设养正书院，延华英名师六人，兼治中西学，生徒数百，公与公子壬宪独任其费；一为赈济，十数年来，晋、豫、苏、皖各行省告灾，公无役不从。即埃及洪水，印度大旱，公亦助巨款，远近钦慕。其既达于朝者，则光绪七年傅相李公奏给"乐善好施"字，于原籍建坊。十四年郑州河决，又奏赏戴花翎。十五年山东水灾，宫保张公奏称其好义急公。公初以捐助海防，闽督奖叙，以道员选用。既迭次助赈，累加三级，随带一级，给二品封典，又特旨赏盐运使衔，给予三代从一品封典。夫人杨氏、麦氏，先后封赠夫人及一品夫人。子十一人，皆以公助赈移奖得衔：壬宪花翎、郎中加五级，壬全员外郎，均麦氏出。壬庆都察院都事，壬寿光禄寺署正，壬和大理寺评事，壬松太常寺博士，壬荣銮仪卫经历，壬焕中书科中书，壬光翰林院孔目，壬乾布政司都事，壬坤按察司知事。养子二，曰沧辉，曰耀棠。杨夫人出女三：招莲适同安候选同知林癸荣，次癸莲、赛莲，均未字。又养女曰清莲，适同安候选同知刘壬寅。孙一人，炳谟。

公生于道光二十一年五月二十五日，卒于光绪十八年十二月二十五日，春秋五十有三。其明年四月，卜葬于新嘉坡之全昌园。孤子壬宪等以状乞余铭。

自余奉使外国，由日本往美洲，所见如古巴、秘鲁，往泰西，所历如印度、亚丁，多有华民。及总领南洋，则群岛流寓，不下数百万，远者四五世，近者数十年，正朔服色，仍守华风，婚丧宾祭，各沿旧习。余私之窃喜。然其中渐染异俗，或解辫易服，蔑弃礼教，视其亲族姻连，若秦、越人之视肥瘠者，亦颇有其人。自公少时，居父母丧，即哀毁尽礼。所著《明云家训》，一以忠厚孝友为本，处己接物，恂恂如不能言。平生菲衣蔬食，有过儒素，而分人以财，教人以善，自一乡一邑,推而至于四海,达于五部,博施济众,曾无倦色。两国朝廷,深相引重,乃至印度、阿刺伯、巫来由诸族,闻公名,无不额手起敬者。岂非传所谓质直好义、在家必达、在邦必达者欤? 余官新嘉坡,始获交于公。公才吏用,正资臂助。曾不一载,遽泚笔铭公,能无慨然! 铭曰:

禹城人众,居万国首,散居四海,无地不有。南离文明,毓秀锺灵,笃生贤豪,超出群英。拳拳一心,眷念宗国,为郑弦高,为汉卜式。得如公者,百数十人,如百足虫,足以威邻。凡我华民,视此阡隧。谁欤铭者? 为总领事。

诰授资政大夫钦命驻扎新嘉坡兼辖海门等处总领事官二品御候补班前先补用道丙子科举人癸酉科拔贡黄遵宪撰

例授文林郎拣选知县己丑恩科举人乙酉科拔贡生梁居实书

据钱仲联辑《人境庐杂文钞》,《文献》第八辑

南学会第一、二次讲义

（光绪二十四年二月十九日　1898 年 3 月 11 日）

诸君,诸君! 何以谓之人? 人飞不如禽,走不如兽,而世界以人为贵,则以禽兽不能群,而人能合人之力以为力,以制伏禽兽也,故人必能群,而后能为人。何以谓之国? 分之为一省一郡,又分之为一邑一乡,而世界之国只以数十计,则以郡邑不足以集事,必合众郡邑以为国,故国以合而后能为国。

自周以前,国不一国,要之,可名为封建之世。封建之世,世爵、世禄、世官,即至愚不道,如所谓生于深宫之中,长于妇人之手,骄淫昏昧,至于不辨菽麦,亦觍然肆于民上,而举国受治焉。此宜其倾覆矣,而或传祀六百,传年八百! 其大夫、士之与国同休戚者,无论矣;而农以耕稼世其官,工执艺事以谏其上,一商人耳,亦与国盟约,强邻出师,犒以乘韦而伐其谋。大国之卿,求一玉环而吝弗与。其上下亲爱,相维相系乃如此。此其故何也? 盖国有大政,必谋及卿士及庶人,而国人曰贤,国人曰杀,一刑一赏,亦与众共之也。故封建之世,其传国极私,而政体乃极公也。

自秦以后,国不一国,要之,可名为郡县之世。郡县之世,设官以治民。虑其不学也,先之以学校;虑其不才也,继之以科举;虑其不能也,于是有选法;虑其不法与不肖也,于是有处分之法,有大计之法。求官以治民,亦可谓至周至

密,至纤至悉矣。然而,彼入坐堂皇、出则呵道者,吾民之疾病祸难、困苦颠连,问其所以,瞠目不能答也。即官之昏明贤否、勤惰清浊,询之于民,民亦不能知也。沟而分之,界而判之,曰此官事、此民事,积日既久,官与民无一相信,浸假而相怨相谤,相疑相诽,遂使离心离德,壅蔽否塞,泛泛然若不系之舟,听民之自生自杀,自教自养,官若不相与者,而不贤者复舞文以弄法,乘权以肆虐,以民为鱼肉,以己为刀砧。至于晚明,有破家县令之称,民反以官为扰,而乐于无官。此其故何也? 官之权独揽,官之势独尊也。凡上下相交之政,如所谓亭长、三老、啬夫、里老、粮长,近于乡官者,皆无有也。举一府一县数十万人之命委之于二三官长之手,曰是则是,曰非则非;而此二三官长者又委之幕友书吏、家丁差役之手,而卧治焉,而画诺坐啸焉,国乌得而治! 故郡县之世,其设官甚公,而政体则甚私也。

诸君,诸君! 诸君多有读《二十四史》者,名相良将,能吏功臣,可谓繁夥矣。惟读至《循吏传》,则不过半卷耳,数十篇耳,二三十人耳。无地无官,无时无官。汉、唐、宋、明,每朝数百年,所谓循吏者只有此数,岂人性殊哉,抑人材不古若欤? 尝考其故,一则不相习也。本地之人不得为本地之官,自汉既有三互之法,如今之回避;至明而有南北互选之法,赴任之官,动数千里,土风不谙,山川不习,一切俗禁茫然昧然。余尝见一广东粮道,询其惯否? 彼谓饮食衣服均不相同,嗜欲不通,言语不达,出都以后,天地异色,妻奴僮仆日夕怨叹,惟愿北归。以如此之人,而求其治民能乎不能? 此不相习之弊也。一则不久任之弊也。今制以三年为一任,道府以下不离本省。是朝廷固知不久任之弊矣。然而,州县各官员多缺少,朝令附郭,夕治边地,或升或迁,或调或降,或调剂或署理,或代理或兼摄,甫知其利,甫知其弊,尚欲有所作为而舍此而他去矣。而贤长官,量其时之无几,力之所不能,亦遂敛手退缩而不敢动;又况筑台者一篑而九仞,移山者由子而逮孙,凡大政事、大兴革均非一朝一夕之所能为,虑其半涂而废也,中道而止也,前功之尽弃也,则亦惟置之度外,弃之不顾耳。明之循吏,首推况钟,其治苏州凡十九年,闻辕门鼓乐嫁女,乃曰:“吾来此时,此女甫乳哺耳。”惟久于其任,乃以循吏称。今安得有十九年之知府耶! 诸君试思之,不相习,与宴会时之生客何异? 不久任,与逆旅中之过客何异? 然而皆尊之为官矣!

嗟夫,嗟夫! 余粤人也。粤处边地,谚有之曰:天高帝远,皆不知有朝廷,只知有官长耳;亦不知官长为谁何? 何名字? 但见入坐堂皇、出则呵道者,则骇而避之,曰:"官,官!"举吾民之身家性命,田园庐墓尽交给于其手,而受治焉。譬之家有家长,子孙数十人,家长能食我、衣我、妻室我、田宅我,为子弟者,将一切惰废,万事不治,尽仰给于家长耶,抑将进德修业以自期成立耶? 诸君,诸君! 此不烦言而决,不如子弟之自期成立明矣。委之于家长犹且不可,乃举吾之身家性命、田园庐墓委之于宴会之生客、逆旅之过客而名之为官者,则乌乎其可哉! 然则如之何而后可? 所求于诸君者,自治其身、自治其乡而已矣。某利当兴,某弊当革,学校当变,水利当筹,商务当兴,农事当修,工业当劝,捕盗当讲求,以闹教滋祸者为家难,以会匪结盟者为己忧,先事而经画,临事而绸缪,此皆诸君之事。孟子有言:"匹夫匹妇,不被其泽,若己推而纳之沟中。"况吾同乡共井之人,而不思援手耶? 范文正做秀才时,便以天下为己任,况一乡一邑之事,而可诿其责耶? 顾亭林言风教之事,匹夫与有责焉。曾文正公论才,亦以风俗为士夫之责。愿与诸君子共勉之而已。

诸君,诸君! 能任此事,则官民上下,同心同德,以联合之力,收群谋之益。生于其乡,无不相习,不久任之患,得封建世家之利,而去郡县专政之弊。由一府一县推之一省,由一省推之天下,可以追共和之郅治,臻大同之盛轨。

余之言略尽于此,而尚有极切要之语为诸君告者。余今日讲义,誉之者曰"启民智";毁之者曰"侵官权",欲断其得失,一言以蔽之曰:公与私而已。诸君能以公理求公益,则余此言不为无功;若以私心求私利,彼擅权恃势之官,必且以余为口实,责余为罪魁。乞诸君共鉴之,愿诸共勉之而已。诸君,诸君! 听者,听者!

据《湘报》第五号(光绪二十四年二月十九日出版)

《日本杂事诗》后记

(光绪二十四年四月　1898 年 5 月)

(文见本集上册第一编《日本杂事诗》,页 7)

刘龢庵《盆瓴诗集》序

（光绪二十五年九月　1899 年 10 月）

　　韩退之之铭樊宗师也，曰："惟古于词必己出，降而不能乃剽窃。"其答李翊书又曰："惟陈言之务去。"以昌黎之文起八代之衰，而摄其要，乃在去陈言而不袭成语，知此可与言诗矣。自《风》《雅》变而为《楚辞》，《骚》些变而为五七言诗。上溯汉魏，下逮有明，能以诗名家者，大抵率其性之所近，纵其才力职明之所至。创意命辞，各不相师。倡之者二三巨子，和之者群儿。大张其徽旗，以号以众，曰某体，曰某派；沿其派者，近数十年，远至数百年，千馀年，而其体不易。士生古人之后，欲于古人范围之外成一家言，固甚难；即求其无剿说、无雷同者，吾见亦罕。今读刘龢庵先生《盆瓴诗集》，其殆庶乎。

　　先生于学，无所不窥。其于诗也，深嗜笃好，朝夕吟诵不少辍，积书稿至尺许。国朝诗人，流别至多，几至无体之可言，无派之可言。然百馀年来，或矜神韵，或诩性灵，幕客游士，涉其藩而猎其华，上之供诗话之标榜，下则取于尺牍之应酬，其弊极于肤浅浮滑，人人能为诗，人人口异而声同。今先生之诗，尽弃糟粕，举近人集中所有宴集、赠答、游览、感遇一切陈陈相因之语，廓而清之，虽未知比古人何如，抑可谓卓然能自树立之士矣。

　　往岁，曾重伯太史序吾诗，称其善变，谓世变无穷，公度之诗变亦无穷。余奚足语此？然征之先生之诗，亦可证所见之略同也。吾梅诗老，自芷湾、绣子、香铁诸先生没，大雅不作，寂寥绝响。庄生有云："逃空虚者，闻人足音，跫然而喜。"余读先生诗，奚啻空谷之足音也乎！余未识先生，然先生之季紫岩广文，与余为文交，故久识其为人。他日者，邂逅相遇，尊酒论诗，其必有相视而笑、莫逆于心者欤！

　　光绪二十五年九月　小弟黄遵宪序

据吴振清等编校《黄遵宪集》下卷

跋副岛沧海孔子诗[*]

（光绪二十五年十一月二十三日　1899 年 12 月 25 日）

黄遵宪曰：孔北海之气，李伯纪之理，可以盖天地、涵万物。而醉饱悠悠之徒曰："在其笼罩中，反为鸠鸥之笑也。"可哭可歌！

据《亚东时报》第十八号（光绪二十五年十一月廿三日出版，方行先生抄供）

李母钟太安人百龄寿序^{**}

（光绪二十六年十月前　1900 年 11 月前）

五岭以南，介乎惠潮之间者为吾州。环州属而居者数十万户，而十之九为客民。其迁移约五六百年，其传世约廿六七代，其来自闽汀，而上溯其源，乃在河洛。其性温文，其俗俭朴，而妇女之贤劳，竟为天下各种类之所未有。大抵曳鞁履，戴义髻，操作等男子。其下焉者，蓬头赤足，帕手裙身，挑者负者，提而挈者，阗溢于廛肆之间、田野之中。而窥其室，则男子多贸迁远出，或饱食逸居无所事。其中人之家，则耕而织，农而工，豚栅牛宫，鸭栏鸡架，午牙贯错，与人杂处。而篝灯砧杵，或针线以易屦，抽茧而贸丝，幅布而缝衣，日谋百十钱，以佐时需。男女钱布，无精粗剧易，即有无赢绌，率委之其手。至于豪家贵族，固稍暇豫矣，然亦井臼无不亲也，针管无不佩也，酒食无不习也。无论为人女，为人妇，为人母，为人太母，操作亦与少幼等。举史籍所称纯德懿行，人人优为之而习安之。黄遵宪曰：吾行天下者多矣，五部洲游其四，廿二行省历其九，未见其有妇女劳劳如此者，则尝敬告于人人，谓凡我客民，为人子孙，幸有老亲者，必思所以备致诸福，养其志，安其身，庶几慰其毕生之劳。顾求其膺福禄享期颐者不易觏，乃今得之于吾师伯陶先生之母钟太孺人。

太孺人年二十一嫔于李，事笃生府君，家微甚，逮事王父母及其舅，皆笃老善病，又迭遭丧故。笃生公业课徒，力不支，太孺人则每事扶持之，先鸦啼而

---

[*]　所标时间系《亚东时报》刊载的日期。

^{**}　光绪二十六年十月（1900 年 11 月）黄在《古香阁诗集序》中云：其祝《李母钟太宜人百寿序》称妇女之贤劳五大部洲各种所未有者，与本序意同。据此推断本序作于同年十月或此前。

起,后虫吟而息,手龟足茧,以经以营,卒无废事、无失礼,其早岁之劳如此。

笃生公素患羸,修脯所入,仅供药饵。捐馆时,伯陶先生年甫冠,弱弟仅数岁,负剑围绷,不得离左右,太孺人则柴骨含泪,馌亩而归织,举一家妇孺幼小啼号而索饭者,咸仰太孺人之十指。而土无隙旷,事无寸废,人无暑暇,其中年之劳又如此。

及伯陶先生入学,太孺人年六十馀矣,媳先后入门,诸孙次第成立。至于今,有孙男八,曾孙五。立吾举于乡,太孺人将九十,家亦饶裕矣。然犹日督孙媳及孙女六七辈以治事,入而负墙,则长者贩猪,少者饲鸡;出而倚门,则长者灌畦,少者锄圃。即有暇,辄舞弄诸孙,为之梳头,为之靧面濯足,或就褓褓中抱少孙,呱呱者泣,口呵呵拍之睡,声施施导之溺,其老年之劳又如此。

伯陶先生曰:“吾子言客民劳,念吾母之劳,钦钦然五六十年七八十年而不倦,其尤为天下之至难乎!然神明聪强如昔,吾自视如童冠,视吾母则三四十许人也。”遵宪闻而叹羡之。往者林海岩先达尝言:“客民者,中原之旧族,三代之遗民。”余证之语言风俗,益信其不谬。豳岐忧勤之习,唐魏俭啬之风,凡历三四千年而不改,近者亦稍凌夷矣。成周盛时,喜称誉妇德,形之歌咏,一则曰“有齐季女”,再则曰“邦之媛兮”,而《彼都人士》之章,且曰“彼君子女,谓之尹姞”。女而有君子之德,诗人夸为至荣。余尝语梁辑五、温慕柳,谓州志中当仿刘子政、杜元凯之意,别编列女传,举二三世族,贤明贞顺,足为女宗者,志其概,以为世范。今太孺人之修德若彼,获福若此,今日寿人之曲,异时彤管之光,俾人人悉其事,亦足令客民之妇女忘其劳、男子奋而兴矣。

李氏故里与吾家有连,伯陶先生尝馆吾家,为遵宪开蒙。曾祖母李太夫人时八十,特钟爱余。晨餐毕,促吾母抱来;日可中,母又挈之去。太孺人每来馆视先生,辄引手摩吾顶,问儿饥否? 冷否? 书熟否? 曾受挞否? 太孺人视吾母犹侄也,邂逅相遇,即刺刺语不休。先生谓余曰:“此母四十年前事,犹在目前。”遵宪亦恍惚记之。嗟夫! 吾母而生存,今仅七十馀岁耳。遵宪不肖,东西南北,奔走海内外,王事靡盬,不遑将母。吾母墓上之草,离离色碧者,荣枯已十数次矣。今乃随诸君子之后,捧觞以寿太孺人,且悲且喜,又以叹先生之福为不可及已。备人世辛勤之福,受上天纯嘏之锡,客民之所瞻仰,为人子孙者之所希望,行将集大福于太孺人之身。立吾兄弟,其益勉之,以报祖德,以扩亲欢。异日者百有馀岁,绵绵益算,遵宪更当诵“如山如河,象服是宜”之诗,为太夫人寿也。

据钱仲联辑《人境庐杂文钞》,《文献》第八辑

《古香阁诗集》序

（光绪二十六年十月　1900 年 11 月）

　　有中原之旧族,三代之遗民,过江入闽,沿海而至粤,迁来已八九百年,传世已二十五六代,而岭东之人,犹别而名之曰客民。其性温文,其俗俭朴,其妇女之贤劳,竟甲于天下。予向者祝《李母钟太安人百龄寿序》,所谓五大部洲各种族之所未有者也。盖中人以上,类皆操井臼,亲缝纫;其下焉者,靸履叉髻,帕首而身裙,往往与佣保杂操作,椎鲁少文,亦不能无憾焉。

　　润生女士,曦初之女也,与予内子为姊妹行,长嫔于李。李故望族,与予家有连,所居又同里。予年十五六,即闻其能诗。逮予使海外,归自美利坚,始得一见,尽读其所为《古香阁诗集》。其诗清丽婉约,有雅人深致,固女流中所仅见也。

　　予历使海邦,询英、法、美、德诸女子,不识字者百仅一二,而声名文物如中华,乃反异于是。嗟夫! 三代以后,女学遂亡,唯以执箕帚、议酒食为业,贤而才者,间或能诗,他亦无所闻焉。而一孔之儒,或反持“女子无才是德”之论,以讽议之,而遏抑之,坐使四百兆种中,不学者居其半,国胡以能立? 近者风气甫开,深识之士,于海滨创设女学,联翩竞起,然求其能为女师者,猝不易得。宣文夫人绛纱受业,此风邈矣。近世如王照圆、梁端能为《列女传》注,以著书名者,亦不可复觏,仍不能不于诗人中求之。若润生者,殆其选欤?

　　中国女学之陋,非独客人,而椎鲁少文之客人中,竟有以诗名者,士不贵自立乎? 抑以予所闻,予族祖工部廷选,有妻曰黎玉贞,著有《柏香楼诗文集》三卷,志称其博通经史,诗文高洁,无闺阁气,因序此集,而并志之,以劝勉客人焉。

　　光绪二十六年十月　黄遵宪公度序

据郑子瑜编著《人境庐丛考》

《梅水诗传》序 光绪辛丑

（光绪二十七年 1901 年）

语言者,文字之所从出也。语言与文字合,则通文者多;语言与文字离,则通文者少。余于日本《学术志》中,曾述其意,识者颇韪其言。吾部洲文字,以中国为最古。上下数千年,纵横数万里,语言或积世而变,或随地而变,而文字则亘古至今,一成而不易。父兄之教子弟,等于进象胥而设重译。盖语言文字扞格不相入,无怪乎通文字之难也。

嘉应一州,占籍者十之九为客人。此客人者,来自河洛,由闽入粤,传世三十,历年七百,而守其语言不少变。有《方言》、《尔雅》之字,训诂家失其意义,而客人犹识古义者;有沈约、刘渊之韵,词章家误其音,而客人犹存古音者。乃至市井诟谇之声,儿女噢咻之语,考其由来,无不可笔之于书。余闻之陈兰甫先生谓:"客人语言,证之周德清《中原音韵》,无不合。"余尝以为客人者,中原之旧族,三代之遗民,盖考之于语言文字,益自信其不诬也。

里人张榕轩观察,少读书,喜为诗,钞存先辈诗甚富,近出其稿,托仙根明经广为搜集,重加编订。余受而读之,中如芷湾、绣子两太史,固卓然名家,其他亦雅驯可诵。嘉道之间,文物最盛,几于人人能为诗。置之吴、越、齐、鲁之间,实无愧色。岂非语言与文字合,易于通文之明效大验乎?

自物竞天择、优胜劣败之说行,种族之存亡,关系益大。凡亚细亚洲古所称声明文物之邦,均为他族所逼处。微特蒙古族、鲜卑族、突厥族荼然不振,即轰轰然以文化著于五洲如吾辈华夏之族,亦叹式微矣! 文章小技,于道未尊,是不足以争胜。凡我客人,诚念我祖若宗,悉出于神明之胄,当益骛其远者大者,以恢我先绪,以保我邦族,此则愿与吾党共勉之者也。

据钱仲联辑《人境庐杂文钞》,《文献》第七辑

《攀桂坊黄氏家谱》序

（光绪二十八年一月六日 1902 年 2 月 13 日）

黄以国为氏,或谓出于金天氏,自台骀封于邠川后,为沈、姒、蓐、黄诸国;

或谓出于高阳氏,自伯翳赐姓嬴后,为江、黄诸国。三代以前,荒远难稽,其散居河北者,亦不可考。惟郑樵《通志》称黄氏嬴姓,陆终之后,封于黄。今光州定域① 西有黄国故城,为楚所灭,子孙即氏黄。其说可信,此即吾宗之所自出也。

汉尚书令香,居江夏,世之黄氏,咸以江夏为望,后衍为二支:一为隋开皇间,由江夏迁浙之金华,析为五大族,分居于丰城、剡、监利、分宁、弋阳,其裔孙有庭坚、有滟著于时;一于五代时,自光州固始从王潮入闽,家于邵武,散居于莆田城、福州、龙溪、漳州,其裔孙有伯思、有干,族益光大。嘉应一州,十之九为客人,皆于元初从闽之宁氏县石壁乡迁来,虽历年六百,传世二十馀,犹别土著,而名之曰客。吾始迁祖,初居镇平,亦来自宁氏,其为金华之黄欤,为邵武之黄欤,则不可得而详也。昔山谷老人自序出于金华,而其谱止及于分宁,七世以上,皆略而弗著。至晋卿学士,祖其说,作族谱图序,亦断自九世祖以下。

古者图谱有局,掌于史官。自局废而士大夫家自为谱,各以其所闻论著,不能旁搜广览,以征其实,故往往矛盾参差,至不可读。谱不过十世,详于近,略于远,盖慎之至也。吾宗自文蔚公迁于攀桂坊,及吾而八世,今亦师其意,以文蔚公为断。自始迁祖至文蔚公,凡十数世,邱垄之尚完、祭享之不废者,编为前编。始迁祖以上,则不得不付之阙如矣。既以世系绘为图,举名字生卒之概引为表,复举德行事业之可知者,述为传略,总名之曰家谱。

吾闻之林海岩先生曰:"客人者,中原之旧族,三代之遗民。"今稽之吾族,来自光黄间,其语言与中原音韵相符合,益灼然知其不诬。自念得姓受氏,四千馀岁,实为五部洲种族之最古者。始兴于汉,中衰于魏晋,以逮于唐,入宋而复盛。其入粤者,则明盛于元,入本朝而盛于明,中叶以来,又盛于国初。盛衰兴废,世族之常。若子孙无状,降为皂隶,辱我门楣,非吾之所忍言,如能保宗祊而承世禄,继继绳绳,不坠其业,抑亦庶几。若夫立德立功立言,以图不朽,俾嘉应之黄,与金华、邵武二族并称于世,是则作谱者所祷以求之者夫!

光绪二十八年立春后八日　遵宪谨序

据吴天任编著《清黄公度先生遵宪年谱》

---

① 定域,当为定城。

第 三 编

函 电

致周朗山函[*]

（同治十一年十二月中下旬　1873年1月中下旬）

朗山先生足下：

　　腊月八日上一书，系以诗当达左右矣。今仅录宪所学为诗一百有奇，有空白未书者，缘属稿未定，向畏诗名，未出示人。此一百中多九十，少暇，又不及细为点窜，而求教之心甚急，即命人缮写，其未妥者遂竟阙之也。

　　遵宪窃谓诗之兴，自古至今，而其变极尽矣。虽有奇才异能英伟之士，率意远思，无有能出其范围者。虽然，诗固无古今也，苟出天地、日月、星辰、风云、雷雨、草木、禽鱼之日出其态以尝（当）^① 我者，不穷也。悲、忧、喜、欣、戚、思念、无聊、不平之出于人心者，无尽也。治乱、兴亡、聚散、离合、生死、贫贱、富贵之出而（？）^② 我者，不同也。^③ 苟能即身之所遇，目之所见，耳之所闻，而笔之于诗，何必古人？我自有我之诗者在矣。夫声成文谓之诗，天地之间，无有声，皆诗也，即市井之谩骂，儿女之嬉戏，妇姑之勃谿，皆有真意以行其间者，皆天地之至文也。不能率其真，而舍我以从人，而曰吾汉、吾魏、吾六朝、吾唐、吾宋，无论其非也，即刻画求似而得其形，有^④ 则肖矣，而我则亡也。我已忘我，而吾心声皆他人之声，又乌有所谓诗者在耶？汉不必《三百篇》，魏不必汉，

---

　　* 周琨，字朗山。同治十一年（1872）黄遵宪应试拔贡生不售，周为广东学政使何廷谦（地山）幕宾，见黄遵宪文。是年冬周北归，于次年三月十九日卒。函中云"腊月八日上一书"，推定此函当写于同治十一年十二月初八后。

　　① 底本如此。尝似为当字。
　　② 底本如此。此处似脱字。
　　③ 以上"朗山先生足下"至"不同也"文字，所见各种版本均缺。
　　④ 所据底本作"有"，疑为"肖"。

六朝不必魏,唐不必六朝,宋不唐①,惟各不相师而后能成一家言。必执一先生之说,而媛媛姝姝,则删诗至《三百篇》止矣,有是理哉?② 是故论诗而依傍古人,剿说雷同者,非夫也。

吾今日所遇之时,所历之境,所思之人,所发之思,不先不后,而我在焉。前望古人,后望来者,无得与吾争之者。而我顾其情,舍而从人,何其无志也? 虽然,吾身之所遇,吾目之所见,吾耳之所闻,吾愿笔之于诗,而或者其力有未能,则不得不藉古人而扶助之,而张大之,则今宪所为,皆宪之诗也。先生顾其情,性情意气,可得其大概。至笔之于诗,则力有未能,则藉古人者,又后此事。惟先生教之!③

据《岭南学报》第二卷第二期

复大河内辉声函

(光绪四年三月十三日　1878 年 4 月 15 日)

(函见本集上册第五编《与日本友人大河内辉声等笔谈·戊寅笔话》第八卷第五十七话,页 590)

复大河内辉声函

(光绪四年六月二十一日　1878 年 7 月 20 日)

(函见本集上册第五编《与日本友人大河内辉声等笔谈·戊寅笔话》第十八卷第一二〇话,页 639)

致宫岛诚一郎函

(光绪四年六月二十八日　1878 年 7 月 27 日)

昨辱访,以事冗未及倒屐。迨趋晤,而车驾既去,为之怅然。

堂上寿诗,谨既制就,钞草呈览。仆拙于此事,虑不足尘观也。

---

① 宋不唐,疑当为"宋不必唐"。
② "必执一先生之说"至"有是理哉",他本均缺。
③ "先生顾其情"至"惟先生教之",他本均缺。

大著暇日评之,稍迟再能奉璧。暑热珍重。

宫岛先生执事

　　　　　　　　　黄遵宪顿首　六月廿八日

东海翁媪八十馀[1],腰脚强健壮不如。子孙罗列多官[2] 达,开颜大笑乐只且。华堂置酒当清夜,明月吐光照碧虚。宾客骈阗盈车骑,一时豪俊[3] 纷琼琚。手引金卮跪称寿,银灯照耀红芙蕖;君子燕饮欢无极,令我仿佛游华胥。蓬莱方壶果何处,此间无乃仙人居? 群真跨凤朝天阙,筴铿退隐在乡间。车马服食同人世,闲来闭户还著书。年年渐觉荣颜少,白发变黑面皱舒。枕函自宝养生论,不向商山采芝茹。

　　宫岛一觚[4] 先生夫妇年皆八旬,余与令子栗香大史交[5],赋此为寿。

　　　　　　　　后学岭南黄遵宪草拜[6]

<small>据早稻田大学图书馆藏《宫岛诚一郎文书》(以下简称"宫岛文书一")C7 宫岛诚一郎誊录《栗香大人与支那人之问答录》(以下简称"宫岛写本")</small>

附录:宫岛诚一郎复黄遵宪函

(光绪四年七月十九日　1878 年 8 月 17 日)

日来契阔,公私多冗,未果过访,请恕请恕。前日惠赠寿诗,珠玉满纸,一诵瑯然。家君喜气溢于眉端。谨拜其赐。顷呈白绢,请莫惜一挥腕力。薄纸一束,美浓之产,幸博一粲可也。

向所呈拙著,请有暇则赐批评。馀付拜晤。气候不顺,为文珍重。

黄遵宪先生

　　　　　　　　　　　　八月十七日

<small>据宫岛文书一宫岛写本</small>

---

① 此寿诗将宫岛一瓢夫妇七十二岁误写为八十岁,故有"光绪戊寅之秋"重写订正之诗,两诗文字稍异。
② 官,疑为宦。
③ 俊,宫岛文书一 C3 宫岛诚一郎手录《养浩堂丛书》(以下简称"丛书")作"杰"。
④ 觚,当为瓢。
⑤ 丛书作"余与其子一郎交。"
⑥ 丛书作"后学梅州黄遵宪拜草"。

致宫岛诚一郎函[*]

（光绪四年七月十九日至二十六日间　1878 年 8 月 17 日至 24 日间）

高轩两辱过访，皆不及褰裳趋迓，歉然此心。

寿诗遵命上帙，惟诗俚字劣，不足博堂上之粲，愧甚愧甚。卜邻不远，暇当走谒。

栗芗先生文几

遵宪再拜

据宫岛文书一 C42(84) 书信原件

附录：

东海翁媪七十馀，腰脚强健壮不如。子孙罗列多宦达，开颜大笑乐只且。华堂置酒当清夜，明月吐光照碧虚。宾客骈阗盈车骑，一时豪俊纷琼琚，手引金卮跪称寿，银灯炫耀红芙蕖；君子燕饮欢无极，令我仿佛游华胥。蓬莱方壶果何处，此间毋乃仙人居？群真跨凤朝天阙，筮铿退隐在乡间。车马服食同人世，闲来闭户还著书。年年渐觉容颜少，白发变黑面皱舒。枕函自宝养生论，不向商山采芝茹。

　　宫岛一觚^① 先生夫妇年皆七旬，余与其子栗芗交，登堂拜之，赋此以祝眉寿。

光绪戊寅之秋　后学梅州黄遵宪拜草

据日本米洋市上杉博物馆藏《一瓢老人古稀帖册》

致宫岛诚一郎函

（光绪四年七月二十六日　1878 年 8 月 24 日）

久未见，此心耿然。前得华简，并赐美浓纸，拜受谨谢。

仆日来患痔，不便据几，大著是以阁置未阅。日来稍愈，捧读数过，如陈琳

能愈头风,大暑中更如服清凉散也。此卷不如下卷之佳,窃谓少加删订,亦可出而寿世。仆于此道本属茫然,辱爱之故,谬加评点,乞恕乞恕。何公使评并以寄阅。近日颇忙,若欲索序,徐徐可乎? 心绪甚劣。稍暇当走高斋,作半日谭,一破积闷。此上

宫岛先生文几

光绪四年七月二十六日　黄遵宪顿首

据宫岛文书一宫岛写本

致沈文荧函

(光绪四年八月十五日　1878 年 9 月 12 日)

(函见本集上册第五编《与日本友人大河内辉声等笔谈·戊寅笔话》第二十二卷第一四七话,页 654)

致王治本函

(光绪四年九月二日　1878 年 9 月 27 日)

(函见本集上册第五编《与日本友人大河内辉声等笔谈·戊寅笔话》第二十二卷一五〇话,页 655)

复大河内辉声函

(光绪四年十月二十四日　1878 年 11 月 18 日)

(函见本集上册第五编《与日本友人大河内辉声等笔谈·戊寅笔话》第二十五卷第一六九话,页 676)

复大河内辉声函

(光绪四年十月二十四日　1878 年 11 月 18 日)

(函见本集上册第五编《与日本友人大河内辉声等笔谈·戊寅笔

话》第二十五卷一六九话,页 676)

复大河内辉声函

(光绪四年十一月六日　1878 年 11 月 29 日)

(函见本集上册五编《与日本友人大河内辉声等笔谈·戊寅笔话》
第二十六卷第一七三话,页 684)

致宫岛诚一郎函[*]

(光绪五年三月初九日　1879 年 3 月 31 日)

过日辱访,积闷为之一舒。仆于我三月十四日_{太阳历四月五日}午后一时,
具薄酒粗肴于小楼中,乞高轩见过。如惠然肯来,谨扫床榻而俟。春风正暖,
早樱既红,笔舌互语。觥筹交飞,坐无车公,使人不乐也。勿吝玉趾,是所祷
幸。

　　　　　　　　　　　　　　我三月九日　黄遵宪顿首

宫岛栗香先生执事^①

　　德行自藤惺窝、文章自物徂徕以下诸公,乞条其名字、籍贯、所著之书,一
一以告。汉学宋学又当分别,文章则文与诗亦分举为妙也。暇乞践诺是感。

　　　　　　　　　　　　　　　　　　　　　遵宪又启^②

据宫岛文书一 C41(32)、(33)、C42(87)书信原件

---

* 抄本此函后有宫岛记:"四月五日应黄公度招饮,到永田町使馆。此日来饮者:浅田栗园俗称宗
伯、小野湖山、宫本鸥北小一、冈本文平监辅、蒲生重章及我也。先是,政府以昨四日发琉球藩建冲绳县
之令,故黄公度怏怏不乐,有郭璞绝笔之语。"

①　以上据宫岛文书一 C41(32)、(33)书信原件。

②　据文书一 C42(87)书信原件。

致宫岛诚一郎函[*]

（光绪五年三月底至闰三月中　1879 年 4 月下旬至 5 月初）

前奉上拙著，想既改削，今再奉一本，有暇乞早速赐教为幸。仆急于脱稿，将寄回故乡之友也，今日不相见，惆怅不已。蹲地书此，以达鄙怀。

梅史所作序已就，画谱以璧。

遵宪顿首

栗香先生执事

前卷速赐还是祷。

据宫岛文书一宫岛写本

致宫岛诚一郎函

（光绪五年闰三月十六日　1879 年 5 月 6 日）

昨以失眠头痛，未及侍宴，感惭疚奚似。

《日本杂事诗》复承赐阅，感甚感甚。《栗香诗稿》既再校一本，回读已诗，自惭形秽，几欲拉杂摧烧之耳。今再送上一本，乞尽一夕工夫削之，明日相见，两以相易。

午后四时诺我三时则更妙。必当趋高斋。但谭诗雅会，坐不可无美人。当携一译人来约君，并韽上新桥酒楼，呼小小雏伶，使唱"黄河远上"，不亦可乎。承诺则仆当为主，幸速赐报。

栗芗先生执事

闰月十六日　遵宪上
据宫岛文书一 C41(15)

---

[*]　此函未署日期，宫岛写本编入明治 12 年(1879 年)4 月 16 日与 5 月 3 日笔谈之间。按 4 月 16 日笔谈，黄遵宪托宫岛代为改订《日本杂事诗》，并将已抄就的五十首呈上。函云"前奉上拙著"即指此事。闰三月十六日(5 月 6 日)函称"《日本杂事诗》复承赐阅"，则指宫岛已将此函所云"今再奉一本"改完。由此推断该函当写于光绪五年三月底至闰三月中(1879 年 4 月下旬至 5 月初)。

致冈千仞函[*]

（光绪五年闰三月三十日　1879 年 5 月 20 日）

前夕聚饮，淋漓酣恣，大乐大乐。顾聚诸名士于一堂，以仆厕末坐，殊自惭形秽耳。大著急于奉璧，百忙不及著圈点，谨志数语于后，冒昧狂妄，多罪多罪。

闰三月三十日　黄遵宪

冈鹿门先生执事

据郑海麟辑黄遵宪手稿

致蒲生重章函

（光绪五年四月二十日　1879 年 6 月 9 日）

蒲生子闿先生左右：

赐《伟人传》第三编，感谢，感谢。惟读题鄙人所跋诸语，汗下如雨矣。开宗明义安井氏一传，仆尤服其卓识。安井氏学识，仆读其集，以为不可多得之英杰。与门人论共和一书，尤可以泣鬼神而格天地。仆代何公使作序一篇，即引此为言，未及脱稿，不意先生之先获我心也。四编既将上木，当敬题数语，冀附骥以行。月来百忙，昨得书，迟至今日乃复，幸谅之。

己卯四月廿日　黄遵宪顿首

据郑海麟辑《黄遵宪遗墨》，载丁日初主编《近代中国》第九辑

致王韬函[**]

（光绪五年四月二十六日　1879 年 6 月 15 日）

紫诠先生大人阁下：

---

[*]　冈千仞，字振东、天爵，号鹿门（1833—1914 年），日本仙台藩士。1884 年航游中国，为明治维新时期的卓识汉学家。黄遵宪使日期间，与其过从甚多。

[**]　函云"仆所著《日本杂事诗》本欲刊布之，以告中人之不知外事者"；又说"此诗脱稿后，欲求先生改正之"。黄遵宪在《重刊〈日本杂事诗〉自序》中说："此篇草创于戊寅（光绪四年）之秋，脱稿于己卯（光绪五年）之春。"此函应写于光绪五年四月廿六日（1879 年 6 月 15 日）。

前把臂得半日欢,觉积闷为之一舒。承赐《弢园尺牍》,归馆读之,指陈时势,如倩麻姑搔痒,呼快不置。昔袁简斋戏赵瓯北,谓启胸中所欲言者,不知何时逃入先生腹中,遵宪私亦同此。但宪年来愤天下儒生迂腐不达时变,乃弃笔砚而为此,始得稍知一二。而先生言之二十年前,冠时卓识,具如此才,而至今犹潦倒不得志,非独先生一人之不幸也。为太息者久之!

比来笔砚稍安否? 有贤主人周旋其中,想不至寥寂。然信美非吾土,想登楼一望,时动秋思。二十九日,宪与杨星垣为主,乞阁下同往旗亭一酌。未申之交,谨候高轩,好联辔偕往也。虽无旨嘉,然唤取红巾翠袖揾英雄泪,亦或可一泄吾辈胸中磊落不平之气耳。

日本文士想识面者日多,然颇有明季社会习气,相轻相诋,动辄骂人。前十数日,《朝野新闻》有伪为弟诗者,诗专言球事。后又有和其韵以毁我国者。仆皆一笑置之而已,然可见其好言生事也。

仆所著《日本杂事诗》本欲刊布之,以告中人之不知外事者。然惧其多谬,故私以请正一二素交君子,而不谓遂致流传。其中云云或有触忌讳者,现在两国交际正在危疑之时,宪甚不欲以文字召怨。存重野先生处者,宪托言急欲上木,向其索还,尚有一本未以归我,阁下来乞顺便抽归。此诗脱稿后,欲求先生改正之,未审赐诺否?

梅雨连绵,胸辄作恶。布纸述怀,不自觉其语之刺刺不休也。惟为国为道自爱。不庄。

小弟遵宪顿首　四月廿六日

据南开大学藏手稿

致冈千仞函[*]

(光绪五年五月二十八日　1879 年 7 月 17 日)

得缄,适日来百务丛集,故无以报命。仆两趋高斋,俱未得晤。明十八日午后三四时之间,仆将命车趋谒,幸少候,将作半日畅谈也。仆于水曜、木曜日最暇,然往往他出。他日若辱访,先期告我,当倒屣迎也。

---

* 函末署"五月二十八日"为中历,"七月十七日"为公元日期,是为光绪五年(1879 年)。

鹿门先生执事

黄遵宪笺　五月二十八日　七月十七日

据郑海麟辑黄遵宪手稿

致宫岛诚一郎函[*]

（光绪五年六月十四日　1879 年 8 月 1 日）

久别得来书,方知高轩两见过。未及倒屐,惭甚。

《蠖堂诗钞》尚未细读,迟缓乞勿罪。《日本杂事诗》托友净书,行将刊木,以省抄书之苦。他日当奉送一通也。暑热幸自爱,得暇再趋领雅教。

寿诗书就,谨以璧。

六月十四日　黄遵宪

据宫岛文书一宫岛写本

复中村敬宇函^{**}

（光绪五年六月十五日　1879 年 8 月 2 日）

伻来,奉到尺书并素绢。此书此画可称双绝,将永藏箧笥为子孙宝,岂第屏幛生辉已也。诗称耕霭女史兼中东西能事,果然不谬。画家有南北合法,今更上一筹矣。乞先寄声致谢,容日将觅土物,附以拙诗,亲诣学校谢之。

梅雨连绵,凉燠不完,惟珍卫为祷。卜日当偕二三友人来观学校,再图良晤。不宣。

中村敬宇先生左右

黄遵宪顿首

据日本同人社《文学杂志》第 34 号（明治十二年八月二日）

---

　*　宫岛《己卯日志》7 月 31 日记:"赠黄遵宪、沈文荧书状。文荧返翰来。"知此函为对宫岛 31 日函的复函。《日志》8 月 2 日记:"黄遵宪赠来书状并老父之大幅寿诗。"似即指此函。光绪五年己卯六月十四日为 1879 年 8 月 1 日,宫岛写本注"八月五日黄公度有书",疑误。今据黄遵宪自署日期。

　**　函前有中村敬宇文字:"黄公度先生以绢嘱绘于东京女子师范学校教员及生徒,各经写就并缀俚言,伏希鉴政。"所标时间为杂志刊载日期。

致王韬函 *

（光绪五年七月初三日前　1879 年 8 月 20 日前）

紫诠仁兄大人阁下：

得惠书，知初三、初四皆有他局，不得暇。今特驾飚车来迓，乞即辱临，以同谋一欢。

海外知交，宪与阁下亦一大奇事，乃数千里之归，不获一具杯酌为礼宴，岂非大憾！惟勿却勿延为幸。即请
文安。不尽。

弟遵宪顿首

据南开大学藏手稿

致王韬函

（光绪五年七月十一日　1879 年 8 月 28 日）

紫诠先生大人阁下：

相聚不多日，匆匆告归，此怀何可言。新桥握别之时，莼鲈秋思，归心忽动。贾阆仙诗云："此心曾与木兰舟，直到天南海水头。"为公诵之。先生此行，名山胜水，醇酒妇人，如到极乐国。归装后，得文诗积寸，亦一快事。惟宪不能无怅然。

宪与阁下虽新相知，而钦仰高谊已久。星使尤爱重公，意欲罗致幕府。顾以南岛属藩之事，波澜未平，行止靡定，虽经上书当路，极推君才，而此间属员有额，方且告归请撤，未便增设。濒行再三挽留，意盖有在，及阁下述中丞有书劝归之言，乃不复启口。既虑此间小局，阁下未肯俯就，又念时方多事，以君之才，苟有用世志，诚不难凌云奋飞，一蹴千里。惟宪私心窃冀亟欲得阁下共处朝夕，时领教益，今既不能，因是独介介耳。

＊　函中所谈系黄遵宪在王韬离日本回国前，邀请饯宴事。王韬归国时在光绪五年七月初。据此酌定该函约写于七月初三前(1879 年 8 月 20 日前)。

宪著《日本杂事诗》凡百五十馀首，今抄清稿呈上，有便尚乞痛加斧削，乃付手民。苟得附大著丛书中，则附骥名显，尤为荣幸。款式拟同《海陬冶游录》，甚善。惟诗中小注应如何排印，统乞卓裁。又诗中新僻之字，如蒒灵，如棋雅等，及日本伊吕波假字，恐须别刊，务求费神。宪意欲得二百五十部。前托交阁下十金，知万不敷，乞早函示，以便邮来。

《扶桑游记》，沈君略润色，仍即以交锄云山人。

阁下此来，东国文士齐声赞叹无异词。鸡林之市白香山诗，百济之乞萧子云书，古人无此清福也，健羡健羡。

归舟风浪如何？极以为念。此函到日，想阁下亦到港矣。

干甫先生，宪读其文，重其人，乞代达意。

西望轸郁，榛苓在怀，惟珍重，为道、为国、为文，千万自爱。不尽欲言。

己卯七月十一日　弟遵宪顿首谨白

据浙江图书馆藏《黄公度观察尺素书》

致王韬函[*]

（光绪五年七月二十一日　1879 年 9 月 7 日）

紫诠先生大人阁下：

前奉书并寄呈《日本杂事诗》。星使语宪曰："紫翁磊落人，以琐屑事烦之，毋乃过与？"宪默然不能语，继而思有不得已者在。出门万里，平生故人贻书督责，欲少述一二，竭九牛之力且不能毕抄，故不能不刻。泰西通例，使馆书记例不得在任刻书，盖虑其中有刺讥，亦古人居国不非大夫之义也。此欲刻而不能于东京刻之也。乞老先生谅之而已。

卷一之下，因匆卒抄就，多有谬误，今条举别纸，求交与校对者，千万拜恳。重野为作序、石川为作跋，后再寄来。先生曾诺赐序，未审能宠锡之否？固所愿也，抑非敢冀也。

此书到日，到港当既久。凉燠之交，凡百珍重。不尽所怀。

干甫先生均此致意。

七月二十一日　弟遵宪顿首谨白

《扶桑游记》何如？"未雨先缠绵"改语句,调近俗且索然无味,弟与之争,即谓"谬"当作"绵"。句,梅史改之,真乃点金成铁,精光顿减。当梅史下笔诗此语,弟尝与争。即其他云云,弟意亦谓应删不应改。

先生天才秀涌,如海如潮,当其即席挥毫,文不加点,失于繁复,不及检核者亦容有之,偶加删简,未必不佳。至点窜字句,则人心不同,如其而然,即使老杜执笔,亦不可改谪仙人诗,况馀子乎？此卷之欲加删简者,本未能免俗之见。举花柳冶游过于放浪者,稍稍律之可耳,何必及其他哉！故仆读是书,此节之外不敢赞一辞。其有旁及者,弟以欺锄云诸公意谓删诗不尽关郑风耳,盖世情可笑之甚者,谬谓精当,犹此意也。先生试取原本观之,弟有一语赞其改笔否？

梅史因丁艰夺情,吏部行驳文来,近既归去。少此一人犹可言也,瀚涛之太夫人亦仙逝,亦匆匆束装而去。同行十九人,弟最所爱赏者,风流云散,此信其何以堪。知念并及。

廿一夜三鼓　公度又书

据南开大学藏手稿

致宫岛诚一郎函

（光绪五年九月十日　1879 年 10 月 24 日）

大稿经一再读过。此二本殊少佳作,披沙拣金,偶一见宝耳。谬以鄙见,辄为删弃。其馀未动笔者,仆皆以为可删,然未敢自信,冀吾子更请他人阅之耳。狂妄之罪,不敢求谅。惟恃至爱,乃敢出此言也。时下自爱。不宣。

重阳后一日　遵宪

宫岛栗芗先生执事

据日本国会图书馆藏《宫岛诚一郎关系文书》(以下简称"宫
岛文书二")341 书信原件

致宫岛诚一郎函

（光绪五年十月二十三日　1879 年 12 月 6 日）

前承招饮，闻名公美人聚于一堂，病不果往，至今引为憾事。多日未得晤，思君不已。今卜于我月廿八日即阳历十二月十一木曜日也。午后三时，薄治土馔，乞先生辱临一叙。吾土烹调之法，过时则失饪，先生所素知者，并望高轩如期而至，勿珊珊来迟也。天益寒，惟自爱。此颂日佳，兼盼赐复。

　　　　　　　　　　　　　光绪五年十月廿三日　　遵宪

栗香先生执事

据宫岛文书二 C42(78) 书信原件

致王韬函*

（光绪五年十月二十四日　1879 年 12 月 7 日）

紫诠先生大人阁下：

遵宪顿首顿首。九日辰奉到惠书，祗悉一是。迟迟未及复者，闻行旌犹在揭阳，又闻大力者将挟之而出，至今犹未知先生行止之何若也，企想无已。

拙著既承排印并蒙俯赐校核，感惭尤不可言。若见其未妥者，但如阁下之意随手改削之可也。此种诗岂值得为之校订哉！

何大臣所著，弟以来谕奉告，彼云俟改削后再以寄呈。

至前日之馈金，阁下以为多出十元者，即为仆刻书之费，如何？

尊著《扶桑游记》闻尚未告竣。有友人蒲生子作《佳人传》，今以一帙寄呈。

临楮匆匆，鄙俚不文。即请

大安，惟祈垂詧。

　　　　　　　　　　　　　弟遵宪顿首　　十月廿四日

别有寄洪干甫一信，付新闻一纸，祈阅后再交，并求卓裁。

---

*　函中说《日本杂事诗》承王韬"排印并蒙俯赐校核"，事在光绪五年(1879 年)，故此函当写于是年十月二十四日(1879 年 12 月 7 日)。

前惠既刻之《杂事诗》,惟国造分司旧典刊中小注,以参议分任之误作区。日本宽永钱诚有孔有轮廓。弟见其货币史钱图,是不过百分之一耳。又及。

据南开大学藏手稿

致冈千仞函

(光绪五年十月二十六日　1879 年 12 月 9 日)

伏启:我月之廿八即阳历十二月十一,此月第二木曜也。午后三时,谨于敝斋薄治肴馔,屈高轩枉过一叙。如惠然肯来,并望如时勿迟。吾土烹调之法,过期则失饪,故尤盼早降也。

多日未晤,薄寒日深,惟为道自爱。相见再一豁积愫。

我十月二十六日　遵宪

鹿门先生执事

据郑海麟黄遵宪手稿

致宫岛诚一郎函 *

(光绪五年十一月七日　1879 年 12 月 19 日)

今日所云云,皆肺腑之言。因虑其人来此,学无所成,而反入下流,则仆辈负君,君负故人,故不惮委曲以相告也。然笔谈数纸,乞焚弃,勿以示人。盖隐恶亦君子盛德,若宣扬之,则钜鹿无容身之地也。重以嘱托。

税所氏已友吉井君,又友阁下。仆读其书,知亦一有心人,阁下又誉其子。若不嫌弟陋,请由阁下诱之来,一见其人。若喜文字,仆为之删改,是仆之所能尽力者也,敢不黾勉为之,以酬① 阁下厚待友人之意。居此学语,恐终无益。仆辈无多暇日,既不能为之教习,又不能时时省察其所为,使勿为损友所累。是仆之未能尽力者也。阁下归后,仆达之公使,公使亦如仆意。谨再驰书,缕

＊　函末署"光绪五年长至前三日",该年长至(冬至)日为十一月十日,"前三日"为初七日(1879 年 12 月 19 日)。又宫岛写本于 12 月 20 日注"此日黄遵宪有书"。

①　"以酬"以上见宫岛文书一 C42(77),以下则见 C42(80)。

述鄙衷。

　　大著必当细读。辱过爱,实惭愧之至。惟自爱。不宣。

光绪五年长至前三日　黄遵宪

栗芗先生阁下

　　再启:闻吉井氏与伊地知侍讲皆君子人,见时为我达意。他日必当因阁下而趋谒也。又启。

据宫岛文书一 C42(77)、(80)书信原件

复大河内辉声函

(光绪五年十一月十六日　1879 年 12 月 28 日)

　　(函见本集上册第五编《与日本友人大河内辉声等笔谈·己卯笔话》第十六卷第九十二话,页 699)

致王韬函[*]

(光绪五年十一月二十日　1880 年 1 月 1 日)

紫诠先生大人执事:

　　十月下旬曾肃寸缄,当达记室。发缄之明日,即奉到赐函;诗五来又得一书,知潮州之行既返文旆。

　　中丞说:“士之甘礼贤之优固为当世所难,然非以少陵之才,亦未必能堂上指画、军中吹笙。”作如此逢迎也。中丞欲挟与俱出,闻之距跃三百。他日牙旌独建,左提右挈,昨日之一山人高据三八座上者,犹不过饮酒欢乐,且将见羽扇纶巾,指挥如意矣。

　　海防一节,千难万难,诚如尊语。顾以今日司农之竭蹶,急切何能办到?诚愿得如丁公者主持其间,延揽英豪,造就将士。天下事得人则理,虽旦暮未

　　＊ 函中谓“十月下旬曾肃寸笺”,当指光绪五年十月廿四日(1879 年 12 月 7 日),故此函写于同年十一月二十日(1880 年 1 月 1 日)。

能收效,而但使规模既具,逐渐经营,鸠工庇材,终有成功之日。仆辈日引领望之而已。榛苓西望,翘首为劳。

海风多寒,千万为国为道为斯文自爱。临楮匆匆,不布所怀。

命购之书,条具别纸,顺以呈上。

弟遵宪顿首　十一月二十日

据南开大学藏手稿

致蒲生重章函*

(光绪五年十一月前　1879年12月前)

蒲生先生:

夏日为纳凉之游系往何处? 即景之作想极多。近刻"伟人佳人传"至第几编? 敢问。

宪百拜

附录:蒲生重章答黄遵宪

即席走笔喜答

伟人在右佳人左,终日遨游乐有馀;何用江湖去消暑,俎桥之畔即华胥。

重章(印)

据蒲生重章《近世伟人传》四编礼集卷上题词手迹

致冈千仞函

(光绪五年十二月九日　1880年1月20日)

两辱惠临,未及倒屣,且惭且惧。弟近来百忙,大著经读一过,尚未加墨。容日阅好,将自行赍到高斋,并畅叙衷曲也。严寒,幸为道自爱。

我五年腊月九日　遵宪

---

* 手迹页上眉批:"黄公度尝喜读《伟人传》,一日遇余于俎桥,促后编出。此系笔语。今礼集成,而其国难以来,邈绝消息,为之黯然。"查黄遵宪于光绪五年十一月为《近世伟人传》四编题词。据此推断是函当写于同年十一月前。

鹿门先生执事

据郑海麟辑黄遵宪手稿

致冈千仞函

（光绪五年十二月二十日　1880 年 1 月 31 日）

　　仆在使馆，万事劳形，复以馀间待客，清暇著书，是以卒卒鲜暇晷。每戏谓梅士曰：若如子清福，长得与诸大雅文酒流连，何乐如之。大著阁一月未动笔，亦职是之故。知我谅我，不责以迟慢，幸甚。今日与石川子偕访高斋，满拟作半日清谭，一洗积闷，差池不遇，怅然而归，至今犹郁郁也。

　　严寒手栗，惟为道为斯文自爱。

冈鹿门先生执事

光绪五年腊月廿日　遵宪

据郑海麟辑黄遵宪手稿

致宫岛诚一郎函[*]

（光绪五年十二月二十日　1880 年 1 月 31 日）

　　大著拜读一过。此卷尚少名篇。以工部诗圣，亦以中年以后为佳，可知少作未易存耳。《四库目》论陆放翁，讥其作诗太多，故伤冗滥。通人当知其意，无俟仆喋喋也。

　　百忙草此，惟自爱。不宣。

栗芗先生左右

黄遵宪　十二月廿日

据宫岛文书二 341 书信原件

---

[*] 宫岛写本注"一月廿九日，黄公度有书"。此函落款题"十二月廿日"，当为 1880 年 1 月 31 日，疑宫岛记误。

致王韬函[*]

（光绪五年十二月二十三日　1880 年 2 月 3 日）

紫诠先生大人阁下：

　　腊八后七日奉书并《杂事诗》二本，想能邀澄鉴矣。廿一日得读手教，祇悉种切。

　　翻译球案之人，果非出贵馆手，由延请而来者，彼或别有所为而然。先生经许其谢金，昨告星使，谓此金不便使先生食言，仍当如数寄来。惟乞将原文及《朝野新闻》并敝署所译者示之，问其何故独删此节，俟其答词，再以寄来耳。本谓本署初次照会失于无礼，议撤议激言者屡矣。自杨越翰新闻一出，反谓其行文无礼，乃缄口不复道。此盖中间人补救之力亦不尠也。此事本无关轻重。台湾一案亦定议后互撤照会，惟彼国必欲挑此，恐中土之迂腐无识者，反谓以文字启祸，则悠悠之口，难与争辩耳。日本之处心积虑欲灭球久矣，使者之争非争贡也，意欲借争贡以存人国也。本系奉旨查办之件，曾将此议上达枢府，复经许可而后发端。此中曲折，局外未能深知，敢为先生略言之。

　　《杂事诗》既承印就，感荷何可言！前寄同文馆刻本，外间绝少，仍乞速为装钉掷寄。既经印就，则无庸照同文馆本改刊。惟卷首“广东黄遵宪”，因对日人言，故举其省，实则于著书之体未审合否？应否改作嘉应？先生教之。此间踵门请索者，户限为穿。彼士大夫皆知窝芷仙即日本人称先生姓字之音。俯为校刊，声价顿增十倍，今乃知古人登龙之言非虚谬。左太冲赋藉皇甫一序而行，亦信不诬也。彼国士夫相见者辄问先生起居，宪俱为达意。

　　日本比来屡见火灾。国会开设之议，倡一和百，几遍国中，政府顾尼之，不得行。纸币日贱，数日中每洋银百元，值纸币百四十矣。民心嚣然，盖几有不名一钱之苦。漏卮不塞，巨痛如此，可慨也！夫日本似不足为患，然兄弟之国，急难至此，将何以同御外侮？虎狼之秦，眈眈逐之。彼其志曷尝须臾忘东土哉！祸患之来，不知所届，同抱杞忧，吾辈未知何日乃得高枕而卧也？

　　严寒，惟为国为道自爱。

　　潦草不庄，为忙故也，幸恕幸恕。

　　　　　　　　小弟遵宪顿首上笺　十二月廿三日

　　　　　　　　　　　　　　　　据南开大学藏手稿

---

[*]　函说“腊八后七日奉书并《杂事诗》二本”，系指光绪五年同文馆刻本；又说“《杂事诗》既承印就”，指王韬为之作序的印本，事在光绪五年末六年初，此函当写于是年十二月二十三日（1880 年 2 月 3 日）。

致冈千仞函

（光绪五年十二月二十四日　1880年2月4日）

得缄，背汗雨下，虽严寒，若盛暑中。以仆之固陋，为村塾冬烘先生尚不可，而先生顾许为一字师，殆引昌黎"师不必贤于弟"之言乎？善戏而近谑矣。书言欲于纪元节屈驾枉顾，幸甚，幸甚！谨当倒屣迎也。

吾土新年，多同贵邦风俗，客中凡百不备，亦无礼之足观，仍不过献一茶、具一点心耳。呵呵。惟自爱。不宣。

鹿门先生执事

　　　　　　　　　　　　　　　黄遵宪　己卯后立春日

　　　　　　　　　　　　　　　　　据郑海麟辑黄遵宪手稿

致宫岛诚一郎函

（光绪六年正月十八日　1880年2月27日）

前辱枉顾，不及倒屣，惭愧惭愧。

《日本杂事诗》既印就，但寄来不多，今奉赠一部。索诗者盈门，仆无以应，幸秘之。是诗征引典籍，谬误实①，又虑言者无心，听者有意，或以为中含讥讽，则与居国不非大夫之义太相乖谬，尤非仆所愿。辱相知，深望涵复之为幸。

栗香先生执事

　　　　　　　　　　　　　正月十八日　黄遵宪顿首

　　　　　　　　　　　　　　　据宫岛文书一宫岛写本

致宫岛诚一郎函*

（光绪六年正月三十日　1880年3月10日）

大著首卷今奉还。此卷多仆未见者，而各公之评既尽态极妍，故不多赘。

---

①　原文如此。疑为"谬误实多"。

*　宫岛写本注"三月十日，黄遵宪有书"，时间据此确定。"再启"以下抄本无。

题上所着圆点,不知出谁手,删之可也。此问

栗香先生吟安

遵宪顿首

再启:税所子与令郎从舍弟学语,仆之初意感阁下及吉井君雅谊,故不忍却耳。今舍弟日习西国言语及汉文,实无馀暇兼顾。若舍己而芸人之田,想阁下不强人以所难也。兴亚会张滋昉先生久住北京,其语言胜舍弟百倍,又专力于教习者,必能多得益。祈阁下语税所子及令郎往先生处学,以后不必再来矣。拜恳之。

据宫岛文书一 C41(23)书信原件

致王韬函[*]

(光绪六年二月下旬　1880 年 4 月上旬)

紫诠仁兄先生大人阁下:

本月十二日由朗卿寄呈一函,外边银二十五元,想收到矣。十九日舍弟均选来署,带到惠函并《杂事诗》诸件,一一照收。拙诗宠以大序,乃弟生平未有之荣,感谢实不可言。不敷刻资,后即寄图十分来。

松田所刻之图,坊友约以半月后,且云寄书大阪,云其板久未印,今再新印,故迟迟也。

成斋诸书既着人送交,适于青山延寿家见之,并一一为达高意。鹿川亦见面,云其父望眼欲穿,得之不啻喜从天降也。想二公不日即有复音。角松扇当亲交。

自子沦归,不解语,有四五月不相见,当重游赠之,并索其写真。

干甫先生之序,仆何修得此,先为道谢,容再图报耳。匆匆中不能多及,即请

道安

弟遵宪顿首

据南开大学藏手稿

---

[*]　函中有"带到惠函并《杂事诗》诸件一一照收。拙诗宠以大序,乃弟生平未有之荣"。王韬为黄遵宪《日本杂事诗》作序为光绪六年二月下旬,故此函酌定约写于是时(1880 年 4 月上旬)。

致冈千仞函[*]

（光绪六年三月八日　1880年4月16日）

《法兰西志》拜察。大著文,适公使出门,故不及取出。或今晚,或明日,当遣作赉呈也。

鹿门先生执事

宪谨复

据郑海麟辑黄遵宪手稿

致冈千仞函

（光绪六年三月八日　1880年4月16日）

大作奉还,仆亦廖赘数语,想不鄙弃也。《法兰西志》,他日必当以寄丁公,备采择。匆匆不多及,惟自爱。

振衣先生阁下

我六年三月八日　宪顿首

据郑海麟辑黄遵宪手稿

致增田贡函^{**}

（光绪六年三月八日　1880年4月16日）

《日本杂事诗》一册,谨尘清览。仆东渡以来,故乡亲友邮简云集,辄就仆询风俗,问山水,故作此诗以简应对之烦。王紫诠见之,携其稿去,遂付手民,非仆志也。仆以外国人述大邦事,定不免隔靴搔痒之诮。别风淮雨,讹谬丛杂,幸绳正之。又其中措辞未当,或听者有意,以为讥诮,则于居国不非大夫之义更相乖谬,尤非仆之所愿,亦恳恳指正,钦荷无已。容暇趋谒。手此,顺祝近好。不宣。

---

　*　据光绪六年三月八日(1880年4月16日)函云《法兰西志》,此函似与其同日。

　**　增田贡,号岳阳。"上巳"为三月初三,知为光绪六年三月初八(1880年4月16日)。

增田岳阳先生左右

光绪六年上巳后五日　黄遵宪谨白

据日本东京都立中央图书馆特别资料室藏增田贡《清使笔语》卷四

致王韬函[*]

（光绪六年三月十五日　1880 年 4 月 23 日）

再启者:前寄呈干甫先生一函,及《横滨日报》照刻《纽约哈拉报》数纸,缘原本系美统领随行幕友杨越翰以寄哈拉报馆者。

琉球争端初起,由星使与外务卿议论数回。彼极拗执,乃始行文与辨。日本于此一节自知理绌,无可解说,乃别生一波,谓此间初次照会措辞过激,不欲与议,彼原不过借此以延宕啰唣耳。嗣统领东来,本署将屡次彼此行文,逐一详审译呈,统领以为无他。杨越翰将一切情节寄刊报馆,独于日本外务与我之文,一讥其骄傲过甚,再讥其愚而无礼。其是否出统领意虽不可知,然彼之为此,盖主持公道,谓我与彼文无甚不合,而彼与我文乃实为无理,所谓以矛陷盾者也。此报一出,闻纽约报馆卖出数万份,而欧洲诸国照刻者亦多。因是而五部洲人皆知日本之待我极为骄慢,皆群起而议其短。因美国系中间人,中间人之言,皆信之也。报到横滨,横滨西报即为照刻,而《东京邮便新闻》《朝野新闻》亦一一照刻。虽东人见之不悦,而语出他人,无所用其忌讳,故杨越翰讥诮日本之语,亦一一具载。

弟初以为我国各报馆必有译出汉文者,久而寂然,窃疑为未见,故敢以一通径达贵馆也。果蒙不弃,录塞馀白。乃陆续接到贵报于中间录刻来去之文,将原报所有讥弹日本语概为删去。始而深讶,不知何故,继乃念阁下及干甫先生均未能深通西文,翻译人口诵之时,隐匿不言,即无从书之于笔,不足怪也。原报流传既久,敝署既将原文及译文寄呈总署及伯相,均承其命人将原文再译,与敝署所译意悉相符。贵馆译而删去,于公事原无甚得失,弟不知贵馆译人是西人抑是东人? 抑我国人? 不知彼出何心而有意为此? 读所译汉文,神

---

[*]　据函中有托购地图事,在光绪六年,此函当写于是年三月十五日(1880 年 4 月 23 日)。

采飞动,非出公手,即是洪公。是二公亦受其欺矣。狂瞽之言,敢达清听。今将敝署译汉并日本新闻寄呈,至原文具在,请复校之。

《鹿门笔话》均寄呈清览。得信之后,望即以八十部还弟,弟此间既乌有矣。弟意尊馆存本必多,仍可加寄一二百部来东,必能尽卖。定价三十五钱,价殊不贵,若分钉上下二本,似可定作四十钱或四十五钱。事须及热,幸勿迁缓,千万拜祷。鹿门自作书后文一篇,龟谷省轩、蒲生子闇皆有序,其他东京文人多欲作序跋者,他日汇齐,当再补刻。

角松摺扇既交去。弟自子纶归,不通语,久不上旗亭。昨为此扇特设一局,而角松适他出,招之不来。弟亲送其家,其母出见,泥首至地,至再至三,具言为角松谢王郎殷勤。又述角松思念,云自经品题,声价顿增,王郎数首诗,渠赖以一生食着不尽。弟闻之他人,言亦如此,可知其诚恳矣。

托书肆在阪购图,昨来告云,是板久不印行,须有人定购数十部方印,故迟误至此。弟思地图一事,晚出为佳,不必定需松田氏所著,另乞他命,或由弟择购。俟复缄,即驰寄。手此,即请

近安

干甫先生同此。

弟遵宪顿首　三月十五日

据浙江图书馆藏《黄公度观察尺素书》

致王韬函[*]

（光绪六年四月十日　1880 年 5 月 18 日）

紫诠先生大人阁下:

数日中叠奉到三月下浣所发三函,崇论闳议,信足以推倒豪杰、开拓心胸。其中所论,如谓藉各使维持,遣旧人续议,皆与鄙见不谋而合,殊自幸孺子之可教也。使臣下狱,无益于事,徒贻他人以口实,洵然洵然。而阁下所谓不可解诸事,亦一一不诬。虽然,以弟近日所闻,乃知其中有不得已者在也。

弟闻遣使之初,特出懿旨,枢府诸公告其由陆路驰往,与左侯会商而后去。而彼谓严寒酷冷,难以冒犯霜露、跋涉山川,卒由海道。泰西所谓头等公使,虽

曰代君行事,然受命而出,乃得专行,即议定之后,亦必俟政府画诺而后能钤印画押。崇公之去,朝旨命之索伊犁,未尝令其结条约也。及将约稿寄回,又屡次驰书告以万不可许,而崇公一概不听,擅自启程。此即泰西之头等公使,亦万万无此事。彼徒以骄矜之气,为桀黠所愚,遂使天下事败坏决裂至于如此,可胜叹哉!

俄为劲敌,当路诸公素所深知,故虽明知万不可行,尚欲含濡隐忍以待他时。而台谏诸人连章交劾,未经宣布之前,留中章疏既有七分,其后攘臂奋袂、慷慨言事者至于无日无之。朝廷以不得已始下之议,而崇厚之罪实不能为之讳。又有一二人据理以争,负气过甚,非枢廷诸君所能屈服,于是拱手而听其议罪,而崇厚乃下狱矣,乃议斩候矣。

嗟夫! 通商以来,既三十馀年,无事之日,失每在柔;有事之时,失每在刚,此又其一也。

中土士夫,其下者为制义、为试帖;其上者动则称古昔、称先王,终未尝一披地图,不知天下之大几何,辄诋人以蛮夷,视之如禽兽。前车之覆既屡屡矣,犹不知儆戒,辄欲以国为孤注,视事如儿戏,又不幸以崇厚之愚谬诞妄,益以长浮气而滋浮论,至于有今日,尚何言哉! 尚何言哉! 今日事既至此,苟使声明崇厚之罪,而不定案,告于天下,曰朝廷遣使,只命索还伊犁,乃崇厚所结条约,举属伊犁一地之外之事,据国书,则伊犁事尚未之及,故外人谓全权不得其实也。实为违训越权条约云云,实难曲从,则内以作敌忾同仇之气,外以示我直彼曲之义,然后急脉缓受,虚与委蛇,徐徐再议。俄人虽横,彼亦无辞,犹为计之得者。此弟所以读阁下所作诸论,为之五体投地,拜服不已也。天佑圣清,必无战事。

闻丁中丞有欲出之信。东南半壁,倚此一人,西望企祝,无有已时。

时事孔棘,同抱杞忧,引笔伸纸,不自觉觳觫如此,聊以当与先生一夕话耳,幸勿示人。匆匆不庄,惟为国自爱。不宣。

弟遵宪顿首　四月十日

据浙江图书馆藏《黄公度观察尺素书》

致宫岛诚一郎函

（光绪六年四月十九日　1880 年 5 月 27 日）

昨辱惠示，谢谢。所请询朝会、祭祀二事，即以现行仪式编纂见教，甚善甚善，谨当延颈以俟。大著应缴还，然仆不敢自食其言，仍应待琼瑶之来再议报耳。所需大八书，数日必奉呈。惟自爱。不宣。

光绪六年四月十九日　遵宪

宫岛栗香先生阁下

据宫岛文书一 C27(78) 书信原件

致宫岛诚一郎函

（光绪六年五月一日　1880 年 6 月 8 日）

昨承惠书，今日又蒙枉顾。仆以明日有往沪之船，文书丛集，失敬愧谢。明九日之约，定当随大使趋谒。舍弟遵楷患腹疾，未能来，敬谢高意。相见述一切，匆匆不宣。

栗芗先生执事

我五月一日　遵宪顿首

据宫岛文书一 C27(26) 书信原件

致冈千仞函

（光绪六年五月十一日　1880 年 6 月 18 日）

昨获惠书及大著，两日以俗冗他出，未及复，乞恕。来书"凤纹赏牌"云云，真绝妙好辞，非吾子不能作是语，愧非仆所敢当耳。

仆来大国，阅人多矣。然于文最爱吾子，尚有一土井聱牙，未及见其人，昨闻其死，为之怅然！于诗最爱龟谷省轩。虽不敢谓天下公论，然私意如此，不能随他人为转移也。

昔《法言》书成，君山以为必传，仆为扬子之桓谭，敢为左太冲之皇甫士安乎？虽然，既辱高命，不敢不序。仆于明日作箱根之游，大著当携往山中读之，半月后归寓，即当奉缴。仆若有异同之见，亦当一一签商。他日趋高斋，再把樽酒，重与细论文也。阴雨不时，惟为道为斯文自爱。

　　　　　　　　　光绪六年五月十一日　黄遵宪白

鹿门先生下执事

致王韬函*

（光绪六年五月十五日　1880 年 6 月 22 日）

紫诠先生大人左右：

　　四月底得惠书并《杂事诗》，径即以贰百六部送交成斋。此月六日又奉到一缄，知虞臣所赍物都既交到。不腆微物，乃辱言谢，益使人面热汗下矣。虞臣取去书，后当购物奉寄，万不敢屡渎也。见成斋云《杂事诗》今寄来者，必能卖却。唯日本书坊文芸堂近又有翻本，且加以圈点旁训，为日本浅学者所便，再行排印，恐不能与之争矣。成斋初云：此事书坊实为无理。向者陆军省翻刻《普法战纪》，成斋告以现有书在伊处发卖者，陆军省因是不卖。然查日本政府发行版权条例，无不许翻刻外国人著书之条，则彼为有辞，故难强阻也。

　　成斋处卖书金既经催索，未得复函。承示大著近日出板，景星庆云，天下皆以先睹为快。辱命弁言，弟万不敢。惟俟熟读后，再当涤笔敬书其后耳。

　　蒲生子《伟人传》四编既刻成，今邮来一部，请查收。

　　弟月来患喉痛，颇为困累，复书迟迟，职是之故。比稍愈，明日当作箱根之游，约十馀日方归也。

　　匆忙作此，春蚓秋蛇，几不成字，幸曲谅之。天渐暑，望自爱，千万千万！

　　　　　　　　　弟遵宪顿首　五月十五日

----

　　* 据函中云"明日当作箱根之游"，知黄遵宪庚辰游箱根，两旬始返，知此函写于光绪六年五月十五日（1880 年 6 月 22 日）。

复增田贡函

（光绪六年六月八日　1880 年 7 月 14 日）

多日未面,得惠书,方知曾辱枉顾。以箱根之游,未获倒屣,歉何如之。承示为小儿欺骗事,使人怒。是子以冶游荒荡,逐去既两月。从前在此时,亦未尝遣其将告命。阁下试思,《外史》《史记》之书,敝馆何用需借? 而竟以是诬阁下,可谓胆大妄为也。承询其宅号、贯籍,是人在此时仆所知者,条具于左,祈鉴察。惟勿以琐故介怀。

> 我六年六月八日
> 阳历七月十四午后二时半
> 黄遵宪

增田岳阳先生左右

据增田贡《清使笔语》卷四

附录：增田贡致黄遵宪函

（光绪六年六月八日　1880 年 7 月 14 日）

向赐《杂事诗》卷,阅之玉石混淆,冠履齐列,奇想如泉之不竭,可谓士衡之才患才矣。寻诣馆答惠,偶属不在,随又闻有函山之行。因循至今,有三秋之感。意温泉之治适否? 时方断梅,新暑透葛,台候岳重可庆。而会有咄事之生,不得不敢告。过辰十日之午,贵室使令野崎剑来,说阁下之近况,且致何大使象胥钜鹿某之书曰:“大使有命,愿借《史记》《日本外史》。某多务,不能自诣,幸恕。”仆与某不相识,而大使则屡接。故召剑,亲授以二部,且属曰归则寄受证来。既而寂然回柬,钜鹿某亦无音耗。诘朝复送翰让某,某始谢曰:“剑向有罪,放之。”于是愕然,悟陷其术中,不堪忿愤。昨晨寄某曰:“剑之宅地番号必载在馆籍,疾告之,余誓捕剑以正罪。”而至今日未得消息。未如是,则虽某亦可疑矣。剑虽我邦人,藉馆命白日行剽,可谓污鸿号,其为罪也大。而某之书真伪虽暖,留在仆之手,足以为左券。顾非某白剑之假冒,则或受嘱唆之嫌。虽然,其恬然吝于告宅号、贯籍,亦咄怪矣。故质之阁下,并烦报旁注:告剑之宅号,且窃问某为人之正否。是事于名分_{旁注:义}。亦不可不宽假。我旧藩之律,士之子弟苟有涉偷之事,则其父兄赐剑命自裁。今士风虽衰,有志者亦不可不磨励也。斯语幸致大使,则亦有使译人寅畏之教乎?敢告下执事,以俟复命。

　　　　　　明治十三年七月十四日　增田贡再拜

黄公大赞阁下

　　　　　　　　　　　　　据增田贡《清使笔语》卷四

致冈千仞函

（光绪六年六月十五日　1880年7月21日）

　　龟清楼小酌之期蒙订许,幸甚。惟云仆到高斋同往,殊绕道而曲折,不若各自径往,到彼楼相会为妙。请阁下于明日午后二时往,并请代致意省轩,午后三时由其家而往,仆先在彼楼相候也。馀俟面罄。专此布札,即问近好。不宣。

　　　　六月十五日辰刻　阳历廿一日　黄遵宪白

鹿门先生执事

　　　　　　　　　　　　　据郑海麟辑黄遵宪手稿

致王韬函*

（光绪六年六月十九日　1880年7月25日）

紫诠先生大人阁下:

　　弟近日归自箱根,获读五月中所发二函、六月初所发一函,前后凡四五千言,其揣摩时势之谭,尤为批隙导窾,洞中要害。弟昨评冈鹿门一文,谓古人论事之文多局外之见、纸上之谭,可见诸施行者,百无一焉。乃今读先生所议,多可坐而言起而行者,真识时之俊杰哉!

　　来书仍欲东游,彼都人士皆引领而望矣。此间瓜代之期,计在九月。日本同文之国,续任使事者,必仍是台阁诸公。若得有消息,旧日令尹必举先生名

---

　　* 原件未署年份。据函中云"弟近日归自箱根",知此函写于光绪六年六月十九日(1880年7月25日)。函末云"命办诸事,条具别纸",故"遵宪谨白"当为其"别纸"。

以告,想马周之名应无人不识也。窃意东瀛学士推重先生,若得文旌常驻此国,譬如猛虎在山,百兽震恐,大可以消患未萌,于两国和好收效甚大。弟苟可以竭力,敢不勉为之?

弟以三年居东,行赋曰归。念日本山水素称蓬壶,屐齿不一至,虑山灵贻笑;而村乡风景,亦窃欲考风而问俗,故恣意为汗漫之游。居箱根山中凡二旬,而温泉七所,仅一未至,山路险峻,止通一线。而箱根驿有大湖在万山顶,宽仅十馀里,深至五十丈,乃知古人比之函谷,称为关东咽喉之地,盖真不啻金汤之固也。随后尚欲游日光,走上州,过北海,抵箱馆,他日归途,更由陆达西京,经南海诸国,访熊本城,问鹿儿岛而后返。但恨文笔孱弱,不足以自达其所见耳。

弟以不才滥膺今职,曾无片长可以告人。顷随何星使后,共编《日本志》,而卷帙浩博,明年乃能卒业。俟此事毕,若天假之缘,得游欧罗巴、美利坚诸洲,归再与先生抵掌快谭,论五大洲事,岂不快哉!

相见何日?思之黯然。命办诸事,条具别纸,即希澄鉴。炎暑,幸自爱。不宣。

　　　　　　　　　　小弟黄遵宪顿首　六月十九日

一、前命购地图,今展转觅得松田直所刻原本七份,谨以五份赠先生,馀二部乞代送洪干甫先生。区区微物,即求哂纳,不胜欣幸。

一、前命索问《扶桑游记》中卷,函到之日,尚未刊刻,弟一再催问,今日始竣功,由锄云翁交十部来,今谨寄呈,幸察收。

一、所寄成斋二缄,锄云、桂阁、白茅各一缄,均一一转交矣。

一、《众教论略》四编、《伟人传》四编、《清史逸话》均无刻本,俟后再寄。

一、此次托带书缄之何虞臣兄,乃星使同族。星使需寄家《杂事诗》,而弟处既无有,敢乞以十八部交渠。前借成斋代买之件,若未寄来,即在其中扣减;若既在道,则此十八部之价,他日由弟代为先生购书籍可也。

一、寄来影像三十二纸,内有角松一影,乞为哂收。

紫诠先生大人惠鉴

　　　　　　　　　　　　　遵宪谨白

据浙江图书馆藏《黄公度观察尺素书》

致王韬函[*]

（光绪六年六月底　1880 年 7 月底）

　　大著《扶桑游记》第三卷，由栗本匏庵交重野氏转命弟删。弟先于日报中读之，旋告之曰：此文简古，如风水相遭，自然成文，其天机清妙，读之使人意怡，所载诗尤多名篇，可不烦绳削也。上、中二卷，弟意谓其层出复见处，由于一时不及校读，此自可删；而梅史乃并及其他，仆当时即谓不可也。而成斋述匏庵意，屡强不已。弟因取归再读，见"阶下小蛇"数语，乃知栗本之意在此也。盖家康主政，传之子孙垂三百年，深仁厚泽，极为其臣民所尊敬。而栗本氏为幕府旧臣，维新之后尚以怀恋旧恩，不忍出仕，彼读此戏语，心有不慊耳，因谬为删之。此外，唯高丽钟铭下，"此足见高丽之臣于明，不臣于日"，亦为删去。缘高丽于日本，在隋唐之前有纳贡称藩之事，后即不尔。自丰臣氏一役之后，彼此往来皆以敌体，其为我藩属，日本人亦无不知之；而近年以威逼势劫，立通商约，内曰朝鲜为自主国，此为日人第一得意之笔。而论者犹或曰：彼明明中国属邦，何能认之为自主？若臣属日本之语，日本全国人无作此语者，此不须辨，故亦从删。未审有当尊意否？此第三卷，闻尚未付排印。读来函，知上卷、中卷，阁下各需十册，弟自当购以转送。

　　前次何虞臣向索《杂事诗》十八部，阁下不愿受值，弟拜赐多矣，谨当借此名花献老佛耳，下届有便即寄来。

　　存栗本、重野二处之书，弟未往箱根前即函告二君，所有书价即总须汇寄。归来又将尊函转达，一再催索，既无复函，殊不可解。直至今日，栗本始着人送来日本纸币四十元零，并附一单，今以呈上，俟数日间重野处有金送到，再行汇换洋银_{本日价每洋银一元值纸币一元三十七钱}。汇寄；若无交来，亦当先寄也。

　　《日本杂事诗》由弟手交重野成斋者，初则九十四部，后又二百八十六部，共三百八十部。昨检查阁下来函，亦系此数。云四百部，当系一时误记矣。

---

[*]　据函中云"弟未往箱根前即函告二君……归来又将尊函转达"，知当写于光绪六年六月十九日（1880 年 7 月 25 日）函后，酌定为六月底（7 月底）。

前承惠赐《康熙字典》及《鸿雪因缘记》，于五月五日奉到。上次呈函未及声谢者，缘当时转交友人，欲卖之也。日本近岁自学西法后，读书稽古之士日益少。观栗本氏处存书，以阁下重名，所著书犹如此之难，他可知矣。此二书敬谨拜登。谢谢。

《蘅华馆诗录》既刻就，有目之士皆以先睹为快。弟计是书当较易销售，有便或先寄百部交成斋可也。

所寄美人影，来书中有一老翁，弟思之不解；继思当购诸图时并购《虾夷图》十数纸，或未及别而白之，误遗一纸其中，唐突西施，罪过罪过！

弟宪再启

据浙江图书馆藏《黄公度观察尺素书》

致宫岛诚一郎便条*

（光绪六年七月五或六日　1880 年 8 月 10 日或 11 日）

收到见惠《朝会祭祀现行假例》一本，俟暇趋谢。

栗香先生

黄遵宪

据宫岛文书一 C27(79) 书信原件

致宫岛诚一郎函

（光绪六年七月八日　1880 年 8 月 13 日）

前承赐《朝会典礼》，详密整赡，拜谢无已。向者所需贤郎习字本及山阳书题跋，今都以奉缴。仆最拙于书，蛇蚓糊涂，自笑复自愧也。暑热，望自爱。

我六年七月八日　遵宪

栗香先生执事

＊ 宫岛文书一 A56 宫岛《日记》记明治 13 年 8 月 10 日宫岛诚一郎终日为黄遵宪誊录《朝会祭祀现行假例》，并记有"参公使馆，黄氏不在，仍赠《朝会假例》"。据此推断此便条可能写于 8 月 10 日，或次日。宫岛写本注"八月十四日，黄遵宪有书"，疑误。

再启:藤川三溪,仆不知其住居番号,其《春秋大义》序,仆久为制就,未由送交,今并函乞先生速为转交,以慰其望。费心,谢谢①。

据宫岛文书一宫岛写本

致宫岛诚一郎函

(光绪六年八月二十三日　1880 年 9 月 27 日)

前辱枉顾,聚谭移晷,快甚。所订明廿八日之约,仆月、火二曜最不得暇。因往沪之船例于水曜启行,先日须作书札故也。然获原先生仆素仰其人,渴欲一见。明日仍当拔冗走谒高斋,藉慰饥渴。惟未能久坐,于四时半来,六时前即当归也。馀暑未退,千万自爱,统俟面罄。

光绪六年八月廿三日②

宫岛栗芗先生执事

黄遵宪拜手

据宫岛文书一 C41(27)书信原件

致宫岛诚一郎函*

(光绪六年八月二十四日　1880 年 9 月 28 日)

昨发一书,误以谓阁下所云廿八日为阳历之日。顷知获原氏与阁下约乃阳历十月二日,即土曜日。仆今日不得暇,至土曜再趋高斋,畅领雅教。手此不宣。

我六年八月廿八日
黄遵宪顿首

栗芗先生执事

据宫岛文书一 C27(77)书信原件

---

① 宫岛文书一 A56 宫岛《日记》记:宫岛诚一郎 7 月 15 日偕藤川三溪访黄遵宪,《春秋大义》序或为此时所求。8 月 22 日日记又有"寄藤川黄遵宪之书",似即为此序。

② 宫岛写本后有"月曜日"三字。

* 此函黄遵宪误署八月廿八日。据光绪六年八月二十四日(1880 年 9 月 28 日)黄与宫岛笔谈内容,可知当系此日。

致王韬函*

（光绪六年八月　1880年9月）

再，读贵报有《杞忧子〈易言〉书后》二篇。是公著述，偶曾一读，心仪其人，访其姓名，仅知为岭南人，姓郑。尊处有《易言》稿本，肯赐一读否？深山穷谷，不无奇才，在上之人拔而破格用之耳！

西邻之责，自星使续往，递国书，谒君皇，一一如礼，其外务既许改议，事机似乎稍缓。尊处传闻异辞，月日歧异，不尽得实。

俄船东来，皆驶往珲春，现泊长崎者只有一号耳。专派之大员乃彼国海军卿，亦往珲春。观其意乃欲经画东面，设常备兵，编五营制，故携夫人俱来，且挈水雷艇，空其船载茶而归。在新驾波者，复截止不遣，皆可知其意不在战，特万万不可因此而弛备也。

南藩一案，茋画周详，皆为亚细亚大局，曷任钦佩。顾此事彼亦甚悔。闻方派员请修好释嫌。至如何妥结，须俟两国政府协议而定。彼族近情，内忧甚深，故亟亟有求于我也。至于助俄云云，道路传闻之言，为识者所不道，知先生既深悉矣。不赘。

弟又启

据南开大学藏手稿

致王韬函**

（光绪六年八月二十九日　1880年10月3日）

紫诠先生尊兄仁大人阁下：

前有栗本匏庵交到卖书银，当即转寄。弟自箱根归后，游兴勃发，旋复襆被独行，镰仓之江岛、豆洲之热海，皆句留半月而后归。归席未暖，又于富冈观

制丝场,于甲斐观造酒所,于五子村观抄纸部。此月之尾,秋风渐凉,乃不复游。其中旋出旋归,案牍山积,遂至匆匆无半日暇。弟生长中土,凡天台、雁荡、白岳、黄山,皆不获一往,未知其何如。顾于日本,游屐所经,名山胜水,灵秀葱蒨,都见所未见,颇觉胸中尘闷为之尽洗。惟苦无伴侣,未谙语言,稍嫌寂寂耳。

在山中获读《蘅华馆诗录》,如见我故人抵掌快谭。窃以为才人之诗只千古而无对也。弟每读近人诗,求其无踶踞气、无羞涩态者,殊不可多得。先生之诗,尽洗而空之,凡意中之所欲言,笔皆随之,宛转屈曲、夭娇灵变而无不达。古人中惟苏长公、袁子才有此快事,然其身世之所经、耳目之所见,奇奇怪怪,皆不及吾子远甚也。深山得此卷,乐甚乐甚！此间文人仰慕先生过于山斗,若邮寄来此,不胫而走,为之纸贵也必矣。

《扶桑游记》上卷,觅之市廛,既不可再得。前者匏庵交中卷十本来,弟欲购上卷十五本,随中卷寄赠,乃既乌有,仅购得中卷五本,命舍弟交朗卿转寄,想当达掌签矣。下卷于前数日刻就。弟见报即索问匏庵,承其交十本来,今即驰递。若仍再需,务即示我,即当购呈也。

鹿门于七月初率其门生游北海道,临别宴弟于墨水酒楼,后未得其邮简,闻近将归矣。成斋代售诸书,弟屡催不应,后曾见面,乃自述所售之价多半知交,未经收取,总须至今年年尾乃能算账,命转达先生。渠以文鸣一世,然欲作数行札,乃难于上天,亦可怪也。日本知交,见多乞代问好,皆云不知何日再于上野之长酡亭,两国之中村楼,追随文酒,重续旧欢,其殷殷殊可念也。

海风多凉,秋暑未退,惟自爱。不宣。

弟遵宪顿首　八月廿九

据浙江图书馆藏《黄公度观察尺素书》

致王韬函[*]

(光绪六年九月十日　1880 年 10 月 13 日)

子诠尊兄先生大人阁下:

---

[*]　函中说“八月廿八肃具一缄,附《扶桑游记》下卷十本”,知为光绪六年九月十日(1880 年 10 月 13 日)所写。

八月廿八日肃具一缄,附《扶桑游记》下卷十本,海鱼天雁,未审泳飞得达否? 极以为念!

昨初三日复奉到手书,并附方观察函,祗悉一切。此案近闻既由彼族授使臣全权在京会议,其若何结局,即使馆且不得参议,更无论局外。万国公例,非使臣秉受全权,不能议事。闽中诸公欲援中国千百年前苏、张游说之例,以行之今日,其于外交茫昧若此,实可笑怜! 然其人知重先生,此一节尚足取耳。呵呵! 还君臣而复疆土,此事谭何容易,然终不能不于各执一说中折衷以期一是,彼此退让则妥结矣。此事无用忧劳也。

西邻之言,近况若何? 多惠德音,至以为祝。

弟遵宪谨复　　九月十日

据浙江图书馆藏《黄公度观察尺素书》

致宫岛诚一郎函

(光绪六年十一月五日　　1880 年 12 月 6 日)

前得惠书,知尊公先生偶尔违和,即拟趋诣华邸,敬叩起居。而诸事丛杂,卒未得暇,惭甚愧甚。顷闻尊公既安好,贺贺。

所委生田君日记,仆一再诵读,识议明通,词意高简。东来见游记多矣,此为最善。顾系评于眉,体近俗猥。仆当为之作一序也,见面代达此意,仆亦欲见其人。

《养浩堂诗集》既上木否? 所求公使序,仆知既脱稿,想二三日当奉上耳。

天日严冷,凡百珍重自爱,并祝尊公先生万福。

光绪六年十一月五日　　遵宪

宫岛栗香先生执事①

据宫岛文书一 C42(1)、(82) 书信原件

致宫岛诚一郎小森泽长政函

(光绪六年十一月十八日　　1880 年 12 月 19 日)

信封

---

①　宫岛写本在信后注:"家君以十二月五日终世,享年七十四,葬青山墓田。"

内唁函外挽联

宫岛诚一郎
　　　　　两君子惠启
小森泽长政

　　　　　　　　　　　　　　　　　黄遵宪拜上

　　六年十一月十八日缄

唁函

　　谨启:前闻尊公先生之讣,惊悼不已。及趋吊礼庐,又以不通语言,未达诚
敬。伏念尊公先生年过七旬,身兼五福,哀荣备极,遗憾毫无,虽孝子之心,极
终身之孺慕,而先王制礼,戒贤者之过情。所冀勉抑衰哀,以将慈母。遵宪特
修唁信,谨具挽联,遣使将诚,乞君鉴纳。诸惟自爱,不尽欲言。

　　　　　　　　光绪六年十一月十八日　黄遵宪顿首

宫岛诚一郎
　　　　　两君阁下①
小森泽长政

挽联

七十古来稀,况板舆迎养,牙笏胪欢,有子并推天下士
大仙往何处,想拄杖莲峰,悬瓢松岛,此身仍作地行仙
宫岛一瓢老先生之灵几

　　　　　　　后学　黄遵宪顿首拜挽②

　　　　据宫岛文书二 341 书信原件及宫岛文书一宫岛写本

致宫岛诚一郎函

（光绪七年一月七日　1881 年 2 月 5 日）

拜登嘉贶,敬读惠缄。惭谢之怀,莫可言喻。

栗芗先生执事

　　　　　　　　　　　元月人日　宪顿首

　　　　　据宫岛文书一 C42(83) 书信原件

──────────

① 以上据宫岛文书二 341 书信原件。

② 挽联据宫岛写本补。

致宫岛诚一郎函

（光绪七年五月十四日　1881年6月10日）

谨启：前辱过访，一豁积悃。日来屡拟趋高斋，将中川先生诗奉还，而尘事旁午，阴雨积旬，不获如愿，歉甚。兹将诗一册、笔二枝、书一通送到。先生阅后，即代为封固妥寄①是幸。稍晴即当趋拜。草草不宣，千万珍重。

我七年五月十四日　遵宪

宫岛栗香先生执事

据宫岛文书一宫岛写本及C42(37)书信原件

致王韬函

（光绪七年六月十三日　1881年7月8日）

紫诠先生大人左右：

月来叠奉惠函，欢若面语，复承颁赐《火器说》一本、何、张二星使处均即转呈，皆致意道谢。小照一影。别来倏忽二年，颜容都觉如旧，弟悬置座右，陈读大作，便如见先生鼓掌快谈当世务旁若无人时也，喜甚喜甚！比来眠食何似？海隅酷暑，作何消遣？驰系无已。

弟近以归期不远，所作《日本志》亟欲脱稿，辄随何公穷昼夜之力讨论此事。是书大概详今略古、详近略远，然卷帙浩繁，未易料理，固是猝猝少暇，友朋往来大都谢绝。然今年遂能毕此事否，仍未敢知也。中土士夫于外国事类多茫昧。昔辽主告宋人曰："汝国事我皆知之，我国事汝不知也。"即今日中外光景。日本年来依仿西法，类为依样葫芦。弟之穷年屹屹为此者，欲使吾国人略知东西事耳。

此间光景略如常。南藩一事，悬而未了，以彼饷绌国虚，万不敢更生他衅，然欲求立国复君，则非撤使罢市不足以持之也。

朝鲜近有委员十数人东来，多系贵族高官。去岁八月，有修信使金宏集来

---

① "妥寄"以上据宫岛写本，宫岛文书一C41(37)仅存末页"是幸"以下。

此,弟为之代作策论一篇,文凡万言,大意以防俄为主,而劝以亲中国,结日本,联美国。诚以今日世变,终不能闭关而治,与其强敌环攻威逼势劫而后俯首听命,不如发奋图强,先择一较为公平之国,与之立约。朝鲜之在亚细亚实由欧洲之土耳其,苟此国亡,则中东殆无安枕之日,故不惮为之借箸而筹也。金君携回此稿以奏其主,国王甚为感动,一时舆论亦如梦初觉。自去岁至今,改革官制,设有交邻、通商各司,又分派学生到北京、到津讨论兵事。此次所遣委员亦为探察一切。看其国势,不久殆将开关矣。至李万孙,乃其国中之一老儒,其所上疏皆不识时务之言,不足以为怪也。

前读新闻,昨承赐书,意以弟之受冤被诬,拳拳欲为代辩,具感雅意。惟此事既有成效,不必争此虚名,且中土士大夫如李万孙又不少,若知弟之为朝鲜谋,恐又有执人臣无私交,又属国不可外交之说以相纠绳者,是止谤反以招尤也。惟先生鉴谅之。所陈一切,暂勿布散为幸。

托交重野成斋各函均转交,曾无片纸见复。弟往其家,未见面亦不答拜,作如此模样,殊不可解。日本人情最薄,分手辄同陌路,是其土风固然。此间办理交涉有年,深知其狡诈反复、弃信无耻,独不料置身名流者亦复如是,良可叹也!鹿门似稍有血气。然先生委弟代卖之书,弟以使馆人不便发出,曾托其代任,彼亦辞谢,亦可知矣。成斋之事,弟既再无他法,只好听之。栗本氏处存书,昨日均交到弟处,其单开卖去九元馀,为《扶桑游记》扣去七元,然则弟去岁所代寄尊处之《游记》,乃彼所托卖,非彼所赠送也,而当初曾不声明,亦堪一噱耳。此书俟后再以寄到。

此间新任黎君交代之期当在秋仲。弟俟瓜期满后,即欲束装返国,或先行回籍,则当来天南遯窟一访高躅,亦未可知也。

《蘅华馆诗录》闻书肆有翻刻之本,为石川洪斋所点训,旁注以伊吕波,弟尚未见,未知既印成否也。

拨冗书此,不觉烦絮。即请

文安,惟鉴不具。

　　　　　　　　　小弟黄遵宪谨上　七年六月十三日

　　　　　　　　　　　　据上海图书馆藏手稿,录自方行抄稿

与何如璋复宫岛诚一郎函

（光绪七年六月十九日　1881年7月14日）

承惠嘉贶[①]，对使拜登。容日趋谢。

栗香先生执事

我七年六月十九日　何如璋　黄遵宪

据宫岛文书一 C27(34) 书信原件

附录：宫岛诚一郎致何如璋函

（光绪七年六月十九日　1881年7月14日）

拜启：久不相见，襟怀郁陶，想应服丧未除。顷天气不佳，贵体安健否？

先年所愿之楠公父子两轴，一系正成迎銮舆于笠置之画，一系正行题诀辞于芳山之笔。经年之久，若失之则止，若忘之则敢请费数时之暇以加赞语。九成宫名帖跋语并恳请永为什宝。

有一友人井上毅，曾奉命到贵国者，知余与阁下交厚且密，昨日来求偕余到高馆修私交，通恳情。此人颇好汉学，阁下若勿斥，则不日欲相共谒阁下，谨呈寸楮。

此制果不太嘉，聊献之左右，笑纳甚幸。

何大人

据宫岛文书一 A57(3) 宫岛诚一郎《明治辛巳日记》秋号

致宫岛诚一郎函

（光绪七年六月二十二日　1881年7月17日）

栗芗先生执事：

前趋高斋，快慰积愫。日来渐热，惟珍重为祝。

---

① 宫岛文书一 A57(3) 宫岛诚一郎《明治辛巳日记》秋号云："寄何如璋并黄遵宪风月堂果子一函，以为丧中慰问。"并参附录同日宫岛致何如璋函。

仆所撰《日本志》将近脱稿,中有海军一门,因海军尚无年报,拉杂采辑,虑不免有误,且尚有一二询请之事,因念令弟小森泽君今官海军,仆亦叨有一面之识,不揣冒昧,敬以奉恳。谨此敬问

时祉

小森泽先生祈代问好。

光绪七年六月二十二日　遵宪①

一、今送到海军船舰表共四纸,中有错误者祈为改正,有疏漏者祈为补入。

一、问海军兵学校规则,明治四年正月十日太政官布告者,今犹用否? 若有新规则,可以借示否?

一、海军新设规程局,敢问所司何事?

一、问海军兵卒专指下卒。规则可借示否? 兵卒每月给俸一元七十钱,有等第否?

一、问海军每岁经费何项用多少? 可示其大概否?

据宫岛文书一 C42(2)书信原件及宫岛写本

致宫岛诚一郎函

(光绪七年六月二十三日　1881 年 7 月 18 日)

屡辱嘉贶,愧无可报。欲觅土产,则久客他邦,箧中更无长物;欲购之廛市,则所谓"羽毛齿草,君地生焉"。顷有朝鲜游客惠物数种,敢以转献,物不必佳,但道远难致,庶几以表此情,哂纳为幸。

光绪七年六月廿三日　黄遵宪

栗芗先生执事

据宫岛文书一 C42(86)书信原件

附录:宫岛诚一郎复黄遵宪函

(光绪七年七月八日　1881 年 8 月 2 日)

公度先生执事:

---

①　以上据宫岛文书一 C42(2)书信原件。写有提问的另纸原件不存,今据宫岛写本补。

前日蒙高轩枉顾,敬领清谭,快慰素怀。日来暑炽,惟珍重为祝。

曩者辱赐韩名产,一一登拜。以公私多事,为欠趋拜。

所示海军船舰表并兵学校规则其馀数件,仆已领命。弟小森泽长政现奉职东海镇守府,常在横滨总辖诸舰。阁下所云,仆已转致。顷弟从横滨来,曰所云件件仔细检查,此等之事,固当明告者。但秘史之职,事无大小,非受省卿之命,则不能私告。若转照之本省书记,则知之亦甚容易耳。俄、德二公使亦有此公问,已经一一明告。弟之言如此,便以告阁下。顷玉辇东巡,弟长政亦将乘扶桑舰到北海道以迎玉辇,其日在近。所示之事,阁下欲明知之,速如前议可也。

雨晴直当趋高馆,先驰寸兔以告。不宣。

明治十四年八月二日　宫岛诚一郎再拜

据宫岛文书—宫岛写本

复中村敬宇函[*]

(光绪七年闰七月二十四日　1881年9月17日)

拜复:捧读惠示,欲以仆所作《牛渚漫录序》附录于同人社杂志中。仆于文章,非所究心,此篇尤为鄙陋,乃蒙先生甄采,华衮之荣,无以逾此,敢不遵命。

仆向读《墨子》,以谓泰西术艺,尽出其中。至《尚同》、《兼爱》、《尊天》诸篇,则耶苏之说教,米利坚之政体,亦檃括之。自明利玛窦东来吾国,始知西学,当时诧为前古未闻,不知二千馀年之前已引其端。乃知信昌黎一生推许孟子,而有孔必用墨、墨必用孔之言,盖卓有所见也。仆曾钞出《墨子》中与西教相合者数节,今以敬呈。先生学综汉洋,幸为仆断其是否,感荷无既。残暑尚炽,千万为道、为斯文自爱,不宣。

光绪七年闰月廿四日

再启:《墨子》一书,文多明畅,独《经上、下》二篇,词意深奥,未易句读,是以学人引之者甚寡。我朝毕秋帆尚书有校正《墨子》,颇为详确,然亦未能尽通

---

　　* 中村敬宇为日本《同人社文学杂志》社长。该刊第62号(1981年10月10日)刊有黄遵宪的《牛渚漫录序》和《黄参赞答社长中村敬宇书》等。

其说。仆不自揣度,辄为训释。今举仆诗所引其最不可通者,注列一二,先生幸指正之。"均,发均县,轻重而发绝,不均也;均,其绝也莫绝":言以发县物,轻重均,则发不绝;发若绝,则不均之故也;使均矣,而发有绝焉者,是发不胜物之故。论轻重相均,则无绝理,故曰"其绝也莫绝"。"一,少于二而多于五,说在建住":一为初数,五为满数。建一以为基,可以生二生三生万。五之数已满,则住矣。故曰"一多于五"。"非半弗斱":斱,犹剖也。《经说下》曰:"半犹端也,前后取,则端为中也。"意谓剖数之一半,为可得两端,则算法较捷。"圜,一中同长;方,柱隅四讙":言树一物于中,而周围之长相等,则为圆。讙,毕秋帆曰当作维。谓四维之隅有柱焉,则为方。"圆规写殳,方柱见股":殳,尖形,谓圆虽以规成,实则由殳而生,即算学家所谓非尖不能成圆也。方,虽以四隅之柱定,而非股则不能成方,即算学家等边之说也。

据夏晓虹《黄遵宪与王韬遗留日本文字述略》(原载《诗骚传
统与文学改良》,浙江文艺出版社 1998 年版)

致宫岛诚一郎函

(光绪七年八月二十九日　1881 年 10 月 21 日)

栗香老兄先生执事:

得书知文旌归自故里。酷暑长途,往返无恙,可贺可贺。

《养浩堂诗·例言》,仆细加校阅,遂至删易过多,惶悚之至,乞宽容而是正之为幸。诗序仆乞杨君惺吾书之。惺吾书法胜仆百倍。他日书就,即以奉缴。秋凉珍重。不宣。

光绪七年八月廿九日　遵宪

据宫岛文书一宫岛写本

致王韬函[*]

(光绪七年十一月九日　1881 年 12 月 29 日)

闻尊体违和,不知近瘳否? 实喘,恐用重补,吃鹿茸或能收效,何不一为之。

---

[*] 原函未署年份。函中"此间瓜代果留,未有消息,不知何日得束装旋里",与光绪七年六月十三日函所云"弟俟瓜期满后,即欲束装返国"当为同年。

此间瓜代果留,未有消息,不知何日得束装旋里,访先生天南遯窟中,抵掌畅谈也。

手此,即请著安。日寒幸珍重。匆匆不布所衷。

小弟遵宪顿首　十一月九日

据上海图书馆藏手迹,录自方行先生抄件

致宫岛诚一郎函

(光绪七年十二月十二日　1882年1月31日)

仆具以盛旨转告何公。何公云即于二月四日趋诣尊斋可也。手此布复。馀不宣。

我七年十二月十二日　　遵宪

栗芗先生执事

据宫岛文书一C42(85)书信原件

致宫岛诚一郎函

(光绪八年一月一日　1882年2月18日)

谨启:鄙人首途在即,念此邦贤士大夫辱与交游,实有拳拳惜别之意。兹卜于阳历月廿日在上野八百善谋一别筵①,同坐皆素交。望于是日午后三时高轩辱临,不胜祷切。

光绪八年元旦　黄遵宪谨白

宫岛栗香先生执事

据宫岛文书一C42(79)书信原件

---

①　宫岛写本此信后识云:"二月廿日,黄公度为留别会于上野八百善。此日应招来者:宫本小一鸭北、向山荣黄村、杉浦诚梅潭、鹫津毅堂、龟谷省轩、大沼枕山、小野湖山、森春涛、其子泰次郎、蒲生重章、井上陈政、杨守敬及我也。译官钜鹿赫太郎为通事。"

致宫岛诚一郎函

（光绪八年一月十日　1882 年 2 月 27 日）

昨日盛宴为欧米交际之所无。鄙人无似,亦辱附末座,感幸不已。当作一长歌纪之,俾史氏大书特书,比于齐桓冠裳之会也。

醉中似闻君言,欲携雪津先生辱访,厚意感甚。惟鄙人寓居湫隘嚣尘,不足容高轩。鄙人首途尚迟数日,顷既将雪津氏大著评就,索题舻亭及纪梦诗亦皆草成,二三日后当拨冗来京,再偕吾子往谒佐公,作半日清谭,何如? 匆匆草布,馀俟面罄。不宣。

光绪八年正月十日　黄遵宪谨白

栗芗先生执事

据宫岛文书一 C41(17)书信原件

致宫岛诚一郎等函

（光绪八年一月十七日　1882 年 3 月 6 日）

谨启:二州桥上大张别筵,荷承诸君子招致鄙人,命陪末座,虽七子宠武,无以逾此。高情厚谊,既铭之肺腑矣。

今日高木君来,复承惠赠珍品。琼瑶之馈,至再至三。感谢之忱,莫可言喻。谨拜登受,肃此鸣谢。即颂
文祺

光绪八年正月十七日　黄遵宪

重野
岩谷
　　暨诸先生执事
宫岛
岸田

据宫岛文书一 C41(29)(30)(31)书信原件

致宫岛诚一郎函[*]

（光绪八年一月十八日　1882年3月7日）

今送到与荻原氏匾额及函，又与青山氏书一柬、函一件，统求费神转致。匆匆作此，馀不宣。

黄遵宪

据宫岛文书一C12宫岛诚一郎抄录件

致冈千仞函

（光绪八年一月十八日　1882年3月7日）

冈鹿门先生执事：

顷得六日惠书，知与信卿烦苟［郇］厨以待钧选，甚感盛情。然初与阁下约土曜日进京，后得阁下书，知是日无暇，是以钧选于进京时不敢趋谒，而日曜日则未复进京也。万里远别，无缘得一席话，彼此亦复惘然。

信卿所嘱书，仆既于土曜日携存公署吴静轩处，今附名纸，请饬人持以往取是幸。手此布复。赠信卿者，何公使诗一章，仆文一幅，杨星垣一幅。

光绪八年正月十八日　黄遵宪

钧选嘱笔顺候。

据郑海麟辑录《黄遵宪遗墨》，录自丁日初主编《近代中国》第九辑

致宫岛诚一郎函[**]

（约光绪七年　约1881年）

昨风雨大作，偶受寒，体小不怿。顷又晴阴不定，惮于出门，所订今日趋访之约，愿卜他日。先生诺否，遣使特达鄙衷。

八月十七日　黄遵宪

---

[*]　宫岛注云"三月七日黄氏有书"，据此定该函时间。

[**]　此函年份不详，黄遵宪于光绪八年（1882年）春离日赴美旧金山总领事，此函姑编在光绪七年（1881年）末。以下四件同此。

栗芗先生执事

据宫岛文书一 K38 书信原件

复宫岛诚一郎函

（约光绪七年　约 1881 年）

明日谨敬俟高躅,诸俟面罄。

宫岛栗香先生执事

遵宪谨复　我八月十八日

据宫岛文书一 C27(2)书信原件

复宫岛诚一郎函

（约光绪七年　约 1881 年）

嘉果拜登。新诗谨当如命校读。

遵宪顿首复

据宫岛文书一 C27(1)书信原件

致宫岛诚一郎函

（约光绪七年后　约 1881 年）

今日检第一卷仆多未评者,当补评一二,明日奉还耳。

栗香编修阁下

遵宪

据宫岛文书一 C27(3)书信原件

致宫岛诚一郎函

（约光绪七年　约 1881 年）

外纸币百元祈送

宫岛诚一郎先生执事

　　　　　　　　　　　　　　　　黄遵宪

　　如此种格纸购五百页。将五十页钉作一本,共钉十本,寄来为幸。公度拜恳。

据宫岛文书二 341 书信原件

致宫岛诚一郎函

(光绪十年六月十六日　1884 年 8 月 6 日)

栗香先生执事:

　　前者金子弥[1] 君来,获读手书,并示大著。不朽盛事,亲睹其成,且羡且妬。书辞勤恳,雒诵再三,如挹风采,使人益增别离之情。

　　仆自别阁下来,于今三年矣。美为文明大国,向所歆羡,及足迹抵此,乃殊有所见不逮所闻之叹。碧眼红髯,非我族类,视我亚洲人比之,自邻以下,不足复讯。此邦人不可与处,是以读《黄鸟》之诗,不欲郁郁久居此地也。

　　追忆前与阁下诸君子文酒相从,何等欢燕。自中村楼一别,遂如七子赋诗,饷飨赵孟,此后不可复见。旧欢杳然,如隔天末,想阁下亦同此怅怅也。

　　仆遭家鞠凶,去年之春,忽倾慈荫。王事靡盬,不遑将母,或牵或挽,不得遽归。而自遭此变后,心情抑郁,冷如死灰。笔砚之事,大都损弃,久稽音敬,职是之故,谅邀鉴也。

　　诸事不足以道,惟近闻我国创建铁道,若数年之间,南北东西,纵横万里,均有是道,则捷转运而利征调,可富可强,不复受外人欺侮。兴亚之机,莫要于此。阁下闻之,当亦欢笑也。

　　旧日朋好,见时代仆致意。仆视日本,实有并州故乡之思,见贵邦人,如见吾乡人,券券之心,望因阁下达诸公为幸。有便幸惠德音。匆匆不宣,千万自重。

我光绪十年六月十六日　黄遵宪自金山总领事署书

---

　　① 　当指金子弥平,曾参与创建兴亚会,曾任日本驻北京公使馆馆员。

再,闻岩仓相国、得能局长之丧,极为怅悼。得能君与仆交谊尤厚,不意遂不可复见。亟欲致书唁慰其子,而未悉其名。若能代达鄙衷,并示得能少君之名尤感。　　遵宪又及。

据宫岛文书一 B5 宫岛诚一郎《养浩堂私记》卷八

致张之洞函

(光绪十三年　1887 年)

窃遵宪自奉使随槎,在外九载。到日本后,周咨博访,维新以后,如官职、国计、军制、刑罚诸大政,皆摹仿泰西。但能详志一国之事,即中西五部洲近况皆如指掌。窃不自揆,创为《日本国志》一书,凡为类十二,为卷四十,都五十馀万言,其中若职官、食货、兵、刑各志,胪举新政,借端伸论,又六万馀言。黾勉经营,凡历八载,杀青已竟,复自展阅。不远千里,挟书自呈,欲得一言以为定论,可否俯赐大咨径送总理衙门,统候卓裁?

此书别无副本,道远邮寄,或致遗失,请即给咨声明,其书由该员自行赍呈。

据《日本国志》(光绪二十四年浙江图书局重刊)卷首张之洞咨文

致蔡毅若观察书[*]

(光绪十六年三月至十月间　1890 年 4 月至 12 月间)

毅若我兄大人执事:

戊子之秋,羊城邂逅,饱聆雅教,感念不忘。尔后遵宪北之燕,南返粤,轮辕甫息,击楫遂行,踪迹及于四大洲,远游逮于四万里。劳劳鞅掌,竟疏音敬,想邀鉴谅也。

闻南皮制府倚重大才,约往襄理。葛亮之如鱼得水,颜渊之附骥彰名,上下交推,两贤济美,可胜羡企。遵宪到伦敦来,知香帅创办炼铁局一事,造端宏大,命意深远,关心时局者,莫不拭目以待其成。遵宪反复熟筹,事有至难,所

---

[*] 函中云"遵宪到伦敦来,知香帅创办炼铁局一事"。张之洞创办汉阳铁厂及枪炮厂事于光绪十六年十月,黄遵宪屡陈办厂意见,当在是年三月抵伦敦任参赞至十月间。

当搏以全力,济以坚贞,负重济远,乃克有效。既屡言之星使,今再为公陈之。

设局之先,首在觅矿。虽有佳矿,若离局略远,则搬运难而经费巨,故局必与矿相亲附。矿质不同,有宜生铁者,有宜熟铁者,有宜铜者。同名曰钢,有宜此器,不宜彼器者。制炼之法既殊,炉韝即随之而异,故必察矿性以定机器。熔铁所需,莫要于煤。苟有矿而无炭,则取材远地,道远则费重,费重则物贵,故炭必与矿相维系。炭质亦不同,有坚牢者,有柔脆者。遵宪往视英国矿局,见其炉或高至十二三丈,或低至四五丈。询其何故,则谓聚炭于炉,欲使火力内蕴,馀威可以上烘,则炉愈高而炭愈省。然炭有美恶,其坚强者能积累数层以抵压力,若糜碎者则一经化灰,受铁压抑,或如蒸饼,或如积糟,或如烂泥,上下壅阏,气不相通,而铁不能化矣。故必审炭质以定炉式。西国各厂,类皆先得巨矿与炭之质,一再试验,俾精于化学者,评其性情,考其等第,而后谋设局之地,造器之模,参考成法,变通尽利,择善而为之。今此局本设粤地,迁移于楚,既未知矿与炭何如,遽纷纷然购备诸器,而经理其事者,于造炉则酌度于不高不卑之间,于炼钢则调停为可彼可此之用,如不合宜,则糜费既多,收效转寡。此购买之难一也。

遵宪前在日本,继在金山,如铸钱、造纸、作酒、造炮各局皆尝纵观,究未有如炼铁机器之壮观者。其为用也,有掊者,有持者,有掣者,有枏[1]者,有拨者,有扬者,有按者,有搏者,有掀者,有筑者,有㧖者,有挤者,有格者,有揃者,有擎者,有戛击者,有呼吸者,有牵引者,有输泻者;其为形也,有立者,有偃者,有欹者,有倚者,有排者,有累者,有盖者,有藉者,有注者,有喷者,有撑者,有拒者,有嵌者,有斗者,有似柱者,有似弓者,有似臼者,有似洼者,有似沟者;或庞然而大,或隆然而高,或岸然而长,重或二十馀吨,厚至十馀尺,槎牙纠蔓,缭曲散漫,奇形诡状,不能悉名。以泰西诸国道途之平坦,车栈之巨伟,器具之灵警,加以起重之机,拆卸之法,而其设局必观于水,必谋于野,而后便于运输,盖舟车之所不能胜,人力所不能为,有运行于数万里之海中,而不升转输于百馀步之陆地者。前购起重机器,曾电询香帅,未得复,星使以为可缓。而遵宪询之船厂,以谓有廿馀吨之镦,非得起重机万不能运。尔时星使既往比时时,而船将展轮,并于函中先行叙明,而不虞其力之不足,仍至颠覆也。况于武昌街之窄狭,店户之稠密,随处窒碍,则虑其能至岸而不

———————————

① 枏,当为拐。

能入厂也。江流之迅急,水势之无定,一遇水落,则重舟不能入港,又虑其能达上海不能达汉口也。至于驳船之不能任重,工役之不能娴习,又其小也。第二次船行,搬运各货,凡十四日乃毕。遵宪谓在英十四日,在中国必须一月,曾力请星使必与船厂定明展限,方可免逾时之罚。而马格里谓虽有此章,偶尔违限亦未必遂罚,竟不与言。此运送之难又一也。

建厂之先,首须择地。地必近水,所以利运济也。土必实址①,所以防倾倒也。多开沟渠,所以淘汰也。多布轨道,所以便迁徙也。其它梁柱之属,砖瓦之类,多日铁所以期坚,耐避焦热也。又不必尽用,所以防烘蒸也。盖一经开工,雷轰电击之声,风驰雨骤之势,其震荡之威,足以排墙裂柱,非万分巩固不足以御之。凡机器之方圆长短,缓急先后,位置所宜,排列有法,必审其器以画其地,即因其地而绘为图。今屋图既绘,尚不难按图而索。然一切机器为华人耳目之所未经,见之而不能名,名之而不知其用,势不能不借资于二三西匠以为之倡率。然奔走者多,指挥者少,语言不达,事事烦难。欲多募西匠,则为费太巨;欲选派华匠学习于西人,则需时过久。西匠之高手,颇有有学问有家业之人,即下等亦多识字,目染耳濡熟习于机器者,多知其用。而华人之为工匠者,类皆愚蠢粗拙,以力谋食者,寻常人巧既不能精,骤语以机器精微,则相视瞠目而不能发一语。虽华人聪明不逊西人,数年之后亦不难心知其意,而创辩②之初,仓猝召募,若驱乌合之众以从事战争,惴惴然惟败绩是惧。又况延订之西匠,或技巧不精,或鲁莽从事,一不合宜,则将凿枘容柄,以栈为楹,黄金虚掷,诸事瓦裂。此架造之难又一也。

创办之初,欲造铁轨。然机器之巨,事件之繁,势难移造于矿铁最富之区。西人之造铁轨,以行汽车,即因汽车以运铁轨,盖亦积累而后成功,相因而后成事,非易易也。今所购炼钢之炉有二:西人谓贝色麻钢质厚而力坚,于任重宜,故宜造车轨;无论炼熟铁、炼钢,必以熔生铁为根。今所定炉日熔生铁一百吨而已,不能造钢轨二百吨也。西门士马丁钢质韧而力均,于耐久宜,故宜造船甲。英国有一船厂,每船成,必经试验,记之于簿。业保险者视其簿以定价。其章程有云:凡造船用具色麻铜③,不得保险。盖因其力不均称,时有瑕疵,易于蔽裂也。今矿质未知何如,铁路尚悬而无着,必先商榷应造之

----

① 址,当为壤。

② 辩,当为办。是为繁体字形似误。

③ 具色麻铜,当为"贝色麻钢"。

物。通年以来,洋货盛行,大而园^① 条方板以制巨器者,无论矣,乃至剃发之刀、缝衣之针、嵌物之钉,亦日增月盛,以其制精而价廉也。既开此局,诚宜一切仿造,以保商务而夺利权。然造端之始,必不能与已成之局絜长而较短。美国论经济者,凡本国创造之物,必设为保护之法。如一千八百十四五年美国甫造铁板,则重课英国铁板,至课税之数,浮于物价。盖外来之物骤贵,自造之货乃可畅销也。西人名曰保护税。今中国收税,无本国自主之权,有彼此互订之则,且往往有自造之货流通于内地,而课以进口关税者。外产内侵,难筹抵制。此制造之难又一也。

既非一朝一夕之功,又非一乎一足之烈,自宜同心合力,庶克有成。而中国大吏,习染既深,成见难化。有因其议非己出,而不欲附和者;有因其事不干己,而自愿旁观者;有诧为耳目所未经,不知所以措手者;有非其思议之所及,不知所以图效者;有因其经费难筹,不知所以为继者。枢府诸公,本无定见,因一人之奏议而行,或因一人之奏议而罢,中外各局,或作或辍者数矣。福州船局,左帅苦心经营,而吴仲宣诋为无成,凡百掣肘。吴淞铁路,群知其利矣,而沈文肃以二十万金购之,卒令毁坏,弃之无用。名臣尚尔,况其他乎?今既创此局,香帅始终其事,吾知其必成。假令香帅移督两江,或入参大政,继其任者,苟无同心,恐不难亏于一篑,弃之如泥沙也。既有成议,既有端绪,而承其后者既经订购,不过按期收货,如期给金,即有添购之器、改造之件,亦不过一稽核之烦,商订之劳,以图多一事不如省一事之便,则谓他日或至无用,亦非过虑、非激论也。此又办事之难,为中国通弊,而此事则尤甚者也。

遵宪到英以来,检阅前卷,接理此事,以谓应先得铁矿、炭矿,将铁与炭寄到英国,请人明验,然后定式购器,觅地造厂,既与商人订购机器,又必须包装包建造,至安装机器能运行之日为止,可以省数事之难。芝田中丞原不欲办,嗣经香帅一再电请,知事不得已,然不将其事博访周咨,详举以告,遽匆匆定议,既一误矣。遵宪详举其难,并非惮其难而欲中止也,盖前此数难,咎在于此。今成事不必说,惟随时弥缝,随时补救已耳。而后此数难,正赖诸君竭力经营,苦心筹划,以期有济,此区区之心也。

和戎以来,设局造炮,置厂造船,中外所措意,专以强兵为事,然皮之不存

---

① 园,当为圆。

毛将焉附？遵宪在外十年，考求有素，以为今之中国，在兴物产以保商务。今香帅所创织布、炼铁二局，其意美矣。织布易于收效，今不必言。若炼铁一局，尤今之急务。西人以上古为金银世界，近今为铁世界，盖以万物万事无一不需此也。以中国之大，若直隶，若山西，若安徽，若福州，若粤东、西，即分设十数局犹不为多。然今日创设之初，万一无效，则他日指为前车之鉴，将裹足而不前，缄口而不敢议。故遵宪谓此一局，关系于亿万众之脂膏、数十年之国脉，至远且大。凡遵宪之所云云，既一再言之星使，并请其函告香帅。既有所怀，终不敢以位卑言微，甘自缄默，缕布腹心，幸阁下垂察焉。如订延聘匠首一事，贺伯生前既定约守。嗣延威德，遵宪以为必须责成谛塞德厂担保，乃免以贱工充役，致误事机。后谛塞德允为担保。购卖① 起重机一事，当时曾电讯香帅未复，星使以为可缓。遵宪以为有廿六吨之锭，香帅所未知，若无起重器，万不可行，乃始定购。此言之可而见从者也。运载机器一事，遵宪以为其粗重笨拙，非亟用者，可用帆船，以省运费，即用轮船，亦须将每批应运之货，招人承运，择其价廉便己者而行。如头批运货，其运费可以自雇一船，而所运各货仍分别贵贱，某项值多少，某项值多少，殊为未允。而星使终以麦格雷葛船行曾有每百扣十之议，仍交伊装运。此言之而不听者也。其他类此。

据钱仲联辑《人境庐杂文钞》，录自《文献》第八辑

致宫岛诚一郎函

（光绪十六年十二月二十日 1891 年 1 月 19 日）

栗香先生足下：

　　井上子德来，得读惠书，欢若面语。别来遂九年矣。杜老诗云："九载一相逢，百年能几何。"况又仆客泰西，君居大东，踪迹阔绝，不可合并也乎！劳劳思君，不可言也。

　　仆自先慈见背，遂于乙酉之秋由美利坚归国。扃门息影，闭户著书。前在东京草创《日本国志》，至是发箧，重事编辑，凡阅两载而后成书。凡为类十二，为卷四十。曰国统志，凡三卷；曰邻交志，上编凡三卷，下编凡二卷；曰天文志，凡一卷；曰地理志，凡三卷；曰职官志，凡二卷；曰食货志，凡六卷；曰兵志，凡六卷；曰刑法志，凡五卷；曰学术志，凡二卷；曰礼俗志，凡四卷；曰物产志，凡二卷；曰工艺志，凡一卷。都五十馀万言。私谓翔实有体，盖出《海国图志》、《瀛寰志略》之上。所恨东西奔走，无暇付梓，不获与诸君子上下其议

---

① 卖，当为买。

论,讨论其得失耳。

仆居麹町者四载,梦魂来往,时复恋恋。虽其后游美利驾,客英吉利、法兰西,此皆四部洲中所推为表海雄风、泱泱大国者,然以论朋友游宴之乐,山川风物之美,盖不逮日本远甚,仆竟认并州作故乡矣。春秋佳日,举头东望,墨江之樱,木下川之松,龟井户之藤,小西湖之柳,蒲田之梅,泷川之枫,一若裙屐杂沓,随诸君子觞咏于其间,风流可味。以是知我两国文字同,风俗同,其友好敬爱出于天然,岂碧眼紫髯人所能比并乎?

维新以来,庙堂诸公洞究时变,步武西法,二十年来,遂臻美善。仆于《日本志》中极称道之。至于今年,遂开国会,一洗从前东方诸国封建政体。仆于三万馀里海外闻之,亟举觞遥贺,况其国人乎,喜可知也。

足下年来何所为,颇有造述否? 诗稿日积,当如牛腰。《平经正弹琵琶诗》,竟供御览,《清平调》三篇,彼谪仙香名,不得专美矣。江户诗人如小野湖山、森槐南,想俱无恙。仆于日本文士,相知者多,不能偻指一一数。特举一老辈一后生,以况其馀,见俱为我致意。

自仆去后,闻使馆文字之饮,时相过从,又往往道念及仆,且喜且慰。伯行星使精英、法方言,又工文章,其学识明达,论者比之曾劼刚少司农。虽为傅相郎君,然朝廷特简,盖以才能,非以门第登庸也。并以附告。

相见诚未知何日。临楮怅然,惟起居曼福为祝,不布所怀。

　　　　黄遵宪再拜　腊月廿日自英伦使馆作

再,去岁在京,有持宫岛某名刺来谒。及延见,乃知为从前侍坐之童子大八郎也。头角崭然,能作华语,栗香为有子矣。又述及购物馀金,欲以掷还。既悉此意,将来由子德君交到,再以布启。又及。

据宫岛文书二 341 书信原件

致胡晓吟函*

(光绪十七年八月五日　1891 年 9 月 7 日)

遵宪奔驰四海,忽忽十馀年,经济勋名,一无成就,即学问之道,亦如鹢退

---

* 函云"弟于十月可到新嘉坡",系光绪十七年,该函当写于是年八月五日(1891 年 9 月 7 日)。

飞。惟结习未忘,时一拥鼻,尚不至一行作吏,此事遂废。删存诗稿犹在二三百篇,今寄上《奉怀诗》一首,又《山歌》十数首,如兄意谓可,即乞兄抄一通,改正评点而掷还也。

弟于十月可到新嘉坡,寄书较易也。此请

文安

弟期遵宪顿首　八月五日

据罗香林藏原件,录自郑子瑜《人境庐丛考》书影

致建候函[*]

（光绪十七年八月十八日　1891年9月20日）

建候我兄大人执事:

弟刻已定于九月二日自马塞启轮,此廿四日将由英来法,与诸君子盘桓数日,一豁积闷。已托益三于附近使馆觅一住处,以便过从。若于数日间改期,必再有函;如本日改期,必有电。但总之,不必劳驾来迓为祷。相见不远,一切面罄。手请

勋安

弟期遵宪顿首　十八日

据上海图书馆藏《清黄遵宪等手迹》

致胡晓吟函^{**}

（光绪十七年八、九月间　1891年9、10月间）

遵宪居日本五年,在金山四载,今又远客英伦,五洲者历其四,所闻所见,殊觉诡异,有《山海经》《博物志》所不详者。然一部十七史,从何处说起,异日相见,乃能倾筐倒箧而出之耳。

＊　建候,姓名待考。黄遵宪由驻英国参赞调任新加坡总领事,系光绪十七年八月由伦敦起程。函中云"弟刻已定于九月二日自马塞启轮,二十四日将由英来法",此函当写于是年八月十八日(1891年9月20日)。

＊＊　该函首末文意与八月五日致胡晓略同,据此推定作于同年八至九月间。

惟出门愈远,离家愈久,而惓恋故土之意乃愈深。记阁下所作《枌榆碎事序》有云:"吾粤人也,搜辑文献,叙述风土,不敢以让人。"弟年来亦怀此志。尝窃以谓,客民者,中原之旧族,三代之遗民。此语闻之林海岩太守。既闻文芸阁编修述兰甫先生言,谓吾乡土音多与中原音韵符合。退而考求,则古音古语,随口即是,因欲作《客话献征录》一书,既使后进知水源木本,氏族而所出;而以俗语通小学,以今言通古语,又可通古今之驿,去雅俗之界,俾学者易以为力。既掇拾百数十条,惟成书尚不易,且须归乡里中,得如公辈,互相讨论,乃可成耳。

弟于十月可到新加坡,寄书较易也。

据吴天任编著《清黄公度先生遵宪年谱》

致实君函*

(光绪十八年五月六日　1892 年 5 月 31 日)

实君贤甥执事:

别来匆匆,忽半年矣。前者温厚吾、赖子垣两茂才来,询悉善况,知进德修业,孳孳不已,良用慰欢。今岁恩榜宏开,想时时温习举业。尊公学行,超越时流,即八比一道,亦精能深妙,殊绝于人。贤甥过庭之暇,以时即问,必多所裨益。鄙人于此事素少究心,海外奔走,益复茫茫。如有近作,冀抄云一二篇,藉觇文采。或者竭其一得,足相印证也。

去年七月,本欲挈内子辈同诣尊宅,以王事有期,不克如愿,至今怅怅。小女今岁归宁日多,良以鄙人举家南徙,儿媳习皆少不更事,加以进学添丁,酬应纷烦,不能不藉小女代为维持,以求免族戚议责,想邀谅也。鄙人自丁酉① 从海外归,以内子多疾,一切起居饮食,赖小女调护,故离别之后,时拳拳在心。小女亦素患脚软之疾,因所居卑隘,积受潮湿,移居楼上,稍就痊瘳,未审近日如何? 甚念! 贤甥赴试,于何日起程? 在省寓何所? 如有佳寓,亦可与小儿同住,缘小儿初次出门,性又负气,诚虑其于应酬之事开罪于人。应得与甥同居,

---

* 实君,姓名待考。函云"去年七月,……以王事有期,不克如愿",当指光绪十七年七月离英径赴新嘉坡接任,未曾回国;又云"此间地近赤道,暑针每在八十度外……今亦渐以安习矣",似为其抵新后的光绪十八年(1892 年)。

① 丁酉,是光绪二十三年(1897 年),黄遵宪已在国内,不存在"从海外归"。丁酉疑误。

时以雅度化其褊狷,庶使鄙人心安也。

此间地近赤道,暑针每在八十度外,时时用醍醐灌顶、冷水浇背之法,初颇不惯,今亦渐以安习矣。内人辈居此尚安好。久欲作书,每以事中辍。今日抽暇,草此数行。此间政务虽不烦,然亦无几时得暇。每念作秀才时,伏案吟诵,自主自由,此乐遂不可复得。"少壮真当努力,时一过往,何可攀援"。诚有昧乎其言之也。即问

近佳。不宣。

外舅制遵宪启　五月六日

据郑海麟、张伟雄编校《黄遵宪文集》

致子英函[*]

(光绪二十年九月三日　1894年10月1日)

子英仁兄大人阁下:

久仰大名,时深倾慕。顷承惠示,如聆德音。

阁下办赈十数年,乐善不倦,为数百万灾黎所托命,使五部洲闻风而兴起。遥企高风,快符下颂。弟承乏新嘉坡总领事之任,于兹三年。本年五月因晋边奇荒,出而劝振。入秋以后,又因顺直水灾,惨过晋饥,仍又接办。数月以来,前后共捐银一十三万馀元,概由电汇寄合肥傅相察收。

南洋诸岛,年来因土产失收,商务日绌,而此次集款之多,转为向来所未有。弩末早成,马力殆尽。弟所派捐册,均陆续收回。近接京都王軧卿同年函称,京都同人劝办义赈,属弟勉为措办,将款寄请阁下转递。弟于此时,殊难措手。惟念京师筹款较难,而救灾如火,又不便须臾稍缓,今即筹备银一千元,伸规银七百三十两,缮取汇丰银行汇单,请阁下代收。收到即乞妥寄京师同人义赈局连聪翁舍人文冲查收,并求复示。是所祷躬,专此奉恳。即请

侍安。不宣

愚弟制黄遵宪顿首　九月三日

据上海图书馆藏手稿复印件

---

* 子英,姓名待考。函中云"弟承乏新加坡总领事之任,于兹三年",知为光绪二十年,此函写于是年九月三日(1894年10月1日)。

致李鸿章电

（光绪二十年十一月九日　1894 年 12 月 5 日）

英船阿必伦，满载军火，本日往港赴倭，请查办。

据《李文忠公全集》

附录一：李鸿章致张之洞电

（光绪二十年十一月十日　1894 年 12 月 6 日）

黄遵宪佳电［中电略］云，北洋兵船不能远去，尊处可派一二船往港外捉阻。鸿。蒸。

据《李文忠公全集》，《寄江督张香帅》

附录二：李鸿章致黄遵宪电

（光绪二十年十一月十日　1894 年 12 月 6 日）

前有德公司船运华军火，被日领事扣留。现据报英船满载军火，过坡赴倭，何以不援例请英领事扣留？ 太无胆识。

据《李文忠公全集》，《寄新加坡领事黄遵宪》

附录三：张之洞致李鸿章电

（光绪二十年十一月十二日　1894 年 12 月 8 日）

蒸电悉。捉阻军火船事，敝处已派一轮往，但恐赶不及。似以广东就近拦截为便。查粤尚有"元亨"、"利贞"、"戊己"、"金玉"四轮，请速电粤省，请筱帅派兵轮数号，令洋弁马骊带往，在香港外查拏为便，必可得力。祈速复。真。

据《张文襄公全集》，《致天津李忠堂》

致梁鼎芬函[*]

（光绪二十一年三月二日　1895 年 3 月 27 日）

闻既就钟山讲席,欢慰欣跃。容当执诗弟子礼上谒门墙也。

沈文肃祠之会作一诗乞教,望评削掷还是幸。记少年应童子试时,每呈课艺,必屏息窗外,候先生改正乃始就寝。今犹仿佛此景也。诗征八十册既检收,多一目录,今奉缴,短四十二至四十六五卷,亦望补还。

购书之价,容送上,求转寄焦山和尚,以了此重公案。

哭邓鸿胪诗既抄副本珍藏,原稿不敢久稽。妄注数语,极知僭妄。手上,敬叩

节庵先生同年道安

遵宪谨笺　三月二日

据首都博物馆藏原函

致梁鼎芬函[**]

（光绪二十一年三月五日　1895 年 3 月 30 日）

伏承诗教,感喜丛集。弟诗寸心得失,稍亦自知。然绝无先路之导,又未知同辈公论,但不至如方望溪之藏拙为高,安知不因诸君子教益而更有进境耶。深冀抄摘利病,一一宣示,乃云欲言而未敢,何言之谦也,恐不免负小子执业之意矣。

诗征书价、雪芦画本,共十二元,今送上,乞转致为幸。

本欲上谒,因损轩同年遣使订晤,故不及来。何日移居钟山讲院? 念甚。手上,即请

---

　　* 函云"沈文肃祠之会作一诗。"沈文肃即沈葆桢,字幼丹。查黄遵宪《人境庐诗草》卷八有《乙未二月二十七日公祭沈文肃公祠》诗,乙未为光绪二十一年,故此函当写于是年三月二日(1895 年 3 月 27 日)。

　　** 光绪二十一年三月二日致梁鼎芬函云"闻既就钟山讲席,欢慰忻跃",此函问"何日移居钟山讲院",故亦当为同年即光绪二十一年三月五日(1895 年 3 月 30 日)。

节庵先生同年吟安

遵宪顿首　三月五日

据首都博物馆藏原函

致梁鼎芬函[*]

（光绪二十一年三月十三日　1895 年 4 月 7 日）

　　和诗欲步后尘,竟不可以由句计,故知此事不能强为也。涂改点窜,幸即掷还。此诗而外,虽亲爱如公,未以此事相语。稿不可留;幸鉴此意。

　　栖凤楼稿又奉到数十篇。风雨怀人,得此如面,喜慰不可言。手上

节庵我师

遵宪顿首　三月十三

据首都博物馆藏原函

致梁鼎芬函^{**}

（光绪二十一年三月二十一日　1895 年 4 月 15 日）

节庵我师:

　　字何以云不佳。然无款不得不奉回,乞题名再掷下。公之诗、之字、之文皆有性情流露于行间,所以可贵也。诗明日再缴。手复。

宪顿　三月廿一

据钟敬文藏手札,录自《近代文学史料》(中国社会科学

出版社 1985 年 12 月版)

致建候函^{***}

（光绪二十一年四月后　1895 年 5 月后）

　　新约既定,天旋地转。东南诸省所恃以联络二百馀年所收为藩篱者,竟拱

---

　　*　推断此函作于光绪二十一年。

　　**　原件信笺上印有"光绪二十一年人境庐主人制笺"字样,据此该函当写于同年三月二十一日。

　　***　中日甲午战争中国战败,于光绪二十一年三月二十三日(1895 年 4 月 17 日)签订《马关条约》。函中所云"新约既定",割地赔款,设机造货等,即指《马关条约》。据此该函当写于当年四月(5 月)后。

手而让之他人;而且敲骨吸髓,输此巨款,设机造货,夺我生业。吾辈幸为一卑官,不与闻其事;然射影已来,噬脐将及,其何以善其后耶? ……时势至此,一腔热血,无地可洒,行且被发入空山,不忍见此干净土化为腥羶也。

据麦若鹏《黄遵宪传》,古典文学出版社 1957 年 12 月出版

致陈宝箴电

(光绪二十一年五月十日　1895 年 6 月 2 日)

台既自主,亟宜杜彼借口,似应即将唐抚军革职。一面告倭以台人背畔,巡抚为民劫留,现已将其革职,按约交割需时,现正设法劝谕云云。一以明中朝守约之意,一以缓日本攻台之师。可否密商北洋,言之政府。

附录:王文韶致总署电

(光绪二十一年五月十一日　1895 年 6 月 5 日)

前新加坡领事黄遵宪电云[中略]等因,由陈藩司宝箴转呈前来。文韶悉心查核,所论不为无见。惟现在劝谕云云,似未妥协,恐揽在身上也。是否可行,不敢壅蔽,谨请钧夺。文韶。真。

据《清光绪朝中日交涉史料》,《署北洋大臣王文韶来电》

致陈三立函*

(光绪二十一年五月十八日　1895 年 6 月 10 日)

遵宪到武昌来,屡承大教,卓识挚爱,平生得此于人盖寡,是以惓惓不能自已。明日即东下矣,胸中无数言语,实非一时所能倾泻。惟尚有一二要事欲就公面商,晚间幸勿他出。即当趋话①。

抑或以自强学堂作承天寺,吾辈偕作半夕之谈,如何? 候示。

---

* 函中云"遵宪到武昌来",当为光绪二十一年五月到武昌办理湖北教案。函末所附诗题为"五月十三夜江行望月"。据此似写于是年五月十八日(1895 年 6 月 10 日)。

① 原件为旁注。

伯严先生

遵宪顿　十八

五月十三夜江行望月①

洒泪填东海,而今月一圆;蕃情宁此水,世界忽今年。横拆山河影,难攀间阖天;层城高赤嵌,应照血痕殷。

据上海图书馆藏手稿

致王秉恩函*

(光绪二十一年上半年　1895 年上半年)

顷得手示,欢慰无已。昔胡文忠语左文襄云:"以公兼人精力,足足可支二十年。"此语可移赠也。公此来贤劳极矣。书云:"五十始衰。"又云:"此次来宁,并未作一整片事。"此乃邹湛对叔羊子语,谓湛辈乃如此耳。《北山》之诗曰:"或栖迟偃仰,或王事鞅掌。"三复斯言,为之惭愧。敬复数语,聊当面谭。雪澂长兄同年

遵宪顿首　廿六
据上海图书馆藏《王雪澂友朋书札》

致梁鼎芬函**

(光绪二十一年六月十七日　1895 年 8 月 7 日)

节庵同年左右:

难觅一干净土可以供我辈住足者。然公若有他事惠然肯来,固所愿也。匆匆迟复,惟珍摄。不宣。

遵宪顿　六月十七
据钟敬文藏手札,录自《近代文学史料》(中国社会科学
出版社 1985 年 12 月版)

---

①　此诗与《人境庐诗草》文字有别。

*　王秉恩,字息存,号雪岑、雪澂。光绪二十一年七月王秉恩在南京,该函可能写于是年上半年某月二十六日。

**　函云"难觅一干净土",似反映甲午战败后的心情;又信笺所印光绪二十一年,据此推定写于是年六月十七日。

致王秉恩函[*]

（光绪二十一年六月十八日 1895 年 8 月 8 日）

题易实甫《魂北集》

一卷先生自挽诗，神枯心死剩情痴。杜鹃再拜无穷泪，乌鹊三飞何处枝。生入玉门虽不愿，上穷碧落究难知。尺书地下君先问，只恐回书谈暂离。

实甫复以《魂南集》索题

江山如此魂安往，天地无情眼久枯。咄咄千年真怪事，茫茫四海竟穷途。分明清酒黄龙约，颠倒天吴紫凤图。望子妇来愿母死，声声君听墓门乌。

乙未立秋日，访易实甫偕坐山亭，复同泛秦淮，实甫用前韵作诗，和韵答之

袖里魂南一束诗，茫茫相对两情痴。看扬玉海尘千斛，喜剩青溪舻一枝。鹁首赐人天既醉，龙泉伴我世谁知。死亡无日何时见，况又相逢便说离。^①

雪澂同年老兄，以题易实甫《魂北》、《魂南集》诗见示，因录此乞正。

遵宪未定草

据上海图书馆藏《王雪澂友朋书札》

致王秉恩函^{**}

（光绪二十一年六月二十八日 1895 年 8 月 18 日）

日来想一切复元矣。本欲趋访，又恐贤劳鲜暇，今有应商数事奉渎，谨条举如左：

一、应解上海耶松厂六万两，弟意以为筹防局可汇交义昌成代交，故欲筹防局径汇，以省周折。昨承手示，知此款仍须解运，自宜仍交商局轮装运。惟

---

* "乙未立秋日"，系光绪二十一年六月十八日（1895 年 8 月 8 日），该诗当作于当年六月（8 月），写信日期姑定为是日。

① 手稿以上为楷书，以下为行书。

** 函中云耶松厂银两事，当在光绪二十一年。此函当写于是年六月二十八日（1895 年 8 月 18 日）。

弟意此银到沪，或文托招商局转交耶松，或此间派一人到沪面交耶松。因与义昌成不熟，不悉其光景如何；又该店在虹口，未知耶松在何处，近便与否，其中颇多转折，似不如将银径存商局栈房，或由耶松往取，或送往该行校便。二者祈指示遵行。电文一纸并缄，乞阅过送松生兄代发为感。

一、前接良济洋行一函，自言比国郭克里厂代造俄国西比利亚铁路，于铁路各事，甚为熟悉，现作一《中国铁路说》，译就邮寄云云。昨日寄到说帖一件，请阅转呈督宪是祷。

一、鄂工局经费，今拟开折报消一次。弟前次赴鄂，来往盘费，并内留两月支用各款，共贰百馀两，当时未奉札文，自不应照章支领，拟约略开报一百廿两或一百两，以冀稍为减累。是否可行，敬乞示遵。

一、蔡委员乃煜一款，前承手示，并户部新章，谅未必允收。此人现在沪候信，云将北上。祈告筹饷局，如定议不收，应将银单交由钧处掷还，以便交回前途，了此公案。

以上四事，统希察鉴。

雪澂长兄同年

遵宪顿首　六月廿八

据上海图书馆藏《王雪澂友朋书札》

致王秉恩函^{*}

（光绪二十一年六月二十九日　1895 年 8 月 19 日）

耶松一款，由"威靖"轮船装运_{商局每千两收费二两，此款应收百二十两，保险及驳费尚不在内，不设银行，累赘如此。}往沪，极为妥协，忻感何已。

傅都戎来，既见，经与订定，俟军装卸完后，即由该都司到筹防局领运_{初二方能办理。}到沪交义昌成转交。弟与义昌成素不认识，拟请筹防局缮一公函，托为照料。_{此函并交傅君带去，弟处于解批外，亦拟作一函托办。}此款弟奉札后即念筹防局在沪，素有交涉，办事校易，好在吾兄兼办两局，呼应较灵，俾弟奉行不至竭蹶。谢谢。

---

* 函末云"龙松岑诗送阅"，该诗作于光绪二十一年六月十八日立秋游南京玄武湖后，推断当写于六月二十九日。

赵鄂川资各项,敬录雅爱,即开报一百二十两,撰缮清摺送阅。得此弥补,亦非初意所及。至弟洋务一差,加意节啬,未必不敷,幸勿劳念也。

宝子年处送到公牍并请摺,弟之川资一款,见其摺稿乃念及也。弟既函询此款,如欲鄂公局代报,应于禀中增入此语,得复再办。此禀顷间子年着人取去。

雪澂老兄同年

遵宪顿首　廿九

承示近服丽参,参是无用之物,气亦无补益之法,然此物虽无益,亦无害也。自疑气虚,弟意颇不谓然。疲困之由,或由湿滞,或尚有暑耶,以公平常矍铄如此,偶尔小极,何至遂尔孱弱。幸留意斟酌珍摄为恳。

弟宪顿首

龙松岑诗送阅。阅后掷还。

据上海图书馆藏《王雪澂友朋书札》

致王秉恩函[*]

（光绪二十一年七月二日　1895 年 8 月 21 日）

耶松六万既交妥,咸清矣。云明日方启行也。电一,乞送松生兄代发。

雪澂老兄同年

宪顿首　二日

有《和龙松岑游玄武湖》诗,在徐次翁① 处,可取阅。阅后再并龙诗掷下。

据上海图书馆藏《王雪澂友朋书札》

致王秉恩函^{**}

（光绪二十一年七月十四日　1895 年 9 月 2 日）

银元局银元,现已送往支应局矣。鄂局来电,船到后始见,未及预备。昨

已天晚，在下关无从觅役，故今日始运到也。

良济洋行所言铁路事，弟已告以此刻尚无开办信息。渠再三坚托，必欲转淞帅听，是以弟只照禀声叙，不下断语。然此事究非公事，容日由弟缮函托松生代禀可也。

公病后尚未赴席，亦不敢勉强。此亦通常酬应，无甚意趣也。刻仍驻荫馀善堂否？得暇当再走谭，乞勿枉顾是祷。

雪澂兄长同年

宪顿首　七月十四

据上海图书馆藏《王雪澂友朋书札》

致王秉恩函[*]

（光绪二十一年七月二十六日　1895 年 9 月 14 日）

吏役归言，今日驺从仍在荫馀善堂将息，因失眠劳倦耶，抑宿疾未尽除耶？念甚！手此，敬请

勋安

雪澂同年大兄

宪顿首　廿六

据上海图书馆藏《王雪澂友朋书札》

致王秉恩函[**]

（光绪二十一年七至九月间　1895 年 8 月至 10 月间）

手示均悉。义昌成信即由本局缮，并拟于后日发一电泰西银行，只较论两地银价，不收汇费。寻常见单兑银者，银行图得息银，由此地达彼地三十日程，银行即得此三十日息银也。电汇即算入此项路程几日之息，几日之息，他无有也。

---

[*] 光绪二十一年七月十四日函问"刻仍驻荫馀善堂否"，此函云听"吏役归言"今日"仍在荫馀善堂将息"，推断当写于同年同月二十六日。

[**] 函中云"耶松一款"，该函似约写于光绪二十一年七至九月间（1895 年 8 月至 10 月间）的某月二十九日。

子年一事,昨与函商,令其禀请本局代报。自行开报一语,弟曾告子年,渠谓不便。本局即可代为转报,亦转而已。并嘱其禀中声明,系于未设鄂局前领到之银,与公所见均同。顷子年既取回禀去,想即补入此数语也。汪委员在子年手领过四个月薪俸,弟意不可分歧各报,故嘱子年处不开其既领之款,由弟支回子年。耶松一款,立即拟电分致,即送鉴。

雪澂老兄同年

宪顿首　廿九

据上海图书馆藏《王雪澂友朋书札》

致王秉恩函 *

(光绪二十一年九月十九日　1895 年 11 月 5 日)

平安家书,珍装行箧中,到沪即送,勿念。

开春始归,然今年必毕此公事,归来相见,为公诵"流年既似手中箸"之句矣。匆匆亦不及走别,手叩

雪澂同年大兄大安

弟宪顿首　十九

据上海图书馆藏《王雪澂友朋书札》

致梁鼎芬函 **

(光绪二十一年十月十一日　1895 年 11 月 27 日)

别来遂一月矣。得书如面,以公之拳拳于我,可知彼此有同心也。

此间初议教案,披隙导窾,势如破竹,数日之间既定三案。而忽接法使来电,横生波澜,尚须旬日,乃能毕议。议毕仍拟往苏一行。

内地通商一事,昨上广雅尚书函,详陈其利害。此事惟广雅能主持之。将

＊　函中云"匆匆亦不及走别","到沪即送",当指光绪二十一年九月从南京赴上海事,该函似写于是年九月十九日(1895 年 11 月 5 日)。

＊＊　函云"此间初议教案"。查黄遵宪于光绪二十一年五月始办理教案,据此当写于是年十月十一日(1895 年 11 月 27 日)。

来或在金陵会议。宪归自海外,碌碌无所短长,或藉此一端,少报知遇也。

钟山却聘,意不谓然。此后将安身何处? 念甚。

次舟闻将来沪,如未启程,乞告以道希来函言,八月朔日在其家所商事,已照行矣。手上

节庵同年院长

遵宪顿首　十月十一日

据首都博物馆藏原函

致梁鼎芬函[*]

(光绪二十一年十一月十日　1895年12月25日)

讲席之辞,意不谓然者。许鲁斋言"士夫须知治生"。虑公无噉饭处耳。朋辈中受此累者多矣,惟遵宪颇舒卷目,如一日挂冠,便可归去,即杜门不出,永不求人,亦无不可。百事不如我公,此一节差足傲人也。

作书至此,乃得初二日手书,不审何事,心殊悬之,亟欲就公一谭矣。又及。

十一月十日

据首都博物馆藏原函

致梁鼎芬函^{**}

(光绪二十一年十一月十二日　1895年12月27日)

不意别来竟两月不归去。今之上海为士夫所走集,诚有如广雅尚书所谓汉之汝南、唐之东郡、宋之洛阳。然怀刺往还,杯酒接欢,欲求一心所敬爱如我节庵者,实不能再得一人。

强学会之设,为平生志事所在,深愿附名其末。长素聪明绝特,其才调足

---

　　*　光绪二十二年十一月,黄遵宪滞留北京,翌年十一月则在湘任上,据此推断,该函当写于光绪二十一年十一月十日(1895年12月25日)。

　　**　函中云"强学会之设"为光绪二十一年夏事;函末署"长至后五日",是年冬至为十一月七日,"长至后五日"为十一月十二日(1895年12月27日)。

以鼓舞一世,然更事尚少,比日时相过从。昨示大函,为之骇诧,延致诸君,遵宪居海外日久,多不悉其本末。惟此会之设,若志在译书刻报,则招罗名流十数人,逐渐扩充,足以集事;乃欲设大书藏、开博物馆,不能不集款,即不能不兼收并蓄。遵宪以为,当局者当慎简,入会者当博取,固不能如康公之所自出,亦不能如梁子之不因入热。遵宪居间其中,为岭南二妙作一调人,君意何如?

季清于十月中北上。雪丞于近日南归,稍迟二三日即附登瀛洲船,同舟而归。相见不远,手此达意,即叩

节庵同年院长道安

遵宪顿首　长至后五日

邓石言今日始见,竟不知其与长素偕居也。既送三十元供游学之资,闻关季华在此,既嘱令往见,催索其所作行状。

铁老文集分存公与长素处,如可付刊,必力为襄助,此吾辈未了事。

石言之三弟,为宪妹夫,长素言聪颖不凡,并告公一喜。宪又及。

据首都博物馆藏原函

致梁鼎芬函[*]

（光绪二十一年初　1895 年初）

台、澎究竟可危,所以策贼必犯台者,割地之使马首东矣。欲以兵力据之,然后以简书定议,所以杜西人群犬之争也。嗟夫!巴濮楚邓吾南土也,恐遂为他人有矣。

节庵我师同年

遵宪顿首　廿八

据首都博物馆藏原函

---

[*]　此函未署年、月。据函中云“台、澎究竟可危”,当在光绪二十一年(1895 年)初的某月二十八日。

致王秉恩函[*]

（光绪二十一年　1895 年）

　　傅都司札今晨既发交。昨日面嘱其赶起军装，准于明早下银。渠言军装卸完，即来知照，而至今未来，请由筹防局饬人一催，呼应较灵。筹防局司账者言，银现存，而局务忙，惟此事催逼甚紧，请饬令司账准于明午交带，勿迟勿延，至为感祷。

　　沈蔼翁函问萍乡煤款，此事未奉札，想系江南购煤之款，故不必由鄂局转解。惟函称楚材运往，自应照行，乞核示遵办。

　　义昌成处欲发一电，另寄一公函。

　　时勋是樊君别号否？祈示。手叩

雪澄老兄同年大安

宪顿首　初一日

据上海图书馆藏《王雪澄友朋书札》

致王秉恩函^{**}

（光绪二十一年　1895 年）

　　今日既全愈否？甚念。清暑之剂，不宜杂益气之品。城中病甚多，证候略同，通行观音丹甚效，局中病者之人，服之均愈。请试验之。

　　容再走候。手叩

大安

雪澄老兄同年

宪顿首　十一

　　铁局经费，奉札转解，拟发一电，阅后乞送松生大令之处。共一纸，乞押章发还。又及。

据上海图书馆藏《王雪澄友朋书札》

---

　　* 据函中云筹防局、购煤等事，此函当写于光绪二十一年（1895 年）某月初一日。

　　** 函中所云"铁局经费"，当指张之洞开办湖北铁政局经费。该局于光绪二十二年改为铁政洋务局，此函当写于上年某月十一日，推断以下十四、二十五、二十九日三函亦写于同年。

致王秉恩函

（光绪二十一年　1895 年）

　　顷见春卿阁学，言定于十八日首途，十六日辞行。派船护送一事，乞公预为料理，派定后即求告知。辞行时必向帅宪述谢，容届时再行请派。诚恐迟延，再三订嘱，求公留意。

　　今日当复元矣。何时回署，甚念！手叩道安

雪澂同年老兄

宪顿首　十四

　　铁局经费，既函商蔼翁，未审能即放否。

据上海图书馆藏《王雪澂友朋书札》

致王秉恩函[*]

（光绪二十一年　1895 年）

燮臣大公祖大人同年阁下：

　　日昨邂逅相遇，稍慰渴悃，忻幸奚似。承述现欲觅地作营务处，未审定否？

　　查洋务局规模宽敞，近靠节署，可饬人一看。如果合式，便可移让。洋务事较清简，尽可从容再行觅地也。手此布启。即请

勋安

治年愚弟遵宪顿首　十四日

据上海图书馆藏《王雪澂友朋书札》

致王秉恩函[**]

（约光绪二十一年　约 1895 年）

　　顷又有潮州同乡送一席来，客中不能自办，今并送诣尊处，即刻渡江，傍晚

---

　　[*]　函中云"洋务局规模宽敞"，"洋务事较清简"等。黄遵宪于 1895 年初由新加坡回国后，被张之洞委为江宁洋务局总办。此函当写于光绪二十一年（1895 年）某月十四日。

　　[**]　时间约在光绪二十一年。

当偕五弟趋诣,即在高宅晚饭,可并约少竹、毅若不审能来否。入座。如有可谈之友,顾印伯在鄂否? 纪香聪时往来否? 亦可邀约作半夕谭也。节庵仍不能出门,昨病增剧,今小愈云。馀晤罄。手上

雪澂兄长同年

弟宪顿首　十七

据上海图书馆藏《王雪澂友朋书札》

致王秉恩函*

(约光绪二十一年　约 1895 年)

数日未晤,想早占勿药矣。蔡君所托之报效银两,兹将禀并银票赍呈,若能明日给予收据尤感。渠欲即往沪也。

雪澂老兄同年

宪顿首　十九

据上海图书馆藏《王雪澂友朋书札》

致王秉恩函**

(约光绪二十一年　约 1895 年)

硕甫一缄送呈,外电并呈密览,阅毕掷还为幸。浏阳近日举动殊异于他人,更异于往日,谓非香帅陶铸之效乎。手上

雪澂兄长同年

宪顿首　十九

据上海图书馆藏《王雪澂友朋书札》

---

　　* 此件具体时间待考订。据函中提及"蔡君",与光绪二十一年六月二十八日函中所说"蔡委员乃煜"似为同一人,姑且推定为同年某日。

　　** 时间约在光绪二十一年。

致王秉恩函 *

（约光绪二十一年　1895 年）

　　知公今日既销假,慰甚! 慰甚! 书四本照收。抄电读悉奉缴。蔡款不收,只好给还矣。

　　耶松六万,奉札汇沪,询松生兄或知交沪何处。如不能悉,即问毅公。此款当托筹防局代汇,不必转鄂局矣。手上

雪澂兄长同年

弟宪顿首　二十五

据上海图书馆藏《王雪澂友朋书札》

致王秉恩函 **

（约光绪二十一年　1895 年）

　　弟熟思公疾,系略受暑热为雨湿濡滞,减食由滞,喜睡由热,疲怠亦因此故。耳鸣亦因热气内逼之故。如人行烈日中,极易耳鸣,因外热逼人,内热不能外泄之故也。服参蓍桂附有效者,能行气消滞也;未即愈者,寒热不对证也。此刻似宜服行散,宜导之品参,以一二清解内热者,即不服药,亦可复元。西人有草酒、即麦酒,内用一种草名葎,味微苦,能解热。舍利酒、亦蒲萄制。槐花酒,清热行气。均可多饮;如熟地、白芍凝滞之药,断不可服。公再思之,必以为然。宪素不敢作妄语,此语不诬也。再上

雪澂老兄

宪顿首　廿九

据上海图书馆藏《王雪澂友朋书札》

致王秉恩函[*]

（光绪二十一年　1895 年）

耶松一电送阅，因来电言银由汇丰汇，故以此答之，亦拟复毅公电，因其逾时失信，焦急万状，应有以慰之，且俾令有辞以对耶松也。耶松电仍可求松生兄代发否，幸示知。

江南拨款，户部竟议不准行，实有心作难也。为之太息！
雪澂同年兄

宪顿首　廿九日

据上海图书馆藏《王雪澂友朋书札》

致衍若函[**]

（光绪二十一年　1895 年）

衍若仁兄同年大人鉴：

数日不相见，近得金陵信否？确知节庵大哥行期否？手此奉询，即乞。

弟遵宪顿　十一日

据钟敬文藏手札，录自《近代文学史料》（中国社会科学

出版社 1985 年 12 月版）

致王秉恩函[***]

（光绪二十一年闰五月至十一月间　1895 年 7 月至 1896 年 1 月间）

义昌成复函送览。此银经汇丰公估，作五万九千六百五十九两收受，仍短三百四十两零八钱。查上海通行每库平百两伸一百零九两，而筹防局向章伸

---

[*] 　时间难考。约在光绪二十一年。

[**] 　原函未署年、月，原编者云信笺印有"光绪二十一年人境庐主人制笺"。收信人姓名待考。

[***] 　光绪二十年九月，张之洞以筹防需人，电奏调驻新嘉坡总领黄遵宪回国，翌年委任江宁洋务局总办。函中提及筹防局事，又云甲午秋季课题遗失，五月中旬已补禀，据此推断该函约写于光绪二十一年闰五月至十一月随张之洞回任湖北期间。

作一百零九两六钱,此数既差三百六十矣,故耶松不肯照收。此款是否仍于筹防局内找补,祈为核示,以便接到耶松来缄后,再修文支领。

汇丰收单,俟译就再呈。手上

雪澂老兄同年

宪顿　十一

节庵尚无启程消息,大约月底必来也。上海格致书院课题,闻大府前已命叶损轩、郑苏庵拟呈,而迟未发下。此系甲午秋季课,因来禀遗失,迟延至今,五月中已补禀矣。士林翘盼日久,山长院绅,迭次催询。恐其觖望,甚虑督宪事烦忘记,能托司其事者催请否? 又及。

据上海图书馆藏《王雪澂友朋书札》

致梁鼎芬函[*]

（光绪二十一年十二月八日　1896 年 1 月 22 日）

用筹防局厨子,用自制西式盘大小各四,用巨碗三,多非例菜也。既约爱仓,宾主共十人,用长方桌尚可从容不迫,狭然左右各三,而上下各二,不能再约叶公矣。汪、徐来本欲与公同作东道。公见面即言之,乃至损轩、爱仓亦皆宪所欲邀订者,适与公意合,何其奇也。手上

节庵同年

遵宪顿首　腊八日

据首都博物馆藏原函

致梁鼎芬函^{**}

（光绪二十一年底或二十二年初　1895 年底或 1896 年初）

遵宪在饶州自制西式磁器,虽椎轮笮路,规模粗具,而式既翻新,器亦不

---

*　函云“用筹防局厨子”。黄遵宪调回筹防局系为光绪二十一年,该函当写于是年“腊八日”(1896 年
1 月 22 日)。

**　原信未署时间。推断可能作于光绪二十一年夏上海强学会开办前后至二十二年夏黄遵宪奉旨晋京入觐间,姑且编于二十一年末。

陋,颇足以供家用。今送上各种,乞为莞存。

　　未申之交当走访,乞少待。手上

节庵同年院长

遵宪顿首

　　并告穰卿,图一良晤。

据首都博物馆藏原函

致梁鼎芬函[*]

(光绪二十一年十二月至二十二年初　1896年初)

　　强学会事,顷语心莲甚详。公有何言语告心莲告我? 康郎之堂堂乎,张乃殊觉酸楚可怜也。

　　过芜湖如见爽秋,到鄂见汪穰卿、志仲、鲁缪、小珊,均为我述近况,一一致意。

　　公处所用笺,有集东坡、荆公、山谷字数种,板存何处? 如易取,交心莲借我。

　　虑公匆匆,不再走送。傍晚或一来,亦未定。

节庵同年院长

宪顿首　廿九

据首都博物馆藏原函

致王秉恩函^{**}

(光绪二十一年底至二十二年初　1896年初)

　　上谒,奉传谕于晚间赐见,明日即行。承念,感谢。尊恙稍加调摄,不日当可复元,日来气色较前腴润矣。手上

---

　　* 光绪二十一年十一月张之洞奉上谕回任湖广总督,翌年正月十七日启程,二十八日抵鄂。梁鼎芬亦回鄂。函嘱梁过芜湖向袁昶(爽秋)、到鄂向汪康年(穰卿)等致意,推测此函约写于梁离宁前的二十一年十二月至二十二年初某月二十九日。

　　** 函云"尊恙稍加调摄,不日当可复元",与另函云"贵恙因改服桂附而愈",又一函云"诒尊体既复元",时间相近,姑推定为光绪二十一年底至翌年初。

雪丞老兄同年

宪顿首　十八

据上海图书馆藏《王雪澂友朋书札》

致王秉恩函[*]

（光绪二十一年底二十二年初　1896年初）

贵恙因改服桂附而愈。近日城南流行病，均用温热之剂，想因积雨受湿，时势然也。

大作雄健，可喜。实甫屡见，亦酬和数篇，录乞教正。年来颇欲以此自娱，然年近五十，技止于此，谅亦不能自立也。手上

雪澂同年老兄

宪顿首　廿日

据上海图书馆藏《王雪澂友朋书札》

致王秉恩函^{**}

（光绪二十一年十二月底或二十二年初　1896年初）

雪澂吾兄大人同年执事：

自鄂归者，得读手书，并谂尊体既已复元。详询起居，又悉非良友相慰之语，为之忻跃无已。

时局日棘，有蹙国百里之势，无填海一木之人，竟如一部《十七史》不知从何处说起，亦只好缄口已矣。

《同治东华录》日间购就，即行邮寄。岁暮事冗，抽暇作数行。即叩

大安，并贺侍喜

弟遵宪顿首

伯母太夫人尊前乞为叩首。

据上海图书馆藏《王雪澂友朋书札》

---

　* 函云"年近五十"，据此推定该函写于光绪二十一年（1895年）底或二十二年（1896年）初某月廿日。

　** 函中云"谂尊体既已复元"。王秉恩病于光绪二十一年，又云"岁暮事冗"，推断此函写于是年十二月。

致朱之榛函[*]

（光绪二十二年三月十一日　1896 年 4 月 26 日）

敬再启者：弟此次奉命开议商埠事宜，诸承指示，得无陨越，羊公之鹤，幸未以蒙戎不舞贻羞。知我感荷之情，非言可喻。

香帅来电，昨奉中丞抄示，于允许将来一节极力翻腾，不知此系就现在推到将来，乃疑为弟所擅许条约，自必熟知，殆于各处通例，近日往来照会未及详察也。香帅生平作事，能发而不能收，计利而不计败，如近日宝带桥之商场、上海之铁路，当其发虑，若事在必成，未几而化为乌有。果于此事确有定见，应请其径电总署，以备考核。此议准驳之权在各大宪，一经驳斥，弟敢决彼国之必能允行。弟此议即系请示之稿，所以先换照会者，不能据口说为凭以请示。弟并非议约大臣，不得以往时约已签押，设法补救比论。此亦不达外交之语也。

荒川来沪未见，俟询悉何时回苏，或与偕来。弟所拟地价岁租各事，能先与磋磨，将来较易就范。弟不能久住也。

国势如此，空言何益？总署深历艰难，故称为"用意微妙"。爕帅乃云："委曲从权，仍操纵在我。"真乃聪明人语。而公所见，与之略同，弟是以倾倒不已也。

新安先集舟中展读，益知门有通德，家录赐书。钦仰钦仰。专肃布谢。再请

勋安。惟鉴不宣。

　　　　　　　　　　　　　　　　　　弟黄遵宪顿首　三月十一

春江先生仁兄均此致意。

据上海图书馆藏《人境庐主手迹》

---

[*]　朱之榛，字竹实。函云"弟此次奉命开议商埠事宜"，指光绪二十二年黄遵宪奉命与日本交涉苏州开埠事。此函当写于是年三月十一日(1896 年 4 月 24 日)。手迹有陈乃乾与王伯祥题记："此黄公度先生手札，六年前曾藏敝箧，今为道始先生所得，名迹归宿，殆有首定，乙酉三月重观题记　乃乾　是月廿三日　王伯祥观(印)。"

致朱之榛函[*]

（光绪二十二年三月二十日　1896 年 5 月 2 日）

竹实先生大人执事：

顷承枉谭，忻感何已。自来办事人多，成事人少；论事人多，解事人少。士衡文赋有云："虽浚发于巧心，终受嗤于拙目。"可胜浩叹！国势如此，空言何补？弟辈惟自尽心力以冀少救时艰，毁誉得失，不必论也。

去年奉旨垂询补救新约，弟有上香帅条陈十条，虽不免策士蹈空之习，然比之今之论时务者，犹觉卑近而易行。行箧中偶有此稿，今此呈教，或者有一二可采。阅后掷还为幸。容暇再趋承大教。手布，敬请

勋安

教弟黄遵宪顿首　三月廿日

据上海图书馆藏《人境庐主手迹》

致梁鼎芬函^{**}

（光绪二十二年三月二十一日　1896 年 5 月 3 日）

节庵我师同年：

顷奉教，快甚。帅谕饬办照复驻沪领事文稿草就，即行。明日傍晚出城也。

宪顿　三月廿一

据钟敬文藏手札，录自《近代文学史料》（中国社会科学
出版社 1985 年 12 月版）

---

[*]　函中云"弟辈惟自尽心力以冀少救时艰，毁誉得失，不必论也"，指光绪二十三年与日使交涉苏州开埠事宜，故此函当作于是年三月二十日(1896 年 5 月 2 日)。

^{**}　函云"照复驻沪领事文稿草就"，当指有关黄遵宪与日本驻领事谈判苏州开埠事。据此酌定该函写于光绪二十二年三月二十一日。

致梁鼎芬函*

（光绪二十二年四月二十二日　1896年6月3日）

由皖回鄂，所递函既到。顷复奉四月二日手书，欢若面语。歇浦为醉饱欢娱之地，无可与语者。

道希过此时，快晤数日，亦恨公不获与斯游。因事牵掣，句留在此，非所好也。

所议吴事，总署函称"用意微妙，深合机宜"。夔师亦称"保我固有之权，不蹈各处租界流弊。以议约大臣指为万做不到之事"。方窃喜其不辱，而广雅尚书不考本末，横生议论，殊为可惜。此事彼国尚未批准，允否实不可知，未敢遽将曲折宣告外人。

雪澂同年过此，既洞悉一是，面询可得其详，亦有总署函电，可向索一阅。然仍乞公深藏之勿露也。匆匆，不多及，即叩

节庵同年道安

遵宪顿首　四月廿二

据首都博物馆藏原函

致朱之榛函**

（光绪二十二年五月四日　1896年6月14日）

竹实先生大人执事：

别来匝月，久未奉书，实因料理江西、湖南积年教案，纷纭缪葛，茫如乱丝，匆匆少暇。而苏州所议，总署函复，已允照行，此刻惟有坐待，以致前奉教言，久稽裁答，想邀谅也。

弟商办苏州开埠事宜，收回本国辖地之权，不蹈各处租界流弊，抚衷自问，差幸无负。然议成之后，条约具在，参观互勘，不难知其得失。而局外口说沸

---

　　* 函说"所议吴事"，当指光绪二十二年黄遵宪与日本交涉苏州开埠事。该函当写于光绪二十二年四月二十二日(1896年6月3日)。

　　** 函中云"弟商办苏州开埠事宜"，为光绪二十二年，此函当写于是年五月四日(1896年6月14日)。

腾,尚不悉其用意所在,乃亦叹中丞始终主持卓识定力,实为难得。我公向来未办外交,而烛照数计于中外之利弊、当前之情势了然于心,口诵耳受,当机立断,所谓"运实于虚",所谓"妙于斡旋";所谓"虚文实政,相辅而行",乃与总署"身历艰难"之语,如一鼻孔出气,何其神也。弟是以顿首投地,佩服无已也。总署之意谓:"西人踵至,六条争回之利,藉后议证成;六条未画之事,藉后议补救。"诚为精论。将来意、法续议,如失利益陇蜀,将更无知足之心,如能照行胡越,亦可作一家之想。我公成算在胸,自无难措置裕如也。

近日教案将次就绪,旬当完毕,或将他往。弟于倭议必终始其事。如月内得有复音,必拨冗前来,再聆雅教。手此布复,敬请

勋安,惟鉴。不宣。

　　　　　　　　　　　　　　　　　弟遵宪顿首　五月四日

再,近阅上海各报,言苏州机房工人挟众滋事,传闻不一,竟有谓厘局被毁者。闻之极为驰念。韩非有言:"贤不敌势。"仓猝变生,不遭扰否?便中幸示一二,以慰悬企。再请勋安。不尽欲言。

　　　　　　　　　　　　　　　　　　　　　　弟又启

再,香帅前发电时尚未见弟函禀,嗣后更无续议。近有自鄂来者,述其颇悔前议,然其用意在力顾大局,要不失古大臣用心。迩闻蜀人侍御吴君密奏称:苏州开埠所议极善,请饬川督一律照行。已奉旨依议,密以奉告。

　　　　　　　　　　　　　　　　　　　　　　又启

据上海图书馆藏《人境庐主手迹》

致王秉恩函[*]

（光绪二十二年五月七日　1896年6月17日）

雪澂兄长执事:

近有自武昌来者,询悉善况,出奉板舆,入参帷幄,起居佳胜,闻望日隆,极

---

　*　函中说"惟苏州开埠,彼国尚无复音,得复后仍须往苏一行耳"。黄遵宪奉命与日本领事交涉苏州开埠事在光绪二十二年,该函当写于是年五月七日(1896年6月17日)。

以为慰。

　　月之朔日,曾电请孙君留鄂候文,当已邀鉴。弟之初意,原欲俟孙君查询一切,再行定议。乃近接芸阁来函,又晤仲鲁面述,乃知铁政新旧交换之际,官商转移之间,业已定局。以现在计,每月煤二千吨,可溢息一千元,焦炭千吨,亦可溢息千元,每岁可得二万元左右,而纠集股本,约有二万,便可集事。惟急就之章,仓猝难以召募,稍一贻误,又虑捷足者争此先得,大力者负而趋。不得已与仲鲁、芸阁各出五千,先行开办,即用孙荫兰、文陶甫司其事,而公推仲鲁为总裁。计此贸易,将来扩充,可分售上海,他处必胜于开平。诸矿所难者用人耳。公如有意,请就近查询,各事商之仲鲁。将来于弟分股本,可以分让。而公住鄂,亦易于料理。前已与仲鲁言之,乞为转商详示,无任企盼。

　　弟近办教案,易于就绪,惟苏州开埠,彼国尚无复音,得复后仍须往苏一行耳。匆匆手布,即叩

侍安

弟遵宪顿首　五月七日

据上海图书馆藏《王雪澂友朋书札》

致盛宣怀函[*]

(光绪二十二年五月二十日　1896年6月30日)

杏荪仁兄大人阁下:

　　昔游海外,久想风采,去秋获侍,殊慰渴怀。时局艰难,风气闭塞,非有通识大力,不足起废箴肓。海内如公,复有几人,手挽狂澜,众所属望。闻铁路之举,将以阁下独任其劳,似此钜工,舍公谁属,一切鸿画,想已綮然。弟自商约粗定,接办教案,头绪纷繁,日罕暇晷,自顾绵薄,辄用兢兢。

　　近与一二同志在此创一报馆,欲以裒集通人论说,记述各省新政,广译西报,周知时事,似于转移风气之道略有所裨。惟邮政未通,道里辽阻,分寄各省,其事颇难。顷同人集议,除托信局坐省邮递外,拟托各电局代任其劳,每局

---

　　[*] 盛宣怀,字杏荪。函件整理者成村声称“封面有光绪二十二年的红印”,又函中所云创报馆指《时务报》,及苏州开埠事,亦当年事,据此而知年份。

约分派十数本。局中素有送报人,易于集事,照章例有费用,亦不敢空劳。内地民气闭塞尤深,计惟此途可以遍及,阁下义拯饥溺,谅有同情。今谨将所拟办事章程呈上数纸,若以为可行,乞费清神传语各处电局,属为将伯之助,不胜感铭。可否之处,皆望示复为祷。专肃布臆,敬请
勋安

诸惟鼎照不既。

愚弟黄遵宪顿首

　　前书缮就,拟寄武昌,闻公乘舟东下,走询尊寓,知公又回珂里。弟因苏州开埠事复来此间,前议六条,总署以为用意□妙,深合机宜。夔帅□□保我固有之权,不蹈各处租界流弊,虽外间不知者颇滋诟病,而当道不为摇夺。不意彼族狡狯,竟全行废弃,国势屡弱至此,念之实为寒心。中国士夫阇于时势,真不啻十重云雾。现与同志数人捐资设一报馆,冀为发聋振聩之助,而苦于派送无人,欲托各电局分任其事,知□□□□谅必邀俯诺也。章程送阅,乞湜正之。亟欲趋谒,未审能少赐须臾之暇一领大教否? 书不尽言,再叩
勋安

遵宪再启　五月廿日

据丁日初主编《近代中国》第十辑,原件藏上海图书馆盛宣怀档案

致汪康年函*

(光绪二十二年四月或五月　1896 年 5 月或 6 月)

　　(上缺)是是,甚是,邹款他日再刻。吴款亦俟后再定。

　　卓如作为撰述亦好,所聘韩君即可标为标订矣。

　　所以刻出黄春芳名氏者,俾责成有归。他日报销时,即专标春芳名,加总理查核名耳。

　　图书、矿务,即附入后幅可也。捐款即须刻出,不可迟,以广招徕也。

---

　　* 函中云《时务报》告白款式等内容,此函当写于光绪二十二年四或五月(1896 年 5 或 6 月 26 日)十六日。

"告白"如此款式,眉目清朗,自校易看。穰卿复阅,意亦必谓然也。

本日又函托王雪澂募捐,湖北总可得千元。

京师此电,乃似有生机。吾谓他日毁阻者,必转为誉叹。

南京俟弟回去再募,必可得五六百元。

穰卿同年兄

弟宪顿首　十六日

据上海图书馆藏《汪穰卿先生师友手札》

致王秉恩函*

(光绪二十二年五至六月　1896年5至6月)

顷送呈一诗,当邀鉴,乞并致蔼仓观察。如乞赐和,尤为忻感。昨日一稿,请手评数字掷还。

补中益气仍服否? 想胜常矣。手上

雪澂老兄同年

宪顿首　三日

有一要事,另摺呈览。此事经营半载,赖大帅指挥,始克定议,然尚未与倭人订定。弟以为此事必能办到,可为四省造福。他人毁之,殊可惜也;他人成之,又殊不值也。久欲与公言,因公病未及,能有何法,俾大帅卒成其事否。又及。

乡人张鹏,仆役之姻亲也,曾承赏荐于保军,而贫不能归,又虑遣散,则无噉饭处,欲求公安置之于李君先义营中,既屡言之,而弟忘举以相告。行且别,附书此,乞公留意。

宪又顿首

据上海图书馆藏《王雪澂友朋书札》

---

　　* 函中说"弟以为此事必能办到,可为四省造福",系指光绪二十二年五六月间,黄遵宪与日方交涉苏州开埠事宜,该函当写于是年五六月(1896年6、7月)间的初三日。

致汪康年梁启超函[*]

（光绪二十二年五月二十四日　1896年7月4日）

穰卿
　　同年执事：
任父

　　得十八、廿二日手书，藉悉一是。应复各事，用杜征南所谓跳行文法，一一缕布。

　　盛杏荪方伯又回上海，差池不见，前函已由盛太公收寄。顷拟再作一函，抄前书附去，匆匆不暇，明日再寄也。

　　朱竹实观察见公启，愿助一百元。此公聪明绝伦，惜以目废，不然，一救时好封疆才也。陆春江亦愿襄助，多寡未可知。此外，方伯诸公当可酌助。

　　此间有坐省，一名陈德懋，一名吴成松，专理各府县文报，托令代办，诚为两便，即托人问商，或召之来可面议也。

　　前嘱刊公启单张者一二千张，如出知单，可每人派一分。前装订成本者，可以贻同志，亦惜费法也。

　　托代《万国公报》及格致书院代派，此法可行。其主笔蔡紫黻，攻系[①]之者多，然才调可爱，所译文亦可诵，可走访之，一联络也。

　　嘱黄春芳联络各报，亦可行，可先出公启示之。此报别具面目，申沪各报，应不虑其揽夺也，何嫉妒之有？此报主义，在集捐资作公款，阅报风行以后，或不虑支绌。然惜费以期持久，亦名言也，不可不时时念之。

　　凡销售、承揽、开张一切商业公家言，此报中不可用，望以时检点为嘱。为守旧党计，为言官计，所谓本馆论说，绝无讥刺，已立脚跟、踏实地矣。其他一切忧谗畏讥，伤禽恶弦，无怪其然也。谓穰卿勿视为性命身心之学，谓卓如当为敖前七伏，畏首畏尾不敢为，然以吾辈三人计，弟身在宦途，尤畏弹射，然公然明目张胆为之，见义则为，无所顾忌。上年强学会太过恢张，弟虽厕名，而意所不欲，然一蹶即不复振，弟实引以为耻。弟但虑其费少，不克久持耳，他非所

---

　　* 函中云"上年强学会太过恢张"，指强学会被解散，此函当写于光绪二十二年五月二十四日（1896年7月4日）。此函手稿系楷体字。

　　① 手稿作繁体字"攻系"，当为"攻击"之误。

恤也。

刘某者,此间洋务局襄办,能通倭语,小有聪明。弟奉岘帅奏留专办此事,此辈不以不能为耻,反有市井争夺贸意之心。及其事议成,盖觉无颜。逮广雅主持异议,于是口说沸腾,从而附和,嚣嚣嗷嗷,至于不可听闻。所谓萋菲者,不过诬挏口语,增益其辞,谓弟攻击广雅耳,故有某某人鄂将生大波之言。弟于广雅,内感知己,外持公谊,无不可告人之事。弟保举监司十数年矣,并未请分发。近虽南北洋左提右挈,连章交荐,弟亦未就一官一职。平生不乐仕宦,于此思之烂熟矣。此岂宦海风波所能摇撼者,虽百刘秩,其如我何? 同年梁节庵尝称我为"绛云在霄,舒卷自如"。彼等小人穿窬之盗,亦枉自作小人而已。此人熟次亮,当系陈言。将此告穰卿,嘱其宽怀,并嘱穰卿告节庵可也。

吾辈事期必成,非阻力所能阻。谓此刻勿盛气、勿危言,不可以发扬蹈厉,言者是也。现布置一切,如事事已备,仍于七月望日刊布。否则敬俟李芯园先生奏议复定,奉旨后举行,亦无不可。是非同异之言,太多闷损。弟生平空空洞洞,自谓同时辈流中差有一日之长也。

今日又见领事,复以专管界万难照行。此事在苏州恐不能结。顷又接岘帅电,以六安州教案一事,饬弟与领事妥议。二三日间,当仍来沪,凡百俟面谭。

酷暑逼人,汗涔涔如雨,不能多及矣。惟珍摄。不宣。

弟宪顿　五月廿四日
据上海图书馆藏《汪穰卿先生师友手札》

致汪康年函[*]

(光绪二十二年五月或六月　1896 年 6 月或 7 月)

今日天气殊未佳,又公事勾当未了,竟不能如约趋访,遣使驰白,以免差池。惟倘有俯商之语,敢请枉驾一谭,今日不出门,晚间亦可。宪当在寓拱候,否则明日午后四五点间再修谒也。手上

---

　*　据函中云"倘有俯商之语,敢请枉驾一谭",当写于筹办《时务报》时的光绪二十二年五月或六月(1896 年 6 月或 7 月)。

穰卿先生

宪顿首　初九

据上海图书馆藏《汪穰卿先生师友手札》

致朱之榛函[*]

（光绪二十二年上半年　1896年上半年）

昨日又得承快论，使人倾倒，意气无所惜。宪尝谓与晓人语可以却病，可以延年，信然信然。中丞俯照弟议，平心坚志，严为抵制，其刚明实不可及。士感知己，故乐于奔走也。

条议容再抄呈，刻因他事，写书人手腕欲脱，实匆匆不暇。

法遣兵船在皖，要挟教案，岘帅谕回沪商办，明日遂行。所借局轮，感谢何已。手请

竹实先生道安

遵宪顿首　廿六

再，顷承面示，欲于所议地租等项添入"他日专管将道路工费收还"一语，甚善。惟"前议俟外部核准后欲将道路编入"一语删去，如彼国不允，再行添入此节。此为无须商议之件，随时可添。惟此刻切勿提出，以免两歧。至祷。手此密布，敬乞垂鉴。又及。

据上海图书馆藏《人境庐主手迹》

致朱之榛函^{**}

（光绪二十二年上半年　1896年上半年）

竹实先生大人阁下：

承示过誉，惭感交集。上年奉寄谕垂询、大府札议，因上此塞责。中惟制土货就厂抽税一条可采。闻总署既据此立议，未审能否就范耳。租税各事，应

---

*　函中云"岘帅谕回沪商办"教案；又云所议地租条款添入事，推断写于光绪二十二年（1896年）上半年办理苏州开埠事期间。

**　据函中云租税事推断，该函写于光绪二十二年（1896年）上半年某月二十日。

由议约大臣商订,饬外省奉行,外间所应筹者,如何抽收、如何防弊耳。知公固有成算矣。

积雨沈闷,不得出门,聊书数语,以当面谭,容暇再趋承大教,一豁积悃。手此,敬请

勋安,惟鉴不宣。

教弟黄遵宪顿首　廿日

据上海图书馆藏《人境庐主手迹》

致朱之榛函*

(光绪二十二年五月二十一日　1896年7月1日)

暑雨郁闷,昨接快谭,使人神爽。弟尝谓:"与晓事人语,正如大暑中服清凉散。"公谓然否？日来调养,当可勿药必复元矣。

近日粤中汉军亦有纠众哄官一事,朝威不尊,民气益嚣,恐伏莽之忧方起也。本月十一日,徐州之丰砀一带有土寇滋事,旋即解散。士夫不达时务,如契丹主所谓:"宋人视我隔十重云雾。"弟近约同志设一时务报馆,藉此大声疾呼,为发聋振聩之助。章程送阅,乞为弹正。时事实不可为,观于苏议,益灰心短气,行当屏弃百事,从事于空文耳。惟珍摄。不宣。

竹实先生执事

弟宪顿首　五月廿一日

据上海图书馆藏《人境庐主手迹》

致汪康年函**

(光绪二十二年五月或六月　1896年6月或7月)

亲兵王林,易实甫荐来,曾随实甫奔走于炎风朔雪之地,谓其忠实可恃。惟此间人浮于事,无可位置,馆中杂役有可录用之处,乞为留意,或即令趋侍,统乞酌行。

---

*　函中云"弟近约同志设一时务报馆",事在光绪二十二年,此函当写于是年五月二十一日(1896年7月1日)。

**　据函中云"馆中杂役有可录用之处",当写于初办《时务报》的光绪二十二年五月或六月的初二日(1896年7、8月)。

穰卿同年兄

　　　　　　　　　　　　　　　宪顿首　初二
据上海图书馆藏《汪穰卿先生师友手札》

致汪康年函[*]

（光绪二十二年五月或六月　1896 年 6 月或 7 月）

　　荐兵役入报馆,易武为文,所习非所用,此弟之误也。^{实甫来函亦称其人止可充}^{亲兵云。}既不堪用,便可驱逐。前在伦敦用一女仆,洒扫应对,饮食浣濯,以一身兼数人之役。奴亦不如,何论其他。言及此,为之三叹!
穰卿同年兄

　　　　　　　　　　　　　　　宪顿首　十日

　　卓如病势似不轻,得汗自佳。然热病以通大便为第一要义,可服西人泻药。^{此事问赵君。}

　　穰卿幸善为调护,有疑幸见告。又及
据上海图书馆藏《汪穰卿先生师友手札》

致汪康年梁启超函^{**}

（光绪二十二年五月或六月　1896 年 6 月或 7 月）

　　日昨所言写字人刘君,已与商订,每日写字二千五百以上,月费八元,特嘱令前来叩谒,恳推情录用为盼。
穰卿
卓如^{同年}

　　　　　　　　　　　　　　　弟宪顿首　六日
据上海图书馆藏《汪穰卿先生师友手札》

---

　　*　据函中云“兵役入报馆”,此函当写于初办《时务报》的光绪二十二年五月或六月(1896 年 6 月或 7 月)的十日。

　　**　据函中云“写字人刘君,已与商订”,当写于初办《时务报》时的光绪二十二年五月或六月(1896 年 6 月或 7 月)的六日。

致汪康年梁启超函[*]

（光绪二十二年五月或六月　1896年6月或7月）

日来函商报馆各事，欲面议决行，而差池不遇，怅然怅然。今夕甚雨，又不能往，明午再函复矣。

心绪恶劣不可言。大儿之妇极婉顺，夫妇均极爱之。病经年甚重，近得南来消息极恶。何时得从公等快谭乎！手上

穰
任　二同年

宪顿首

田合通知，其人在巴黎遇一妪，自称田家妇，乃似其母也。

据上海图书馆藏《汪穰卿先生师友手札》

致汪康年函^{**}

（光绪二十二年五月或六月　1896年6月或7月）

两日来得书稠叠，均悉。今日以事牵掣，不果行，明当走晤，并周视一切也。

穰卿同年兄

弟宪顿首　十五

据上海图书馆藏《汪穰卿先生师友手札》

致汪康年函^{***}

（光绪二十二年五月或六月　1896年6月或7月）

顷间所言仲约先生事，届时乞为代送银十四元，称年愚侄。乞察收。

---

* 据函中云"日来函商报馆各事"，当写于初办《时务报》的光绪二十二年五月或六月（1896年6月或7月）间。

** 从内容看，当写于初办《时务报》时光绪二十二年五月或六月1896年6月或7月）的十五日。

*** 推断写于光绪二十二年五六月（1896年6、7月）筹办《时务报》时，及"入吴"进行苏州开埠谈判期间的十六日。

匆匆入吴,不再走别矣。手上

穰卿仁兄大人鉴

弟黄遵宪顿首　十六

据上海图书馆藏《汪穰卿先生师友手札》

致汪康年函[*]

(光绪二十二年五月或六月　1896年6月或7月)

卓如病如何? 书数字告我。

穰卿先生

宪顿首　十六日

据上海图书馆藏《汪穰卿先生师友手札》

致汪康年函[**]

(光绪二十二年五月或六月　1896年6月或7月)

问卓如昨夕病势如何? 头痛、腰痛减否? 小便通否? 脚手发冷否? 有无发寒,有时候否? 乞公详举见告。公加意调护之。

宪顿首　十七日

据上海图书馆藏《汪穰卿先生师友手札》

致汪康年函[***]

(光绪二十二年五月或六月　1896年7月或8月)

雨甚,不克出门,既约季清、卓如来此,晚间同赴一家春一饭,幸于三四点钟时枉过为感。

---

[*]　与"十日"函云梁启超之病内容相同,当为同年同月份。

[**]　据函中问梁启超病势,知与十日、十六日为同年、月。

[***]　据函云"约季清、卓如来此",推断当写于光绪二十二年五月或六月(1896年7月或8月)的廿六日。

穰卿先生

弟宪顿首　廿六

据上海图书馆藏《汪穰卿先生师友手札》

致汪康年函[*]

（光绪二十二年五月或六月　1896年7月或8月）

示悉。既转告徐秋畦,令黄君即来。写书人昨亦发缄,约节前可到。需款当即送到。

下午三四时间拟到馆一看,乞勿他出为嘱。

穰卿仁兄大人惠鉴

弟宪顿首　廿六

据上海图书馆藏《汪穰卿先生师友手札》

致朱之榛函^{**}

（光绪二十二年七月二日　1896年8月10日）

竹实先生大人左右:

违教又匝月矣。每与二三朋从抵掌谈天下事,辄推公为经济才,海内同志词章训诂、义理之学犹不乏人,而政事为独难,是以俯首下心倾服无已也。

《时务报》第一期已印就,今寄呈乞正。主笔者为梁任甫孝廉,年甫廿二岁,博识通才,并世无两。公徐观之,必不责其标榜也。体例文章倘有未善,尚求谠正,自当遵命。手此,敬请

勋安

弟遵宪顿首　七月二日

据上海图书馆藏《人境庐主手迹》

---

　* 函中云"令黄君即来","写书人""节前可到",以及"拟到馆一看"等,当写于筹办《时务报》时光绪二十二年五月或六月(1896年7月或8月)的廿六日。

　** 函云《时务报》第一期已印就,今寄呈乞正",为光绪二十二年事,该函当写于是年七月二日(1896年8月10日)。

致陈宝箴函 *

（光绪二十二年七月三日　1896 年 8 月 11 日）

右铭老伯大人座右：

遵宪上年在沪，幸承训诲。窃谓中兴名臣曾、胡诸老，气象犹可想见，私衷快慰，窃自增气。三湘父老，闻棨戟遥临，先已欢跃。而大旱甘雨，劳来安集。果庆来苏，外腾众人之母之谣，内有子又生孙之喜，德音所被，闻者忻舞。正思上笺申敬，远承手教，感愧丛集。

遵宪自夔帅奏调，即决意北行，不意江、鄂大吏交章争调。奉夔帅电示，有"五省教案、四省通商，实交涉大关目，得台端一手议结，亦所深慰"之语。遵宪私计，此事数月可毕。现在安徽、江西各省教案均已次第清结，惟苏州开埠一事，经与领事订定缮换照会，而彼国政府尽行翻异，横肆要求，不审何日乃得就范也。前议六条，施政之权在华官，管业之权在华民。夔帅称为保我固有之权，不蹈租界流弊。遵宪区区之愚，亦窃幸得保政权。而外间议者未悉其命意所在，反挑剔字句，横加口语。诚使国家受其利而一身被谤，亦复何害！何意彼族狡谲，坚执约中照向开口岸一体办理之言，遂欲依样葫芦，自划一界，归彼专管也。

前奉总署电，有"黄道承办此事深合机宜"之谕。总署近函又有"仍饬黄道一手经理，力任其难"之言。是以岘帅、展帅争相引重，极力絷留。然更改彼议，领事无权；照依又万难曲允，进退维谷，徒深愤叹。夔帅生平未及谋面，其奖借之辞虽出于长者齿牙馀论，然知之不可谓不深。北洋为外政枢纽，而大府又开敏周通，无予智自雄之习。遵宪既不能自立，将欲因人成事，舍此更将谁属。惟一时为要务羁绊，无术抽身，以何托词乃能引避？月来展转，乃欲晋京引觐，候旨分发，不知果能如愿否耳。

时事日艰，年纪渐老，自分绵力薄材终恐无补于时，负长者期望。捧读温谕，感深次骨，引笔陈臆，惭悚而已。谨肃具禀，敬叩

---

* 函中所说"惟苏州开埠一事经与领事订定缮换照会，而彼国政府尽行翻异"，事在光绪二十二年。据此该函写于是年七月三日（1896 年 8 月 11 日）。

钧安,伏惟垂鉴。

世愚侄遵宪谨禀　七月三日

据上海图书馆藏《陈右铭师友书札》

致盛宣怀函[*]

(光绪二十二年七月七日　1896 年 8 月 15 日)

杏荪方伯大人左右:

昨抠衣趋谒,未得良晤,殊深怅惘。《时务报》当已邀览,未审钧旨以谓何如。若蒙鼎力维持,为群流倡率,固所愿也,抑非敢望也。

宪于数日间拟回金陵,如少赐须臾之暇许以趋侍隅坐,重领教言,忻幸奚似。手请

勋安,惟鉴不宣。

教弟黄遵宪顿首　七月七日

大学堂章程乞赐一分,可否登报,并乞示悉。

据丁日初主编《近代中国》第十辑,原函存上海图书馆盛宣怀档案

致汪康年梁启超函^{**}

(光绪二十二年七月九日　1896 年 8 月 17 日)

昨见盛杏翁,云已订嘱杨子萱缮公函,公寄各电局,凡有商局处,均有电局,不必两歧云云。既本日见杨君,乞订定一切,杏函附呈。

杏翁亦如黄幼农观察例,每岁捐银一百元。

顷见邹殿书,与之订定捐银一千元,先交五百。

第三期报,拟先将捐银数目刊布,以广招徕。移交强学会馀款,弟意欲缮作汪穰卿经手捐银若干,何如? 星海云南皮不愿出名。

舍弟幼达处寄去多少? 顷得来函,云可销二十分,下次即照此数寄去。又

---

[*]　据函中"《时务报》当已邀览",知为光绪二十二年七月七日(1896 年 8 月 15 日)。

^{**}　函中所谈"第三期报",指《时务报》第三期,此函当写于光绪二十二年七月九日(1896 年 8 月 17日)。

寄到八元,祈为挂号:一潮州会馆黄幼达,一关道署幕友徐次泉。

穰卿
　　　同年兄
卓如

期宪顿首　七月九日

据上海图书馆藏《汪穰卿先生师友手札》

致汪康年函

(光绪二十二年七月十一日　1896 年 8 月 19 日)

昨见盛杏荪,云愿捐银五百两,分年清交。拟以此说告黄幼农,请其照办。

公所言内地寄报酌加信资,告白中照录章程所载报价外,加此一节。此事似应照办,即祈草拟办法示愚酌行。

似可与某信局订定,此报归伊转派,价从便宜。大约两三个月后,邮政开办,即较易办矣。

专理邮递之事,须责成一人。所有捐款及挂号者,断不可漏。

龚景张太史心铭,家豪富,甚有志趣,馆在八仙桥有庆里,可送一分去。

各关道:镇江、芜湖、宁绍台,均有志此事者,似可每关送数本,他关道亦可送。

昨日面商"本馆告白"各节,日内乞将清稿送阅。

秋苹已借有法报,日内可以开译,其意决然不受奉金。其人甚耿介,姑如其意可也。

穰卿同年兄

宪顿首　七月十一日

据上海图书馆藏《汪穰卿先生师友手札》

致汪康年函

(光绪二十二年七月十三日　1896 年 8 月 21 日)

黄爱棠大令捐银百元,送到乞察收,并将收据掷下为嘱。

---

* 函中云:"面商本馆告白"事为光绪二十二年,此函当写于是年七月十一日(1896 年 8 月 19 日)。

** 函中云捐银事指为创办《时务报》筹款,当为光绪二十二年七月十三日(1896 年 8 月 21 日)。

穰卿同年兄

弟宪顿首　七月十三

据上海图书馆藏《汪穰卿先生师友手札》

致王秉恩函[*]

（光绪二十二年七月十四日　1896年8月22日）

雪澂吾兄大人同年：

荫兰回沪，携到手书，敬悉一是。即维侍奉曼福，闻望日隆，至为企颂。

斜桥空地，吴铁乔乃闻之胡仲巽者，见胡君询其事，为之言地主人他适，亦难于分购，而别开一纸，云可购之地甚多，公其有意乎？恐元龙湖海之士，未必遽能为求田间舍计也。

织布局计日可收效，甚感甚感。近见钱念劬太守条陈练军事，未审公笕营务兼综其事否？念念！

弟所议苏州开埠六条，彼族全行翻案，意谓前议并非照向开口岸章程办理，又非比各国一律优待，声明划一专界，归彼管辖，凡议中所有微妙之意，婉约之词，总署云尔。直抉其阃奥，而破其藩篱，总署仍有一手经理云电。然弟则何能为力矣。

五省教案，均次第清结，顷已照会总领事，指明各案俱在，不日即回金陵。行止未定，意欲晋京办引见，候音旨分发，或依北风，或巢南枝，或食武昌之鱼，饮建业之水，悉听彼苍苍者之位置，并不以人事参预其间也。半年以来，又苏又沪，奔走鲜暇，一事无成，苟使国家受其利，我任其咎，亦复何害！况议者弟未悉其本末耳。参观互较，久亦论定，今则但托空言，此弟所为绕床而行，抚膺长叹者也！

眷属来沪，尚安好。惟长媳在家于六月中夭逝，夫妇皆最钟爱，遭此不如意事，益使人百念灰冷耳。何时何地，乃得握手，一倾胸臆。伸纸怅惘，即叩侍安，不尽欲言

弟遵宪顿首　七月十四日

---

[*]　函云"寓沪数月，所极意经营者在《时务报》"，又云"议苏州开埠六条"，均在光绪二十二年。据此该函当写于是年七月十四日（1896年8月22日）。

寓沪数月,所极意经营者在《时务报》,以谓手无斧柯,此报可以作木铎,今已观其成,公见之谅不能不击节叹赏也。然经费支绌,非同志襄助,无以持久。现在捐款不过五千馀元,知公同心,千万留意。又及。

梁卓如真海内通材,年仅二十二岁。眼中得此人,平生一快事也。

据上海图书馆藏《王雪澂友朋书札》

致汪康年函[*]

(光绪二十二年七月十七日　1896 年 8 月 25 日)

示悉。卓如之疾,已汗已泻,不足为患。惟须加意调摄耳。楼上酷热不可住,能于楼下为设一榻否?

第二次报照收,日间回宁,望将三次之报给卅本。一期再给卅、二期再给十本。缘前交之报,已送清矣。

大约明日去,迟则后日,惟清理各事颇冗,尚须图一晤也。

穰卿同年兄

宪顿首　十七日
据上海图书馆藏《汪穰卿先生师友手札》

致汪康年函^{**}

(光绪二十二年七月十七日　1896 年 8 月 25 日)

今日既告范德盛支五百元入报馆数,明日可持摺登记,其半数俟八月间可清交也。

穰卿同年兄

宪顿首　七月十七日

秋畦昨来访,意为石印机器急于求售之故。弟告以索价太昂。渠谓可减。

---

　　* 函中云"第二次报照收",即指收到第二期《时务报》,该期出版时间为光绪二十二年七月十一日,故函末"十七日",当为七月十七日(1896 年 8 月 25 日)。

　　** 函中谓石印机器及"支五百元入报馆数",当为筹办《时务报》之光绪二十二年七月十七日(1896 年8 月 25 日)。

日间幸偕顾我,可以决此事也。日来事颇冗,如枉驾,必先告。又及。

据上海图书馆藏《汪穰卿先生师友手札》

致陈三立函[*]

(光绪二十二年七月二十五日　1896 年 9 月 2 日)

月初旬上一缄,当邀鉴矣。五省教案已一律清结,即于廿一日回宁销差,即请咨北上办引见,到津留住。惟中丞赵公日来三次驰电催促赴苏,已恳岘帅电复,告以苏州一地如无局面,乞勿絷维等语。岘帅再三叮嘱必赴苏一行,明日即往,大约北上十之七八,留南亦仍十之一二也。

奔走半年,举呕尽心血之六条善章,彼族概行翻案,实可痛惜。此半年中差自慰者,《时务报》耳。能以吴铁乔让我作报馆总理否,亦可兼矿务。穰君恳勤可敬,惟办事究非所长也。公亦必谓然矣。

到苏后定期北行,再当驰报。手叩

侍安

伯严大弟学长

遵宪顿首　七月廿五日

据上海图书馆藏《陈右铭师友信札》

致梁鼎芬函^{**}

(光绪二十三年八月初六日　1896 年 9 月 12 日)

节庵同年左右:

在金陵时曾草一缄,托沈蔼仓赍呈,内有南皮尚书寿言,当邀鉴矣。

前谒新宁,以苏州商务,总署有"仍饬黄道一手经理,力任其难"之电,故一再絷维,既知其不可,嘱往苏,苏亦同此意。然决计北行,遂变销差而为请假,

---

[*]　陈三立,字伯严。函中云"北上办引见,到津留住";又云办理苏州开埠交涉事,当写于光绪二十二年七月二十五日(1896 年 9 月 2 日)。该函致陈三立而转交陈宝箴阅。

^{**}　函云"初十日即由'海宴'北上",指黄遵宪奉旨赴京引见,时在光绪二十二年,此函当写于是年八月六日。

不复须咨文。今既拔赵壁赤帜,而划分刘氏鸿沟矣。惟未获之楚拜辞,因是为耿耿耳。到鄂恐复作句留,而时不可迟,故遂不来。

昨接葵帅复电,有"钦迟既久,忽奉好音,良深欣慰"之语,用意殊厚。初十日即由"海宴"北上矣。

见南皮制府札,于《时务报》力加推奖,通饬各属购阅。此半年来一快心事也!

公何时来沪? 支月钱摺子到日,可向范秉初取来,已缮存伊处。

倚装作数行,启程时不再电,当于柝津① 相见也。手叩
道安

遵宪顿首　八月六日

据首都博物馆藏原函

致汪康年函*

(光绪二十二年八月十日　1896 年 9 月 16 日)

匆匆北上,不及待公回沪,至为怅罔。

《时务报》规模大定,必可风行。惟馆中各事尚有应随时损益者,条具别纸,乞为酌裁。其他任甫面述,不多及。手上
穰卿同年兄

弟宪顿首　八月十日

据上海图书馆藏《汪穰卿先生师友手札》

致汪康年梁启超函**

(光绪二十二年八月二十一日　1896 年 9 月 27 日)

遵宪于十五日到津。启程时不及待穰卿东下,殊以为歉。然留交一纸,设董事、加月俸,谅可照行也。

---

① 柝津,当为析津,以指燕京即北京。

* 函中谓"匆匆北上",指光绪二十二年(1896 年)黄遵宪北上进京引见,故为是年八月十日(1896 年 9 月 16 日)。

** 函中云"遵宪于十五日到津",指奉旨赴京到天津,此函当写于光绪二十二年八月二十一日(1896 年 9 月 27 日)。

同舟张弼士言助银五百元。可先登报,银随后交。伊言南洋可派百馀分,俟十月底回去再办,须自第一期起云。到烟台发电湘中,催铁乔早来。

所携报已交慕韩,并见王莞生,言津郡可派至四百分,日新月盛,闻誉回驰,深为喜慰。初办此事时,弟谓生平办事多成就,未必此事独不成,然究竟无把鼻,赖二公心力思处议,相与维持,俾宪得袖手观成。此亦山谷于东坡所谓赞扬不尽者也。

甫卸装,甚忙,先就报中数事言之,他不暇及。即问

穰卿
　　　同年道安
卓如

弟遵宪顿首　八月廿一日
据上海图书馆藏手稿《汪穰卿先生师友手札》

致朱之榛函[*]

(光绪二十二年八月　1896 年 9 月)

少坐待驾未回,殊深怅罔,回舟即解维,回沪数日间当北上。

数案已一概办结。商务事败垂成,甚以为惜。两省驰驱,半年奔走,而一事无成,惭无以对我知己。他日有缘再图良晤。手上

竹实先生

教弟期宪顿首

外留《时务报》一包,乞饬人代送,因弟处无人又无暇送去也。又及。

据上海图书馆藏《人境庐主手迹》

致陆元鼎函[**]

(光绪二十二年八月初九日前　1896 年 9 月 15 日前)

春江仁兄廉访大人执事:

---

[*]　函云"回沪数日间当北上",指光绪二十二年八月黄遵宪奉旨入京引见。据此推断该函似写于是月。

[**]　陆元鼎,字春江,浙江仁和(今杭州)人。同治十三年进士,历任山西、江苏知县,山阳、江宁、泰州知府,光绪二十一年调江苏粮道,迁按察使等职。函中云"襄办苏州商务"事为光绪二十二年,该函即作于是年八月某日。文中□为原札文字污损,无法识别。

昨以星夜入吴，匆匆修谒，立谭俄顷，未布所怀，甚为歉仄。抵沪后，奉电示询弟分薪水汇寄何处，译诵之馀，且感且愧。弟既未襄办苏州商务，实未便再领薪水。半年以来，两地驰驱，新议各条，承中丞电告，总署许以深合机宜，而彼族已允复翻，岂言无施，方且上惭大宪，下愧同寮，又益以虚糜廪禄，更□人无地自容，苟以循照局章，谓应行支领，第实未敢拜受。若特出于中丞厚意，敬求阁下喜为婉辞；万一辞不获已，责以厚恩九百之粟，则力却转近□矫廉。一俟颁发到日，自当缮领缴呈备案。

委员李君宝濂已承电及，即令缮具墨领寄呈。该项如不便汇寄，请函告上海道署划支送来，准可□收。

弟准于初九十日坿"海晏"北上，知念并及。手泐布复，即请

勋安，惟鉴不宣。

　　　　　　　　　教弟期黄遵宪顿首　八月□

致汪康年梁启超函*

（光绪二十二年八月二十五日　1896 年 10 月 1 日）

宪于廿一日草布一缄，是晚邓仲果到，携到手书，祗悉一一。条复如左，即希鉴察。

一、颂穀专司校勘兼及稽查，谓收发事宜。仲策司润饰兼编排，均属可行。二君月薪，即乞商定照办。

一、秋苹志趣好，性又耿介，亦愿就此馆，与诸君子讨论，以期进益。在沪濒行时，已函邀之，或竟能来。月薪现拟五十元，后再酌加。或为别图一事，其平生不甚争此区区也。

一、此间新调一俄文教习来，名刘清惠，字荔孙，年廿四岁，美材也。原籍山阴，其祖父以幕游京，今遂为宛平人，曾进学。现与之订每月三次，每次交二三千字来，照章送津贴银廿元。昨已托其向俄领事觅报。现有《珲春报》，闻有

---

* 函中云"宪于廿一日草布一缄"，指光绪二十二年八月廿一日函，故此函写于同年八月二十五日（1896 年 10 月 1 日）。

满文、俄文合刊者。将来拟嘱其专译东西毗连界内事及俄国东方政略也。

一、吴铁乔既驰函邀约，到烟台时并发电湘中，促其早来。如竟肯来，到馆后拟请其专理馆中庶务，至外面应酬及他处函信，则由穰卿主持也。

一、少卿作如此举动，殊使人气短。苟安处一年，既名誉四驰，欲别求差使，似亦不难，亦可谓不善自谋矣。渠既欲他徙，自不必强留，请随时物色，以备任用可也。

一、凤葵九与刘公不甚睦，在局不甚得意，即照制造局薪水或酌加多少，试探其意向如何。托郑瀚生可也。

一、黄子元甚为美材，然不肯小就，能走访之，述弟意与之一商否？或转托其荐人，其他可问郑瀚生。现充自强军提调，寓虹口仁智里第八弄第三家。

一、穰卿言派至五千份未必赢馀，是也。年终核算，亦难计其赢馀多少。弟意照章每六个月作一结，结算时如至六千份，加薪十分之一，馀再递推。如总理、主笔不愿受此，此款似尚无多，仍由穰卿酌行可也。叶损轩何以失官，幸详言之。

一、举董事一节，复函均未之及。弟意此馆已为公众之报，不能不定此法，为长久计。此刻吾辈同心协力，以期有成，事尚易办；如他日穰卿离馆，易一总理，又将何如？亦须一熟筹之。

一、已经刊布章程，必须照行。不妥协处，可以酌改，然亦须由董事酌行。此项章程，可缮一份，挂之办事房。所谓办事时刻程度，可执此以责人，不然作事无度，又徇情不言，何以持久？

一、用人中拟补一条，除本馆不用外，如各人自行辞出，必须于一月前声明，以谓何如？

一、津郡能派至四百份，王宛生、孙慕韩之力也。王君初见，通才达识，殊不可及。此外则严有龄，真可爱，谭吐气韵，通西学之第一流也。

一、弟现留津，一时未晋京。爕帅已派水师营务处及随办洋务，然弟一时未到差也。

穰卿同年兄

卓如同年弟

　　　　　　　　　　遵宪顿首　八月廿五

据上海图书馆藏《汪穰卿先生师友手札》

致汪康年函[*]

（光绪二十二年九月十二日　1896 年 10 月 18 日）

穰卿我兄同年执事：

弟到津后，前后布二缄，知邀鉴矣。比叠接八月廿四日、九月朔日、三日三缄，敬悉一是。兹将应复应告各事，条具如左，敬希察鉴：

一、第六期报迟至月之二三日始到，七期报亦迟至重九日始到。仲弢于六日到此，此报随其眷属之舟而来，故较迟。同人悬盼甚切，以是揣度，各处皆然，故本馆应于邮递一事加意。昨见沈子梅观察，托其于各通商口岸凡招商局船能至之地，均由局船代带，渠忻然允诺，即向索得寄唐凤墀一缄，今以寄呈，请赍函面托，请其分饬各船照办，至祷。局船到岸，只交本局，由本局送到派报处所，每包似须给以多少酒钱，嘱其报到即送，较免迟误。以纸包裹，既费成本，又费工夫，仍虑损湿，能别用竹蔑，或用木板，专用两头以绳束紧，而露其四面，此西人运书之法，以免税关查验也。或用铁匣用洋铁匣，已托局船，即用轮递之法，船到时遣人到该船取回。与否？试商之，并须问局船帐房，以何者为宜。局中各船已托其带，可送予一分，非特酬劳，兼以招来。盖舟中阅看者多，必销售更广也。附陈于此。

一、存银在银号，事属可行。惟必须求其可靠者，公当任其责。收银单已阅，未知购报之款已收多少，亦欲知其数。凡经理收发银钱，必须将收款入存数，再行支用，方清眉目，至要至要。

一、封河后，北边寄报甚难。昨与慕韩商，渠云清江淮军转运局，向例每月两发，可以托渠代带。已托慕韩作函，续即寄来。

一、此报在馆所办事，实深慰感。惟扩充之法，尚须加意多觅显宦，凡藩臬有驿递之责者，展转相托，照鄂善后局意分发各州县，裨益不少。报中派报处所，总须设法增加。各省大书院必须分送一二分。此亦如卖药者送药招牌，好销路自广也。

一、董事且缓议。用人之责，本在总理。弟意重在此次加薪及功课时刻二事办妥，再商其他。

一、云涛已来，甚好。薪水可廿元。颂縠月俸廿元甚当，惟应令其专司校勘兼及他事。校勘以上谕为最要，一有错误，易滋疑怪也。敬塘不能校勘，虽慎密可喜，而读书太少。颂縠校沉静，司此最宜。

一、卓如不愿仲策在馆襄助，其志趣可喜，应听其意。但出钱食饭则太琐琐，似不必也。

一、少塘加至七十元可行，欲挂招牌翻译之件亦可行。苟不因此废时误事，应听其便。乞传请少塘。近悦远来章，有二要语，勿忘记也。

一、刻书须刻有用书，不待言，又须求千人共赏之作，此校难耳。昨由龙君寄《聂军章程》，可摘要入报。又何思煌言茶利事，今又寄黄伯中《铁路章程》，均可酌用。

一、刘君崇惠前误作清。所译，今以寄到，与之约，每月交四次，每次二千馀字，后当托慕韩矣。

事太多，又倚装匆匆，今夕即登舟，故不能详备。昨谒夔帅，言穰卿年少时每相过从，弱不胜衣，言呐呐然不能出诸口，而与人酬接，举止亦不佳，然勤恳专一，卒能有成，何意今日竟能作如许大事。宪谓诚然，此馆实非君不能成功。附书纸末，以博欢笑。

铁乔不知何日来，以彼辅君，必能相与有成也。即请

道安，不尽欲言。

弟宪顿首　十二日未刻

前承垂询《日本国志》，此书久已在粤刊就，今寄九十馀部来，惟尚有改刊者，具如别纸，求为照办。他日尚欲将《日本杂事诗》改本交馆印行也。

宪又顿首

据上海图书馆藏《汪穰卿先生师友手札》

致瞿鸿禨函[*]

（约光绪二十二年下半年　1896年下半年）

昨承折简召食，本应趋陪，惟弟事风波未完，日内托辞外感，杜门不出，凡

---

[*] 瞿鸿禨，字子玖。黄遵宪于光绪二十二年八月(1896年9月)奉旨入京，九月总署拟派黄遵宪为使英大臣，遭英拒绝，又拟授出使德国，又被抵制。函中云"弟事风波未定"，似指此事，故"杜门不出"，"拟居此度岁"。据此推定是函写于当年下半年。

百酬酢,概行谢却,乞公谅之。

水泽腹坚,不复能南行,拟居此度岁,腊底当移居城外,相离不远,过从较易,自当时时趋承雅教,今则仆病未能也。手上
子玖先生

弟宪顿首　初六

据上海图书馆藏《瞿子玖亲友手札》

致盛宣怀函[*]

（光绪二十二年底　1896年底）

杏孙京卿大人左右：

彼此拜访,均劳燕相左,此京华通例,不足怪。所可恨者,未获一豁积恒耳!

《日本国志》虽杀青已竟,仅寄样本十部来,早为当道诸公及二三同志索去。在沪时,承公函问,亦无以应命。刻已校定,属印五百部,留时务报馆中,他日必以十部乞正。刘太史请代询寄处,亦必不负约也。

明日午前必趋谒,九点至十二点,何时为便？请示悉,庶得良晤。即请
勋安,不庄。

遵宪谨肃　廿八晚

报八册内有学堂章程,并送。

据郑海麟、黄延康编著《黄伯权传》,录自《黄遵宪研究资料选编》

致盛宣怀函^{**}

（光绪二十二年底　1896年底）

杏孙京卿大人左右：

顷趋送,未遇,明日遂展轮否？极念极念。避寒口帽曾否购得？不克分赠

　＊　函云"彼此拜访,均劳燕相左,此京华通例",是时黄遵宪已奉旨抵京待入觐,约系光绪二十二年底。

　＊＊　据郑海麟考订,该函作于光绪二十二年(1896年)冬。

殊用,歉然。阅之西人养生家言,鼻受冷气,呼吸往来不能,中人惟张口,所受外强而内弱,则入多而出少,停留肺府,易于生疾,故避寒以噤口为第一要义。无日免之时,鲜人迹之地,尤宜慎防。并以奉告。

在津或沪,可图良晤。凡百珍摄,不尽欲言。

弟遵宪顿首　初二

张弼士欲先往之罘,公如往烟,潮州会馆来垈可住,馆主人为舍弟遵楷,己丑乡榜。汪柳门之所识拔,张樵丈亦赞誉之。如来谒公,或邀赏识,亦未可知。渠夙仰公名,必可安顿一切也。又及。

据郑海麟、黄延康编著《黄伯权传》,录自《黄遵宪研究资料选编》

致汪康年函[*]

(光绪二十三年二月十一日　1897年3月13日)

所寄缄自十月廿七前,均次第照收。一不列号,馀第一至第九。既经照复,以后则叔乔、冬月十五来。伯唐各交一缄。漏书月日,正月廿九收到。报则十五、十八九次均照收,十四次收一本,十六、十七次犹未见也。所有各事,条复如右[①]:

一、馆中新聘章枚叔、麦孺博任父盛推麦孺博,弟深信其言。均高材生,大张吾军,使人增气。章君《学会论》甚雄丽,然稍嫌古雅。此文集之文,非报馆文,作文能使九品人读之而悉通,则善之善者矣。然如此,既难能可贵矣,才士也夫!都中论者仍多以报馆文为谤书。前刻某君来稿,大僚阅者尚少,然有日新月盛之象。语侵台谏,乃当世所敛手推服者,则以为犯不韪,弟言偶失检耳。照章程例不论人,非有意也。此后当力守此诚,其他泛论之语,有骂詈之辞,可省则省,愿与诸君子共勉之。至太史公上书院长,讥弹及此,既事寝,不足介意也。又照章,外来之稿,应附卷末,此又误也。

一、卓如薪水可增至百元。可与卓如商之。既舍使事而羁馆务,其眷属又来,用度较繁,自不可令其以杂务纷心。若卓如于报馆有大功,此天下之公论,非弟之私言,公谓何如?至集资出洋事,未易言,昨与卓如函既详告之,弟必当为

---

[*]　函中说《时务报》第十五、十八九期"均照收"该报第十九期光绪二十三年二月初一日(1897年3月3日)出版。此函当写于是年二月十一日(1897年3月13日)。

[①]　手稿"如右",似为"如左"之误。

之竭力也。

一、少塘已就担文律师馆,自难兼顾,若使专理沪关一股之事,或尚可徼卷。如竟作担文之一切翻译,则断不能也。昨有函来,自愿仍就报馆,乞公酌度,或多延一人,仍留少塘何如?

一、李虞琴在鄂时,曾屡访之,笃行君子也。就西学中,颇能言理致通西学者,如此等人甚少,弟甚佩之。惟在铁政局见其译文,则往往沓冗繁碎,又或不达意,盖其译文之法,专就西文一一摹仿之,故格格不吐也。弟谓此人延主校长为最上品,若在报馆则用违其才,将来必多繁难之处。至薪水亦似过多,然此事似尚可商办,一二年拓充后,总须以百金聘翻译也。若能有人与之对译则可行,然又须其人善于说辞,方易办也。虞琴之品可敬,然报馆专用其文,转失其所长矣。

一、秋苹可促之早来。伊不愿出洋,自可专心报务也。

一、美馆之周子仪、英馆之陈安生,均愿代译,甚善甚善。此法尚可拓充,惟津贴应比他处少减,以已领使馆厚薪故也。若已诺之,即不必言矣。

一、报馆译书,自属要务,且既载之报馆章程中。惟有一要事,切须熟商然后行事也:第一问译何类之书;第二问何类之书、应用何本。此时讲求西学,尚如七八岁孩子甫经上学时,必须斟酌其简而要者。如或不论多寡,或过求美备,则南皮饬译之书其前车也。此事必须与傅兰雅、李提摩太之属确商购定,乃可与人讲定翻译事宜。此语甚要,幸三思之。《知新报》多论学,此报仍须多论政。此报本意,原为当路诸人发聋振聩也。本报取材已富有矣,每本三十馀篇,彼诸公者匆匆少暇,已难遍阅,故编排此报,取舍之间,尤须留意,浓淡相间、庄谐杂陈。当为阅报者计其便否,不必专就刊报者诩其富有也。如夸多务得,细大不捐,转为非宜,幸告诸君熟商此意。

一、时务课文可行,投赠函多,其尤者,可分别作答,时时附刊报尾。此即弟所谓以报馆为学会之意也。

一、校对宜有人专司。如上谕尤须精审,前刻有遗漏,谕中名姓、官职者尤宜详慎。似应专派一人司校对,弟以为颂毂最宜。

一、延耀如不可用,应听其辞去,本非我辈所素识,初意延一能司印刷兼管银钱者,故采访及之,公当记其事也。

一、改租房屋,极是。但八月始移,甚不便。因去年酷热时,时时为寓馆诸人抱不安也。弟意不愿在租界内,然不定住房,一切事不能办,故急切租定,然尔时已有移居意矣。

一、印报改鸿文书局亦好,但十八期后墨色枯淡,纸质亦不匀称,必货同而后可谓之价平,如此则原经手人有词矣。此事姑勿论,必须改商照原墨原纸,庶阅报人无责备之辞,当精益求精,不可授人以隙也。年底刊出入帐甚好,尚须抄存一份详细帐,以便他人查阅。刊布帐尾即伸明此意,谓捐银百元者均可到馆查看。将来能另印铅板小字细帐分致捐助诸公,尤善。

一、既刊布未收银者,应作函向问,如盛杏翁、张弼士皆所面订,此种阔人事繁,虑其忘记,故须问之。

一、新刊申明章程甚善。初草有三十元一种,因先收现银,一切经手费、寄信费均不管也。此刻报资宜益加抽紧核实,至四月中便须刊布。谓七月后接阅者必须先交报费,否则停派。以后必须如此办法,方可持久。

一、各书院、各学堂分送一份,甚好。

一、既有邮局,以后信局留滞、关役扣阻之患可以免矣。

以上十九事① 统乞察鉴。

公之它顿首　十一日

据上海图书馆藏《汪穰卿先生师友手札》

致前新嘉坡总督施密司函*

(光绪二十三年初　1897年初)

握别以来,瞬经三载。忆仆忝任新嘉坡之际,得以相识尊颜,及识英之善政,并见诸华民之蒸蒸日上,为实得力② 各属所不及。然当仆解任回华之际,曾致公文与实得力国家,藉申谢悃,言凡诸外国之人,寄居叻中所受国家益荫,我华人等亦均一律同沾,而国家复设保良局,以保护中国被拐之妇女,更整顿华佣之事,以期无弊。是皆在公任内所行之事,仆五中感谢,不可胜言云云。迨仆回华后,会晤各省大吏及总署王大臣等,曾屡道及公为人之宽大,及为政甚属公平,而王大臣及大吏,莫不甚为欣慕。

---

① 　原文仅列十六事。

* 　德国拒绝黄遵宪使德事在光绪二十二年十月,推断该函写于翌年(1897年)初。

② 　实得力,即海峡殖民地(Straits settlement)简称。

但回忆西历一千八百九十三年五月时,税务司总巡赫德君曾委派力劳君赴屿面谒足下,缘叻中常有私土甚多载往中国,求公复立新章,令诸人于寄土出口时,请领三联票据,方准其土出口。当时公曾经俯允,准其试办。惟此等办法,倘或英廷不准,抑实得力商民有不便之处,即可作为罢论云云。迨至六月三号,仆尝亲自奉谒,复蒙公亲与仆言,此事业经细查,此等烟土皆系华船之人所斗[1],而由商人具保税项,若是则不能准照所请,行此新章,经由敝督函致赫德,云此事不便举行之故。迨阅三日后,仆再晤公,公复言中国总税务司再电来叻,求请将此事试办,并言此次若再推却,则情面甚为难过,今且为之试办等语。仆即经遵照台命,讵阅一月之久,并无一人至领事署中领此项三联单据,盖时诸华人因闻欲设立新章之故,纷纷争斗(?)[2] 烟土,一时矇(?)[3] 至八九百箱之数。时有华船五六十艘预备载土出口,惟因此一事,遂不能准其行。船中人役共至千有馀名,各人等乃共联禀到领事署及华民政务司,求将此事作为罢论。此禀未经核准时,有人语诸华人,谓此等新章,非由英京理藩院大臣及实得力国家所设,若控于案,此事可以即作罢论云云。诸船之人,一闻此说,即相与酿资,以谋抗拒。幸仆尽力经营,为之匡救,故此举遂搁而不行。迨后诸商共入公禀来称,诸船之众,已甘愿每土一箱先行寄存四十元,以保其偿税。此事仆经批饬,将此一项交琼商蔡文宝处暂行存贮,候禀以详总署大臣核办,遂准各船出口。迨至七月十号,仆曾偕同翻译那三到贵署拜候,业将公禀一事向公陈说。公言诸华人等若果出于本愿,亦无违英国之律云云。惟当时未有奉到新嘉坡国家来文询及,故仆亦不便向辅政司照知,不知仆与公当日所谈之事,公曾有注于日记册否?然想我公至今当尚能忆及此事也。至诸华人所递之公禀,仆已转详总署,今将总署所存之案稿抄录一纸,以呈台鉴。

然不意自公锦旋之后,仆因公事致与华民政务司少有不合,而该司因无隙可乘于仆,故遂将存在蔡文宝处之项,提出交与库务司收贮。该司复向督署肆其颠倒是非,以致督署将情通知理藩院大臣,云仆此举乃强诸商人偿还税项。但是,此等存项乃系众商联禀甘愿偿交之件,而仆亦谕以此项不便擅收,务候我国之令,方可照行。然则此事果属强逼与否,请观以上情形,即能喻其一切

---

① 斗,疑为购误。

② 斗,疑为购误。

③ 矇,疑为购误。

矣。惟是叻地并非偿税之埠,其国家可以强行此新章与否,仆固不得越俎而谋,然当日仆意亦与公同,云欲强行此等新章,亦有甚难之处。但仆奉到总署之命以充总领事,今收到诸商之禀,自应详达总署,俾得知之。至于此项银元,自始至终并未到于仆手,不意谤者竟谓仆强逼诸人出此税项,以为私囊之计。窃念此事在公亦当梦想之所不及也。

近者德国朝廷因闻此等无端之谤,故遂递行辞却,不允仆充中国驻德大臣。夫仆固未尝有事令德国生嫌,亦并无事故与英国不合,所不甚能和洽者,惟在华民政务司一人而已。至赫德税务司之命,云将此新章强行一事,当日不过口谈,并无字据可为查核。至所云勒收此税一事,则今尚有公禀存案,可核而知。

回忆仆任叻四年,公亦任于叻中,仆之行事,公当悉其一切,无待再言。但恐贵国外部不能详悉此中委曲情形,故再肃函奉告。馀言不尽,嵩此敬颂升祺,不一。

据吴天任《清黄公度先生遵宪年谱》

致梁鼎芬函[*]

(光绪二十三年正月至二月间　1897 年 2 至 3 月间)

别仅五月,波澜变幻,至不可测度,可谓咄咄怪事。宪之北上,本因弓旌之招,简书之责,欲于北门管钥分一席耳。使车之出,殊非意计所及,而左提右挈,或推或轲,几欲以大权相属,赫赫客卿,素有嫌怨,遂出死力相挤排,一之不已,而又再焉。以中外数大臣之保荐、九重之垂注,召见二次。南海侍郎晋接时,又垂询者再。命将所著书进呈。十九日降旨,时枢府以英使所言奏,上意不怿,云何以外人遽知之? 词未毕,又言:黄遵宪即不往英,应改调一国。以臣遭际,可谓至荣,孤负[①] 圣恩,殊自恨耳。不敌一客卿之谮,国事尚可问乎? 遵宪平生视富贵泔如,于进退亦绰绰。然而此刻胸中抑郁,为平昔所未经,乃知素无学问,遂失所主,假如昌黎之潮州、东坡之儋耳,又将何如? 现在尚未奉明谕饬令勿行,有知交劝以引退者,宪意不谓然。诚以掉

头不佳,有似怨怼,自为计则得矣,其如国体何耶!

居此数月,益觉心灰。译署几作战场,狺狺之吠,直无休日。此事其小焉者也。借岛汩舟之低尾,将来省我一押。念此转自慰耳。酷冷,甚念。即叩

节庵同年大弟道安

遵宪顿首

致汪康年函[*]

（光绪二十三年三月初一日　1897年4月2日）

穰卿同年老兄执事:

二月廿七日奉手书,知前呈两缄,均既邀鉴,甚慰甚慰。应告各事,仍条系如左,即希察览。

一、改本《日本志》十数页已收到,即乞交书店换刻改装。粤省刻本,既嘱印五百部,将来以二百部留弟处送人,馀三百部再寄报馆发售,如君意或以为尚少,即求函告,仍可增印。所定价值,将来尚拟少增,君谓可否? 与各处书坊换易之本,欲定价四元,发卖之本,欲定二两四钱,自收三元,馀付经手人。

一、上海改刻之本,一经刻就,乞印一份寄到,再要一份交卓如,寄广州应元监院梁诗五收。此间有一改刻抄本十数页,寄梁诗五代办,恐其在道或有遗失,或有耽阁,故将上海改刻之十数纸寄去备用。此书系托诗五监刻。诗五名居实,弟之三十年老友也,乙酉拔贡,己丑乡榜。张幼樵极赏叹其人,荐膺此席。渠于卓如倾倒之至,嘱弟为介绍,并告卓如知之。

一、卓如一时未成行,极慰海内士夫之望。京师知好咸谓苟往,亦必以乖午而归。弟劝其迟行,谓他日如失伍,则瓜期将届,梁上燕亦可自去自来也。

一、秋苹来否? 极念之。

一、淮军转运之十六、十七期报,乃犹未到。

一、铁乔事再商,如不愿来,前书所商外,君意中有他人否?

一、函谓邮局每岁增费至一二千金。近见寄到二十期报,四面包裹,所费至四五角之多,寄书亦如此,此实误矣。邮局章程,寄新闻纸、寄书籍须露封一

---

[*] 函中云见寄到《时务报》第二十期,该期出版于光绪二十三年二月十一日,故此函写于是年三月初一日(1897年4月2日)。

面,省费甚多,君应知此章,应请将章程译阅,亟亟改换。

一、京师阅报者,以十八期后纸墨不如前,颇有违言,谓华人卖货畅销以后,货色必低,恐一二年后愈弄愈坏。弟谓黑边小,则黑白不能如前此之明朗,然实不能家喻户晓,宜急与鸿文妥商,令其照旧。如询之别家,照旧无利可图,则宁可加价,断不可因惜费而误事也。不拟定定式,但谓价减,遂与定二年之约,此实疏误。弟意谓宜多增一人,料简一切,正指如此事,不然以君之焦劳鞅掌,恳恳勤勤,日夕尽瘁,而不觉劳。眼中固无此人,天下亦难再觅,而尚烦渫渫为哉。人各有能不能,弟自问即多不能之事,安可虚相推重,当面输心哉。此直当局筹商之事,非特友朋规劝之义也,惟三思行之。

顺候起居,不尽欲言。

遵宪顿首　三月朔日
据上海图书馆藏《汪穰卿先生师友手札》

致汪康年函[*]

（光绪二十三年三月十日　1897 年 4 月 11 日）

穰卿吾兄大人左右:

多日未修笺敬,因患痔凡数十日,不得亲几砚之故。当由沪来津,或为我占,"得需之姤,曰需于沙",小有言曰,臀无肤其行次,且今皆验矣。弟近日遭际,既详于任父函中,都中知好咸以弟膺使命,为弃台之后,差强人意之事,而变幻出之意外,遂以为气运使然。然否姑勿论,然弟实不能引为己过也。

《时务报》遂行风行,此实二三君子拮据经营之力。当商拟章程时,弟谓此事未必不成。然一年之间,印行至八九千份,则亦非始愿所及也。馆中百事,荷承垂询。每诵惠书,且感且悚。惟弟既难于媮度,即亦不敢为遥制,而事事皆悬于心目中,未尝敢忘,实愿与同志数人维持之而张大之也。

大江南北知好多矣,弟独以公为堪任此事,其卓识坚力,实足以度越时流。然今日之报推行至十数省,刊印至八九千张,公自以为求详得琐、求慎得缓为

***

[*] 函云《时务报》"一年之间,印行至八九千分",为光绪二十三年;又云"弟三月中总当来沪";又云"馆中仍聘请铁乔总司一切",与 1897 年 4 月 2 日函谈及相同。此函当写于光绪二十三年三月十日(1897 年 4 月 11 日)。

生平长短，不可谓非自知之明。而弟更以为经画如此之远大，事务如此之繁重，欲求其纲目并举，细大不捐，诚未易才，盖本非一手一足所能任也。既为公众所鸠之赀，即为公众所设之馆，非有画一定章，不足以垂久远、昭耳目，故馆中章程为最要矣。此馆章程，即是法律。西人所谓立宪政体，谓上下同受治于法律中也。章程不善，可以酌改，断不可视章程为若有若无之物。公今日在馆，恪守章程，公他日苟离馆，继公而任此事者，亦必须守此章程，而后能相维相系，自立于不败之地。宪纵观东西洋各国，谓政体之善，在乎立法、行政歧分为二，窃意此馆当师其意。

馆中仍聘请铁乔总司一切，多言龙积之堪任此事，铁乔不来，即访求此人，何如？而以公与弟辈为董事。公仍住沪，照支薪水，其任在联络馆外之友，伺察馆中之事。每遇更定章程，公详言其利弊、发其端，而弟熟商参议而决之，似乎较善。但如今日之遇事，俯询公之见，待可谓厚矣。然弟则有所疑难，或似未便于启齿，或曲相附和，又似乎非其本心，固无大益也。

所商各节，别纸条复。复贡愚于左，幸三思垂察之。弟三月中总当来沪，见面再商一切。胸中所欲言，非楮墨所能罄也。即叩
道安

遵宪顿首　十日
所云别纸条复，明日再寄，因昨书过多，而缄封又过厚故也。

据上海图书馆藏《汪穰卿先生师友手札》

致汪康年函[*]

（光绪二十三年三月十一日　1897 年 4 月 12 日）

穰卿吾兄同年执事：

昨寄一缄，并附《日本志》改稿十数纸，计当收览。此书请即饬小儿将全数交到，其他已嘱粤省印刷五百分，将来仍有二三百部寄来。如以此数为少，幸即告知。成书十年矣，尚当作一后叙，叙其迟迟印发之故，弟固不任受咎也。附《时务报》而行，谅必消流，此时闻声相思者甚多也。

---

[*]　函云"昨寄一缄"，光绪二十三年三月十日（1897 年 4 月 11 日）函所云《时务报》"风行"为二三君子拮据经营，及别纸条复均相似，故此函当写于光绪二十三年三月十一日（1897 年 4 月 12 日）。

今年新报，昨日获读，见縠似中丞、益吾院长手摺，益为之色喜。此报如此风行，无负二三君子拮据经营之苦心矣。所复各条，具如别纸，不过自陈其所见，幸筹商之。他日过沪，再面罄一切。

弟现仍候旨，俟有明文，乃定行止。彼国续来转圜，政府以另有差委辞之。辞绝之后，弟乞总署给予一文，便可将关防缴回，而译署不允，谓且俟后命。然今已数月矣。此事枢府译署以案据具在，信其无他。今则西人亦悉其本末，弟但诿之气运，无可怨尤，然解冻后南旋之心益亟矣。手叩

文安不宣

弟宪顿首　十一日

据上海图书馆藏《汪穰卿先生师友手札》

致陈宝箴函*

（光绪二十三年三月十一日　1897年4月12日）

大人钧鉴：

奉示敬悉。周汉上谭中丞函，既自供其造言生事矣。今以封呈。自此案拿办以来，前卷即取存内室，并未发房。附此禀呈，敬叩

钧安

职道遵宪谨禀　三月十一日

据上海图书馆藏《陈右铭师友书札》

致汪康年函**

（光绪二十三年三月二十一日　1897年4月22日）

穰卿吾兄同年执事：

月朔日续布一书，当邀鉴矣。得小儿禀，知《日本志》概送尊处，应改之十

　＊　据函中云"办案"，推定系黄遵宪抵达湖南按察使任的次年，即光绪二十三年三月十一日（1897年4月12日）所作。

　＊＊　函中云"弟出京约在四月"，为光绪二十三年事。此函当写于光绪二十三年三月二十一日（1897年4月22日）。

数篇,已寄粤省梁诗五,催其速印。印就寄到,即请饬人改订,并撤去李批、张咨。伯严、长素均云,然弟之初意,经用公牍文字义系于官,亦非《三都赋》序之比也。

补入卓如后序,即由报馆发售。现又属印七百份,除二百份自以送人外,馀概存报馆,欲定一价,每部四元,凡京都、天津、上海、粤省交书坊换书,均照此数。惟报馆售现银则收三元,而弟自取回二两,君以为何如?再寄五百份不嫌多否?请察酌,速以告我。

《日本杂事诗》为初到东瀛时作,印活字板,有总署本,有香港报馆本,有日本凤文坊坊本。惟此书寓意尚有与《国志》相乖者,《诗》成于光绪五年,《志》成于光绪十三年,故所见不同也。时有删改。近居萧寺中,清暇无事,辄复补改数十篇,当在沪仿最精板式付石印,他日亦付报馆也。

所寄报已收到廿二册,中惟十四册只一本,日内欲分数本致当道要人。邮递诚为过费,不审可设他法否?当书籍计,用箱装付轮船,收水脚应省甚多。此非信函,邮局不得拦阻也。近日议邮政者甚多,侍御有○○○,督抚有谭文卿,极言其病国害民,弟意亦谓章程不善,必须改定也。馆中诸务,日以繁衍,凡百偏劳,念之不安。弟出京约在四月,到沪再面商一切也。手叩

文安。不宣。

弟遵宪顿首　三月廿一日

《日本国志》初属稿时,《地理志》附数图,一、兵制分管之图;一、学校分区之图;一、裁判所分设之图;一、物产图。既定体制、拟草稿,遂托陆军参谋部木村某以精铜刻板,与之订约,并交去百金。木村者,陆军绘图素出其手,忽为人告讦,谓其卖国,以险要形胜输之中国使署,遽锒铛下狱,扃禁甚严。数日后,其妻子始闻其实,来署哭诉。其时大山岩方官陆军卿,与弟素好,弟译言著书之故,并以约底送阅,乃邀释放,然其事遂作罢论矣。去岁托栖原陈政,即井上陈政。购通行地图,欲附《志》以行,而久无复音。乞兄商之梁卓如,告古城贞吉,择通行图之明爽者,多阅数分,乃可择定。嘱删易某店发卖之款识,定购数百分,他日存报馆中,附《志》而行,需图者别加图价。《志》中凡例有附图之语,自不能略而不备也。

又,地学会所刻图,闻亦在日本刊刻,或即由公商之其人,不必托古城君亦可。此事酌定,即复告我。

宪又白　三月廿一日

据上海图书馆藏《汪穰卿先生师友手札》

致汪康年函[*]

（光绪二十三年三月或四月　1897 年 4 月或 5 月）

"本馆告白"至连篇累牍，殊觉不便。弟意只好缩用一叶。本馆价目一节，另用铅版排小字，每本夹一张，既便于取阅，又便于传观，一印二万张，亦省费用，但用一单片毛边纸便可。此亦一法也，商之。

"告白"最以简明为宜，不可多用虚文，以淆视听。请穰卿照此誊刊为便。见面再罄一切，弟已熟思，必不谬也。

前所云奏稿全删，此断不可行！其中颇有可采者，且他报已刊与否，与我不相干涉。他报亦未全刊。

又有一妙理，本报多至三十馀篇，须费半日之力始能毕读。时文家句句着圈，必不能耐人寻索，正须有一二篇敷衍者，乃可精彩尽露，不致草草读过也。其他面告。手上

穰卿同年兄

宪顿首　十五

据上海图书馆藏《汪穰卿先生师友手札》

致汪康年函^{**}

（光绪二十三年四月十一日　1897 年 5 月 12 日）

穰卿吾兄同年执事：

月初得环章，藉悉一是。往复各节，条具于左，敬希察鉴。

一、书言弟为公筹休息之方。此语似误会弟意。弟以为此馆既为公众所设，当如合众国政体，将议政、于馆中为董事。行政于馆中为理事。分为二事，方可持

---

* 查《时务报》从光绪二十三年二月十一日第 20 期起停载奏摺，第 35 期（七月十一日）"本馆告白"称"自本期起仍敬录"奏摺。函中"前所云奏稿全删，此断不可行"的批评当在此之前。又查该报同年五月初一日第 29 期前的"本馆告白"的页数较多，从五月十一日第 30 期起"告白"减少在一页内，这似又与函中提出"本馆告白至连篇累牍……弟意只好缩用一页"的意见有关。据此可推断该函当写于光绪二十三年三月或四月（1897 年 4 月或 5 月）。

** 函中说已见到第二十五期《时务报》，该期为光绪二十三年四月初一出版，故此函当写于是年四月十一日（1897 年 5 月 12 日）。

久。此不仅为公言之。至于公则或为董事,专司设章程兼馆外联络酬应。或为总理,守章程而行馆中一切事,皆归总理。即或以董事而兼总理,近与卓如书言及此。均无不可。馆事烦重,必须得襄理之人,以为辅助。此事今且阁置,他日到沪再详陈之,谅公意必谓然也。

一、邮费太重,前书曾言,仍交轮船当货寄,盖新报不比书信,不经邮局,于例无碍。如局船详知此意,即亦不必当货,可竟如从前办法,恳熟商之。近有徐御史论邮政,言报费太重,语极中肯。

一、纸价较昂,不能如旧墨色,能否更加光润,此事当可行。弟又思:如将边线增肥,将中间小行削瘦,则黑白分明,必较为好看。匡廓不必如初印之肥,然尚可加增,已将行间之线改小,用墨较省,书局必乐为之。

一、秋苹现在何处? 何以尚未来馆? 甚念之。

一、湘抚又札行各县,可为喜贺。近见李孟符,言及今年乡试,士子云集省会,似可每省酌寄一二百份,以期拓充。陕西一省,孟符即可代办,可即寄百馀份托渠。如他省照行,又可增印二三千份也。

一、梁诗五处如寄到《日本志》改本,乞即改订代售。所定价如何,速以复我。现已印七百部,拟京、津各存百份,馀四百份概归报馆,君谓何如?

一、非报馆自印及代售之书,似可不必溢及于告白中为之论此事,亦恐滋为难。廿五斯所刊,弟意不敢谓然也。

一、章君之文,亦颇惊警,一二月中亦可录一二篇。

以上八事,统希查核,顺请

著安

弟遵宪顿首　十一

据上海图书馆藏《汪穰卿先生师友手札》

致汪康年函[*]

（光绪二十三年四月十九日　1897 年 5 月 20 日）

前托购日本图,如能多购几样,各样先购一本。再择其善者印数百份,校为妥

---

[*] 函中云托购日本图系作《日本国志》附图用,事在光绪二十三年,故此函当写于是年四月十九日（1897 年 5 月 20 日）。

善。近日由日本使馆购得三百份,详载郡邑,过于繁密。弟意如有着色分画今之府县、古之藩国,并将镇台分管、学制分区、裁判分所附注者最善,可问古城君有无此本也。

诗五所刻改本寄到否? 极念。前所以欲在上海改印者,求其速也。新购之图有便当先寄来。

弟六月初旬或可来沪,亟欲见面,一豁积悃。别来遂九月矣。

弟又启　四月十九日

据上海图书馆藏《汪穰卿先生师友手札》

致梁鼎芬函[*]

(光绪二十三年六月二十九日　1897年7月28日)

节庵院长大弟执事:

半载未通音讯,私计春回必出都,何意蹉跎。至于今日前发电,言中旬南旋,旋因佑丈一再电促,既决意不回家,即由沪赴湘,十六出京,廿六至沪,初六往宁,约十二三可过鄂,拟旬留数日,既函雪澂觅一住处,多公祠足相寄否? 仆役厨子共四人,行李不过十数事耳。所有家具、箱箧,已分遣仆人另行携往矣。

相见不远,涉想已喜,先叩
道安

六月廿九　遵宪顿首

据首都博物馆藏原函

致汪康年函^{**}

(光绪二十三年七月十四日　1897年8月11日)

实在心绪恶劣不可言,不能命笔及此事,请照依昨夕之言,别缮一清稿见

---

　*　函中所说系黄遵宪出京赴湖南长宝盐法道任,时间在光绪二十三年,该函当写于光绪是年六月二十九日(1897年7月28日)。

　**　函中谓"启程西上之先,仍当图一良晤",当指光绪二十三年黄遵宪离沪赴湘任之七月,此函写于是年七月十四日(1897年8月11日)。

示,至恳至感。

平日与穰卿论事,其深识卓见,往往五体投地,而此种处事,乃未免相左,盖以为更事少、通情少之故。然不设成见,每商定辄改,仍使我佩服也。

启程西上之先,仍当图一良晤。手上

穰卿同年兄

宪顿首　十四

据上海图书馆藏《汪穰卿先生师友手札》

致王秉恩函*

（光绪二十三年七月后　1897 年 8 月后）

雪澂吾兄大人执事:

初到湘时,谓接篆后当详举近状以告,乃延僚属,治文书,尽日之力犹若不足,到文日七十件,行字五十个,平生官书稿未尝令他人捉刀,今万万不能。然书吏幕友不能如吾意,技痒辄又为之,而大府之衙趋绅士之宴会,又奔走无已时,官场积习,昏庸者概置之不理,贤智者耗精敝神,亦无甚益,则亦姑置之,其不能为也,势也。

所惠《读律提纲》、《律表》,既为刑名家仅见之作,窃欲仿离经辨志、属辞比事之法,分合律例,编排成表,使援引无失,而用法与法外之意,亦附之而见,而此时亦病未能也。

闻毅若故后,各属总办概归之公,其劳瘁何如!前得电言,尊体可复元,而鄂中来者又言方以时调摄,未遽勿药,使人眷念之甚,不审前所谓"多步行,少服药",能力行之否?念念!

时局日艰,外侮日亟,出京时曾以德事力言于庆邸、翁相、密老,谓无以厌其欲,祸变必不测。又言弃地之议,谓祸之荆门岛。清流羞道之,而我犯不韪言之,诚知其势之不容已也。诸公意似动,又因循至今,可叹也夫!平生本无宦情,而牵帅至此,实则弃官而去,尚有啖饭处,其艰难有异于公,今则未易抽身去矣。公私各事,同一浩叹!念公更郁郁,惟努力自爱。不尽欲言。

弟宪顿首　十六夕

---

* 黄遵宪于光绪二十三年六月(1897 年 7 月)出京赴湖南接任,该函约写于当年七月后某月十六日。

敬再启者:顷见法总领事言:"法人第扎丹为法国铸铁会中人,向办铁道工程事务,曾由公使函请总署代达大帅。本日赴鄂,嘱代为先容,俟上谒时,待以优礼"等语。谨此布达,求为代回,是所感祷。

宪又笺

据上海图书馆藏《王雪澂友朋书札》

致汪康年梁启超函[*]

(光绪二十三年七月二十七日　1897 年 9 月 4 日)

近得梁诗五函,知所补《日本国志》既寄到报馆,请穰兄查照。三月间寄函,代为抽换装订。发售之价,每部三元,弟自收回二两。

今寄到《杂事诗》草稿,请任父饬人清誊。序续寄来。

报馆事拟自七月一日起,穰卿月支百元,颂毅月支四十元,卓如月支百廿元。

卓如两函并诗五函既到,应酬无暇晷,明日登程,舟中再作详函论一切。匆匆不多及。即叩

穰卿
任父　同年文安

遵宪顿首　七月廿七日

据上海图书馆藏《汪穰卿先生师友手札》

致汪康年函[**]

(光绪二十三年八月十三日　1897 年 9 月 9 日)

穰卿我兄大人同年左右:

在鄂匆匆草布一缄,谅邀鉴矣。宪甫经到湘,即闻湘中官绅有时务学堂之

---

[*]　函中云"明日登程",指光绪二十三年黄遵宪由沪赴湘任,此函当写于是年七月廿七(1897 年 9 月 4日)。

[**]　函中云"报馆之开,今一年矣",指《时务报》创办一年,即为光绪二十三年(1897 年),此函当写于是年八月十三日(1897 年 9 月 9 日)。

举,而中、西两院长咸属意于峄琴、任父二君子。此皆报馆中极为切要之人。以峄琴学行,弟所见通西学者凡数十辈,而求其操履笃实,志趣纯粹,颇有儒者气象者,实无其伦比,然屈于报馆,乃似乎用违其才。学堂人师,为天下模楷,关系尤重。故弟亦愿公为公谊计,勿复维絷之也。任父之来,为前议之所未及。然每月作文数篇付之公布,任父必能兼顾及此。此于报馆亦似无损碍,并乞公熟虑而允许之。

报馆之开,今一年矣。赖公精心果力,凡百维持,得至今日。今规模既已大定,而西学堂之设、学会之开,亦公平日志意所在,轻重缓急,兼权综计,公幸熟思之。任父处弟另有函殷殷劝驾,拟并函致峄琴。而轮舟刻期展行,不能久候,乞以此函转达峄琴,代述鄙意,是所至祷。

《日本国志》由粤中补刻后序各篇,知已收到,乞照前函装订发售为感。稍暇即有续函。匆匆不能多及。即请

道安。惟鉴不宣。

令弟颂穀兄均此致意。

弟宪顿首　八月十三日

据上海图书馆藏《汪穰卿先生师友手札》

致张之洞函

(光绪二十三年九月十七日　1897 年 10 月 12 日)

密。电谕敬悉,具仰维持报务、护惜人材苦心。既嘱将此册① 停派,并一面电卓如改换,或别作刊误,设法补救,如此不动声色,亦可消弭无形。前《知新报》述"俄使与上共食"、"百官郊迎"诸语,经言官纠参,幸枢府诸公亦知报有大益,且不愿居禁报之名,逼以报馆藉洋人为护符,故寄谕但令粤督传谕该馆"纪事务实"而已。

卓如此种悖谬之语,若在从前,诚如宪谕,"恐招大祸"。前过沪时,以报论过纵,诋毁者多,已请龙积之专管编辑,力设限制,惟梁作非龙所能约束。八月初旬,此间官绅具聘延卓如为学堂总教,关聘到沪,而卓如来鄂,参差相左,现

---

① "此册",指《时务报》第四十册。见附录一。

复电催从速来湘。所作报文,宪当随时检阅,以仰副宪台厚意。除禀抚宪外,遵宪谨禀。

附录一:张之洞致陈宝箴黄遵宪函

（光绪二十三年九月十六日　1897 年 10 月 11 日）

《时务报》第四十册梁卓如所作《知耻学会叙》,内有"放巢流巇"一语,太悖谬。阅者人人惊骇,恐招大祸。"陵寝蹂躏"四字亦不实。第一段"越惟无耻"云云,语意亦有妨碍。若经言官指摘,恐有不测,《时务报》从此禁绝矣。报馆为今日开风气、广见闻、通经济之要端,不可不尽力匡救维持。望速告湘省送报之人,此册千万勿送。湘、鄂两省皆系由官檄行通省阅看,今报中忽有此等干名犯义之语,地方大吏亦与有责焉,似不能不速筹一补救之法。尊意有何良策? 祈速示。谏。

附录二:陈宝箴致张之洞函

（光绪二十三年九月十七日　1897 年 10 月 12 日）

咸电敬悉。《时务报》四十册尚未到,预饬停发,并嘱公度电致卓如,以副盛意。箴。篠。

据《张之洞全集》第九册

致王秉恩函*

（光绪二十三年七月或八月　1897 年 9 月或 10 月）

明晨南皮尚书赐食,午后弟欲走辞各当道。公与毅老之局,如能移于廿二晚,弟即由彼登舟,更可畅谭。乞为酌示。手上
雪澂兄长同年左右

弟宪顿首　十九

谒帅时先为禀呈,因前寄电系言九月到湘,八月过鄂,今径行赴湘,先后不

---

* 函中云前电告张之洞"言九月到湘,八月过鄂,今径行赴湘",指光绪二十三年六月十六日黄遵宪出京赴湖南长宝盐法道任,道经上海后的路程安排。据此推断,该函当写于是年七月或八月的十九日。

符也。

外节庵函又银元局函,乞饬送。

弟又叩

据上海图书馆藏《王雪澂友朋书札》

致梁鼎芬函[*]

(光绪二十三年下半年　1897 年下半年)

节庵大弟学长左右:

别后至湘,匆冗鲜暇,接宾僚,治文书,费日力十之八,加以酬应,便有日不暇给之势矣。此时亦未能有所树立,不及治狱舍。惟通饬各属,凡一案延至十数年,一事控及数十人,均分别省释。其户婚、田土、钱债之一切牵连干证人,概令取保,不许羁押。此则本公之德意而为之者也。

闻归计遂诀,为之怅怅。既已踪迹,不可合并,楚越亦何异? 然相隔远则消息难,不能无介于怀也。

时会日艰,外侮益肆,沧海横流,真不知何处可以安身,又不独为公忧也。

由冯少竹手送到银五十元,薄助行装,乞为察存。行藏去留,望时以片纸见惠。他不多及。即叩
道安

遵宪顿首　十六夕

据首都博物馆藏原函

致朱之榛函^{**}

(光绪二十三年十一月二十日　1897 年 12 月 13 日)

别来匆匆遂二年矣。南北奔驰,所见当世贤豪极多,而求其经世治事之

---

　* 黄遵宪于光绪二十三年六月离京赴湖南,署湖南按察使。函中说"别后至湘",及所办之事,即指此时公务。据此推定当写于是年下半年某月"十六夕"。

　** 黄遵宪于光绪二十三年赴湖南长宝盐法道任。函中云"弟八月到湘,旋权臬事,今已三月",据此推断此函当写于是年十一月二十日(1897 年 1 月 4 日)。

才,仍于公首屈一指。然时局日难,韩非有言"贤不敌势",况又未能膺大任而握大权乎!

弟八月到湘,旋权臬事,今已三月,自问毫无裨补,惭对知己,言之增赧。

同乡吴巡检从先刻由湘回苏,特作数行,令其趋候起居。此人素性笃实,兼通商务,本系弟约之来,而其人现因服阕,仍应回省听候差遣。倘有需驱策之处,必能效劳,不致孤恩也。

清献内召,而前车复来,一切局面谅仍旧贯。东南财赋之区,亦有岌岌可危之象,念此为之三叹也。手叩

竹石先生大安

弟宪顿首　廿日

《时务报》捐惠百元,饥溺之怀,昭然若揭。此款应由汪穰卿手收,弟亦可代交,他日再易收单可也。弟所求于公者,欲设法广派,非敢劳重惠也。又及。

据上海图书馆藏《人境庐主手迹》

致王秉恩函*

(光绪二十四年二月二十一日　1898年3月13日)

雪澂吾兄大人左右:

前者族兄桐甫回银元局当差,曾嘱敬候起居。前询瑞记一事,又托张子遇观察面告,谅邀鉴矣。月之初旬,闻南皮尚书入觐,又发电志喜,谅俱邀鉴。不审尊体近来何似? 有自鄂来者,详询一切,则言康强逾于往昔,或者多行步少服药,竟有明效耶。

香帅倘入参大政,公之行止奚若? 仍回粤耶? 国事诚不堪问,公之家事,不能不筹一善处耳。节庵同年仍住书院抑亦回乡? 殊以为念。

弟仍署臬篆,兼及保卫局、迁善所、课吏馆及学会、学堂各事,殊觉日不暇给,久疏笺敬,良以为歉。所托代寄书板,现已函托少竹料理。敝眷过鄂时,凡百照拂为感。即叩

---

* 黄遵宪于光绪二十四年二月设立湖南保卫局、课吏馆和迁善所,三月由署湖南按察使回任长宝盐法道。函中所说"弟仍署臬篆,兼及保卫局、千善所、课吏馆及学会、学堂各事",当写于当年二月二十一日(1898年3月13日)。

侍安

　　　　　　　　　　　弟遵宪顿首　廿一

堂上曼福

据上海图书馆藏《王雪澂友朋书札》

致陈宝箴函 *

（光绪二十四年三月十一日　1898年4月1日）

大人钧鉴：

　　奉示敬悉。周汉上谭中丞函，既自供其造言生事矣。今以封呈。自此案拿办以来，前卷即取存内室，并未发房，附此禀呈。敬叩

钧安

　　　　　　　　职道遵宪谨禀　三月十一日

据上海图书馆藏《陈右铭师友书札》

致陈三立函 **

（光绪二十四年春　1898年春）

　　屡奉台示，忧虞皇惑，不知所措，更不知何以作答。与此君① 交二年，渊雅温厚，远过其师②，亦不甚张呈其师说，其暖暖姝姝，守一家之之言，与之深谈，每有更易。如主张民权，为之言不可，渠亦言民知未开，未可遽行。吾爱之重之。惟康郎琵琶嘈嘈切切，所来往又多五陵年少，遇事生风，或牵师而去，亦非所敢料。关东大汉、西游行者姑且勿论，惟学堂中所言民贼独夫与及《伪经考》《改制记》，诚非童稚所宜听受。鄙意亟欲聘一宋学先生，即意在匡救。然闻意见不合而去。闻系用某名作关聘而某实未之知也。所延分校阳君某，亦不知其事。自此君北上，久未到学堂，未阅札记。今欲筹别由鹿门聘一分校。如此转移，

---

　　* 原函未署年份。函称"职道"，当在长宝盐法道任内，又云"此案拿办"，系指署按察使期间。函末署"三月十一日"，当为光绪二十四年三月十一日(1898年4月1日)。

　　** 据函中所云时务学堂、南学会、课吏馆等内容，推断当为1898年春所作。

　　① 此君：指梁启超。

　　② 其师：指康有为。

是否可行,敬乞酌夺。久未晤,何日乃得相见,一吐其胸中所欲言也。一转移之法,似宜以留皮鹿门充时务学堂,谓先生不来,难以久旷,即以南学会学长互调,俟其来时,再行商劝。

欧阳子改作湘报馆主笔,乔茂萱舍课吏馆而去,遂出一枯窘题,令人无从措手。现在设法诱一友人来,待其入湘,当强令就此。此君在粤充粤秀监院,岁修千金,曾到海外,为乙酉拔贡、乙丑乡榜,《人境庐诗集》中所谓梁诗五居实者也。又及。

再,得一王本卿,仍少一人。意欲以沈之培、梁卓如分任之。

据上海图书馆藏手稿

致张之洞电[*]

（光绪二十四年六月二十七日　1898 年 8 月 14 日）

长沙黄道来电。武昌张制台:奉电传旨敬悉。职道以感冒故未启程,月初稍愈即行。遵宪谨禀。六月二十七日戌刻发/亥刻收。

附录:催黄遵宪速来京电

（光绪二十四年六月二十四日　1898 年 8 月 11 日）

京师来电:奉旨,前经降旨电催黄遵宪来京,现在计已起程,无论行抵何处,著张之洞、陈宝箴催令趱程速来见。钦此。六月二十四日午刻发/六月二十五日子刻收。

据中国社会科学院近代史研究所藏《张之洞未刊稿·各处来电本》

致陈三立函[**]

（光绪二十四年七月二日　1898 年 8 月 18 日）

得示,扪悉堂上微恙遂已霍然,喜慰无已。宪今日如常服药,安适如昨日,

---

* 光绪二十四年六月二十三日(1898 年 8 月 10 日)黄遵宪奉命以三品京堂充出使日本大臣,该电及以下相关电文均为此事。

** 函中云"奉召催速行",为光绪二十四年七月由长沙启程,经上海进京引见前,故此函似作于是年七月初二日(1898 年 8 月 18 日)。

此病可望渐痊，不足虑矣。

明晨府趋可定期行。拟电总署云：黄遵宪病略愈，以奉诏催速行，准于□日启程。惟见其体气未复痊，嘱令沿途行止，善自保重，以图报效云云，并电香帅。公谓电报起程，当何如？

酷热至不可耐室中矣。暑针九十八度，平生所经未有也。

伯毅大弟

宪顿　初二

据上海图书馆藏手稿

致陈三立函*

（光绪二十四年七月七日　1898年8月23日）

俞恪士来，忽奉赐书，欢喜踊跃，出于意外。念我伯严怜其幽忧之疾，远馈此药，厚意何可言也。

书言："时方汹汹，贤者不改其乐。"遵宪和易实甫词云："一味妇人醇酒乐，把百事乐尽歌才罢。"又《玄武湖歌》云："河山不异风景好，今我不乐何为哉？"诚不愿日本之渡辽将军，独乐从军之乐耳，公必知之。以此时为大梦将醒，希夷先生倚枕呵欠之侯，诚然诚然。然尚晨鸡一鸣，大声疾呼，不然又为眠魔梦魇所牵引，恐遂长眠不醒矣。必如王仲任之坚执，张江陵之刚愎，诸葛武侯之拘谨，合而成一人，乃可以有为，顾何从而得此人哉！所希冀者，宸衷独断耳。天苟欲祚大清、保中国，安知不有此事耶？

光绪乙酉，遵宪从美利坚归，尔时居海外十年矣，辄谓中国非除旧布新不能自立，妄草一规模，谓某事当因，某事当革，某事期以三年，某事期以五年，计二三十年可以有成，尝与二三友人纵谈极论。既而又自笑曰：此屠龙之技，竟安所施，遂拉杂废之。嗟乎！不意今日耳中竟闻此变法变法云云也，恨不得与吾百严纵论其事也。

月来无事，时复作诗兼又填词目，与节盦、芸阁、实甫游处，颇有名士气，乃虽作诗笺，刻印雕虫篆刻，无所不为。伯严怜之耶，美之耶？无论何等文字，究欲得伯严评数字以为快。

---

* 函中云"不意今日耳中竟闹此变法变法"，推断为光绪二十四年七月七日（1898年8月23日）。

季清座上所作之书已读之矣,谓欲和《贺新凉》词,恐属妄语,未敢信然。然他日者或竟有一纸翩然而下,亦未可定也。

秋凉可读书。惟珍摄。不宣。书上
伯严大弟我师

遵宪顿　七月七日

据上海图书馆手稿

致张之洞电

（光绪二十四年七月八日　1898年8月24日）

长沙黄钦差来电。武昌张制台:宪初七交印,即日启程,湖南盐道遵宪。庚。七月初八巳刻发/未刻收。

附录一:催黄遵宪速即来京电

（光绪二十四年七月十日　1898年8月26日）

总署来电,转出使黄大臣。裕病足不能步,昨访晤大畏,竟不能上楼。九月间,日君寿,又大坂督大操,皆不能行,成何事体等语。查裕使久病,确系实情,使臣在外,以联络邦交为重,非能卧治。希速即来京请训,赶八月杪到东,勿迟为要。卦。七月初十亥刻发/十一酉刻收。

附录二:催黄遵宪来京请训电

（光绪二十四年七月十一日　1898年8月27日）

总署来电,转出使黄大臣。奉旨:前经有旨电催黄遵宪来京请训。兹据裕庚电称病难久待,恐误使事等语,黄遵宪著迅速来京,限于八月内驰赴日本接任,毋得稽延。钦此。七月十一日酉刻发/十二日午刻收。

据中国社会科学院近代史研究所藏《张之洞未刊稿·各处来电本》

致陈三立函[*]

（光绪二十四年七八月间　1898年8月或9月间）

师曾服鱼肝油有效，喜慰之甚。此治肺圣药，吐痰咳嗽，无不宜之，信受奉行，甚获大益。既服之有效，病愈可稍停，或百十日中停半月，或月停数日，盖日日无间，虑其如瘾，则非增加不能收效，如增其不利于口，或似乎胃滞，当代以鱼油丸。以此意告师曾知之。

宪又及

梁任父所寄各件，概以送览。定国是、废时文之举，皆公一手成之，徒以演习师说之故，受人弹射，可哀也已。

昨送疏稿，先乞掷还，尚未一交秉三阅也。各件阅毕，仍当送秉三。

宪服理中汤似有效，然极似大病后人，其形状正如西人所指为"东方病夫"，殊有虑也。

康所上摺，先设制度局，即宪所谓三司条例司也，极为中肯。读此及《彼得变政》摺，宪不能不爱之敬之。

伯严大弟

学长宪顿　初六

据上海图书馆藏手稿

致张之洞电

（光绪二十四年八月一日　1898年9月16日）

上海黄钦差来电。武昌张制台：遵宪在湘积受寒泾，久患脾洩水盅，六月复患感冒，一时未能进京，当时宪台代奏。七月初旬，感冒稍愈，因屡奉诏旨，催令趱程，力疾就道。过鄂谒宪台，过宁谒岘帅，见具病状，均蒙饬令调养。

惟遵宪万分焦急，仍欲力疾至京。至京如未能请训，再拟在京请假暂养。

---

[*] 函末云"康所上摺，先设制度局"，康有为上《请开制度局议行新政摺》为1898年8月（光绪二十四年七月）。据此推定此函写作时间为当年8月或9月（七月或八月）间。

乃到沪病犹未痊。医生言,因积病伤肺,故言语拜跪,均难如常。如勉强登舟,海风摇簸,病势益增,转虑负天恩而误国事。不得已,暂拟在沪调养十数日,一俟稍痊,即行迅速趱程,断不敢稍有迟误。即求岘帅会同宪台湘抚代奏乞恩。敬恳俯允,感祷无已。除电湘宁外,遵宪谨肃。东。八月初一日已刻发/申刻收。

据中国社会科学院近代史研究所藏《张之洞未刊稿·各处来电本》

致张之洞电

(光绪二十四年八月二日　1898年9月17日)

上海黄钦差来电。武昌张制台:东电敬悉。因过鄂小愈,曾电总署,遵旨趱程,故拟求会衔。现已有岘帅单衔代奏。又总署知宪病状。九月内日主诞辰,经电裕使照常庆贺,程限自可展缓。承注感极。报事转电已交汪。日内覆奏,即抄稿电陈。遵宪。沃。八月初二日申刻发/亥刻收。

据中国社会科学院近代史研究所藏《张之洞未刊稿·各处来电本》

致张之洞刘坤一陈宝箴电

(光绪二十四年八月三日　1898年9月18日)

上海黄道钦差来电。武昌张制台、江宁刘制台、长沙陈抚台:密。新电奏查议《时务报》事,谨抄稿呈电。窃遵宪前奉电开:奉旨刘坤一电称:康有为电奉旨改《时务报》为官报,汪康年私改为《昌言报》,抗旨不交等语。该报馆是否创自汪康年,及现在应如何交收之处,著黄遵宪道经上海时,查明原委,秉公核议电奏。毋任彼此各执意见,致旷报务。钦此。

伏查丙申春月,遵宪奉旨,暂留江苏办理教案、商务各事宜,因往上海。当时官书局复开,刊有官报。遵宪窃意,朝廷已有变法自强之意,而中国士夫闻见浅狭,守旧自封,非广刊报章,不足以发聋聩而祛意见。先是,康有为在上海开设强学会报,不久即停,尚存有两江总督捐助余款。进士汪康年因接受此款来沪,举人梁启超亦由官书局南来,均同此志,因同商报事。遵宪自捐一千元,复经手捐集一千馀元,汪康年交出强学会馀款一千馀元,合共四千元,作为报馆公众之款。一切章程格式,皆遵宪撰定公商,以汪康年为总理,梁启超为总撰,刊布公启,播告于众。即用遵宪等名声明:此举在开风气,扩闻见,绝不为牟利起见。又称有愿捐赀襄助,拓充此报,维持此举者,当刊报以表同志。遵宪复与梁启超商榷论题,次第撰布。实赖梁启超之文之力,不数月间,风行海内外,而捐赀助报者,竟有一万数千元之多。是此报实为公报,此开设《时务报》之原委也。

今以公报改为官报,理正势顺。遵宪行抵沪上,汪康年送到报馆本年六月结册,除收款、付款,各项业经收支销数,官报接收,毋庸追问外,据其所开存款各项:

一　存现银;

一　存新旧报;

一　存自印书籍;

一　存各种书籍;

一　存器具;

一　存未缴之书赀、报赀;

共值确数约一万数千元。

遵宪筹商核议,窃谓均应交与官报接受。所有派报处所及阅报姓名,亦应开列册单,交出官报接受,即接续公报,照常分派,以便接联而免旷误。如结册中有未付之款,派报处已经收钱,尚未期满之报,官报接受之后,亦应查照原册,一律接办。

又公启称:将来报章盛行,所得报费,并不取分毫之利归入私囊,或加增报纸,或广招译人翻书,以贱价发行。又称:捐款在百元以上者,可以酌议成数,分别偿还。其不愿取回者,听官报接受之后,如果清算旧数,实有赢馀,此二条似亦可酌量办理。如此接受,官报与公报联为一气派报,更易于推广,于报务实有裨益。

所有遵宪遵旨查明开报原委及秉公核议交收之法,是否有当,理合请旨遵办。

除将《时务报》公启,及时务报馆现在结册,另行赍呈总署、军机处备查外,伏乞代奏皇上圣鉴。遵宪。沃。戊戌八月初三日辰刻发,八月初四日丑刻到。

附录：著黄遵宪查明时务报原委电

（光绪二十四年七月六日　1898 年 8 月 22 日）

总署来电。并致江宁刘制台,转电出使日本大臣黄:奉旨刘坤一电称,康有为电,奉旨改《时务报》为官报,汪康年私改《昌言报》,抗旨不交等语。该报馆是否创自汪康年,及现在应如何交收之处,著黄遵宪道经上海,查明原委,秉公核议电奏,毋任彼此各执意见,致旷报务。钦此。七月初六午刻发/初七午刻收。

据中国社会科学院近代史研究所藏《张之洞未刊稿·各处来电本》

致张之洞电

（光绪二十四年八月二十二日　1898 年 10 月 7 日）

上海遵宪钦差来电。武昌督宪钧鉴:昨求岘帅奏请开差,既邀恩准,改派李木斋。宪日内即回籍调理。谨此叩谢。遵宪叩。养。八月二十二日午刻发/酉刻收。

据中国社会科学院近代史研究所藏《张之洞未刊稿·各地来电本》

致沈曾植函*

（光绪二十六年五月十六日　1900 年 7 月 12 日）

幼霞坐中散席回家,乃闻吴铁乔恶耗。今数日矣,愤郁伤悼未尝一刻忘之也。昨发一电唁季清兄,内有子修、伯唐及公大名,复电当达尊处。如收到,望抄示。明日午后或当趋谭。手叩

简安,不多及。

子培先生同年

弟宪顿首　五月十六

据嘉兴博物馆藏《清末各家信札》

---

　　* 沈曾植,字子培。函中云电唁吴季清。吴逝于庚子年(光绪二十六年)八国联军入侵时,此函当写于是年五月十六日(1900 年 7 月 12 日)。

致徐乃昌函[*]

（光绪二十六年七月二十日　1900 年 8 月 14 日）

承示淑畹夫人赐题《古芗室诗集》句，羽宫移换，别出新声，箴线裁缝，算寻迹象，灵心妙手，足上追瘔堂之《香屑》，竹坨之《蕃锦》，天台老人南山诗曳何论焉！婉仙女史，蕉萃可怜，蓬根无定。以进士之不柈，叹季女之斯饥。仆每怜其才而哀其遇。辱荷宠题，知应狂喜，即日抄寄，先代谢忱。匆匆草布，惟鉴。不宣。

积馀太守词长

遵宪顿首　七月廿日

据上海图书馆藏《徐乃昌友朋手札》

致徐乃昌函

（光绪二十六年七月二十一日　1900 年 8 月 15 日）

承惠和词，清丽芊绵，不难蹑清真而追梦窗，爱玩不忍释手。词律及校勘记拾遗又稚黄词谱先行送璧。外古香室钞本诗二本，为乡人叶璧华所著，室人之姨辈也。一枝湘管半死桐丝，饥驱四方，橐笔糊口，其境可悲，而其情可悯。如得君与夫人联句题词，华衮之荣，感谢何已。

一年容易又是秋风，读易安居士寻寻觅觅之词，真觉一个愁字了不得也。

匆匆手上

积馀太守词长，并谢

淑畹夫人

宪顿首　七月廿一

据上海图书馆藏《徐乃昌亲友手札》

　＊　徐乃昌，字积馀。此函及七月二十一日函所云叶璧华《古芗室诗集》《古香室诗》，当指《古香阁诗集》。两函未署年份。据光绪二十六年十月黄遵宪为《古香阁诗集》作序，推断此函及下函约亦写于是年。

致徐乃昌函[*]

(光绪二十六年　1900年)

　　吾辈文字之交,不可作世俗通称。昨与念劬言"卑职"、"大人",惟职制相临者可用,此外均泛而无当。施之于讲德论文之地,尤为不切之陈言矣。此后乞勿再施。如蒙不弃,称作公度大兄,或竟作先生,如何?

遵宪又启

　　尊谦奉璧,千万幸勿再施。我辈以文字酬唱,乃用此官样文章,无论头衔不称,亦似觉体制不合也。考据家当讲求门户,乞留意是幸。

又及

据上海图书馆藏《徐乃昌亲友尺牍》

致陈三立函

(光绪二十七年　1901年)

　　别三年矣,今日乃得公消息,此真临别握手时梦想所不到之事也。戊戌九月,由沪回粤,闻公举家往庐山,乃由邮局寄一缄于九江探询,想此函必付浮沉矣。函中无他言,但有寄粤信住址耳[①]。山县僻陋,见闻稀阔。上年八月,于报中惊闻尊公老伯大人捐馆之耗,念苏子瞻祭司马温公文有云:"上为天下恸,下以哭其私。"抚膺悼心,不可言状。回忆丁戊之间,公居母丧时光景,恨不得插翼飞去,一伸慰唁,然犹冀其讹传也,久而知为确耗。又知公家已移居江城,同乡中有宦于江洲者,因寄一缄,乃函到而其人于十月间已奉差万安。来函述公景况,则云既于腊月往郑,且挈眷俱去,尔后益无从通问讯矣[②]。尊公究得何病? 别时于湘舟中洒泪满袖,云相见无时,宪视为甚易。何意闲云野鹤竟不获再奉篮舆也。是年八月廿九日得来电云:将往庐山,以后野鹤闲云,相见较易。已安葬否? 有葬齿诗传诵人口? 系与太夫人合葬否? 或言所卜墓在南昌山中,然否? 生

---

[*]　参考以上1900年8月14、15日两函,推定此函约写于是年,姑且置年末。

①　"闻公举家往庐山"至"但有寄粤信住址耳",《人境庐杂文钞》无。

②　"回忆丁戊之间"至"无从通问讯矣",《人境庐杂文钞》无。

平奏疏、公牍并手著诗文有定稿否？想一时未付刊刻也①。公家今住何处？有恒产否？想未必能自赡给。于岁需几何？能支持否？师曾举操何业？赐复时望一一详之也。

弟于戊戌七月晦日到沪后，又患脾泄，病困中一切如梦，并不知长安弈棋有许多变局。至八月六日读训政懿旨，十三日得杀士抄报，乃知有母子分党变故，然亦谓于己无与也。至十七日得湘电，有沦胥及溺之语，虽稍稍震惧，然犹谓过甚之辞。至廿三日，知湘中官吏一网打尽，始有馀波及我之恐。明晨未起，即已操戈入室，下钥锁门矣。当时上海道亦不知其奉何公文，初迫之入城，继增兵围守，擎枪环立，若临大敌，如是者三日。至廿六日，得总署报云："查明康未匿黄处，上意释然，已有旨放归矣。"或言弹劾者多，终以事无佐证得脱于罪。或又言某某初匿于日本使馆，或传为初匿于出使日本之馆，致生歧误，至今尚未知所犯何事也。

到沪病忽增，日泻数次，气喘而短，足弱几不能小立。医生或虑其不治。然从此日见减轻，久而始知身本无病，直以长沙卑湿，日汲白沙井寒水，致生积冷。当时服公药，虽仅能支持一时，而不足以扫除积病。临别前一夕，忽然失音，则以服燥烈药太过之故。至洞庭湖始复本音，旋服附桂一剂，音又失②。到沪后停药，因水土已易，即渐渐复原。九月到家，将养数月，即如常矣。

所居地电报局③均不能通。平生故人以党祸未解，亦无敢寄书慰问者。庚子之春，党狱又作，沈鹏、陈鼎、吴式钊相继斥逐。尔时合肥督粤，迭次以函电召邀，颇疑与党事有涉，不能不冒险一行。及到省相见，乃以设警察、开矿产之事相委。然事无可为，一意辞谢。及归，而团匪之变作矣。乱作以来，浮云苍狗，世态奇变，多出意外，而鄙人乃深山高卧，一切无干。追念三年中长沙之病，苟不奉使他往，迁延一二月，必死于楚。若使在楚无病，奉攒程来京之诏，迅速驰往，计到京之期，正在祸作之先，即幸而无事，浮沉在京，亦必与团拳之难，与直谏同死。当上海道看管，沪上西人义勇议定，苟有大变，即劫之出海，如听蔡钧入城之请，或亦死于道中乱刃。乃屡次濒死而卒不死，不知彼苍苍者生我之何用也？弟平生凭理而行，随遇而安，无党援，亦无趋避，以为心苟无

---

① "已安葬否"至"未付刊刻也"，《人境庐杂文钞》无。

② "至洞庭湖"至"音又失"夹注，据钱仲联《人境庐杂文钞》补。

③ 《人境庐杂文钞》"电报局"作"电报邮局"。

瑕,何恤乎人言,故亦不知祸患之来。自经凶变,乃知孽不必己作,罪不必自犯,苟有他人之牵连,非类之诬陷,出于意外者。然自有此变,益以信死生之有命、祸福之相倚。弟未知将来死所何在！前尘影事,原不必再记,然死生亦大故,故不觉觑缕为公言之。相见何日？思之黯然。

据吴天任《清黄公度先生遵宪年谱》,参校钱仲联辑

《人境庐杂文钞》(载《文献》第八辑)

致梁启超函[*]

(光绪二十八年四月　.1902 年 5 月)

公所撰南海传,所谓教育家、思想家,先时之人物,均至当不易之论。吾所心佩者,在孔教复原,耶之路得,释之龙树,鼎足而三矣。儒教不灭,此说终大明于世,断可知也。吾意增二条,曰博大主义,非高尚主义;变动主义,非执一主义。又欲易去儒字曰非柔巽主义。向读此条,深为敬服。意谓孔子没后二千馀年,所谓得不传之学于遗经者,惟此足以当之。但所恨引证尚少,其重魂主义一条尤鲜依据,能张皇其说否?

吾年十六七始从事于学,谓宋人之义理、汉人之考据,均非孔门之学。《诗集》中开宗明义第一章,所谓“均之筐筥物,操此何施设”者也。而其时于孔子之道,实望而未之见,茫乎未有知也。及闻陋宋学、斥歆学、鄙荀学之论,则大服,然其中亦略有异同。其尊孔子为教主,谓以元统天,兼辖将来地球及无数星球,则未敢附和也。往在湘中,曾举以语公,谓南海见二百年前天主教之盛,以为泰西富强由于行教,遂欲尊我孔子以敌之,不知崇教之说久成糟粕,近日欧洲,如德、如意、如法,法之庚必达,抑教最力。于教徒侵政之权,皆力加裁抑。居今日而袭人之唾馀以张吾教,此实误矣！公言严又陵亦以此相规,然尔时公于此见固依违未定也。楚人素主排外,戊戌三四月间,保教之说盛行,吾又虑其因此而攻西教,因于南学会演说,意谓世界各教宗旨虽不同,而敬天爱人之说则无不同然。耶之言曰:“吾实天子。”回之言曰:“吾为天使。”佛之言曰:“天上地下,惟我独尊。”惟孔子独曰:“可与天地参,可以赞天地之化育,我不过参赞云尔。”实则“参赞”之说,兼三才而一之,真乃立人道之极,非各教之托空言者可比之。孔子之天,异于佛而近于耶。佛之天多,故以己为尊,而以天为从。耶之天独,故尊天为父,

---

[*]　此函所标时间据《梁任公先生年谱长编初稿》系于光绪二十八年四月(1902 年 5 月)。

而以己从之。今尊孔子而剿用佛说，曰以元统天，于理殊未安也。人类不灭，吾教永存，他教断不得挽而夺也。且泰西诸国，政与教分，彼政之善，由于学之盛。我国则政与教合。分则可藉教以补政之所不及，合则舍政学以外无所谓教。今日但当采西人之政、西人之学，以弥缝我国政学之敝，不必复张吾教，与人争是非、校短长也。演此说时，似公已离湘，不审闻之否？当时樊锥之徒颇不谓然，而湖北之谭敬甫、梁节庵则谓吾推外教与孔子并尊，罪大不可逭也。

年来复演此意成一论，言孔子为人极，为师表，而非教主。凡世界教主，无论大小，必嚣嚣然树一帜以告之人曰："从我则吉，否则凶。"释迦令人出家，而从之入极乐国；耶稣教人去其父母、妻子、兄弟、姊妹之乐，而从之生于天国。余谓此乃半出家。其后教徒变为教僧尼，不娶妻，不嫁人，亦本此也。摩诃末操一经、一剑，以责人曰："从我则升天堂，不从则入地狱。"此皆教主之言。而孔子第因人施教，未尝强人以必从也。耶稣出而变摩西之说，释迦兴而变婆罗门之说，摩诃末兴而变摩尼之说，皆从旧说中创新学，自立为教。而孔子则于伏羲、文周之卦，尧舜之典，禹汤之谟诰，未尝废之也。此与改制之说不甚符。虽然，《公羊》改制之说吾信之，谓六经皆孔子自作，尧舜之圣为孔子托辞，吾不敢信也。

各教均言天堂、地狱，独孔子于事鬼神曰："未能事人，焉能事鬼！"于明器曰："人生而致死为不仁，之死而致生为不智。"而其教人则曰："朝闻道，夕死可矣。"曰"死而后已，不亦远乎！"天之生人，自古及今未有异也。谓将来秉赋胜于前人，竟能确知天堂、地狱之确有可凭，此未必然，均之不可知。古之人愚，非天堂不足以劝，非地狱不足以诫，故彼教以孔子为不知天道，而陋之为小。后之人智，知天堂之不可求，于^① 耶稣冉冉升天之说，今既不之信，西人以距离之远近求天，谓耶稣即如炮弹之速率，至今犹不及半也。何况于后来。后来格致日精，教化日进，人人知吾为人身，当尽人道于一息尚存之时，犹未敢存君子止息之念，上不必问天堂，下不必畏地狱，人人而自尽人道，真足以参赞天地。圣门中如子路之结缨，曾子之易箦，及启手启足、鸟死鸣哀二章，其了然去来，比禅门之坐化者，有过之无不及也。世界至此，人理大行，势必舍一切虚无元妙之谈，专言日用饮食之事，而孔子之说胜矣。佛言佛法有尽。尝为之反复推求，惟此时为佛法灭时也。古之儒者言卫道，今之儒者言保教。夫必有仇敌之攻我，而后乃从而保卫。耶稣禁设一切偶像之禁，佛斥九

十六外道之说,回回于异道如希腊、如波斯,拒之尤力,故他教皆有魔鬼。大哉孔子,包综万流,有党无仇,无所谓保卫也。且所谓保卫者,又必有科仪礼节独异于他教,乃从而保之卫之,俾不坠于地。赞美和华,千人唱和,耶之礼仪也;宝象庄严,香花绕拜,释之礼仪也;牛娄礼拜,豚犬不食,回之礼仪也。大哉孔子,修道得教,无所成名,又何从而保卫之? 既无教敌,又不设教规,保之卫之,于何下手? 至孔子所言之理,具在千秋万世、人人之心。人类不灭,吾道必昌,何藉于保卫? 今忧教之灭而唱保教,犹之忧天之堕、地之陷,而欲维持之,亦贤知之过矣。

其大略如右,以之示弟侄辈。彼习闻演孔保教之说,未遽信也。

近见《丛报》第二篇,乃惊喜相告,谓西海东海,心同理同,有如此者,仆自顾何人,安敢言学。然读公之论,于己有翻案进步之疑,于人有持矛挑战之说,故出其一二以相证。仆之于公,亦犹耶之保罗、释之迦叶、回之士丹而已。"中国新民"当出公手。万一非公所作,别有撰著之人,亟欲闻其姓名,又欲叩公之意见也①。

吾读《易》,至泰、否、同人、大有四卦,而谓圣人于今日世变,由君权而政党,由政党而民主,圣人不啻先知也。以乾下坤上为泰,言可大可上之理也。以坤下乾上为否,则指未穷未变时之事矣。由否而同人,为离下乾上。由同人而大有,为乾下离上。序卦之意可见也。而谓圣人之贵民、重文明、重大同,圣人不啻明示也。大有一卦,当与比对看,坤下坎上为比☵,刚得尊位,五阴从之,君权极盛时也,而其卦不过曰比。大象明之曰:先王以建万国、亲诸侯,自天祐之。系辞曰"履信、思顺、尚贤",非民主而何? 侯乾下离上为大有☲,柔得尊位,而上下应之,此民权极盛时,其卦乃为大有,于大象赞之曰:"君子以隐恶扬善、顺天休命。"且比之上六曰"比之无首"。由坎之险陷来。大有之上六曰"自天祐之,吉,无不利",由离之文明来。圣人之情见乎辞矣。所尤奇者,孔子系辞曰:"方以类聚,物以群分,吉凶生矣。"此非生存竞争、优胜劣败之说乎?在天成象,在地成形,变化见矣。此非猴为人祖之说乎? 试思此辞,在天地开辟之后,成男成女之前,有何吉凶变化之可言? 而其辞如此②。若谓品物既生,有类有群。此类此群,自生吉凶。由吉凶而生变化,而形象乃以成。达尔文悟此理于万物已成之后,孔子乃采此理于万物未成之前,不亦奇乎! 往严又陵以乾之专直,坤之翕辟,佐天演家质力相推之理。吾今更以此辞为天演之祖。公闻之不当惊喜绝倒乎! 二十年前客之罘,与李山农言及孔子乘桴浮

----

① 吴天任《清黄公度先生遵宪年谱》无此段夹注。

② 自以下"若谓品物既生"起至文末,吴天任《清黄公度先生遵宪年谱》缺。

海欲居九夷之奇。山农谓:"孔子虽大圣,然今之地圆,大圣亦容有不知。"余曰:"固然! 然《大戴礼》已有四角不掩之语矣。且孔子即不知地圆,而考之群经,实未尝一言地方也。"山农大笑,今并举以博一粲。若谓以西学缘附中学,煽思想之奴性而滋益之,则吾必以公为《山海经》之山膏矣。

凡上所云,公意苟有所指驳,或有所引申,请删润其文,而藏匿其名字,如纪年论之作○○○曰为宜。至祷,勿忘。

《清议报》胜《时务报》远矣。今之《新民丛报》又胜《清议报》百倍矣。《清议报》所载,如《国家论》等篇,理精意博。然言之无文,行而不远。计此报三年,公在馆日少,此不能无憾也。惊心动魄,一字千金。人人笔下所无,却为人人意中所有,虽铁石人亦应感动。从古至今,文字之力之大,无过于此者矣。罗浮山洞中一猴,一出而逞妖作怪,东游而后,又变为《西遊记》之孙行者,七十二变,愈出愈奇。吾辈猪八戒,安所容置喙乎,惟有合掌膜拜而已。前言误矣。李鸿章①

据中国国家图书馆藏《黄公度先生手札》

致梁启超函*

（光绪二十八年五月　1902 年 6 月）

（前略）二十世纪中国之政体,其必法英之君民共主乎。胸中蓄此十数年,而未尝一对人言。惟丁酉之六月初六日,对矢野公使言之。矢野力加禁诫。尔后益缄口结舌,虽朝夕从公游,犹以此大事,未尝一露,想公亦未知其深也。

仆初抵日本,所与游者多旧学,多安井息轩之门。明治十二三年时,民权之说极盛。初闻颇惊怪,既而取卢梭、孟德斯鸠之说读之,志为之一变,以谓太平世必在民主,然无一人可与言也。及游美洲,见其官吏之贪诈,政治之秽浊,工党之横肆,每举总统,则两党力争,大几酿乱,小亦行刺,则又爽然自失,以为文明大国尚如此,况民智未开者乎? 因于所著学术中《论墨子》略申其意。又历三四年,复往英伦,乃以为政体必当法英,而着手次第,则又取租税、讼狱、警察之权分之于四方百姓;欲取学校、武备、交通谓电信、铁道、邮递之类。之权归之于

---

① 手稿无下文。

* 此函载《新民丛报》第十三号《饮冰室师友论学笺》栏,题为《东海公来简》,署"壬寅五月"(1902 年 6 月),今所标时间据此。

中央政府,尽废今之督抚藩臬等官,以分巡道为地方大吏,其职在行政,而不许议政。上自朝廷,下至府县,咸设民撰议院为出治之所。初仿日本,后仿英国。而又将二十一行省分画为五大部,各设总督,其体制如澳洲、加拿大总督;中央政府权如英主,共统辖本国五大部,如德意志帝之统率日耳曼全部,如合众国统领之统辖美利坚联邦,如此则内安民生,外联与国,或亦足以自立乎。

　　近年以来,民权自由之说遍海内外,其势长驱直进,不可遏止;而或唱革命,或称类族,或主分治,亦嚣嚣然盈于耳矣。而仆仍欲奉主权以开民智,分官权以保民生,及其成功,则君权、民权两得其平。仆终守此说不变,未知公之意以为然否? 己不能插翼奋飞,趋侍左右,一往复上下其议论,甚愿公考究而指正之也。

　　天下哗然言学校矣,此岂非中国之幸。而所设施、所经营,乃皆与吾意相左:吾以为非有教科书,非有师范学堂为之先,则学校不能兴,而彼辈竟贸然为之,一也;吾以为所重在蒙学校、小学校、中学校,而彼辈弃而不讲,反重大学校,二也;吾以为所重在普通学,取东西学校通行之本,补入中国地理、中国史事,使人人能通普遍之学,然后乃能立国,乃能兴学,而彼辈反重专门学,三也;吾以为《五经》、《四书》当择其切于日用、近于时务者,分类编辑为小学、中学书,其他训诂名物归入专门,听人自为之,而彼辈反以《四书》、《五经》为重,四也;吾以为学校务求其有成,科举务责人以所难,此不能兼行之事。今变学校乃于《十三经》外更责以《九通》、《通鉴》,毕世莫能究其业,此又束缚人才之法也,而彼辈乃兼行科举,五也;吾以为兴学所以教人,授官所以任人,此不能一贯之事,今学校乃专为翰林、部曹、知县而设,然则声、光、化、电、医、算诸学,将弃之如遗乎,抑教以各业,俟业成而用之治民莅事乎? 而彼辈仍用取士官人之法施之于学校,六也。且吾意此朝廷大政,断非督抚所能画强而治者。如有用我,以是辞之。(后略)

致梁启超函[*]

（光绪二十八年八月二十二日　1902 年 9 月 23 日）

饮冰室主人函丈：

前月之杪，草草发一缄，以待函不至，谬谓为邮政过渡时代，乃发缄。三日即奉七夕后一夕惠书，惊喜过望，一日三摩挲，不觉又四十五回矣。以发书论似乎密，待后函至而后复，又虑其过疏，辄将函中所既及者分条胪举，藉以娱公。

所商日课，公未能依行，谓叩门无时，难以谢客，吾亦无以相难。今再为公酌一课程，除晨起阅报，晚间治学，日日不辍外，就寝迟，则起必迟；见光少，则热亦少，而身弱矣。于月、火、水、木四曜日草文，于金曜作函，于土曜见客，见学生尤便，彼亦得半日闲也。且偕见比独见不特师逸而功倍，亦使仁人之言，其利更溥也。公自榜于门曰某日见客。此固泰西贤劳之通例也。过客不在此限，亦可。于日曜游息。此实为养生保身第一善法，万望公勉强而行之，久则习惯矣。若兴居无节，至于不克支持，不幸而生疾，弃时失业为尤多，乃近于自暴自弃矣，乌得以自治力薄推诿哉！杀君马者，路旁儿，戒之戒之。

公言《新民报》独力任之尚有馀裕，闻之快慰。欲求副手，戛戛其难，此亦无怪其然。崔灏题诗，谪仙阁笔，此乃今日普天下才人、学人，万口一声认为公理者，况于亲炙之者乎？虽然，东学界中，故多秀异，即如宴花一出，不特无婢学夫人之诮，且几几乎有师不必贤于弟子之叹矣！公稍待之，必有继起者。尤俊异者，乞标举其名，列其所长以示我，当记之箧中，以志歆慕。怪哉！怪哉！快哉！快哉！雄哉！大哉！崔嵬哉！滂沛哉！何其神通，何其狡狯哉！彼中国唯一之文学之《新小说报》，从何而来哉？东游之孙行者，拔一毫毛，千变万态，吾固信之。此新小说、此新题目，遽陈于吾前，实非吾思议之所能及。未见其书，既使人目摇而神骇矣。吾辈钝根，即分一派出一话，已有举鼎绝膑之态。公乃竟有千手千眼，运此广长舌于中国学海中哉！具此本领，真可以造华严界矣。生平论

＊　函末署"中秋后七日"，为八月二十二日；又据函中所说即将出版的《新小说报》，事在光绪二十八年。该函当写于是年八月二十二日（1902 年 9 月 23 日）。

文,以此为最难,故亟欲先睹为快。同力合作,共有几人,亦望示其大概。

报中有韵之文,自不可少。然吾以为不必仿白香山之《新乐府》、尤西堂之《明史乐府》。西堂以前,有李西涯乐府,甚伟。然实诗界中之异境,非小说家之枝流也。当斟酌于弹词粤讴之间,或三、或九、或七、或五,或长短句,或壮如陇上陈安,或丽如河中莫愁,或浓至如焦仲卿妻,或古如成相篇,或俳如俳技辞。即“骆驼无角,奋迅两耳”之辞也。易乐府之名而曰杂歌谣,弃史籍而采近事。至其题目,如梁园客之得官,京兆尹之禁报,大宰相之求婚,奄人子之纳职,候选道之贡物,皆绝好题也。此固非仆之所能为,公试与能者商之。吾意海内名流,必有迭起而投稿者矣[①]。

广智初次寄书既到,以后由此间直接,不必公费神矣。托敬堂尤便。敬堂尚未接局信,然吾促之往,渠亦愿行也。今后日本板之书,请直寄汕头洋务局,可期速到,省我盼望。《新民报》一出板即寄汕,尤盼。香港恒茂所托人已他往,且多转折,故必迟迟。有要密函,照前函所开,寄港裕和泰转州在勤堂黄老爷(不必名)收,必到。

作书既至此,忽接八月初三日手书。所奉各函,以此为最速,殊惊喜也。闻哥伦比亚学校转延马鸣大师,极为欣慰,亟盼其成。此缄既甚长,不能再增益之,稍留俟异日再详复矣。

吾有一物能令公长叹、令公伤心、令公下泪,然又能令公移情、令公怡魂、令公释憾。此物非竹非木,非书非画,然而亦竹亦木,亦书亦画。于人鬼间抚之可以还魂,于仙佛间宝之可以出尘,再历数十年,可以得千万人之赞赏,可以博千万金之价值。仆于近日,既用巨灵擘山之力,具孟子超海之能,歌《楚辞》送神之曲,缄縢什袭,设帐祖饯,复张长帆,碾疾轮,遣巨舶,载之以行矣! 公之见此,其在九月、十月之交乎?

迩来遵体安否? 如何? 阿龙必日益长大矣。惟珍重自爱,千万千万!

　　　　　　　　　　　　　布袋和南　中秋后七日

纸尚未尽,非吾辈作书通例。搁笔吸淡巴菰数口,忽念及演义,报得一题曰“饮冰室草《自由书》,烧炭党结秘密会”。公谓佳否? 具此本领,足以作《小说报》、读《小说报》否?

　　　　　　　　　　　　　据中国国家图书馆藏《黄公度先生手札》

---

① 　吴天任《清黄公度先生遵宪年谱》节录至此,自“广智初次寄既到”起下文无。

致梁启超函[*]

（光绪二十八年八月　1902 年 9 月）

《国学报》纲目，体大思精，诚非率尔遽能操觚。仆以为当以此作一《国学史》，公谓何如？公言马鸣与公及仆足分任此事，此期许过当之言，诚不敢当。然遂谓无一[①]编足任分撰之役者，亦推诿之语，非仆所敢出之。公谓养成国民，当以保国粹为主义，当取旧学磨洗而光大之。至哉斯言！恃此足以立国矣。虽然，持中国与日本校，规模稍有不同。日本无日本学，中古之慕隋唐，举国趋而东；近世之拜欧美，举国又趋而西。当其东奔西逐，神影并驰，如醉如梦。及立足稍稳，乃自觉己身在亡何有之乡，于是乎国粹之说起。若中国旧习，病在尊大，病在固蔽，非病在不能保守也。今且大开门户，容纳新学，俟新学盛行，以中国固有之学，互相比校，互相竞争，而旧学之真精神乃愈出，真道理乃益明，届时而发挥之，彼新学者或弃或取，或招或距，或调和，或并行，固在我不在人也。国力之弱，至于此极，吾非不虑他人之挽而夺之也。吾有所恃，恃四千年之历史，恃四百兆人之语言风俗，恃一圣人及十数明达之学识也。公之所志，略迟数年再为之，未为不可。此大事，后再往复，粗述所见，乞公教之。

吾所谓不喜旧学，范围太广，公纠正之，是也。实则所指者，为道咸以来二三巨子所称考据之学、义理之学、词章之学耳。六月中复公书中，有时中孔子，固欲取旧学而光大之也。公倘以此段刊入论学笺中，且将演孔字藏起；所论忠孝，乃犯天下之大不韪，亦暂秘之。凡书中有伤时过激语，亦乞随意删润。盖其中多对公语，非对普天下人语。且向来作函，随手缮写，未尝起草，故其文亦多粗率，公自改之，勿贻公羞。屡易名最妙。

近方拟《演孔》一书，书凡十六篇，约万数千言，其包涵甚广，未遂成书者，因其中有见之未真、审之未确者，尚待考求耳。今年倘能脱稿，必先驰乞公教，再布于世。

公所著《黄梨洲》[②]，仅见于扪虱之谭，然已略得大概。吾意书中于二千年

　＊《新民丛报》第二十号(光绪二十八年十月十五日)节载此函，署名"法时尚任斋主人"。《梁任公先生年谱长编初稿》此函系于是年八月，所标时间据此。

　①《新民丛报》第二十号"饮冰室师友论学笺"自"何有之乡"起至下"乞公教之"节略。

　②《新民丛报》又从"公所著《黄梨洲》"起至下"公见之否"止摘刊。

来寡人专制政体,至于有明一代,其弊达于极点,必率意极思,尽发其覆,乃能达梨洲未言之隐、无穷之痛。梨洲之《原君》,固由其卓绝过人之识,然亦由遭遇世变,奇冤深愤,迫而出此也。每读其书,未尝不念环祭狱门锥刺狱卒时也。明中叶后,有一李贽者,所著之书,官书目中,谓其人可杀,其书可焚,其板可毁,特列存目中以示戒。谅其论政必多大逆不道之语,论学必多非圣无法之言。公见之否? 旧学中能精格致学者,推沈梦溪,声、光、化、电、力、气无一不有。其使辽时,私以蜡以泥模塑地图,即人里鸟里之说,亦其所创也。前有《梦溪笔谈》一书存尊处,今必乌有矣。然此书尚可购觅,日本应亦有之。他日必有人表而出之。康熙间有刘献廷,亦颇通各科学。然寻其所言,当由西教士而来,不过讳言所自耳。非如梦溪之创见特识,无所凭藉,自抒心得也。

留学生事,吾意两国交涉,有同文、兴亚会诸君子调停其间,必有转圜。若彼国竟蔑弃之,则苍苍者有意倾我黄种矣。殆不然也。至于大龟果否曳尾而去,究未敢卜也。言至此,为学生惜,为国事痛,又重自伤悼矣①!

据中国国家图书馆藏《黄公度先生手札》

致严复函

(光绪二十八年秋　1902 年秋)

别五年矣! 戊戌之冬,曾奉惠书并《天演论》一卷。正当病归故庐,息交绝游之时,海内知己,均未有一字询问,益以契阔。嗣闻公在申江,因大著作而得一好姻缘,辄作诗奉怀,然未审其事之信否也。诗云:"一卷生花《天演论》,因缘巧作续弦胶;绛纱坐帐谈名理,似倩麻姑背痒搔。"团拳难作,深为公隐忧。及闻公脱险南下,且欣且慰,然又未知踪迹之所在,末由致候起居,怀怅而已②。

《天演论》供养案头,今三年矣。本年五月获读《原富》,近日又得读《名学》,隽永渊雅,疑出北魏人手。于古人书求其可以比拟者,略如王仲任之《论衡》,而精深博则远胜之。此书不足观,然汉以前辨学而能成家者,只此一书耳。又如陆宣公之奏议,以体貌论,全不相似,然切理餍心,则略同也。而切实尚有过之也。《新民丛

---

①　以下手稿残缺。
②　以上文字钱仲联编辑《人境庐杂文钞》无。

报》以为文笔太高,非多读古书之人,殆难索解,公又以为不然。弟妄参末议,以谓《名学》一书,苟欲以通俗之文,阐正名之义,诚不足以发挥其蕴。其审文度义,句斟字酌,盖非以艰深文之也,势不得不然也。观于李之藻所译之名理,索解更难,然后知译者之废尽苦心矣。至于《原富》之篇,或者以流畅锐达之笔为之,能使人人同喻,亦未可定。此则弟居于局外中立,未敢于二说者遽分左右祖矣。公谓正名定义,非亲治其学,通彻首尾,其甘苦末由共知,此真得失心知之言也。

公又谓每译一名,当求一深浅广狭之相副者,其陈义甚高。然弟窃谓悬此格以求,实恐求之不可得也。以四千馀岁以前创造之古文,所谓“六书”,又无衍声之变,孳生之法,即以书写中国中古以来之物之事之学,已不能敷用,况泰西各科学乎? 华文之用,出于假借者,十之八九,无通行之文,亦无一定之义,即如郑风之忌,齐诗之止,楚词之些,此因方言而异者也。墨子之才,荀子之案,随述作人而异者也。乃至人人共读如《论语》之仁,《中庸》之诚,皆无对待字,无并行字,与他书之仁与义并,诚与伪对者,其深浅广狭,已绝不相侔,况与之比较西文乎[①]?

今日已为二十世纪之世界矣,东西文明,两相接合,而译书一事,以通彼我之怀,阐新旧之学,实为要务。公于学界中又为第一流人物,一言而为天下法则,实众人之所归望者也。仆不自揣量,窃亦有所求于公:

第一为造新字,中国学士视此为古圣古贤专断独行之事,于武曌之撰文、孙休之命子,坐之非圣无法之罪。殊不知《仓颉》一篇,只三千馀文,至《集韵》、《广韵》多至四五万,其积世而增益,因事而制造者多矣。即如僧字塔字,词章家用之,如十三经内之字矣,而岂知其由沙门、桑门而作僧,由鹘图、窣堵而作塔,晋魏以前无此事也。次则假借;金人入梦,丈六化身,华文之所无也,则假“佛时仔肩”之佛而为佛。三位一体,上升天堂,华文之所无也,则假“视天如父”,“七日复苏”之义而为耶稣。此假借之法也。次则附会;塞之变为释,苾蒭之变为比丘,字本还音,无意义也,择其音之相近者而附会之。此附会之法也。次则诖语;单足以喻则单,单不足以喻则兼,故不得不用诖语。佛经中论德如慈悲,论学如因明,述事如唐捐,本系不相比附之字,今则沿习而用之,忘为强凑矣。次则还音;凡译意则遣词,译表则失里,又往往径用本文,如波罗密、般若之类。又次则两合。无一定洽合之音,如冒顿、墨特、阏氏、焉支,皆不合,则文与注兼举其音,俾就冒与墨、阏与焉之间两面夹出,而其音乃合。此为仆新获之义,无以名之,故名之曰两合。荀子有言:“命不喻而后期,期不喻而后说,说不喻然后辨。”吾以为欲命之而喻,诚莫如造新字,其假借诸法,皆荀子所谓曲期者

---

① “于古人书求其可以比拟者”至“况与之比较西文乎”,《人境庐杂文钞》无。

也。一切新撰之字、初定之名,于初见时,能包综其义,作为界说,系于小注,则人人共喻矣。

第二为变文体。一曰跳行,一曰括弧,一曰最数,一、二、三、四是也。一曰夹注,一曰倒装语,一曰自问自答,一曰附表附图。此皆公之所已知已能也。公以为文界无革命,弟以为无革命而有维新。如《四十二章经》,旧体也,自鸠摩罗什辈出,而内典别成文体,佛教益行矣。本朝之文书,元明以后之演义,皆旧体所无也,而人人遵用之而乐观之。文字一道,至于人人遵用之乐观之,足矣。凡仆所言,皆公所优为,但未知公肯降心以从、降格以求之否[①]?

　　　　　据吴天任编著《清黄公度先生遵宪年谱》;参校钱仲联编辑

《人境庐杂文钞》(载《文献》第八辑)

致梁启超函*

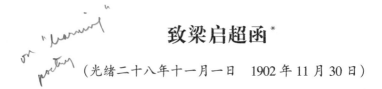

（光绪二十八年十一月一日　　1902 年 11 月 30 日）

公欲作曾文正传,索仆评其为人。仆以为国朝二百馀年,应推为第一流,即求之古人,若诸葛武侯,若陆敬舆,若司马温公,若王阳明,置之伯仲之间,亦无愧色,可谓名儒矣,可谓名臣矣。虽然,仆以为天生此人,实使之结从古迄今名儒、名臣之局者也。其学问能兼综考据、词章、义理三种之长。旧学界中卓然独立,古文为本朝第一。然此皆破碎陈腐、迂疏无用之学,于今日泰西之科学、之哲学未梦见也。郭筠老渐知此意。彼见日本坊肆所卖书目,惊骇叹诧,谓此皆《四库》目中所未有,曾贻一函,询日本学问勃兴之状何如。其功业比汉之皇甫嵩,唐之郭子仪、李光弼为尤盛。然彼视洪杨之徒,张总愚陈玉成之辈,犹僭窃盗贼,而忘其为赤子,为吾民也。仁宗之治川楚教匪也,诏曰:"自古只闻用兵于外国,未闻用兵于吾民。蔓延日久,多所杀戮。是兵是贼,均吾赤子。"故教匪不行献俘礼,不立太学纪功之碑。文正乃见不及也。此其所尽忠以报国者,在上则朝廷之命,在下则疆吏之职耳。于现在民族之强弱,将来世界之治乱,未一措意也。所学皆儒术,而善处功名之际,乃专用黄老,取已成之功而分其名于

---

　　① "凡仆所言"至"降格以求之否",《人境庐杂文钞》无。

　　* 《新民丛报》第二十四号(光绪二十八年十二月十五日出版)节载此件,题为《法时尚任斋主人复简》,署"壬寅十月"。今据函末所署"十一月朔日发",定为光绪二十八年十一月初一日(1902 年 11 月 30日)。

鄂督官文;遣百战之勇而授其权于淮军李鸿章,是皆人所难能。生平所尤兢兢者,党援之祸,种族之争,于穆腾额忘其名,不甚确。之参劾湘军也,呕引为己过;于曾忠襄之弹纠满人也,即逼使告退。今后世界文明大国,政党之争,愈争愈烈,愈益进步。为党魁者甘为退让,必无事能成矣。其外交政略,务以保守为义,尔时内乱丝棼,无暇御外,无足怪也。然欧美之政体,英法之学术,其所以富强之由,曾未考求。毋乃华夷中外之界未尽泯乎?甚至围攻金陵,专用地窨,而不愿购求轮船、巨炮。比外人之通商为行盐,以条约比盐引,谓当给人之求,令推行于内地各省,则尤为可笑者矣。一生笃志守旧,然有二事甚奇。以长江水师立功,而所作《水师诏忠祠记》,乃以为不变即无用,视彭刚直胜百倍矣。遣留学生百人于美国,期之于二十三十前归为国用。苟此公在今日,或亦注意变法者与,未可知也。然不能以未来之事概其生平也。凡吾所云云,原不可以责备三四十年前之人物。然窃以为史家之传其人,愿后来者之师其人耳。曾文正者,论其两庑之先贤牌位中,应增其木主,其他亦事事足敬,然事事皆不可师。而今而后,苟学其人,非特误国,且不得成名。文正之卒在同治末年,尔时三藩未亡,要地未割,无偿款,无国债,轨道、矿山、沿海线之权未授之他人。上有励精图治之名相,文祥。下多奉公守法之疆臣,固俨然一大帝国也。文正逝而大变矣。吾故曰:"天之生文正,所以结前此名臣、名儒之局者也。"佛言:"谤我者死,学我者死。"若文正者,不可谤又不可学者也,不亦奇乎?

作此段毕,自读一过,颇许为名论,知公之读之,共击节叹赏也必矣。继又念望公之意见,或者即与我同,亦未可知。本此意以作一传,可以期国势之进步,可以破乡俗之陋见,湘人尤甚,湘之士大夫尤甚。其价值决不在《李鸿章》一传之下也①。

公所述狄梁公之言,其意则是,而时固未可,吾不能为梁公也。自吾少时,绝无求富贵之心,而颇有树勋名之念。游东西洋十年,归以告诗五曰:"已矣!吾所学屠龙之技,无所可用也。"盖其志在变法、在民权,谓非宰相不可,为宰相又必乘时之会,得君之专,而后可也。既而游欧洲,历南洋,又四五年归,见当道者之顽固如此,吾民之聋聩如此,又欲以先知先觉为己任,藉报纸以启发之,以拯救之。而伯严苦劝之作官,既而幸识公,则驰告伯严曰:"吾所谓以言救世

---

① 《新民丛报》摘载至此,自"公所述狄梁公之言"以下不录。

之责,今悉卸其肩于某君矣!"然自顾官卑职陋,又欲凭借政府一二人,或南北洋大臣以发摅之,又苦无其人。而吴季清又谓:"与其假借他人之权,不如自入政府,自膺疆吏之为愈。"吾笑谢之。及戊戌新政,新机大动,吾又膺非常之知,遂欲捐其躯以报国矣! 自是以来,愈益挫折,愈益艰危,而吾志乃益坚。盖蒿目时艰,横揽人材,有无佛称尊之想,益有舍我其谁之叹! 公读至此,必骇诧曰:不意此我老乃发此言。然公之所见急于求退者,乃旧日之我。盖尔时所怀抱,一则无所凭借;二则国势之艰危未至此极;三则未知人材之消耗如此其甚也。今且问公,仆作是语,公有以易之否?

数年闭门读书以广智,习劳以养生。早夜奋励,务养无畏之精神,求舍生之学术,一有机会,投袂起矣! 尽吾力为之,成败利钝不计也。虽然,吾仰视天俯画地,仍守以待之而已。求而得之,是吾丧我,吾不为也。苟终无可为之时,是天厌之,吾亦不受咎也。吾之不欲明与公等往来者,以为使公等头颅无可评之价,盗贼无可指之名。昭雪褒示,或者终在吾手,故姑且濡忍以待时。虽然,弃而不可留者,年也;流而不知所届者,时势也。再阅数年,加富尔变而为玛志尼,吾亦不敢知也。公忍待之。

鼓勇同行之歌,公以为妙。今将廿四篇概以抄呈。如上篇之敢战,中篇之死战,下篇之旋张我权,吾亦自谓绝妙也。此新体,择韵难,选声难,着色难。日本所谓新体诗何如? 吾意其于旧和歌,更易其词理耳,未必创调也。便以复我。虽然,愿公等之拓充之、光大之也。诗由《军国民篇》来,转以示奋翮生。

小说中之杂歌谣,公征取之至再至三,吾何忍固拒? 此体以嬉笑怒骂为宜,然此四字乃非我所长,试为之,手滑又虑伤品,故不欲为。《军歌》以外有《幼稚园上学歌》十首、《五禽言》五章,庚子五月为杜鹃也。即当录寄,渐可敷衍,馀且听下回分解矣。

征诗必有佳作,吾代征之仓海君,即忻然诺我,闻已有《新乐府》二三十寄去。事征之十年以来,体略仿十七字诗云,收到否? 此公又以《汨罗沉》四篇附寄,乞察存。

戊己庚辛汇抄近体诗凡八九十首,并附以跋,以《清议报》之时代之体裁最相宜也。分卷与否,听编者自主,不必拘也。诗藏箧中,不肯示人。然既已矢诸口,形诸歌咏矣。即以诗论,吾谓杜、李玉溪、苏、陆足并驾齐驱。然恐公读之,又诧为近体所未有也。技痒难熬,故难终秘。虽然,此诗布于世,于世界诗界或不无小补。使人知为仆诗,则于仆有妨碍也。愿公深讳其名。讳之之法,于诗勿置一词，但云不知何许人，于同居至好中亦秘之，庶几可也。三年以前，君平草报，有"赫赫宗周，褒姒灭之，几丧其元，霍子孟云"，使我至今心悸。

公欲将浏阳砚之拓本征诗，此砚之赠者、受者、铭者，会合之奇，遭遇之艰，乃古所未有，吾谓将来有千金万金之价值者此也。公之它之名偶一用之，而用之于此者，因取友必端之语也。既已补铭而刊刻之矣，若于搨本中讳此三字，使世人妄相推测，转为不宜。公之自序，但云由武昌或京师不知为何如人寄来，殆古之伤心人也。再过二三年乃实征之，更有味也。张君处已达意，渠感喜至极，是乃吾甥，砚非其手藏，补铭乃其手刻耳。

重伯昔誉吾书，谓"当世足与抗行者，惟任老耳，张廉卿、李仲约不足道也。"吾告以平生未尝习书，坚不肯信。既论知其语实，乃叹曰："唐以下无此笔法。沛公殆天授，非人力也。"天下嗜痂之癖有如此者，吾不敢述以告人云，今又证明之，益使我颜汗矣！公书高秀渊雅，吾所最爱。《人境庐诗》有一序，公所自书，平生所宝墨妙，以此为最。

每作公书，则下笔飒飒有声，滔滔汩汩，无少休歇。然作他人之书，万万不能尔意者。公之精魂相感召，即有足跳、手擎、奇丑之物来襄助我耶！公以寄我书为纵欲之具，吾亦觉吾所大欲节之太苦，忽发一大愿，每日作公书四千言，以一月为期，袭《左传》铸刑书之月、之名，书于日记，曰寄任书之月。此十万言出于吾手，入于公目，何乐如之！此事不必有，然此愿不可无也。

将搁笔矣，忽念及一解颐语。伯严近有书，语及公，称为"输入文明第一祖"。又云："君平尝语人云：'某公理想、学识为吾所不及。惟吾所著述，较有娘家耳。'今此公亦有娘家矣！君平又作何语耶？"仆复之曰："诚然。然将来产育宁馨儿，将似舅耶，抑绳祖耶？刻犹未敢知也。"吾前函君平论译事，请其造新字、变文体。后得一信片云："来书妙义环生，所以相期者甚厚，岂固欲相发乎？复书不宜草草，然又不能不需时"云云。今三月矣，公倘有函，语之曰有人见此明信，今复之否？若得其允诺，将二书抄示，亦近日学界中一大观也。

尚有一事奉托者，明春来日本留学者，一为小儿，十五岁，汉文有文气矣。一小孙，年十岁，仅识字。当令大小儿携之来，饮食起居有人照料，但乞公为谋一学堂，以何为宜耳。一堂弟，年二十三四，颇开通，但其意欲兼谋可供旅费之一席。仲雍则往东往西未定也。公得此函，为我一商，先以复我。公往美后，到横滨当觅何人，并乞订定。馀容续布。即叩道安。

尊夫人及阿龙并候。

布袋和南　十一月朔日发

据中国国家图书馆藏《黄公度先生手札》

致丘菽园函[*]

（光绪二十八年十一月一日　1902 年 11 月 30 日）

菽园仁兄大人左右：

　　二月中由甫弟由坡归，赍到集《千字文》大著三篇，惭感交集。久欲依韵奉和，而今年以来，时患寒喘，心绪恶劣，往往伸纸而又阁笔，忽忽遂半年矣，如诗竟不成，既虑执事有束之高阁之责，又恐寄书人有付之浮沉之疑，重滋罪戾，益抱不安。

　　迩来道体何似？时有所著述否？前由兰史徵君递到《五百石洞天挥尘》，谨拜登熟读矣。拾遗续卷，想日以增加。弟之以著述自娱，亦无聊之极。思少日喜为诗，谬有别创诗界之论。然才力薄弱，终不克自践其言。譬之西半球新国，弟不过独立风雪中清教徒之一人耳。若华盛顿、哲非逊、富兰克林，不能不属望于诸君子也。诗虽小道，然欧洲诗人，出其鼓吹文明之笔，竟有左右世界之力。仆老且病，无能为役矣，执事其有意乎？

　　时事日亟，一部十七史从何处说起？不言之隐，公鉴之^①，当益哀矣。

　　张亦权茂才，弟之外甥，彦高先生之曾孙也，顷有南岛之行，因便草布数行，到日趋谒，进而教之，可以悉仆之近况也。手叩

道安不宣

弟遵宪顿首　十一月朔

据钱仲联辑《人境庐杂文钞》，《文献》第八辑

---

　　*　《文献》第八辑钱仲联辑《人境庐杂文钞》（下）该函题注"光绪壬寅"，即光绪二十八年十一月初一（1902 年 11 月 30 日）。

　　①　"鉴之"，当为"鉴之谅之"。

致梁启超函[*]

（光绪二十八年十一月十一日　1902年12月10日）

饮冰主人惠鉴：

上月廿八日作函甫千馀言，得公箱根两书，当即作复，于月朔发，并附抄戊己、庚辛诗八九十首，想邀览矣。日来复缮前函，书不过六千馀言，计费小时十一时之久，间以他事，二日乃卒业。而公日草稿万言，何其敏速惊人如此。记长沙时，一夕由义宁座中偕归，既丙夜矣，凌晨披衣起，公遣人以上义宁书见示，凡万馀言，七小时耳。人之度量相越不可以道里计，固如此哉！

昨初七日，又得箱根第三书。十日之间贻书者三，仆之感喜何如矣。此种不长不短之函，不十分累公，我得之增十分喜慰，感谢何已！

菊花砚近必收到矣。仆前言将"公之它"三字一一搨出，但云不知为何许人。今公意欲将三字藏过，仆复视字在纸末，藏过亦无跡，未审近已搨出否？仆必作一歌，但不能立限，须俟兴到时为之耳。吾意既表于铭中也。顷已将搨本示沧海君。渠甚高兴。此君诗真天下健者，渠自负曰："二十世纪中必有刻黄邱合稿者。"又曰："十年之后，与公代兴。"论其才调，可达此境，应不诬也。吾集中固有与公交涉之诗，丙申四月有赠诗六首，似曾录以示公，或是时公意不属，忘之矣。己亥有《怀人诗》一首，容再录上之。前寄《聂将军歌》，其中塗乙之字，欲以空格代之。明晨太后诏懿旨六七行。吾之五古诗，自谓凌跨千古；若七古诗，不过比白香山、吴梅村略高一筹，犹未出杜、韩范围。公所见既多，异日再下一评语，极乐闻之。《幼稚园上学歌》以呈鉴，或可供《小说报》一回之材料也。所谓恩物者尚未叙入，因孩儿口中难达此情状耳，后再改补。

《新小说报》初八日已见之，仅二旬馀得报，以此为最速，缘汕头之洋务局中每有专人飞递故也。果然大佳，其感人处竟越《新民报》而上之矣。仆所最赏者，为公之《关系群治论》及《世界末日记》。读至"爱之花尚开"一语，如闻海上琴声，叹先生之移我情也。《新中国未来记》表明政见，与我同者十之六七，他日再细评之，与公往

---

[*] 此件未署年份。函中说及《新小说报》刊载梁启超的《新中国未来记》小说，事在光绪二十八年，此函当写于是年十一月十一日（1902年12月10日）。

复。此卷所短者，小说中之神采、必以透切为佳。之趣味耳。必以曲折为佳。俟陆续见书，乃能言之，刻未能妄测也。仆意小说所以难作者，非举今日社会中所有情态一一饱尝烂熟出于纸上，而又将方言谚语一一驱遣，无不如意，未足以称绝妙之文。前者须富阅历，后者须积材料。阅历不能袭而取之，若材料则分属一人。将《水浒》、《石头记》、《醒世因缘》以及泰西小说，至于通行俗谚，所有譬喻语、形容语、解颐语，分别钞出，以供驱使，亦一法也。公谓何如？《东欧女豪杰》，笔墨极为优胜，于体裁最合。总之，努力为之，空前绝拘之评，必受之无愧色。

《新罗马传奇》又得读"铸党"、"纬忧"二出，乐极乐极。公不草此稿，吾不忍请人督责，公肯出此稿，吾当率普天下才人感谢公。

公往泰东，何时首塗？每念及此，若与公作远别者，殊可笑也。所谓生计上基础是某会所纠资否？公所询支那，支那当以五十万元作根据，多多则益善也。厂应在芜湖，因转运便，所用之白泥，又去芜湖近而去九江远也。前寄雏形数件，公收到否？胜此任者，意中尚无其人。此外以支木作圆台及各式几，以摹本假蒙坐几，作窗帘、作内车帷，内假尤佳。以象牙作一切妇女儿童玩具。总而言之，则以华人美丽之物，仿西人通行之式，以上等手工制造之耳。于粤人尤宜。公今新到地为吾旧游地，今近二十年矣。各工人犹能识吾名，其上等之豪商老店，兼能述吾政事。一领事无权之官，仆在任四年，自问无一事如吾意者，而吾民乃讴思若此。仆从前答复铁香先生函曰："观此知循吏亦大易为。"因念中国之民正如失母断乳之婴儿，有人噢咻之、哺字之，不论何食，即啼声止而笑颜开矣。吾所经历如美之领事官，湘之保卫局，其感戴皆出吾意外也。可怜可哀，搁笔三叹！

留学生事，每念之心伤。监督必代公使任，其有无，无关系，彼国举动如此，使人增长自立心，无如今日孩童国，不能不依赖人耳。曲徇政府，不如优待学生。与其缴一时之利，不如计将来大益，图全局幸福。公何不作一文以儆醒之？此刻为学生计，仍以东游为便。吾一幼儿年十五岁，能通汉文矣，一小孙年十岁，上学已五六年，既识字，亦略通文义。公为我筹画入何校为便。吾令小儿率之来，其饮食起居有人照料，公但为我择地择师耳。又有一弟进学矣，颇开通，意欲游学而兼一可省旅费之馆。小儿失学，年长而不中用，使之东游，欲以游历拓其学识耳。公速复我。东行后问何人，并指示之。惟自爱。不宣。

十一月十一日　布袋和南

据中国国家图书馆藏《黄公度先生手札》

致梁启超函[*]

（光绪二十八年十一月　1902年12月）

　　今日乃洒泪雪涕为公言一事，即保卫局之事也。自吾随使东西，略窥各国政学之要，以为国之文野，必以民之智愚为程度。苟欲张国力、伸国权，非民族之强，则皮之不存毛将焉傅？国何以自立？苟欲保民生、厚民气，非地方自治，则秦人视越人之肥瘠，漠不相关，民何由而强？早夜以思府县会会议，其先务之亟矣。既而又思，今之地方官受之于大吏，大吏又受之于政府，其心思耳目，惟高爵权要者之言是听。即开府县会，即会员皆贤，昌言正论，至于舌敝唇焦，而彼辈充耳如不闻，又如何？则又爽然自失，以为府县会亦空言无益。既而念警察一局，为万政万事根本。诚使官民合力，听民之筹费，许民之襄办，则地方自治之规模隐寓于其中，而民智从此而开，民权亦从此而伸。此管子作内政、寄军令之意也。怀此有年而未能达，入湘以后，私以官绅合办之说告之义宁，幸而获允，则大喜。开局以来，舆论翕然无异辞，则又大喜，谓此后可以扩充如吾之所大欲矣！乃不幸而政变遂作，虽以成效大著，群情悦服之故，鄂督入告之言云尔。不能昧良心而废众论，此局岿然独存，然既已名存而实亡矣！

　　团拳乱起，乘舆播迁，警察之说盛行于国中。近日奉旨，饬各省照袁世凯所奏，不准不办，岂非幸事。以经济家所许为要需，政治学所认为公益，以及中外商民，同心希望之善政，似宜大用大效，小用小效矣。而湖北一局啧有烦言，乃至京僚联名会请裁撤，则又何故？盖警察者，治民之最有实力者也。苟无保民之意贯注于其中，则以百数十辈，啸聚成群之虎狼，助民贼之威，纵民贼之欲。苛政之猛，必且躯天下于大乱。仆以为警察善政不归于乡官区长之手，而归于行政官，此亦泰西文明美犹有憾之证也。仆以为以民卫民，以民保民，此局昉之于中国，他日大同之盛，太平之治，必且推行于东西各国也。而今之中国遂无望矣。悲夫！悲夫！仆怀此意，未对人言。无端为复生窥破，仆为之一惊，恐此说明而挠阻之者多耳。今密以告公，然仍望公勿布之于世。一息尚存，万一犹得，藉乎以报我国民亦未可定。

---

　　*　此件《梁任公先生年谱长编初稿》及钱仲联《黄公度先生年谱》均系于光绪二十八年十一月（1902年12月）。今据《新民丛报》第二十四号节载此函，题为《水苍雁红馆主人来简》，注时间为"壬寅十一月"，与上系时间一致。

苟不幸,事终不成。仆遂赍志殁,愿公作一传,详述此意以告天下,或者东西大国采而行之,仆虽死亦必瞑目矣。仆告义宁父子曰:"今者时势,即将古今名臣传、循吏传中之善政一一举办,亦无补于民,无补于国。"伯严愕然问故,仆徐告之曰:"今之督抚,易一人则尽取前政而废之,三十年来所谓新法,比比然矣。必官民合办,费筹之于民,权分之于民,民食其利、任其责,不依赖于官局,乃可不撤,此内政也。万一此地割隶于人,民气团结,或犹可支持。即不幸,力不能拒,吾民之自治略有体制,扰攘之时祸患较少,民之奴隶于人者,或不至久困重儓,阶级亦较易升。譬之为家长者,令子若孙,衣食婚嫁之资,一一仰给于父兄,力又不能给,不如子若孙之能自成立明矣。"议遂定,然仆于此寓民权,终未明言也。此段上三纸勿刊布为恳①。

　　自尧舜以来逮于今日,生长于吾国之民,咸以受治于人为独一无二之主义。其对于政府不知有权利,实由对于人群不知有义务也。以绝无政治思想之民,分之以权,授之以政,非特不能受,或且造邪说而肆谤诬,出死力以相抗拒。以如此至愚极陋之民,欲望其作新民,以新吾国,其可得乎?合群之道,始以独立,继以群治,其中有公德,《新民说》《公德篇》云:"吾辈生于此群之今日,当发明一种新道德,求所以固吾群、善吾群、进吾群之道,未可以前王先哲所罕言,遂自画而不敢进也。"至哉言乎!有实力,有善法,前王先圣所以谆谆教人者,于一人一身自修之道尽矣,于群学尚阙,然其未备也。吾考中国合群之法,惟族制稍有规模,古所谓"宗以族得民"是也。然仁至而义未尽,思谊明而法制少,且今日无论何乡何村,其聚族而居者并不止一族,讲画太明,必又树党相争,其流弊极于闽、粤械斗而犹未已。故族制之法,施之今日,殊不切于用。吾又尝思之,中西风俗同异者多,将来保吾国粹以拒彼教者,必在敬祖宗一事。今姑不具论,附识于此。其他有所谓同乡者、同寮者、同年者,更有所谓相连之姻戚;通谱之弟兄者,大抵势利之场,酬酢之会,以此通人情而已,卑卑无足道也。其稍有意识者为商会、即某某会馆,潮州人最有规模,会馆馆长颇近于领事。为业联,吾粤省最多,如玉工、缝工、纸花工之类,近颇有力,有欧洲工党举动。然亦不足自立。其合群之最有力量,一唱而十和,小试而辄效者,莫如会党。自张陵创立五斗米教以来,竟以黄巾扰破季汉。其后如宋之方腊,明之徐鸿儒,近日之洪秀全,皆愚妄无识之徒,而振臂一呼,云合响应,其贻害遍天下,其流毒至数世而犹未已。彼果操何术以致此哉?其名义在平等,其主义在利益均分、忧患相救而已。法可谓良,而挟之仅以作贼,则殊可痛也!吾以为讲求合群之道,当有族制相维相系之情,会党相友相助之法,再参以西人群学以及伦理学之公

---

　　①　自函首至此,《新民丛报》第二十四号不载,从下文"自尧舜以来"始载。

理,生计学之两利,政治学之自治,使群治明而民智开、民气昌,然后可进以民权之说。仆愿公于此二三年之《新民报》中,巽语忠言,婉譬曲喻。三年之后,吾民脑筋必为一变,人人能独立、能自治、能群治,导之使行,效可计日待矣。即日未能人人知独立、知自治、知群治,授之以权而能受,授之以政而能达,亦庶几可以有为。至于议院之开设,仆仍袭用加藤弘之之说,以为今日尚早,今日尚早也!

公之所唱民权、自由之说皆是也。公言中国政体,征之前此之历史,考之今日之程度,必以英吉利为师,是我辈所见略同矣。风会所趋,时势所激,其鼓荡推移之力,再历十数年、百馀年,或且胥天下而变民主,或且合天下而戴一共主,皆未可知。然而中国之进步,必先以民族主义,继以立宪政体,可断言也。

公所草《新民说》,若权利,若自由,若自尊,若自治,若进步,若合群,皆腹中之所欲言、舌底笔下之所不能言。其精思伟论,吾敢宣布于众曰:贾、董无此识,韩、苏无此文也。然读至冒险、进取、破坏主义,窃以为中国之民不可无此理想,然未可见诸行事也。二百馀年,政略以防弊为主,学术以无用为尚。有明中叶以后,直臣之死谏诤,党人之议朝政,最为盛事。逮于国初,馀风未沫,矫其弊者,极力划削,渐次销除,间有二三骨鲠强项之臣,必再三磨折,其今夕前席、明夕下狱,今日西市、明日南面者,踵趾相接,务催抑其可杀不可辱之气,束缚之,驰骤之,鞭笞之,执乾纲独断之说,俾一切士夫习为奴隶而后心安。其文字之祸,诽谤之禁,穷古所未有。由是愚懦成风,以明哲保身为要,以无事自扰为戒,父兄之教子弟,师长之训后进,兢兢然伸明此意,浸淫于民心者至深。故上至士夫、长吏、官幕、军人,乃至吏胥、走卒、市侩、方技、盗贼、偷窃,其才调意识,见于汉唐历史、宋明小说者,今乃荡然乌有。总而言之,胥天下皆懵懵无知、碌碌无能之辈而已。以如此无权利思想、无政治思想、无国家思想之民,而率之以冒险进取,耸之以破坏主义,譬之八九岁幼童授以利刃,其不至引刀自戕者几希!

公又以为英国查理士第一国会之争,法国路易弟十六革命之祸终不能免。非不知此事之惨酷,而欲以一时之苦痛,易千万年之和平。吾之以民权、自由之说鼓荡末学,非欲以快口舌。吾每一念及,鼻酸胆战,吾含泪而道也。嗟夫!至矣哉仁人之言。吾诵公言,亦为之鼻酸胆战也。虽然,欧洲中古以来,其政治之酷,压制之力,极天下古今之所未见。赋敛之重,刑罚之毒,不待言矣。动辄设制立限,某政某事为某种人不应为,某权利为某种人不应享。至于宗教之争,社会之禁,往往株连瓜蔓,死于缧绁,死于囹圄,死于焚戮者,盈千累万,数至不可胜计。校之中国,惟兴王之待胜朝,霸者之戮功臣,奸雄之锄异己,叔季之兴党狱,间有此祸,他无有也?教化大行,民智已开。固压力愈甚,专制力愈甚,其反动力亦愈甚。彼其卢骚《民约》之论入于脑中,深根固蒂,不可拔矣。一旦乘时之会,遂如列风猛雨、惊雷怒涛之奋激迅疾,其立海水而垂天云,固其宜也。

吾不敢谓中国压制之不力,然特别之事恒有之,普通之力不如此其甚。吾非不知中国专制之害,然专制政体之完美巧妙,诚如公语。苟时非今日,地无他国、无立宪共和之比校,乃至专制之名习而安之亦淡焉。忘今以中国麻木不仁、痛痒不知之世界,其风俗之敝,政体之坏,学说之陋,积渐之久,至于三四千年,绝不知民义、民权之为何物。无论何事,皆低首下心,忍而不辞;虽十卢骚、百卢骚、千万卢骚至口瘏手疲,亦断不能立之立、导之行也。日本之开国会也,享其利而未受其害,东人以为幸事。然吾考其原因,将军主政六七百年,及德川氏之季,诸藩联合,以尊王讨幕为名,王室尊矣,幕府覆矣,而一切大政,仍出于二三阀阅之手。于是,浮浪之士,失职之徒,乘间抵隙,本万机决于公论之誓,以法国主义为民倡,深识远虑者从而和之,当局者无说以易此,迁延展转,国会终不得不开。其事之成也,有相因而至之机会也。然其得免于祸也,亦足见断头之台,长期之会,非必不能免之,阶级不可逃之天蘖也。

二十世纪之中国,必改而为立宪政体。今日有识之士,敢断然决之,无疑义也。虽然,或以渐进,或以急进,或授之自上,或争之自民,何塗之从而达此目的,则吾不敢知也。吾辈今日报国之义务,或尊主权以导民权,或唱民权以争官权,一致而百虑,殊途而同归,迹若相非,而事未尝不相成。嗟夫!吾读公"以乙为鹄,指甲趋乙"之函,吾读公"不习则骇,变骇成习"之说,有以窥公之心矣。以公往往过信吾言,怀此半年未与公往复者,虑或阻公之锐气,损公之高论也。而今日又进一言者,以无智不学之民,愿公教导之、诱掖之、劝勉之,以底于成,不愿公以非常可骇之义,破腐儒之胆汁,授民贼以口实也。公之目的固与我同,可无待多言,愿公纵笔放论时,少加之意而已。天祚中国,或六五年,或四三年,民智渐开,民气渐昌,民力渐壮,以吾君之明,得贤相良佐为之辅弼,因势而利导之,分民以权,授民以事,以养成地方自治之精神。征论英法,即日本二十年来政党相争之情①。况吾亦乌有焉,真天下万国绝无仅有之事也。

踔厉奋发,忧勤兢惕,以冀同心协力,联合大力,以抗拒外敌。即向来官民之界,种族之界,久存于吾人心目间者,尚当消畛域,泯成见,调和融合,以新民命而立国本。而反纷纷然为蛮触之争、鸡虫之斗,何其量之狭而谋之浅也。彼之横纵交错,布其势力范围于我之各行省、各属地、各外藩者,既俨然以地主人自命,其视吾政府犹奴隶,视吾民人犹奴隶之奴隶,有识之士所为痛心疾首者也。今不自因为奴隶之奴隶,又未能养成地主人之资格,学为地主人之本领,乃务与奴隶争彼,或者左袒奴隶,以攻击奴隶之奴隶,抑摧灭奴隶之奴隶而并驱奴隶,患不可胜言也。譬之一家舆台皂隶,日喧呶于左右者之侧,有不勃然大怒,挥而斥之乎? 有能默尔而息,置之不问者乎?

日本当明治二十七八年,政党互讧,上下交争,几酿大祸。及与我开战,乃并力一向,忽变阋墙而为御外。初不愿过取之民,舌剑唇枪,两肆攻击。马关会议,反责成国民力筹二万万银元,以充战费,众无异辞。诚知今日大势,在外患不在内忧也。今五大洲之环而伺我者,协而攻我者,不独日本日夜伺吾隙,以徼吾利。而爱国之士反唱革命分治之说,授之隙而予之柄,计亦左矣。今之二三当道,嚣嚣然以识时务自命者,绝不知为国民,由国民之为何义,天赋人权之为何物,民约之为何语,谬以为唱民权必废君主,唱民权必改民主。积其科名官职,富贵门第,腐败不堪之想,一意恢张官权,裁抑民权,举一切政事,沟而画之,别而白之曰:此官之权,于民无与也。果若人倘若不幸,彼政府诸公顽固如故,守此不变,勒固不予;而民智既开,民力既壮,或争之而后得,或夺之而后得,民气日张,民权亦必日伸。以物竞天择、优胜劣败之理,推之其变态,吾不知其结果,吾敢断言也。公以播此理想,图报效于国民,冀以其说为消弭祸患之良药。仆以为由此理想而得事实,祸患因而不作,此民之幸,即公之功也。又虑其说为制造祸患之毒药。仆以为民已有智,民既有力,而政府固勒之权,祸患末由而弭,此政府之责,非公之咎也。吾辈唯自尽国民一分子之义务而已。

若夫后生新进爱国之士有唱革命者、唱类族者、主分治者,公亦疑其非矣。

---

① 《新民丛报》第二十四号所载至此,以下不录。

吾姑无论理之是非、议之当否,然决其事之必幸无成也。西乡隆盛之起师也,斩竿木、荷耰锄而从者数万人,全国之民响应者十之二三,归向者十至七八。而以一少将扼守熊本,卒不能越雷池一步,展转而困毙,是何也? 政府有轮船、有铁轨、有枪炮,而彼皆无之也。故论今日政府之弱可谓极矣! 而以之防家贼、治内扰,犹绰有馀裕也。事无幸成,徒使百数十英豪、万数千良儒,血涂原野,骸积山谷,非吾之所忍闻,反诸爱国者之初心,亦必悔其策之愚拙、事之孟浪也。即幸而事成,而取一家之物,而又与一家;畏一路之哭,而别行一路。以今日之愚族,亦万不能遽跻于强台。以暴易暴,不知其非,吾恐扰攘争夺,未知其所底止也。且吾辈处此物竞天择至剧至烈之时,呕呕然图所以自存,所以自立者,固不在内患而在外攘。今日之时,今日之势,诚宜合君臣上下、华夷内外,此四字用古代名词。言势必所谓官者,绝不取之于民族,如上古封建之世卿,欧洲中叶之贵族,印度四种之刹帝利而后可。果若人言,又必今日为民听其愚昧,明日入官,即化为神圣而后可。果若人言,又必以二三千神圣之官,率此四百兆愚昧之民,驱之出生入死,安内排外,无所不能而后可。果使普天之下胥变为牛马世界、犬鸡世界、虫蚁世界也,彼其说可行也。若犹是人民世界也,吾知此蚩蚩无知之民,始居于无民之国,继变为无国之民,是不啻为渊驱鱼,为丛驱爵也,是直为天下列强之虎之伥、之鬼之魔也,是中华之罪人,是大清国之乱臣贼子也。虽然,今之新进后生、爱国之士,知彼辈之必误天下。恶彼辈之说,矫彼辈之论,铤而走险,急何能择? 乃唱为革命、类族分治诸说,其志可哀,其事可悲。然以今日之民,操此术也以往,吾恐唱革命者,变为石敬瑭之赂外,吴三桂之请兵也;唱类族者,不愿汉族、鲜卑族、蒙古族之杂居共治,转不免受治于条顿民族、斯拉夫民族、拉丁民族之下也;唱分治者,忽变为犹太之灭,波兰之分,印度、越南之受辖于人也。吾非不知时危事迫,无可迁延,持缓进之说者,将恐议论未定,而兵既渡河,揖让救火,而火既燎原。虽然,此壤劫、此厄运,由四五千年积压而来,由六七大国驱迫而成,实无可如何也。公以为由君权而民政,一度之破坏终不可免,与其迟发而祸大,不如速发而祸小。仆以为由蛮野而文明,世界之进步,必积渐而至,实不能躐等而进,一蹴而几也。吾不征往事,征之近日,神拳之神,义民之义,火教堂、戮教民、攻使馆之愚,其肇祸也如此;顺民之旗,都统之伞,通事之讹索,士夫之献媚,京师破城之歌舞,联军撤退之挽留,共遭难也如彼;和议告成,赔款贻累,而直隶之广宗,湖南之辰州,四川之成都、夔州,又相继而起,且蔓延于一省,其怙恶也复如此。以如此之民,能用之行革命、类族分治乎？每念中国二千年来专制政体,素主帝天无可逃、神圣不可犯之说,平生所最希望专欲尊主权,以导民权,以为其势校顺,其事稍易。戊戌新政,新机动矣,忽而变政,仍以为此推沮力寻常所有也。既而团拳祸作,六飞播迁,危急存亡,幸延一发,卒下决意变法、母子一心之诏,既而设政务处,改科举,兴学校,联翩下诏,私谓我辈目的庶几可达乎。今回銮将一年,所用之人、所治之事、所搜括之款、所娱乐之具、所敷衍之策,比前又甚焉！展转迁延,卒归于绝望,然后乃知变法之诏,第为辟祸全生,徒以之媚外人而骗吾民也。设有诘于我者,谓公之所志,尚能望政府死灰之复然乎？抑将坐视国家舟流而不知所届乎？仆亦无辞可答也。茫茫后路,耿耿寸衷,忍泪吞声,郁郁谁语！而何意公之《新民说》遂陈于吾前也,罄吾心之所欲言、吾口之所不能言,公尽取而发挥之。公试代仆设身处地,其惊喜为何如矣！已布之说,若公德、若自由、若自尊、若自治、若进步、若权利、若合群,既有以入吾民之脑,作吾民之气矣;未布之说,吾尚未知鼓舞奋发之何如也。此半年中,中国四五十家之报,无一非助公之舌战,拾公之牙慧者,乃至新译之名词,杜撰之语言,大吏之奏摺,试官之题目,亦剿袭而用之。精神吾不知,形式既大变矣;实事吾不知,议论既大变矣。嗟夫！我公努力,努力本爱国之心,绞爱国之脑,滴爱国之泪,洒爱国之血,掉爱国之舌,举西东文明大国国权、民权之说输入于中国,以为新民倡,以为中国光,此列祖列宗之所阴助,四万万人之所托命也。以公今日之学说、之政论布之于世,有所向前之能,有惟我独尊之概,其所以震惊一世,鼓动群伦者,力可谓雄,效可谓速矣。然正以此故,其责任更重,其关系乃更巨。举一国材智之心思、耳目专注于公,举足左右,便分轻重。彼之恢张官权,裁抑民权者,公驳击之、指斥之可也。听其自消自灭、自腐自朽、自溃自烂,亦无不可也。公所唱自由,或故为矫枉过直之。然使彼等唱自由者,拾其唾馀,如罗兰夫人所谓天下许多罪恶,假汝自由以行,大不可也。公所唱民权,或故示以加倍可骇之说。然使彼等唱民权者得所借口,如近世虚无党,以无君、无政府为归宿,大不可也。一言兴邦,一言丧邦,芒芒禹城,惟公是赖。求公加之意而已。

　　吾草此函,将敛笔矣。吾哀泪滂沱,栖集笔端。恍若汉唐宋明之往事,毕陈于吾前,举凡尽忠殉国、仗义兴师,无数之故鬼新鬼、亡魂毅魄,乃至亡国之君、亡国之君之妃后、亡国之君之宗族,呜呜而哭,一齐号咷,若曰:"吾辈何不幸,居于专制之国,遭此革命之祸也!"吾热血喷涌,洋溢纸上;又若英德日意之新政,毕陈于吾前,举凡上下议院、新开国会,无数之老者少者、含哺鼓腹,乃至吾国万岁、吾民万岁、吾君万岁之声,熙熙而来,一片升平,若曰:"吾辈何幸,而生于立宪之国,享此自治之福也!"吾亦不自知若何而感泣,忽辍笔而叹也;若何而蹈舞,遂投笔而起也。嗟夫!孰使我哀哀至于此? 吾憾公;孰使我喜喜至于此? 吾又德公。书不尽言,吾复何言?

新民师函丈

　　老少年国之老少年百拜!

　　列国横纵六七帝,斯文兴废五千年。黄人捧空撑空起,要放光明照大千。

　　青者皇穹黑劫灰,上忧天堕下山积。三千六百钓鳌客,先看任公出手来。

　　此丙申四月赠公诗六首之二。此纸未尽,仿《新民报》例,附识于末。

据中国国家图书馆藏《黄公度先生手札》

致黄伯权函[*]

(光绪三十年三月二十五日　1904 年 5 月 10 日)

通侯阅悉:

　　昨得汝函,知已考得游学正取,举家忻喜,余尤为喜慰。余意以为,学校中多一吾家子弟,他日门间之大,乡里之荣,皆于是卜之。后起之秀,尤属望在汝,汝宜不负期望也。

　　汝询问将来专门之业何项为宜,汝所答云"俟普通学卒业再定"。此语甚是。余念学务中所询①,不过以此二项,看汝志趣何如耳。实则官费学生,以学政治学、法律学为便也。出洋在何时,派何国,能自主否? 汝习英文,可派往欧洲,但汝于普通小学未卒业,如往欧美,无学校可入,因年纪与学业程度不相合故也。西人普通小学大约八岁至十三四岁,汝今年二十,故不便也。能往东洋,学伴较多,又可兼汉文、和文,余以为往日本最好,但不知能自主否耳?

---

　　* 该函写作年份据郑海麟考订为光绪三十年(1904 年)。

　　① 底本原文如此。

汝家均安好。余病近日有起色,然复元则尚需时也。

出门起居,汝自检点。手此,为君道喜。

公度手书　三月二十五日

据郑海麟、黄延康编著《黄伯权传》(1999 年 5 月自印),录自
嘉应学院黄遵宪研究所选编《黄遵宪研究资料选编》(香港
天马图书有限公司 2002 年 5 月版)

致黄遵楷函

(光绪三十年四月二十日、二十八日　1904 年 6 月 3 日、11 日)

五弟① 如晤:

今日甫能执笔作弟复函,深自愧恨。然今日犹能执笔述吾近况,又窃自欣幸。兄自前岁在汕得寒喘疾,时作时止,去年七八月,渐觉增剧,加意调理,入冬以后,竟尔安好,以为复元矣。开春以后,旧疾复作,遇阴雨则甚,乃惊蛰以前闻雷,自正月十八至三月初八,凡五十日,不见白日,兄并未下楼一步,坐书椅一刻,抑郁沉闷,如坐愁城中,稍一劳力,作一急步,则喘起,甚至安坐时,亦或气涌,所幸历时不久,仅十数分钟便止。然日渐羸瘦,饮食亦无滋味。继而睡眠亦不安稳,杂病日增,精神日惫。服陈丰治痰药无效。西医则谓年老肺弱,如天气清和,可望渐愈,服其治痰药又无效。惟三月中旬,天复放晴,始觉略愈,而骤增热度至八十馀度。间日辄酿雨,郁闷异常,病有增无减。至本月初间,得雨甫见顺境,近乃日有起色,以后当竭力调养。西医劝其往无雨之地,明春或往芝罘一游也。

勉帅于兄甚为殷拳。弟函谓兄如来闽,当邀入幕府,闻之感喜。兄于勉帅颇有知己之感,盖声气相求,其质直好义之处,颇有一二近似之处,故心心相印也。兄于数年前,经由内外大僚保荐,得旨存记凡十五次,中惟唐春卿侍郎一摺,保其办理银行、铁路、一切财政,称其忠实廉直,近所罕觏,为吾所最喜。此外多赞称学问才调,并及阅历,半属皮相之言。春卿为兄三十年旧交,知之最详,若勉帅止见一二次耳,而知其品行,故兄尤心感也。前在江西时,承其邀

---

① 五弟即黄遵楷,字臚达,光绪己丑科举人,时署福建厦门同知。

约，本欲以游客前往，看有可以效力之处，再行留驻。嗣闻柯巽庵中丞略有意见，勉帅旋移节来粤，因而中止。陈再芗告徐观察，谓如果奏调，兄必能来，系属误会，以三品京员处司道之间，殊难位置。兄以为指定某席，专治某事，犹觉不便，况奏派某事乎？且廷旨苟不谓然，不更窒碍乎？今闽省事权归一，并无同城掣肘之人，勉帅又不拘以某事，尽可竭其驽钝，襄助一切，尽吾力之所能，以资一臂之助，即藉以稍表寸心。

读弟来书，旁皇不释者数日，然病躯若此，万难出门，惟呼负负而已。

弟办警察，比兄在湘时，我用我法，权自己操，自有不能如意之处，然以实心实力行之，必有效可观。年来警察谤议纷然，而兄于群疑众谤之交，孤行己意，本使持异议者称为成效大著，舆情悦服，俞廉三详鄂督，鄂督据以入奏云尔。何也？吾实以保民之意行之，非藉以行官权也。以上为四月廿日作。继以淫雨三日，又复病作，盖因肺弱，所食湿气，转输不灵故也。不知如何调摄乃能复元，虑此后不能再出任事矣。

通侄从槟榔屿归，精神耿耿，殊有蒸蒸日上之势。此次考游学，吾以为必得，不意既得而复失，然亦无关要紧也。吾以为不如自费直往日本为便。询熙侄意向，亦甚有志自爱，亦欲游学。然看其聪明，似逊于其兄，先往汕头，亦未为不可。此外，后起天资，以源侄为最，然成就与否，则视教育耳。延豫一变，颇有英气，此年来稍慰之事。但使吾家子弟在学校中者有数人，门闾之昌，总可计日而待也。庚弟不往日本，吾所遣清侄及杨徽五往学师范者，亦与偕行，到神户后，丰豫亦随往东京。端兄所捐县丞，已办妥矣。年来所亟亟以求者，意欲以普及之教育，使人人受教，法在先开师范学堂，二年后师范卒业生已多，通州可遍设蒙小矣。东山书院两横屋已修好，惟扩充之屋，明年乃能毕工，第未知吾身体强弱何如耳！

吾禀赋不强，少时又受早慧之累，在坡在湘，二次大病，虽善自调摄，已日见老羸矣。平生怀抱，一事无成，惟古今体诗能自立耳。然亦无用之物，到此已无甚可望矣。惟望弟侄辈各自努力，以期立德立功耳。即问

近好

兄宪手书　四月廿八日

据吴天任编著《清黄公度先生遵宪年谱》

致梁启超函

（光绪三十年七月四日　1904 年 8 月 14 日）

饮冰主人惠鉴：

　　自今年惊蛰至立夏，积阴雨凡六十日。仆肺疾增剧，日坐愁困中，几不能凭几案亲笔砚。寻常肺病畏寒患喘，仆则畏雨，盖呼吸湿气，转输不灵也。此患得于伦敦蒙务中，经星坡、湖南二次病而增甚，今则老而益弱矣。然苟得空气干燥之地住居一二年，或犹可望治。四月以后，渐有起色。

　　得公上海所递书，循环捧读十数次。往时见公函，每惊喜踊跃，如杜陵手提骷髅之诗，可以愈疟。而此次转增我愁闷，盖以公失意之事多，忏悔之心切，亦使我怅惘而不知所措也。函中语长心重，诚非仆所敢当，所商榷云云，亦未易作答。坐是之故，忽忽又逾两月。比又得公南旋不见之诗，益知爱我之切，若一一按照前函而复，诚非数万言所能罄。今姑仿前约三百字之例，每一相思，辄作数十行商一二事，意倦兴尽，亦听其中止，藉以慰公之情，亦良胜于无也。

　　公之归自美利坚而作俄罗斯之梦也，何其与仆相似也。当明治十三四年，初见卢骚、孟德斯鸠之书，辄心醉其说谓太平世必在民主国无疑也。既留美三载，乃知共和政体万不可施于今日之吾国。自是以往，守渐进主义，以立宪为归宿，至于今未改。仆自愧无公之才、之识、之文笔耳。如有之，以当时政见宣布于人间，亦必如公今日之悔矣！仆前者于立宪之说，且缄阒而不敢妄言。然于他人之提唱革命，主持类族，闻之而不以为妄，谓必有此数说者各持戈矛，互相簧鼓，而宪政乃得成立。仆所最不谓然者，于学堂中唱革命耳。此造就人才之地，非鼓舞民气之所。自上海某社主张其说，徒使反动之力破坏一切，至于新学之输入、童稚之上进，亦大受其阻力，其影响及于各学堂、各书坊，有何益矣？若章、邹诸君之舍命而口革，有类儿戏，又泰西诸国之所未闻也。公之所唱未为不善，然往往逞口舌之锋，造极端之论，使一时风靡而不可收拾。此则公聪明太高、才名太盛之误也。东西诸国距离太远，所造因不同而分枝滋蔓，递相沿袭者，益因而歧异，乃欲以依样葫芦收其效果，此必不可能之事。如见日本浪士之侠，遂欲以待井伊者警告执政；见泰西景教之盛，亦欲奉孔子而尊为教皇，此亦南海往日之误也。

　　公自悔功利之说、破坏之说之足以误国也,乃一意返而守旧,欲以讲学为救中国不二法门。公见今日之新进小生,造孽流毒,现身说法,自陈己过,以匡救其失,维持其弊可也。谓保国粹即能固国本,此非其时,仆未敢附和也。如近日《私德篇》之胪陈阳明学说,遂能感人,亦不过二三上等士夫耳。言屡易端,难于见信,人苟不信,曷贵多言!仆为公熟思而审处之,诚不如编教科书之为愈也。于修身伦理,多采先秦诸子书,而益以爱国、合群、自治、尚武诸条,以及理化、实业各科,以制时宜,以定趋向。斯宾塞有言:“民德不进,弊或屡易其端,而末由杜绝。”至哉斯言。仆近者见日本人之以爱国心、团结力,摧克大敌也。专以普及教育为目的,既发端于一乡,并欲运动大吏,使遍及全省。虽责效过缓,然窃谓此乃救中国之不二法门也。当道能提挈之、辅助之固善,否则乡之士夫,相应相求,亦或可造此规模。不幸而吾民之知、德、力未及建立,而吾国遂亡。然人格略高,求所以保种,而兴灭或亦稍易。往日《时务报》盛行,以后仆即欲以编辑大业责成于公,而展转未获所愿。今日仍愿公专精于此事,其收效实远且大也。

　　前读《管子传》,近见《墨子学说》,多有出人思想外者。益叹智愚之相去何啻三十里哉!仆尝谓自周以后,尊崇君权,调柔民气,多设仪文阶级,以保一家之封建,致贻累世之文弱,召异族之欺凌者,实周公之过也。至周末而文胜之弊尽见矣。于学术首唱反对者为老子,然老子有破坏而无建设。其所企慕者,乃在太古无为之治耳。至墨子而尚同、尚贤,乃尽反周道,别立一宗矣。于政治首立异说者为管子,然管子多补苴而少更革。以《管子》、《周礼》互相参校,大概可睹。至商鞅而教战教耕,乃尽废周制,而一扫刮绝矣。是四子者,皆指周公为的而迭攻之。而孔子则介乎四子之间者也。曰通三统,曰张三世。于文献也有征,杞征宋之言;于礼之损益也,有继周之想;其于周公不必尽反,亦不必尽从,尝疑梦见周公,盖因有不合者,仰而思之,乃征于梦也。若不过于墙见舜,弹琴见文,此思古幽情,虽衰老亦能为之,何必兴叹哉!盖一协于时中而已。

　　自周以后,始有儒称,实成周时庠序中教师之名耳。《周礼·太宰》四曰:“儒以道得民。”注曰:“儒,诸侯保民有六艺以教民者。”又《大司徒》四曰:“联师儒。”注曰:“师儒,教以道艺者。”其道在优柔和顺,以教民服从为主义,是周公创垂之教也。《礼记·儒行》释文:“儒之言,优也,和也。”言能安人能服人也。《说文》:“儒,柔也。”《广雅·释诂》:“儒,柔也。”《素问》名曰:“枢儒。”注:“儒,顺也。”是皆历世相传之古训。甚至《广雅·释诂》:“一儒愚也。”《荀子·修身》偷儒,注儒谓

"儒弱畏事"。《礼记·玉藻》："儒者所畏"注："儒，弱也。"则儒字益不堪问矣。若我孔子，则综九流、冠百家，不得以儒术限。儒乃孔子之履历，非孔子之道术，汉儒亦多未明白。然汉以前训诂家，尚无以儒为孔子道者。惟《淮南子·俶真训》，儒墨乃始列道而议。高诱注："儒谓孔子道。"然此注乃为此语而发，非通论也。闻南海有儒为孔子所建国号之语。是亦见释迦之创佛教、耶稣之创天主教、摩诃末之创回教，误以为儒教亦孔子所创也。世以周孔并称，误矣！误矣！公之《变迁论》以南北分学派，以空间说。此论不甚确，盖论地理而证以学派则可，论学派而系以地理则窒碍多矣！仆之此论，由周初以逮战国，以时间说。公谓此有当于万一否？幸纠正之。

光绪三十年七月初四日

此稿未完，下期再续。

据中国国家图书馆藏《黄公度先生手札》

致杨徽五黄簪孙函*

（光绪三十年十一月二十二日　1904 年 12 月 28 日）

徽五、簪孙贤侄台惠鉴：

上月底由诗五先生转递一函，当已收阅。本月十一日接到徽五十月十日函，藉悉一切。所云诗五先生处汇银，兹于本初五日将银三百元交给诗五先生之夫人，并取有收条。付来诗五一信，烦即转交。此项三百元，即是二君学费，除前借丰儿一百元即抵还诗五手外，馀银二百元，可以按月向诗五支取。此项用完外，祈约计学费并盘川，撙节而用，共需多少，早为告知，以便筹划。前于上月底芬弟往港时，即函嘱裕和泰汇寄四百元，不意其迁延至于倒闭，此为吾存寄裕隆泰之款，然款未支出，欠债中多此四百元，至今尚无着落也。以后在港托潘祥初亦可，但略费事耳。

师范学堂中事，意欲将拟定办法函告侄台，惟刻下尚未能酌定。

余病虽未增加而未能复元。大约天气不佳，胸中有饮食停滞，或事不如意，或劳苦不节，则数日为之不快。已成废物，惟躯壳仅存耳。

在东洋应预谋者，为延聘东人一事，其束修比照汕头之熊泽纯，大约订约二年并来去

＊　函云"余病虽未增加，而未能复元"，据此知为光绪三十年十一月二十二日(1904 年 12 月 28 日)。

盘费,以二千元为度。声明系教速成师范生,此项系小学师范,以一年卒业者。前函所云古城贞吉,试一询问能来与否? 其它后再函商。手问

文祺。不宣

遵宪顿首　十一月廿二日

据杨冀岳藏黄遵宪亲笔信

致梁启超函[*]

(光绪三十一年一月十八日　1905年2月21日)

饮冰主人惠鉴:

腊八日聚数友噉粥,得士果函,中有公书外,有阿龙造象,又时务学堂留学诸君公赠撮影。为我致谢。前有诗云:"国方年少吾将老,青眼高歌望汝曹。"为我诵之。今腊不尽只三日矣。又得公书及秉三西京所发函,爆竹声中,屠苏酒畔,挟此展读,半年岑寂,豁然释矣。前方函告由甫,讯公所以疏阔之故,得此札已喜又忧。喜则喜吾之病中《纪梦诗》既入公耳,且与秉三促膝读之。《己亥杂诗》,公以为"成连之琴,足移我情",此数字直入吾心坎中,安得尽发箧中诗,博公赞辞,作我良药也! 忧则忧公意兴萧索,杂坐于秉三、晳子之间,神采乃不如人,面庞亦似差瘦也。

熊黑男子,最赏其神骏,戊戌别后,竟能超然事外,如申屠蟠之不罹党祸,可谓智矣。汉口之役,吾日日为渠忧,继见党碑所刻,刊章所索,并无其名,乃始心安。渠欲于汕头会我,亦拟得电后,天晴日暖,当力疾买舟一行。今尚未得电,知必以其家催归,径由沪返湘矣。顷草一函,托狄楚卿转寄,以慰其相思之殷。至见面筹商各节,弟之一身,如此痼疾,不堪世用,此可无庸议。若论及吾党方针、将来大局,渠意盖颇以革命为不然者。然今日当道实既绝望,吾辈终不能视死不救。吾以为当避其名而行其实,其宗旨:曰阴谋,曰柔道;其方法:曰潜移,曰缓进,曰蚕食;其权术:曰得寸则寸,曰辟首击尾,曰远交近攻。今之府县官所图者,一己之黜陟耳,一家之温饱耳。吾饵之饲之,牢之笼之,羁縻之,左右之,务使彼无内顾之忧,无长官之责,彼等偷安无事,受代而去,必无有沮吾事者。继任者便沿袭为例,拱手以事权让人矣。其尤不肖者,搜索其劣

---

* 据函称梁启超"公今年甫三十有三"推断,当写于光绪三十一年正月十八日(1905年2月21日)。

迹以要挟之,控诉于大吏以摘去之。总之,二百馀年,朝廷所以驭官之法,官长上求保位,下图省事之习,吾承其弊,采其隐,迎其机而利用之。一二年间吾之羽翼既成,彼地方官必受吾指挥而唯命是听矣。异日相见,再倾筐倒箧而出之。公先抄此纸,藏其名而密告之,何如?

近得南海落机山中所发书,嘱以寄公。今递来一阅,他日仍以还我。前岁获一书,言事事物物与吾同,无丝毫异者。所著《官制考》,屡索品题,如所谓保国当中央集权,保民当地方自治,此真所见略同者。二十年来,吾论政体即坚持此见,壬寅所寄缄曾略表之。即圣贤复起,亦必不易此语。惟此函所云:"中国能精物质之学,即霸于大地。"以之箴空谭则可,以此为定论则未敢附和也。渠谓民主革命之说,在今日为刍狗,在欧洲则然,今之中国原不必遽争民权。苟使吾民无政治思想,无国家思想,无公德,无团体,皮之不存毛将焉傅? 物质之学虽精,亦奚以为哉?

所惠《中国之武士道》、杨序极精博,为吾致意。《中国国债考》,均得捧读。以公之才识,无论著何书,必能风靡一世。吾有一三十年故友,谓公之文有大吸力,今日作此语,吾之脑丝筋随之而去;明日翻此案,吾之脑丝筋又随之而转,盖如牵傀儡之丝,左之右之,惟公言是听。吾极赞其言。吾论诗以言志为体,以感人为用。孔子所谓兴于诗,伯牙所谓移情,即吸力之说也。此二书皆救世良药,然更望公降心抑志,编定小学教科书,以惠我中国,牖我小民也。

公二年来所谋多不遂,公自疑才短,又疑于时未可。吾以为所任过重,所愿过奢也。当公往美洲时,吾屡语由甫,事未必成。但以吾离美日久,或者近年华商其见识力量能卓然自立,则非所敢知耳。今读公《新大陆游记》,则与弟在美时无大异,所凭借者不足以有为,咎固不在公,公之咎在出言轻而视事易耳。公今年甫三十有三,年来磨折,苟深识老谋,精心毅力随而增长,未始非福。七年来所经患难不足以挫公,盖祸患发之自外,公所持之理足以胜之。惟年来期望不遂,则真恐损公豪气,耗公精心矣。

公学识之高,事理之明,并世无敌。若论处事,则阅历尚浅,襄助又乏人。公今甫三十有三,欧美名家由报馆而蹴居政府者所时有,公勉之矣! 公勉之矣!

弟所患为肺管微丝泡,舒缩之力不能完全,此在今日医术中,尚无治疗之方。然诚能善于摄养,或好天时,或善地时,自调停,亦不至遽患伤生,惟不能任事矣。余之生死观略异于公,谓一死则泯然澌灭耳;然一息尚存,尚有生人应尽之义务,于此而不能自尽其职,无益于群,则顽然七尺,虽躯壳犹存,亦无异于死人。无辟死之法而有不虚生之责,孔子所谓"君子息焉,死而后已。"未死则无息已时也。公谓何如?

此缄初作在腊底,雷雨时行,继以积阴,凡二十日,无一日晴。此在去岁时,必阁笔枯坐矣。今犹能作此数纸,可知稍愈于前矣。犹有病间时,公读此亦可稍慰。各努力自爱。不布所怀。

布袋和南　正月十八日

据中国国家图书馆藏《黄公度先生手札》

致狄平子函[*]（摘录）

（光绪三十一年一月　1905年2月）

自顾弱质残驱,不堪为世用矣。负此身世,感我知交。

据狄平子《平等阁诗话》

---

　　* 狄平子,字葆贤。狄平子《平等阁诗话》云"近得先生正月粤中书云",又云"不意意成谶语"。当写于光绪三十一年正月(1905年2月)。

第四编

公牍

上郑钦使第十八号 *七月二十三日

（光绪八年七月二十三日　1882 年 9 月 5 日）

敬禀者：窃○○于本月十四日肃呈第十七号一禀，当邀垂鉴。十八日奉到第七号钧谕，本日又奉到第八号钧谕并札文一件，一一读悉。

前禀所称："延请律师，于各会馆所收回华银内提出二圆五毫支销，此项自庚辰春间以来系如此办法。"查绅董等所刊延请律师结数，是年延请尊治力律师等项用银万馀元，除支取签捐款项外，总会馆交出银四千五百元，即系此二圆半所收之款也。窃计前总领事当已通禀有案，故一时漏未详叙，此项沿收至今。四月中议延律师，商定于此款支取，但计算不能敷用。○○查庚辰年绅董签捐之银尚有馀剩，意欲俟该项不敷时，借签捐之款以接济耳。各馆收银之数，今既详另禀，近来毫无加增。怜悯会所禀系影响不确之辞，不足信也。怜悯会当系耶苏教会，向与会馆不睦。○○亦知之此处填发护照由耶苏馆报填者甚多，并未经会馆手也①。

中华会馆与总会馆现议合报而为一。既据两馆绅董联名同递一禀，○○为之草立章程，亦经与各董商妥，仍声明俟呈请宪台核定后乃作为定章。此节亦详于另禀。近接欧阳锦堂兄来函，知檀岛亦设有中华会馆，其规模甚善，但其意欲将该馆章程求宪台照会驻美檀使转咨其外部，请发准照。此则未知可行与否？查各国善堂义会多系自禀地方官请发准照，会馆本宜仿照办理。○○常谓此间公馆，被贩佣之名，正坐未经禀明地方官之故也。惟禀由公使请其外部，不知于交

＊　郑钦使，即郑藻如，字志翔，号豫轩、玉轩，广东香山县(今中山市)人。咸丰元年(1851 年)中举。历任江南制造总局帮办，直隶津海关兵备道，光绪七年五月至十一年六月(1881.6—1885.7)出使美国、日斯巴尼亚国(西班牙)、秘鲁国大臣。光绪八年初至十一年七月，黄遵宪任美国旧金山总领事。

①　原为旁注。

涉体制何如？若果可行，则该馆藉以增重，于事亦有裨益也。经将此意转告锦堂，锦堂又询伊旧金山一节，亦以新例第十三条告之矣。

再，承示总署钞函，○○窃谓此事不可与言，容即缮禀详复。馀事均俟详后禀。

谨肃此敬请钧安，伏希垂察。

○○○谨禀

再禀者：金山一处，自咸丰年间始陆续创建会馆有六：曰三邑，曰阳和，曰冈州，曰宁阳，曰人和，曰合和。合和复于光绪五年歧而为四：曰肇庆，曰恩开，曰余风采堂，曰谭怡怡堂。会馆均系购地自造。馆中各有董事一名或二名，通事一名。其所办之事，则每次船来，各馆初到之客，馆人为之招呼行李，租赁居所。遇有事端，董事等为之料理，亦有病故无依亲之骸骨，为之捡运俾葬于故里者。此一事亦有不归会馆办理，各邑自立善堂代为营运者。其经费所出，则初到之客挂名于簿，俟其回华，向收数元或数十元，各馆章程不一，从前多系十数元。以供支应。从前金山矿务正盛，华工不多，华人之旅里者，均各有积蓄，捆载而归，于会馆应出之项亦乐于输将。而会馆复与轮船公司商定，凡会馆未经收费，未给予出港纸，则轮船公司不卖与船票。因是回华之人，竟无避匿不捐此款者，沿袭日久，均习为固然矣。

然而，各馆办事向少章程，所收银数亦无可稽考。董事、通事得其人，则办理较善；否则，族大豪强者盘踞其间，不肖之徒或购产业，从中渔利，藉充私橐。各馆除建会馆及供给董事等薪水外，亦未尝有一二善举足以餍众望而快人口者。

会馆之名称曰公司。公司者洋人科股经商之名也。洋人知各馆敛钱而未见有医馆、书塾之设，老病贫民流离于道路者，会馆又不为收恤，因疑各会馆[①]贩佣之所，以谓华工日多，均由会馆代出盘川，从而克扣剥削以为利。从前屡经地方官提传各馆董事审问，虽讯无佐证，而谤詈不休。习教之人，因会馆供神，向不愿隶于会馆，而耶苏馆教规亦于回国之人敛钱作为馆费，以会馆收钱之有妨于己也，则益煽布流言，以蛊惑洋人。洋人益信其言，故会馆之名声坏。

---

①　"会馆"后似脱"系"字。

光绪六年二月,嘉利科尼省设立一例,凡轮船、铁路公司,不得无故阻止搭客,不卖船票。因是轮船公司不以会馆出港纸为凭,任凭各人购票,会馆收资遂失所依倚。而近年以来,矿衰工贱,获利较难,回华之人非必有钱,故亦有不愿出资者,各会馆因将此款酌为核减。现在三邑收银五元,馆者亦在。阳和收银六元,曾经出过一次者不再收。宁阳收银八元,冈州收银八元,肇庆、恩开、余风采、谭怡怡、人和曾经出过者不再收。各收银十三四元、十五六元。各馆向规,老病贫民均免收。向来每馆于每人交出五毫为六公司费用,而光绪六年春,议延律师,各会馆复于所收银内,每人提出二元,合共二元五角,交总会馆支销。各会馆提拨此款时,并非加收,均系于本馆所收之内提出,惟该馆向章有曾经出过一次不复再收者,此二元五角因系交出总会馆,仍须向收。年来,各馆亦较有规模,于所收数目,均有进支单刊布众览,故各董事除所得薪水外,别无侵吞亏空之弊。到此。饬令各董事随时调处是非。各董事各顾体面,亦多竭力办公,为人信服,风气亦颇为少变。此自有会馆至今之实在情形也。

伏查从前之会馆进项较大,而不以公众捐资办公众善事,各馆实有不能辞其责者。其声名之坏虽不如外人所传,然亦实有以面谤之处,无怪乎人人恶之。于此而欲预其事,原本应加以裁抑,惟各馆创设,近者十数年,远者三十年,有馆舍以办公,亦或有产业以出息,就中有向来经理得宜,如三邑、阳和,皆有产业,可值数万,每岁可收息数千。冈州会馆,则以庙中供神灵应,每岁投充司祝,可得数千。馀亦各有一馆为该馆之业。根深蒂固,非伊朝夕,欲尽举而裁撤之,势固有所不能。

至于今日之会馆,进项既微,现在回华之人不交馆费,会馆并不能勒收。然幸而旧章相沿,各工视为固然,仍多收缴者。而每人交出二元二毫,以供延聘律师,拿办凶犯之需。各馆董事亦能为人理处争端,于事颇著成效。○○之意,乃转欲暂为维持。凡办一事,必准情度势而后能行,势不能改弦而易辙,惟当握其枢而潜转之,就其隙而弥补之,但使会馆所收之钱、所用之人有益于公,要无妨听其自立。近来资送贫病老民一事,为向来所有,○○四面游说,方劝励回,系丛惠华人有益之事,亦欲挽救会馆既坏之名,而归功于各董各商,兼使此辈藉以增重,诚能奋勇为善,于公事大局不无裨补。

惟查此次会馆除三邑一馆现有款项外,此事系三邑会馆倡办,该馆除捐送船票外,每人尚各给予三元,前禀漏未声叙。又,轮船公司因系捐送,船价从而减损,地方之收年税者,○○经请其优免,亦喜免收。附陈于此。其他各馆均系东挪西借,或指会馆所出以为还项,或借善堂他款以应急需,即可知会馆之并无馀蓄,欲更令其出专款奉公,诚恐非易。况现在有限华工,往来之人日少,款项必随而日绌。将来各馆有无变局,此刻未敢预知。亦惟酌度情形,随时商办,以冀其有益而已。

所有各邑会馆情形,谨缕陈宪鉴,伏求察核。又禀。

又禀者:合和会馆之分而为四也,其始不过一二人与余姓有隙,从中鼓弄,欲使分出两馆,以便自充董事之私。当时恩、开两邑与谭姓之人均不愿分,倡言苟分余姓,则渠两馆亦必分开。其意原藉以牵制,使之不分。不意无人调合,遂尔成事。自分开四馆之后,费用骤增,恩开与谭怡怡均负债累。○○询之各邑绅董,皆谓该馆产业并未分各,且分馆之时,亦未有斗殴讼狱之事,各人多愿复合,不如合之为便。○○念现既限禁华工,往来人少,则款项更绌,诚虑该馆复加收出港之银,且会馆近多,遇事亦多不便,因先托人游说各处,后复陆续传到各族长乡望共十八姓三十七人到署询问,皆谓愿合,均令当面签书允字。现惟周姓以商之子弟为辞,谅亦不能以一人违众也。此事拟饬令他馆董事,妥为调处,俾使照旧。谨禀。是否有当,并求训示。又禀。

据梅县档案馆藏黄遵宪上郑钦使第十八号(七月二十三日)手稿

上郑钦使第十九号　八月初三日

（光绪八年八月三日　1882 年 9 月 14 日）

敬禀者:窃○○于上月二十三日肃具第十八号一禀,当邀垂鉴。旋于二十四日接奉批谕一件,又第九号钧函;二十七日、二十九日又奉到第十号、第十一号钧函,一一捧读祗悉。兹将应禀各事条具如左。

一、上月十三日电禀巴拿马华商一事,户部电告税关,饬令查照巡察使费卢所断办理,即指阿胜一案也。因“华”字误拆“戏”字,税关谓并无戏班来此,无须查办。后经宪台再告外部,税关接到第二次电报,仍谓费卢所断系船工,难以援照,而该商未领有华官执照,殊难确信为商人,扣留如故。○○意欲写单认保,且谓给发护照系证明其为商,保单事同一律,而关吏谓无此例,只可提讯。○○乃商之律师,在合众国衙门按察司哈门处提讯。此处合众国衙门有两官:一名哈门,系专管加利科尼一省者;一名苏耶,系兼管数省者。至前次审洗衣案及船工之费卢,系间年派来巡按数省者。二十日递呈，二十一日提讯。哈门因公家律师驳辩甚力，不欲遽断，遂谓俟后日会同费卢，再行讯判。延至廿四日，哈门、费卢二人会审。此处律师略说数语，官谓此案我已瞭然，只问公家律师有何辩论。公家律师乃大张辩口，大意总为无凭指为商人。哈门随辩随驳，彼此声色俱厉。费卢则谓：新例是禁工人，非禁商人，若商不准上岸，是绝通商也，于中美条约未合。律师已熟悉新例，持之甚力，亦宜复按条约主持公道。且如律师言，商人亦须有执照方许上岸，是也，然例中所言系指自中国前来之商人。若从他国前来之商人，彼等于新例未行时久在异国，今欲来美贸易，而令其先返中国请领执照，然后可来，有是理乎！若律师疑商人无照，华工亦可冒认，不知工人商人，自有分辨。条约立于通商，新例主禁工人，因禁中国前来之工人，遂累及往来美国之商人，本官断不谓然也。于是断令该商上岸。当堂听审者数十人，官与律师驳诘甚力，合堂屡为哄然。〇〇窃观费卢为人刚强公正，当辩驳时，仍谓美国地大人众，何以不容为数无多之华人。当道巨公，不避嫌怨，倡言于众，其胆识甚足钦佩。第其判词至今尚未宣布，费卢嘱此处将华人历年出入口货税开报，殆欲考究华商有益美国之处，将利害详切言之，亦未可知也。行例以来，因商工事屡次兴讼，实出于不得已而为之。然西人通例，以兴讼为辨事，非以为争气，每遇公事，彼此不知适从者，莫不藉律师驳辨以剖其理，经长官断定以行其是。况此间之事无不与税关先行商定而后提讯，亦无干碍。美国政体，议例官、行政官、司法官各持其一，往往有议员议定，总督签行之事，而一司法得驳斥而废之。故审官、审官不由民选，有任之终身者。律师最为人所敬畏，其政体然也。照费卢当堂之言，此后自他国前来之商人，不领执照，亦能上岸。此事曾于二十五日寄电禀明。早欲驰禀，因待官批词，迟迟至今，仍俟全案批出，再行详禀。

　　一、船工一案，自费卢判断后，所有美国船工均经上岸，惟他国之船，船主仍不敢执行。欲请税关签名准其上岸，而关长则谓无签名登岸之例，不准所请。船主各怀小心，仍恐将华工放行，关吏扣留其船，斥为犯例，仍复狐疑不敢。近有一英国船名柯士突利亚，有华工五十四人，船主自请律师提讯，本月初二日又经官断，准之登岸矣。

　　一、前禀所述秘鲁之乱，近闻智军获胜。此间商店有接到七月一日利麻来函，称现经智军调数千人与乱民战，大捷，乱民逃遁，势将离散，利麻安堵如故。近日自巴拿马来之商人名刘荫洲，在秘鲁七八年，据述智军所获之地，其要隘处皆屯以精兵,悉张挂智国国旗,所有赋税、讼狱等事,皆归智国官办理。各国公使领事交涉之事,亦以智国往来。前禀欲与智利结约,未卜可行否。然欲图保护将来,似舍此更无善法。前有商人黎省三自秘鲁归,云秘鲁商家所联集者,系远安公所,中华会馆之人与众商无涉。惟查迭次所来禀多系中华会馆之名,是以函托该馆,○○后复寄信铺户,询问一切,以广耳目。近问刘荫洲,云是处商人与中华会馆不能一气。前奉批禀,业经寄去矣,并以附陈。

一、昨奉札文,内有二件寄欧阳随员、赖随员者。往檀香山之船于前数日开行,一时无从寄去。查新例第十三条,出使人员以官凭为据,谅伊随身尚无他项文凭,否则亦能设法,当不致阻滞也。至商人王香谷欲来金山,○○既以费卢所断告之,仍属其领一檀岛外部护照前来为妥。

一、马典一案,嘉省总督复外部文所述当时情节,自系粉饰之词。惟云滋事之人多系希腊、葡萄牙、意大利人,访问实然。现在该处地方官查拿凶犯颇属尽力,自因外部行文之故。惟此案尚未审结,闻将移嘉省臬署审讯,俟将来如何审断,再行禀陈。

以上五事,伏希察核。敬请

钧安

再,陈请拨汇银壹万元。

据梅县档案馆藏黄遵宪上郑钦使第十九号(八月初三日)手稿

上郑钦使第二十号 八月十五日

(光绪八年八月十五日　1882年9月26日)

敬禀者:窃○○于本月初三日肃呈第十九号一禀,当邀垂鉴。初六日奉到第十二号钧函,捧读之馀,一一祗悉。兹谨将应禀各事,条具如左。

一、巴拿马华商一条,前经官断,准令登岸,前禀已详呈大概,惟久待判词,未经批出。至本月十二日,审官始将判词宣布。因系巡察使与按察司会审,故二人各有判词。查按察司哈门所断:凡自他国来此之华商,均无须执照,准其上岸,且谓由此前往英属墨西哥等国,如不久即回,即不领护照,亦听其往来自便。巡察使费卢所断大意:一则谓中美续修条,所谓准其整理酌中定限者,系专指续往承工者而言,其贸易、游历人等,本系声明往来自便,俾受优待各国最厚之利益。今新例于第六条乃云华商须凭执照方准入境。考新例亦专为限制华工而设,新例条中未明文意,皆可引条约善为解说,盖国会立例断无违背条约之理也。华商既准往来自便之人,自可无须执照;一则谓中国发给商人执照,原不过藉以表明此人系不在限制之内者,故藉之为凭据,并非为禁止彼等前来。彼等如未持执照,其所执职业亦可以言语证明。而其批词末段又明言,以本官之意,按照新例,华商来美须凭护照,然未行新例之前,其人不在中国,_{意谓其人既在外国,即其家即在外国。又其人曾来美国,则其所托之业、所识之友亦在美国,故可无须中国官给照。此语含有续约文意。据律师麦嘉利士又云:泰西律法,以其人寓居之所即认为其人住家之所,律意本如此也。}至行例以后,新来客商则必须持照。则彼等来美无须执照。○○读其批词,似乎所包甚广,非特由域多利、檀香山、秘鲁、古巴前来之商人无须持照,即前在美国、现返中国,再由中国来美,似亦可无须持照。当经详细查询,复函问律师麦嘉利士是否如此。本月接麦嘉利士复函,谓按照判词,则华商于未行新例之前曾在外国居住者,如再由中国来,虽未领取中国执照,照新例而行,彼等亦可前来美国云云。据此,则华商之自他国前来及曾居美国再来者,均无须持照。是新例于商人领照一节,几几废其半矣。现以判词及麦律师复函告轮船公司,轮船公司即许寄电前往香港,令船主搭载此项曾居美国之商人矣。伏查此案初议提讯,原因税关接户部来电仍复扣留,无可如何。而税关钞示户部电文乃系令其查照巡察使费卢所断船工一案办理。_{当户部寄电时,华盛顿尚未知船工一案费卢如何判断也。}窃念户部寄电不告以主意,转令其查照审官所断,是直以审官为折衷是非之准。今华商提讯即系户部主意,似于两国交谊似无干碍。又念巴拿马等处中国无官,无从给照,而华商之来往者甚多,讼而不胜,不过仍照新例,无照不许上岸;讼而获胜,则或藉判词以驳新例,以后不须持照,大可为商人开一方便之门,当即先与律师商榷,复查该商所携带之汇票,所认识之友人,所住居之铺店,均确有业商的据,始行提讯。现经官断,华商由他国来者,均无须执照,适符初愿,良足欣幸。而判词更谓曾居美国之人来美亦无须执照,则更始愿所不及者也。此案判词经半月始行宣布,闻费卢脱稿屡改,盖一经成案,即可据以废新例,故郑重如此。而哈门判词中,复胪陈华商出入口货税之数,谓商务优于他国,不应阻滞其人。且谓新例以刻薄行之,乃系下等人举动。自新例以来,所蒙之耻辱,亦赖以一洒,差强人意。现拟将判词洋文刊布,分交各轮船公司,寄与各国,以便各处船主搭载,俟详细译就后再函告各处华商,令其如悉。兹谨先将洋文呈览,律师麦嘉利士复函并以附呈。

一、前次费卢所断洗衣馆判词及船工二案判词,现经黎随员子祥译出,黎随员所习西文远胜于语言,迭与反复详细查校,或可无误。惟西文实不容易,官府文书微宛曲折,尤不易寻其旨趣。兹谨照录,呈求交钧署翻译各员,细为校勘改正掷回,是所恳望。

一、金山本埠华商有三四家,为有要事,急欲来此者,久在香港守候,其伙伴迭经来署催问何时有照可领。○○既经告以不久即当派员。本日①初四日,复据各铺户一百三十馀家联盖图章,求为转禀宪台,早日设官给照。○○不敢壅于上闻,因即缮具公牍转呈,谅邀垂鉴。本月初六日,奉到钧函,云既函催裕泽生制府早日派员,并将款式寄去,亦以密告各商,令其静候。现据费卢所断,曾来美国者无须持照,既由轮船公司电告香港铺家,亦有自行寄电者,谅此数商人即可动身矣。

以上三事,统求察核。敬请

钧安

○○○谨禀

据梅县档案馆藏黄遵宪上郑钦使第二十号(八月十五日)手稿

上郑钦使第廿一号

(光绪八年八月二十四日　1882年10月5日)

敬禀者:窃○○于本月十五日肃呈第二十号一禀,附呈巡察使费卢洋文判词,又洗衣馆及船工案译汉判词,想邀垂鉴。嗣于十八日奉到十三号,二十日奉到十四、十五号,二十二日奉到十六号钧函,敬谨捧读,祗悉一一。兹将应禀应复各事,条具如左。

一、巴拿马华商一案,经费卢判定,商人无须护照,亦准登岸。现既托傅领事将洋文判词分寄秘鲁、檀香山、域多利、巴拿马各轮船公司,以便船主揽载。昨与欧阳锦堂兄商,锦堂谓:宜请宪台将费卢所断持见外部,托其转交户部,请户部饬知各处税关一体遵办,并请其出示布告,庶各国船主闻知,更无推诿。

---

① "日",当为月。

○○思其言,极为有理,可否请宪台与柏立商行。

一、巴拿马商人一案,于八月十二日批出,○○即于十三日将洋文驰寄张芝轩兄,托其先行禀呈钧听,后又寄交十本,嗣又寄柏立一本。现经译出汉文,祈交翻译各员校正掷回。尚有哈门判词,俟译就再呈。

一、捧读钧示,拟为各国来往华商给发护照,具仰护商至意,无微不到。惟现据费卢所断,自各国来此之商无须持照,则此照似可毋庸发给,仍俟后体察情形,再行详复。至古巴刘总领事处,自应给发为便。

一、前承钧札,令议复余主事条奏四件,两承俯询,殊切惶悚。兹谨将拟议各节,缮折敬呈,是否有当,伏求察核训示。所以申复迟延者,缘原奏第一条有设立议学等语。○○意谓可行,月来议合中华会馆,即迭与各绅商等商榷此事,现已议有头绪,拟俟后举行。如果将来能将学成者考取生员,一体乡试,则议学不日可成。因欲俟绅商等拟有端倪,庶不至空言徒托,是以具复较迟,尚求鉴察。

以上四事,伏希垂察。敬请

钧安

　　　　　　　○○○八月二十四日谨禀　第二十一号

再禀者:承掷下汇票八纸,计银二百八十七元。遵即以一百八十七元交销除支借买物之数,另金钱百元并谭悦信一封,经托鲲侣安寄,并将换金汇水一节告之,必能妥办也。

再禀者:朝鲜近状,承示总署来电,知已妥结,极为忻慰。闻此事,丁、马诸公所携兵船先日本入境,朝鲜大院君闻大兵到境,款接优隆。七月十三日,马君设宴邀大院君饮,酒酣起宣上谕,遽以兵二百馀人拥之登船,丁军门伴守之,随即展轮驰往天津,一面复分派各兵守护王宫及诸城门,出示安民,现已一律安堵。此举智勇非常,甚快意。惟赔偿日本之款,殊惜其过多耳。

自花房公使复率兵舰前往,大院君亦遣使迎接。花房请谒国王,国王曾一见之。十三日,大院君被掳去。十七日,朝鲜与日本定约,凡七款:一、朝鲜国自定约日起,限二十日将逞凶首犯拿办,与日本官会审;二、日本被害之人,朝鲜妥为营葬,并给与抚恤家族银五万元;三、朝鲜国偿日本国费用银五十万元,每年交十万元;四、自今日本使馆派兵防护,一年撤退。所有修缮使馆并建筑兵营费用,由朝鲜措办;五、朝鲜特派大员充使往日本谢罪;六、元山津、东莱府、仁川港按:皆通商地方。商民游历里数,自今扩为五十里,按原约十里。二年之后,扩为数百里;又二年之后,以扬华津为通商地方;七、日本公使、领事并其属员家属,朝鲜给以护照,许其内地各处游历,各地方官见此护照,即妥为保护云云。观此约章,直与从前泰西各国要挟东方者无异。日本自得此约,喜出望外,而一二识者亦颇有议其政府,谓不应受此偿金,且谓今日威逼朝鲜,朝鲜积恨愈深,将来必不免祸患。此言深有益于亚洲大局。然而中国、朝鲜之人畏日本过甚,不悉其内情,殊可惜也。此事谅钧署一时未详,故敢以缕陈。马、丁诸公告谕措词甚得体,并钞呈钧览。

〇〇又禀

据梅县档案馆藏黄遵宪上郑钦使第廿一号(八月二十四日)手稿

上郑钦使第二十二号 八月廿八日

(光绪八年八月二十八日　1882年10月9日)

敬禀者:窃〇〇于本月廿四日寄呈议复余主事条奏清折一件,又呈第二十一号禀一件,谅既均邀垂鉴。兹谨将应禀各事,条具如左,敬求察核。

一、巴拿马华商一案,自经巡按使、臬司审断,谓商人无须护照亦准上岸。本月廿六日,有华商七名,自巴拿马搭船到此,有自秘鲁来者,有自智利来者,有自巴拿马来者。均未持照。此间铺户到署询问,当即由德律风告知税关,请其遵照官断办理。税关行①派人查询。其查询之法,系关其寓居何国、作何买卖、由彼处出港携凭否?——问明之后,饬令本埠铺户递一结状,证明其人系属商人,即于廿七日早,一概俱令上岸矣。此为第一次无照放行之始。似此办法,则以后自他国前来之商人均可免阻滞矣。又,本日见此间新报云:户部将巡按使费卢审断华商一案,公同查验,均以为然,盖谓费卢所断有合条约,且善解新例之意云云。附钞呈览。

一、费卢判词译汉,前禀业经寄呈,兹复将哈门判词译就,谨呈钧鉴。哈门

---

① "税关行",似为"税关即行",脱"即"字。

所断,竟于新例倡言抨击,读之殊快。此案判词经半月之久始行宣布,闻二居脱稿屡改,盖一经成案,即可据以废弃新例,故郑重如此。自新例颁行以后,深愧无颜见人,而关吏等复于例所未详者以刻核行之。前有自域多利经此回华之商人,两船俱傍岸,而关上人等令其以小艇驳运,缘绳而上,不许踏岸一步,闻之使人伤心!此次哈门所断,乃谓新例背国例、违条约、妨商务,又谓其不公、无理、苛刻、残虐。自新例以来所蒙之耻辱,赖以一洒,差强人意。

一、廿六日接到秘鲁中华会馆函一件,云潘宗本既被人杀死,又有商人来信,且谓并戮其尸,醢而食之,足见其罪恶贯盈,人人切齿也。兹原函钞呈。

一、此间○○自抵任以后,屡月未有命案。昨廿六日晚上七点钟,有赵阿卓被人炮死,凶首即逃未获。○○方拟严为踩缉,旋闻此赵阿卓无恶不作,前后经其手毙者数人,是人串通洋人巡捕,终日搜剔华人短处,行其讹诈勒索之诡计,亦系无人不恨恶之者,伏诛之夕,人人称快。凶首能否拿获,尚未可知也。

一、马典一案,据新闻谓有一西人推倒华人者,据嘉省上等司法署议以罚银五千元之罪,惟此刻尚未审定也。

以上五事,伏希垂鉴。敬请

钧安　　　　　　　　　　　　　　　　　　○○○谨禀

附　呈:

按察哈门译汉判词一件;

秘鲁中华会馆来函乙件;

译钞新闻二件。

据梅县档案馆藏黄遵宪上郑钦使第二十二号(八月廿八日)手稿

上郑钦使第二十三号　九月初五日

(光绪八年九月五日　1882年10月16日)

敬禀者:窃○○于八月廿八日肃寄第二十二号一禀,当邀垂鉴。廿九日奉到十七号钧函,外寄锦堂要信一封,登即转交;本月初三日又奉到十八号钧谕并批禀一件,一一捧读祗悉。

自华来美之商,以一时无从领照,盼望甚亟。伏读手示,即将屡次函促粤督及现在电催总署情形转告各商,以慰其望。

商人自各国来此者,方经官断,无须持照,业无阻滞。前呈哈门译汉判词,以匆匆译就,颇有谬误,因复烦□^①详阅洋文,文山细翻汉字,○○复节其未易解者就二人详细查问,加以润色。观其文意,批隙导窾,微婉曲折,大足以问执异议之口。兹谨以钞呈。各处商人叠有函问,不日拟即刻印,分散各国,以便来往也。

承钞示秘鲁施恩行善会禀词十一款。此间亦于初三日接到中华会馆一禀,谨录呈钧览。寓秘华人不睦,○○初未闻知,后询之华商,则丑诋会馆各人,然亦云欲访各事,则彼辈闻见较广。再询之自巴拿马来之刘荫洲,则云伊寓秘十年,是处商家势如抟沙,近年联合一远安公所,亦复无人理事。然商人各有身家,遇有事端,究属可靠。至中华会馆之董事,各人初亦业佣,后积有资财,变而为商,论其身分,本不足以餍众望,惟奋力为公,亦不无益处,若诋毁之词,则出于爱憎者之口,不可尽信云云。○○思其所言,似颇平允。观会馆所禀,谓是处有土客之分,有商工之别,各怀意见,固昭然若揭;惟托其打探各情,业经函嘱,不便再更,且只系托其探事,未托其办事,似亦无妨耳。

承示偶患目疾,不审痊愈否? 企念之甚!

专肃,敬请

钧安,伏希俯鉴。

　　　　　　　　　　　　○○○谨禀　九月初五日　二十三号

计　呈:

按察使译汉判词一件;

照钞秘鲁中华会馆来函一折。

再,上月廿四日另寄巴拿玛华商案洋文判词三十本,未卜赐收否? 又禀。

据梅县档案馆藏黄遵宪上郑钦使第二十三号(九月初五日)手稿

上郑钦使第二十四号　九月十五日

(光绪八年九月十五日　1882年10月26日)

敬禀者:窃○○于本月初五日肃呈第二十三号一禀,当邀垂鉴。十二日奉

到第十九号赐谕,敬谨读悉。兹谨将应禀各事,条具如左。

一、本年二月新例将成之际,有回国华人请领执照,当由○○按照条约酌拟给发,其详具于二月廿二日申文及第三号禀中。自二月二十日起至四月初七日止,共发去五百一十八张。前于六月中具十四号禀,曾请将此款式商之外部,请其准行,未承赐复。旋有香港轮船公司寄函来询此照可否作准,能否搭载?○○函复令其载来。本十二日,阿拉碧船到此,载有一人持照者,当问税关如何,税关谓伊不能作主,或由户部指挥,或由臬司审断,方能上岸。○○即于十三日寄电请示,蒙复电谓饬洋员往商。本日未初复奉钧电,云户部电饬税关准华人上岸,税关接电,旋于申初许其人上岸矣。忻慰之至。查此项执照,户部既准其一张登岸,谅必其馀五百一十馀张亦不复扣留。宪台既密商户部,应请其函饬税关,以后见有此照,一概放行为恳。此照初约税关签押盖印,税关未允,旋送一款式并修一文书,请其存案。昨日因域多利商人事,见关长些卢云,谈及此事,亦云当为代请户部示遵云云。并以附陈。

一、例所不禁之华商人等,由此经域多利、檀香山、巴拿玛、秘鲁等处,税关按第四条,以其非工人,不肯给照。华商因来署请求,○○不得不给予执照以为凭据。前有一商人领照由金山出口,后由域多利绕入飘地桑进口,该处关吏业经放行。遵宪当于十四、十五号两禀中陈叙一一切,并寄款式,蒙复谕令扩充办理,回华商人因亦照发。不意昨有一商人由域多利回来,领有领署执照,税关仍复扣留。十四日午后,○○往见关长些卢云,请其放行。关长云:"来者系属商人,既承面商,吾意原许放行";但谓:"领事发商人执照,即能作准与否,则吾不敢知,仍须户部指挥或臬司判断为准。"○○云:"按新例第六条,商人等照由中国朝廷给发,领事系中国朝廷所派之员,且既奉钦宪命准发此项执照,应请准行。"些卢云又云:"虽如此说,尚须请示户部,此一人先令其放行。"当即招笔记○○所语,云以函问户部,一面复嘱令是人放行。○○致谢而去。乃本日仍不令登岸,关长为人无他肠,但多病,少理事,而所用幕友朱霖及总巡冒顿、博郎等,皆系十分憎恶华人。此事既承其面许,忽又变局。此间与税关交涉事,不见关长,百无一允。此事乃允而复悔,一傅众咻,其难如此!现与傅领事商量,拟即提之审讯,谅经哈门审断,万无不准之理。且一经官断,便可成案,较为直捷。刻即与律师麦嘉利士大商明一切,容后再详禀。

一、本月初七日,有檀国驻扎日本公使名柯分拿偕其领事来见。据云到日本后约住半月,要往天津谒见李相,渠带有一檀国文书呈李相者,又带一二学生欲在中国读书。前闻檀岛有欲求结约之事,且窥其意旨,似乎不肯明言,因亦不复细询。客退之后,复思究不如探其口气,得知其实在消息。初八日前往答拜未遇。十一日北京船展轮,因又往送行。○○谓到日本后,若耽搁经旬,即恐天津冰冻,不能前往;即能往天津,如有事耽搁,亦虑冰冻,无南下之船。渠谓:"吾只带一文书呈李相,至如何办事,尚无一定意见,即使商办,亦系交带驻扎香港之檀国领事为之周旋,伊一见之后仍归日本"云云。观此,则欧阳锦堂兄所闻檀岛欲求结约,又虑中国不允,不敢遽行开口之说,似不为无因。至其所赍书,或即为檀国学生留学中国,或自行表明檀国厚待华工,均未可知也。并顺以陈明。

以上三事,伏希察核。敬请

钧安

　　　　　　　　○○○谨禀　九月十五日　第二十四号

据梅县档案馆藏黄遵宪上郑钦使第二十四号(九月十五日)手稿

上郑钦使 附第二十四号　九月十六日

（光绪八年九月十六日　1882年10月27日）

再禀者:由域多利前来之华商,○○初见关长,既面允其上岸,不意仍复扣留。据其幕客朱霖云:若有商人出证来者系属商人,便即放行。○○谓:护照中明云是商,何须更觅商人作证? 如果不允,当提之审讯,听凭官断耳。旋与律师商量,告以此事,一则领事发照系各国通例;二则按例第六条,商人照由中国朝廷给发,领事亦系中国朝廷所派之官,且既奉钦使命,有发给此照之权;三则按例第四条,税关只给工人执照,华商由此往域多利、巴拿玛,如不领领事照,该处船主若不搭载,何以再来? 律师麦嘉利士大亦云此案必胜,万无不准之理。当即将呈禀作就,拟于本日提讯。乃本早税关忽又将商人放行。傅领事又往见关长些卢云,谓以后见照仍复留难,则不如将此案审讯。关长乃复云:"吾再思之,毋庸提审,此后见有领署所发之商人执照,即令放行可也。"此事算既了结矣。

再:禀中所云五百十八张之照,本日向税关抄到户部来电,知既一概允准,

无须再与商议。兹将原电并译文钞呈钧鉴。或云寄电系外部大臣之名,原文寄呈,并求
一查。再请
崇安

○○又禀　九月十六日

据梅县档案馆藏黄遵宪上郑钦使第二十四号(九月十六日)手稿

上郑钦使第二十五号 九月十八日

(光绪八年九月十八日　1882年10月20日)

敬禀者:本月十六日肃呈第二十四号一禀,内述未行新例以前所发护照,
户部已电饬税关准行,及例所不禁人等由此出口,所发护照,税关亦复准行等
事,想邀垂鉴。户部寄关电报亦以钞呈。本日又见新闻,知此项行例以前之
照,户部曾于西历十月二十号即中历九月十日会议行知税关,谓此照理应准行,其
辞意与费卢、哈富文所判巴拿马华商案大意相同。观其所谓奉行新例,不能违
约,又似乎续修条约以前,曾在美国之各项人等,以后再来,既无执照亦许上
岸。今将汉、洋文并呈,求为查询示明为幸。

至商人来往执照,关长既面云不再留难,应否再与户部声明,尚求酌裁。

本月十六日晚奉到第二十号赐谕,敬谨读悉。承掷示所译巴拿马案费卢、
哈富文判词,明畅详尽。近日将此间所译者缮印,正在刻板,兹即令其改刊矣。
洗衣馆案判词,容再呈上。

又:秘鲁中华会馆之第一号来函,曾于本月初五日抄呈,今于十六日复收
到第二号来函,附抄呈览。

肃此,敬请钧安。伏希垂察。

○○○谨禀

据梅县档案馆藏黄遵宪上郑钦使第二十五号(九月十八日)手稿

上郑钦使第二十六号 十月初六

(光绪八年十月六日　1882年11月16日)

敬禀者:窃○○于上月十八日肃呈第二十五号禀,当邀垂鉴。廿七日奉到

第二十一号、二十二号钧函,又摊认汇水钧札及不列号一函,本月初四日又奉到第二十三号、二十四号钧函,敬谨捧读,祗悉一一。兹将禀复各事,条具如左。

一、前拟将巴拿马华商案判词,请户部出示,后读新闻,知户部佛兰治既撮其案中要语,加以断词,刊布新闻。如此,则各处税关自必一律遵照,诚如钧谕,甚为得要,自无须再向外部提及矣。

一、前奉第十四号、第十五号钧函,命代别埠华商给发护照,原属无可如何之办法。论各国通例,公使、领事均有给照之权。惟远隔他处,寄照代发,既虑华工不免假冒别项人等以苦相要求,又恐彼国以何从确知为某项人,举以驳诘,于事究多窒碍。现自巴拿马一案断定之后,凡华商自外国来美,无须执照,均许上岸。此项代发护照,既毋庸再议;惟古巴刘总领事处,似仍以给发为便。

一、商人出港往来护照,前见税务司些卢云云此后见此执照,即令放行,前之由域多利回来者业既上岸。嗣又有由檀香山回来者,税关亦无复留难,谅可免反复矣。

一、未行新例之前,所发五百一十八张之照,既承户部电嘱税关放行,以后谅当照办。柏立谓恐成例后十馀日所发者,不免挑剔。此事○○初亦念及,故前次寄电,不云未成新例之前,而云税关未发护照以前,正为此也。此间关吏博郎亦有此语。惟亚拉璧船载来之华人,即系西历五月六号既成新例以后所发之照,业既放行,谅不致复以此事挑剔也。

一、现在新例于发照验照各节,本由户部主政。户部佛兰治处事公平,平时以时联络,遇事默为嘱托,极中綮要。各国公使办事,每有如此者。

一、现奉钧札,命自冬季以后,将俸薪摊入汇水,谨当遵办。查向来章程,每百两库平,领金钱一百五十二元有奇,原属过优。乃复承函示,命将存款生息匀摊帮补,体恤至周,各员无不感激。惟公款各项汇水,节节摊入核算,稍为繁难,○○拟欲筹一简便之法,容再详呈。

一、现奉钧示,命○○自到任日起,每月薪水按五百两库平支报,优遇之隆,有逾常格,○○惟有尽心竭力,以图报称耳。

一、承寄来棉种二箱,命分寄香港啒行梁鹤巢兄及上海商局郑陶斋兄,又五箱命寄上海商局,提单现均照收。俟慢车寄到之日,即当一一妥为分致,幸舒厪念。

一、承示曾袭侯有议复余主事条陈文稿,可否饬人抄示？不胜恳望。

以上九事,伏希察核。敬请

钧安

　　　　　　　　　　　　○○○谨禀

　　再禀者:自巴拿玛案审断之后,据巡察使费卢所断,谓新例所云护照,非指定例时其人曾居美国者而言。○○读其批词,似乎前在美国、现由中国复来之商人,似亦可无须执照。当据以问律师麦嘉利士大。律师复函谓,此项商人,实可无须执照。○○当判词及律师复函告知轮船公司,轮船公司即寄电往香港,令轮船搭载。近见户部致税关函,亦有本署断得于续修条约之时其人在美、未行新例之前既返中国,可无须按照新例领照呈验等语。○○以为有此项人等自香港再来,谅可免留难矣。本月初二日级滴轮船到埠,有前在美国之华商三名复来者,巡查关吏始云放行,后复阻留。○○初拟寄电求宪台商之户部,继念户部既明明有函告知税关,而税关乃竟不遵办,关长适他出,由幕友查霖主政。彼必有辞以蛊惑户部者,恐由户部行查,反致不免窒碍。又念此商人系来自广东,按照新例,以领照为便。禀由宪台商之户部,如彼谓该商何不领照,又虑难于回答。为此二端,决意以提讯为便。本初五日经臬司哈富文审断,又复放行。律师具禀之时,哈富文即谓税关办事竟不遵照臬司所断及户部来函,殊不可解。审讯之时,税关律师非立提亚仍极力驳诘。哈富文即以巴拿马案中所驳各节重复申述,谓税关不应阻难。断定之后,同船尚有华商二人,即经税关询问证人,一概上岸矣。兹将判词大意译呈钧览。再将[①]

崇安

据梅县档案馆藏黄遵宪上郑钦使第二十六号(十月初六日)手稿

上郑钦使第二十八号　十月二十九日

（光绪八年十月二十九日　1882年12月9日）

敬禀者:窃○○于本月初五日肃呈第二十六号禀,初七日又肃呈第二十七

---

① 将,似当为请。

号禀①，又呈刊刻巴拿马案判词公文之一件及判词五十本，想均邀垂鉴。二十二日奉到二十六号赐谕并户部译文，敬谨读悉。兹谨将应禀各事条具如左。

一、所刻巴拿马一案判词，均系遵照钧署所译原稿，惟字句之间有未甚明显者，略为点窜耳。所引续约第二款译作"可以整理，可以立限，或可以暂停前来"，比原文为明确，第以续约业既颁行，故仍用原文，非敢妄为更易也。

一、巡察使费卢既于两月前归华盛顿，漏未禀明。限禁华工新例驳正各节，最以此公为得力。后来臬司哈富文之判案，户部佛兰治之公启，皆根源于此。渠将巴拿马案刊数百本携归，当时告以将译汉文，普告华人，渠闻之甚喜。现既刊就，望以数本赠之。此公秉正不阿，甚负物望，亦望宪台与之往来，彼必愿为勷助。此间公家律师非立提亚遇事务与华人为难，船工阿胜各案，税关均听此人主持。即后来香港霍谦一案，其时既在巡按使断定、户部布告之后，税关初云放行，闻亦系该律师主意扣留也。闻系由华盛顿之刑部派来，便中或与之言及，尤所企祷。

一、自新例颁行，例中护照各节，屡经官断，声明各项护照系为往来自便之据，非以禁其前来之据。自巴拿马华商一案，不特从外国来美无须执照，而臬司断词即更推及于华商曾寓美国者再来，亦无须护照。自阿拉璧船载来华人，不特有领事执照者准令上岸，而户部布告更推及于换约之时华工之在美国者再来，亦准上岸。此外，则华商由美国出口往来，领有领事执照，税关亦准放行。凡此各条，皆较前方便。奉行新例者，既不能藉口于无照不许上岸之条，格外留难矣。惟是由中国新来之商，现在当无从领照，为之阻滞。此事屡经宪台电请总署，函告粤督，尚未举行。此间铺户屡有来署催问，求为设法者。○○伏念旧商之所以不须执照者，乃因其人久在外国，按新例执照款式，无从而知其在中国作何事业、何处住址耳。若新商则除领执照，更无他法。日来孰念此事，中国官员不甚以出洋谋生之事为意，且执照兼用英文，故办理更觉为难。伏查中国各口税关，皆有洋人，皆亦通习汉、洋文之人，若由总署饬令总税司札行各海关发给此照，则易于集事，且无错误。前拟在广东、香港专派一员发给此照，继思有由天津、上海来者，则仍有不便。若由海关办理，则随处可领，似更方便。是否可行，务求察核。

一、新例中所最不便者，不许假道一节。此事背条约，妨国例，且有违公

_____

法,终必与之力争;争之,谅亦终必收效。新例颁行以来,有华人由金山出口,船经英属域多利,绕至飘地桑。当时关吏阻之,后经此间电报告以其人系由美境过美境,乃许放行。又有华人由呢托来出口,车过英属问拿打,行至亚加拉桥,亦被关吏阻留,后经户部出示,亦谓其人由美境至美境,不能作为犯例。户部命以车票为凭。此二节事,亦系将新例通融办理,可以引作华工假道榜样。古巴刘总领事处,曾经宪台颁发执照款式,令其给与商人。近日有商人自古巴领照来者,〇〇询问其人,据称持照到纽约,关吏验照,即许放行。此一事亦可作华工假道引线。不许假道,彼国亦多有知其不可者,第藉口于逗留不归,故敢于行此苛政耳。不知华人之来美业工者,多系极贫下户,至由古巴返国之人,则皆薄有积蓄,乃作归计,断无有舍其向来所执之业,费百数十舟车之资,来此图工人微利者。此理甚明,无须疑虑。即谓虑其假冒逗留,亦尚可另筹他法,以直抵香港之船票为凭。至不许假道,则于事理均大不便也。闻近日总统集议员,曾谕以妥议此事,议官中如陆根辈,亦有昌言抨击。日来有无与外部议论,便望示悉,至为企幸。

一、未行新例以前所发执照,自户部电饬税关准行,近日东京船、伽力船由香港来此,均有持此项执照者。且有一张系西历五月六号成例以后所发者,税关均即查验放行,谅此更无留难矣。前承钧谕以前寄款式既交户部,命再寄呈,今谨寄来。此案前经诸文申报,现既准行,故亦谨缮印文,呈送钧察,伏乞察存。

一、近日有船自巴拿马来,有华商五名来自秘鲁,均领有美国公使文凭,到即放行。另有数名从智利各国来者,因未闻此处消息,并未携有各样业商凭据,故关吏扣留在船。后经傅领事面求关长,亦饬令本埠铺户认识放行矣。

一、近日连接秘鲁中华会馆第三、第四两号来禀,今将原禀寄呈,所许写信人笔金,近经汇去一百元作为五个月份工资。

一、前驳洗衣馆苛例,现将译汉判词刊印,兹谨寄呈二十五本,巡察使费卢亦望以一二本赠之。西历八月中,本处议例局又议成洗衣店新例七款,虽不如前此之刻核太甚,亦甚觉其繁重难行。此例定于西历明年正月一号启行。现在既与律师麦嘉利士大商榷,届时妥为经理。新例七款并呈钧览。

一、马典一案,近日在该府地方审讯。一名奄闻,系从楼上推坠华人;一名美亚,系鸣锣聚众,并以巨绳牵倒房屋。西人有目击者,有借以锣者,有借以绳者,均来作证,实均系众供确凿。而承审官竟尔放释。闻此二人重资延聘律师,所有问官均得贿赂,是以释放勿罪。现尚有三四人未经审明者,谅亦必行放免,容俟结案后再以详呈。

以上八事,分条胪陈,伏希垂鉴。敬请

钧安

〇〇谨禀

再禀者:承命寄来棉种二箱,一寄香港梁鹤巢兄,一寄上海郑陶斋兄。又承寄来五箱寄上海招商局,均陆续收到。本月二十七日,东京船开行,即为转换提单,并由〇〇加用信函,分别妥为寄去矣。第二次所寄之五箱,据汽车公司交到浮收运费一十三元七角九分,除支取驳运各款外,尚余银元九元六角五分。现将清单另函寄交翰屏兄收查。附此禀明。

再禀者:前承钧谕,命具印支领整装银两,今谨以具呈。去岁星轺过日本时,承面谕向何钦宪借支规银一千两。本年正月经向借支,复由函告招商局总办,请其划还,并请其归入宪台存款核销,算此款于整装项下扣除,较为方便。计规银一千两应伸库平九百一十二两四钱一分,馀银五百八十七两五钱九分,可否请饬帐房掷下。谨此附禀。

〇〇又禀

再禀者:前禀中华会馆与总会馆合为一馆,现既于十月初十日举行,将总会馆匾额撤除。是日复招各绅商会饮,各商皆甚为欢惬。前于庚辰年,旧中华会馆各绅劝捐延聘律师费,共捐得银一万馀元,除是年支销各款外,馀银五千馀元。该商等初以此款专系商捐,故另行存储,不许动支。本年聘律师麦嘉利士大,初虑总会馆所收回华银,不能敷用,届时当向该商拨支。现在两馆既经合并,〇〇劝令各商将是款交出。该商等旋于十月二十日集众交出,共银六千二百七十馀元,经照新章交与各会馆铺户轮流管理,以备公用。所有合并会馆一事,除缮呈公禀外,附此禀陈。

至合和会馆一事,有一二小人簧鼓其间,尚未办妥,并以声明。

据梅县档案馆藏黄遵宪上郑钦使第二十八号(十月二十九日)手稿

上郑钦使第二十九号 十一月三十日

（光绪八年十一月三十日、十二月三日 1883 年 1 月 8、11 日）

敬禀者：窃○○于本月初九日奉到第二十七号钧函，二十五日、二十七日又叠奉到二十八号、二十九号均谕，敬谨捧读，祗悉一一。兹谨将应禀应复各事，条具如左。

一、华工假道一事，敬谂宪台复照会外部与商论，顷闻华盛顿之司法总长函告外部，谓"以新例及续约，互相参观，凡华工假道美境者，与续来佣工不同，不能作为有犯限禁华工新例"等语。若是，则假道一层得以允行。凡寓居南美州①及西印度工人，无不感戴恩泽，往来便利矣，忻慰之至。刻下钧署不审既接准外部复文否？其中有无另设章程，尚求详示。

一、限制洗衣馆新例，前经律师驳除，后议例局复于西历十月中另立新例七款。查华人来美佣工，除开矿、造路及供厨役外，其足以夺西人生业者，莫如洗衣馆，分散各邑，随处多有。即金山一埠论，业此者既有五六千人。而洗衣馆堆积衣服，易于燃火，用水过多，或不干净，业工之人又间或歌呼达旦，喧扰居邻，亦不免有招忌面恶之处，因屡为人控。去年曾设一例，非砖屋不能开馆；本年又设一例，非有近邻十二名实业土人荐引，不能营业，均经驳除。此次新例七款，如第五款之"晚十点钟后、早六点钟前不能做工"；如第六款之"不许容留传染病人"，原应遵行；即三、四款之"防火灾、修水渠"，意亦不谬。惟必须议局领取牌照，诚虑借领照之名，苛刻挑剔，加以驱逐，故仍不能不与之争讼。现业饬洗衣馆，仍照前时联合章程料理，并烦律师预为经画，刻已到行例之期，不日即应审判。○○之意，如果幸而驳除，仍当令洗衣馆妥立章程，自行检点，庶冀免再兹事端也。

一、马典一案，于中历十月底在该府地方审讯，一名奄闻系从楼上推坠华人，一名美亚系鸣锣集众，并用巨绳牵倒房屋。西人有目击者，有借以锣者，有借以绳者，均来作证。实系众供确凿，而承审官竟尔释放。此案曾遣麦嘉利士大往办，而彼不肯往。据律师利亚顿云：闻此两人用重资延律师，所有问官均得贿赂，

---

① 州，当为洲。

是以释放勿罪。利亚顿又云：此案彼辈亦受累不浅，亦稍足以惩后至，惟欲使成罪，实属万难，缘是处地方狭小，甚少上等公证人。所谓官长者，即彼辈耳。又工头司徒日前报失单，约计千余圆。○○度之，实在损失无多。该处长官指为无凭。利亚顿又云：如欲追偿，须移出本处衙门审讯，但恐使费多，得不偿失。现犹有与奄闻、美亚同获之三人，未经审明，然大概必行释放，其司徒失物应否再为料理，刻下尚未有定见也。此案俟一概审结后，再将审案情节，烦律师抄齐，续以寄呈。

一、近阅新闻，云户部派一官名禺慎，往钵当臣地方查办华工及下等华妇犯新例潜入美国者。按钵当臣即系与英属域多利相连。近闻有华妇十馀人，由香港载至域多利。该处华商控于英官，指为娼妇，虽经官审无凭，而新闻传说谓该娼妇实系欲来美国者，故户部派官并及此节。查新例限禁华工，原未谋及妇人，近日钵仑华妇一案，既经户部允行，且谓妇人权利与其一律，似华工在此，其妻女均可以来。惟是金山妇女，娼妓多于良家。此处三合会党，每有一娼妇来，讹索分肥，往往哄斗，甚至有拐诱掳掠者。而罝户穷民及无赖奸商，以重利所在，一妇女到金山可卖千馀金，香港之梁泰记亦贩卖营业。本年正、二月载来妓妇，即系伊贩来者。闻其人旧日稍有身家，本年因箱馆坏船事贻累，益至无所不为。百计营谋。○○常念此事，论限禁新例，实不愿其并禁妇人。而论金山情形，又实不愿娼妓假借而来，至滋事故。前呈拟驳新例，说帖中拟俟中国设官发给护照之时，凡有妇女欲来美国者，饬令金山铺户取具保结，由总领事查验，发给凭单。其人持取凭单，方能向发照官员请领执照，如此可以杜拐骗而省事端。是否可行，尚求训示。

以上四事，伏求察核。敬请

钧安

再禀者：近又陆续接到秘鲁第五、第六号来函，兹仍将原禀寄呈。因来函另有附信存此，故将原禀寄呈。顷承欧阳锦堂兄出示宪台复秘鲁函，知是处为请延写信人事，不免龃龉。查此事初承钧命，并未知秘鲁华商不睦情形，询之郑翻译，云无人可用。又见中华会馆来函，尚属明白，故即以托之会馆。又询悉是处华商之有名望，咸称有永安昌之刘家露、广利号之叶简卿、黎省三等。后乃知此数人即系远安公所之值理。故当时寄函，外书中华会馆列位，内即书刘、叶等名。现又据该馆古德函称，司笔写信人名黎普煌，号郎轩，系与刘、叶诸君集议延请者，可知此人并非向在会馆至招众恶之人，不知何以尚各怀意见。现经宪台谆切劝谕，谅当各顾大局矣。至该馆情形，八月中黎省三归国过此，甚为丑诋；其后询问刘荫洲、区伟卿各人，又颇为持平之论，谓殊不尽然。附此禀明。

○○又禀　十二月初三日

再，承示日本有栖王亲王道过华盛顿等，因其人到此寓巴黎斯酒馆，○○亦穿一裹圆袍、对襟马褂、小帽往拜，未遇。昨接其来函，云"初二日晨有暇，在馆拱候，亟欲一见"云云。复往见面，甚为款洽，并述及在伦敦曾见曾侯，在华盛顿曾见宪台，甚为忻慰等语。濒辞，复索○○手书，因赠以一诗并馈土物，于本日前往送行。其在日本颇立功业，兼充左大臣，即军机大臣。亦为民望所归，人素温厚。此间新闻或讥其骄傲，大约简于酬应，则有之也。附此禀复。

又，檀香山所派驻日公使近复由日本归来，询其行踪，据称未到天津，俟此次归国后，将再启程前往天津。云日本亦派一公使，名杉孙七郎，偕往檀岛，云系往贺檀主、檀后新宫之礼。而新闻或言檀使欲招日本工人，日本未允。杉使往檀，乃系查察檀岛如何情形，再行定议云云，未卜信否。并以附陈，统求俯鉴。

○○又禀　十二月初三日

再，承询寄香港、上海棉花水脚及寄秘鲁汇水，前复翰屏兄，烦其转禀，想邀鉴察。又承命择寄金山洋文新闻。从前金山新闻均由经领事署转寄钧署，惟本年每将新闻择译，因遂有抽出遗忘未寄者，现经妥嘱江的古庐报馆按时寄去。每岁并信资共六元七角，因综购一年，故价较廉，经由○○支付矣。

○○又禀　十二月初三日

据梅县档案馆藏黄遵宪上郑钦使第二十九号（十一月三十日）手稿

上郑钦使　附二十九号

再禀者：中华会馆合并以来，当即查照会馆规条，将各会馆董事派充中华会馆董事，又另派绅董六十名，所以多派者，因遇有事端，则各饬令各乡望族长妥为料理，易于措手故也。○○因念此间铺户时有更易，即绅董亦时有更易，故未便将选派绅董各名禀呈。兹谨将所到名单呈览。

又,合和会馆一事,○○以该会馆分而为四,骤增无益用项,致有亏空,而该会馆馆舍又并未分拆,将来议分,终必争竞。因陆续遍传各姓父老三十馀名到署询问,当经金称允办。惟肇庆会馆有一黄秀瑚,不愿举行。此人最为狡猾,向居金山,专以鱼肉小民为业。从前议分会馆,即系经伊一人播弄而成。闻彼与肇庆会馆密议分馆之后,谢伊千金,现只收到三百馀元。○○知其如此,预为笼络,百方劝说,而彼终不愿者,则以实利所在,不能不力争也。闻锦堂兄云:前任时所有匿名帖,多系伊撰布者。八月间,谕饬冈州董事陈文泉等,妥为联合。○○初意俟合和会馆合并以后,再合中华会馆。乃陈文泉因伊另有私事,延未经理,黄秀瑚复乘间蛊惑,到处谣啄,甚至谤毁中华会馆新章,谓将伊会馆斥之在外。虽不为众论所容,而肇庆馆中一二姓亦有受其愚弄,先允而后悔者。因将中华会馆联合妥,将合和一事暂置后图。现拟于日间再行传齐该馆绅董,当众晓喻。如果多不愿合者,则此事作为罢论;如果三馆金愿,惟肇馆不愿,则或将三馆先行合并;又或肇馆愿者亦十居其六七,则实未便以公众之事竟容一二人抗阻,再当设法禀请办理。谨此禀明。再请
钧安

据梅县档案馆藏黄遵宪上郑钦使第二十九号(十一月三十日)手稿

上郑钦使第三十号　十二月廿五日

（光绪八年十二月二十五日　1883年2月2日）

敬禀者:窃○○于本月初旬寄呈第二十九号禀,想邀垂鉴。本月十三日接奉第三十号钧谕,十六日曾容川到舍,复奉第三十一号钧谕,敬谨读悉。兹谨将应禀应复各事,条具如左。

一、据户部佛兰治寄税关文开:"本署判凡华工于一千八百八十年更换续约之日在美国者,应准任便来美。倘于一千八百八十二年新例未批准之前离美国者,可不须按新例领照呈验"云云。本月中有一华工由香港至域多利来金山,查得其人系于一千八百八十一年九月由美回华,系应准其登岸者,不意税关仍然阻留。询其阻留之故,则称"续约于八十一年十月五号由总统批准宣布,应以是日为断。此华工在八十一年十月五号以前离美,不能任便来美"等语。复向税关抄得关上通饬关役文一通,内称:"接户部函:华工于八十一年十月五号以后离美者,方许登岸"云云。○○阅之甚为疑惑,当与辩论,谓此项不

在禁内华工,载在新例及户部函,均以八十年十一月十七为准,何以办理,忽又两歧? 而税关仍置若罔闻,不得已于十九晚电请宪台察核商度。此船定于二十日开行,而二十日为礼拜六日,虑各署无人办事,所以将电报径寄洋文者,冀其便捷,且电文中可以节佛兰治函,庶便将此电持示外部也。嗣后仍当遵用码号电报,以寓慎密。旋于二十日午后,税关接户部电,谓订约之日应于八十年十一月为准。税关即许是华人登岸矣。此为第一次华工无照上岸之始。○○初闻税关语,尚疑该关另奉有户部文函,及见其通饬文,援据户部来函,即系佛兰治所断各语,乃知关吏系凭空伪造,盖关上人役均系百方憎恶华人,意欲尽行驱逐而后快者。照佛兰治函,则自八十年十一月十七以后、八十二年五月六号以前华工离美者,皆可复来。通计此项华工,应有数千人,故将八十年十一月缩改为八十一年十月,则此项人数较少。其诈伪巧猾如此。税关之通饬文系其幕友朱霖签名。此人最为狡猾。兹谨将来往电报及户部寄税关电钞呈钧览。

一、马典一案,现据律师利亚顿将此案审断口供各项,详细函知,谨先将译汉呈请察核,洋文随后抄呈。

一、洗衣馆新例七款,于西历正月一号举行。因未遵新例向议局领照,被巡捕拿办者,有十馀间,概行保出。既于本月二十二日在合众国衙门,经按察司苏耶、哈富文审讯,现未判断。其第五款之“夜十点钟后、晨六点钟前不准做工”,亦有被拿者。现在概令遵照新例于十点钟停工,亦未交律师争辩此节,盖此节本应遵行也。

一、在嘉省之轩佛地方,因番禺杨某家养小猪,蹂躏新宁李某菜园,当经彼此口角互殴,旋至各集徒党哄争,刀枪林立,竟似械斗,所幸未曾伤人。而彼此两造各禀巡捕,各出票拿禁十馀人。附近各埠,闻风响应,互相帮助,几酿大变。此间闻信后,惧其分邑树敌,愈闹愈大,立遣中华会馆司务赵文功并三邑会馆通事周邦礼前往调停,并给予一函,剀切劝谕。现在既于十九日照公议办妥,两造共订约,各将被拿之人保出,现在既经息事矣。

据梅县档案馆藏黄遵宪上郑钦使第三十号手稿

上郑钦使 附三十号

再,密禀者:伏承密示洋药一事,敬谨读悉。查中美续约第二款,内开“中国与美国彼此商定不准贩运洋药"等语。本年二月底，○○甫经接任，正值议院议立华工新例，其时税关接户部电报，饬令将华人运来洋药暂勿报税，应俟户部颁发章程，饬华商遵行。乃嗣后接户部定章，自西历八月一号，限禁华工例于八月四日举行。不许华商运洋药入口。然他国商人运来如故，久之而美国船、美国商运来亦如故，盖条约只禁华商运洋药入美国，且只禁美国船、美国商运洋药入中国，未尝禁美国商运洋药入美国也。华人之为洋药一切贸易者亦如故。○○颇为疑惑。复将约中英文详加询问，则系将中国商民不准贩运洋药入美国口岸作一节，美国商亦不准贩运洋药入中国通商口岸，并由此口运往彼口，亦不准作一切买卖洋药之贸易，又作一节。○○以是始知美国立约之意，并非惧美人沾染，欲行禁令，徒以方订整理华工之约，欲借美国不运洋药入中国一语，以见好于中国耳。

本年西历十二月四号，本省议例局绅议立一例，凡贩卖鸦片者，须在此巡捕局领取牌照，每季卖烟三千元以上者，纳照费四十元，三千元以下者，纳照费二十元。议此例时，正在新旧议绅前后接任之际，当有局绅托人密询华商，如华商肯出银一千圆，则此例便不能议成。华商惧开讹索之端，效尤日甚，不肯答应，此议遂成。十二局绅，签名者七人，四人不允，一人不在场。○○窃念此事，彼国不议禁而议加收牌照银，此例一行，每岁华商又吃亏数千圆。顾华商在此贩烟一事，不免招恶，又碍难使律师控告驳除，因与傅领事默商消弥之法。傅领事乃往见本府知府，局绅议例，须经府官批准。先论及此例之不合，复告以议绅议此，本为索钱不遂云云。府官乃谓如此殊属不公，次日遂将例批驳。谓经由巡捕领取牌照，向无此例，故不准行。不意局绅即日又集众公议，在西历正月六号、正月八号，即新局绅接任矣。因又设法要诘一二局绅，遂不能成议，现既作为罢讼矣。此事甚赖傅领事之力也。至于议禁一节，彼国如设立章程，领事自当竭力帮助。彼国不禁而领事议禁，则徒托空言，势不能行。是否有当，伏祈察核训示。再请

钧安

上郑钦使第三十一号 十二月三十日

（光绪八年十二月三十日　1883年2月7日）

窃○○于本月廿五日肃呈第三十号禀并钞电报各件,当邀垂鉴。伏读第三十号密谕,以上海美商拟用机器纺织绸缎,经沪关禁止,而美使杨越翰照会总署,指为违约。总署欲与外部论说,因饬查金山华商购买土货制造销售若何情形。各敬读祗悉。

伏查华商在此制洋鞋者约有数十家。亦有东主是洋人者,然多华人自为之,惟制洋衣者,多系洋人为东。制吕宋烟者约有百家,均系购买土货制造销售。他国不得而知,就美国而论,尚无禁他国商民购土货制物在本地销售之例。伏念此事,在他国则可,在中国则不可;在中国地方容外国商民以手艺改造土货销售犹可,用机器则万万不可。何也? 西人之于商务,考求日精。其业商者流,类皆能竭尽智能,以争锥刀之利,故虽许外国商人购土货制物在本地销售,而本国商人各挟其雄资以相竞,断不至将利权拱手让人。华商富厚既不如西商,人而分门别户,各业其业,势如搏沙,团结又万不能敌西人纠股公司之力之大。又况泰西通例,凡外国商民,均归地方官管辖。商人有落地税,有牙帖税,官皆得而约束之。只有本国利权许本国人独占之事,断无本国商人反不如外人优待之理。今中外和约,税权既不能自主,洋商又无从管辖,如子口税等事,久听其纵横。通商至今三十馀年,外国之货入口侵灌,至今吾民失业者,既不知凡几! 而西人贪欲不已,乃更欲操中国货物之权利。然使仿照中国之法,以手艺制物,则中国商民,工贱耐劳,犹可以争。兹欲以机器制造织绸缎之不已,将进而缝衣裳;缝衣裳之不已,将进而制靴帽,乃至一切以人工制造之物,均可以机器夺之。中国商工恐将尽失其业,流离失所。总署坚持不许,所以为吾华吾民计者,至深远矣。

然现以此事商之外部,骤谓中国不许外人购土货制物在本地销售,则似与通商通例有所未符,彼必以为逆耳之言,而反訾议。展转筹思,虑难启口。惟所幸中美条约并未载及,即美使所引法、比等约,所载准其工作等字,自不能指机器。引此为解,此节尽甚可据以相争。以○○愚虑,未便举行之,实况所及,似宜专以不许机器制土货为词,缕陈情况,专与言情,或易动听。未便举行之实况①。

查各国机器初兴,亦时有工人纠众忿争之事,今中国风气未开,岂容遽许他人以机器夺吾民之业? 此局若开,诚虑小民滋事。华工来此,胼手胝足,拮据劳苦,所获无多,而土人尚生妒忌,至有限禁之例。今美国以机器制吾土货,则是以安坐易得之利,反夺吾华工胼手胝足拮据劳苦之业,反观对镜,其理亦易明,亦人情之所同,而理有所不可者也。

再承钧谕,谓以自主之权论,亦非别国所应强迫,实为扼要。查公法中,各国待外人有指明某项事业要与土著有间,有不令外人擅为者。在雅典,则有重征外人货税,令外民讼事,须由土人具结作保。在佛兰西,则有外人遗产归入国主内库。在美国,亦有内江内河不许外人轮船揽载等条,诸如此类亦有之。现已设词托人细查。中国本有自主之权,既谓以机器制土货在本地销售,不许外人为之,亦公法不能议也。

总之要之,今日通商专尚势力,势均力敌,则口舌易于收效。然势力即有所不逮,事关于伸自主之权,保公众之益,即令彼辈合而谋我,吾终竟坚持不许,彼亦无如我何。盖今日局面亦断不至以商务而失和也,是在坚持定见而已。此事关系甚巨,办理亦良非易,所陈诚恐无当于万一,望宪台深思熟筹,与总署及各公使妥商,务其大局幸甚。

尝读海关输出入册,见中国溢出金银,岁近二千万。常谓必须以国全力保持商务,而后乃能国不患贫。平生志愿,区区在斯。宪台深思熟筹,与总署及各公使妥商,务期阻断,大局幸甚②。兹承谕及,恳恳愚诚,不自觉其烦渎若此。伏祈密存而详训之,是所企祷。

据梅县档案馆藏黄遵宪上郑钦使第三十一号(十二月三十日)手稿

上郑钦使第三十二号　正月十三日

(光绪九年正月十三日　1883 年 2 月 20 日)

敬禀者:窃〇〇于十二月三十日肃具第三十一号禀,当邀垂鉴。新正初一

---

① 此为眉批。

② 此为眉批。

日奉到第三十二号钧谕,初六、初八日复奉到第三十三号、三十四号钧谕,捧读祗悉。华工假道事既据外部将户部章程知照,承示汉、洋文章程等项,一一敬悉。各项兹谨分条禀复如左。

一、承谕华工假道混冒之弊,必所难免,倘入境之后,匿不出境,未必美国默无一言,诚为思深虑远之语。查户部章程,虽未能明言匿不出境者作何办法,而中有"华工如未出境,须向本部报明"等语。苟使混冒者多,则彼国据以有辞,又虑将此章程益加刻核。○○熟念此事,凡假道华工求领事给照者,难以专信其口供,遽行给照,仍须有所据以为凭。所据之项,仍莫善于直抵所往之船车票。查华工往来檀香山、域多利、巴拿马者,均必须经过金山。此项华工由金山出口,易于稽查,其有直抵所往之船车票者,照票给发;即无此票,亦可饬令本埠铺户结保。至由香港往古巴者,经过美国大陆,现在既与怕思域公司商定,均卖直抵所往之船车票,每人收银一百圆。户部章程一发,该公司即来领署询问,当即与劝商发卖此项船车票,并令减价,以便揽载。旋据该公司函称,议准价银每人百元,其由古巴返香港者,亦同该公司复派一华人通事往古巴揽载客。○○经将公司所议价数函告古巴刘总领事矣。将来专据此票,似亦可杜假冒混充之弊,舍此亦未有别项良法也。

一、户部章程第三款,所谓"带领华工多人取道行走",系指车行公司揽载人及各种工头言之,苟有确据,关吏可以放行,法诚易简。此项取道人如经过中国设有领事之口岸,可毋须再按第一款章程,由中国领事给照。以管见似可听其任便往来,不必责令开列清单到领事处报查。盖假道华工有此种带领人,得以通行,则华工均之得受其益,不必领事更揽其权。且既有带领人偕行,则带领人专责其成,亦不必领事更预其事。至于由香港前来之人,或虑有拐诱贩卖之弊,仍可以船到日逐口清查,果有贩卖拐诱者,仍可设法扣留也。

一、承示汉、洋文护照稿,拟即照刻,以便给发。查章程内开:"凡取道华工,每人须另将护照两纸交给税关。"此所谓"护照"者,曾容川译作"清单"。查此段洋文系用作地士劫的付里士,与第一段所谓素梯勿结译作凭照者不同。盖领事给予华工者,只护照一张,华工呈关验看后,仍随身携带。华工本人仍照依护照抄写两张呈关,一存入境税关,一寄出境税关也。○○阅看章程文义,即第二、第三条,华工之来,须领事执照者,仍须呈缴清单两张。此项清单,即将本人之姓名、年岁、入境、出境日期等项开列,以便关口查阅,未卜是否。惟是,华工本人不识西字,无从抄写,仍须领事处代为抄录耳。

本月初十日,东京船由香港来,有往檀香山人十二名,有往巴拿马人十一名。查船期尚远,难以留船守候,当即遵照新例,给发凭照,税关均即放行。除华人自带一张外,仍抄一张存关。因仍由本境出口,故只抄一张。此项照抄存关之一张并不用印,附此禀明。此项所发新定照式未及刊刻,与税关言明暂用常日所发护照,加上入境出境等项。

一、户部此次章程,领事遵行,每一船到,领事处必须饬人往查,又必须就船上查询给照,稍觉繁难。惟实在于假道华工有益,为职分应办之事,劳苦所不敢辞。第谓此事由领事经理,必使假道华工无一潜匿,则诚恐未能。盖领事亦只能询考其船车票及饬令铺户认识,详慎缮发而已。苟华工一经入境,竟自不往,领事亦无从查究。又,此项执照须载明出境日期,由金山至纽约,相隔万馀里,预询彼处轮船开行,无论本人未知,即轮船公司亦多未悉,或华工先行出境,或华工随后出境,而税关未及稽查,抑或华工按期出境,华人不通西语,于税关查验时,未及呈照验看,而税关误疑为未往,均为情理之所有,此亦不得不预为筹及者也。

一、承示将此次章程译汉摘要刊布,自应遵照。更拟自新例颁行以后,将某人应来,其应来者系如何办法,刊一简明清单,俾众咸知,庶无乖误。

以上五节,分条胪陈,是否有当,伏希察核训示。敬请

钧安

再,承命将中华会馆章程寄呈。兹将五本另包寄到,伏乞察收。○○附禀。

据梅县档案馆藏黄遵宪上郑钦使第三十二号(正月十三日)手稿

上郑钦使第三十三号

(光绪九年正月十八日 1883年2月25日)

敬禀者:窃○○于本月十三日肃具第三十二号禀,条议华工假道事宜,想邀垂鉴。十五日又奉到三十五号钧谕,敬读祇悉。兹谨分条禀陈如左。

一、假道章程第三款,"如有带领华工多人取道行走或有确供,即可作为凭据,准其假道。"此与中国向办华工出洋章程,诚如宪台致总署函所谓"两不相涉,两不相碍"。承询"中国照章所给之照,应否饬知金山领事,以便一体查验"。伏查古巴华工条款策五款所载给照各样办法,设法既极严密,今欲于取

道时更加查验,以期周密。按金山领事处,每遇有船由香港来者,即派员往查,嗣后遇有前往古巴等处华工,自可逐口查询有无领取中国官员所给护照,其未领照者,自可极力查诘,是否系拐诱贩卖而来,倘有弊窦,仍可设法扣留。窃计若有拐诱贩卖之弊,当系不领执照之人;其既领执照者,当无他弊。金山领事处,惟应按章程随时稽查,似可不必更烦中国给照官员知照办理也。

一、承询"中国所给出洋执照,如遇其人系取道美国者,应否添入取道一层,抑竟不添"等因。伏查户部所定假道章程,系由中国领事给照为凭。中国所给出洋执照,即使添入假道一节,彼仍不能验照放行。窃谓中国给照,祈宜循照向章缮发,毋庸叙入此节,较为得体。

一、预防华工假道潜匿之弊,前拟请以直抵所往之船车票为凭,否则饬令金山铺户取保。日来熟念此事,凡由他国返中国者,或可毋须严防;惟由中国往他国者,不可不严防。由中国往他国,苟属旧客,尚可无须严防;惟新客则断不可不严防。今饬令铺户取保,则化卿或有未认识,专以直抵所往之船车票为凭,则此票亦竟可以掷弃。又拟设一连环互保之法,凡取道华工请领执照者,饬令其同伴或十人,或八九人,或五六人,连环互保。苟偷瞒一人,惟馀人是问。以此一节辅上二法而行,庶几较易防弊。

再,前次东京船到,所给之照,均以直抵所往之船票为凭。其前往檀香山者,更有铺户保结。合并禀明。

以上三节,谨摅管见,是否有当,伏希察核训示。敬请
钧安

　　　　　　　　　　○○○谨禀　正月十八日

据梅县档案馆藏黄遵宪上郑钦使第三十三号(正月十八日)手稿

上郑钦使第三十四号

(光绪九年一月二十日　1883年2月27日)

敬禀者:窃○○于本月十三日肃具第三十二号禀,均系条陈华工假道事宜,想邀垂鉴。兹谨将应行禀复各事,条具如左。

一、洗衣馆新例,于去岁腊月二十二日即西历正月廿九号。在合众国衙门,经按察司苏耶与哈富文二人会审,日久未经判断。现闻此案苏耶之意,以为新例

不便举行,而哈富文则谓是例可行。审官二人,彼此意见不符,须将全案供词寄至华盛顿之上等裁判所洋语谓之士必鳞葛。乃能核断。

一、金山地方,向来每岁命案数十起,多寻仇斗杀之案。去岁一年,侥天之幸,仅有赵阿卓被人炮毙一事。乃腊月初旬,在北加横街,有妓妇钻金,被蔡阿柏挟恨炮毙,凶首即行拿获。本月初旬,在白华转街,妓妇莲英被李阿愿刀刺,闻系相约殉死者。妓妇现尚医治,而该犯在监乘间自缢身毙。此外,又有邬某与张明斗殴,用铁棍击伤张明头颅,业经彼此议息。不意医生不精于医,终因伤重,于前数日毙命。又有雷某由他埠来此,在戏园门口与赵某索债,彼此斗殴,旋被赵某拔刀刺伤,行凶之人脱逃未获。一月之中,故杀者一起,误杀者一起,受伤者二起,令人忧闷。

一、前承第三十二号钧谕,谓"拟将杜绝妓妇、整顿匪类二事,一并告知外部"。查此间妓馆每易滋事,现在限禁华工,一俟中国设有给照官员,与之声明,华妇由中国来,除中国官员眷属及随带雇用人外,一概须有护照方许上岸等语。而中国给照,乃专由金山领事取具铺户保结,然后凭单给发,便可不禁自绝,此事办理尚易。至驱逐匪类一节,所见具陈于前拟条款稿中,诚虑未易得当,或者仅举限制华工章程,推类言之,谓华人来此之有损于风俗,有碍于平安者,皆系此种匪徒之故。外部如肯允从,则华人实受无穷实益也。

一、马典一案,前经将律师利亚顿来函译呈,兹复将洋文呈览。此事华人亏损尚小,惟情节殊属可恶。初办此事,原不敢期于必胜,但冀借此以稍警效尤。此刻应否再行文外部,伏乞宪台察核,训示遵行。

以上三事,伏乞察核。敬请钧安。

○○○谨禀　正月廿日

据梅县档案馆藏黄遵宪上郑钦使第三十四号(正月廿日)手稿

上郑钦使第三十五号　正月廿九日

(光绪九年正月二十九日　1883年3月8日)

敬禀者:窃○○于本月廿日肃呈第三十四号禀,想邀垂鉴。前禀各条,尚有未尽之事、未达之意,兹谨再分条详细胪陈如左。

一、洗衣馆新例,因问官二人意见不符,故将全案移交华盛顿之上等裁判所审判。第闻华盛顿之上等裁判所案件繁多，以各属移案到日期，分别先后，尝有一案耽搁经年未能判断者。当未经判断之时，所有不遵新例各洗衣馆，仍可出票拘究，诚虑纷扰无穷。现据律师商榷，设法出票，另拿一未遵新例之人，令其入监拘押，律师即为是人修办驳词，寄呈华盛顿。盖如此，则上等裁判所之审官应为此次拘押之人，将案移前，早日判结也。律师复将两案驳词刊刻成帙，分寄华盛顿之司法各官。其驳词大意系指斥新例为不符合国例，不合条约，引例甚多，词甚博辩。因卷帙繁重，一时未能译出，今先将洋文寄呈钧览。

一、前陈议禁娼妓一事，查各国繁盛之区，无不有娼寮妓院，虽各设禁条，亦有未能除绝之者。论为政大体，原不在乎汲汲于此。第以金山华妇，娼妓多于良家，又有三合会党讹索分肥，往往滋事。前光绪三四年间，美国驻华参赞何天爵曾对总署言及，谓欲严禁娼妓。近年以来，每有华妇来者，必经香港美国领事取具铺户保结，又令妇人影像，以一张存领事处，以一张寄税关核对查明，方能上岸。此节现已废止不行，不知系美国所定之例，抑系领事自拟办法也。又闻美国国例，亦有"凡船由外国进口，如查明该船所载如有有伤风化各事，应饬令原船载回"等语，则此事自应由中国议禁为便。议禁亦应外部所闻。第与之声明，华妇来者由中国官给照为凭，一经外部订明，便成定局，所有中国官员眷属及随带雇用人等应以何为便，或华商家属随别国来者，应以何为便，此外有无窒碍，事不厌思，仍望宪台熟筹而行。

一、前陈驱逐恶人一事，美国参赞何天爵亦曾对总署言及禁止逃犯来此，但只言禁其前来，未及驱之回籍。兹议由领事查明，驱逐于他国，地方行领事法令，准之各国通例，原有未符，诚虑未易办到。但此事实于两国均有大益，不得不竭力图之。今进言于外部，如虑彼以其人犯罪，尽可控告地方官为词，则或告以此种恶匪多系中国乱党逃避来此，犯罪原在中国，不在美国；又如虑彼以在美国既不犯罪，亦可毋庸驱逐为词，则可或告以此种匪徒素不安分，在此连盟结党，凡凶杀扰乱之事，实多系其暗中主谋，又难于指实其罪状；如又虑彼以逐回中国治罪，有伤仁爱为词，则又或告以中国内难久平，此种乱党早经赦宥，今亦不过逐回，并不再行惩办等语。总之，紧就限制华工一事，连类言之，谓凡美国所指华人为伤风化、有碍平安者，不在各工，而在此种人，但能驱逐数人，两国均必有裨益，或者较易动听。盖限制工人以驱逐恶匪，均之未符万国通例，彼可行，此又安在其不可行也？若外部终未肯从，即又与之约，试办数年，亦无不可。○○于此事蓄念最久，前以假道一事，未经妥议，不敢多及。今复倾肊缕陈，以备采择。是否有当万一，统求酌夺训示，不胜企幸。

据梅县档案馆藏黄遵宪上郑钦使第三十五号（正月二十九日）手稿

上郑钦使第三十六号　二月初六日发

（光绪九年二月初六日　1883年3月14日）

敬禀者：窃○○于上月廿九日肃呈第三十五号一禀，当邀垂鉴。本月初一日奉到第三十六号均谕，敬读祗悉。兹谨将应行陈复各事，分条具禀如左。

一、承命查询金山华商购买土货销售店数、人数等项若干，除所开铺名业于三十一号禀陈外，现查别吕宋烟者约有一万一千人，制洋靴者约有二千六百馀人，制洋衣者约有二千馀人。统计此项，华人为东主者居三之二，洋人为东主者居三之一。其资本多少难以确查。颇闻各国均无禁外国人制造土货之例，惟别项事业亦有设为大禁，止许本国人专利，不许外国人均沾之条。此事经设词询问律师麦嘉利士大，据称此种惟公法家乃能熟悉，伊尚须检书查考再复。麦嘉利士大事务繁多，近又有疾，既经催促早复，俟其复到，即当抄呈。

一、自来华人犯罪，经嘉省地方官定案监禁于桑困顿岛中者，约计有三百二十馀人。近因嘉省管库入不敷出，议行节用。有议员倡议将此项犯事人概行驱逐回华，大可省费。顷虽未议成，颇闻事有端倪。议员并云此项犯事人既经出境，不许其领照再来，亦不至于废法。盖亦由限制华工之例而牵连并及，且必有限制华工之例，乃可以行之无碍者也。由是以观，前议驱逐恶人一事，或能允从，亦未可知。惟○○前禀欲指此恶匪为中国乱党，细思措词未洽。盖西国于连盟结党、叛抗朝廷之人目为国事犯，以为系出公愤，非由私罪，两国订立互交逃犯之条，且有声明不交此种犯人者。但指此项为曾经犯法；素不安分之人，似较浑融耳。又三十四号禀中所陈娼妓莲英被李愿刺伤，现经渐就痊愈。又赵某在戏园门口刺伤，系黄阿雷，非雷某，现阿雷亦既全愈矣。附此禀明。

一、假道章程既详复于三十二号、三十三号禀中，想邀鉴察。前陈怕思域公司发卖直抵所往之船车票，由古巴至香港，每人百圆。闻该公司议于纽阿连入口，盖由古巴至纽阿连，较之至纽约水路较近；由纽阿连至金山，较之从纽约来陆路又较近。该公司又派一人至古巴揽载搭客,谅即系遵照假道章程第三款,即令其人带领而来也。接据古巴商家来函,谓该处华人既贪程途之近,又喜价值之贱,甚为欢欣,多有图作归计者。惟是近见怕思域公司司事人又云,纽阿连地方最惧黄疸病传染,近又议一例严防传染病,自西历五月起至九月止,不许外国船载人入口。闻此例既议行,则此数月中,古巴华人之欲归国者,仍不得经由纽约矣。

一、去岁十一月初,交金山永和生号汇寄金钱一百元,交与秘鲁中华会馆之写信人黎朗轩收,日久未见复函,自第七号函后,亦未有续禀。而由远安公所黎俊英陆续叠寄四函来,其第三号函述美国公使欲选择华商暂行代理领事,并云经托美使转禀宪台。乃顷据中华会馆古德基函,述华商某欲代理领事,不孚众望,人情惶惑云云。其龃龉不睦情形已可想见。此事屡经函劝,并附寄以此间去岁告谕绅董文,令其联络一气,然彼此各树党羽,终不相下,似非派员前往不足以镇群情、联众心也。又本日有一法国人从秘鲁来者名柯士架,闻系法国绅富,以游历至秘鲁者。自述在秘鲁时见各华商,请其道经华盛顿,代求宪台早日持节前往,且谓驻秘有智利将军连治,如宪旌移驻,与该将军商榷一切,即可保护商民云云。○○经面许其此语转禀,复谢其雅意。古德基函即交此人带来者。远安公所来信,谨钞呈钧览。

以上四节,伏希察核。敬请
钧安

上郑钦使 附三十六号

再禀者:去年十一月十五日发来第三次经费一万元,此单早交嘉利科尼银行入数,作为总署存款。乃日昨银行司事人来说,此单不知何处失落,求为电请宪台询问李格士银行,有无别人持单收银。银行司事人又求代为电请宪台照发一单。○○告以如果李格士银行未有他人持单支银,自当代为函恳宪台再行补发。昨奉到复电,知此项银两,未有人取。可否求饬帐房照依前发之单补给一张,并于单内写明照钞字样。一面仍求告知李格士行,此项某号数

□□①,惟单内有照抄字样者,方能支银,其原单作为废纸。○○俟单□□□②
仍向嘉利科尼行取回凭据,声明原交之单已经失落,作为废纸。如此谅亦可
行。务求察核。

再,银行交来代寄电报银二元,今并以缴呈。

○○○又禀

据梅县档案馆藏黄遵宪上郑钦使第三十六号(二月初六日发)手稿

上郑钦使第三十七号 二月廿四日

(光绪九年二月二十四日　1883 年 4 月 1 日)

敬禀者:窃○○于本月初六日肃呈第三十六号禀,当邀垂鉴。十五日奉到
第三十七、三十八号钧谕,敬读祗悉。兹谨将应禀应复各事,分条胪具如左。

一、给发假道凭照,所拟联环互保之法,系指并无直抵船车票及无人认识
者言之。现在所发假道凭据,凡由域多利、巴拿马来往者,均查明其所携车船
票给发。惟前往檀香山到此欲上岸者,并饬令铺户担保然后给发。盖以往檀之人
所购船票比到金山船价反贱,而檀岛工值又较贱于金山,一经上岸,多欲逗留不去者,不得不加以详慎
也。刻下前往檀岛人数甚多,多未请领此项执照,实缘上岸不过游玩,既经离
船,房租食用均需自备,故此种穷民多不欲上岸也。再,近日往檀岛者,卑宜积
船载来十六人,北京船载来□③ 十四人,日昨阿拉碧船载到五百七十五人。
查粤省于此往□□④ 设为厉禁,香港亦有禁,每船只许载二十人,此次竟载多
人者,轮船公司所卖船票并不声明往檀,到此始另换船票也。以后如此办法,
恐或源源而往矣。惟曾经派员查询各工,佥称自备资斧,并无拐诱贩卖者,要
自来便阻滞。附此禀明。

一、前陈往来工人,如有拐诱贩卖诸弊,尽可设法扣留。若果该工人自称
系被人拐诱贩卖,一经领事知照地方官,地方官必立行提讯,审明必立行释放,
盖泰西各国于贩奴一事设为厉禁。公法家有云:"异邦人携带奴婢入境,不得

---

① 原件此处虫蛀,似为"失落"二字。
② 原件此处脱字,似为"到之日"。
③ 此处手稿虫蛀,似为一数字。
④ 此处手稿虫蛀二字。

仍以奴婢待之"。又云:"即贩奴船只遭风飘入例禁蓄奴之国,苟非有特设条约,则公法不能保其奴之不逃,亦不能为事主追还"云云。可知此一事,领事尽可设法料理,以后遇有假道之人,随时极力稽查,谅可防绝此弊也。

一、假道华工或有先后出境而税关未及查明,或按期出境而其人不通西语,未及缴照,均为事理所有。所以预言及之者,诚虑将此种既经出境之人疑为逗留,致多口舌也。现拟亦将此节向税关言明。至承询应否与税关商明彼此各关如何稽查之法,窃查现章既已严密,似乎不便更与设法矣。

一、此次假道章程,每有船到,领署必须派员往询,即就船上缮发凭照,因未领凭照之先,税关不肯放其人上岸也。或该华工等一时未有直抵船车票及未有人认识,又须再往,殊为烦费。现拟一法,凡船到有欲假道者,报明领署,领署即将假道人知照税关,并饬洋仆协同关役到船,将其人带到领署,然后询明年岁、量度、身材等项,缮发执照,交给本人,并将抄单由领署交到税关。如此无须在船给照,较省奔走;此处关长已经允行。此虽系私商办法,将来纽约谅亦可依此而行也。

以上五节,因承钧命嗣后如有关系假道事宜,随时禀陈,故不惮烦渎,分条详禀,伏希察核。敬请
钧安

一、假道凭照现经刊就,谨以二十张寄呈。其有汉字者,系交本人携带之凭照,无汉字者,乃系交存关口钞单。即希案收。此条补入第四条后。

据梅县档案馆藏黄遵宪上郑钦使第三十七号(二月廿四日)手稿

金山中华会馆绅商民等上郑星使公禀[*]

(光绪八年初至十一年六月间　1881年初至1885年7月间)

敬禀者:窃闻威宣邻国,皇华扬使节之光;仁人人心,鲛客捧明珠而献。盖忠信感孚于豚鱼,斯声名洋溢于蛮貊。然从未有泽及化外,德被海隅,开声教于四千馀岁以还,布恩威于七万馀里之远,如我宪台者也。伏维大人,识穷两

---

* 具体日期不详。黄遵宪自光绪八年初至十一年七月任旧金山总领事。该禀文推断写于光绪十一年六月郑藻如因病免任三国大臣职前。

戒,学通四夷。国侨擅博物之能,定远具封侯之相。手持符节,能综五鸠;身耀绣衣,旋歌《四牡》。九重帝简,信为出使绝城之才;一个臣良,遂收保我黎民之利。盖自张馓出境,露冕宣风,而寒谷获乎回春,乔木迁而变夏矣。

在阿米利加之国,有扶兰士果之邦,自道咸四十年以来,聚岭海十馀万之众,羯戎同处,庞杂不伦。虽为罔利之场,几等昏荒之国。颓风日靡,有识怀忧。而公慎简贤良,善为保护。鞠我育我,爱克厥威;教之诲之,仁又多术。遂使鴃音渐革,鸥又潜锄。人人读谕蒙之书,事事以迁善为乐。钱输鹰眼,歌与子同仇;旗耀龙光,祝吾皇万岁。司隶之峨冠博袖,重睹威仪;妇人亦解珥脱簪,争行仁义。南海衣冠之气,竟由常侍带来;武城弦管之声,足使先生莞尔。此皆公之大德,民不能忘者也。加以毕夷异性,土客相仇。食比长蛇,苛如猛虎。闭重门而忽罹禁纲,逢狭路而遽尔拔刀。吾民已恕而不言,彼族益聚而谋我。于是通商弃约,逐客下书。四十里之囿,悬禁国中;一丸泥之关,拒人境外。白马之书虽在,盟竟可寒;黄鸟之什同歌,人难与处。而公守分明之约,争娆刻之章,凭三寸之舌以折其锋,披七窍之心以持其隙。盟府有恃而无恐,阴谋竟阻而不行。九鼎有言,五丁拔寒。卒之郑环未夺,赵璧能完。左右袒或且为刘,西南夷依然通汉。凡夫弧矢壮游,研桑世业,以逮凫氏桃氏,鲍人筐人,或制吉莫之靴,或织扯黎之布,或操洒削之技,或业赁舂之佣,莫不珠去复还,舟旋却至。客有如归之乐,儿无失乳之啼。慰蓬蒿藜藿之劳,依然利市;看任辇车牛而至,未许闭关。斯又我公之勋,更仆难数者矣。故凡总领事维持保抱之功,悉由我宪台提挈指挥之力。仰斗星而幸分远耀,饮海水而敢忘发源。某等来自我东,远游穷北。喜黍苗之得泽,念桑梓而益恭。率士皆臣,犹食周朝之粟;他乡作客,翻衣召伯之棠。虽千顷之波,测指难窥大海;而中华以外,昂头竟戴二天。黔首何知?恋恋愿留鞭鞚;赤心可表,区区藉托丹砂。善有众征,颂无异口。所冀光昭英荡,又乘四路而来;庶几味比美芹,敢选百钱以赠。谨将微物,代达寸诚。另缮礼单,呈由总领事转递。统祈赐收,不胜荣幸。肃重丹禀,虔叩崇安。伏希慈鉴。

据钱仲联辑《人境庐杂文钞》,《文献》第八辑

上薛福成禀文*

（光绪十七年十一月　1891 年 12 月）

职道到任一月,详察南洋各岛情形,知英属新嘉坡等处,流寓华人日增,所有落地之产业、沿海之贸易,华人占十之七八,欧洲、阿剌伯、巫来由仅居十之二三。其往来贸易与内地互相关涉者,约有数端,一曰船舶。富商巨贾,有多至十数艘者,入境则地方有管辖之权,出海则领事有稽查之责。一曰财产。华人产业或在中国,或在外洋,两地眒隔,彼此缪辖;又有一家公产,一人遗弃,互相并夺,至于倾家荡产,诉讼未休。一曰逃亡。或在中国作奸犯科而匿外国,或在外国侵吞奸骗而逃归中国;已得其主名,亲见其踪迹,竟以案无根据,莫能指控,仇雠侧目,行路饮恨。一曰拐诱。拐匪踪迹诡秘,而中外又两不相接,故无从缉获。一曰诬告。有空拳而出,捆载而归者,乡邻姻族,视为鱼肉,每每勒索讹诈,及不遂,则有富商而指贩卖猪仔者,以良民而诬为曾犯奸盗者。

据郑子瑜《人境庐丛考》载《诗人黄公度羁马事迹考》

上薛福成禀文**

（光绪十八年五月十四日　1892 年 6 月 8 日）

新嘉坡等处流寓华人,日增繁盛,其往来贸易,与内地互相斗关涉者,有船舶、财产、逃亡、拐诱、诬告数端,自应设法革除。拟请以后遇有事端较大者,由总领事禀请出使大臣转咨闽粤督抚核办;其小事径咨各地方道府州县办理,以期中外官商,息息相通,互相关照保护。除批准分咨闽粤督抚外,呈请查核。

据薛福成出使公牍卷七

　＊　黄遵宪于光绪十七年十月到新嘉坡任总领事,文中说"职道到任一月",此文当写于光绪十七年十一月(1891 年 12 月)。

　＊＊　薛福成时任出使英法义比四国大臣,黄遵宪任新嘉坡总领事。此件所标时间系据薛福成札饬日期,光绪十八年五月十四日(1892 年 6 月 8 日)。

上薛福成禀文*

（光绪十九年六月六日　1893 年 7 月 18 日）

大小白蜡及石兰峨之吉隆一地，产锡最旺，华人日增，气象方兴未艾，拟请大小白蜡共设副领事一员，吉隆设副领事一员。去岁吉隆出锡益多，集工益众，商贾麋集，货物云屯。英官方于大小白蜡之间建火车路，以资转运，数年之后，将成一大都会。华人之商于大小白蜡、吉隆者，多获厚利。一年之中，大小白蜡增工役数万，吉隆增工役二万有馀。今岁佣工，由闽、越至新嘉坡者，已有三万六千，大抵散居于白蜡、吉隆者为多。流寓日众，良莠不齐，举凡财产、钱债、赌博、斗殴之事，虑其轻于犯法，易于启争，必设领事，可资约束而筹保护。此虽系英人保护之土，各国尚未设官，然此处寄寓只有华民，并无他族。是中国设官，更属名正言顺。先是总督施密司谓：白蜡、石兰峨等处皆华民，系英国保护之邦，不必尽用英律，因嘱将大清律例财产各条抄出。已为抄出户律户役门凡八条，施督即译英文，札交各处承审官一体遵办，为英人绝无仅有之事。施督于华民保护甚周，其行政时有将就华民之处，趁其在位，赶设领事，此亦事机之不可失者也。

据薛福成出使日记续刻卷八

晓谕采访节妇示**

（光绪十七年十月至二十年十月　1891 年 10 月至 1894 年 11 月间）

南洋各岛，往往有琴瑟偶乖，遂对簿公庭，视夫如仇者；又有尸棺在殡，遂挟资改醮他人入室者。此皆人情之所深恶，内地之所绝无。（中略）夫十步之内，必有香草，岂可因咨诹不及，谓贞节竟无其人？沧海之内，每憾遗珠，岂可因道理① 云遥，使王泽未由下逮？为此出示晓谕，凡我绅商人等，宜各周咨博

　＊　薛福成时系出使英法义比四国大臣，黄遵宪时为新嘉坡总领事。此件所标时间系薛福成出使日记续刻卷八光绪十九年六月初六（1893 年 7 月 18 日）所记日期。

　＊＊　应作于 1891 年 10 月至 1894 年 11 月黄遵宪任新加坡总领事期间。

　①　理，疑为里。

访,据实直陈,上以邀朝廷绰楔之荣,下以表闾阎彤管之美,本总领事实有厚望焉。

据郑子瑜《诗人黄公度羁马事迹考》,载郑子瑜编《人境庐丛考》

湖南保卫局备忘录

（光绪二十三年下半年　　1897 年下半年）

总办　会办　分局长　分局副局长　总局委员

小分局委员（理事）　小分局理事委绅　巡查长　巡查吏　巡查　各项办事章程　已办

巡查责罚章程　已办

巡查月报格式　密报格式　已办

总局告示格式　已有

会详格式　已有

总局札各局式　已有

各局禀总局式　已有

各局移文式　已有

传票式　已有

拘票式　已有

送犯格式　已有

收犯格式　已有

发落犯人格式　已有

收支簿格式

收支单格式　已有

领单格式　已有

巡查凭单　已有

举董事格式　已有

保荐巡查格式　已有

各员名字簿　已有

董事名簿　已有

巡查长　巡查吏　巡查名簿　已有

门牌格式

户口册式

稽查员绅　吏役功过章程　此项巡查及巡查长吏　已有，未备

此外如何稽查之法　请各公酌拟

总局总司各处委员职事章程　现拟未定稿

清理街道章程　存义案处　有一纸　仍须详

清查户口章程　未拟

收支银钱章程

管理荷具章程

迁善所章程

据梅县档案馆藏

枭辕呈词批示[*]（二件）

（光绪二十四年二月十五日　1898 年 3 月 7 日）

一

长沙县周玉堂呈，查阅县判抄黏不明，候长沙县录齐全案，查明候批。

二

宁远县刘孝生抱告刘周批染患重病，候局员验明在外调理，候提全案到省质审可也。

据《湘报》第一号（光绪二十四年二月十五日出版）

杨先达等禀请速办保卫局批^{**}

（光绪二十四年二月十七日　1898 年 3 月 9 日）

据禀既悉。考三代盛时，君民上下，同心同德，相维相系；国有大政，必谋

---

　* 批示日期不详，题下所标注的日期系《湘报》出版时间。以下据《湘报》者同。

　** 湖南设立保卫局初，绅士颇有疑议，继而商人闻之，欢欣鼓舞，联名具禀，立请开办。此件系黄遵宪对第七禀杨先达等禀请速办保卫局的批示。

及卿士,谋及庶人,推之国人曰贤,国人曰杀,一刑一赏,未尝不与众共之。故法立至公,而政无不举。

本署司屡衔使命,遍历泰西,觇其国,观其政,求其富强之故,实则设官多本乎《周礼》,行政多类乎《管子》。考之《管子》,五家为轨,十轨为里,四里为连,十连为乡,故人与人相保,家与家相爱,居处相乐,行作相和,其声相闻,足以无乱,其目相见,足以相识。此齐桓所以霸诸侯者也。而西人法之,邑有邑长,乡有乡长,合之而为府县会。考之《周礼》,有司救,有司市,有司虣,有禁暴氏,有野庐氏,有修闾氏,掌民之邪恶过失,市之治教刑政,而禁其斗嚣暴乱、矫诬犯禁者。此周公所以致太平者也。而西人法之,有工务局,有警察局,国无论小大,遍国中无不有巡捕者,故能官民一气,通力合作,互相保卫,事举令行。此实中国旧法而西人施之于香港、上海之华人,亦无不视为乐郊,归之如流水,耳闻目见,其效如此。

本署司奉命来湘,蒙抚宪奏委署理臬篆。莅任以来,迭奉抚宪面谕以省城内外户口繁盛,盗贼滋多,痞徒滋事,不免扰害。上年窃案多至百馀起,破获无几,而保甲团防局力不足以弹压,事亦随而废弛,非扫除而更张之,不足以挽积习而卫民生。本署司以为,欲卫民生,必当视民事如己事;欲视民事如己事,必当使吾民咸与闻官事。当即酌拟《保卫局章程》四十馀条,意在官民合办,使诸绅议事而官为行事。呈之抚宪,抚宪深以为然,饬令发刻,先行布告,一面筹办。兹据各绅商等百馀户、职员等二百馀名联名吁恳从速举办,具征众情踊跃,咸以为便。本月初九日既奉抚宪扎,将保甲团防局裁撤,改办保卫局,委本署司为总办,回盐道本任后仍责成经理此事。上奉宪谕,下从舆情,自当刻日开办。现已分画地段,租赁房屋,购备器具,各事就绪,即日举行。

惟念本署司初到湘中,风土人情,未能谙悉,除原议章程业经分布外,依附保卫局而行者,尚有迁善所五所,每所容留失业人四十名。又,保卫局开办后拿获犯人亦送此所,计额亦可容四十名,皆延聘工匠,教令工作,俾有以养生,不再犯法。此项章程现既付刊,容日再当分派各户。

又,保卫局拟分三十局,统城内外以三万户计,每局约辖一千户,拟每二百户即举一户长,每千户共举五户长,以该处居民、商店充其选。遇事即邀集各户长为议事,绅士到局公议,照原拟章程第四十三条而行,所用巡查,即照依分局所辖各户,令户长公举,再照局章选用。

以上二条,皆章程中未及详载者。此外或尚有未尽事宜及不无窒碍之处,尚须择期邀集众绅商会议,届期仍望各抒所见,匡我不逮,一俟议定,即行开局,用速成效而顺众情。切切此批。

据《湘报》第三号(光绪二十四年二月十七日出版)

马仲林等禀请速办保卫局批 *

(光绪二十四年二月十七日　1898 年 3 月 9 日)

昨据杨先达等先后来司具禀,业经批示。所拟章程,士大夫之有识者、贤长官之实心者多以为然。初谓民情可与乐成,难与图始,未必询谋佥同。今统阅各禀,催请举行,词极迫切。盖以盗窃之滋扰,地棍之讹索,无赖之强乞,以及在官之蠹役,外来之恶痞,均为汝等切身之害,噬脐之祸。彼安富尊荣者不尽知,而汝等均身受之,思所以辟害而免祸,故其词迫切如此也。念及此,盖为之恻然心动。上下之离散,官民之壅遏,乃至如此。父母斯民之谓何,诚不可无以通其情而去其蔽。此局既奉抚宪札委本署司为总办,责令一手经理,自当尽心竭力,不避劳怨,刻日举行。前批及此批着即传抄共览,一体知照,以靖地方而慰民望。

据《湘报》第三号(光绪二十四年二月十七日出版)

衡阳县莫月亭上控僧听云词批

(光绪二十四年二月十九日　1898 年 3 月 11 日)

此案昨据尔等来辕具呈,业经本司批府饬县集讯究结拟复在案。兹据呈称:"控经十二年,该县等率视为游案,无心究结。此次奉批回催,势必仍搁如前。定罪自有明文,追骸原期掩殡,渎恳提省断结免累。"等情。意迨谓追缴尸骸,始能结案。

不思官历数任,案经多年,该府县不能究结,即缘僧听云无从缴出尸骸所致。该前县踏勘之时,只有平塚情形,并无毁棺掘骸证据,事未三思,竟照寻常

---

* 此件系黄遵宪对第六禀马仲林等禀请速办保卫局的批示。

发掘新塚、藏匿尸棺办法,押令缴出尸棺,原属疏误。该职等思置之极法,故甚其词;接审官亦照案比追,不揣其积久莫结。职此之由,今必勒令僧听云缴出所掘四百年久朽之棺,无凭之骨,恐再迟数十年,此案终无了结之日。

万汇含生负质,自无而有,复自有而无,故魂升于天,魄化为土,本造化至理。自古圣贤,只求保设世身后之名,而不能保历劫不坏之质,理有固然也。该职监等读书明理,如果遭逢不幸,确知祖宗骸骨被人毁匿,呼冤诉怨,固亦无怪其然。乃竟执莫须有之词,逼人以不能为之事,欲治仇人以加等之罪,转陷祖宗不美之名,贻子孙无穷之恨,甚属无谓。设使僧听云迫于刑比,别寻骨殖缴官给领,尔等又何从辨其真伪? 欲妄为安葬,诚恐歆非类而祀非族;苟疑为不实,又将作何措置?

本署司准理度情,剀切详示,不独使不法僧徒按律定罪,亦重念尔等为人子孙,必如是而后理得心安。此案一日不结,该僧之罪状不明,必仍前延搁,仍前监禁,终无了期。仰衡州府迅速饬县查照前令批示,差集人证,悉心推鞫,明白开谕,将现审实在情形,禀由该守,立提人卷到府,查明案据,于所争山场,秉公断结,并饬封培坟墓,竖立碑石,以垂永久。僧听云应照发掘远年坟塚例从重议,拟具复核夺。尔等即迅速赴府听候核断,毋庸渎讼。切切。词发仍缴。

据《湘报》第五号(光绪二十四年二月十九日出版)

桑植县徐洸典一案签驳

(光绪二十四年二月十九日　1898 年 3 月 11 日)

本署司查阅详册,徐洸典原招称:"杨继典探知刘道和往朱家台探亲,央求小的,如果撞遇刘道和,捉交送究。小的允从。那日下午时候,小的在梅家洲河边洗菜,适刘道和路过看见,赶拢揪扭。刘道和将小的推跌倒地,转身跑走。小的起身追赶,拾取地上石块连掷,伤他脑后左耳,仍向追赶。不料刘道和跑至河边,凫水过河,至中流,沉溺身死。"等供。该令仍照斗殴杀人律,拟绞监候秋后处决。本署司一再详阅,以揪扭受跌而谓之斗,以凫水自溺而谓之杀,情轻法重,怃然不安。惟遍查例案,凡始于斗殴,继以追赶,终于毙溺者,辄以死由于溺,滋由于追,追由于殴,罪坐所由,仍照斗杀例拟绞。无论其为金刃相接,手足互斗,以及凶器之有无,伤痕之轻重,但使两下相争,事起于斗,既归于死,统谓之为杀。所谓杀人以梃与刃,无以异也。无论其为情急跳河,失足落水,被抓同跌,凫水自渡,但使由肇衅而酿命,事出于相因,则罪坐所由,所谓我虽不杀伯仁,伯仁由我而死也。

《律例汇辑》所载斗殴溺毙之案,或拟杖流,或拟徒罪,甚有照不应律者,或轻或重,时有参差。而近日所刻《刑案汇览》各条,则累牍连篇,一律照办。盖人命不可以无抵,而杀字之所包甚广,虽情态万变,纷纭歧异,实有不能遽加以斗之名,坐以杀之罪者;而又别无恰合专条,难以比拟定案,亦仍以斗杀论,从而为之。说者又谓:斗杀情轻之案,如实可矜原,秋审尚可酌宽,惟定案时不许议减,致与办过成案互相抵牾。于是乎罪坐所由之言,群奉为玉律金科,竟一成而不可易。该令之议拟此案罪名,殆亦查照成案办理,本署司亦未便遽责其非。

今亲提徐洸典,详细研审,似有争斗情形者,只拾石遥掷一节耳。据徐洸典称系左手遥掷,石皆碎石,相隔已远,并未受伤。检查刘道和尸格,耳后石伤,皮尚未破,血亦未流,则其言足信。徐洸典初仅抓袖,拉同理论,刘道和遽行凶暴,推之倒地。及徐洸典从地爬起,刘道和业已渡河。其拾石遥掷,并未应敌,只图泄忿。正例所谓“后下手理直者”,而下手极轻,坐以斗杀,殊属扭捏。徐洸典以洗菜之故,本在河边;刘道河①以探亲之故,本欲渡河,狭道相逢,只在此咫尺之地。倘系前往迎接,彼此争斗,互有回旋,或转为向后追赶,则彼既牵衣,此亦濡足,乱流争渡,同入水中,指为尾追,亦尚合情势。今徐洸典站立在河边,推跌在河边,爬起仍在河边,前后始终未离其地,坐以为追赶,更属虚诬。梅家洲宽仅数丈,浅只人许,本系往来之地,时有徒涉之人。刘道和本以探亲自行渡河,假使是日不遇徐洸典,凫至中流,水深亦未必不遭溺毙。渡河而死,与人何尤? 中流傍岸,相隔既远,无追之情,先斗后溺,系属两事,不关于斗。在徐洸典并无不可当之凶锋,在刘道和亦无不得已之情势,适逢其会,并非逼之使然,又不得以刘道和之游毙推究所因,而罪坐所由也。该令并不深究争斗情形,又不详查例附是否恰合,虽未必有心故入人罪,而于尸格中辄报称生前受伤溺水身死,于招解册中辄详称徐洸典起身追赶,仍向追赶,是泥成案而迁就供词,强情节以比附律例,与削趾适履者何异? 甚为本署司所不取也。

据《湘报》第五号(光绪二十四年二月十九日出版)

---

① 河,当为和。

张瑞林等禀请速办保卫局批

（光绪二十四年二月二十日　1898 年 3 月 12 日）

保卫一局所定章程，原本《周官》、《管子》之遗法。前据杨先达、马仲林等来司具禀，业经本署司明白宣示，谅已传饬共览。

所立章程虽未敢云尽善，而一经刊布，城乡内外相率禀请速行，足见群情踊跃，可与图治。既奉抚宪饬委本署司为总办，即回盐法道本任，亦令专司其事，以重责成。现正分别赁屋设局，刻日举办，尚望同心协力，恪守约令。章程苟有不善，可随时商议。局中苟有不遵章，可由绅士查明撤换。行之既久，不独痞徒敛迹，盗贼可清，而且诚信相孚，忧乐与共，官民上下，相维相系。地方既安，商务亦必有起色，成效可睹。即以汝等之禀为左券可也。

《湘报》第六号（光绪二十四年二月二十日出版）

湖南迁善所章程

（光绪二十四年二月二十二至二十三日　1898 年 3 月 14 至 15 日）

一、于长沙府城内外共设迁善所五所，归保卫总局管辖，依附保卫局而行。

二、于保卫总局中设一所，为迁善所办事处，于此收发公文，遇事则总办、坐办、提调均在此会议。

三、迁善所一切事务，均归保卫局总办稽查管理。

四、迁善所设一坐办大员，以保卫局坐办兼充。所有公文由总办、坐办会衔签行；亦设一坐办绅士稽查管理，亦会同总办签行。

五、设提调二员，以知府或同知充，每日轮流到所稽查一切。

六、驻所委员一员，以同通州县充，每日在所办理各务。

七、所中公事，亦归保卫局分局委员兼辖；所有收发犯人各事，应会同驻所委员办理。

八、每所设理事二员，以佐贰杂职充；副理事一人，以绅士充。所有所中失

---

* 本章程第一至四条以前刊于《湘报》第七号，第五条起第八号续载。

业人、犯人收羁到所,一切工役程课、督责看管,以及鞭挞拘锁用法之处,皆官主之;一切起居饮食、稽查保护,以及疾病困苦用恩之处,皆绅主之。

九、理事官绅相助为理,刑法为官专管,银钱为绅专管。

十、每所收留失业人,以四十名为额,此外尚有应行收留之人,先报名列册,俟有学成出所之,人额缺再补。羁管犯人亦以四十名为止,如尚有应行羁管之人,再择所中情罪较重者分送府县监,或系改过自新、学业有成者释放出所。

十一、此项失业人,由各小分局分段稽查。为年轻失教由其家长呈首者,或游荡无依、时在街市扰累讹索有人指控者,或贫困异常及懒惰不堪由其族长姻戚引送者,统谓之失业人,应各令缮具保结,拘传到所,责令学工,另有章程。

十二、犯人系由各分局委员判断,应将所犯何案、应禁多少日期,开单移送。入所后即责令学工;其情节较重,应充苦役者,另有章程。

十三、所有工作,如成衣、织布、弹棉、刻字、结辫线、制鞋、削竹器、造木器、打麻绳之类,每所延教习八人,每教习一人管工十人,教之工作兼督其程课。_{其有素属文弱、曾读书识字不能作工者,亦可督令抄写。}

十四、湘省着名,如浏阳之葛布、辰州之楠木、永州之锡器、宝庆之竹器、桃源之绿布,将来均可分类制造;又有外洋入口之庆面、铁钉、烟叶,由华出口之草帽边各类,将来亦可延师学习仿造。

十五、以后通沟洫、修道路、筑城池各项土木工役,亦可将所中各犯及失业人押令充当。

十六、此项应需之纱布、丝绵、竹木各项成本,应备之物,先由所中预备,再行发交各教习,分给各人工作。

十七、各项业成,由委绅发出分售,除归还物料成本外,如失业人所作有赢馀,以三成给作零用,以七成分别存储,俟其出所时,给为资本;如犯人所作有赢馀,以五成弥补该犯饭食之需,以五成给该犯,俟出所时,给为资本。

十八、所中所作工役,均有定时、_{如每日应作若干时候。}有定程,_{如每人应作多少工夫。}如各工役执业勤奋有逾于常课者,所得卖物馀利,概行给予本人。

十九、每所应有失业人及犯人住房,每一间约住六人,编列号数,派定分住;每夕由委员、委绅点名一次,眼看归号歇宿,即行锁门,锁匙交给看管人及杂役,轮流守护,次日清晨启门。

二十、各犯初到,进所由委员分别派拨归号,并将该犯遍身搜检,如带有行凶器具、行窃事物及洋药烟具、洋烟尤须严查,凡到所各失业人及犯人有烟瘾者,另由所中发给戒烟丸药。水旱烟袋、洋火、火石、火刀、银钱等件,一概提出另记,俟保释时给还。其凶器、窃器不准给还。

二十一、各犯初到,仍上锁纽。一月以后,由委员察看安分习业者,准脱锁纽,以示劝勉。倘有不服管束及嘈闹斗殴者,由委员送保卫分局,分别惩责锁押,情轻者发回所中,勤作苦役;情重者发府县监。

二十二、每所应有工场一大所并天井、回廊,以为工人作工之地。

二十三、每所请教习八人,每人教工人十名,教令工作兼令管督。教习亦自行作工,以作模楷而资表率。

二十四、每所设看役人八名,以供奔走,以资弹压。此二项人,日夜轮流看守,不得稍离,亦分班当差,每四个点钟即换班一次,如保卫局巡查章程。

二十五、每屋一间,约住失业人三名、犯人三名,以八十名计,每所应有此项住房十三四间。

二十六、每人应给予床铺一张。凡到所之失业人及犯人,各给予衣服,冬间加给絮被一床,棉袄、棉裤各一件,夏给席一张。此两项人,服色各有分别,亦另有式样。

二十七、失业人每日给饭食银元五分,即一毫之半,每月一元五角。犯人给饭食钱四分,一毫十分之四,每月元二角。概归厨役承办。每日食饭有一定时刻,一定蔬菜。有不如法者,由委绅查明,将役惩罚责革。

二十八、每所除厨房、门房外,应有浴堂一所,每间一日,即令洗浴。有不洁者,照章惩罚。

二十九、每所设监禁一间,犯人不服管束、怙恶滋事者,经住所委员查明,仍上锁镣,发入监狱,满日再脱。

三十、五所之外,另设病院一所。犯病者由委员验明,送病院调治。病故,报县验明,给棺殡埋,并饬知其亲族;如愿领棺自葬,准其领回,委员报明备案。

三十一、此项迁善所所需费用,均有一定款项,由官支给,每六个月将所用各款,照依保卫局局章,缮贴局门,悬示于众。

三十二、除有定款及上开人数外,如有乐善绅商情愿捐助,或将贫穷无业之人送来学工,或自认助养多少人,如每人每日饭食银元五分,每月一元五角,愿捐十五元者,即系助养十人。所中咸一律经理。惟此项人限于住所,必须朝到暮回。倘有各绅商另赁附屋,扩充各所,保卫总局亦允分派委员,照章经理。

三十三、所中坐办公费,归保卫局照支。提调月支公费八十元,驻所委员月支公费五十元,驻所理事每员月支公费十四元,副理事月支公费十四元。开办之后,再酌量事之繁简、定人员之多少、公费之厚薄。此外,杂役、门役、厨役各给月费,另有章程。

三十四、所有未尽事宜及应增应改章程,再随时由保卫局总办邀议事绅商议定照行。本所各委员亦只有行事之责,并无立例之权。

据《湘报》第七、八号(光绪二十四年二月二十二、二十三日出版)

湖南保卫局章程*

(光绪二十四年二月二十二日　1898 年 3 月 14 日)

一、此局名为保卫局,实为官绅商合办之局。

二、本局职事在去民害,卫民生,检非违,索罪犯。

三、本局设议事绅商十一人。一切章程由议员议定,禀请抚宪核准,交局中照行。其抚宪批驳不行者,应由议员再议;或抚宪拟办之事,亦饬交议员议定禀行。

四、凡局中支发银钱,清理街道,雇募丁役之事,皆绅商主之;判断讼狱,缉捕盗贼,安置犯人之事,皆官主之。

五、局中设总办一人,总司一切事务;会办大员一人、绅一人。

六、于长沙府城中央设总局一所;城中分东西南北,设分局四所,城外设分局一所,共分局五所。每所辖小分局六所,共设小分局三十所。

七、每分局设局长一员,以同通州县班补充;副局长一员,以绅商充。

八、每小分局设理事委员一员,以佐贰杂职充理事,委绅一员,以绅商充。

九、每小分局设巡查长一名,巡查吏二名,巡查十四名,小分局三十所,共设巡查四百二十名。

---

　　* 1898 年 3 月 9 日《杨先达等禀请速办保卫局批》文中有"本署司以为,欲卫民生,必当视民事如己事;欲视民事如己事,必当使吾民咸与闻官事,当即酌拟《保卫局章程》四十馀条",知此章程系黄遵宪所拟。

　　十、此项巡查并非差役,例无禁锢。凡充当巡查:一、须年在二十岁以上三十五岁以下者;二、须曾经读书识字,粗通文理者;三、须身体强健,能耐劳苦者;四、须性质和平,不尚血气者;五、须有保人;六、须考验;七、不准以曾经犯罪之人充当。

　　十一、此项巡查除奉有官票另行差委之外,其寻常职事:

　　(一)凡有杀人放火者、斗殴伤者、强窃盗者、小窃掏摸者、奸淫拐诱者,见则捕之。有民人告发,则诉其事于局,执票拘捕之;

　　(二)凡行路之人,无论天灾人事,遇有急难,即趋救之,醉人、疯颠人迷失道路者,即送归其家,残疾人、老幼妇女、远方过客,均加意维护;

　　(三)凡所辖地内,道路之大小,市街之长短,户口之多寡,必一一详记。所住人民,必熟悉其身家品行,若无业人及异色人,当默察之。

　　(四)凡聚众结会、刊刻谣帖煽惑人心者,见即捕拿;

　　(五)凡街区扰攘之所,聚会喧杂之事,应随时弹压,毋令滋事;

　　(六)车担往来,碍行道、伤人物者,应设法安排,毋令阻道;

　　(七)道路污秽,沟渠淤塞,应告局中,饬司事者照章办理;

　　(八)凡卖饮食,物质已腐败或物系伪造者,应行禁止;

　　(九)见有遗失物,即收存局中,留还本人。

　　十二、凡巡查,非奉有本局票,断不许擅入人屋;违者斥革兼监禁作苦役。

　　十三、凡巡查,不准受贿,亦不准受谢;查出斥革并监禁作苦役。

　　十四、凡巡查,不准携伞执扇,不准吸烟,不准露坐,不准聚饮,不准与街市人嘈闹戏谈;违者惩罚。

　　十五、凡巡查,准携短木棍一根,系以自卫,不准打人,并不许擅以声色威势加人。内处同事,外对众人,务以谦和温顺、忠信笃实为主。

　　十六、各分局巡查概分为两班,每日分六次,每四个钟点换班,每日从正午十二点起为第一班,至四点钟换第二班,至八点钟换第三班,至十二点钟换第四班,至四点钟换第五班,至八点钟换第六班,至十二点钟又换第一班,如是轮流,周而复始。每换班时,由局中派出后在街巡查,始行换回。换班回局后,所有食饭歇息之事,均在局中,不许他出①。

　　十七、初次当差,均作四等巡查,其遇事有功或日久无过,可以递升至三

────────────────

　　①　郑海麟《黄遵宪文集》、吴振清等《黄遵宪集》均无该夹注文字。

等、二等,辛工亦可酌加。

十八、巡查如有行为不端之事,经本局查出或他人告发,查实照扣辛工,重则斥革监禁。另有章程。

十九、巡查吏专司侦探事务,搜索罪犯,帮同巡查长督率各巡查以从事。另有章程。

二十、巡查长所属各巡查归其督率,受其节制。

二十一、各小分局设理事委员一人,以佐贰杂职充,每日以日出到局,日入归家,督率在局各役,遵照章程经理事务,事必身亲在局。办事不许著袍袿,公务步行,查街不许乘轿。

二十二、小分局理事委员,遇事应禀知分局局长或移知各小分局,即用理事委员衔名,自钤小印径发。遇有巡查禀请出票拘传之时,亦准理事委员将总局给发之票照章填给。

二十三、凡地方人民,遇有犯案,经巡查拘传到局者,即由理事委员问明,禀送各分局分别办理。

二十四、凡地方人民,或因口角斗殴滋事申诉到局者,准由理事委员劝解和释;不能了结者,送分局办理;或于地方有损害,或于人民有碍平安者,经人告发,亦准由理事委员传问,系本局应理公事,即送分局办理。其户婚、田、土争讼之事,本局不得过问。

二十五、各小分局委员不准设立公案,不准擅用仗责。

二十六、小分局副理事以绅商充,帮同理事督率巡查,以办理局务。

二十七、小分局副理事应住局中,所有局中出入银钱、管理器物,是其专责。

二十八、分局局长以同通州县班充,每日以日出到局,日入归家,督率在局各员遵照章程,经理事务。

二十九、所有地方人民违犯本局禁令,即第十一条所载各事。或本局巡查不守本局章程,即十二、十三、十四、十五、十六条所载各事①。由各小分局拘送到局者,由各局长讯问,除罪犯徒流以上应送总局办理外,馀均由局长分别轻重,随时发落。

三十、本局另设迁善所五所,即附五分局,办理所有拘传到案审实发落之

---

① 郑海麟本、吴振清本本条均无该夹注文字。

犯人,即发交迁善所,令其学习工艺,充当苦役。另有章程。

三十一、各分局副局长以绅商充,帮同局长督局长督率员役,以办理局务。

三十二、各分局副局长应住局中,所有局中出入银钱、取支器物,是其专责。

三十三、凡各分局及总局,均应设书识　名,专司缮写纪录之事;丁役　名,专司伺候讯案、接送犯人之事;杂役　名,专司奔走使唤之事。用人多少,视事之繁简,再行酌核。

三十四、总局设委员四人,以同通州县充,内专司文案二人,一切禀详、移札、文牍,均归拟稿,专司审案二人,所有各分局送到犯人,归其审讯。

三十五、此项文稿均别立格式,变通旧体,以期简易,以归迅速。除另设章程系寻常事件业经拟定者径由文案缮发外,其他一切文牍,均呈由会办,总办标行。

三十六、此项罪犯除情罪重大者案结之后仍发交长善监及府监收管外,其他均发交迁善所办理。

三十七、总局委绅二人,以绅商充,应住局中。所有各分局、小分局购置器物归其专办,一切公用器物由总局购备,发交各局支领应用。所有各分局支发银钱归其专责,应将用出之银钱随时登记,交由会办、总办查阅,每六个月刊刻一次,分派各局并悬贴局门。

三十八、本局会办大员一员,管理稽查局中一切事务,凡系缉捕盗贼、判断讼狱、安置犯人之事,均会同总办签行。

三十九、本局会办绅士一员,管理稽查各局委绅、各局巡查一切事务。凡系支发银钱、清理街道、召募巡查之事,均会同总办签行。

四十、本局总办一员,一切事务均归稽管。

四十一、本局事属创办,所有未尽事宜及应增应改章程,再随时邀集议定,交本局遵行。本局只有行事之责,并无立例之权。

四十二、本局除议事员绅及本局总办不支公费外,总局会办官一人,月支公费银一百二十元;会办绅一人,月支公费八十元;委员四人,每人月支公费六十元;委绅二人,每人月支公费五十元;分局局长官五人,每人月支公费五十元;副局绅五人,每人月支公费四十元;小分局要员三十人,每人月支公费二十元;委绅三十人,每人月支公费十六元;巡查长三十人,每人月支公费八元;巡查吏六十人,每人月支公费六元;四等巡查四百二十人,每人月支公费四元;凡巡查长、巡查吏、巡查饮食官服,均由官给。

四十三、本局议事绅士十　人,以本局总办主席。凡议事均以人数之多寡定事之从违,议定必须遵行章程。苟有不善,可以随时商请再议。局中无论何人,苟不遵章,一经议事绅商查明,立即撤换。

四十四、本局总办,以司道大员兼充,以二年为期,期满应由议事绅士公举,禀请抚宪札委。议事绅士亦以二年为期,期满再由本城各绅户公举。其有权举人之绅士,俟后另定章程。

据《湘报》第七号(光绪二十四年二月二十二日出版)

附录:陈宝箴面谕黄遵宪筹办保卫局事(大意)

省城内外,户口繁盛,盗贼滋多,痞徒滋事,不免扰害。上年窃案,多至百馀起,破获无几。而保甲团防局,力不足以弹压,事亦随而废弛,非扫除而更张之,不足以挽积习而卫民生。该署臬司所拟《保卫局章程》四十馀条,深以为然,应饬令发刻,先行布告,一面筹办。

据《湘报》第三号(光绪二十四年二月十七日《臬辕批示》)

商民请速办保卫局禀批

(光绪二十四年二月二十三日　1898年3月15日)

据禀已悉。所陈地痞横行,衙役勒索,强丐肆闹,扒窃滋扰,奸民拐骗,谣言鼓动,游勇伏莽,以及街巷之积秽,馆寮之藏奸,一切情形,然犀毕照,非身受其害,言之不能如此之迫切。吾辈日坐堂皇,近在咫尺,视若无睹,听如弗闻。虽略悉其情实,未能周知民隐,觍然民上,抚膺滋愧。上失其道,民散久矣,一再披览,引为内疚。禀陈各条,均系保卫局开办以后必须查办之事。此项章程业经刊布,询谋佥同,即有一二局外浮言,然业奉抚宪札委本署司为总办,断不为浮言所摇动。仰候择日举行,官民一气,协力同心,务靖地方而去民害。本署司有厚望焉。

据《湘报》第八号(光绪二十四年二月二十三日出版)

签驳辰溪县李银松一案

（光绪二十四年二月二十四日 1898 年 3 月 16 日）

案据该府核详：辰溪县民李银松登时殴伤强奸伊妻李麻氏未成罪人董元珍身死一案，词册到司。本署司查此案，前据该县录供详报，当经李前司以供情支离，明晰批饬另审。乃此次来详及附呈各节，于批驳要件并无明晰禀复之语，支离疏谬，不一而足。姑摘其显而易见者逐层指出：

凡强奸之案，多起于邂逅相遇，率尔求奸，若素识之人，必心存顾忌，不敢冒昧逞强。董元珍与李麻氏邻居素识，道途相遇，并无调戏之语，何遽拉抱强奸？其可疑一也。

董元珍与李麻氏系山下相遇，竹林系在山上，相距甚远，行走不易。李麻氏既不顺从，何以遽能拉到，又未裂衣毁肤？其可疑二也。

当李麻氏喊救之时，其夫李银松携带刀担，不先不后，适至其地，事机凑合，有若先知，已为情事所希有。况洞脑山为山僻小路，行人必少，乃强奸之时既有李银松因砍柴而至，杀奸之际，又有郑齐发送信而至；杀倒之后，又有董郑氏因寻菜而至。而此三人，又皆与此案相关之人，且携带刀担者又恰系例得杀奸之本夫，而本夫、见证、尸亲先后走到，又恰次序不乱，时刻不差。天下容有适然巧合之事，此案何适然之屡巧合之神耶？其可疑三也。

李银松由山下路过，闻妻在山上竹林内喊救，非奸即盗，自必急急奔救，非潜行捕捉者可比，且由下而上，虽奔走迅速，断不能应声而至。此时董元珍既非走避不及，又非无路可逃，何以目见本夫持械赶至尚不逃避，仍然抱住李麻氏不放，并敢起身与李银松争斗？其可疑四也。

李银松以砍柴之故携带刀担，此在理中。乃举担拢殴之时，董元珍尚抱住李麻氏未放，何遽能转身夺担不被殴伤？且供内既有举担夺担各情，而尸格中毫无担伤，则砍柴携担一节，似系空中撰拟之词。其可疑五也。

李银松之担为董元珍夺住，危急争执之际，自应用双手猛力掣夺，乃竟以整以暇，一手持担，一手用拳向殴，又能从容拔刀，而董元珍竟不能乘其拳殴拔刀之时，夺获一手执持之担，迨身受刀拳多伤，反能弯身拾担？所供下手情形，殊与情理不合。其可疑六也。

郑齐发在路行走时,曾否望见李银松在前? 如谓行至山下适值未见,则二人一先一后,一速一迟,以理揣之,郑齐发走拢宜在董元珍受伤倒地之后。何以闻闹往看时,又恰见李银松举担殴打? 岂李银松赶到之后,眼见伊妻被人抱住强奸,尚徘徊许久,不遑下手耶? 且强抱、殴打,几希之间,不能容发,乃郑齐发于强奸情形概未目睹,而殴打一节则自始至终历历如绘。既目击情状如此之真,而又称为救阻不及,供情种种狡避,自以为推卸干净,而不知其欲盖弥彰。其可疑七也。

董元珍果否强奸,其人已死,无从质讯。仅以郑齐发所供,闻自董元珍之语为据,董元珍受伤之后尚能言语,既见其妻,又见其父、其兄,何以不将起衅之故言明? 既对郑齐发言之,何以不能对其妻与父、兄言之? 其可疑八也。

强奸以郑齐发为证,当时只郑齐发闻知,事后亦由郑齐发述知。郑齐发之言并无凭据,何以董文学毫不考究,即心悦诚服,深信不疑? 且郑齐发系董元珍妻兄,休戚相关,眼见其妹夫被人杀伤至于垂毙,竟不设法扶归,又不驰告其家,直至送信转回,途遇董文学,犹不直言,迨董文学告知其子被人杀死,始向告述情由。揣情度理,均未确切。其可疑九也。

郑齐发系住何处? 平日所执何业? 此次送何信件? 因何如此急急? 董元珍、李银松系该县何乡何村人? 平日作何生理? 既系邻居素识,二家屋宇相距几何? 是否毗连? 平日是否往来? 李麻氏与董元珍是否习见不避? 洞脑山距李、董二家几里? 距郑齐发家几里? 距洪江几里? 该处山下小路距山上竹林计有几步? 该县均未勘讯明确,于详内切实声叙。其闪烁含混可疑之处,尚不一而足。

凡审案情节,如系确实,自然情罪符合;如删减捏饰,必至参差矛盾。此案必有一实在情节,悬揣情形,尚能得其大略。乃该前县段令并不遵照前司批驳之处详细推鞫,但就犯证人等狡避之词敷掩粉饰,曲为开脱,希图迁就完结,不知是何意见! 该府于前司批驳要件,仍不求甚解,率行加看转详,亦属颟顸。案关人命,出入甚重,本司未便照转,致于院诘合行签发。签到该府,即饬新任县王令遵照前令批饬各节,克日拘集犯证,逐层详细勘讯,务得确实供情,先行开具供折,禀候核夺。该令并非原审之员,务宜一禀至公,虚衷推鞫,据实办理;慎勿回护原详,瞻循情面,代人任咎,是为至要。切切。

此签仍缴。

会筹课吏馆详文

（光绪二十四年二月二十六日　1898年3月18日）

为遵札会议详复事：

案奉抚宪札开："照得课吏馆之设,欲使候补各员讲求居官事理,研习吏治刑名诸书,而考其所得之浅深,用力之勤惰,第其等差,酌给奖资,寓津贴于策励之中,其才识高下,亦因之可见,法诚至善。惟仅只每月一课,分给奖资,候补各员藉资津贴,不无裨益;而于读书读律之道,未有当也。分人以财,谓之惠;教人以善,谓之忠。古者学而后从政,未闻以政学也。既有课吏之名,即应循名责实,必使候补正佐各员,皆知有向学之方,期得学问之益,日有所考,昼有所稽,学业有成,而后出而从政,不至茫无所知,徒假手于人,一听书吏提掇。且既已研究书籍,讲明义理,则志趣日正,神智日开,中材可成大器,实为造就人材、整饬法术之要。惟本部院事务繁多,不能常亲督饬,必须有大员总理其事,尤必先妥议章程,务求课吏之实。查该署臬司学有本源,讲求经济,近来办理刑名案件,准理酌情,深得例意,非久将回本任,职事清简,堪以总理课吏事宜,合行札委。为此,札仰该署司即便遵照总理课吏馆一切事务,克日先将课吏切实章程,会同藩司及善后局各司道妥为拟议,斟酌尽善,详候本部院核夺施行。一面将现行月课先行停止。毋违,切切。此札。"等因,奉此。

本署臬司查政治赖乎人材,人材成于学问。古者选士,升之司徒,论定后官,位定后禄。乡自比长党正以至乡大夫,国自小胥以至师氏保氏,其教于未用之先者,至详至密也。计吏统于太宰,旬正日成,月要岁会,廉善、廉正、廉敬以显其德,廉法、廉能、廉辨以察其材,其课于已仕之后者,至周至慎也。自选举变而士鲜实修,士途杂而官无实学。不独猥琐龌龊、脂韦巧黠之徒,以学制美锦为常,存何必读书之念;即起自科目者,亦徒溺虚文而少实际,律例、兵农、簿书、钱谷均非平日所服习。一入仕途,心摇目眩,但惴惴然自顾考成,以有干吏议为惧,举一切事务,听命于吏胥,进退为谨。若其他计较锱铢,揣量肥瘠,行私罔上,无所不为,更无论矣。此其弊在于不学。惟不学而仕亦竟有侥幸肆志之时,于是举天下正途杂途充溢行省,咸争捷足,以官为市,以学为迂,遇有敦品力学之人,转从而非笑。贤者或毁方瓦合,中材则随俗波靡,轮班听鼓,退食委蛇,国计民生,教化风俗,均置之不问。是不学而从政,并未尝以政学也。赤芾三百,贻羞鹈梁,吏治之坏,伊于胡底。

湘省向设课吏馆,使候补各员研习吏治,酌给奖资,用意良厚。惟每月只一课,每课只一文,寻行数墨,以争一日之长短,而搜检夹袋,杜绝枪替,一切疏阔,又不能与试官考试比。故虽有课吏之名,仍于吏治无裨。且佐贰到省人员,恃有此每月数两之津贴,争捐分发,纷至沓来。上年冬间,报到者竟有三十馀员,钻营奔竞,以求差使,亦势所必然。守此不变,非徒无益,抑且有损湖南本天下望。国士大夫负教养斯民之责,不思勤求治理,新我大邦,以上纾宵旰之忧勤,下拯生民之饥溺,自顾车服,能无惭惧。幸逢抚宪整新百度,无旷庶官,札饬署臬司总理课吏事宜,并会同藩司职道等筹议章程,详候核夺。本司职道等遵即反复筹商,就现在时势及应尽职分,宜切实讲求,以见诸施行者,约分其类为六:

风气习尚,土居民首,兴学育才,所以牖民智而开物成务也,故学校居首;

农桑种植,工艺制作,食货之经、生命之源,所以利用厚生而收复利权也,故次农工;

修城池以资保卫,治道路以便运输,通沟洫以救旱潦,而铁路轮舟尤为要务,故次工程;

读律者贵知其意,援例者贵得其情,成案者贵通其变,而条约公法更相辅而行,故次刑名;

清内捍外,安良除莠,寇盗奸宄,会匪棍恶,皆民贼也,故次缉捕;

海禁既开,交涉日密,通商游历,立堂传教,保护失宜,化导无术,皆祸端也,故交涉殿焉。

各类书籍,听习专门,质之馆长,登诸札记,辨其疑难,详为批答,俾日就月将,铢积寸累,复设为课格,填注分数。积分之法,亦有三类:曰勤业,曰善问,曰进益,分填合计,即仿日成月要之意,以九十分为合格。其已及格者,则以溢分之多寡为给奖之厚薄。每三个月大考一次,每半年各司道随同抚宪至馆汇考一次,核册列等,饬知令省各道、府、州、县,以资鼓励。分财即以教善征实,而非虚文。数年之后,人才日盛,可操券获也。

伏查前抚宪吴　创设斯馆,专课在省候补各员,其实缺及署理人员均不与焉。伏读抚宪札饬,既有课吏之名,即应循名责实,原可合全省官吏,共切讲求,课其论政之言,复课其行政之实。惟此项现任、实缺及署理人员,论其职事,虽不出六类之外,而课其政绩,自有两司计典,随时黜陟,此馆可毋庸兼及。如有志切向学,缮寄札问,馆长、总理自必一律批答。或有兴利除弊、切实求考者,亦应由馆中另禀抚宪察核办理。

附陈二条,以备采择:

伏读本年正月初六日上谕:"设经济特科,令三品以上京官及督抚、学政各举所知,无论已仕未仕,均得奏保殿试擢用,并督饬各新增书院学堂,切实经理,认真训迪。"等因。时事当需才孔亟之秋,朝廷已深知不学无术之弊,若统全省官吏而课之,推科举之变格,宏课吏之规模,教于未用之先,询以方用之事。察吏之外兼以所学浅深,课其政之殿最,用以贤制爵、以功诏禄、以能诏事之意,一劝之以学。此则抚宪自有权衡,亦为司道等无须渎陈者矣。

所有奉札拟改课吏馆章程各缘由,是否有当,理合将会同酌议新章,详请宪台,俯赐查核批示祗遵。

据《湘报》第十一号(光绪二十四年二月二十六日出版)

签驳醴陵县余洸悮等一案

(光绪二十四年二月二十七日　1898年3月19日)

案据该府审解醴陵县余洸悮等共殴刘明等身死一案人招到司,本任李臬司未及审解卸事,本署司到任接准移交。

查此案前据招解到司,当经桂前司以情节支离,引断未协,发回复审。兹据将该犯审依同谋共殴人致死律拟绞,细加核察,仍欠允当。盖余洸悮本一瘫废之人,出外逃荒,充当头人,谓同行难民,行止来去,听其指挥,事在理中。即谓为主使他事,犹属近理。今改为同谋共殴,殊非废疾之人思虑之所应及,且以两足成废,一手不能运动之人,而与众共殴,指为下手伤重,更觉牵强。若谓蔡云见该犯坐在上面指挥,扑向揪扭,被该犯用铁头短杖擢伤[①]胸膛倒地,无论蔡云被李洊洗等各举木棍围住殴打,抵搪闪避,无暇顾及,在上指挥之人;即使属实,而李洊洗等既为余洸悮之手下,自必拦阻维护,何至任其扑近余洸悮

_____

① 擢伤,疑为戳伤。

之身？况人至被难出外逃荒，贫苦已极，蔡云等以隔县差役，凭空借票，向其诈索，许给差费钱一千五百文，犹复嫌少，肆意勒索，无理吵闹，穷凶极恶，无论何人闻之，莫不共抱不平，则赶拢丛殴，实出于一时公忿，何待商谋？虽据称：喻迪泉往向余洸恹告知，余洸恹斥骂可恶，并言如再不走，即公同殴打斥逐等类情节，恐系办案时装点而成。即确有是语，亦不过忿激之词，而各荒民之举棍齐殴，未必即因此一言而动。其中情节，种种可疑。

亲提该犯余洸恹悉心察讯，充当难民头人属实。蔡云、刘明之被殴殒命，是否为该犯所主谋，并无确供。

诘以蔡云、刘明究被何人殴毙？据称一时人多手杂，何人致伤何处，无从辨别。惟在管病故之吴矮子即吴葆生与在逃之喻迪泉、张九，气忿最极，棍殴下数亦最多。卷查该县详报：吴葆生在保病故，而吴矮子另系一人，现尚在逃。质之该犯，则称吴矮子即吴葆生，实系一人，业已到官，在管病故。

此案该县初详，原属乱殴，不知先后轻重。因该犯余洸恹充当头人，既不能将正凶指出，即不得不以之拟抵。殊不知余洸恹虽充头人，而各难民之于蔡雪等，无端讹索，众忿所积，围殴致毙，又岂余洸恹所能禁阻？乃因罪人莫得，遂取久成笃疾、天下无告之穷民，用抵凭空讹索、玩法诈赃之役命。无论语多牵强，必干部议驳，即揆之情理，岂可谓平？况据供吴矮子即吴葆生，本系一人，而原详分而为二，一以管故，一作在逃，随意铺张。即此一端，可见该县于此案实在情形，并未考究明确，断非信谳。

除报明两院并饬县将人犯发回外，合行签饬。签到该府，即便转饬醴陵县，勒拿在逃之喻迪泉等务获，提同该犯，传集见证，遵照指示之处，确切讯明吴矮子是否即系已故之吴葆生，究定正凶，详查例案，妥协议拟，另招解勒，毋稍回护迟延。切切。

此签仍缴。

据《湘报》第十二号（光绪二十四年二月二十七日出版）

签驳慈利县朱学攸被朱南斗勒死一案批

（光绪二十四年三月初五日　1898年3月26日）

案据该州核转慈利县民朱南斗等殴伤勒死一案详招到司。本署司查，此案前据该县通报,业经本任李臬司以情节支离,逐层指驳。兹据复详,本署司调取卷宗及详册呈文,悉心查核,该县并未遵照前司批示,确切究明,其中疑窦不可枚举。

据详,朱学攸先年借过朱南斗钱一千文,事在何时,有无约据,尸子朱方正应知其事,何以自报案以至定招,并无一言供及?光绪二十二年二月初九日,朱南斗路遇朱学攸,向其索欠。朱学攸斥朱南斗不应拦路逼索,亦属人情,并无凶横之状,亦无骗赖之言。朱学元与朱南斗同往割草,见其争闹,惟有从旁解劝,何以不问是非曲直,既谓凶横,又斥骗赖,其为朱南斗纠往帮助,业已情见乎词。朱学攸斥为多管,并用竹烟杆殴打,被朱学元夺获回殴,致伤朱学攸左肩甲。朱学攸当向抓殴,朱学元跑走,当时别无劝阻之人,朱学攸何以遽肯甘休,不行追赶?若谓朱南斗上前拉住,同往投人理论,朱学攸正值气忿,何以不向朱南斗扑殴而坐地不起?且朱学攸被殴成伤,理值气壮,朱南斗拉往投论,有何亏畏?不与同行,一味呆坐,断无此理。朱南斗将捆草棕绳挽成活结,近在身旁,何以朱学攸并不看见,迨朱南斗闪到身后,复不提防,听其套上项颈,绝不以手搪格?朱南斗在朱学攸之身后用绳套住,迨向前拉走,自必转至朱学攸之身前,朱学攸项颈被套,气郁不舒,两手在外,必图解脱,否则亦须将绳扯住,何以如蚕自缚,不行抓解,徒然往后挣扎,自紧其结,天下焉如是之呆人?朱南斗手执绳头,向前拉扯,朱学攸虽往后挣扎,而力不能胜,自必随行,何致失足跌落斜坡?即系属实,山坡之间必有荆棘石块,朱学攸自高坠下,何以头面、身体、手足均无撞磕垫擦之伤?况挽成活结,套上项颈,绳有结缔之处,伤即有结缔之痕。原验朱学攸咽喉绳痕一道,平绕周匝,并无缔结痕迹。其为两人各执绳头,谋勒致死,情事显然。正犯朱南斗虽已病故,从犯朱学元尚存,如果同谋加功,照律罪应缳首。该县因朱南斗业已监毙,遂思含糊了结。而所叙起衅下手情形,又悉出情理之外。查阅尸子朱方正供内尚称:伊父是被何人殴伤勒死,伊出外先不晓得,词意甚属含混。其未能输服,可想而知,未便照转,致干院诘。

该县李令梦莲,前代理桃源,于人命重案,任听丁书贿和匿报,承审案件,不甚可靠。此案情节离奇,难保非验后私和,朱南斗在管病故,遂撰捏供词,推作正凶,补请委验,希图朦混了案。该州有核转之责,不可不自顾考成,除报明两院宪外,合行签饬。签到,该州即便遵照,密委干员前往确切访查此案实在情形,详细禀复,一面饬令该代理县于令,复集人证,提取朱学元,遵照指斥之处,悉心研讯,务得起衅下手致毙确情,妥叙供招,按拟详办,毋稍回护迟延,代人受过。切切。

此签仍缴。

据《湘报》第十八号(光绪二十四年三月初五日出版)

详湘潭县迷窃匪犯刘豫林请正法一案

(光绪二十四年三月八日　1898年3月29日)

为详请示遵事:

案奉抚宪、宪台札开:"据湘潭县陈令、委员刘倅会禀复讯积匪罗少卿用药迷窃得赃各案惩办情形缘由到院。据此。除批据禀已悉,仰即迅速查明,不系停刑日期,监提匪犯罗少卿、张交朋二名照章正法枭示具报;刘豫林一犯,姑准如禀,暂行牢固监禁,一面悬赏购线,严缉逸匪贺林山,务在必获,俟到案时一并审明禀办,毋得图以一禀了事,时过辄忘,致蹈玩吏积习。并移委员知照,仍候督部堂批示缴供折存印回外,行司转饬,遵照办理。"等因。奉此。

本署司查湘省近来迷窃之风甚炽,以东路为最。各州县因其系属窃案,或规避处分,隐匿不报,或报而并不实力查拿,行旅受害,殊非浅鲜。此案非奉抚宪、宪台屡次谆饬水陆各营实力严缉,无由破获。既经究出真情,尚何所用其姑息?

刘豫林一犯,随同张交朋等迷窃二次,复买药二百根,照例本应斩诀。该县意存姑息,禀请监禁十年,殊涉轻纵。奉抚宪、宪台严切批司委员复审明确,一并就地惩办。该县委复以渠魁贺胡子未获,拟将该犯监禁候质。殊不知刘豫林本系游勇,随同罗少卿等用药迷窃二次,情真罪当,已与立决之例相符,且购买迷药二百根,希图行使,情节甚属可恶,似未便任其久羁显戮。

至贺林山即贺胡子,诚为此案罪魁。该令虑其拿获之日,恃无质证,狡供避就,用意甚是。惟查案内尚有刘席珍一犯,系罗少卿雇工,虽未听从为匪,而久在罗少卿左右,素与贺林山认识,其一切诡秘行踪,较刘豫林更为熟悉,尽可留以待质,未便将罪无可逭之刘豫林留待刻难弋获之贺胡子。且稽查审办命盗重案,从无以应死人犯待质稽诛。本署司拟请将刘豫林一犯仍遵抚宪、宪台前次批示,一并正法,传首犯事地方悬竿示众,以昭炯戒而快人心。除电饬湘潭县将刘席珍毋庸递回原籍,暂时羁禁该县监内,俟缉获贺林山等备质后再行发落外,本署司为严惩匪类,绥靖地方起见,是否有当,理合具文详请宪台查核示遵。为此照详呈两院。

据《湘报》第二十号(光绪二十四年三月初八日出版)

州同柳正勋等禀催开办保卫局批

(光绪二十四年三月九日　1898年3月30日)

前据该职等具禀,业经批示在案,兹据续禀划地分局、设法筹款各节,语多征实,具见留心时务。除府城内外分划三十局,某处设分局,某街归何局,业经商定编刻,不日分派普告外,至此局开办,现在系支领官款,开办以后,官款不敷,自不能不取资于民。其应取何款? 如何筹集? 届时再邀众妥商,此刻尚无成见。但有可以预为宣示者,如取之百货,必系侈靡之物;如取之各户,必系有力之家;且保卫局系属公益,断不责令一人一家独捐巨款。其同受保卫局公益者,亦未便听某人某户不出一钱。凡上取之下,官取之民,地丁输之天府,是谓正供;竭民膏腴,归之囊橐,是谓中饱。此皆不必论。惟榷取货厘、捐输军饷以资助官用、协济邻邦,可以谓之筹款。今保卫局之设,以地方之财,办地方之事,仍散之地方之民,不过挹彼而注兹,通力以合作,损有馀而补不足,藉执事以养闲民,即化莠民而为良善,不得以他项筹款比论也。譬之于家,门户不得不修,子弟不得不教,此切己利害,为家长者断不能吝己资而任听盗贼之逾垣,子孙之废读也。此局开办之后,某款可省,某事不善,此则吾辈之责。按照章程,各绅商人等均可集众议改。若事未举行,辄听痞徒蠹役、失业无赖人等,以筹款一事蛊惑听闻,冀事之中止,凡官长之实心者、士夫之有识者,均不受其摇惑,何况本局在事各员绅! 此不必鳃鳃过虑也。因来禀极陈筹款之易,用特明白宣示,俾众共知。此批。

据《湘报》第二十一号(光绪二十四年三月初九日出版)

保卫局增改章程

（光绪二十四年三月十一日　1898年4月1日）

一、总局委绅，每月公费银三十二元。

一、五分局委绅，即副局长。每月公费三十元。

一、所用各员，均由会办官选举，由总办定用。所用各绅，均由会办绅选择，由总办定用。

一、所用各员，系由会办大员自拣，抑或何人保荐；所用各绅，系由会办大绅自拣，抑或某绅商保荐，均须于名簿注明，以公众览。

一、所用各员绅，如不遵章程，不能称职，经会办员绅查明，即行撤换；由总办查明，亦即行撤换。其由各绅商指告者，经会办、总办查悉，亦即行撤换。各小分局员绅，或经分局局长、副局长查悉，禀由总办、会办察实，亦即行撤换。

据《湘报》第二十三号（光绪二十四年三月十一日出版）

改定湖南课吏馆章程

（光绪二十四年三月十八日　1898年4月8日）

一、于府城中央备房一所，仍名为课吏馆。

二、馆中设总理一员，专司课吏一切事务。

三、设提调一员，以候补知府充。凡撰拟文稿、支发银钱、管理器具各事，均归提调办理。设理事委员一名，以佐贰杂职充，归提调差遣。

四、于馆中设一问治堂，聘请品学兼优、才识素著者二三人作为馆长，住居馆中，以襄助总理考课各事。

五、馆中各课，现分为六类：一曰学校；凡造士育才之法，均归此类。二曰农工；凡务财、训农、勤工、兴业之法，均归此类。三曰工程；凡治道路、通沟洫、修城池之法，均归此类。四曰刑名；凡考律例、清讼狱、处罪犯之法，均归此类。五曰缉捕。凡盗贼、会匪、恶棍一切查缉之法，均归此类。六曰交涉。凡通商、游历、传教一切保护之法，均归此类。

六、馆中设书藏一所，所有分课各类之书，有古籍，有时务，有总论，有专书，有图，有表，有书目，一一咸备，以供各员取阅。

七、凡到馆学业者,无论同通州县佐贰杂职,愿习何项,即自占一类,或兼二类、三类,亦听其便,到提调处自行注册。

八、既占某类,愿阅何书,即由提调向书藏领取,发交该员阅看。

九、所阅之书,各员应自行用笔点识,并将所见识于书眉,每日呈问治堂查核,查毕交还。

十、各员应设札记簿二本,由馆中领取。所看何书,或有疑难未解之端,或有推阐义理之处,即用行书缮入札记。此札记各备二本,每日呈送问治堂批答。呈送第二本,即领回第一本。

十一、问治堂馆长于各员札记逐日批答。有专答,专就其人所问难陈述者而答之;有通答,通论此事之是非得失而答之。所有通答,另饬人钞录,贴挂堂中,俟后汇聚成篇,再行选择刊布。

十二、堂中另设待问柜一器。各员除所习本业既于札记中批答外,凡馆长贴示之通答及同僚札记之专答有所疑难或有所阐发,可另取堂中待问格纸,陈其所见,投入柜中,以待馆长批答。

十三、在馆学习者,每日应于午前九点钟到馆阅看书籍,呈领札记,即于此时谒见馆长,当面请益,至十二点毕业。

十四、各员阅看之书籍、自缮之札记,听其回寓自行肄业。如有愿在馆中学习者,亦听其便。馆中别有书室一所,听其自携纸笔,就案查阅。不得携带家丁入室,不准在案上饮食,不准在室中眠卧,违者以犯馆规论。

十五、问治堂馆长每日于十点钟起接见各员,至十二点钟散席。各员之札记、馆长之批答,即于此时面交。

十六、总理应间日到馆,现定日期:每月以初二、初四、初六、初八、初十、十二、十四、十六、十八、二十、廿二、廿四、廿六、廿八、三十若系小建,于廿九日到馆。为到馆日期。

十七、总理到馆日,准于每日十点钟到十二点钟散,即于此时会同馆长接见各员。

十八、总理到馆,所有各员之札记、馆长之批答,即于此时送阅。总理立将某类某条随时摘出,面询某员,觇其答辞,以考其学业。

十九、馆中考课,用积分之法,分为三类:一曰勤业,就其到馆之时刻、阅书之卷帙、札记之条数,取其执业之有恒、请益之无倦者;一曰善问,就其札计[1]待问札,取其发言之精审、求理之深切者;一曰进益,就其人所学,取其志趣之奋发、才识之开敏者。

二十、积分之法,另编一表,注明某官、某人、所读何书,将上开三类刊入表格。其勤业、善问二类,每日由馆长填注;进益一类,每月由总理会同馆长填注,即照抄一分,呈送抚宪查核。

二十一、馆中积分之法,每月以九十分为合格。每日填注之一类以三分为则,多不逾六分。如勤业一类,每日到馆有定时、无旷课,准注一分。阅书能过十篇、点识均如法者,准注一分。札记能缮出一条以上、百字以上者,准注一分;如善问一类,除所问不切、不审者不注外,平常注一分,善者注二分,尤善者注三分。每月合计通算,如此类不及分、彼类有溢分者,或今日不及分、而明日乃有溢分者。逾九十分者,是为溢分,例得奖勉。

二十二、每月既将馆课分数注册,呈送抚宪,即照表榜示堂中。每三个月大考一次,稽核各员溢分之多寡,以定给奖之厚薄。

二十三、每年大考四次。每大考一次,奖银一千两,统计各员溢分之数,即照分数摊算银数,以分给各员。假如各员溢分之数合计溢至二千分,即照系每一分应得银五钱;假如某员溢至一百分,即系某员应得银五十两,无论多寡,概照此摊算。

二十四、每六个月再请抚宪及各司道到馆汇考一次,将各员溢分及不及分者总核注册,分别等第,列作六等:一、上上,二、上中,三、上下,四、中上,五、中中,六、中下,将姓名、官职等第榜示馆门,并饬知通省道、府、州、县各衙门。

二十五、凡在省候补现有差委人员,为职事所羁未便按日到馆,如有愿就馆学习者,亦许其自占一二类,取阅书籍,缮送札记,由馆长批答。其应注分数,通照上章,一律办理,另由总理分别传见。虽所溢分数不给奖银,仍照分注册,由总理将册按月呈送抚宪。或应留差,或应调缺,由抚宪查核定夺。

二十六、所有外府、州、县现任实缺人员,如有愿占某类、阅何书、自缮札记,寄到馆中者,馆长亦一律批答。*Official pos. of clearly defined entries*

二十七、所有现任实缺各府、州、县,如有将该地方应改之书院,应修之水利,以及训农、劝工、捕盗、缉匪、刑名疑难之案、交涉应付之方,禀请总理核示者,亦分别批答。或有将该地方何项应兴之利、何项应革之弊、其民情习俗如

---

① 札计,疑为札记。

何、官役积弊如何,原原本本,切实禀陈者,并可由总理另禀抚宪察核办理。

二十八、无论何项人员,如有能讲求时务、指陈利弊、缮禀条陈,确系切实有用者,总理另行延见,另禀抚宪察核办理。

二十九、馆中另有馆规,凡到馆学习者,均须遵照;有犯者,即记过。每记过一次,即扣减分数二分。

三十、馆中应用款项,暂将旧日课吏馆所支之款分别拨用,一概由提调收发。

三十一、现拟聘请馆长三人,每位支送岁修银八百两,一切夫马饮食之费,由馆长自备。此项岁支银二千四百两。如系京朝官或他省绅宦,拟另行酌送盘川银　两。

三十二、馆中奖银、每大考一次,支银一千两,合共岁支四千两。

三十三、提调月支薪水银四十两,理事委员月支薪水银十两。此二款合共支银六百两。

三十四、馆中一切费用,由提调酌拟,呈总理核定,按月支领。

三十五、开办之始,应先购备各类书籍图表,拟酌支银一千两。

三十六、现将馆中原领款项分别支用,如有不敷,再禀请抚宪酌拨。所有馆中未尽事宜,或将来有应改章程,再随时随事,禀请抚宪核办。

据《湘报》第二十九号(光绪二十四年三月十八日出版)

呈复新宁县李得有捆殴杨姓窃贼致令冻饿身死一案

(光绪二十四年三月二十四日　1898 年 4 月 14 日)

为呈复事:

案奉宪台签开:"据该司审解新宁县民李得有捆殴杨姓窃贼致令冻饿身死一案到院云云。此签仍缴。计发原详一本。"等因。奉此。

查此案前据该府招解到司,曾据另文申称:"事主殴贼,照'擅杀拟绞'之例,系指贼死于殴打之伤者而言,若止将捆殴,伤不致死,而死由别故,即不能科以'擅杀'之条。既不能科以'擅杀',即有概予勿论之例。杨姓窃贼被殴,各伤均不甚重,不至于死,而死于是晚之天冻下雪。雪时严冻,贼与乞丐无伤亦死,与人何尤?"谓该县将李得有审依擅杀减等拟流,未免失之于重。疑其重者,意谓死由于冻饿也。而李前司则以原验含糊,恐现讯供词不无装点,谓已死杨姓乞丐既验有致命右脊膂一伤,焉知不死于此伤而死于冻饿。该县将其减流,似属有意开脱,未免失之于轻。疑其轻者,意谓死由于伤也。当将该犯发交讞局,反复推讯,再三究诘,则与该县原供毫无歧异,均系实情。

　　本署司到任,接准移文,调取原详,悉心查核。该犯李得有将杨姓乞丐殴伤后,抬赴凉亭,眼见该犯饥寒交迫,九死一生,竟弃之不顾,忍心害理,情属可恶。原验虽系受伤后冻饿身死,而其所以冻饿,实因伤痛不能行走所致。若因死于冻饿,非死于伤,竟予勿论,似涉轻纵。然该犯如果有心殴毙,则必下手于致命之处,或乱梃交下,不顾死生。今所殴伤痕,尽非要害;加以绳缚手足,亦不过因物被偷窃,捆殴泄忿;其剥还乞丐身穿之棉衣,原系事主被窃之本物,亦碍难责以残刻,以饿丐而当严寒,会逢其适,以致于死,其情亦不无可原,且系行窃罪人。该县将其比依事后殴伤窃贼,照擅杀罪人律拟绞例上,量减拟流,度理衡情,尚属允协,是以照转。

　　兹奉前因,遵复提取该犯李得有,遵照指示之处,悉心研讯。据供:"光绪二十一年十二月十五日,小的船泊县城西门外河边云云。照详册供录至。适林玉泉到河边过渡看见,喝住上船,将绳改放①。杨姓乞丐,躺卧船头。林玉泉问明情由,盘出姓氏,当即走散。小的驾船营生,家道贫寒,因杨姓乞丐说,所窃絮被,业既卖钱花用,是以用木棍在他手脚上殴打几下,欲其说出买主,以便取赎,并非使力狠殴,有心致死。后经林玉泉从旁解放,杨姓乞丐躺卧不走。小的尚疑他故意装点,希图油赖,是以将船撑到对岸,唤同徐继轩把他抬放凉亭,开船下驶。是处系在县城对河,以为杨姓乞丐必当爬起,依旧行乞,自寻生活。不料是晚天雨下雪,杨姓乞丐竟在凉亭冻饿身死。今蒙诘讯,杨姓乞丐并无亲属,是林玉泉报知保正报案,岂肯反与小的串供避就? 小的如果将杨姓乞丐当时殴毙,在县城河岸,耳目甚众,岂能隐瞒? 只求详察。"等供。

　　据此,本署司一再推鞫,以为拟议此案罪名,应以该乞丐是否伤死,是否冻饿而死,抑或受伤后冻饿身死为断。此案,查前县叶令原验:杨姓乞丐身受拳殴一伤、木器五伤,面色黄瘦,肚脐低塌,有饿死之形,而乏受冻之状。报为受伤后冻饿身死,未甚明确。然面色黄瘦、肚脐低塌等类情节,虽属饿状,而与冻

---

①　改放,当为解放。

死情形亦尚不相违背。该犯李得有将该乞丐提获捆殴,解放后抬放凉亭,事在光绪二十一年十二月十七日,正值严寒,又复雨雪,窃穿棉衣既经事主收回,身馀旧单汗褂一件,其寒可知。查阅见证林玉泉所供:目击该乞丐躺卧凉亭,手足发颤,确有受冻情形。该乞丐所受伤痕多在手足,均非致命之处,即脊膂右一伤,部位虽属致命,而色红肿,未至骨损,并不甚重,似非因冻饿不至即日殒命。原验虽有饿而无冻,而按之天时,察其死事,证以现讯供词,其受冻尤甚于饿。查《洗冤录》所载:"冻饿之尸,面色痿黄,口有涎沫,牙齿硬,身直,两手紧抱胸前。检时用酒醋洗,少得热气,则两腮红,面如芙蓉色。"此专指受冻身死者而言。若冻而兼饿,情形自有不同,况原受有伤,则更未可一概而论。该县僻处偏隅,仵作多不谙练,当厂① 或未必用酒醋浇洗。而原报既指为受伤后冻饿身死,则口内涎沫,以及两手紧抱胸前等类形状,势有必至,谅系漏填。且《洗冤录》一书,本为检尸而设,备录各节,以便参考,谓冻死者有此各种情形,非必谓冻死者必兼备各种情形也。两手紧抱胸前,系为恶寒,藉以自护,此冻死通行情状。然或因伤痛而不能抱胸,或因饿极而无力举手,临绝之时,手适未抱,亦未可知。往反驳查,亦只系空言禀复。如果原报相验并饿状而亦无之,则死系因伤。罪名出入攸关,本署司亦不敢率尔照转。今既有饿状,遗漏冻情,一切供证确凿,未便因此遂疑其不由冻死,似可据供更正,免将该犯发回,致滋拖累。至于由死减流案件,向系解候勘讯,请专本具题原详,声请咨达,"年底汇题",实系承书疏忽,清缮错误,除于详内一律更正,解候来讯外,爰奉签饬,理合具文呈复宪台察核。为此照验。呈

抚宪

据《湘报》第三十四号(光绪二十四年三月二十四日出版)

辰溪县王道生大令禀请将减征地丁钱文拨充
书院经费以资膏火禀批*

（光绪二十四年闰三月九日　1898年4月29日）

据禀已悉。将旧有书院延聘名师,讲求时务,实为当务之急,应即极力筹

---

① 厂,似为场。

* 此件《湘报》第四十七号题为《黄公度廉访批》,本标题系编者所拟。

办。至请将减征地丁钱文拨充经费之处,仰辰州府饬候抚部院核示遵办,并候藩司粮、巡道批示。此缴。

据《湘报》第四十七号(光绪二十四年闰三月初九日出版)

禁止缠足告示*

(光绪二十四年闰三月九日　1898 年 4 月 29 日)

钦命二品衔署理湖南等处提刑按察司按察使、总理全省驿传事务、盐法长宝道随带加一级黄,为出示晓谕事:

照得天地生人,本无生女悲酸之意;父母爱子,时虞生疾毁伤之忧。故圆颅方趾、麻木偏枯则为疾;属毛离里、痛疾噢咻之谓慈。自薄俗流传,公理蒙晦,求工纤趾,肆彼忍心,毒螫千年,波靡四域,肢体因而脆弱,民气以之凋残,使天下有识者伤心,贻后世无穷之唾骂,今之缠足是已。本署司实怜之悯之,痛之惜之!特胪举其害缕言之:

一曰废天理。不良于行,天之所废。三刖其足,古之酷刑。今国家久废肉刑,上天不闻降割,赤子何罪,横加五刑。几席之间,忽来屠伯之酷;闺房之内,竟同狱吏之尊。谓天谓地,踸踔无所逃;呼父呼母,疾痛之弗恤。由斯而言,天理安在?

一曰伤人伦。母子为天下之至爱;夫妇本人伦所造端。而乃割慈忍爱,戮所生以为荣;折骨断筋,求所天之欢喜。舅姑以生偏爱,婢妾以争宠妍,妯娌以失和谐,姑嫂以滋谣诼。一家以此分好恶,四德不问其有无,人伦伤矣,何恩之有?

一曰削人权。夫讥不亲迎,《春秋》平等之微言;妻之言齐,《礼经》应有之义例。而乃曲附抑阴扶阳之说,只为冶容好色之求。以充服役,则视之如犬马;以供玩好,则饰之如花鸟。既不学以愚其心,更残刑以斲其性,遂使遇强暴则膝行而前,嗟实命则抱足而泣。锁闭在室,呼吁无门;战战在心,拳拳缩足。人权丧矣,何义之有?

一曰害家事。不利走趋,不任负戴,不能植立,不便提携。或箕踞以见家

---

* 此件《湘报》第五十五号题为《臬宪告示》,本标题为编者所拟。

公,或跛倚而襄宾祭,或长跪而司浣濯,或偕行而待扶持,乃至饁饷之事,代役于徐夫,井臼之操,盛称为奇行,六极兼受其恶。弱毕生强,付于尸居,四万万人半成无用之物,二十一省各增内顾之忧,害于而家,凶于而国矣。

⑤ 一曰损生命。既缚束之,又胺削之,既禁锢之,又幽闭之。其痛楚酸心、尪削致疾者无论矣。其或变故猝至,仓卒走逃,或嘻嘻出出之火灾,或浩浩荡荡之水患,又或生当乱离,俘作囚虏,受絷则鞭杖交加,偶仆则人马践踏,爷娘弟妹欲救而不能,缢溺屠颈求死而不得。至于张献忠之酷削趾以像天山,洪秀全之惨骈足以作人烛,此更耳不忍闻,口不忍述者矣。生命之损,非此阶之厉乎!

⑥ 一曰败风俗。夫戕贼杞柳以为杯桊,道家犹讥其伤物;豢养鱼鸟施之笼网,君子犹议其不仁。今以人类等物,藉杀人以媚人,肢体何物,以供戏玩,骨肉至亲,使之诲淫,是何异乎刘龚嗜杀,涎蛟而下酒,郁林取乐,聚蝎以螫人。乃彼则全无心肝,众所笑骂。而此则举世相习而不察,千年沿袭而不改。谁为作俑,岂啻无后,世有地狱,正为斯人。风俗之败,无以逾于此矣!

⑦ 一曰戕种族。五代以后,至今千年,神明之胄,层递衰弱,岂人材之不古若欤? 抑他族之独为天骄耶? 非也。盖人生得半于母气,今在母先损其胎元,禀赋已薄,则躯干不伟,孱弱多疾,则志气日颓。本实先拨,无怪枝叶之凋,鱼肉自戕,若待刀砧之供。辽宋以来,此风盛行,华夏之旧,积世逾弱。彼汉唐极盛,曾有天可汗之称,欧美大邦,绝无人为奴之事。反是以观,种族之戕,又奚堪设想乎!

凡斯利害,昭然目前,苟有天良,能无心痛! 本署司早岁随槎,环游四国,先往东海,后至西方。或作文身,或束细腰,虽属异形,尚无大害。若非洲之压首使扁,印度之雕题饰观,虽有所闻,并未目睹。惟华人缠足,则万国同讥:星轺贵人,聚观而取笑;画图新报,描摹以形容;博物之院,陈列弓鞋;说法之场,指为蛮俗。欲辩不能,深以为辱! 既闻寓居西人联合大会名为"天足",意在劝惩。在彼以普渡众生为名,使我增独为君子之耻。适新会梁君,即今之时务学堂教长,商立此会,首列贱名,而南皮张公,今湖广总督部堂,遂手书一叙,普告于众。近而沪苏,远而闽广,以小生巨,异步同趋,行之未及一年,入会已逾万众。今本署司从宦湘中,忝居民上,若畏避讪谤,置为后图,非特无以慰我黎庶,亦复何颜对我友朋! 本署司平生之志,不敢不为士民告者也。

大清受命近三百年,会典通礼,明载服色,后妃福晋,依然同屦,凡我臣民,自当效法。恭读顺治十七年圣谕,有缠足者罪其父,若夫杖八十、流三千里。又嘉庆九年奉谕,今镶黄旗汉军应选秀女,内缠足者竟至十九人,殊为非是。此次传谕后,仍有不遵循者,定将秀女父兄,照违制例治罪。皇祖有训,普天共闻。只以本朝政体尚宽,汉人听其从俗,故官吏视为具文,士民逃于法网。夫王制首禁异服,史志明讥服妖,乃生今而蹈违制之罪,欲盎而为折割之人,抚膺以思,若芒在背。此又本署司官司之守,不敢不为士民告者也。

查光绪九年,湖南奏准:故杀幼媳,酌议监禁,勿听收赎。近有村妇,为九岁养媳缠足,恶其啼号,立时殴杀者。本署司遇有此案,必援照办理。同治十年,部议:凡宦家致死婢女者,除死者年齿已长,或邂逅毙命,仍照旧章办理外,如年在十五以下,验有水淋火烙伤痕,照金刃损折五伤以上,俱入情实。嗣后如有官民妇女因缠足致死卑幼及白契婢女,罪应绞候者,秋审时必援照此案,概入情实。孺子入井,皆有恻隐之心;妇人黑心,敢为姑息之爱。冀少免赤子之宛转啼号,断不纵恶姑之狠心毒手。此又本署司刑名之汇,不敢不为士民告者也。

本署司之出此劝谕,非谓能伸其禁制之权,兼虑乡曲愚民不免非笑之举,习焉不知,积重难返,滔滔皆是,藐藐谁听?然窃计数年之间,朝廷必重伸禁革之令;数十年后,天下必无缠足之风。理出于大同,弊去其太甚;道穷于必变,任重于先知。为此示仰绅商士民人等,一体知悉。所望不缠足一事,父诏而兄勉,家喻而户晓,早除一日,即早脱一日之厄;多救一人,即多得一人之用,以存天理,以敦人伦,以保人权,以修家事,以全生命,以厚风俗,以葆种族。本署司实有厚望焉。切切。特示。

据《湘报》第五十五号(光绪二十四年闰三月初九日出版)

覃茂三等拦途抢劫颜正林案详文[*]

(光绪二十四年闰三月十日　1898 年 4 月 30 日)

为详请示遵事:

案据永定县知县蒋柏茂禀报:覃茂三等拦途抢劫颜正林钱物并拒伤事主

---

[*]　此件《湘报》第四十八号题为《补录黄公度廉访详文》,本标题系编者所拟。

平复一案。此案初据该令禀报，以覃茂三为首盗。嗣拿获覃茂三到案，则一概供称不知。当经本署司以所获之覃茂三年甫成丁，无知被胁，容或有之，为首纠邀，断无此理。是否事主诬报，抑另有覃茂三其人，不可不悉心考察。批州转饬移提桑植县所获之同案盗犯李德顺到案，确切质明，万不可希图了事，稍事刑求，致滋枉屈。

嗣据该县复审录供，议拟具禀到司，复经本署司悉心查核，其中不无可疑之处，如覃茂三与李德顺，及在桑植监故之邹佐考，并在逃之邹佐庆，同受雇在落塌坪覃姓煤洞拖煤，彼此认识。六月十六日工毕，覃茂三在本地居住，先行归家。十七日早，邹佐考兄弟邀李德顺同回桑植，在落塌坪街市火店煮造早饭，适覃茂三走至会遇，共谈贫苦，邀允同往桑植觅工一节。煤洞距落塌坪街市有若干里，覃茂三之家离落塌坪街市复有若干里，覃茂三甫于先日工毕归家，次日早至落塌坪市上何事？如谓因不能过活，找寻邹佐考等出外觅工，其与邹佐考同在煤洞佣工，平日何不谈及贫苦，预先约定，必待一宿之后始来找寻？若谓因邹佐考相邀，临时起意，则覃茂三家在咫尺，何以不归商其父，遽尔同行？迨后路遇颜正林等肩挑钱文，邹佐庆起意，邀允覃茂三等拦抢分用，拔刀随后赶上，大声喊抢。维时抢犯仅只四人，一人虽持短刀，三人俱系徒手。颜正林叔侄两人，各有扁担在手，并非势不能敌。颜正林虽被覃茂三拾石掷伤左肱肘，并非要害之处，何至即弃钱不顾，负痛逃走？李德顺即拾石将颜泽彬掷伤，因何忽赴茅柴内躲避？邹佐庆凶刀在手，何以不进前直砍，而反拾石遥掷？且一手持刀，一手仍可拾掷，何以必将刀丢弃而后拾石？颜泽彬一身前后左右皆受有伤，尤非按捺丛殴，断不至此。供词闪烁支离，案情并未审透。覃茂三年仅十六，是否确系在场动手伤人、分赃正盗，尤非考究明白，未可即正刑诛。

正批行间，适奉宪台批州委员复审，于腊月二十四日录行到司，已在批该县原禀十日之后。本署司所批各节，原虑文到之日，或犯已正法，于事无益，虽已缮稿签行，仍意不欲发。继思此案，该县初次禀报，业经本署司批饬在前，该令早已奉到。如澧州委员赴县会审，该令能虚衷推鞫，未必遽事刑诛。本署司既有所见，不妨掬以相示，使该令再行提犯，悉心考究。如果疑义毫无，则该犯俯首伏罪，杀之而心安理得；万一中有所疑，安知不为该犯开一线生路？故于年底二十七日，仍由五百里排递录批并行，并具文呈报在案。讵料文到之日，已在委员会审及提犯正法之后。本署司本可无庸置议，惟是该令初次禀报到司，既经本署司明白指示该州委员复审之札文，又将司批一并录行，该令非未寓目，究竟会同委员如何考究，前后两禀并无一语回复，即申报处决文内亦并无一字声明，直以录囚为儿戏，视司批如废纸。且向来委员复审，仍须将所取犯供录呈，以为与原审相符之证。该县会委复审禀内所赍供摺，只有从犯李德顺之供，并无覃茂三供词。但云与原审相符，匪独与向办成案不合，是并所谓委员复审，亦变为虚应故事。似此草率，实所罕觏。本署司批示各节，原因中有疑窦，不得不互相考求。乃该令复于遵奉司札之后，摭拾空言，哓哓置辩，若以前次之指驳为多事，殊非实事求是、明慎用刑之意。罪至大辟，不可复生。该州于抢劫重案，屡委佐杂前往会审，州县既存傲慢之心，而委员因职分较卑，即知有疑窦，亦不敢与之诘难。上年安乡县平令，竟有不候委员复审先行正法之事。其中流弊，不可胜言。

本署司查：湘省自军兴以后，游勇充斥，不能复安耕凿，拜盟结会，抢劫为生，以致各州县抢案屡见迭出。若案案招解，不独长途解犯疏脱堪虞，而且稽延时日，难昭徼戒。于是，奏定章程，遇有会匪游勇聚众抢掠、凶暴昭著之案，各州、县于获犯讯明后，禀奉宪辕批由本管道、府就近提讯，或委员驰往复审，即行就地正法。各省亦多仿行，此原因处无可如何之时势，变为万不得已之权宜。屡经台谏条奏，刑部核议，请复旧制。无如崔苻未靖，抢劫频仍，一时实有碍难规复之处，屡展至今。查二十三年就地正法之犯有一百三十八名之多，较之每届秋审，增至十倍。在各地方官获犯定供，毋庸解臬司复勘，经宪台提讯，只俟委员一讯，便可处决，省事既多，惩犯极易。古人有言："杀三宥三。"今秋审大典，必经大学士三复奏而后行。告朔饩羊，犹留古意。夫小民犯法，法实生杀之，非官能生杀之也。宪台统辖文武，政务极繁，所据以行其权者州、县初审之禀，所凭以定其罪者，只此委员复讯之供，不能不审察遴选，加意慎重。倘并委员复讯而视为虚应故事，难保其中不无疑案。且此种罪犯既经定决，亦未必不能稍缓须臾。即如此案，照该令所取覃茂三口供：上盗之时，在地拾石遥掷，是并未携有凶器，事后仅止分赃二千，不过原赃十分之一。而李德顺供词：覃茂三并没起意，事主颜正林伤亦平复。核其罪状，仍系无知被胁，与章程所谓凶暴众著者有间，并非决不待时，刻不容缓。而蒋令禀请即行正法，原似未允，乃既奉司驳，犹视若无睹，并不以一语回复，尚复成何事体！除安乡县平令,不候委员复审,当经由司批记大过三次外,拟请将复审就地正法重犯不候司批之署永定县知县蒋柏茂,酌记大过二次,以示惩儆。并请嗣后遇有就地正法之案,由宪台察核,一律批司委员前往复审。其距省较远州、县,应批由道、府就近提审,或委员复讯者,亦饬司分别移行。并通饬各府、州:嗣后委员会审盗案,应择明干邻近州、县,或同知通判,均不得以佐贰杂职充数,而委员亦宜郑重其事,遇有犯供翻异,除该犯系畏罪逞刁,应悉心磨审外,倘有可矜可疑之处,即当据实禀请核示,不得以武断取辜,含糊塞责。其有能平反重罪者,应酌记大功,万一有误陷人罪,如近年江宁三牌楼之案,异日事发,当并坐委员以失入之罪,用慎刑章而重人命。

本署司荷蒙宪恩,奏委权理臬篆,刑名总汇,关系匪轻,矢慎矢勤,凡事不敢稍涉大意。平日留心稽察各州、县近来承办盗案,往往只图破获一二名辄禀正法,藉免疏防处分。以一岁正法一百三十馀名之多,谓其中并无所疑,抚心循省,何敢谓然?且谓并无不肖官员,无一草率定案者,更不敢相信。久思以愚见所及,剀切上陈。现计回任在即,仍不敢避强项之名,以敷衍了事;不敢存见好属员之心,转有负宪台慎刑之意,用特敬抒管见,是否有当,理合具文,详请宪台核示祗遵。为此照详呈抚宪。

据《湘报》第四十八号(光绪二十四年闰三月初十日出版)

士绅刘颂虞等公恳示禁幼女缠足禀批*

(光绪二十四年闰三月十六日　1898年5月6日)

据禀具悉。缠足一事,贻害无穷,作俑千年,流毒四域。今以不缠足为富国强种根本,所见尤大。中华为文物之邦,五行百产甲于全球。乃徇耳目之观听,即愒淫之污俗,士习时文,女尚缠足,久为外人所窃笑。顺治康熙间,有疏请废时文、禁缠足者,因积习已深,旧染难涤。然当国家全盛时,犹未见其害之烈也。今强邻环迫,种类日弱,利权日移,利源愈绌,毁天然有用之肢体,减物产固有之利权,举凡缫丝、织布、种茶、植桑,皆积衰递弱,每况愈下,势岌岌不可终日。朝廷既改设经济特科,岁举不专以时文取士,卧薪尝胆,以共图富强,

---

则劝禁幼女缠足一事,自属当务之急。

本署司游历中外,殚心世局,曾与同人设立不缠足会,编列会籍,互通婚姻。该生等蒿目时艰,痛陈积弊,禀请示禁,以广推行,足以征心所同然之理,物穷必变之道。准即撰示颁发,并饬各府、厅、州、县一体张贴晓谕。该生等务各父诏兄勉,身体力行,并就其乡人剀切劝导,俾得家谕户晓,毋稍迟回观望。开一乡一邑之风气,即能增千手千足之事功;破匹夫匹妇之愚痴,即以保四万万人之种族。《汉书》有言:"仁人君子,心力之为。"愿与诸生等共勉之。切切刊示。即发禀附卷。

据《湘报》第五十三号(光绪二十四年闰三月十六日出版)

常宁县土帮职员廖安邦等禀批

(光绪二十四年四月二日　1898年5月21日)

准如禀,通饬祁阳各县严拿惩办,并由司撰发告示查禁。尔等贩运烟土,亦宜谆嘱挑夫等,务由通衢大路结帮行走,毋得希免厘金,绕越小路,以致中途失事,是为切要。此批。

据《湘报》第六十六号(光绪二十四年四月初二日出版)

职员刘德泰等以三官纵灭废捏附祖上控李兰陔等禀批

(光绪二十四年四月二日　1898年5月21日)

据具呈:甫经批示行府转饬:此案既经印委会审,集讯酌断,乃两造复以"过载直下"四字,各利私图,任意争执,以致枝节横生,案悬莫结。今屡来辕恋渎,晓晓不休。若不即为澈究,从速处断,缠讼终无了日,两造徒益拖累。仰长沙府,即日遴委干员,驰赴湘潭县,会同该县陈令,提集两造人证,审察全案原委,折衷至当情理,秉公讯断,详复核夺。毋得稍存回护,亦毋得稍涉瞻徇。倘既经该县委讯断明确,两造仍敢不遵开导,狡执如前,即予照例惩办,以为蔑理健讼者戒。

抄结并粘呈、印示均存。

《湘报》第六十六号(光绪二十四年四月初二日出版)

通饬各府厅州县札*

（光绪二十四年四月十三日　1898年6月1日）

为札饬事：

准藩司咨：奉督部堂张札开：光绪二十四年三月二十日，准督办铁路总公司事务大臣、大理寺少堂盛咨呈开：窃照粤汉铁路关系紧要，前据粤、湘、鄂三省绅商呈请通力合作，以保中国利权而杜外人觊觎，业经本大臣据情会奏。奉旨允准原奏。造端之始，以勘路为第一要义，应由三省遴委员绅，公同测勘，使知便商卫国，事在必行。除已遴派洋工程司，并由湘、鄂两省及总公司各派译员导护前进外，合亟遴委熟谙详务明干大员，督同勘路。查有湖南候补蔡道乃煌，隶籍岭南，服官湘楚，堪以派委前往鄂省，禀商两广督部堂暨广东抚部院，并请粤省派员再行带领洋工程师，由广州勘起，至佛山、三水、韶州、乐昌，与湖南省之宜章县交界处为一大段，所有路经各该州、县，何处地势高低斜直，何处繁庶可设车站，有何物料足资工用，均应督同华洋各员，详审察看，周咨博访，笔记图绘，按日详注。遇有河渠山道，并须设法绕越，以省工料。勘验事毕，逐细具复，以凭会商核办。除饬蔡道遵照办理并分咨外，相应咨呈查照等因，到本部堂。准此。除分行外，合就札行。札到该司，即便查照，等因。行司移道。准此。合行札饬。札到，该府即便转饬所属，一体查照。此札。

据《湘报》第七十五号（光绪二十四年四月十三日出版）

通饬各州县札

（光绪二十四年四月十一日　1898年5月30日）

钦命二品衔署理湖南按察使司、盐法长宝道随带加一级黄，为通饬事：

案奉抚部院陈批：临湘县申报监犯欧召善患病保外医调一案。奉批。"据申已悉。查应免罪囚，法司核复文到之日，即行释放。又应追埋葬银两，勒限一个月追完。如十分贫难，量追一半；若限满勘实，力不能完，取结请豁，定例

---

* 此件《湘报》第七十五号标题为《盐法长宝道通饬各府厅州县札》。

各有专条。此案监犯欧召善,因戳伤王昌合身死,拟绞监候。恭逢光绪二十年八月十六日恩诏援免,于二十二年四月十八日,奉准部复,行司转饬,遵照在案。该县于奉文后即应释放,何得因埋葬银未清,将其羁禁两年? 自因不谙定例,以致错误。该县一处如此,其馀各属亦恐不免。仰按察司饬承将各厅、州、县申赍监犯月报清册,逐一查核。如有应释未释人犯,即由司札饬提禁交保,以清图圄,而免淹滞,并饬该县知照。此缴。"等因。奉此。

　　查上年九月内,据湘潭县详报:钟俊才在保病故一案,曾奉抚宪批示:"徒罪以上人犯始行收监,律有明文。钟俊才奸所登时杀死奸夫,律得勿论。无罪之人,本不应收监,仗罪以下,例归外结,并不咨达,亦无部复可奉。此案前据桂前司议详,当经本部院批结。该县不将其省释,致监禁一年有馀,今已病故,尚称未奉部复,大属不合。应饬各属清查,如有似此误监人犯,立即省释,毋使瘐毙。"等因。当经本署司录批通饬在案,以为各州、县奉文之后,必自触目警心,将监管人犯逐一清查,分别省释,不至再有滥禁之人。兹奉前因,并据该县申报到司,检阅卷牍,殊为诧异。夫以逢恩赦免之囚,而因埋葬银两未清,羁禁两年之久。该令既不勒限追完,又不查实请豁,提禁省释,殊不可解。足见各州、县平日于羁管人犯,全不留心。即各上司谆谆诰诫,亦复视为具文,慢上残下,殊可浩叹。

　　本署司自莅湘省,权陈臬事,亲见拟罪招解之犯,囊头械足,鸠形鹄面,匍匐案下,无复人色。询及管禁几时,身受诸苦,无不涔涔泪下,甚则伏地痛哭,不能仰视。所有监禁羁管一切情状,大都圜扉短墙,蹐天蹐地,食饮不饱,坐卧无所;而污秽所积,蒸为灾沴,死亡枕藉,血肉狼戾,传染毒气,无不生疾。医方诊病,官已验尸;汤药未进,席裹继出。即在寻常,亦已十囚五死,若遇天灾,更不堪问。以此种监狱,而禁卒看役,反据为利薮。一人受押,凡随身之物,一钱尺布,搜括净尽。食宿之地,溲便之所,一举一动,无不多方抑勒,甚至置之溷秽,戴以溺器,擅用非刑,恣其凌虐。缚于短凳,中贯长扛,使不得转动,谓之"施榨方";系其肢体,半悬于空,使不得反复,谓之"吊半边猪";缚手足大指以悬空者,谓之"扳罾";反缚而悬者,谓之"倒扳罾";并有"烟薰火炙"、"踩刺筒"、"鹰唧鸡"、"打地雷"、"猴儿偷桃"等类名色。种种酷虐,甚于地狱。稍有人心,尚为之口不忍述,耳不忍闻,何况若辈身受其苦? 古人有言:"画地为狱,议不入;刻木为吏,期不对。"盖狱吏之尊,罪囚之苦,古今同慨。而湘中讼狱之繁,人犯之多,其弊为尤甚:有滥控之犯,如藉故陷害,一纸牵诬,多至数十人者;有久羁之犯,如案情疑难,犯供游移,一押至十数年者;有牵连之犯,如命盗重案中之指作干证,曾经在场者,户婚、田土、钱债各案中之曾作中人媒妁及说事过钱者;有轻罪之犯,窃盗斗殴案中之形迹可疑、贫穷不堪,无人领归,无人取保者;又有前任未及办结释放,后任不加觉察者;有初审留作证佐,原拟再审,久而置之不理者;有始因人犯未齐,暂羁候审,久而忘其所以者;更有门丁书役,内外串通,或藉案弋致,挟嫌安拿,私押差厅,肆其讹索;或案已审结,官许发放,族保未集,依旧淹留者。

国家设狱,原所以禁暴止奸。果系大盗要凶,恶贯满盈,孽由自作,犹可言也。其市井鼠窃之徒,室家崔角之讼,或由于饥寒交迫,或出于伶仃无告,亦不问所犯轻重,动辄长羁永禁,虽在缧绁,非其罪也。蹊田夺斗,罚已重矣。若夫失火之殃馀波之及,本为事外无辜之人,亦受牵连下狱之累,至使株连之罪,锢之终身,瓜蔓之抄,逮及十族。又如证人一项,实有益于问官,为民上者需之甚殷,本应优待,而亦夺其生理。豺虎是投,视作累囚,牛骥同皁,尤为无礼无义、不仁不智之甚者矣。牧令一官,为民父母,谁非人子,各有天良,而日坐堂皇,奄奄尸位,竟使无罪之民骈手絷足,横加禁锢,抚膺自问,能无悚怵?

本署司莅任以来,留心察吏,僚属中虽有一二操守难信之辈,而剥削民膏,淫刑以逞,如已革之余良栋、吕汝钧者,似尚无其人。而六七十州、县,监禁羁管至数千人之多,烦怨抑郁。抚宪至谓人怨神怒,上干天和,其故何哉?人皆有不忍人之心,岂一行作吏,遂视民如仇雠草芥,竟性与人殊耶!反复以思,或亦有不得已之故焉。一事报官,获犯到案,有上司之督责,有彼造之指控,而供词各执,人证未齐,定谳则未能,释放则不敢,惟有姑且监禁之一法。此其故由于不明,不明则不能决断,而监系者不知几案,不知几年矣;亦有不及知之事焉。一人之身,百事丛脞,有家丁之朦蔽,有胥吏之舞文,而积牍丛压,深居简出,左右之人辄伺其间隙以售奸,于是有私押私拷之弊。此其故由于不勤,不勤则不能清查,而监羁者不知几处,不知几人矣。由前之说,其责不专属之各府、厅、州、县;由后之说,其责不能不属之各府、厅、州、县。

今本署司敬与管狱有狱之官约,凡十五条:

一、凡律得勿论及例应减等者,现奉抚宪批示,除令局员督责司承稽核月报,调卷开单,另行札查外,并望各牧令先自极力清查,与各幕友调核案卷,禀明核办。

二、命盗重案中有滥控多人，日久未结，查明实非其罪者，将姓名事由开具简明清单，禀请核办。如经本署司核准批释，将来或事主原告再行上控，或抚宪、刑部有所驳诘，本署司实任其咎，不与各牧令相干。

三、窃盗斗殴，一切轻罪之犯，如监羁有年者，应饬令该团内绅士具保释放。如无人担保，亦可传集该姓户族，发交领回，责成约束。

四、各命盗重案中之被告，审明如系无干，立即省释；或本属在场，或稍有干系，并非凶盗，罪在笞杖以下者，分别交保，俟缉获正凶，再传案备质。

五、户婚、田土、钱债各案内之中证、媒妁及说事过钱人，如有不合，当堂照例笞杖发落；或其事不能遽结，均令在保候讯，不准收押。

六、州、县保户，率皆差役书歇充当，无保即须收押，故保户得从中勒索规费。嗣后保户应听本人自择，铺户均可具保，不准书差从中捏禀，把持拦阻。保户出其保结，为书差蔽搁，不能通入，准于升堂时呈递，或拦舆禀呈。

七、欲防丁役私押私拷之弊，非随时自到监羁各所亲查，无由杜绝。清查之法，每月数次，得闲即往，并无一定时刻，庶使人猝不及防。另用粉牌，将监禁各犯姓名、收放月日书于其上，悬挂头门，俾众共览。榜中无名，官已省释，仍遭私押，许被害之人及其亲属随时拦舆喊控；绅士商户随时函告，查明立将丁役重办。

八、将监管人犯案由，自设一簿，或自开一单，置之座右，隔数日必一清理，逐日收封，册籍必须亲自标判，不可诿诸亲属幕友，庶所收人犯名数、姓氏常在目中，某案已结未结，某犯应释应审，时时警醒，以免日久遗忘。

九、监狱本典史专管，州、县宜随时督率稽查。丁役如有拷索克扣凌虐，均惟典史是问。其州、县管禁家丁及各羁所积弊，均责成典史是问，其州县管禁家丁及各羁所积弊，均责成典史稽查，禀印官察究，毋得徇隐。丁役有弊，典史如能自行举发，免其议处。经理得法，并准由印官照例请奖。

十、既经此次查办以后，前任移文交监羁人犯清册，接任者亲自点查有无多少，将此项清册开具简明案由，出具人数切结，随到任文书申报，凭[①] 考核。

十一、此次文到后，立限一个月清理，将以前监羁人犯实有若干并释放人

---

① 凭，当为以凭。

数,开单禀复。

十二、各州、县月报册中,羁管人犯多非实数。此次查办释放之人,有月报册中未及开载者,本署司并不责备。其实在不能遽释者,亦准声明案由,补造入册,期昭核实。

十三、此次查办后,月报册中仍有与实在监羁人数不符,以及应释不释,任意羁押,或经上控发觉,或遣委员查明,定即详明两院,从严撤参。

十四、管监、家丁、禁卒、看役,应由官捐廉,优给工食。如有索取规费,酷拷诈索,凌虐罪囚,曾经典史禀知,或民人控告,本管官不据实举发者,即照二十二年抚宪通饬办理。

十五、凡轻罪已决人犯,素鲜执业,又无户族的保,碍难遽释者,应由各府、州、县设立分所,教以工艺,期有恒业,化莠为良。现奉抚宪檄司,仿湖北迁善所章程详议饬遵,已于省城附保卫局设立迁善所,约可容四百人,会同绅士办理,拟另札通饬各属,一体照办。府、厅、州、县如能各就地方情形,先筹办法,禀候察核,尤所企盼。

本署司权理枭篆既半年矣,公牍往返,从不强人以难行之事,亦不责人以无补之言。此次查办人犯,凡我同僚,揣度地宜,体察民情,斟酌事势,如有不能行之故,与夫不得已之情,望即从实禀明,和盘托出。凡有可以通情分谤之处,本署司必独任其责,断不推诿。至于谳狱之不明,奉职之不勤,此在该牧令等自尽其心,非本署司所能代任。若仍蹈故辙,掩饰弥缝,作无益以害有益,是甘为不肖之尤,本署司惟有执法以从其后耳。

总之,本署司开诚布公,所厚望于同僚者,只此"实事求是"四字而已。合行札饬。札到,该即便遵照,毋再玩忽因循,狃于积习,致干严谴。切切。特札。

据《湘报》第七十三号(光绪二十四年四月十一日出版)

饬长沙府行知月食札

(光绪二十四年四月十六日　　1898年6月4日)

盐法道为札知事:

准藩司咨:奉礼部札开:精膳司案呈准祠祭司付称:钦天监具题:光绪廿四

年五月十六日戊辰望月食。京师月食时刻、方位,并直隶各省月食时刻分秒,例应先期具题,谨绘图恭呈御览,伏乞敕部照例颁行直隶各省,一体遵奉施行。等因。于光绪廿三年十月十六日题,十八日奉旨:"知道了。礼部知道。"钦此。钦遵到部付司,照例咨行各省,等因前来。相应钞单,札行湖南布政使司,转行各该衙门,一体救护可也。

计单内开:光绪廿四年五月十六日,湖南长沙府月食,九分二十八秒初亏,寅初一刻十分食甚,寅正三刻十二分月入地平,卯初二刻七分带食,九分十七秒复圆,卯正一刻十四分在地平下。等因。到司移道。准此。合就札行。札到,该府即便转饬所属,一体遵照救护。此札。

据《湘报》第七十八号(光绪二十四年四月十六日出版)

湘潭县职妇丁周氏控谢之庆案札饬*

(光绪二十四年四月十八日　1898年6月6日)

钦命二品衔署理湖南提刑按察使司按察使、盐法长宝道黄为札饬事:

奉抚宪批:据湘潭县职妇丁周氏控谢之庆殴毙伊夫弟丁劲森一案,奉批:"卷查。该氏及丁月兴等屡次来辕具控,均仅称谢润生即谢之庆等将丁劲森殴伤身死,并未指称黄氏共殴。兹忽呈称:丁劲森被谢之庆及伊妻黄氏殴毙,显系任意株连。丁劲森尸身业据该县验明,实系因病身死填格,通赍本部院。因丁月兴等具呈翻控,批司委员会审,并未批验,乃辄捏称沐批委验。即此二端,其呈词之狡妄失实,已可概见。仰按察司即饬委员,会同湘潭县讯明,究结禀复,勿令延讼。单并发。仍缴。"合就札行。札到,该府即便分饬遵照办理。切切。此札。

《湘报》第七十九号(光绪二十四年四月十八日出版)

县民王炳修误踢陈学敏身死案批**

(光绪二十四年四月二十六日　1898年6月14日)

查阅来禀,甚为切中事理。县民王炳修误踢陈学敏身死,以华人误毙华

人,并不因习教起衅。无论死者已否从教,均与教士无干。尸妻陈熊氏初报,自系实情。义教士柏常春先谓此案如何审办,伊不过问,系属遵约守分之语。乃陈熊氏抹煞原报,改捏情词,并赴范主教处泣诉,显系听人刁唆,藉从教为挟制,希图渔利。

　　查义约条款载:义国民人传授天主教,果系安分无过,中国官员不得刻待阻难;中国人愿信从天主教而循规蹈矩者,毫无查禁惩治等语。约章之意,但云华人习教,毫无查禁,至习教华人有事,仍照中国法律办理,于传教教士实无干涉,断不能因其习教,紊乱王章。此案柏常春述范主教之意,欲令王姓出钱贿和,凶犯既照误杀例惩办,断无再令出钱买和之理。且王炳修黑夜与王秀槐因事争殴,踢毙解劝之陈学敏,事出于误,不但不与习教相涉,并于陈学敏亦非有心致死,正无所谓欺凌。如指为欺凌,因而踢毙,则罚钱释罪,又岂所以保护?该教士意欲两全,实于惩恶劝善两无所居。死者固系教民,原属中国赤子,地方官奉朝廷法令,自当持平办理,何敢意为重轻,冒不韪以贻羞邻好?

　　现据该县禀:奉抚部院批行到司,除录批移行衡永道查照外,仰永州府即行饬县,将王炳修病症医调务痊,迅速提案复讯拟解。一面告知教士,令其呈复主教可也。

据《湘报》第八十六号(光绪二十四年四月二十六日出版)

攸县客民张承德呈批

(光绪二十四年四月二十九日　1898年6月17日)

　　此案前据攸县会同安仁县勘明,通报到司,当经批饬会拿在案。据禀:刘书贵等得有洋银、烟土及玉钏、领褂等赃。查阅抄黏县批:既经攸县移请安仁县查明,系守尸时所攫,抢劫并未在场,业已缴出。匪系外来,该处居民难以知其踪迹,请免拖累,系属正办。盗案以赃证为凭,何得任意指控地邻,希图牵累。惟限期早已届满,真赃正盗尚未弋获,捕务殊属懈弛。仰长沙府转饬攸、安两县,会同比差,勒限严缉,此案赃、盗,务获究办,毋稍松动,致滋藉口。抄黏并发。

据《湘报》第八十九号(光绪二十四年四月二十九日出版)

益阳县职员周万昌等呈批

（光绪二十四年四月二十九日　1898年6月17日）

　　此案失赃多至四十馀金，无论所开有无浮冒，而抢夺伤人，情形凶暴。况近日平江县复有信行被劫之案，盗贼横行，商贾裹足。若不上紧究缉，从严惩办，将何以戢匪胆而弭乱萌。据禀：拿获郭菊秋等多名，究竟是否实系正盗，仰长沙府速饬益阳县即日提案，研讯确情，录供禀办。如果并非此案盗犯，亦即据实禀复，勒限比拿，刻期破获，毋再沓泄因循，致滋藉口。抄并发。

据《湘报》第八十九号（光绪二十四年四月二十九日出版）

耒阳县报曾庆鉴服毒身死一案批

（光绪二十四年五月二日　1898年6月20日）

　　此案曾庆鉴服毒自尽，与人无尤。尸母曾谭氏暨其亲属，以其平日忤逆，亲见其自行服毒，并未报官。而民人龙元煌以无干之人，辄以曾庆鉴从教之故，捏称曾宪长等将其拷打致死等语，耸动教士，函致地方官，冀图陷害，情殊可恶。该令于龙元煌如讯有诬捏确实证据，自可执法从事。

　　教士系华人，应归中国管辖。如犯中国律令，地方官仍应拘拿惩办，何况教民，何况唆讼之痞徒。该令以痞徒妄语，教士空函，即作为他国交涉之案，系属误会。教士干预公事，在州县不过视同地方绅士说事托情，其听与不听、准与不准之权，乃操自官。苟其言之有理，自可虚心听受；如属无理取闹，则当一律拒绝，不必见一教士来函，遽尔震惊；亦不必因一教士预闻，辄生厌恶。嗣后遇有此种事件，不得预设成见，惟当考求实事，斟酌情理。总之，是非曲直，全凭案中实情，不以其从教之故妄生分别。斯不激不随，衅端可弭矣，切切。此缴。

据《湘报》第九十一号（光绪二十四年五月初二日出版）

严禁盗刻时务学堂课艺告示[*]

（光绪二十四年五月二十一日 1898年7月9日）

总理湖南时务学堂、盐法长宝道黄 为出示严禁事：

照得盗刻书籍，例有明条，而书坊射利恶习，辄敢冒名作伪，尤为贪利无耻。昨见府正街叔记新学书局刻有时务学堂课艺，本道与学堂各教习同加批览，深为骇异。其中所刊者，多非本学堂学生之真笔，即如中学叶教习，本广东东莞县人，该课艺刻为南海县人；西学王教习，本福建龙溪县人，该课艺又刻为上海县人，其为冒名伪作可知。

本学堂创开风气，为四方观听所系，如有发刻课艺，自应由本学堂编撰。若任听书贾随意搜辑，杂以伪作，倘或谬种流传，于人心风俗所关非浅。前因三月间实学书局刻有此种课艺，曾经本学堂访知，将所雕板尽追缴在案，刻新学书局何得仍蹈覆辙，殊属可恶已极。除由本道饬差提讯、毁销伪板外，合行出示晓谕。为此，示仰各书坊人等知悉，此后遇有刊刻本学堂课艺书籍，必须呈由本学堂鉴别其伪，核准批示，方许翻刻，不得复有假冒等弊。倘敢故违，一经查出，定将该书坊封闭严究，以示惩戒。切切。特示。

据《湘报》第一〇七号（光绪二十四年五月二十一日出版）

附录：陈宝箴委黄遵宪总理时务学堂札

（光绪二十四年五月十日 1898年7月2日）

为札委事：

照得上年钦奉谕旨，通饬设立学堂、讲求时务，湘省官绅业经协筹常年经费，聘请中、西学教习，暂先租赁舍宇开设，选次考取学生，送往学堂肄业。本年二月间，各绅董等呈称："学堂造端伊始，事务繁多，现署臬司盐法长宝道黄，博通今古，周历五洲，请委总理学堂事务，以专责成"等情前来。当以"该道现署臬司，为通省刑名总汇，于学堂暂难兼顾，应俟交卸臬篆仍回盐法长宝道本

---

[*] 此件《湘报》第一〇七号标题为《学堂告示》，本标题为编者所拟。

任后,再行札委"等因,批答并牌示在案。

兹该道业已回任,亟应札委。为此札仰该道,即便遵照,总理时务学堂一切事务。除会同官绅将筹款建堂各项认真经理外,所有学堂教育规模,均应恭照近来特降谕旨:"以圣贤义理之学植其根本,又须博采西学之宜于时务者实力讲求,以救空疏迂腐之弊,成通经济变之才"各等因,敬谨遵行,永矢无斁。务使承学之士咸怀尊主庇民之志,力求精义致用之方,各以道义相劘、远大自许。志趣正,则义利之辨严;学业精,则聪明之用广。于以正心修身,致知格物,仰副朝廷策励富强、敦崇经济实学之至意。本部院将于该道拭目俟之。

除饬善后局刊刻关防,另行札发外,仰即遵照办理。仍将筹议办理情形禀复核夺。切切。此札。

据《湘报》第一○一号(光绪二十四年五月十四日出版)

再行严禁盗刻时务学堂课艺告示

(光绪二十四年七月一日　1898 年 8 月 17 日)

盐宪黄　为遵饬再行示禁事:

案奉抚宪陈　札开:本部院日前风闻省城书坊云云,勿稍宽贷。切切。此札。等因。奉此。查冒刻时务学堂课艺,前经本道访闻,当即出示严禁在案。兹奉前因,除饬长、善二县查起板片、刻本销毁外,合再示禁。为此,示仰省城书贾并刻字铺店暨士庶人等一体知悉,嗣后尔等不得再行冒刻时务学堂课艺,希图射利,不顾误人。倘敢故违,一经查觉,定即遵照宪札,从严究办,决不姑宽。其各懔遵毋违。特示。

据《湘报》第一三○号(光绪二十四年七月初一日出版)

创办时务报总董告白

(光绪二十四年七月初六日　1898 年 8 月 22 日)

启者:遵宪、德潚于丙申五月,与邹君殿书、汪君穰卿、梁君卓如同创《时务报》于上海,因强学会馀款千馀金开办,遵宪并捐千金为倡,公推汪君驻馆办事,梁君为主笔。于今两年,荷承海内同志乐助至万馀金,赞成斯举。今恭阅邸钞,知已奉旨改为官报,以后一切事宜,即遵旨归官办理。谨此布闻。

嘉应黄遵宪
达县吴德潇 同启

据《申报》光绪廿四年七月初六日(1898年8月22日)

敬告同乡诸君子*

(光绪二十九年十二月 1905年1月)

鄙人环游海外,历十数年,深知东西诸大国之富强由于兴学,而以小学校为尤重,名之曰普及教育,谓无地无学,无人不学也。又名之曰义务教育,谓乡之士夫、族之尊长,各有教子弟之职,各负兴学之□也。又名之曰强迫教育,谓子弟既至学年,而不就□□□施罚于其父兄也。昔德意志攻法,既破法　,德皇大会□□□□行赉,大□毛奇手执教师指挥之杖而进曰:"今日之役,非将士之力,实学校教师之功也。"近日,日本战胜俄罗斯,论者谓日本之地仅占俄罗斯五十四分之一,日本人民仅占俄罗斯三分之一,而日本反胜者,由于日本小学校学生之数,转于俄罗斯也。□□之策,莫善于兴学,其效如此。

兴学之诏,始于戊戌,迨西狩还京以后,迭奉旨催办。既设管学大臣,又钦颁大学、中学、小学、蒙学各章程。然各省大吏,三令五申,卒督责而罔应者,非特无地无款,实无办法、无章程,伥伥乎莫知何所适从也。其误由于科第旧习,以为在京在省,应设大学堂,府治直隶州治,应设中学堂,而不知所谓大中小学堂者,必须循序渐进,历级而升。今小学未开,并无小学卒业生,而遽设中学,其草率举事、粉饰图名者,但将旧日书馆改题办学堂,无一定课程,无递升学级,无卒业年限,而学生又年纪参差,学业歧异,朝来而暮去,此作而彼辍,故年来官立私立学校虽多,然卒以陵节而施,欲速不达,未有尺寸之效,坐不知教育之理、教育之法故也。所幸上年腊底,管学大臣改良章程,声明各地学堂应从蒙、小、师范学堂着手。而两广学务处,立定期限,亦谓本期专以预筹兴办各蒙、小学堂为宗旨,风声所树,志士响应,歧趋既正,知所向导,此实兴学之机

---

* 原件未署日期。据文中"近日日本胜俄罗斯",为1905年1月(光绪二十九年十二月),日军在我国东北战胜俄军,占领旅顺。据此当写于是时。

会,亦即学界之幸福也。

凡兴办学务,必须有师范生,有教科书,有地方,有款项,四者缺一,不能兴学。而师范生非教育不能成。故鄙人之意,必须先开师范学堂。现在修理将竣之东山书院,即拟作师范学堂。鄙人已拣派二人往日本弘文学院学师范,前商之温慕柳太史,松口派二人。明年夏间可以卒业回国。又拟聘一日本人能通华语者,或他省人学小学师范已卒业者,与之借来,作为教师。所望吾乡诸君子,各就己乡中学拣择端谨有志、聪颖自爱之士二三人,开具名单,缄送兴学会议所,此事关系极要,务祈加意拣择,必求文理明通、品行俱优者,方可录送。如不得其人,将来膺教师之任,谬种流传,贻误不小。准于今年年底截止,过期不收。俟明岁开学时,传集就学,以一年卒业。现拟章程,来学之师范生不收学费,惟在堂食宿,每月应备饮食费约三四元之间耳。又新修学堂,约计寄宿寝室可容六十余人,学生之自修室,约可容一百五六十人。如报名人数过多,尚须挑选方可收录。教科书者,准人生必需之知识,定为普通之学,而又考核学生年龄之大小,度其脑力、精力之所能受,分时分课,分年分级,采择各书籍中之精要,编为一定之书,以施教者也。中国向无此名,即如史书一类,若《廿四史》,若《通鉴》,若《纲目》,卷帙太繁,以之施教,即不切于用,其他类此。近年有志之士,始从事编辑。现在虽无十分完善之本,如南洋公学、澄衷蒙学、文明书局、大同学校,各处新刻本,比之旧本,已为远胜。此类书以新刻者为佳。拟俟今年年底,集购各本,精心选择。俟择定后,将书目普告于众,即由上海等处购回,以应诸君子之求取。

有师范矣,有教科书矣,于兴学一事知所措手,即易于施行矣。今所求于诸君子者:第一,先设办事之地,就各村乡中公地暂行借用,名曰“兴学公所”。公举乡中有声望者若干人,每月聚公一二次,以从事筹议;第二,调查学生之数。凡幼童十四岁以下,六岁以上,均为入小学年纪,由各姓族长、各族房长,调查应入小学者若干人,大约每一学堂多数容一百一二十人,少数容五六十人。准度人数,以为分分设学堂地步;第三,拣择开学处所。儿童年小,于离隔二三里之地就学,则往来不便,故当择适中之地设学。吾州人稠地狭,虽各大姓聚族而处,而馀地空房绝少,故不得不借各庵堂寺观以设学。前奉学务处札饬酌提庙产以充学费,当经会员迭议,议定嘉应州所有各神庙佛寺,均留作各村乡设立小学之用。业经禀复大宪在案,诸君兴办小学,自可择地酌借。如因距离之远近,内容之大小,不合于用,即当集款,另行兴筑。

开学之地果能酌定,所应筹者款而已矣。约计蒙学、小学并为一学堂,初入塾者名为蒙学,所认之字取简易者,所读之书取浅显明白者。进则为小学矣。日本亦无蒙学,定小学年岁为四年,高等小学为二年。中国所谓蒙学,取旧有之名以名之耳。今酌定蒙学、小学卒业年限合作五年。岁约需费四百元内外。开办之初,购书籍、备桌椅、及教科各器具,约费二百余元。聘一师,束修约百廿元,教师功课循常教育有效,岁修当增,增至二百元内外为度。至次年,器用之费较省,应加聘一师以助教,亦修金百廿元,因开学一二年后,每年有新增学生,应分级教授,故须多聘一师,以后准此。费用约亦相当。以每学六十人计,上等收束修六元,约二十人,合一百二十元。中等收束修四元,亦以二十人计,合八十元。次等者收束修二元,亦以二十人计,合四十元。尤其贫者,可公议酌减或免收。每岁本塾约可得二百四十元,所应筹津贴者,约二百元耳。一为绅富捐题,二为地方公款,三为寺庙公产,四为祖尝学谷学租。以诸君子热心提倡,苦心劝办,一乡开至三四学堂,计数当亦不难也。

东西各国小学校中,普通应有之学,曰修身,曰伦理,曰国文,曰算术,曰历史,曰舆地,曰理科,以天然物及自然现象启诱儿童,凡动物、植物、矿物等曰天然物,一切地文学中各事为自然现象,又有人身生理之学等类。曰体操。务使儿童健全无病,俾易于发荣滋长。又有手艺一科,英、法、美等国均重之,日本初行而中止,今复编入学制,别有附加二科曰画图、曰唱歌,则习与不习,听其自便者也。综其大纲,曰德育,曰智育,曰体育。今以之比较中国旧时教法,旧法第令读书,然以高深之理,施之稚昧之年,或怖其言,如河汉之无极,或塞其心,如冰炭之相容。而今则事事有图,明白易晓,使儿童欢喜信受,其益一也;所学皆切实有用之事,无用非所习、习非所用之弊,其益二也;既略知己国历史,又兼通五洲之今事,无不达时宜、不识世务之急,其益三也;分年月日时而授课,必使编定之书次第通晓,乃为卒业,无卤莽耕耘、灭裂收实之消,其益四也;统贫富贱之子弟于一堂,而一同施教,俾人人得以自奋,无上品无贱族、下品无高门之嘲,其益五也;无智与愚,无过与不及,自就学逮于毕业,人人均能有成,无学者牛毛、成者麟角之忧,其益六也。至于教师授业,有循序渐进之阶段,有举一反三之问答,有相观而善之比较,皆有章程,有次第,其法由心理学考求而得,学者试验而来,尽美尽善,非吾今日所能殚述。以鄙人之所期望,小学卒业而后,其上焉者,由此而入中学,入大学,精进奋发,卓然树立,可以增邦家之光,闾里之荣;其次焉者,亦能通算术,能作书函,挟有谋生之资,粗知涉世之道,亦可以立身,可以保家,此固势有必至,理有固然者。鄙人深知东西洋各国小学校学务之重、学制之善,用敢殚竭其平日之所知所能,披肝沥胆,一一陈献于我同乡、我同胞诸君子之前,愿诸君子同心协力,亟起而图之也。

鄙人怀此有年,有志未逮,深愧未能普及各地。然我同州之兴宁、长乐、镇平、平远,有志兴学之诸君子,如以为然,愿送师范生来此就学,亦必一律收录。惟限于地方,多寡之数未能确定,亦望诸君子各设一兴学公所,非公所函送,即未敢滥收也。

普及小学校,系专为大局计,专为将来计。惟有心向学之士,现在年既长成者,无地就学,非特向隅,亦深惜其玩时而弃日。鄙人尚拟设一学堂,名曰补习学堂,兼综各科而择行之。又拟设一讲习会,略仿专门学校,俾分科肄业,以期速成,容后再与诸君子妥商举行。

嘉应兴学会议所会长　黄遵宪谨启

据原件复印件

第 五 编

笔 谈

与日本友人大河内辉声等笔谈

编者整理说明

一、本编所收黄遵宪与日本友人大河内辉声(源桂阁)等笔谈,系1992年初,郑子瑜先生专门为本集提供的《黄遵宪与日本友人笔谈遗稿》"最新改订本",并嘱"编黄集时请以此为依据"。

二、所收笔谈增加了部分页末注释,是根据郑子瑜先生及其约请陈建华先生补写的注释文稿,经本集编者酌加摘要。所注者主要是日本史方面的人物。

三、各次"笔话"标题下中西历对照的笔谈时间,系本集编者所加。

四、笔谈参加者(大体以出场先后为序)姓氏略称如下:

桂阁:源桂阁,大河内辉声

公、公度:黄遵宪

枢仙:廖锡恩

梅史:沈文荧

强哉:松井强哉

琴仙:王藩清

如璋:何如璋,字子峨

青山:青山延寿

泰园:王治本

勉骞:潘勉骞

哲明:秦哲明

绥所:内邨绥所

樱老:加藤樱老

斯桂:张斯桂

其毅:何其毅,何如璋之子

积型:施积型

鸿斋:石川鸿斋

子纶:何子纶

雪卿:冯雪卿

缙堂:梁缙堂

定光:何定光

枢先:廖枢先

幼梅:周幼梅

省轩:龟谷省轩

惕斋:王仁乾

宫部:宫部襄

绍文:何绍文

虞臣:何翼为

星垣:杨守敬,惺吾

蔬荪:何蔬荪

鼐昉:张鼐昉

鹿门:冈千仞

实藤惠秀序

一九四三年七月,我和丰田穰合译的黄遵宪的《日本杂事诗》(日语版)出版了。这是《中国文学丛书》之一。原来,这本书的翻译和出版是由于中国文学研究会中心人物竹内好的推荐。

这本书还没有出版之前,我遇见了大河内辉耕先生。那时,他是贵族院议员、子爵。我在虎之门华族会馆见到他,问他关于"《日本杂事诗》初稿冢"碑文里的一句话。里头有诗道:

一卷诗兮一抔土,

诗与土兮共千古,

乞神物兮护持之,

葬诗魂兮墨江浒。

这诗碑在埼玉县；墨江(就是墨田川，又名隅田川，日本音都是 Sumidaga-wa)却在东京都。为什么碑文说"葬诗魂兮墨江浒"呢？

他说：他家原来在墨江旁边。明治末年，搬到别的地方去，同时把那个诗碑搬到埼玉县野火止平林寺，因为平林寺有大河内氏世世代代的坟墓。我听了他的话，才明白"葬诗魂兮墨江浒"这一句诗的来历。

《日本杂事诗》出版了，我送给大河内辉耕先生一本。他很高兴地说：

"听说家严很爱读这本书。谢谢！"

接着，他亲切地说：

"家严也喜欢和中国人笔谈，尤其是和中国公使馆里的人们笔谈。笔谈的记录，都保存在平林寺。你要看的话，可以去看看，我先告诉平林寺的和尚，预备给你看。"

过了几天，我和丰田一起去平林寺。平林寺的住职白水敬山禅师亲自引导我们到书库去。我心里疑惑：笔谈的纸，大概只有两三张罢了，为什么引导我们到书库去呢？

到了书库前，我们愕住了。那里，几十本，对了，快要到一百本的手迹，等着我们呢！我们想不到笔谈的记录会有这么多！

当初笔谈的时候，彼此都有纸片，一问一答。笔谈的那天晚上，大河内辉声(就是辉耕的父亲。他在明治以前是高崎藩主，食禄八万二千石；明治以后，住在东京浅草今户町墨江畔，以作汉文汉诗为乐。)把问答的纸片编辑好，叫裱糊匠裱订成书。一本笔谈存稿，大约有五十面折叠的。

笔谈的存稿，共多少本呢？请看下面的统计：

《罗源帖》(一八七五至六年)原来有十八卷，缺第一卷、第十五卷，现在只剩下十六卷十六本。

《丁丑笔话》(一八七七年)原来有七卷，从第一卷到第六卷都缺，只剩第七卷。这本和《戊寅笔话》第一卷合成为一本。

《戊寅笔话》(一八七八)原来有二十六卷，缺第二十四卷，现在剩有二十五卷。

《己卯笔话》(一八七九)原来有十六卷，从第一卷到第十四卷都缺，现在只剩第十五卷一本。第十六卷和《庚辰笔话》第一卷合成为一本。

《庚辰笔话》(一八八○)有十卷十本。其中第一卷和《己卯笔话》第十六卷合成为一本。

《枣园笔话》(一八八一至二年)有十七卷十七本。

《韩人笔话》有一卷一本。

《书画笔话》有一卷一本。

合算起来,我们发现的笔谈存稿有七十三卷七十一本。但是我们可以推想从前至少有九十六卷九十四本。"大河内桂阁(桂阁是辉声的别号)君墓碑"说:

"君天资敏捷,善文辞,工笔札,有诗数卷,清韩笔话百卷藏于家。"

这个"百卷"大概是概数吧。

我们看见这些笔话本以前,几十年间,谁也没有看过它们,谁也没有研究过它们。这些书,只在书库里睡觉。但只是睡觉,那也好,可恨的是那里有很多蠹鱼。我们看见这些书以前,有的书被蠹鱼吃的不成样子,和尚们不得不把它丢了。特别可惜的是《己卯笔话》的十四卷!(己卯这一年正是建立"《日本杂事诗》最初稿冢"的一年。)

我最初借七本来抄写;抄写完了拿到平林寺去还,再借来十本……这样五年间来回五次。你看,这些日子是第二次世界大战中、或是大战后的饥饿时代,就是天空中有飞机投下炸弹,地上没有东西吃的时代。我背着帆布背包,在朝霞电车站下车,那时没有公共汽车,走了很远的乡下道路才到平林寺去。借来了的书,在暗淡的灯光下,抄了再抄。空袭警报响了,我就抱着笔话本子,赶快躲进防空壕里去。战争中,我和笔话本子,常常在一起。

我抄到了三十六本,没有工夫再抄写下去了,幸而我的老朋友佐藤三郎(山形大学教授)代我继续抄写完毕。

为什么我们这么热心抄写呢? 因为这些笔话存稿都是日中友好的贵重的资料。

大河内辉声(桂阁)很喜欢和中国人笔话。(他也和朝鲜人用汉文笔谈过。)他交游的中国人很多,有何如璋(公使)、张斯桂(副公使)、黄遵宪(公度)、廖锡恩(枢仙)、沈文荧(梅史)、王治本(枣园)、王仁乾(惕斋)、王藩清(琴仙)、杨守敬(星垣)、潘勉骞、李奕全、何其毅、施积贤、秦哲明、何绍文、周愈(幼梅)、卫铸生、陈访仲、冯荛堂、何鹏夫、冯雪卿、魏柴门、何子纶、梁缙堂、邹顺、何定光、梅兰生、何翼为(虞臣)、杨枢、梁诗五、黄遵楷(幼达,遵宪的弟弟)、马友仁、冯蓉塘、何蔬荪、张景栻(滋昉)、王配绚、任谦斋、吴丹墀、冯启生、刘静臣、范汝蕉等等。这里面也有仆役。大河内辉声喜欢和中国人笔话,不分贵鄙身分。

想起翻译《日本杂事诗》的时候,除了"《日本杂事诗》最初稿冢"题字以外,没有看见黄遵宪的笔迹。我们四方找寻,结果,第一发现的是《省轩诗稿》(龟谷省轩著)的题词。其次是冈鹿门的儿子冈百世保存的黄遵宪和冈鹿门笔谈的纸片。我们的译本卷头刊登了这笔话的照像。

我们翻译《日本杂事诗》的时候,那么难找到黄遵宪的笔迹。到了现在,在《大河内文书》(就是笔话本)里头,已处处可以看到黄遵宪的雄浑特异的笔迹了。

这些《大河内文书》,堆叠起来,差不多有我的肩上那么高,其中有关于这个时代(明治时代)日中两国的政治、风俗、学问、文艺、语学以及其他种种的谈论,是明治史和日中关系史有价值的研究资料,同时也是很有趣味的文艺作品,因为笔谈诸君的文才和诗才都是了不起的。

可惜的是,自从笔谈手稿发现(一九四三年),到一九六二年,已经差不多有了二十年了,我因为致力于中国文学发展史的编写和翻译,以及中国人日本留学史稿的整理等工作,竟没有馀力去整理和研究那些珍贵的笔谈手稿。

一九六一年春天,我意外地接到黄遵宪研究者郑子瑜先生自新加坡寄给我一本他的大著《人境庐丛考》(商务印书馆出版)。拜读之下,我很欢喜在外国有人对黄遵宪的研究发生兴趣,使我觉得"吾道不孤",我们便常常通信。后来周作人先生又来信介绍,于是我就报告郑先生黄遵宪与日本人笔谈手稿发现的经过,并邀请他来访问我国,共同研究。

一九六二年,郑先生来访日本,我邀请郑先生在早大的校友会馆小住一周,共同研究黄遵宪与日本笔谈的手稿。结果我们作了以下的决定:一、我请得早大图书馆馆长的许可,让郑先生将与黄遵宪有关的部分手稿照片,复照携归新加坡。二、我和郑先生许下诺言,共同编校、整理这一部分手稿,并约期在一九六四年完成,到时,以我们两人编校、整理的名义出版。日华人士合编共著的东西,在明治时代有的是,但在昭和时代,我和郑先生或者可以说是首倡吧?

一九六四年五月,我编译的《大河内文书》由平凡社出版了。(这本书里,我把笔谈的五分之一翻译成日文。）有两位读者告诉我《丁丑笔话》六本保存在高崎市赖政神社的宝库里。现在我们可以看到的笔话又增加了六本了。

这本书只是黄遵宪和日本朋友的笔谈，也就是《大河内文书》的一部分。如果没有郑先生的合作，就没有机会把这么稀有的日华文化交流的资料介绍给日本和中国的读者。我觉得很高兴，黄遵宪与大河内辉声等地下有知，当更高兴吧。

一九六五年一月一日

日本早稻田大学研究室

实藤惠秀

郑子瑜序

一九六二年春，我将拙编《人境庐丛考》（商务印书馆出版）寄给黄遵宪的研究者、早大教授实藤惠秀博士，更由于周遐寿先生的介绍（我和周先生没有任何的渊源，只是二十馀年前同在《逸经》半月刊写稿，又因为彼此都嗜好黄遵宪的"人境庐诗"，便尔相识了。这一点，周先生在他的《知堂杂诗钞》序中也曾说到），实藤先生便来信告诉我八十馀年前黄遵宪等与日本友人大河内辉声（即源桂阁）等笔谈遗稿在平林寺发现的经过，并邀我来日本一游，共同研究。

同年四月，我初次访问日本，与实藤先生在早大图书馆中，共同披阅笔谈的遗稿（遗稿三分之一存早大图书馆，三分之二存大东文化大学东洋研究所，但早大图书馆保存全部遗稿的复印本）。这里面有黄遵宪等的逸诗，也有关于私生活的。虽然黄遵宪当时只是公使馆中的一个参赞罢了，参加笔谈的中国文人，还有何如璋公使，张斯桂副使，以及沈梅史诸君，他们的官阶，都在黄遵宪之上，可是在文学史上的地位，则何君等不但远在黄遵宪之下，甚至毫无地位之可言。所以我提议只将与黄遵宪有关的笔谈部分（即黄遵宪曾参加在内的笔谈部分，自戊寅一八七八至庚辰一八八〇的三年中，共约四十篇的笔话），加以抄录、标点、整理、编辑和校订；并约期在二年后，我再度来日本，以一年的时光，共同来干这一桩艰苦而又有意义的工作。

去年四月，我果然实践前约，再度来日了。我名义上是早大语学教育研究所的客座教授兼研究员，实际上，我每周除了在研究所担任两个钟头的中国修辞学特殊讲座和在研究院文学研究科担任两个钟头的中国古典诗歌的鉴赏与批评之外,剩下来的大部分时间,都在教育学院的研究室与实藤先生共同研究、抄录、标点、整理、编辑、校订笔谈的遗稿。由于笔谈手稿,除了笔谈诸公初次见面时大家客客气气,彼此都写得端正些而外,以后则书法潦草不堪,有时又难免漏字和误笔,再加上蠹鱼的侵袭,有一些字迹已经难于辨认了,所以工作的进行相当缓慢。我和实藤先生约定:全缺和不明的字,就让他缺下来;可疑的字,一定要弄个明白——我们两人都没有法子查出是什么字的时候,便请教早大图书馆的副馆长加藤谆先生。加藤先生是个书法家,曾经帮助我们查明了不少我们无法判断的文字。

一年的时光容易过去,而且在此一年中,我同时还要兼做别的研究工作,所以去年的暑假(七、八两个月),虽遇日本八十余年来所仅见的奇热,我也不得不天天到研究室工作,终于在今年一月中完成了我们的任务了。

大河内辉声喜欢汉诗汉学,对中国旅日文人,敬重如师长。他对待中国人,不分长幼贵贱,一视同仁,所以何如璋的孙子,公使馆的仆役,他也与之笔谈。而且这些笔谈手稿,似乎早就准备要留下来的,所以笔谈的当天晚上,就把手稿裱褙成册,连在当日接到与笔话有关人物的来信,也附贴在笔谈之后,完完整整,不想流传久远又是什么? 最明显的,是有一次,中国公使馆的通译魏梨门到源桂阁家,源君与其他中国文人正在笔谈,魏君和他说日语,源君竟说:“此人是谁? 何必说日语,但用笔谈好耳。”因为以笔代舌,可以留下记录,作为永久的纪念,而面谈则否。

最有趣的,是这些笔话记录全是戏剧式的安排:一、以一字代全名,如以“公”字代黄公度(遵宪),以“桂”字代源桂阁,以“如”字代何如璋,以“斯”字代张斯桂,以“棽”字代王棽园,以“梅”字代沈梅史,以“石”字代石川鸿斋,以“强”字代松井强哉,以“省”字代龟谷省轩。二、笔谈进行时,如果有人出入,源君都用日文写下他们的动态,(只有这一部分是朱书,现在经实藤惠秀先生译成白话了。)如戊寅(一八七八年)三月三日(阳历,以下同)源桂阁到公使馆与沈梅史笔谈的时候,黄公度到来,源君在笔谈稿子上这样的写道:“黄公度来,年约三十。”后来黄公度要走了,源君又写道:“这个时候,有人来邀请遵宪,遵宪和廖枢仙一同走了。”这不就是剧本的形式吗?

现在节录戊寅(光绪四年)八月一日日本文人石川鸿斋与黄遵宪笔谈的一

段于后：

（石）民间小说传敝邦者甚尠，《水浒传》、《三国志》、《金瓶梅》、《西游记》、《肉蒲团》数种而已。

（公）《红楼梦》乃开天辟地、从古到今第一部好小说，当与日月争光、万古不磨者。恨贵邦人不通中语，不能尽得其妙也。论其文章，宜与《左》、《国》、《史》、《汉》并妙。

这是黄遵宪论《红楼梦》的一片断。

又"庚辰笔话"，其庚辰（一八八〇年，光绪六年）四月初九日记云：

（桂）今日见阁下寄紫诠（按：即王韬之号）诗（按：即《日本杂事诗》）极佳，前有紫诠序，后则阁下跋也。

（公）仆东来后，故友邮简云集，皆询大国事者，姑作诗以简应对之烦，不意为王君携去，遽付手民，非仆意也。大国人见之，定不免隔靴搔痒之诮。阁下能为改润，感谢不胜。

（公）《杂事诗》中，多有人名地名，避我朝庙讳改易者。（中略）

（省）《杂事诗》刻于贵邦，想洛阳纸价为之贵。

（公）一刻于北京，一刻于香港，敝邦人见之，以为见所未见，诗之工拙不暇问也。

（省）阁下之书，叙樱花之美，儿女之妍，使读者艳想，此书一行，好事之士，航海（而来）者（将）一年多于一年。

（公）文章之佳，由于胸襟气识，寻章摘句，于文句（间）求生活，是为无用人耳。

（公）国家昇平无事，才智之士无所用，故令其读书，所谓英雄尽入毂中也。譬如富家巨室，衣食充裕，其子弟能喜古玩，好书画，亦是佳事，谓此古玩书画为有用则不可也，谓无用亦不必也，见其所处之时地如何耳。

（公）孔子大成之圣，实为上下十二万年，纵横七万馀里，不能再有之人，其教人无所不备，不止《诗》、《书》、《六艺》已也。宋儒之学，为孔门别支，推其极，不过学孟子耳，彼不知圣人为何等人也。

这些笔话，足以帮助我们对黄遵宪的《日本杂事诗》之了解，又可见黄遵宪的文学批评和文学观之一片段，更可以看到他对清儒在故纸堆中讨生活，以及对宋儒之学所作的评语，都是很有意义的。后来黄遵宪批评孔子，批评儒家的学说,在思想上可以说是一大转变。

这一部分笔谈遗稿的问世,相信可以给研究黄遵宪的学者提供一些未见过的好资料,来和黄遵宪的已刊作品互相印证,帮助我们对于黄遵宪已刊作品的了解。同时对于黄君的思想行谊,也可以得到进一步的认识。至于我们自己对笔谈遗稿的真正研究工作,则还没有开始哩!

还有一点,就是古往今来,文人所已刊的集子,往往是先经过自己严格的删削,然后付刊的;尤其是像黄遵宪那样生在旧礼教压迫下的晚清时代的诗人,一些描写两性爱的诗篇,都不敢编入集中(周遐寿先生从前存有《人境庐诗草》抄本,和刻本相对照,便发觉不少字句不同和抄本所有刻本所无的诗篇),所以我们若只读文人的已刊集子,实在无法了解他思想行谊的实际情况。但除此之外,我们又有什么办法呢? 幸而源桂阁君早就替我们安排好了:他不惜花费光阴与金钱,时常招待和拜访当时中国公使馆中的文人,和他们笔谈,让他们毫无拘束地畅所欲“谈”,留下笔谈的记录,使笔谈诸君的思想行谊(其中也有荒淫的一面),都赤裸裸地呈现在我们的眼前,以便利我们对于前辈文人的了解——特别是有关黄遵宪的部分。根据实藤先生统计,单是一八七八年的《戊寅笔话》,在一百七十八次的笔话之中,黄遵宪与源桂阁的笔谈竟占三十五次多,我们是不难从中发掘一些可供研究的资料来的。

我和实藤先生的国籍不同,对于笔谈遗稿以及对于某些问题的看法也未必能完全一致,可是我们却以为不同民族之间,应该互相友爱,过去是如此,现在是如此,将来也是如此。这一点,是彼此都信守不渝的。我们愿意携手合作,共同编校此笔谈遗稿,其动机也在于此。

一九六五年一月六日
郑子瑜序于早稻田大学

一、戊寅笔话　第四卷　第二十七话

（光绪四年一月三十日　1878年3月3日）

（戊寅——一八七八年，光绪四年，明治十一年三月三日——阳历，以下同——，我到月界院公使馆去，沈梅史① 出来迎接。我们俩笔谈的时候，黄公度来了，年约三十。）

桂阁：弟梅翁一知己，源辉声②。初见君。君乃黄大官人乎？

公度：仆黄姓，名遵宪。前闻梅史盛推阁下，亟欲一见。昨访王桼园③，见君书"不陋居"匾，剧佳。今得见，甚喜。

桂阁："不陋居"颜字，弟匆卒之作也，何渎尊览。幸蒙过誉，弟惭汗耳。弟尝往筑地山旧屋金太郎家，时君亦有（按：当系"在"字之误笔）其处，会君公务鞅掌，乘车而归，故致失礼仪；而今日得相见，盖萍水之欢，可谓不尽矣，希自今缔交，为莫逆之好。

公度：当时匆匆未通谒，交臂失之，极以为歉！自今缔交，敢不如命？惧仆学识芜陋，未敢以辱君子耳。

桂阁：弟扶桑黄口小儿，不足以践君子之庭，而多受诸君之爱顾，盖大幸也。

公度：新作必多，暇日造庐，幸出一读。

桂阁：玉作固多，章章出金玉，希取出一册而见示，弟写完而藏库笥。如拙稿则仅仅二三篇耳，何触电览！

公度：弟素不工文，又生性疏散，随作随弃，更无清本，亟欲读大著耳。

桂阁：东洋鄙人，何与中华雅客相斗乎？宜师事而受教也，希赐一读！

公度：旧作梅史尚未见，实不曾收拾也。东来事忙，未暇及此，恕我如何？

桂阁：弟乞廖先生（按：即廖枢仙④，名锡恩）以书联幅，希自君复切乞之。后日亦携一绢，而乞黄先生之书，重君劝奖是祈。（按：以下有"已代属黄廖两

---

① 沈梅史：沈文荧，字梅史，姚江人。公使随员。陕西省候补直隶州知州。著有《学乐录》等。
② 源桂阁，即大河内辉声（1848—1882），初名辉照，字子斌，号桂阁。
③ 王桼园：王治本，号桼园，光绪四年赴日，后任源辉声诗文顾问。
④ 廖锡恩，字枢仙，广东惠州人，公使随员。正八品，即选教谕。

君"等字,观其语意,似为梅史所书者)

枢仙:弟书不工,以绢见委,敢不勉承,第恐涂鸦可笑耳。

桂阁:贵邦人皆工诗工文,虽有千百东洋猴头儿,远无及,嗟!辫发先生之大才尤居多。

公度:弟尤不能书,即此笔话可见,何敢以辱佳绢?

桂阁:弟每得一个之益友,即必求以一双之联幅,故突然乞玉挥,深勿咎。

　　　(我对沈梅史说。)

桂阁:那春萍馆的系尊斋号乎?

梅史:弟自辛酉遭乱后,东西南北,所游不定,因自嘲如萍漂水中,故以春萍馆为名也。

桂阁:辛酉之岁,贵邦骚扰,兵马倥偬,民苦涂炭。如敝邦则亦然。当年四方有干戈之警,而弟尔时为诸侯之列,乃振振上州旧封城,而击逆贼于野州。嗟!万里异域,战争均起,盖可谓奇!

梅史:弟自庚辛奉邵文靖公檄,募民兵守防,寻邵公卸事,弟亦告退。辛酉贼至,复率民兵与战,相持半年,粮尽援绝,仅存微躯,遂至上洋谒见李相,命随张观察军,克复上虞。后北上,应礼部试。乙丑,应雷军门之聘,从军甘肃。其后又随袁侍郎转饷关外,跋涉流沙天山之间,生平碌碌可笑。如君出师平寇,为国干城,真英豪,足羡也。

桂阁:君业已践战场,在兵马之间,年馀于此,屡随官军,有成绩,英豪可嘉!如弟元元浅学之小儿,惟奉虚位耳。至军事则将校所为,弟复不临,岂何足为英俊? 又可称怯懦。

梅史:阁下虽不亲临戎事,然谋猷指授,固大将所为也。

桂阁:是弟偶然耳,弟何有谋猷? 只有运愚筹居。数年前将军德川氏擢弟为陆军将校,日务组练士卒。后德川家之亡也,弟复抛职。

梅史:贵邦维新之际,亦多事之秋。我辈今日且谈文墨可也。

桂阁:王政维新之后,有人荐弟于陆军尹,弟心甚不快,遂斥其言,潜迹于墨江,食天禄而消光耳。其不才可怜!

梅史:所谓士各有志,出处一道,固自有斟酌,钟鼎山林,皆有贤人也。阁下不必过谦。

桂阁:玉作薄倖诗,名妓传的,却系何处名妓乎? 然而那妓班,现时在否?

公度代梅史答：风流云散，感怆于怀，不能已已。弟作此书，欲如《南部烟花记》、《北里志》，使后人流传耳。

梅史：此书网罗南北人才，然燕京者居多，次则江、浙，迄今已十馀年，大抵红颜已成白发，青蛾半为黄土矣。

桂阁：好一个孙棨，复遥立君之下风。

梅史：孙棨唐之名手，弟何能及？不过效余怀《板桥杂记》之颦而已。然其中感慨处，所谓各自有心事是也。

桂阁：曼翁复一个风流将军，与君相并，可称孙吴。

梅史：此等兵法，尚不致战败于衽席耶！

桂阁：猛将力锐，现击破东洋破瓜队。

（这时梅史挟着日本少女阿春，仅十六岁。）

梅史：君可谓善戏谑如周公矣。

桂阁：破瓜梳栊之情态，果如何？

公度：鼓行而东，敢不竭力？深恐贻诮邻国耳。

桂阁：东洋今日专学西洋战法，故虽李药师六花阵，亦大异叹噜之军法，不知君试练西洋女队妙昧否？

梅史：恐情海波涛间难施枪炮，致欲火失焰，虽有西法，无所用之也。情关渡欲海，兼收并取。

公度：辟土地，朝秦（暮）楚，莅中国，王之大欲，固所愿也。

桂阁：孟子曰"不夺不餍"，是之谓欤。东洋人曰："叟不远千里而来，亦将有以利吾国乎？"诸君独利妇人，弟固知之。

公度：饮之食之，生之养之，亦于大邦不无少补；即他日如苏属国，郑芝龙抱子回去，亦于敝国添丁，两利俱存，何惮不为？破瓜情状，即倩君作舌人，详问之如何？

（这个时候，有人来邀请遵宪，遵宪和廖枢仙一同走了。遵宪要走时，再写两句。）

公度：属有事，敢告辞。他日走访再畅谈也。

二、戊寅笔话　第四卷　第三十话

（光绪四年二月四日　1878 年 3 月 7 日）

（三月七日，我带着旧臣松井强哉①、谷山之忠拜谒何②、张③　两公使，然后到黄遵宪的房间，沈梅史，廖枢仙也在座。）

强哉：前日赖于沈先生，初谒公使何先生；又约今日拜趋于高堂，亦谒两大贵官，仆等幸甚！

公度：辱临幸甚，蓬荜生辉矣。

桂阁：弟今得沈君之介绍，得再见公使，遂来扰尊府，幸不谴责。

公度：辱顾敝庐，欣感无已，谢谢！

桂阁：公使内厅所排置名研，叫做怎么？

公度：是为胡梅林先生之砚，徐天池铭而刻之者。

桂阁：研名如何，其产处何州？

公度：此砚无名，产于端溪，即广东肇庆府，敝邦所谓端砚也。

桂阁：歙州龙研、尾溪研，贵邦第一位之品欤？

公度：歙州今属安徽省。敝邦品砚，向重歙；及端溪既开，歙价为之少减，然其佳者，自高绝。

强哉：小弟尝游横滨港，相识贵邦之一商人罗焕南君者，在明官，知此等之人名否？

公度：素未识面，亦未闻其名。

强哉：伏请两大官名帖四片，弟两辈拜收焉。

梅史：可。

公度：敢不从命，辱爱惭愧。

（沈梅史、黄公度都给他名片，强哉自然是非常高兴的。）

强哉：贵邦诸大官，几上之饰，皆颇清雅之佳品，风情甚可怜矣。

公度：航海远来，文具书籍，皆未能多载而来，不足观览，殊为愧赧！

---

①　松井强哉，大河内辉声之部属。

②　何公使，即何如璋，字子峨，广东大埔人，光绪二年十二月（1877 年 1 月）首任驻日公使。

③　张公使，即张斯桂，字鲁生，任驻日副使。

桂阁：请沈爹与弟转致联幅绢本于公度君。

梅史：顷已交矣。

公度：敢不如何。恐春蚓秋蛇，贻笑方家耳。

桂阁：见尊毫恍如阅晚春堂帖本，其气宇宏远，仰敬之至！

公度：弟素不解书，天性疏懒，向未临帖，过誉，汗下如雨矣。

桂阁：何谦辞之巧也！以君之雄辩，而当东京女子，即皆软软，骨荡气呆耳。

公度：人各有能有不能。使东京女子骨荡气呆，当推沈君。仆（于此道）与作书一样拙耳。

桂阁：沈君之锐锋，固不可当，岂可俟言？且如黄、廖二英雄，亦数旬之休兵，其利刃不可容易挫得者也！

枢仙："赚得东施号小春，纤纤弱柳出风尘，只图一刻千金乐，那管申江啮臂人？"申江丽卿与有盟约，拟于二月往接东来，今得此，且置脑后矣。

桂阁：勿言一刻千金乐，三月买春只十元。（注：敝邦十两之称。）

公度：曾有戏梅史文云："不费六张五角（原注：东人纸币，其一二钱曰一角二角，故借用之），既堪月攘一鸡。"以博一笑。

一样风光一样春，东来偏爱踏红尘，呢喃乳燕长相对，忘却登楼看柳人。（原注：沈君家有少妾，年止十四耳。）诗以诮沈君，即请源侯正之。

桂阁：黄君自为登楼看柳之伍。

强哉：梅史先生独占春，红裙既拂卧床尘，谁知双枕每宵乐，堪羡东洋无策人。

梅史：闲来无计度芳春，偶唤双鬟瀹麹尘，若问当年黄叔度，湘兰应是素心人。

黄君在申江有相知朱素兰，甚佳，所以云西方美人也。

桂阁：艳龄几许？

梅史：年二十三岁矣。

桂阁：隔壁呷呷之声系何等人？

梅史：张公使令孙，名子敬，今方九龄，侍其祖东来者也。

桂阁：所读之书系何经？

梅史：现读《诗经》。

桂阁：《诗经》《风》《雅》《颂》，系何之什？

梅史：闻近读《小雅》。

桂阁：《小雅》极宏，章句系何首？

梅史：前数日读《鹿鸣之什》，今未知已读至何篇。

桂阁：我有嘉宾，时来贪饕茶果。

梅史：愧无笙簧醪醴以燕乐君子，如何？

强哉：小弟辈尝素读贵邦之书，《论语》二十篇、《孟子》七篇、《春秋左氏传》、《史记》、《汉书》之籍。定知诸明官读此等书。则贵邦庠序之教，皆赖此等之书籍乎？

公度：敝邦教士，诸经之外，最重史，大约如君所言。

　　（中略）

桂阁：钜鹿赫太郎[①] 魏氏有欲言，弟今告退而去。此馆中，梅史先生外，有沈君者，善通西洋、日本语，弟欲往见之。前有与魏氏约，故告退而往沈氏处也。

公度：沈君未习贵国语。聚谈甚乐，何日有暇，当走尊斋拜谒。

桂阁：偏愿黄、廖两君赐书拙联，异日弟当再来拜受。亦有暇些，访敝第可也。

公度：我等文字相交，一面如旧相识，无庸客套，君毋太谦乎？

三、戊寅笔话　第六卷　第三十七话

（光绪四年二月十二日　1878 年 3 月 15 日）

　　（戊寅三月十五日，梅史、泰园、琴仙[②]、公度、勉骞[③]、枢仙等六人，实践前日之约，来到我家。这天我感冒了，没有跟他们到梅林去。

　　泰园、琴仙最先到达，我不留神，没有去迎接，很是抱歉！）

泰园：今日招诸友宴会，梅翁想后刻即到，但不知会于隔江旗亭，抑会于此楼乎？

---

① 钜鹿赫太郎，即魏梨门（魏鲤、鲤门），驻日使馆日本通事（翻译）。

② 琴仙，即王藩清，号琴仙，与泰园、惕斋同族。

③ 勉骞，即潘仕邦，字勉骞，公使随员，翻译官。

高木：未知。

桂阁：弟唯今吃午食故失迎了，请宽恕焉。弟前日约梅史翁乃以今日同往木下川村梅庄而赏翫焉。是所以使两位老兄烦尊驾。讵料弟昨日来被犯风邪，昨夜更热气少发，至今头痛体软，即唤村医而使诊断。医云：如风，则不可出户门，复又拥衾而卧亦可矣。于是弟今不能奉陪木下川梅庄了，实大遗憾也。然而那庄也，顷者花已满开，芳香遍野，真个疏影暗香之景，尤可观也。爰有友人来报弟处，弟焦躁敦圉，无可奈何矣。虽然，梅翁等而欲观之，则弟使隶价向导之，复无妨也。夫此梅庄之为观，东京中最第一之名庄也，宜使孤山罗浮远客相吟咏，则亦无耻辱了。

今梅翁一齐来了，则请谋此事可也。既而探梅之后，再来敝楼而开宴亦为妙。

黍园：此游准恳高木君同行。

（中国朋友都到了。）

公度：今日趋谒，属贵体违和，扰累甚愧。

桂阁：微恙，至见芝眉，受高教，而渐次觉爽快。

梅史：昨日感风，未曾来候，歉甚！今午贵体谅可痊安。

桂阁：倘与好友叙谈，却胜于几百之剂汤药。闻有新来阿胜妇人者，定系谁家宠爱。

梅史：友人子麟兄之爱宠。

桂阁：春姐云阿胜良人，馆中第一之标致也。果然否？

梅史、公度：未若黄公（梅）之待阙鸳鸯也（公）。

黍园：请先往探梅，回则再叙于此楼。

（中国朋友都坐马车来，所以这么问：）

桂阁：马车可返否？

黍园：今日劳高木君。

梅史：君宜拥被熟睡一眠，弟等归车可快谈也。

桂阁：莫必为意，弟随意起卧养病耳。

黍园：探梅后再见。

（于是，高木、兼吉两人随伴中国朋友，坐船渡河，到了木下川村梅林。在梅林，黍园再三说："植半去，植半去！"说着，大家都上植半楼去，招了一个名叫三吉的妓女

来。他们在那里写便条给我说:"请你就来。"因此,我写了这字条,叫房吉带去;)

现闻各位业已登植半酒楼而开宴,弟意虽大飘扬,奈晚风锐利,颇侵皮肤,故不能趋往,幸请恕。乃有小价高木氏,俱侍筵席,尤为妙,宜尽长夜之欢而畅游也。今者佳作佳话颇夥,伏冀抄录在纸上而相授焉。弟在书斋里,明日翻阅而可佐兴,偏祈一言一话,不漏于此纸上。

　　　　　　　　　　　　　　　　　教弟源辉声拜白

黄:

廖:

沈、潘:六标致贤君阁下。

㮮:

琴:

　　(散会后,高木带回一些诗来,都是写给我的。)(原编校者按:这些诗,有㮮园、梅史、枢仙、公度诸人的绝句,可惜从前抄写的人于抄写时无意遗漏了,现在再也找不到这"戊寅笔话"第六册的原稿了。)

琴仙:别后荡舟登岸乘车,一路崎岖曲折,抵梅圃流览一周,虽非明月之下,而美人忽来,长袖翩翩,如散花天女,目送之,兴然有感,即步㮮兄原韵,草成一律:

　　高髻云鬟探老梅,细腰袅袅玉山颓,月迎游女千林满,花为诗人到处开。

　　(琴仙因天晚未成全诗,明日续奉邮寄。)

勉骞:天色已晚,将归公馆,承大夫盛意,感甚,祈转达贤侯代为道谢。

　藉请

源侯晚安

　　　　　　　　　　　　　　　　潘任邦(勉骞)

　　　　　　　　　　　　黄　遵　宪
　　　　　　　　　　　　　　　　　　同顿首
　　　　　　　　　　　　廖　锡　恩

　　　　　　　　　　　　沈　文　荧

(酒席散了的时候,为中国朋友雇车,他们从植半回去了。)

四、戊寅笔话　第六卷　第四十二话

（光绪四年二月二十日　1878 年 3 月 23 日）

（戊寅三月廿三日下午一时,我找梅史去。我把和韵诗送给潘勉骞。这一天,我初次遇见了青山延寿① ——天窗大兀。

梅史正在抄写《华严经》。对梅史:)

桂阁:昨不图得见于履祥号楼中。弟昨日欲来谢前日失陪罪,奈昨来朔风烈吹,冷气彻肌,乃在家中养痾。今者虽天阴,气候暖和,于是特来前,请恕来迟之罪。

梅史:今日惠临,喜甚! 适写经未毕,简于接待,幸恕我是幸。

（梅史在写跋文。我到潘勉骞的房子里,将诗交给他。)

桂阁:前日被枉驾时,弟有疾失陪,故来谢焉。尔来有何佳话,请听焉。拙作谨呈阁下。

（这时阿滨来了。)

桂阁:顷日来之别嫔居多,其所聘之各位系谁氏?

勉骞:任谦斋翁之爱姬也。

（梅史已写完了跋文。)

桂阁:幸得窥写隶,弟真感服,其文其字,可谓完全矣。今者来访,固属闲游,决无妨尊写之意,弟请与小星相谈闺阁中耳,希写跋。

梅史:顷已毕,正可共谈。

桂阁:恐公事匆忙焉。弟固散位无职之人,不知尊署之闲不闲,叨扰尊斋,如公事匆忙,则请明告焉,弟请奉俟。

梅史:公事已毕耳。笔墨生活,原无期限。良朋见顾,幸惬素衷,何妨借毫素共谈也。

桂阁:掷公谈私,公使之谴,可怕! 可怕!

（中略)

（这时有人来告诉我:青山延寿来了。)

____

① 青山延寿(1820—1906),字季卿,雅号铁枪。著有《铁枪斋文集》和《大日本地理志稿》等。

桂阁：青山延寿者，有名士也。他父延年者，鸿儒也，弟希见焉。君如不厌，则请同陪。

梅史：此公适来，弟因请黄公翁引见公使，顷当往。陪同君去可否？

桂阁：现往见亦可。

（我和梅史一齐到公使的内厅去见青山。这时候何、张两公使、黄公度和青山等正在笔谈。我对梅史说：）

桂阁：青山君不知弟籍贯爵位，请君幸陈焉。

（说着，我转对黄公度。）

公度：前辱赐食，感甚！梅花绝好，惜主人以微疾不与。比日既勿药，甚幸。

桂阁：微疴大好，故特来谢罪。于梅翁处，忽闻青山君来焉。弟闻此君之名久矣，乃特来此处，复得逢两公使，盖可谓佳会。

公度：青山君以史世家，博洽多闻，品最高雅，不审素识否？

桂阁：何介绍而得来？

公度：有修史馆宫岛诚一郎[①]，其同寮也，尝辱敝庐，彼实闻声而来者。仆辈与之笔话者数矣。

（我转对着何如璋。现在，茶、芝麻饼和酒——铭酒之类——都端出来了。）

如璋：桂阁近日好否？樱花何日便开？莫忘前约也。

桂阁：樱花以春分后二十馀日为满开之期。尊邦亦有同种否？

如璋：敝国樱花开在三月初。（原编者按：中国并无樱花，此当指梅花而言。）

桂阁：前日嘱梅史翁而奉乞尊写字之敝联幅，未赐撰否？

如璋：日来公事之外，日食夜眠，忙得不了，未暇提笔，俟樱花开时当奉还。

桂阁：日食夜眠之事，独到夜眠，则恐有无聊房空之时，临其刻而请赐玉挥！

梅史：晚间书联，不若暇日向书临池。

（中略）

（这时候公度和青山笔谈中断了，我对公度说：）

桂阁：君未擒获一个女子否？

---

① 宫岛诚一郎（1838—1911），字栗香、栗芗，号养浩堂，著有《养浩堂诗集》。

公度：有待有待，姑徐徐云尔。彼梅史者，饥者甘食，仆所不取也。

桂阁：君亦忍饿否？

公度：能忍亦盛德。

桂阁：是可忍孰不可忍也？

（公度、梅史强令喝酒。）

桂阁：弟并酒色二物俱太嫌焉。

公度：深信不疑。

桂阁：君颇信人也，故吐此金言。

公度：好好。

桂阁：此字好好，别嫔亦好好，使司马氏避三舍。

公度：如君言亦复佳好，好好。

桂阁：请去谋其好于媒婆。

公度：梅士最工媒（与梅同音），用此媒士好，不用媒婆亦好。

桂阁：好有此言，则君应卜黄花少女。

公度：好好，无所不用其好。

桂阁：好一个好丈夫，何故不得其好处？

公度：得其好亦好，不得其好亦好，好好。

桂阁：好得好，而知其好处；如弟拙劣，则争得窥其好处？

公度：此好处无论贫富贵贱智愚贤不肖，皆得窥其好。如君好固好，如弟不好亦好。如君此时窥其好固好，如弟此时不窥其好亦好。

桂阁：君好论可谓好论也，然不可得真好矣。其故何也？云不窥其好，却以弟为窥其好；君如不窥其好，则何谓不窥其好？是弟所以使君不云窥其好也。

公度：好之权操之人，所谓其贵国也；窥之权操之我，所谓小我也。子非我，安知我不知鱼之乐？

桂阁：勿谓不知鱼乐，弟颇有技术能知千里外朱素兰诀别掩泣之情。

公度：何所闻而来，不当堕拔舌地狱耶？

桂阁：敝邦叫廉且得之妾曰地狱，所谓王惕斋①、王棽园、王琴仙等之爱姬

---

① 王惕斋，即王仁乾，号惕斋，以经商来东京。

是也。虽潘翁、陈翁之姬,亦不免此班。如斯论,则先生等皆甘堕地狱。

公度:仆固不甘者。

桂阁、梅史:虽不入地狱(桂),恐未能上天堂(梅)。

公度:不上不下,如何是好。

桂阁:虽不能上天堂,必定乘春风。

公度:必既入春宫。

　　　(壁龛里有很美丽的蜡烛。)

桂阁:好一个大蜡烛,恍合春姐闺中之乐趣。

公度:古乐府所谓"君作沉水香,妾作博山炉"。请师其意,为梅翁歌曰:"君作大蜡烛,妾作蜡烛台。"

桂阁:青烟散入王侯家。

公度:第如此则深恐作焚四千二百馀店之灾,此间先须多买几千水龙,并告邻人。

桂阁:那蜡烛叫做如何?

梅史:乃送祝寿礼物。

桂阁:东来之照。

梅史:乃送人寿礼者。

桂阁:此炜煌者,真与乡里妬焰相战耳,谁能御之?

公度:"春烟散入王侯家"。源侯家何以御之?

桂阁:须以墨江一滴之濂。

梅史:枢翁恐在友人处,已往觅矣。

桂阁:窃问何公使亦觅美人乎否?

公度:未之前闻。

桂阁:君祕之也甚矣,请密告之。

公度:不。

桂阁:不知与魏柴门乘翰林风月否?

公度:否。

桂阁:公使亦不可无怀眷之念。且闻诸君聘别嫔之事,则欲火可炽,不知消灭之法如何?

梅史:当迎小星于家耳,然亦不急急也。

桂阁：何日能咏"嘒彼"之章？

梅史：尚未尚未，约须莲开。

桂阁：当公使未聘小星之前，而君业已有美姬，君之于公使亦不谨乎？

梅史：此事固不叙班别先后也。

桂阁：既如斯，则以各自之画策而获之；至其先后，则虽公使不能阻之欤？

梅史：遇合有定。

桂阁：君敝邦笔谈知己之中，而别说滑稽风流者有否？

梅史：弟所交贵邦之人，如加藤[①]、青山，皆老前辈，其馀则君与宫岛、有马、植邨、关氏而已。宫岛朴讷长者，有马、植邨则君稔知之，关义臣[②] 则初交也。

桂阁：宫岛氏不说风流，何事说而笑谈耳？

梅史：此君曾见两次，惟谈文墨寒暄而已。

桂阁：说文墨则情好之所未和谐；至说风流则交欢初睦耳。此论君以为如何？

梅史：如弟与君可谓忘形之交，和睦之至矣。

桂阁：以弟充忘形和洽，弟所大喜。敢问如春姐，是谓何之交？

梅史：此婢滕蓄之，何能同日语乎。

桂阁：是谓牡马（马阳物颇大）牝猫（猫惟媚主）之交。

公度：韩昌黎诗云"大鸡昂然来，小鸡竦然峙"，为梅士咏也。

桂阁："先帝天马玉花骢，画工如山貌不同，是日牵来赤墀下"，盖春姐引见之谓欤！

公度：君何以知之？

桂阁：闻之于魏武子。

　　　（枢仙来了。）

桂阁：前日失陪，故今日来谢耳。

枢仙：是日贵体违和，甚为悬念。昨遇棻园，询知已愈。今日得见，甚喜。第恐春风多厉，尚祈珍重珍重！

---

① 加藤樱老（1811—1884），名熙、友邻。明治维新后任京都大学中博士。

② 关义臣（1839—1918），精于弓马枪炮之术。任贵族院议员。

桂阁：前日之佳作,弟唯意飘荡耳。弟病里不能上旗亭,大抱憾矣。

枢仙：前日之诗,因足下不在坐,故酒后胡言,回来业皆忘记,祈为掩丑勿扬为幸。

桂阁：闻君未得一姬,何策之迂?

枢仙：非迂也,无春风使者,故墙杏未开,不得见耳。

桂阁：潘翁、任翁、梅翁及陈翁皆有功,君与黄君非空手藏刀之时,请一愤发而周旋。

枢仙：弟与公度未得其缘,只好善刀而藏耳。俟脱颖而出之时,当知其非碌碌也。子姑迟迟听之。

桂阁：宝刀近出日本国,越贾得之岛原,东君为如何? 古诗曰:"丑妾恶妾胜空房",君不知否?

枢仙：左右之人,纵不解意,亦要顺眼,曰丑曰恶,宁可空床独守也。

桂阁：屡次受各位之周旋,千谢万谢。

梅史：黄、廖三公所书之联,数日内送来。

桂阁：数十位贵价系何等人?

梅史：皆是奴隶,非若贵处之家臣也。

桂阁：凡几十个?

梅史：十馀人。

（我看延寿的笔话。）

桂阁：夺去无妨否?

公度：此纸他日以掷还为幸。

桂阁：如非有用之物,则弟收了耳。

公度：其中颇有不可传扬之言,如君辈则无妨,故幸见还,至祷至祷!

桂阁：弟决非传扬世间,惟弟见之而悦耳,幸勿怪! 如见之则春姐一人耳。每每来扰公署,且啖美饼,请谢之于两公使,刻告退。

（我告辞了。梅史对青山说:）

梅史：暂送源侯,祈勿罪。

（中略）

梅史：承赐佳章及书法,甚佳。当如拱璧珍藏之。感谢感谢!

青山：不敢当。如诗文自有失声或措置之处,如书则本无一定之论。贵邦主沉着,吾邦崇流丽,君以为如何?

梅史:沉着流丽,君既兼而有之矣,故当与名家并驾。

青山:至沉着者不敢当。鄙人近摹拟贵国之书,专主沉着。长三洲岩屋某皆是。君见此二人,然否?

梅史:曾见其书,亦摹北魏人体。

青山:此人仆所不知,何人?

梅史:敝邦书法,自汉末至晋,尚行八分;晋初变为楷;北魏朝书法,变楷未成,尚带古拙,故今谓之北魏体也。

如璋:阅君前日与公度诸人笔谈,识议甚高,且家传史学著作极富,读所著今只编年、后序,已见一斑,拜服之至!

青山:仆家世业文字,实无识见过人,惟父兄所著书皆以汉文,无一书和文者,是其所以异他人也。鄙人于汉文上下颠倒读之,故语言之间往往有不成语者。大使览阅前有颠倒者,幸指示是祈已。

如璋:君在史馆现编何书? 贵国史有各志否? 如有成书,乞惠示一观为快。

青山:仆在史馆,搜索史料,是其任也。如撰修则在编修职,今仆所任,辑各藩史料也。《大日本史》有十一志略已就绪,兵志、刑法志已刻成,其他校合未毕也。

如璋:贵国维新之后,改革纷纭,先置六十馀府县,顷定三府三十五县,封域已尽否? 又近日兵刑各大政如何? 所改定者有编辑成书者乎? 愿阅其略。

青山:如《日本史》志表,读《感旧篇》中《丰田天功墓铭》,其详可得而知矣。在贵国则所论周当尔;在吾邦,自有正史在;舍正史猥论之,实不知国体也。

如璋:君所言“国体”二字极为斟酌允当,即此足征君之才学,史馆之职,君胜其任矣。

青山:仆固无一长,至三长则谈何容易?

如璋:山阳[1] 史笔极有生气,识议亦高;山阳之前,当以何人为称首?

青山:山阳之前有新井白石[2] 者,德川氏一代伟人,其论大率以和文,如

---

① 山阳(1780—1832),即赖山阳,名襄,字子成,号三十六峰外史。诗作以咏史见长,著有《日本外史》《春秋讲义录》《山阳诗钞》《日本乐府》。

② 新井白石(1657—1725),名君美,字在中,号白石、紫阳、勿斋。著有《新井白石全集》。

《日本史论赞》,亦在吾邦,则世之所称。《外史》之前,有《逸史》者,记德川之事可见;且各议论,则醇中儒者也,不似山阳纵横綦论矣。

如璋:山阳议论虽纵横,然其谓贵国武门之祸,源于沿袭唐风,致朝廷之上,仪文繁琐,上下隔绝,其弊至于积弱不振。其言深切。其他所论,不坠一编。今时若得山阳者维持之,邦国之政,尚必有可观者。卓见以为然否?

青山:山阳吾邦苏宗也,其论犹老苏之于宋也。仆近于经世之事不用意,受贵问不详其细;唯使君若欲成书,是等书已有成绪者,若欲求之,当为周旋;仆惟酖文字,更不置于意也。

如璋:赖山阳《日本政纪》云:"神武① 以下十代,荒远难稽,崇神之世,始稍具立国规模。"考其时约在汉之中叶,距徐君房来,为日已久。贵国传国宝曰镜、剑、玺,皆周秦之物也。大约贵国人由中土流寓者,未知是否?

公度:自史馆散直后,在家何以消遣? 尤爱读何书?

青山:散直后以读书消遣,惟仆性鄙野,日从尘事,未能专心于书也。

公度:时还读书,固仰高雅,然古来旷逸之士,皆不事生产,君得无然?

青山:不事生产,是真所愿,徒有其志,未能脱俗也。

公度:何以为生涯? 史馆之俸能赡一家耶?

青山:史馆之俸大足为生涯。仆前在东京府俸倍今日,以故得起松风楼也。

公度:足为生活,甚佳甚佳! 贫固士之常,然以此累心则伤道,不以之撄攘则忍饥,此向为从古高人兴叹者也。敬闻命矣,甚慰甚慰。

青山:如高人逸士,固不企及;如不以此累心,略似可学。

公度:敬仰敬仰! 近者士大夫为洙泗之学想益寥寥。窃尝以谓西法之善者,兼采而用之可也,舍己而从,似可不必。

青山:此语真然。砥柱颓波,不有大有力者出支之,谁能之? 如仆辈非其任,得属一好文章,犹不能也。在(中缺三字)征明画否?

公度:是。君以为何如?

青山:仆僻居东鄙,见名家书画极少,况于画手,更不能辨白黑也。

---

① 神武,即神武天皇,日本第一代天皇(公元前660—前585年)。

公度：大有力者，是在当道诸公。副岛种臣[①]，吾土颇重之，仆所未见，何如？

青山：副岛氏仆亦闻其名未见其人。至大有力者，仆所不知，恐非其人也。

公度：副岛向为外务卿，曾使我朝，今闻致仕矣。是人闻颇伟，未之见也。

公度：仆旧有感怀诗八首，皆述欧罗巴人之来中国，容日当抄以呈，但预乞勿示人耳。

青山：高作请幸示之。如仆则于洋人之事置之于度外也。（中缺五字）有沈南蘋者来长崎，邦人从此人学画，吾邦画法从此一变。不知此人于君同族否？

梅史：沈南蘋乃江苏籍，亦是弟远族。至画学一道，敝邦从元代一变为写意，往往流为率易。如贵邦从前皆守古法，甚佳也。

公度：在家读书之外，想亦教女公子读书，于汉文当已精通也。

青山：长则略读汉籍，少则余授《论》、《孟》，可读耳。

公度：过日相见，几误功课，甚惭甚惭。归都为问好。

青山：功课皆在学中，归省（中缺五字）所课也。

公度：他日有暇，再同访远田氏何如？

青山：不日当期。

梅史：携来书三种，请留下，于暇时细看，俟阅后再送还也。

青山：敬承。

　　　　（我和延寿一起辞去。延寿从正门走后，我再到梅史的房间来笔谈。）

桂阁：全凭慈爷之厚意，得见青山延寿氏，且并见两公使，黄、廖二君，大致畅话，弟之快乐却胜于与婵娟同房。

梅史：有慢，祈原之。

　　　　（下略）

---

① 副岛种臣(1828—1905)，佐贺藩士。曾任内务大臣、枢密顾问。

五、戊寅笔话　第七卷　第四十八话

（光绪四年三月一日　1878 年 4 月 3 日）

（戊寅四月三日,我去看闻香社租的房子。房子在茅町第二条街十九号,两层楼,是爱知县士族原钝的旧宅,林栎愗① 给介绍的。这里很适于眺望上野小西湖——不忍池。沿着御成街走去,到了五轩町,我从车上看见林栎愗在他的铺子里,我对他道谢。在松四屋吃了午饭,下午一时左右,我到梅史家去,和他笔谈。

这天梅史做东,我们在长门屋吃饭。

我借黄氏的书信夹子来。

原在梅史屋子里的陈君,一看见我就走了。

梅史画着画儿,我对梅史说。)

桂阁:访仲陈氏见弟之来而避陪,请君呼来而细谈焉。虽有密话数番,至弟不能解,所无妨。

梅史:顷已画毕矣。

（大家都穿着漂亮的衣裳。梅史穿着紫色的。)

桂阁:以今日为更衣之期欤?

梅史:天气渐暖,所以换夹衣。

桂阁:爱宠何往?

梅史:洗浴。

桂阁:日本天时与中国相同?

梅史:樱花想此月中旬可放?

桂阁:小西湖早樱已放。如我墨水,至中旬而可满放,少异。

梅史:敝邦梅花开在孟春下澣,亦稍早于贵邦。

桂阁:敝邦梅花已在孟春下浣而满开,独樱花俟清明而绽也。虽然,南方之国疆稍与贵邦相同。《华严经》跋文稿存坐右,则欲抄写,希暂贷。

（梅史拿出来给我看,共有三篇,那第一篇是:)

---

① 林栎愗,东京书肆"拥书城"主人。

华严经音义私记跋

《华严经》为唐则天朝京兆沙门惠菀译。菀复撰《音义》两卷,日本抄录者附以和训,故名私记。标题有"马道手箱",疑即其书人也。圣武初号神龟,当唐开元十一年癸亥后六岁,政纪天平,时通使中华,始服冕受朝,敕诸道,建护国、灭罪二寺,造金铜卢舍那像及浮图,《华严经音义》流播东土,殆此时欤? 其书骨力刚凝,和人音释汉文,当以此为最古,留镇山门,应不殊学士玉带。考敏达朝佐伯连赍佛像西来,距此仅一百四十载,当由世主供奉,故时人精研释教乃尔。公馀丙夜,剪烛谛玩,适月上纸格,花影横斜,清趣翛然,当与彻公共之。

光绪四年太岁在著雍摄提格律中夹钟　岭南何如璋子峨记

(那第二篇是这样的:)

陶仵虎菩萨处胎经跋

晋人真迹流传后世者,有右军《曹娥碑》、扬真人《内景经》,明季董思白尚及见之,近零落殆尽。予以光绪丁丑奉使至江户,其明年,僧彻公携《菩萨处胎经》及大炭楼《华严音义私记》来,展读数过。西魏大统庚午,去今千五百有九年,不图于海东得见墨宝,自诩眼福不浅。经中见体运腕,仿佛《内景》,知渊源皆自锺太傅来。陶仵虎跋,典质朴茂,所云一切乘藏,搜访尽录,则此卷在当日,匹诸麟角凤毛,何幸累劫尚存人间,彻公其宝持之,当有恒河沙数,梵天帝释于昼夜亦时为之呵护也。

戊寅仲春中瀚　何如璋跋

(那第三篇是:)

苏庆节大炭楼经跋

昭陵重二王书坟。唐人书法,皆宗会稽。此册微入虞褚,笔意大似苏灵芝,虽断阙,亦无上妙品也。按《唐书》:苏烈,字定方,破贺鲁都曼百济,以功封邢国公。高宗乾封二年卒,帝悼惜,加褒赠经,末识咸亨二年,距卒已四岁。子庆节,初封武邑县公,改封章武,当在烈身后,故史不究言之。方是时,武氏专政,象法盛行;庆节于造经追荐外,另无表现,岂睹唐室中衰,翩然高蹈欤? 殊令人掩卷低徊不能自已。

光绪四年戊寅二月十八日　何如璋书于芝山使廨

桂阁:此三者悉系彻上人之所乞乎?

梅史:是也。

桂阁:请二三日贷,得而抄写,乃奉还。

梅史:遵教。

（我拿过来抄写。）

桂阁:跋文系何公使之作乎? 及至君代作欤?

梅史:公使公事无暇,故令弟代作也。

桂阁:何公自撰之文章,定在府中,他日请一阅焉,君请计之。

梅史:顷有《途中纪行诗》,不在此处,他日抄数首相赠。

桂阁:"途中纪行"颇妙,必定去年来东之著,切愿君乘闲请何公而赐贷焉,弟乃抄写,不秘藏耳。

梅史:暇当请之。

（中略）

（黄遵宪来了。原来阿滨恋爱的是遵宪,她以为遵宪是何如璋的弟弟。）

公度:多日未见,想甚好。

桂阁:邻房任氏爱宠滨姐能忌任氏而属意于先生。

公度:"仲氏任只,其心塞渊。"至彼之于我,所谓风马牛不相及也。君其问诸水滨!

桂阁:率土之滨,莫非王臣。

公度:寡人不敢与诸任齿。

桂阁:弟现诘朱素兰之事于春姐。

梅史:"浩浩在水,育育在鱼",公翁之情可想。

公度:前日所索书之绢,弟经作就,误为墨污,不堪寓目,容再购书以还,惭愧惭愧! 衣上墨痕亦为是也。

桂阁:君无爱宠,何故匆忙为此事?

公度:为无司砚人,所以如此,言之惭矣。

桂阁:使滨姐捧砚,万无一害。

公度:其然,岂其然乎?

梅史：君为地主，当代觅一捧砚人。

桂阁：公翁名砚，使美人捧之，则一对佳偶，岂何滨姐丑粗所及乎哉？黄公未得爱宠乎？

梅史：公度求一佳者，故濡滞也。

桂阁：滨姐恋恋久矣，幸君窥隙而为馈宄踰墙之策如何？

公度：踰墙而搂其处子，是任氏所为之事，弟所不敢也。

桂阁：他非纯良处子，谁亦妨乎？

梅史：虽有意于黄叔度，而任公子之若鱼，他人未容染指也。

桂阁：缘木求鱼之譬，是之谓也。

公度：鱼我所欲也，义亦我所欲也。二者不可得兼，则舍鱼而取义。

桂阁：熊掌犹易，处女不易得。不如与任谦斋相商量，而转换黄公所新聘之美人如何？弟如有黄公之位，则疾踰墙耳。中华人何重义之甚？

梅史：黄公所求乃绝色，所见艺者，均不当意，其眼法高矣。

桂阁：弟尝到尊府，看一物件，其形如此（原编者按：图见下页），弟欲摹制之，希旬日贷焉。那物件多插手简名状等，倘卷之，则怀可也。

公度：尚有小者卷而怀之，乃为便当，是挂壁之物也。将小者送君为式样可也。

桂阁：后刻造尊府而应受焉，同是式样也，小者却妙。

公度：弟回即着人送来。

桂阁：使滨姐充其役如何？

公度：当请命于任公。

桂阁：速遣滨姐，请任君而为之，复决无妨，君宜嘱焉。弟请欲往廖翁处而看信姐，往陈子麟处而看胜姐，请君与弟向导。

公度：既随公使他出矣。

桂阁：弟入馆中而不见诸贤者，独剩子麟陈君（胜姐之良友）耳。希使弟到陈处。

公度：亦他出矣。

（黄遵宪回去了。潘任邦带着吃醋的样子到来。）

桂阁：如任君风流才子，则天下丽人可延颈而来也。

（黄遵宪的使者把那件东西拿来。）

桂阁：否！非！此物则黄府圆窗右壁所悬也，而内中录同治何年云云……与此物件大异。请君叫黄叔而为交换。

梅史：此物想仿作亦不便，弟致信都中购一具奉赠可也。

桂阁：弟意不然，暂贷之而摹制，甚为妙。弟所制者都用帛而不用皮革，故今欲贷也，不可必限。黄氏虽馆中下官，所藏亦决不厌，希君熟计焉。

梅史：弟往言明可也。

（梅史出去，把我所喜欢的东西拿来。）

桂阁：料想此物体必定系黄公常用，弟携去恐是缺其用，不知旬馀贷之亦无妨乎？弟今者顺途即到其工铺而商量也。弟性急躁，决不忽之，惟俟工之成耳。于是有此问。

梅史：君俟成后掷还可也。

桂阁：全凭君厚意所致。感谢！感谢！

（下略）

六、戊寅笔话　第八卷　第五十二话

（光绪四年三月七日　1878年4月9日）

（戊寅四月九日午后一时，我到履祥号去和蓁园、琴仙笔谈。）

桂阁：春涛[①]翁复有使余列醴筵之意，奈何？弟酒量极浅，以是事，即去。不知涛翁聘红妓否？如弟则自春斋宅址直遍游小西湖而归了。回忆涛翁与君等笔谈于长酏亭之兴，请闻焉。

蓁园：君性执，仆知不能强从燕饮，只得请君随便。仆与森翁饮于他端长酏亭中，即以"游长酏亭"四字分韵。

琴仙：昨日以"游长酏亭"为韵，蓁兄得"游"字，梅翁拈"酏"字，森涛翁拈"长"字，弟得"亭"字。

蓁园：联袂今朝快一游，樱花满树豁吟眸，素花雪聚无穷艳，红粉风流见亦羞。（花使张茂卿颇事声妓，一日，樱桃花开，携酒其下，曰："红粉风流，无逾此君！"悉屏妓妾。今日宴

---

① 森春涛（1819—1889），名鲁直，字希黄，号春涛、真斋。日本汉文诗人，著有《春涛诗钞》《东京才人绝句》等。

于长酡亭,不招歌妓,亦犹是焉。)上野风光逾越国,小湖烟景等杭州(不忍池一名小西湖),
归途爱趁斜阳好,试访长酡旧酒楼。

桂阁:"上野风光逾越国,小湖烟景等杭州"一联可谓暗合矣。上野往昔太
平时,有楼阁台榭,极尽壮丽。阁匾曰吉祥阁,榭题曰琉璃殿。而兵燹一焚,灭
其址。惟今独有鹧鸪飞于茂林,不知宫女有花时来焚香于德川氏之墓茔也。
西湖亦为毛贼所毁,旧山水总为乌有,我篠箸(小西湖原名)亦罹戊辰之灾,且逢开
化之时代,而为西洋习气所俗了,盖复与越国杭州一般,岂可不叹?

　　　　　(这是王琴仙写给森春涛的信——附诗)

昨蒙招饮湖亭,感甚谢甚!所有拙作,率尔操觚,未当大雅。今易数字录
呈,以卜一粲:

　　　自蒙相识眼垂青,结契还从诗酒馨。高阁临风樱作圃,小楼侵月柳为
　　屏。夕阳隐约寻芳路,曲水萦环修褉亭。醉后狂吟归欲晚,碧阴丛里且车
　　停。

桂阁:酡亭之诸婢有袅娜婵娟否?

琴仙:西望长安不见佳。

桂阁:奈何与樱花不为对偶?

琴仙:樱白如银,此花有清高之气,不欲与红尘为偶,所以与樱花相近之
妓,皆不尚姿色也。或长酡无佳人亦未可知。昨日遍观游女,虽则如云,实非
我思存,盖一无可许佳耳。

桂阁:古人往往以花充美人,其论不少。那王丹麓氏曰:"花是美人真身,
美人是花小影。"足以看其风致。樱花灿烂,虽美且佳,奈何无美人比之者,君
所憾可谓当矣。如那东台樱花,岂何长酡亭诸婢之伍哉!敝邦儒士,寺门静
轩,许樱花曰:"东台之花,似西京名倡;墨水之花,似东京弦妓。"盖喻西京之婉
顺温柔,言语极软艳,与东京之潇洒飘逸,才识极高也。故东台之花艳丽,与墨
水之花,风神各有差。君请幸鉴焉。

柰园:异日探赏一过,当为是花细加品评。

桂阁:东台之名胜数十处,虽一日游观,如说其细,则一一难分话。四五日
中,俟樱花已谢,绿荫掩日,而伴梅、琴两兄与君而缓步,一一指示。先试言其

一二则：德川五代将军常宪公① 铜塔。（铜塔一基，长二三丈，铜门石砖并陈，是等最良之庙宇也。）

我家祖源辉贞② 坟茔。（是我二代祖，而常宪公用以为宰相。至今叶树森然，昨业已过其侧，弟因有春涛翁在而不言也。）

泰园：俟他日约伴探胜，敬谒君家先茔。

桂阁：慈源堂。（有弟知己僧志弘上人者，异日相谈耳。德川氏祖先家康公辅臣天海③ 僧正之庙也。天海当进取守正之时，而专为德川家帷幕之谋臣。）

东照神庙。（家康公庙宇也。）

（后来，我到公使馆去。梅史有病卧床，我去探病。我是拿吴绢来的。）

梅史：昨归感风寒，故今服药少卧。

桂阁：请安眠。

春风萧条，枨中心郁，奈羁中尊疴顿发，请使小婢快执汤药。此筒中吴绢，弟当明月溺。后日再来细谈。希有尊护。

阳历四月初九日

梅史：抱疴不及细谈，后日望君来。

（访潘勉骞。他喝着泡盛酒。我对他说：）

桂阁：访梅翁，翁抱恙，不能细话。请君欲叙话，不知闲忙耳。

勉骞：即午下雨，不能出门，可畅谈也。

桂阁：前日长门屋之会，弟去后景况如何？

勉骞：阁下去后，大歌大舞大醉大乐，十字始散。

桂阁：歌舞者何人？

勉骞：桃代、缔吉、兼吉。

桂阁：桃代、缔吉、兼吉，一样之别嫔，必定君可垂涎。

勉骞：家中已有，何用垂涎？

桂阁：乐妃之婵妍，天下无双。除非乐妃，则三个中孰取？

勉骞：桃花色艳，自压群芳。君意如何？

---

① 常宪公，即德川纲吉，为德川第五代将军。
② 源辉贞，即大河内辉贞（1665—1747）。与德川纲吉关系殊深。
③ 天海（1536—1643），十一岁剃发于高田龙兴寺，进修儒学。主持校刻《大藏经》（天海版），谥号慈眼大师。

桂阁：弟未有看其花。古诗曰"杏艳桃娇夺晚霞"，君爱亦宜。君疾折其花欤？

（中略）

桂阁：黄翁未得别嫔乎？弟总知馆中群贤，独剩张筑君、陈子麟两氏耳。如君使弟初见之则大幸。

勉骞：迟日弟当引见，夏以为期。此顷不能。

（我要回去，走过公署厅旁，碰见了魏通事，他带我到公使面前。这时候公使和池田宽治① 正在闲谈。）

桂阁：只今访沈翁，翁抱疴平卧，只得小婢应对耳。今朝弟过入舩町履祥号，得赍尊写联幅，特趋府谢之耳。

如璋：红绫二幅甚佳，而拙笔不堪，糊涂塞责耳，何足言谢。

桂阁：得尊墨而粗绢生光彩。伏冀拜观尊斋。如弟则视君如父亲，君希儿视弟，而为观斋中；纵令斋中书籍乱弄，亦何妨。

如璋：君所云云，真是恶作剧矣，未何敢？且室中藏有宝贝、不好见人之物故也。欲观书籍，不妨一往观。

桂阁：请去拜观，并冀观美人。弟何仿平原于豎人之祸乎！

（我到了书斋。书斋中有藤椅等物，非常漂亮。）

桂阁：书籍累叠如山，可谓"气压邺侯三万签"，李小笙先生之所言非虚话也。墨水樱花俟四五日而可开放；如开放，则上邮书，幸垂光顾。

（回路上，我和魏通事到黄氏的房间，我对黄氏说：）

桂阁：弟入公署，普观群贤，独剩陈子麟耳。希君导弟于其处。

公度：意欲窥室家之好耶？然恐夫子之墙，不得其门而入也。

桂阁：欲窥室家之好，盖愿见夫子耳。

公度：客请见，主人固辞。

桂阁：弟尝见陈君爱宠，乃是丰神娉婷，料想陈君必定风流之猛士。请君切导弟。

公度：猛与不猛，非他人所能知。如必欲见其宠者，请以名缣百匹执贽可

---

① 池田宽治(？—1881)，名政懋，初名吴常十郎。曾随大久保访华，任日本驻天津领事、日大藏省少书记官。

也。

（陈子麟来了。）

桂阁：弟闻芳名久,岂何贽仪百匹之缣亦足乎?

公度：是亦足矣。梅士病矣,烦寄语阿春,勿复浪战也。

桂阁：非阿滨则不足与议。

公度：任氏既遣之矣。所谓"春水一池,干卿甚事"也。

七、戊寅笔话　第八卷　第五十六话

（光绪四年三月十二日　1878 年 4 月 14 日）

（戊寅四月十四日午后一时,我到履祥号访王泰园、王琴仙,他们都不在,店里只有哲明① 一个人。他说:"他们给藤野凌云招请到两国的中村屋去了。"我拿出书画帖来,对哲明说:）

桂阁：凌云翁之会,席散约几点? 柰、琴两兄之归来,亦及黄昏欤?

哲明：凌云翁既已亲身来请,两兄想今日挥毫甚多,必定晚归。佩香、小苑、秋香刻已来过琴、柰两兄会晤。

桂阁：恐君之胡说。倘往不见,则无可奈何。

哲明：若无见,则罚金。

桂阁：使席费偿君。

哲明：梅史翁传云刻下患病在床,君倘去,恐怠慢。缓去如何?

桂阁：数夜搂抱春姐,故有此病。

哲明："占春"两字。

（我到了公使馆的传达处。）

桂阁：弟欲见魏氏,魏氏不在;冀见黄、廖二君之中,请通知焉。足下高姓名?

耀坤：薛耀坤②。

（在黄氏房间。）

---

① 哲明,既秦哲明,王惕斋之店员。

② 薛耀坤,生平不详。

桂阁：现公务闲忙如何？

公度：亦有些小事，小坐固无妨也。

桂阁：弟今日所来而言，则非浮薄之事，因十六日招待公使等及君等于敝庐，而欲有谈，不知公使在否？

公度：何公度既他出。张公在家。

桂阁：何公何往？

公度：亦访客去。

桂阁：客属何人。

公度：副岛种臣。樱花不既落否？连日风雨，殊闷损人。此游亟欲一陪，梅史今日稍好，谅能俱往也。

桂阁：我墨水樱树，早樱居半（早樱叫彼岸樱，后开者叫八重樱），虽稍飘零，亦大有不满放之处。如十六日好佳节也，两公使及君等梅史一齐列车同来。曾闻公使严禁登旗亭，故弟不强招焉。顷闻公使与敝邦大小官员同往东台精养轩为西洋食，如公使而不妨旗亭，则十六日亦登墨江旗亭，甚为妙。弟今日欲问之而故来也。

公度：看花既足饱矣，如必欲置酒者，或君家为妙；则旗亭亦当无不可，听足下意之所之可也。但不必招艺者耳。

桂阁：倘择二者，则以敝庐为好矣。

公度：无所不可。不过旗亭游人较多，未便清谈耳。如阁下以旗亭为便，亦复佳。

桂阁：虽然说，何、张两公使于旗亭，则恐不许。

公度：亦无不可从，当以转告也。

桂阁：承高诏分明，弟乃先俟君书邮报而决焉。君今夜问此事于何公，而投一函于敝庐。惟如敝庐，则墨塘较远矣，故弟有此话也。然而不嫌其远，说酌敝庐，则弟决不妨。

公度：敬诺。或晚间或明日当邮便局奉一书焉。

桂阁：邮便则迂远也。明朝驰小价于府上而问，订其可否。恐开朝惊鸳鸯相娱之梦。

公度：明日午前九时有贵价来剧妙。此间诸仆多语言不通，遣之出门，殊难其人，故意欲由邮便寄函。今有贵价来则甚妙也。

桂阁:弟决非强导其旗亭之意。顷闻东台精养轩招待官员之事,故试来问之耳。如触何公使之怒,而不辗车于敝门,则弟惟无所为。

公度:万无触怒之理。

桂阁:两君必可会,不可乖约。前日木下川村探梅,千秋楼小饮,弟抱疴业不能奉陪,实大致憾矣! 今者不会,则烦恼无已,请幸践约。

公度:谨领厚意。樱花既好,主人又贤,此游之乐可知。

桂阁:前日所寄之联幅,枢翁、纶翁①、梅翁皆已赠了,且并何、张两公使已无不赠,独剩尊写耳。请遽写焉。

公度:仆稍忙,故卒未及书,当速为之。

桂阁:弟前日借着之贵物,现使匠工摹焉。请赐数日之闲。而那物名何如?

公度:名曰"壁衣",亦曰"护书"。梅史又病矣。东洋破瓜队,击之不胜,于思于思,弃甲复来,殊可怜也。

桂阁:女将策行,复大破中华猛将了。如君等亦不运筹,则不日必蒙刀瘢。

公度:亟欲助梅士一臂之力,而彼似不愿,自取败耳,不足恤也。

桂阁:闻他滨女姓田氏,必定有火牛之策。

公度:仆之于滨,所谓适燕而南辕,渺不相涉者,深沟高垒,何由入去。

桂阁:弟说诸君于连横合纵,宜往破强秦。

公度:彼固欲足下为苏秦,奈此老倔强,说之不动何?

桂阁:滨国虽强,终看楚人一炬,嗟,可叹!

公度:此祸水也,灭火必矣,楚人亦无奈之何。

桂阁:"后人视之不鉴之,则复使后人复鉴后人也。"杜牧之言,可谓金言。

公度:在任氏则"取之尽锱铢",在吾辈则"弃之如泥沙"。

八、戊寅笔话　第八卷　第五十七话

（光绪四年三月十三日　1878 年 4 月 15 日）

（戊寅四月十五日,午前九时,我打发人力车夫,送给黄遵宪一封信:）

---

①　纶翁,即何求定,字子纶,何如璋之弟,公使随员。

　　昨扰府,辱赐清茗,一吃之下,却为笔谈之兴,不意文辞勃起,终扯风流之话,春日之长,觉甚短矣。兹问何公使等登旗亭之事有允许否?倘使公使向导于无意往之处,固仆所不甘焉。而如雨则如何?虽塘上樱花,雨中亦有景致;驰马驶泞,复不便。乃至如细雨则无妨乎?具请指示。仆自有所命庖厨。匆匆不宣。伏候刻安

肆月仲五日

　　如君及枢公等万一不来,则弟来往促焉。昨日所赐之清茗,叫做如何?甘味温润,只觉两腋习习,故有此问也。

　　(这是黄遵宪的回信:)

　　昨日辱访,所云旗亭之饮,以告公使,公使云:"无所不可。"敢以复达。楹联遵命涂就,鄙陋不足陈览观,甚愧也。

桂阁贤侯阁下

弟遵宪谨启　三月十三日

　　明日当晴,细雨亦不妨也。又及。

　　(下略)

九、戊寅笔话　第九卷　第五十八话

(光绪四年三月十四日　1878 年 4 月 16 日)

　　(戊寅——四月十六日午后一时,何如璋、张斯桂、黄遵宪、廖锡恩、潘邦仕来了。——中间大约十个字给蠹鱼吃掉了。——泰园、琴仙迟到。文荧有病,没来。加藤樱老也来了——中间几个字给蠹鱼吃掉了——,内邨绥所① 陪伴着他。这天,雨过天晴,墨水有很多看花的人。)

桂阁:天气快朗,群贤毕至,一大喜事也。

如璋:连天阴雨,快值晴明,天公真是解事。

桂阁:东洋地小,不足以慰中华人,惟以情谊不变幸为好。

绥所:大使新到异邦,起居佳胜,可贺!弟姓内邨,名宜之,本日拜谒,幸甚!请幸见教!

---

　　① 内邨绥所,即内邨宜之,号绥所,汉学家,桂阁部属。

枢仙：今日天气晴和，是主人诚致。内村兄，贵府在何处？

绥所：现住在府下砾川仲町二十三番地。

枢仙：现在官否？抑告归林下也？

绥所：弟向在官途多年，如今闲散。

公度：向为汉学，何所喜耶？

绥所：弟少时读《论》、《孟》外《迁史》、《离》、《书》，今废久矣。

公度：近来犹读《论》、《孟》否？《迁史》此邦通用何本？

绥所：近来久废该书，只随意读诗集，着人抄之而已。

桂阁：前日访黄、廖两君，谈迫使公使登旗亭之事，即黄公转达之于子峨君，而终到蒙允许焉，弟喜出望外矣。盖弟所言者，非突然启之也，闻前日公使缩敝邦官员于东台精养轩，那精养轩的乃复一个旗亭也。纵令虽我天子特临，或赐之于金帛，颇赏其佳馔，概是不过一个旗亭也。闻那精养轩的，我丞相岩仓氏隶士某之铺，故大小官员视之异于他。虽然，君等及弟之视，则与司马之长门屋、墨水之千秋楼相同矣。盖精养轩者，以不侍红裙为贵；如司马、墨水，亦于不侍红裙，则各随客所好，则非不仿其倒者。然而余墨水之旗亭，楼台宏丽，园林阔美，而我大小官员，皆来小酌于是处，故每日曜日，驷马满塘，馆舫泛江，较诸司马酒楼，则超于数等矣。虽有捧盘搬杯之婢女，亦非如长门屋诸婢丑行者，容仪端肃，举止婉柔，使之侍公使侧，亦决无失礼仪、秽高德之状，希枉驾于千秋楼而看塘，则樱花之烂漫，士女之联袂，犹可近见矣。君等以为如何？如君等许之，则俟二王并列而俱伴耳。公使许否？

公度：旗亭可也，艺者不必招。

桂阁：弟亦敦红裙污席，何招女校书？

枢仙：二王到否？

桂阁：未至，弟既延颈而俟耳。

公度：二王何以至今未来？

桂阁：恐为爱宠所阻。不然，则春台折杨柳。

枢仙：我辈先行可乎？

（我请他们写字、画画儿。）

绥所：本日王氏、琴氏未到，到乃同登船，其间诸君随意请挥毫如何？

枢仙：敬闻命矣。

桂阁：我隶高木正贤请尊写字，希一挥赐佳作！

（只有何如璋写一二张。）

枢仙：我等可先往看花如何？

公度：油罗须，油罗须。（按：即日语"好！好！"之意。）

桂阁：敢问携手而漫步于墨塘樱花下欤？将刻登旗亭欤？请揭示公使随两隶人姓名？

枢仙：纪贵、吴升。

（大家上船到对岸去。这时候，加藤樱老也来了，是手塚寿雄陪他来的。他带着笙、筚篥。大家在船上笔谈。）

绥所：何大使以下奉国命解缆，想送客如云。

（"小李逵"兼吉来。）

桂阁：是墨江泊之小李逵也。

枢仙：君命名甚是。第不识及时雨客。

桂阁：他亦忠义堂中一个豪杰，能使宋公明催笑。

枢仙：宋公明即阁下也，能多让乎？

（在墨堤散散步，樱老引导我们到白须神社旁边的一间茶店。之后，走到了隅田川，又走回白须神社。泰园、琴仙两人赶来了。我们上植半楼，开始笔谈。）

桂阁：远望之不如近望之，伊楼宏丽，诸婢无丑，幸缓意吃墨塘野蔬。

泰园：探赏樱花，老辈风流，兴复不浅。

桂阁：君来何迟也？料想昨宵读书最多而夜阑乎？公使随员一齐来，俟君久矣。

泰园：适有他友到敝寓，故迟来。

桂阁：贵友谁？

泰园：横滨来友。

（先吃蚬汤和炒蛋，都是植半特制的，很好吃。）

樱老[①]：此蚬为墨江名品，其味颇佳。

泰园：且食蛤蜊，其味颇鲜。

桂阁：墨陀野薮，恐不耐充中华贵绅之厨，用宜转谢之两公使。

---

① 樱老，即加藤熙，号樱老。维新后为京都大学准博士，擅古乐，著书二百馀种。

（又请他们写字。）

桂阁：伏请席上数叶挥毫，弟又赐一叶，幸甚！

黍园：席地不便挥毫，有纸取归书之可也。

桂阁：承席地不便，弟复不强愿此事，因冀诸贤能有当日之佳作；若不然，则弟誓不使君等归府。

黍园：今日非书画会，不写字，不作诗。

桂阁：复非聘红裙之会。

黍园：红裙不用。

桂阁：我辈来为东山名妓压倒俗妓，娃鸣犹雷轰之震，以乐献寿。

樱花：是天子之礼也。

（樱老开始奏乐。）

桂阁：樱翁确有戴安道之气概，不喜为王门伶人，而喜为雅筵奏曲。

枢仙：此樱老之高旷也。所谓雅乐，当向雅人奏之，庶不致对牛弹琴。

公度：樱老此奏，殊使人飘飘有凌云气，仆固不解者。然所谓暗中摸索，亦自可识也。

樱老：吹笙者独禁饮酒，饮酒则必须簧舌，大与酒入舌出者异其趣矣。是即乐中自立酒正之意，圣人已寓酒政于乐中。其妙如是，是古人不言及也。

黍园：发《乐经》之遗意，阐《酒诰》之精旨，是能言人所未言。

（这时候，妓女们唱唱笑笑，铿铿锵锵，很是热闹。）

樱老：急弦繁丝，杂嘈如咽，付之一笑。

黍园：嘈嘈杂杂如急雨。

樱老：今日盛会，和汉一席，开辟以来一大盛事，岂能无记以传后世乎？

（樱老奏得好，请各位注意！）

樱老：歌管相和宜潜耳而闻耳。

桂阁：先生习乐，宜使大星何公及张公周旋，予私谋之久矣。

（用烟盘来做鼓。）

樱老：活玄宗，击羯鼓，宜戏闻。

（这时前边的庭园里正演"大神乐"。）

樱老：堂下胡部偶与雅颂翕然并起，天上人间，俱同欢乐，是亦一奇。

黍园：刻下所奏何调？

樱老：《越天曲》。

桂阁：楼下俗乐，叫做"大神乐"，至其百般妙技，则有所不可测。

公度：其始于何时？ 在神武纪元之前？ 后耶？

桂阁：其来也久矣。敝邦之乐，起于神武以前。相传天照大神①匿身于岩穴而不出，天下人民皆讼苦，有力士手力雄猛者，排闼而扯焉，时天钿女命(乃女神也)奏乐云，盖敝邦古乐之始也。以降数千年，有如斯之俗乐。

公度：亦殊不俗。

桂阁：使樱翁假扮那俗乐生，则其趣如何？ 天下婵妍可举见其标致。

公度：樱翁亦不为之。假令樱翁肯为之，其乐便亦不俗。

桂阁：樱翁乐雅而不乱，那俗乐野而不贵。然而樱翁数吹，不为红裙所爱；俗乐才演，观者如堵。今日人情之堕落，于此事可知也。

公度：此理自然，无足深怪。若使人人能知雅乐，乐亦无所谓雅郑矣。

樱老：黄遵宪公乃初谒，私钦其高学，才子！ 才子！

黍园：字公度。

樱老：君知其为人否？

黍园：其人卓荦多才，渊博宏深，如吴之张公瑾②、唐之杜如晦。

公度：樱老今日亦来，剧佳！ 非是花不称是名，愿祝老人年年岁岁看此花也。

樱老：不料今日来，遇群仙高会，新霁和风，樱花烂漫，使人有入桃源、上天台之想，文缘厚福，乃奏一曲助高兴，多幸多幸。

桂阁：樱翁今日亦会，并真个樱花，好一对佳缘。

公度：此岛樱花有数百株？ 敢问。

樱老：一望约里许，难以数计。

公度：此花有所谓八重樱者，何以名之？

樱老：重瓣。

枢仙：或架而麻星。

绥所：二王氏先生久阔，尔来佳胜，奉贺！ 近来有佳作，请见示！ 仆姓内村

---

① 天照大神，日本皇室祖先之神。自天祖大日灵尊治高天原为天照大神，祭祀于神宫内宫及皇居内贤所。明治初在伊势山新建神宫祭祀之。

② 张公瑾，疑为周公瑾。

名宜之。去岁秋月之夜,泛舟墨江时,偶见写纸,今忘耶否? 何大使以下数名,君固知已耶?

琴仙:弟固熟识。

枢仙:梅史微恙耳,特怕风,故不敢出。

樱老:梅翁寒疾如何? 少好否?

黍园:已癒,但不可以风。

樱老:凭君传语梅翁:"近与红粉髑髅相亲,恰若绣鸳鸯,是风之始也。宜戒慎独耳。君而不言,则谁敢忠告!"

（这时菜差不多完了,现在拿来的是炸虾、醋拌凉菜——菜料里有魁蛤——小碟菜。）

樱老:今日盛会,不期而会者八百诸侯。

公度:若比会稽之会,则王氏兄弟,为后至之防风矣。

枢仙:黍园早到公署,道伊昆季先到贵府候钦差驾临,今反瞠乎在后,请主人出令,当罚依金谷酒数。

黍园:大块假我以文章,奈弟乏其才,乞减等罚以酒如何?

枢仙:酒令大于军令,乃主人赏罚不严,弟先请罚依金谷酒数矣。

桂阁:黍兄曰非书画会则不作诗,何以充金谷酒数乎,希君出其罚令之法。

枢仙:请罚酒百杯以为后至者戒。

桂阁:仅缓缓赦数等,宜罚一大白。

枢仙:君为令官,为君所命。

桂阁:君代弟罚焉。

枢仙:此是主人权利,弟不敢越俎。

桂阁:周亚夫曰:"军中有将军令,而不有天子令。"况酒场乎? 君为之,弟复何妨?

（这时候,堤边游人很多,热闹极了。）

桂阁:何公、张公、黄公、廖公、王公二兄、潘公,敝邦人内村樱所、加藤樱老及辉声:以上十名,以欲异日分韵而作今日之景诗,请君计之于公使,而照前日长酺亭之事而定题如何?

黍园:主人请吟,伏乞二大人首唱,附游者和之。

桂阁:君请使诸贤韵字可也。

泰园：已请大人明后日各有一诗相赠。

十里春风烂漫开，

墨川东岸雪成堆，

当筵莫惜诗兼酒，

如此花时我正来。

——何如璋

步何星使大人原韵：

千红万紫一齐开，

艳似云蒸又雪堆，

墨水江边无限好，

游人尽是看花来。

——王泰园

绝胜西园雅会开，

春花烂漫似雪堆，

樱桃休作桃源想，

为赋渊明《归去来》。

——源桂阁

向岛春深一路香，

香车络绎往来忙，

淡红浅白天然丽，

妒煞楼头粉黛妆。

——张斯桂

别擅风流红粉香，

茂卿载酒为谁忙？

春江如镜花如面，

点缀斜阳试晚妆。

——源桂阁

（这时候如璋、斯桂都乘兴写字。）

如璋：锦天绣地，咳唾成珠。

斯桂：酒地花天，兴高采烈。

莃园：宜用平声字亦可。请大人圈一字，明日步韵。

（如璋用笔在"高"字旁打个圈。）

斯桂：春风花事醉樱桃，人影衣香快此遭，归去欲携花作伴，折枝不怕树头高。

如璋：飞觞不惜醉蒲桃，海外看花第一遭，有客正吹花下笛，阳春一曲调尤高。

公度：长堤十里看樱桃，裙屐风流此一遭，莫说少年行乐事，登楼老子兴尤高。

琴仙：樱开时节赋夭桃，一曲春风快意遭，沉醉旗亭天欲晚，推窗遥接月轮高。

桂阁：墨堤十里看莺桃（《月令注》以莺鸟所含，故名），诗酒来游快此遭，博得华筵才子赋，洛阳纸价一时高。

斯桂：女伴寻春一笑逢，玉颜相映浅深红，怪他游屐纷如织，不看樱花只看侬。

枢仙：墨江之水清且深，墨江之上郁森森，周回香岛皆樱树，大者十围高者寻。我来樱海正五月，时届三春花尽发，栖身节署那得知，幸有源侯通典谒。源侯源侯东国豪，世守高崎志气高，一朝解组归林下，看花饮酒自消遥。自逍遥，犹寂寞，召朋宾，就花酌，雅乐竟奏闻未闻。环侍使星互酬酢，万花招颭舞樱前，酒龙诗虎相翩跹。要知此会开何日，明治纪元十一年。

（这时候大家都醉了，没有规矩。）

绥所：何大使带大命来，真大任。然而今日杂沓，楼非适意必矣。虽然，是亦客中之一兴，可恕可恕。

桂阁：长堤十里，不似隋家柳不系。

樱老：龙船系妓船。

桂阁：希不使滨姐充殿脚女。

公度：艺者不必招。出其家姬之下为殿脚女可乎？

桂阁：名姬滨姐同迎辇女如何？

枢仙：酒地花天之说，酒地诚是矣，然无解语花，奈何奈何！

桂阁：公使如许之，则墨江红裙可联袂而来也，不知公使许否？

枢仙：此事且作罢论，当归而谋之信子。

桂阁：河东狮子吼，可怕可怕！

枢仙：划里划里。（日语"不好不好"的意思。）

　　（我母亲的婢女乐寿来了。）

桂阁：母亲纪氏，贱荆武氏，业已谒公使，今来见君等。

樱老：窈窕淑女，钟鼓乐之。

黍园：文王与后妃并集，甚妙甚妙。

桂阁：那固小星耳，真"肃肃宵行"也。

黍园：爱厥妃，古公之遗风也。

桂阁：是沈氏之所言也，于弟复何知焉，惟不过销减阳物烈火耳。

公度：所谓爱及姜，及外无旷夫。

桂阁：内无怨女，盖阿信之谓欤？

枢仙：阿信一女，何可以况贵国女流也。

桂阁：东征。

桂阁：东征西夷怨，南征北狄怨。君之于红裙亦如斯。

枢仙：西极慈云，何足沾溉东陲？一笑。

桂阁：百姓闻车马之音，皆欣然有喜色。

樱老：王侯夫人来，亲侑杯酌，是亦文坛快事。

桂阁：其美虽比道韫、若兰，其才则碌碌耳。

黍园：道蕴、若兰未必有貌，君夫人未必无才。

桂阁：恍如苏小妹凸额，不似小妹才力。弟亦无秦观之才，却偶然好耦也。

樱老：才色双绝，君若不用，则予虽老矣，应取而代之已。王侯相丞，宁有种耶？

桂阁：樱翁矍铄如廉将军，勿使女子误传遗失之言。

　　（樱老……）

樱老：今宵亦明月，老辈渐行上于花街之五重楼，亦是一奇。醉倒于此楼，亦是一奇。应与明月相谋以决之。呵呵！

　　（中国朋友要回去。）

缓所：渐入佳境，请休归装。

樱老：君宜注意，此调不弹久矣。君其稍留！

　　（中国朋友准备回去。）

桂阁:看花而来,踏月而归,应徐徐而阔步耳。

樱老:此兴不尽,此兴不尽。

（樱老等都回去了,这是晚上九时的事。）

十、戊寅笔话　第九卷　第五十九话

（光绪四年三月十六日　1878年4月18日）

（戊寅——四月十八日清早,泰园邮寄这封信来。这天初次遇见了藤田东野、宫岛诚一郎。）

昨日之游,十里春风,樱花烂漫,开琼筵,飞羽觞,兰亭会上,有吟咏,无管弦。今则管弦吟咏,两美相并,岂非一时盛会哉! 然于君则未免过费矣。谢难笔罄。佳作诵后录左:

墨堤十里放莺桃(《月令注》以莺鸟所含,故名),诗酒来游快此遭,博得华筵才子赋,洛阳纸价一时高。

桂阁仁兄大人文右

愚弟王治本顿首　四月十七日

（午后一时,我到履祥号去。王履祥说:泰园、琴仙都到梅史那里看病去了。我正要回去的时候,泰园一个人回来了。这天我看见了一个女人叫阿铃的,听说她是琴仙的情人。）

桂阁:有何贵干而访梅翁? 且梅翁疾已痊否?

泰园:梅翁病已愈。今日请浅田先生诊视,弟嘱琴仙在梅翁处陪伴浅田先生。弟因寓中无人,故先归也。

桂阁:今朝贵牍中所云,君深料想弟费用夥多,切被问之,弟何不欣领焉。然弟之轻财喜客,固癖也。如有遇高士,则一时千金,犹销之于春宵耳。

泰园:君之雅抱,固以金钱为阿堵而用之,燕会嘉宾,大称快事。视君自奉,能以节俭为主,不浪花一金,与视挥霍如泥沙者有别,盖待人厚而处己薄,古人中亦未可多得也。

桂阁:阿堵之事,起自王夷甫。如弟则视财货复纯然财货也,故不浪费于粉黛者流,惟费之于嘉宾之用则不致。且千秋楼之价极廉,前日之会,不过十元许耳,幸勿烦意,而宾客主人陪伴合二十有五名。我园中牡丹盛开,必定可在谷雨之半矣。其刻也，欲使梅翁慰旅中之闷，并招君及琴兄。然而敝园之牡丹，其种乃良花种，有单瓣，有重瓣，有粉红粉白相杂开，实壮观也。弟料想此种恐是贵邦李唐之遗芬焉。其花之大，周约一尺馀，虽姚黄魏紫，复宜如斯矣。倘遇其时期，则俟之指日子而一齐来会，而游戏可也。前日梅翁之不会，盖至乐中之至忧也；如使梅翁在那筵，则佳作居多焉。今时有此话，仅在解其忧闷耳。

　　棻园：弟自春来闲居，得君资助，谢深肺膈！近日欲寄家，乞假金十数元，未知许我否？

　　桂阁：可也。如（中间四字不明）俟今月下浣，欲别呈（中间四字不明），刻以来月所奉赠之金元而呈耳。十元之外，欲几许金乎？明朝携来而呈耳。弟以不才，屡受高教，然学更不上达，想君必深笑其弩骀，希教不倦。

　　棻园：弟焉敢有倦？况君诗较前大进。

　　桂阁：惟觉愈学愈难。

　　棻园：惟知其难，即是进境。

　　桂阁：如弟诗学，幼时传平仄韵脚于村夫子耳，未敢入君子之庭。闻敝邦东京诗客大家极多，大沼枕山①、森春涛、大槻盘溪②，其他小野湖山③、植村芦洲④、关雪江⑤等。弟有所未安于心，而未执贽于他等。及与君值遇而独喜，曰："辉声也，今日初得伯鱼趋庭之时。"乃速脩礼拜师于江户川町，以来数阅月未得一篇佳作，实惭然之至也。

　　棻园：即赠梅仙诗中联二句颇佳。前日之诗，未能一气相贯，用典亦多杂出；今日则气皆相接，用典尚知选择，故较前大进。

　　桂阁：弟未知作诗法则，故胡乱推敲耳。伏冀君细说其平仄韵脚之法，及联句对偶典故相用之格式，则幸甚也。

　　棻园：平仄有定格，惟押韵先求其稳，再求清新，用典终要以意运动，不得呆用。（呆用者，言直抄其典，毫无意思，如木雕佛，如泥塑像，故曰呆。）

---

　　①　大沼枕山（1818—1891），名厚，字子寿，号枕山熙熙堂。被称日本一代诗宗，著有《枕山诗钞》。

　　②　大槻盘溪（1801—1878），名清崇，字士广。著有《孟子约解》、《近古史谈》等。

　　③　小野湖山（1814—1910），初姓横山，后改小野，名长愿，字侗翁。明治三诗人之一。著有《湖山楼集》。

　　④　植村芦洲（1830—1885），名正义，日本诗人。

　　⑤　关雪江（1827—1877），名思敬，字铁卿，号雪江。日本诗人、书法家。著有《字系六书十体考》。

桂阁:弟气象不活泼,并合拙诗,亦一对塑像雕佛,只愿君以一刀机算而入之魂。

黍园:君无此病,但手腕未熟耳。

桂阁:弟腕力固软如小儿,不知炼十年之后,能可扛鼎否?

黍园:不须十年,一年即能修王凤楼。君书法如乐水阁屏上隶书,如伴鸥楼小屏上正楷,皆大佳妙。刻所阅赠梅仙君书,与赠琴仙书幅同,而故意作怪,弟颇不喜,不如写隶书与楷书耳。

桂阁:君深爱弟隶书行书,固当然也,如隶则祖汉代,如行则宗米海岳,故可而行也。独到那行草,则弟聚诸帖之气力,一时勃写也,于是惟贻笑于大方耳,真不足使正人君子能见也。此赠梅仙及琴兄之书,则是弟稿也,所以浪写而表,不可其收藏。

黍园:学汉隶正书,须学钟字以相近也。行书学米海岳亦大佳。

（中略）

（我要访问黄、廖二公,到了传达室,看见一个年轻的人,我对他说。）

桂阁:请问贵姓名?

奕全:李奕全。

桂阁:源辉声欲见公度君、枢仙君,孰闲坐者? 并闻宫岛诚一郎来会,愿相见。

（奕全领我到廖——以下数字不明——,枢仙正在写字。我访问黄君。一个小孩子出来了,他是何如璋的儿子其毅[①],我和他笔谈。）

桂阁:何姓名?

其毅:其毅。

桂阁:与公使同姓。

（枢仙来了。）

枢仙:其毅即使君之子,与阁下兄弟也。

（其毅领我到客厅去。我们一面走路,一面笔谈。）

桂阁:弟以逢枢为一二之话业已为足矣,岂何劳公堂?

其毅:公度兄请你。

---

① 其毅,何其毅,何如璋之子,时年方十二岁。

（其毅领我到了客厅就出去了。这时，公度和宫岛正在笔谈。听说宫岛是米泽人，现在在修史局工作。）

公度：前日之游甚乐，感谢！

桂阁：可惜无一个殿脚女。

（枢仙又来了。）

桂阁：弟不知其毅君为子峨公令男，大致失敬。弟屡蒙尊严惠恩，前日复有辱临宴席之事；如前知君为子峨公令男，则前日亦同招无妨。可惜不使标致少年踏樱塘东洋娘子军中。

枢仙：因有东洋娘子军，故不便随侍；不然，亦要同行也。蒙询及，谢谢！

桂阁：高论固是也，惟可惜不使其毅君观那旗亭前所演俗乐。

枢仙：若得见之，其乐可知。容后有胜会，当可偕行。

桂阁：君视其毅君为人，其才学殆如陆机？

公度：是子年虽小，胸中已有十万甲兵，盖陆机、崔浩之流，其福则未可量也。

桂阁：弟现在廖君府中与他笔谈二三番，顿知其才不可量，伏冀使他列此席，而弟与他试笔话数十番，是荷。

枢仙：恐笔谈未惯，而谈则言语不通，奈何？

桂阁：以少年属文为奇，何管惯与不惯，请切呼出！

公度：文字能通其义，而尚未娴习。敝邦教子弟者，先充其学识，立其根本，而后始教以作文。是君年十三，未及教之。

桂阁：否！如君论则向大方儒而可说之言，如弟辈菲才，则何系其立根本乎？惟于如知其二三笔话者而为足矣。其毅之笔话，大人犹避三舍，何有愧于弟等乎？切请招之！

（其毅来了。）

其毅：请问几岁？

桂阁：少于黄兄一岁也。请问几岁？

其毅：十三岁。

桂阁：异日君与张子敬（中间一字不明）来敝庐，即游墨江，棹舟垂钓而乐耳。

其毅：异日同子敬到府拜。

桂阁：油罗须！油罗须！（即日语"好！好！"之意。）

其毅：请问你几兄弟？

桂阁：一弟四妹，弟在洋学塾研书，妹各适人。不知君兄弟几许？

其毅：一兄一嫂在家中。

桂阁：可爱可敬可怕可惊。君尊字叫何？

其毅：无别字。请问你父母在否？

桂阁：椿花谢，萱尚荣，如尊园则必定并茂。请问萱堂年纪几许？

其毅：三十九。

桂阁：艳姓？

其毅：杨。

（下略）

十一、戊寅笔话　第九卷　第六十话

（光绪四年三月十七日　1878年4月19日）

（戊寅——一八七八，光绪四年，明治十一年——四月十九日，我到榛原笔纸店买洋式本的诗笺和信笺两盒，这是为了送给何其毅和魏通事而买的。下午三点多钟，我到公使馆笔谈。这天我和表哥梅仙一起到滨畸町御苑游玩，忽然下起雨来，我匆匆地逃到公使馆去。这是在滨畸町写的偶作。）

游滨畸场御苑作（苑傍海湾，多有春花。桂香女史携"颜色"而玩，故有此作。）

御苑湾前沙径纤，春花丛里鸟欢呼，凭栏觅句推敲久，蚤被佳人巧作图。

（中略）

（这时候魏柴门来了。我把买来的文房用具送给他。他说：昨天晚上在花月楼喝酒之后，到向岛去，十一时左右才回来。）

枢仙：昨夜与公度、子纶、其毅等携魏通事游香岛，竟将马车缓走花丛中，适月色朦胧，淡香疏影，于梅花外别开境界。回车憩茶寮，遇一群女郎，款门殷殷，食以百果之饭，想刘、阮遇天台仙女，饭后胡麻，当不过是，其馀皆掉舌也。阁下以为何如？

桂阁：知是花月楼之馀波。

枢仙：花月楼是引子，游香岛乃正文也。曾蒙宠召在艳阳天中，故变而为夜，以玩此月地花天之景耳。此景殊佳，可恨阁下不肯同行，稍觉减兴。

（中略）

（我请枢仙在扇面写字。）

枢仙：此扇是书阁下款否？当用楷书？行书？请示知。

桂阁：此扇即弟平生所用之物件，惟嫌素纸无趣，故请黄君、廖君、沈君等之书，转复乞桼园、琴仙等之书，表里普成字，而后弟带携。请即写数字乃至一个大字亦可。

枢仙：当于窗明几净时端写数行，容月奉还可也。

桂阁：素厌平生所用之扇，不必明窗净几，即刻挥毫甚妙。

枢仙：请携回案头上书之可乎？

桂阁：其扇乃刻携归之物件，请一挥！

（枢仙拿扇子退出去了。黄公度进来了。）

公度：昨夕月色未好，徽云滓秽太清，遂觉花影皆在朦胧中，花月楼亦犹是，殊不高兴也。

桂阁：尤便于兴云雨，所谓朝为行云，暮为行雨之类也。

公度：可惜又不雨，云亦未佳。

（公度指魏君对我说。）

公度：是子尚未聘妻，君何不为之作媒？

桂阁：他业知阳城、下蔡之情，何须媒？

公度：是子向不出门，冶游则断无之，不可造此谣言。

桂阁：如昨宵花月冶游，则其一也；金八玉八，乃此班之一尤物。

公度：是即所谓阳城、下蔡者耶？吾固未知之。

（枢仙写好了，回到这里来。他写了"茨菰叶烂"之诗。我请公度也写字。）

桂阁：刻赐写字。

公度：弟不作楷书三十年矣。

桂阁：襁褓作楷书，故至今能脱凡骨矣。

（黄君写张船山的诗。我对枢仙说。）

桂阁：弟前日请梅翁以写联幅小楷数行，梅翁乃许之，倏忽举笔，岂图翁疾不瘳，稍半成耳。弟固识翁精楷法，看其写字，乃能入黄庭坚之美矣。今见君写字，亦其法，真可惊，异日携联幅绫绢而欲乞小楷尊写，不知君许否？

枢仙：写小楷断不能，写大幅如一尺八寸之绢乃可。况小楷乃是少年雕虫之技,弟年四十,实勉强塗鸦矣,谅之。

桂阁:小少之小楷,即黄公是也。或书至半馀而有不能全终之病,宜须强仕之人而请之可也。

(他很注意我的家徽。)

桂阁:叫做徽章。凡我朝每家皆有徽章,或花卉,或鸟虫,甚用焉。弟徽章乃蛱蝶也,扇子也,二个各别矣。今假并其二者而命也。

公度:德川氏之章为葵花,是否?

桂阁:葵叶而非葵花。

公度:团扇此邦合用否?

枢仙:昨闻贵国樱老言,东京有北郭游里,为少年士女游乐之所,街上遍植花卉,春时灿烂如锦,是在何处?

枢仙:乃狭斜也,三层楼阁,三千名妓集在焉,如贵邦所言,则扬州是也。

枢仙:地在何方?

枢仙:距此约十里朔边也。

公度:是乃少年行乐之地,如仆三十年不作楷书者,不可必去也。

桂阁:此地试谓销金锅可也。

公度:此所谓钜鹿之战地也。

桂阁:魏氏诗云:"中原还逐鹿。"又曰:"岂不惮艰险,深怀国志恩。"

公度:钜鹿之战,诸侯膝行而前,莫敢仰视,即请君侯屈膝于是子可也。

桂阁:北里之地叫做吉原,多构妓楼,其势殆如金陵矣。黄昏之时,数十名姝,晚妆而须客来,若驱马车,则西洋一时可往也。至其道程,则鲤门知了。

公度:鲤门知之,不知几跳而后登其门也?

桂阁:何(中一字不明)明高一跳,直上龙门。

公度:《左氏》所谓魏人躁(此字须通汉语者方知之)而还耶!

(下略)

十二、戊寅笔话　第十卷　第六十四话

(光绪四年三月二十四日　1878年4月26日)

(戊寅四月二十六日午后一时,我在公使馆和梅史笔谈。据阿春说,梅史刚从筑地回来。）

桂阁：刚才的君向何处而去？

梅史：因有事至筑地王黍园处。

（黄公度来了。）

桂阁：再三来敲高轩，不得拜尊颜。今者何幸见君，君闲忙如何？

梅史：昨在寓恭候，未尝出门。今日亦无甚事。

桂阁：昨天适有朋友来，终与之相携往游，故不得敲高枢。今朝夙兴漫步，现造府会君，无事，冀以这里风流佳话而叙谈，敢问黄君今日聘小星乎？

梅史：黄君小星，尚"嘒彼在东"，缘悭，奈何？

桂阁：年纪三五欤？

公度：昨与梅史坐此，思念阁下，遂与之联句成一词，当录览也。

调寄《摸鱼儿》（赠源侯桂阁）①

词有音韵节拍，倒读则全失之。彼此方言既异，贵国人善为诗者不少，善为词者固未之闻也。

桂阁：如节拍则倒读而虽不得其气，然至作其词则复与作诗一般法式，而不可谓难作矣。惟奈词之作式，册籍极寡，故缺之。今者海外四邻通商贸易，敝邦人作词之事，期日可俟也。

（他拿两本很好的词谱给我看，四声工合的记号都具备。）

梅史：《碎金词谱》，松滋谢元淮撰。此书有初刊仅四本者不佳，续刊十馀本者方佳，工尺字贵邦亦同耶？

桂阁：近时清乐大开，敝邦人颇惯工合尺六等字，虽弦妓辈或学得而弹阮琴或提琴；可惜儒者不能作词，盖所以乏词式典籍也。弟视此书，羡慕不已。敢问君不售弟于此书乎？请以七十馀城偿之耳。

梅史：此书已残本，弟意拟雇人抄出翻印之如何？弟另选定为一书可也。弟久欲将此书一选，雇人抄出，用活字翻印之。此事弟任选定，其抄胥与翻印，则君任之如何？且此书印行，购者必多，亦一时美事也。

桂阁：弟试欲命家奴先抄写一本，伏冀每一册贷一个月之暇，必定俟一年而成也。不知许否？

---

① 词见本集上册第一编《人境庐词曲赋联》。

梅史：可也。

桂阁：不如驰书于贵国而购之，请示其贩卖之肆号及其价几何？

梅史：此书其板已毁，恐不可购得也。

桂阁：恐有剩一二部，转寻于贵国，颇两便也。

梅史：遇巧亦或有之，其价甚贵，约需数十金。

桂阁：数十金亦毫不厌，冀与弟驰书贵友处而转买，复无其馀手段乎？

梅史：现在且托王惕斋购之，如购不得时再商。

桂阁：大明徐伯鲁著《文体明辨》一书，其附录乃词法也。可惜惟缺其硃字，他日携来而订之于君则可也。俟其时而后可否，俱谋惕斋，如今者则不可出口。

梅史：此外惟《许穆堂词稿》，旁有工尺谱，此书当可购也。

（梅史看了词书，便说。）

梅史：其平仄相同便可歌。去声字用去声，上声字用上声，乃可。若如则更好，但难作耳。其间平仄依谱，已可歌矣。其中、○-最要紧，此是节奏。

桂阁：词式之事，前日与黍园笔话数百番，不能互通其奥旨，更笑而止，盖因其言辞繁杂，事物夥多也。今使魏梨门请此座，如他来，则诸君教其词法之详。

梅史：梨门汉话用之文字不合，不如"管城子"也。黍园能作词，而词之歌法未知之。且伊所学乃《词律》；《词律》一书，盖不知而妄作者。解此事者，弟有老友许箬垞、陆菊笙，惜今皆已去世矣。

桂阁：敝邦诗人，业已争学作词之事，那如森春涛等各常研究词律，异日佳作，复可出自东海。伏冀君教弟于词式，则幸甚。现闻如君所论，则词单照平仄，不强分拘上去入声也。定然否？如斯式则弟试赋一章以献丑；至分四声则不能速推敲。凡敝邦人大抵知平仄之分别，而不知四声之分别。

梅史：词盛于宋，后变为曲，故歌词之法，后人知之者少。填词一道，所重东板眼（即乐之节奏谱内、○-是也）、平仄，则音之开合，故须依谱，然其间亦有可通融者，但歌之不拗口则善矣。惟"不拗口"三字，可以意会，不可以言传，当先习歌与丝竹，则自明其理矣。后人不知歌者，于四声及字句分别，强作解人，可笑也。此事详于《学乐录》。

桂阁:那柴浦① 翁固喜音律,及看尊著而恬然解惑矣。如词等亦使柴浦氏转问君,则弟之惑可解。

梅史:柴浦翁异日可一晤否? 弟明日往横滨,俟回时与君约期可也。

桂阁:弟料想君精吹弹,如柴浦氏谒见之日,则君携数种乐器而试吹弹如何?

梅史:吹弹弟不甚善,但能解其理耳。

桂阁:经几个日而归来,预知其时而报他。

梅史:明日去,后日归。柴翁处约五月朔可也。弟昨得家书,小儿已进学,敢敬以告吾兄。

桂阁:庆贺庆贺。倘家书无惮于弟,则赐一读。

　　(家书上说:)

科考题目　犹有存者又有比干、箕子。

诗题　花坞夕阳迟(得“迟”字)。

复试　吾岂若于吾身亲见之哉天之生此民也。

诗题　一片春帆带雨飞(得“春”字)。

公度:尚有他事,敢先告辞。前所假壁衣,仆因书械无可位置,仆今所用复假之廖君,如命匠制就,掷还是祈。

　　(黄公度一去,廖枢仙就来了。这时候,“别嫔”们都洗澡去了。)

桂阁:廖公近日爱婢多少? 情味厚薄果如何?

枢仙:当横陈时,味如嚼蜡。

桂阁:胶漆复比矣。

枢仙:君子之交,其淡如水。

桂阁:“七月七日长生殿,夜半无人私语时”,诵吟而急呼信姐。

枢仙:适与春姐同往洗澡,四时当呼之来。

桂阁:现知宠妃拟子母钱而浴华清别殿,恨使诗客咏“沙上凫雏,竹根稚子”之句。

枢仙:少安毋躁,何其遽也。惜此行不知去向,不然,请效汉成帝袖金窥之。贵国之刀,是何样式? (中两字为蠹鱼所袭)好者可能购得否?

---

① 柴浦,即依田贞干,号柴浦,佐仓藩旧臣。

桂阁:如今君欲买刀,则奸商或增其价而售耳。恐其质甚贱,其价甚贵也。弟别广谋诸友与君。欲周旋此事,请暂俟余报,自然得其质极好,其价极廉。

枢仙:拜谢拜谢! 务恳留神!

十三、戊寅笔话　第十卷　第六十六话

（光绪四年三月二十七日　1878 年 4 月 29 日）

（戊寅四月二十九日午后一时,我到履祥号和泰园笔谈。惕斋引导我到后边的密室去。泰园、琴仙等都和女人在一起,可笑可笑! 这天我拿来了不少的绢,为的是要请诸君写联幅。我对泰园说。）

桂阁:此二幅绢本偏愿棽、琴两位老爷写前日墨江同探樱花诗(张星使所出"高"字韵),而七号乃请棽君八号乃请琴君而烦毫;且此绢要横幅,则啻写诗,恐剩馀白甚多,而体面不整,不如细录游墨江千秋楼酌饮步张星使韵云云可也。原来所剩,亦乞两公使等及前日同游之人而写当日"高"字韵诗,为并制双幅,故有此请也。

棽园:"高"字韵一首:

梅花孤冷为谁妍,疏影何堪傍舞筵,我自怜香存至意,谋将移植到窗前。

桂阁:佳作系何日感何的而作?

棽园:有友爱旗亭女,女名小梅,余昨日同饮于此,作此以赠友。

桂阁:为栽梅,那鹤自寂寞。

琴仙:梅妻鹤子。

棽园:本无鹤,何有梅?

桂阁:前日梅仙墨江千秋楼书画会时,尊词及琴君律诗,弟欲抄写,请暂借焉。

棽园:稿已不存,容夜间追忆得之以赠。

桂阁:弟昨在此处观《苏东坡诗集注》,深喜其注疏甚详细,即归途游书肆一物色之,即得一部,而其文中之异同难辨,只愿照看尊集,而后欲购之。希今者贷那《东坡诗集注》一本,明日携来而奉还。

棽园:可以携去。

桂阁:曾闻苏东坡先生骈文颇巧,弟欲得其书而阅之,不知苏文集中有否?

而苏文集的叫何的则注疏极详细,请垂教。

琴仙:子瞻乃宋代才子,故其诗文俱臻大佳,其文如澎湃波涛,劲气直达;其诗乃一往情深,如见肺腑,真有笔有书,文情并茂。

桂阁:如整文则寻讨甚么书可也?

琴仙:《苏文忠公全集》,则诗文俱有。

桂阁:注解备的,叫做集注欤?

泰园:此诗集是施注最详,诗文全集不知是何人所注。

桂阁:施氏讳何叫? 字亦何叫?

泰园:愚山。

桂阁:暂请恩借这二本。

　　　(我借了这两本书。)

泰园:今日公使招余有事相谈。君售得苏公诗文集,则借一阁。

　　　(我对琴仙说。)

桂阁:那别嫔谁闺中宠的?

琴仙:弟当呼之以嫂。

桂阁:良人姓?

琴仙:施施从外来,而良人未知之也。

　　　(我责备琴仙。)

琴仙:惕斋、阿竹已去。

桂阁:其名阿竹,之去,有何缘故而然?

琴仙:氓。其母则不可。

桂阁:弟愿迎他于丹树茂处,而充素英寒簧之任。

泰园:当奉赠以充下陈。

桂阁:欲俱乘彩鸾。

泰园:君子不夺人所好,君何取焉?

　　　(中略)

　　　(后来我在客堂里遇见了黄、廖二君。有四个日本人正在和他们笔谈。)

桂阁:东洋四客,弟未识之人也,密示其姓名。

枢仙：本原元礼①、增田贡②、小山朝弘③、杉村武敏。

桂阁：弟今者携二个横小幅来，而欲乞前日墨江千秋楼中"高"字韵诗之玉写字，如廖君则惟古诗一篇耳，宜写其古诗，而其幅横极阔，至其末而题某月某日往游墨江云云，甚为妙。两君如许之，则弟即将此绢本奉呈府上。

枢仙：此事当徐议之。那日"高"字韵诗俱未曾作；弟席上所口占者亦不知是何言语，实忘记矣，谅谅！

桂阁：尊作业已藏敝庐锦囊中，明日抄写而托邮便，而此事宜并乞黄美男。

枢仙：黄君云，容日当补作一首。

桂阁：此举也，小横幅绢本凡八个，由何君至王琴仙以其席间相列坐的之当日佳作都乞写稿，而成之日，并裱，以欲为联幅，如此幅之裱装意匠，俟落成之日，而可呈一阅，必定君等甚赏无疑。幅面题三字号者请黄公，题四字者请廖公。

公度：敢不如命。

桂阁：弟请两兄以构幅各一个，而君等许诺了，实感喜之至。又以其同幅欲乞何、张两公使，而何君有"高"韵"开"韵二作，张君有"高"韵"妆"韵二作，皆并题而赍焉。君幸转告焉。而构幅之款中，或题某月某日墨江千秋楼云云，甚为妙。而构幅附一号者系何公，附二号者系张公，请君熟记勿误。

公度：诺。

桂阁：归时奉之于府上可也。顷闻公署迁别处，果有此议否？

公度：欲迁而议未成。君有旧藩交好废址，可以造屋者乎？

桂阁：弟复无交好中其废址补理而可造屋者。虽然，试询诸四方耳。至其广袤方位而以何如为便乎？

公度：以三四千坪为宜，地势宜高爽，离东京一二里亦可。

桂阁：以两公使之命令魏鲤君谋其事于我邦人，最惯其本事，则其易犹反掌。

公度：既知之，不过承君问一言之耳。前戏梅史有诗云："人工脊鸰相交术，我是鸬鹚不合尊"，皆用贵国史语，君知其意乎？

---

① 本原元礼，字节夫，号老谷，与冈千仞为少时同学。

② 增田贡，字岳阳，著有《清史概要》。

③ 小山朝弘(1827—1891)，号春山。明治年间出任于司法部。

桂阁:不知前句,则弟可惭红裙;不知后句,则弟可愧神明。弟每上旗亭,未有伴君之事,弟猜君风姿标致,危其娘子军侵击欤? 异日若有请,则必不可辞;纵令辞之,弟强促驾。

公度:敢不如命。

桂阁:弟常以谓往履祥号与王埭、王琴两位相谈,譬犹在自己家中与浑家谈论家事,其言严恪谨肃,奉命只顿首耳。往月界院与黄、廖、沈三君相谈,譬犹在烟花里接于名姝,其言婉丽有风趣,闻话只恋恋不忍去耳。君之于东洋人亦有此感否?

枢仙:相谈各随其兴,遇有谈风月则风月,谈经济则经济,中人东人,俱无异也。君达人,定解此。

公度:晏子所谓入狗国则入狗窦(是弟譬喻语耳,不得牵涉贵国),与君言,固宜言如此事,一笑。

桂阁:狗窦中何者班狗,能来驯尊府,而其吠声亦适君意乎? 狗固与人相驯,史已载孔子累累若丧家狗。狗而充猓,盖东洋学者之所喜。

公度:摇尾而不入其门,固甚喜之。近洋学盛行,西洋人性爱狗,仆亦染此习也。

桂阁:辫爷摇头,犹狗摇尾,呵呵!

公度:然则君比沐猴宜矣。此一辫者,比诸孔雀之翎,庶几似之。吾国旗画龙,即曰龙尾亦可。

桂阁:沐猴之名,起自项王,项王亦贵国人也;东圣神州孙神圣亦非敝邦之人,君之胡言可笑……。

公度:不愿为猴,则仍为狗可也。吠声云云,是君所供之状也。

桂阁:狺狺来扰府庭,冀君勿加鞭箠,试加驯之,则时或守门也,遥优于睡狮。

公度:当善养之,如西洋人同榻无不可也。如有暇,望仍摇尾而来耳。

桂阁:使"黄"耳,幸客入府是祷。

公度:退食有暇,偶谈风月,固甚佳也,前言戏之耳。

（这时候,那四个日本人正在和他们笔谈;我也找机会和他们笔谈。）

桂阁:本日群贤麇至蚁聚,如敝狗则去耳,待沐猴啖果之时,而偶游耳。不知何日猴爷游水帘洞? 弟见信姐性质伶俐能惊人,真个今日之小蛮、朝云徒。

枢仙：可期贵友复有如元微之者,世有双文,则宜为伉俪;又有如秦少游者,世有小妹,则贵为夫妻。而如黄公,则现学谢佛印于琴娘欤。

枢仙：然。

桂阁：谈风月不如往金春巷(一作"今春",即狐窠)谈风流。东坡有诗"肯作蜂窠寄此生",弟深感此言,取以为斋号;如君则曰入孤窠寄此言者欤。

公度：李长吉有"秦宫一生花里活"之句,以赠君尤妙也。

桂阁：闻贵国小水湾天狐贻书之故事,君亦此辈耳。

(我要回去的时候,看见张副使令孙子敬正在念书,旁边有一个约莫四十左右的人。)

桂阁：请问贵姓名?

积型：施积型。

十四、戊寅笔话　第十卷　第六十八话

(光绪四年三月二十九日　1878 年 5 月 1 日)

(戊寅五月一日午后一时我到公使馆去,路上碰见枢仙、勉骞。勉骞在手掌上写了"沈在黄处",我就到黄的房间去,果然梅史在这里。大家一起到梅史的房中来笔谈。)

桂阁：弟途中遇着枢翁等,果往何处?

公度：往市场。

桂阁：否,必定登旗亭,不然则结缘而往,尤所怪。

公度：彼与冕轩其他诸君别出,不知何往也。墨江樱花今既落尽久矣。

桂阁：却见绿树重阴,颇可科头箕踞,眼看他世上人。

公度："绿叶成阴子满枝",吾不愿复问此花事也。

桂阁：紫浦翁今日不能造府,欲约别日。

梅史：昨在横滨未回,闻黄君言,阁下至此,失迎,歉甚!

桂阁：弟之来也,在欲烦尊写耳。乃将前日墨江作,乞何、张、黄、廖及枣、琴两氏书,如君则录此诗可也。现奉呈绢本。横幅多剩馀,自宜写某月某日某事云云。

(这一天,我写好墨江诗稿带来,给他们看,并拿绢本给他们,请他们写。)

桂阁：其作甚妙，不及必择他作。

公度：此诗至卑且陋，自改一篇以呈。梅史未与，可补作一篇。前与梅史联词，当缮就呈上。近日所托之绢，既转呈何、张二公使矣。

桂阁：如《摸鱼儿》一词，则另呈大幅可也。那小幅强写之。

（梅史立刻写好了。我对黄说。）

桂阁：梅翁即度挥毫，请君亦仿焉。冀转达之于枢翁。

梅史：尚有馀绢，则有词一首，亦可写呈。

桂阁：词系何调？

梅史：系《满庭芳》，余与黄君联句，为看樱花作。

桂阁：明日呈一幅大绢，欲乞并写那《摸鱼儿》与此《满庭芳》。

梅史：照此而填可也。若欲谐丝竹，付雪儿歌之，则非《碎金谱》不可。

桂阁：弟无李密之才，才以填为好。

梅史：阁下世家，岂无歌儿？弟非姜白石，不致请顺阳公以青衣相赠也。

桂阁：弟顷学戴逵不为王门伶人之语，虽有歌儿，无奈之何。

梅史：阁下好文词，而又好声色，弟久知之，前言特戏之耳。

桂阁：彼一时也，此一时也。

梅史：填词一道，取其可歌，若欲谐音律，则须有节拍，故必须依旧谱。至平仄虽不必拘定，而其间有同一平声、同一仄声，而用此则谐于歌，用彼则涩舌梗喉，其故在一韵之中，有七声高下，若谱内为此细分，则人必不能措手，故必俟脱稿后付之歌者，歌有不协，则改易之。

（我把文徵明翁诗馀的部分打开来给他们看。）

桂阁：此书可充填词之用乎？

公度：不中用。

桂阁：何故？

公度：明人于词律全不解。

桂阁：虽明人著词，总是前代之名调。

公度：词调自可观。其所云平仄皆无依据。

桂阁：云何无依据？

公度：不识所以然，或见古人有为之者，则附会之，其云可平可仄，大半武断。

梅史：初学填词，亦可以此为之。

（我打开《天仙子》调的部分来。）

梅史：同是《天仙子》词，而此词平，彼词仄，可知平仄不拘，然亦不能全异，异则并非此调也。

桂阁：此书及《碎金词谱》不载节拍之号，前日看一书，有载"字"号而示拍者，至节拍则何书最分明？

梅史：君所见乃强作解事者所为。节拍惟《碎金词谱》有之，如"天"、"黏"、"衰"、"草"，○是节，今谓之眼；丶×－三者是拍，今谓之板也。

桂阁：闻高言，略领其旨。如然，则填词之后，订其眼板稍可。

梅史：有不协者再加改易。

公度：前见与黍翁笔语及东坡诗，东坡诗注有我朝冯应榴注极佳，君见之否？

桂阁：弟欲买者在苏文集详注耳。

公度：文无注之者。

桂阁：已矣无力，苏公整文，人皆称之，故欲买也，不知何书载焉？

公度：所谓整文者，谓骈体文耶？其骈文亦无注之者。有《三苏全集》，又有《苏文忠全集》，其文议论多而用事少，又皆光明轩豁，故不必注也。

（黄氏回去了。我对梅史说。）

桂阁：弟欲学香奁诗，此事甚么作式？

梅史：可取《韩冬郎集》（名偓）读之，若王次回《疑雨集》则格太卑也。

桂阁：叫做《韩冬郎诗集》欤？而其册套之数约几何？

梅史：即《韩冬郎集》，其诗甚少，约二卷。此书上海可购。

桂阁：香奁体作法复与寻常绝律相同而然否？

梅史：相同。惟香奁体宜语雅情深，不可涉于淫亵，则善矣。所谓好色而不淫也。五律七律五古七古皆有之。

梅史：竹枝乃楚中歌名也。唐刘禹锡依其调，言乡土风俗，故后人作者，皆以摹写风土习俗，宜古质。若今人之竹枝，则鄙俚，较之于山歌渔唱，尚不及也。其调亦是七绝。

（下略）

十五、戊寅笔话　第十一卷　第七十二话

(光绪四年四月五日　1878年5月6日)

（戊寅五月六日早晨，我打发人带这封信到公使馆去，交给魏梨门，并附赠何子峨公使以《前贤故事》一部。）

大臣何公台下：侧闻公酷好典籍，驻我邦以来，大觅四方书，专览专读，以备参考。前日辱得私觌，入其斋，观其架，我邦古今书籍，垒垒叠叠，不下三万签，可谓邺侯之流亚也。嗟夫！我邦载籍极博，但得实者盖鲜矣。虽然，世不乏史传，而人子于视古推今之学，无关其用者，殆不惭中华文物之炽盛也。惟所憾者，古来绘画，缺彼传神之妙手，无足观者焉。中世以降，善画者大抵取法于中华摩诘、思训等诸名流，巧乎中华之画者不寡，而精乎吾邦之画者甚少，洵为可惜焉。其馀至俗间画图，虽皆精写神，其陋无足言者，不过徒供妇女之卧游而已，固不得为士大夫考古之具，并又不能为文人雅客之所欣赏，其故何也？以此种画工，不学无识，不能斟酌其时样也。至今名士，往往有不释其疑者，乃阅其书，牵强附会，传误者颇多，靦乎无愧，何惰之甚也！又闻公大才卓识，今世罕匹，意者当其博览吾书而观之，不敢信此等俗间史传画图。然至其隶役僮仆辈之贱，或观之信之，则自传播讹谬于中华欤，抑不可侧也。顾我邦上古文物质素，民俗醇朴，其仰教于中华学道，孔家之遗训，礼仪服饰，宫室器用，率折衷于此。又鸿儒硕学辈以我邦固有之风俗为贵，非方今专溺洋习者之比也。桂阁窃恤中华人或误信我邦人自古浮薄利，喜新奇，专学殊域之风，则不独桂阁抱杞忧，即我朝之耻也。桂阁有慨于是因，今谨呈《前贤故实》全部二十卷，公若赐清览，幸甚。此书系菊池民保者所著。此翁精乎邦画，至其图，推考旧典，不毫加私意，其衣冠剑履、甲胄兵伏之类，皆善写当时之实，无有妄诞。是乃桂阁之呈公微意之所在也。公披卷观之，则必有知吾古之文物风俗之概略，宛然如接我古人，亲听其謦欬矣。而公精乎扶桑典籍之名愈扬，而中华传俗画之弊顿绝矣。《尔雅》云："画，形也。"今弃其形而写之，复何益焉？昔有韩幹、周昉传写真之优劣，吴道子、阎令公木剑帷帽之病诊，可以为传神千古之鉴诫。桂阁许武保以曹霸、顾恺之之伎俩矣，不知公以为然耶？以为不然耶？必将以有诲焉。不一

右启

大德望大臣何公台下

眷晚生源桂阁顿首拜

（黄公度借给我壁衣，今奉还。为了表示谢意，我送给他《名家文抄》一套，并写了这封信。）

公度仁兄阁右：奉借之壁衣，即摹造了，乃奉返。尊物盖弟誓以四月三十日，而期日迟缓，真个赧然！如弟则屡促其匠，匠惶惧，奉令而制之；谁料匠造之复未熟，故致此罪，幸宥刑。此书全部叫做《名家文抄》，谨呈阁下，幸赏清览。匆匆不一。

伍月初陆日　辱爱生源辉声

黄老爷阁下右

（下略）

十六、戊寅笔话　第十二卷　第七十七话

（光绪四年四月十日　1878 年 5 月 11 日）

（戊寅五月十一日午后一时，梅仙说今日梅史要来——中间数字不明——石川鸿斋① 也在这里，真是很好的机会。我请人去叫黄公度和廖枢仙。）

桂阁：代梅仙氏而言

刻驾临之时，冀同伴黄、廖两先生具携巨笔巨印而来是祷。

梅史老爷文右

弟源辉声顿首

（二时左右，梅史一个人来了。因为黄、廖两位没在家，所以不能同来。我和鸿斋陪侍梅史。）

桂阁：昨罄畅话，弟代鹿门谢恩波之辱。今者突然来访梅仙兄，恰好鸿斋先生在席，语以驾临之事，弟固所慕，乃代家婢为烹茗以相俟。

梅史：昨晚上鹿门先生处谈话，畅归后，梅仙君约今日相晤，幸遇仁兄在此，更妙矣。

---

①　石川鸿斋(1833—1918)，字君华，号芝山外史、雪泥处士。明治间诗文家，后潜研经史，擅长南画，尤精人物、山水画。

桂阁:昨谒复今见,盖奇缘中之奇缘,倘使女子如斯,则厚敬拜月下冰人可也。

梅史:昨晚归后,公馀与黄公度联词,咏听清乐,调寄《买陂塘》①:

鸿斋:金声玉戛,淋漓溢纸,与钱厓《乐府》伯仲。

　　　（鸿斋要桂香女史写他的画幅。）

桂阁:容作题莺入新年语诗一首书之如何?

　　玉宸钟鼓报春光,上苑莺声啭新簧。扫眉才子多聪慧,写入丹青献东皇。殿中含笑跨绝技,敕赐内府春罗腻。嫣红姹紫娇春风,留与他年传盛事。

　　　（中略）

鸿斋:沈南蘋,乾隆年间来游长崎,居敝邦数年矣,其间作画及数百幅,邦人最所珍赏,而贵邦何处人,诸书无载,不知有其传否?

梅史:闻是江苏人,其人久在贵邦,故我国专(全)不知也。

鸿斋:南蘋之外,有伊学九者,最善南宋之画。敝邦传南宋之画者始于伊学九,此人亦不知其传,顾商舶之至,以善画名其名。贵邦有(其)传否?

梅史:敝邦人太多能画能书者,大约百人中传名者才一二耳,即如弟之曾伯祖墨庄公,画亦绝妙,以不轻作,故知者甚少也。同时有沈荃,官玉② 侍郎,入《画鉴》。

鸿斋:墨庄公名字如何?

梅史:讳烜。

鸿斋:系明人耶?

梅史:雍正时人。

鸿斋:沈姓,石田先生以来以画名,先生亦其流亚耶?

梅史:自石田先生之后,沈氏以画名(者)约二十馀人,沈荃为最著;如弟则略解涂鸦,不可谓之画也。

鸿斋:谦甚。

梅史:弟家文集如叔祖鹿园公以下,皆毁于兵燹,此行携有伯父所著《平园子》,现在用活字板印之,俟成呈上,此书系论道之书。

---

① 词见本集上册第一编《人境庐词曲赋联》。

② 玉,似为至。

鸿斋：遽公行于世,刻成拜读。阅下所著文集,前日于贵房得一观,忘题名,请亦具名目。

梅史：《石斋古文稿》。

（下略）

十七、戊寅笔话　第十二卷　第七十八话

（光绪四年四月十二日　1878年5月13日）

（戊寅五月十三日午前十一时,我到南传马町伊东屋去访问冯雪卿①。雪卿不在,房间里的桌子排得很整齐,桌子上贴了这个字条:）

案上杂物,倘要取看,仍归原处。

颜色盒内均有清水,倘要近观,平拿之。画桌上另物排法,有一定之地位,求诸君不可东拿西搁。油手切勿取画盆画盃。

主人素喜"定静"两字,恐遇不知之人,特留言,知我者谅勿见罪。

（琴仙在家,他对我说。）

琴仙：敝国书家者以谁为佳,即住东京而言也。

桂阁：谫劣陋识,岂何许之!不知兄先以谁为冠?

琴仙：阁下何出此谦言也?当必有所合意者,不妨言之。如不言,想一无可当意者也。

桂阁：一定悉皆合意,故不能言。倘问各家小星之丑妍,则一一当快品评甲乙。

琴仙：以谁家小星为妍,请试言之。

桂阁：我不言,兄必有觉,不如《长门赋》。

琴仙：先生盖善戏言,论字则言之小星,所问非所答也。

桂阁：阿篆容貌清秀,阿珉丰姿飘逸,阿金体度腻滑,又阿春气象活泼,阿德弟未知,然而各有姿色,宜以书学,复仿此评。

（这时听说她们要到女子理发馆去。）

桂阁：漫步徜徉,当午而食,至晚而归耳。

---

① 冯雪卿,画家。

琴仙：身如不系之舟。

桂阁：用之则解带食大仓,不用则拂枕临山阿。君不见渭川渔父一竿竹,盖不系之舟一般。

琴仙：受文(王)聘何也?

桂阁：以文王聘之,则我(中间一字不明)之。

（这时候冯氏和泰园一同回来,我对冯氏说。）

桂阁：前日辱初见,幸甚。刻闻兄未创写画,故以乞联幅,暂歇了。今者来打听其事,何图琴兄在坐,笔话数番,兄亦归来,再得见,不知业已开其业否?

雪卿：已开了。

（泰园对我说。）

泰园：前日访令亲,纪氏之约,弟一时忘却,再因宫岛氏嘱车来抬,弟故往他,不能作分身术,如南海观音也。

桂阁：何故不用孙神圣妙术?

泰园：再容几天,弟学成,当遍游天下也。

桂阁：先去涂灭名簿,后学此术可也。石川鸿斋者,一个儒徒,系梅仙、桂香两人文学之师,常与梅史翁相善,而欲见君久矣,业已作觊。君之诗数首,弟为作代。希君异日赐他一见。

泰园：君须定在数日内,如弟进社,则不能如此终日游顽也。

桂阁：再商之鸿斋。

（雪卿给我看一篇文章。）

桂阁：此文系令兄君作欤?

雪卿：板桥所作。

桂阁：郑燮氏? 此文出何书?

雪卿：《板桥全集》内《板桥寄弟》。

（中略）

（这时候魏氏走出来,带我到黄氏的私房去。枢仙正在写信,魏氏陪坐。）

公度：比来何所为? 想起居佳胜。

桂阁：尔来疏阔久搂日子,仅旬馀,有三秋不见之想。今者亦不知公务闲否? 试来撼虎须。

公度：今日无多事,尽可畅谈。前者携厥妃来,不见为愧。

桂阁：梅史恩惠及贱荆，故相伴入公署，幸勿化林冲入白虎堂之罪。

公度：近日多读何书？

桂阁：晚间独读各种书，不限何书，可憾宵间短也，床第惟读春书，却费多时。

公度：宵短梦长，但不可同床异梦耳。

桂阁：君顷专攻什么书？

公度：未暇读书。

（黄氏诊魏氏的脉。）

公度：两尺虚而无力，来去无定，心脉枯而乱，肺征虚，盖思虑过甚，嗜欲过多之所致也，宜用培元安神汤。

桂阁：培元安神汤剂宜买之于新杨狭斜。

公度：培元安神汤

老实（一味）（专服此药极佳），楮币（贰百两），艺者（数枚），新衣（十件），加长门楼上酒饭作引，用三弦汤送服。

桂阁：知是千金方所载，就某医而买可欤？

公度：老实一样，仆极多，此药彼愿就买，奉送可也。

桂阁：魏氏获病之原因抑系何事？

公度：吾不得而知也。

（魏氏笑起来，回到他自己的房间去。）

桂阁：前日舍亲梅仙招梅史翁，弟亦与焉。乃欲招君及廖君而通信，岂图两君不在，盖遗憾也。

公度：是日值他出，多感厚意，为我致谢，暇日当诣其庐，并谒其夫妇也。

桂阁：当日敝邦儒石川鸿斋者侍坐，语曰以本月阳历十七日与君及梅翁欲访弟墨水庐，而转告之于梅史翁，不知君知之否？

公度：梅史既已告我，至日若稍暇，定当来也。

桂阁：如廖君复闲，则伴（其同来）。

公度：廖君事稍简，计是日当暇，俱来可也。

桂阁：鸿斋问弟于公署才子属于谁氏，弟告以君博识多闻，他频慕之，而有此言。不知鸿斋尝有来公署与君叙话否？

公度：敢谢过誉。石川氏曾于天德寺中见之。彼亦曾来，仆无暇，未之见也。

桂阁：十七日之约也，预造数百张册子数，而以十二点为会期，尽日笔战为乐耳。君如不临，则举(座)失望，伏冀赐光顾。

公度：来此十之九，不来者万之一而已。

桂阁：业已约鸿斋先到府上，伴君等一齐走车请了焉。

公度：可也。

　　(这时候潘勉骞、刘静臣等来和他商谈重要的事，就是想买日本的粟来救济中国的饥荒。)

桂阁：想公务鞅掌，如弟原闲游之身，何妨公务？

公度：此间坐，自不妨。

桂阁：大抵以何曜日何点钟为闲暇欤？弟卜其日时而进府，则似无妨。

公度：能卜夜更妙。此间事无定，无所谓某曜为休日也。惜相去太远，若在比邻，则仆于暇时造尊斋尤妙也。

桂阁：今者万里犹比邻，何谓东京中仅仅数十里之远乎也哉。奈何宵短而难叙话，别无佳期乎？

公度：此间应酬亦复不少，稍暇则坐马车中往东西南北答拜。然匆匆而过，无几人可笔谈者，殊无趣也

桂阁：答拜之多，为何而如此忙也？

公度：东西人皆有之，自官吏以外，通汉学者而来此者亦有之。

桂阁：我华族之班而来谈者有否？

公度：松平庆永[①]、有马道纯[②]、植邨家壶[③] 皆来见过。闻华族会馆将移过博览会，是否？

桂阁：弟是非会馆一班之人，故未知也。而君闻之于谁？

公度：会馆非凡属华族皆共之乎？抑现居住者乃共之乎？是语闻之大久保，他人亦言之。

桂阁：虽居位者皆共之，弟辈固非其班之官吏，焉得知其未发之事？

---

① 松平庆永(1828—1890)，名庆永，字公宁，号春岳、鸥渚。福井藩主，创设藩校明道馆。附设西书学习所。明治三年退公职，专事著述，有《平春岳全集》，《逸事史补》等。

② 有马道纯(1837—1903)，为藩主，明治二年后为丸冈藩知事，四年废藩后离任。

③ 植邨家壶(1847—1920)，初名剑八郎。大和高取藩主，明治初任知事。

公度：闻旧华族会馆外务省以数万金购之去，故移徙也。

桂阁：欲知之，则宜问其班列，弟未知。

公度：此间嫡庶之礼若何分别？谓妻之于妾，其待之之礼如何？

桂阁：敝邦礼仪大废，与古者不同，幸以现时所见，勿责其无法。

公度：如今欲娶妾，则士族许之乎？

桂阁：四海之内皆兄弟，谁无不许之。

公度：其妾之父母则待以何等之礼？

桂阁：闻廖君小星乃系士族，不如问他父母。

公度：是无论矣。如今士大夫有女能嫁人作妾否？

桂阁：如肯则君欲娶欤？

公度：仆不欲赁之，而欲娶之，幸道其详！

桂阁：买妾不如娶妻。

公度：欲买妾，又欲士大夫之女为妾，苟不能言买，则言娶妾亦可。

桂阁：凡敝邦士大夫之风，其富或志高者，乃不使其女儿为妾妇；至其贫且识卑者，乃许之。若欲求之，则不如择良家女而娶其嫡室。恐君惮故乡之狮子吼。

公度：敝邦不能有妻娶妻，惟南方有名曰二妻者，其尊卑之礼不甚殊，故士大夫女皆可为之。仆之先问妻妾之礼若何分别，盖为此也。如贵国礼不甚殊，殆无不可。敢问贵国一人能娶二妻否？

桂阁：敝邦妻妾之礼，现时如君臣主婢，又一夫娶数妾亦有，盖非英雄豪杰不能为也。

公度：如买妾则买之何等人家？其价约若何？

桂阁：弟顷作《买妾论》而欲呈君，其稿半成矣，一二日内净书呈之，其详则观之可知。

公度：急欲闻之，幸先以大概告我。

桂阁：不限何等人家，预约金大抵数百金，叫之曰整具金，盖充自己家香奁整齐之件也。

公度：此整具金非其父母受之乎？既买之矣，则他日携以西还可也，故仆不欲赁而欲买。

桂阁：想君故乡可有夫人，何故出此言？

公度：在敝处则一妻而十数妾有之，不足怪也。

桂阁：整具金其实父母收之也，非必整香奁杂具。

公度：若买艺者之类，价值当稍贵？

桂阁：容仪婵妍者约不下二三千金。

（枢仙公事干完，到这里来。）

桂阁：此间不忙乎？如忙，则当告退，请告其实。

枢仙：顷间发一文件，故未奉陪，今事已毕，可畅谈矣。

桂阁：那文件系差何？极是大者也？

枢仙：是送外务省。

桂阁：外务省中谁氏能擅文墨、能通典籍？

公度：未见几人，不甚知其详。有宫本小一① 能作诗，闻有石桥政方通古文，未之见也。

桂阁：敢问敝邦官吏，谁能会中华学问？

公度：未知其详。据所见者，修史馆之重野安泽，又青山延寿皆甚佳。

桂阁：现不见小星，昼间无光芒，果然否？

枢仙：既谓之小星，则白昼不能见矣，盖月朗尚且星稀，况赫赫太阳乎？待太阳倾后而显欤？惟乖银河一年一回之好会。今者远隔东洋大海，比银河更迢遥矣。君每夜为乞巧奠，何称其迢遥？东西两地，儿女各殊，在此地而窃效乞巧，殊苦不似。

桂阁：有诗曰："勿言天上会相见，犹嫁人间去不还。"

枢仙：丈夫志在四方，何必妻妾是恋？况瓜期有定，非黄鹤一去不返也。

桂阁：黄鹤楼中，概况可想。

（何子绋来了。）

桂阁：弟未习篆体，惟以隶楷行草各随命耳，如尊写楷书则抽象。

子绋：弟前时所写三字，可谓班门弄斧矣。

桂阁：现敝庐之宝物，弟所赠令兄之书看否？

子绋：已看了。

---

① 宫本小一（1836—1916），明治初历任外务省小丞、大丞、书纪官等职，明治二十四年为贵族院议员。

（中略）

桂阁：每每来受教，晚生为之稍伸才气矣。刻告辞。壁衣之尊写，愿速成，且十七日之约，宜斟酌公务之间而光顾也。

公度：敬谢谦逊，他日再畅谈也

（这时已是午后四点钟，我告辞了。）

十八、戊寅笔话　第十五卷　第一〇一话

（光绪四年五月十六日　　1878 年 6 月 16 日）

（戊寅六月十六日早晨，我要访问梅史，带着借给他的和其他的许多东西出门，走到日本桥，骤雨来了，没有办法，只好到南传马町伊东屋去避雨，顺便和冯雪卿笔谈。这是上午八时的事。我对雪卿说。）

桂阁：弟约梅史以今日早朝相晤于公署，而途逢大雨，故进退维谷，君幸贷弟于檐下数刻，则幸甚。

雪卿：缓坐不妨。

（我送给他一块钱。）

桂阁：前日拜赐佳作，蓬庐生辉矣，乃将微仪谨奉赠，幸乞笑纳。

雪卿：仆小小之件乱涂，不敢受资。

桂阁：兄之以书画自活者，如不受我物，则我想是客气之人也。

雪卿：别友所来，只得受资。桂翁所来，况小件，若居然拜领，汗颜之至！日后必将绢画奉敬桂翁。

（他送给我一小幅画。）

桂阁：受此佳赐，不可不为其报。

雪卿：必要奉敬，倘桂翁哂纳，仆心方安。

桂阁：永为堂幅，夸曰"才友"耳。

（中略）

（雨停了，我坐车到芝滨松町桂香女士那里去，拿出枢仙所托的纨扇来，请她画画儿。后来我到梅史那里去。）

桂阁：有数十百之谈话，胡思乱想，殆失其顺序，先徐坐叙谈耳；以后玉体健全，微恙复大愈，盖朋友间成欢也。

梅史：前日经横滨，未得晤见，虽数日间，则竟似三秋矣。今日往闻香社否？

桂阁：闻香会① 诗会，不堪仰慕，弟些有事，不能往。

（我送给他一把长光刀。）

桂阁：此刀钝锈，不可当高鉴，试携以呈。

梅史：此刀甚佳，拜赐感篆。

桂阁：此刀乃系敝邦备前良冶长船长光所煅炼，弟本欲并诗赠焉，其稿半成，砺磨未了，故即携而呈。后日诗成，则写红绢而呈耳。

雪卿：弟当作一诗奉谢。

（中略）

（梅史出去了。石川鸿斋来找梅史，我告诉他梅史已经出去了。原来鸿斋要和梅史一同到闻香社去，现在只好改变主意，和我一同到黄公度那里去。枢仙也在那里。）

桂阁：昨日蒙厚赐，实意外之喜也，永以为珍藏，恐欠其报物。

黄、廖两使君

弟源辉声

公度：团扇制自敝国，固非佳物，屡承琼玖之投，此特木瓜之报耳。

桂阁：惟冀永以为好。

公度：沈君既往王黍园处。黍园函约君今日往上野家中为诗会，未审既见否？

鸿斋：黍园书翰昨来，今日风雨如此，恐延期必矣，故仆来问其故也。而沈君不在家，去何处乎？

公度：沈君刻既去矣。

（这时候来了一个我还未曾相识的中国人，他会一点日本话，年纪大约三十三四。）

桂阁：高姓台名？因何会敝邦言语？其原由详载焉。

缙堂：梁缙堂。

公度：是君在横滨多年，故甚熟贵国语。

---

① 闻香会，当为闻香社。

桂阁：在横滨几许岁，且活业系何？现在公署掌何职？

公度：从前曾在英公使署，兼通西语；英使偕来，逐① 通东语。今在公署为翻译官。

桂阁：官衔何品？

枢仙：衔同六品。

桂阁：他何故不作笔话？

枢仙：想是不惯笔话，缙堂东话颇熟，口谈为便。

桂阁：弟口讷不喜口谈，惟以一枝笔换千万无量言语，冀使他勉为笔谈，则弟之幸也。

（缙堂匆匆地走了。）

枢仙：请代求桂香女史之画，曾转致否？念念。

桂阁：过刻已递与了，惟他甚惭恼，无即诺。弟强请而去。

桂阁：何公使在馆否？

公度：在家。

（鸿斋拿出送给如璋的书件来，交给黄君，黄君就交给如璋。）

（中间空白）

（鸿斋拿出《芝山一笑》的稿子来。）

鸿斋：两公使及沈、廖诸公诗辑为一卷，名曰：《芝山一笑集》。黄阁下急急赐一诗。

公度：此本幸留览，五日间必有以应命。

鸿斋：阁下留此卷，其幸赐序言。

公度：弟亦当勉为一诗。

桂阁：诗思变为色思。

公度：明日即遣樊素矣。

桂阁：使他思燕子楼中之事。

公度：不复言此事，仆行且仿石川先生为假佛印，所谓"禅心既逐沾泥絮，不逐东风上下狂"也。

鸿斋：下假佛印之名，即系枢仙。

---

① 逐，当为遂。

公度：敝处卖西东食物者，大书曰"两洋海味"。仆欲一尝之，既知其无味，亦遂弃如鸡肋矣。

桂阁：此语突出，不知为何谈想？是东洋西施乳含与中华妃子荔枝，而欲尝之意欤？

公度：东洋即"东施"矣，所谓无味者即此也。

桂阁：必能有使吴宫如子胥之谏绝色，虽东施家，其美却胜于西施家。

枢仙：阁下与何星使书，请再作诗辨其非僧，弟阅之不禁忍俊。昔贤云："有酒学仙，无酒学佛。"则仙可也，佛可也。中土僧人，守戒律者不敢食肉饮酒，又不得娶妻生子；贵国之僧则食肉食酒，聚〔娶〕妻生子，与常人同，且不奉官役，不纳租粮，又胜于常人。弟曾有言恨不得为东洋和尚。阁下早晚① 脱却名缰利锁，优游泉石，以诗酒自娱，当之可以无愧。弟曾偶以为假佛印，由今思，当即真矣，乃欲辨其非，不亦多事乎？

鸿斋：仆素非辨僧与俗，赠答之诗，遂为一假佛印；若无僧俗误认之事，不为一笑也。此一笑亦与虎溪三笑相类，盖以为千古谈柄也。

枢仙：顷所云云，亦是笑话。不说不笑，何以消此淫雨之困？正可借此作笑柄耳。虎溪三笑，此又增加一笑也。

公度：当作一小引。

鸿斋：黄君为《芝山一笑》小引，仆大喜莫过焉。

（这里有何如璋《使东杂咏》的稿子。）

公度：此诗皆草稿，随后删订既就，便当抄呈，或以印送。

桂阁：滞留之久，不必紧急索之，十分删订之后，弟乃自抄写而已。如到其时，则快快贷弟是祈。

公度：稍稍删定将就，即将以呈；缘其中尚有不妥惬语，故不敢流传于外也。

桂阁：弟阅何公使草稿，则曰"小西湖"山水，较之浙西山水，相去几许"云云。是等言，则明言，非虚言，弟大赏焉。如删定之后，或惮我群小官员等，或厌腐儒迂生恕之，如除是等，则弟决无借得而抄写之意。弟初见何公，知其人非浮薄诌谀，尊重尤厚，果有此作，弟钦慕益甚！伏冀弟借得何公写就携贵国

---

① 原文如此。疑为早已。

去之稿而抄出耳。至示敝邦人之稿,则弟决不读也。

公度:何公告弟,俟删订既就,即以刊布,愿无不可,此刻则未能。如阁下必欲之,阁下自请于何公可乎?亦以其中未能详备采风问俗,初到多有不知故也。稍迟一二月便交君阅。

桂阁:弟欲乞何公,君如导弟,则俱往谒。何公如惮敝邦群小之愠,而删其指我天子宫为倭宫之类,则弟决不借也。

公度:即欲删润此种之类。倭者贵国古号也,如称我曰汉宫,亦原无妨。

(恰好如璋来了,我把《使东杂咏》的稿子和我们的笔谈给他看。)

如璋:倭字即和字转音,在中土并非不好字义。

桂阁:华人谓敝邦叫倭奴,又叫倭寇,俱赫赫记载于史中,犹敝邦人谓贵邦人叫"豚尾奴",是重国轻他之义,盖其本心而为善良;如谄谀言之,则非正直土也。

如璋:顺即和也。奴字在中土亦是妇人自称之言,系亲爱之意。

桂阁:妇人称奴定亦是贱称。冀一二日中借尊稿而抄写耳。如许之,则胜于有琼瑶之惠。

如璋:仍有数十首未汇抄,俟抄齐再借与君一观。

桂阁:现时先借得此尊稿而归是祷。

如璋:现刻不好取去,俟检点好取去。

桂阁:检点之后,恐删所惮,然则弟望空也。

如璋:诗不删,惟字句之间,或有未善者,自酌定耳,非有所惮也。

桂阁:如删订字句,则必定多删其所惮无疑矣。弟虽获之,岂何为快乎?凡诗文皆以气节为贵,失其气节,譬犹有肉无骨,不如现刻携去,冀慈爷怜弟衷情。

如璋:诗之为道,须推敲,所以字句时有酌改者,非有所惮而改之;因原者不佳,则改之乃佳,故迟迟将以佳者示君。

桂阁:初稿乃弟所欲,盖慈爷天禀大才钟而成也,切允焉。如不允,则夺去耳。

如璋:迟三四日再送,断不失约。

桂阁:弟贵其直言,不贵其虚饰。虽少陵、青莲之诗,昌黎、柳州之文,苟有虚饰,则弟措而不读。

（我终于借到了原稿。我对黄氏说。）

桂阁：何公已默许了，弟携归，经三五日而奉缴。

公度：父命不可违。所谓默许者，殆视于无形。

桂阁：子不可以不争父，况已许乎！

公度：听于无声耶？所谓"争"之一字，岂可施耶？

桂阁：《礼》曰："三谏不听，则泣而从之。"况默许乎，何用泣从！

（我们转换话题。）

桂阁：大久保① 氏之遭刺客，公署之详说谓如何？

如璋：大抵顽固之俗未化，十年来贵邦文明无进步也。

桂阁：口唱进步，心为退却。中有木户孝允②，以早逝，幸免刺客，然亦不免后世伍子胥鞭尸之事欤。

公度：近来传闻如何？闻刺客党羽甚多，如何？

鸿斋：新闻妄说，俚巷之风，说（中间六字不明），非有实证也。

公度：刺客专委其罪于大久保，又欲鞭木户孝允之尸，意倘谓此二人既死，国事即将蒸蒸日上耶？

鸿斋：南萨之人，偏陋顽固，数误大事，与中国人议论不相合，故有此举也，其实不知。

桂阁：弟获刺客所怀之《斩奸状》，异日译之而呈耳。其中曰：岩仓具视③、大隈重信④、川路利良⑤、黑田清隆⑥、伊藤博文⑦，是等皆奸恶不可不诛，如三

---

① 大久保利通（1830—1878），幼名利济，号甲东。明治维新元勋之一。著有《大久保利通日记》、《大久保利通文书》等。

② 木户孝允（1833—1877），原姓大江，过继桂家，后改木户，投入倒幕运动，明治政府首脑之一，历任大阪会议议长等职。

③ 岩仓具视（1825—1883），号对岳。幕末、明治间政治家。

④ 大隈重信（1838—1922），政治家、教育家。历任外务大臣、枢密院顾问、早稻田大学校长等职，曾主持内阁三年后下野。

⑤ 川路利良（1834—1879），号龙泉，萨摩藩士，明治时期曾任东京警视厅长、陆军少将。

⑥ 黑田清隆（1840—1900），萨摩藩士。早年学西洋炮术，维新后历任外务权大丞、兵部大丞、北海道开拓使长官、参议、农商务大臣、内阁总理大臣等。

⑦ 伊藤博文（1841—1909），幼名利助，后改俊辅，号春亩等。农家出身，留学英国。明治时期历任兵库县知事、内务卿、首相，与李鸿章在下关谈判，签订《马关条约》。后被朝鲜安重根刺死。

条实美①等碌碌斗筲辈,何用刀斧乎!

公度:其所言奸状如何? 外间人(即谓国人,以非当道在内执政者,故曰外间人)以为当否?

桂阁:识者笑之,谄者恐之。如我辈者,则呵呵大笑耳。

如璋:诸人奸状如何? 不妨逐条书出。

桂阁:不如箝口。

如璋:若不说,则诗稿……。

桂阁:以周勃之言答之耳。若欲问奸状事,问于当路君子,如弟则山水游玩是视耳。

公度:虽未详言,亦既言之矣。行携此册达之太政官,告源桂阁以诽谤朝政之罪。

桂阁:弟仿方孝孺耳,何为仿呼猪状之乎? 虽诉之太政官而鸣罪,决无恐焉,却悦见董狐、崔浩于地下,而相笑其愚耳。

如璋:如此则何以箝口。

桂阁:邦无道则退之义也。必定连累黄氏。

公度:无所连累,仆所言皆当也。

　　(中略)

　　(如璋走了之后,我在枢仙的桌子上看到伊藤博文送给何如璋的内国博览会出览品照像册。)

桂阁:何公得之而甚喜爱否?

公度:既送来,则收之,函谢之而已。

桂阁:不知何公所恳请欤? 否则何公在敝邦,此一切书籍器用之类,最喜何物?

公度:喜欢人物。

桂阁:喜欢什么人物?

公度:无论智愚贤否、居上居下,皆喜欢之。

鸿斋:欲观佳丽,无如西京;欲观丑夫,莫如东京;欲观英雄豪杰,莫如古;

①　三条实美(1837—1891),明治维新元勋之一,曾任副总裁、辅相、历任修史局总裁、太政大臣等职。

欲观懒惰愚昧之人,莫如近日。

　　桂阁:欲观婵妍袅娜,亦莫如近日。

　　鸿斋:邦俗东男西女,东京实非妇之佳者也,些有侠气;西京妇女,天下第一,其水清,其土软,其情亦致密多淫。

　　公度:东京妇人,有能击剑者否? 有能豪负侠气如男子者否? 有能通汉文者否? 兼是三者,美恶老少不足计也,为仆谋之。

　　鸿斋:能击剑,善诗文者,皆有之,然不甚多,皆生翠帐红闺中,不敢他出也,大抵系华族、士族富者之娘;其在柳桥、今春等者,惟是容貌而已,才解弹弦,不足论也。

　　公度:华族、士族,不欲与人作妾,奈何?

　　桂阁:虽或欲作妾,亦不得不拒焉,其故何也? 女子击剑,则筋① 力则劲,手足恍如男子,如读书属文,则或勃率,议论利口是恃,如豪侠使气,则其丈夫恐为他所隶役。不如择纯良温顺女子而与之契偕老同穴。

　　公度:若不如我,则吾奴隶之;若胜于我,则俯首拜下风,彼奴隶我,何恤焉。

　　桂阁:然则择周姬之妇可也,使他自骂文王。则便有一种女优者,当时已绝其业矣。昔敝邦诸侯盛蕃之时,不使诸侯妇女许往戏场,故有女优者而演其技,皆择良家子女而为之,他固优也,能舞剑,能读书,又能扮男子,扮英雄,而手如柔荑,肤如凝脂,如是恐适君之意? 可惜今者拂地而不见。弟尝喜之,常时聘之矣,真个娇娇良家破瓜娘子皆来演,恍似赵飞燕、李夫人,可恨不使君等观其美丽。

　　公度:若论古昔,则赵飞燕、李夫人辈,中土者极多,亦恨君不得也。

　　桂阁:否。彼辈现在诸方,然皆弃业从良。

　　公度:甚矣化之不可开,文之不可明也,其流毒乃至于此。

　　鸿斋:天下山水佳处,妇人极美。东京山水不佳,故妇亦多丑。如我乡极山水佳绝,生其间者,极美且丽。不到我乡,西施、飞燕徒为婢,亦耻焉。而男儿不甚佳,亦因风气也,非宋玉以楚夸之比也。

　　公度:中土向来所称美人国者,即指东土;如君所言,仆固深信而不疑也。

---

　　① 筋,当为筋。

桂阁：弟又闻：彼美人兮，西方之人。

公度：此谓欧罗巴之义大利耳。

（我们转换话题。）

鸿斋：日前同沈梅史访增岳阳，岳阳赠诗于阁下。尔来数来敝庐，诘得阁下瑶作。阁下暇日其亦赋一诗赐之增岳阳？

公度：比邻不远，以为无日不可过从，而卒未一往，愧惭！行且订日相访，并作一诗以解嘲。

（鸿斋请枢仙题字于扇子上。）

鸿斋：为（中间二字不明），仆季弟。日前张公使赐诗，想皆阁下书。观此书，始知张公使书皆伪作。

公度：廖君是学张公使书法。

枢仙：黄君之言，足以饰非，真学书于张星使。

鸿斋：否。张星使借廖君五指，非廖公学张星使。

公度：非学非借，亦真亦假，一切世事，皆如是也。

鸿斋：仆欲为廖公说一言：为张星使书者，可用草、行，自书必是用楷。不然，人怀伪念。

公度：仆欲告廖公，如为张公作书，当以左手。

桂阁：未尽其言。如作张公书则口头插笔，或足头插笔可也。

公度：总之，廖公自作书，不必学张公书法为妙，勿使人怀伪念也。

桂阁：不如使张公歇授其书法。告辞，异日再来决战耳。

公度：如此谈锋，可以一战，他日再可一书，约会于墨江，但恨君不教吴宫美人战，座中少一队娘子军，以为憾事耳。

桂阁：使木兰扮男子而战如何？

公度：大是妙事。

（我走了，路上做了一首诗。）

（这天鸿斋与公度又作了以下的笔谈，我没有参加。）

鸿斋：敝国以文章名世者，五六十年来，颇有其人，曰佐藤一斋[①] 也，安积

---

① 佐藤一斋(1772—1859)，名垣，字大道。儒学者，著有《大学一家私言》、《言志录》等。

艮斋① 也,野田笛浦② 也,斋藤拙堂③ 也,盐谷宕阴④ 也,安井息轩⑤ 也,藤森弘菴⑥ 也,林鹤梁⑦ 也,紫野栗山也,尾藤二洲⑧ 也,木贺浮风也。其他减一等者,赖山阳也,篠崎小竹⑨ 也,堀田虎山也。其他皆琐琐屑屑,不足见。

公度:专集多未见,选本中曾见其十之六七,俱颇佳。《林鹤梁集》近见之,惜与安井息轩皆于近年沦谢,未及见。

鸿斋:此中亦取纯粹者,以息轩、宕阴、艮斋、一斋为最。

公度:所点五家皆未见。现存诸公,近日负当世名者为谁? 敢问。

鸿斋:在世之人,其文甚少,在东京者,仅仅不足屈指:大桥讷庵⑩ (在小梅)、古贺谨一⑪ (在浅草),其他不知也。在编修官者,以川田刚⑫、重野安绎⑬、中村⑭、青山等为魁首,然比之二十年前人,其降数寻矣。

公度:有蒲生成章者何如? 又有芳野金陵老辈又何如? 蒲生之全书有藏之否? 仆颇欲讨论。贵国典章,闻《礼仪类典》五百馀册,恨非汉文,《大日本史》之十二志又未刊行,有何书可以供读否? 敢问。

鸿斋:全书无。仆处古书无可证者,间有之者,皆敝国之文。史书《大日本史》既尽矣,其他糟粕耳。以敝文所志,间有数卷中仅仅得一二段耳,未备也。

---

① 安积艮斋(1791—1861),名重信、信,字思顺,号艮斋。儒学者。著《艮斋文略》、《洋外纪略》、《东舆图考》等。

② 野田笛浦(1799—1859),名逸,字子明,号笛浦。儒学者,著有《海红园小稿》等。

③ 斋藤拙堂(1797—1865),名正谦,字有终,号拙堂、拙翁。儒者。著《拙堂文集》等。

④ 盐谷宕阴(1809—1867),名世弘,字毅侯,号宕阴,曾为儒官,著有《宕阴存稿》、《筹海私议》等。

⑤ 安井息轩(1799—1876),名朝衡、衡,字仲平,号息轩、半九陈人。儒学者,著有《息轩先生遗文集》等。

⑥ 藤森弘菴(1799—1862),名大雅,字淳风,晚年号天山。儒学者。著有《春雨楼诗钞》、《新政谈》等。

⑦ 林鹤梁(1806—1878),名铁藏、伊太郎。儒者。著有《林鹤梁文钞》。

⑧ 尾藤二洲(1745—1813),名孝肇,字志伊,号约山、伊豫川江人。儒学者。著有《正学指要》等。

⑨ 篠崎小竹(1781—1851),名弼,字承弼,号小竹、聂江。儒者。著有《小竹斋诗文集》等。

⑩ 大桥讷庵(1816—1862),名正顺,字周道。儒者。著有《阐邪小言》、《海防汇议》等。

⑪ 古贺谨一(1816—1884),即古贺谨一郎,名增,字如川,号谨堂、茶溪。早年学儒学,后研究西学。著有《度日闲言》、《厄言日书》等。

⑫ 川田刚(1830—1896),名刚,字毅卿,号执斋、甕江。汉学者。著有《甕江文稿》、《日本外史弁误》等。

⑬ 重野安绎(1827—1910),名安绎,字子德,号龙泉、成斋。著作有《成斋文集》、《重野博士史学论文集》等。

⑭ 中村,即中村正直,字敬宇。先以儒学显,后通西学。明治初任职摄理师范学校。

公度：《大日本史》有纪传而无表志。欲考典章，必于志乎。仆急急欲得如史志诸书览之，恨其不知也。

鸿斋：《日本外史》初卷有引书标目，仆不悉记，请在馆中示之耳。

公度：各史所引书目多和文者，仆意欲得汉文者耳。

鸿斋：有和文者，有汉文者。然汉文前古草昧未开，惟缀文字耳，恐文法不调，倒转助字，不得其法，难读也。然一一皆示焉。请取来《外史》标目。山阳著《外史》，文章粗漏，实事大误，非士君子间可行者。二十年前，有盐谷宕阴者，蒙台命，欲著国史，不成而殁，于今为遗憾。其草稿，其家仅在，然不全备也。山阳惟一时卖暴名，其实学力浅薄，不足取也，阁下读其文可知耳。

公度：山阳盖一豪杰，近于苏氏父子者流，非徒区区与文学之士争得失于行墨者，其笔力亦殊雅健，但论博学，则不可知其何如。后人从其书而正其误，亦可以补正其失，然其人不可得而毁也。

鸿斋：阁下以山阳为苏氏之流，实敫国名誉，幸甚。然山阳氏父春水①者，以(中间二字不明)取一时之文柄，《外史》大抵父手所成。父友有武景文者，其稿过半成于景文之手，《外史》引书数十部，实非山阳氏所阅读也。此时《日本史》未行于世，惟以写本相传，山阳未及读之，故自《日本史》所引用，误谬亦不少。

公度：春水，闻其名；武景文，则所未闻也。自来史书出一手者甚少，如《史记》、《汉书》等类，亦出自父子，《通鉴》则皆借助于其友，实无足怪。其时《日本史》虽未刊布，谓山阳未读，恐未心然。《日本史》之刊布始于何时？

鸿斋：既有《日本史》，山阳见其写本，《外史》著之后始刊行。然价贵，山阳不能偿之，仅取《赞论》而藏之，是赖氏所自言。想山阳读《日本史》仅一过，当著《外史》之时不置之坐傍也。

公度：《日本史》"赞论"，当时安淡泊，以为不可以臣子褒贬君父，故未刊，至今犹只有写本，无刊本也。山阳假写本读之，正其勤力处。君所云云，殆误记矣。

---

① 春水，即赖春水(1746—1816)，名惟完，字千秋。儒者，赖山阳之父。从事日本史研究和编纂。

十九、戊寅笔话　第十七卷　第一一〇话

（光绪四年六月七日　1878 年 7 月 6 日）

（戊寅七月六日午前，我到芝公使馆访问梅史，却碰见一位少年，不知是哪儿派来的，一会儿就走了。）

桂阁：君先暂憩。

梅史：数日不见，甚念。

桂阁：近日天气热，又霖雨，故过行几十馀日，大致契阔。今朝凭昨日雨催凉矣。弟命车而来，忽复午热颇酷，幸使弟五尺之躯，憩暑于高轩旁，缓缓相谈耳。

梅史：甚善。自横滨归后，连日遇雨，近龟谷省轩① 约选贵邦之诗文，故不得来访。

（我把《旧雨诗钞》拿出来。）

梅史：西岛兰溪②、青山云龙之诗已选出矣。

（我嘴里说"春岳死了"。）

梅史：松平春岳，仆以为一贵官，不知其诗甚佳。闻西岛伯绳之言，近日作故，惜之。恐讹传。

桂阁：现在小石川居住。

梅史：仆尝往访之，伊亦来公馆。

桂阁：敢问伯绳氏说春岳已死乎？

梅史：云前日之事。

桂阁：弟元与春岳无知交，故未知其死。如西岛氏，春岳之友，而说其死，则恐非讹传。如我未见其死于新闻纸也，非亲戚则无凶信。

梅史：阁下家内有先公之集否？或诗文有存者，亦可付弟选之。

桂阁：请问君当选东洋人诗欤？敝家祖宗多嗜文墨者，故其集亦颇有，奈

---

① 龟谷省轩（1838—1913），名行，字子省，号省轩、搜奇窟等。历任太政官少史、纪录局长，后专事著述。著有《省轩文稿》《省轩诗稿》等。

② 西岛兰溪（1780—1852），本性条下，名长孙，字元龄，号兰溪、坤斋等。精研经史，著有《晏子春秋考》《孔子家语考》等。

何敝家列祖皆蒙赉于德川家宰相矣,世寔居于城侧,故屡遭回禄,其稿烧毁者甚夥,弟欲蒐辑已数年,未得其完全者,实弟积年之大遗憾也。惟有亲家纪正伦源乘义家多藏其家祖先之稿者,如有意,则请借付君。

（不久,有人送简单的饭菜来,我们都吃了。）

桂阁:前日所言之墨水鸥灯,无雨则每夜七八点时浮焉。远望之,点点炜煌,恍似明星落洲渚;近望之,恰如群鸥游中流,君如有意,则度闻香、天德两处而观之可也。何公、黄公、廖公之内,如有闲暇之人,则相伴如何? 登那植半酒楼一酌,而纵观则便了。惟七八点刻亦无妨欤?

梅史:弟与二公使及友人言之,均甚喜,欲来,惜雨多故未果。俟天晴后当来也。

（中略）

桂阁:据新闻纸上曰:一昨日大臣三条邀公使于芝离宫张宴席者。离宫乃柴湾离宫欤? 而其情景果如何?

梅史:亦不过寻常聚会之情景而已。

桂阁:所会之华人谁谁? 倭人谁谁? 大约示之。

梅史:华人二公使及参赞也,日人不知。

桂阁:三条公躬亲笔谈否? 将公作诗否? 公使及君等亦有诗否?

梅史:此等宴会,略谈数语,亦不作诗,盖官套也,自然亲作之。

桂阁:条公弟未晤言之,其人才学人品如何? 请密告君所见。

梅史:弟因有服,不著礼服,故不与达官来往。闻公使云,亦一和平谨愿人也。

桂阁:此游不许有服者同往欤? 实是不雅之游观。

梅史:公宴当著补服,挂朝珠,冠上顶戴,如弟有花翎者,须戴花翎。弟今不著礼服,故不往,非不许也。

桂阁:如闻则是公宴了。弟想一定是条公所邀也(下略)。

梅史:虽是条公所邀,但弟与条公未曾晤;条公既为贵邦宰辅,公使亦礼服而去,弟亦必须礼服也,故不同去。

桂阁:称私宴可也,岂何礼服?

梅史:贵邦之风俗如此耶? 若在中华,则此等私宴亦礼服也。

（我请梅史写字在扇面,梅史写了一首和我的原韵的诗:）

豆架瓜棚凿纬萧,虫声凉影不堪描,闲来栩栩梦蝴蝶,藤枕桃笙度此宵。

桂阁仁兄大人以箑索书,即次其韵答之,并请正字。

沈文荧

梅史:此扇是谁? 要落款否?

桂阁:复我携的。

（黄公度来了。虽然今天热得很,他却穿着夹衣。）

桂阁:黄君专房,精神衰耗,故午热犹觉冷。

公度:既遣之。

桂阁:弟今与梅翁欲同访王治本于闻香社,不知君亦同往否? 伊地临西子湖,其凉爽复胜芝山。

公度:未暇。

桂阁:脱阿常姐之侧?

（公度也在扇面题诗:）

纱窗凉雨夜萧萧,红豆青灯对影描,相见时难相别易,十分孤负可怜宵。

率笔次韵,乞

源侯正之

黄遵宪

梅史:难易二字,高作中之大眼目。

公度:大作甚好。是子亭亭玉立,未甚牢稳,恐亦蝴蝶之乘风飞去也。石川氏仆送与古诗一章,君见之否?

桂阁:未见。

（这时候何子纶来了,在扇子背面画墨梅。）

桂阁:弟尝阅书,知宋代有黄公度者,著私史,论忤秦桧之事,不知此人传载《宋史》否?

梅史:见于《宋史》,然无专传。我国史之例,事多者立专传,其馀则附见他人传中。

桂阁:此黄氏人品行状如何?

梅史:亦是正人。我国人多,世久名字多重者。

（下略）

二十、戊寅笔话　第十八卷　第一二〇话

（光绪四年六月二十一日　1878 年 7 月 20 日）

（戊寅七月廿日,我打发房吉送两把团扇和十数盏鸥灯到公使馆去。）

（这是我写给何如璋的信:）

子峨慈爹大人阁下:

儿前日虔呈寸楮,具陈奉借《红楼梦》一书之事,谁图爹不在家,小价空归了。伏冀现时切请公度兄而贷焉。如不贷,则照前日所陈之罚法而处焉。

团扇(二柄)奉呈

子峨、鲁生两公使

鸥灯(十四个)

右奉呈

少爷、张子敬二君,冀命贵僮奉送焉。此灯之用,或悬轩,或提手,或放池,更各妙,请试焉。

七月二十日,乃六月二十一。

（这是黄遵宪代何如璋写的回信:）

团扇、鸥灯均收到,当以转呈两公使。《红楼梦》送备清览。即请

桂阁贤侯大安

六月廿一日　黄遵宪顿首

二十一、戊寅笔话　第二十卷　第一三二话

（光绪四年七月十二日　1878 年 8 月 10 日）

（戊寅八月初十日,我接到了这一封信。原来昨天该接到的,但却延到今天才接到。）

明日(阳历八月初十日)十时,祈台驾来馆吃万寿贺筵,勿却为幸。此致,即请

桂阁贤侯近安

何如璋
张斯桂　顿首

阳历八月初九日

（八时，我带着高木、房吉两个人，坐人力车到公使馆来，在梅史的房间里笔谈。）

桂阁：今日蒙宠招，不图得列华筵，其喜可知。东洋小生源辉声谨贺大清国母万寿。谢谢！

梅史：今日李园、琴仙亦来。

桂阁：敝邦来宾系几名？

梅史：惟君一人，馀为李、琴。

桂阁：据鸿斋言，前日亦有万寿节贺筵，弟甚憾不列其席，想敝庐路远，伏暑酷烈，故无宠招之事，而实憾不尝其盛馔。幸今者尊函到来，雀跃飞跑耳。其前时贺筵之时，相会者鸿斋、梅仙之外，系几名敝邦人？

梅史：日前之事，因鸿斋能餐支那馔，故招之。梅仙适来，故留令尝，然恐梅仙之不能下咽；及食，鸿斋与梅仙竟能大嚼，异甚。后知君亦闻而慕之，故特来奉请，若尝之而可口，异日请客，当治华膳也。

桂阁：想弟亦恐不能下咽，且弟有病，油膏浓物，不能多嚼，故请君乞两公使允许，使此高木正贤子在傍坐，餐弟所剩之残馔。幸乞之公使，则幸甚。

梅史：当言之于公使。

桂阁：仆常摄生，于一切食物，不敢饕餐，虽敝邦馔，太切（原文）皆剩焉，所尝不过一二个。如万寿高筵，不能悉嚼，却似无礼，故仆用意，同高木子平生喜饕餐而伴之，欲以饱其盛馔。伏冀使他坐仆后边，则杯盘恐使酒肉空空了。

梅史：说得有趣之极。

桂阁：异日欲将华馔飨两公使及诸君，不知何处有此庖人？如那会芳楼路远，且鄙野不便。顷据齐藤① 拜石云，入船町王惕斋处有此庖人，想是那周文明，如他，则恐其调理亦极下等。

梅史：君可不必，弟所云者乃指公使他日请客也。

桂阁：仆如请客，治华馔，则向何处买办至便，请告示。

---

①　原文如此。

梅史：此地无庖人，会芳楼之庖人亦不甚佳。

（这时候枢仙来了。）

枢仙：昨到王惕斋处，见所悬贤侯自撰书令曾祖母碑碣拓本甚佳（书甚古厚），未审能见赐一纸否？七洞天樵白。

桂阁：尚剩一二叶，明日乃奉呈。惟恐其文拙劣，其书鄙俚，幸赐两政，则幸甚。七洞的系何事？罗浮山边有七洞否？

枢仙：天下洞天福地，以昆仑为第一，罗浮为第七，天台为第九，故梅翁亦常称第九洞天樵者。

桂阁：自二至八，一一示焉。

枢仙：此却记不清。请问梅翁，不知能记得清否？

梅史：亦记不清。第二至六乃五岳：泰山、嵩山、衡山、华山、恒山。

桂阁：不知阿信居第七乎？

枢仙：五月中既开发出去，鸿飞冥冥，（一字不明）人何慕焉。

桂阁：未得新妇乎？

枢仙：有待，弟实欲买得者为妙。

桂阁：闻公署顷下令使众别嫔一时斥逐，果然否？

枢仙：未见明示。

桂阁：买妾复不伤乎？

枢仙：买妾则名正言顺，可对君父。

（这时候我们都到餐厅去。黄公度、廖枢仙、沈梅史、王泰园、王琴仙、高木氏等围着一个桌子坐。另一桌子旁边有潘勉骞、冯湘如、梁缙堂、魏梨门等坐着。听说公使在客厅里陪着美国人麦嘉谛吃饭。）

桂阁：此炕为谁设？

琴仙：亦不过有客来暂坐。

（我看见一个新来的人。）

桂阁：著缁衣之人姓名何？

琴仙：何大人本家（族内）。

定光：何定光。

桂阁：现任何职？以何掌官出仕扶桑？

定光：我中国国子监大学生。

桂阁：近日来我邦乎？或与何公同来乎？

定光：即月到贵邦游玩。

桂阁：常时必然在北京欤？而位爵何品？

枢仙：何君原由家乡而来，未到北京，现亦未仕。

桂阁：尊字尊号叫做何？何公何等亲？

定光：小号小明。(何公)与家大人是兄弟辈行。

　　　(桌子上满是菜。起初也摆着瓜子儿、杏仁等。他们再三对我说："请吃！请吃！")

桂阁：择其可适口者徐徐下箸，决勿促之。

黍园：先下箸方知其适口。

桂阁：此羹叫何？其中以何酌制之？

黍园：鱼翅。

桂阁：此酒叫何？如何酌酿之？

梅史：绍兴酒。

桂阁：此物何的？

琴仙：鸡肫、糯米。

　　　(他们又对我说："请吃！请吃！")

桂阁：弟以徐徐下箸为好，意先试问其名与其制，而为后学亦颇可。

黍园：炒鸡。

桂阁：此物如何？

琴仙：海蜇(海中物)。

　　　(他们都异口同声地说："请你多吃！")

桂阁：弟非饕餐之辈，徐徐下箸，决勿劳意。

　　　(现在，海参汤端上来了。)

桂阁：海参助阳物之势。

黍园：海参出于越州。

桂阁：以姚江为第一，与越州其形相同。

　　　(他们又说："请吃！请吃！")

桂阁：弟之强乞列此华馔，则不啻饕餐佳馔，要欲其陈设杯盘，招待他宾之礼仪也。故纵令不饕餐其佳馔，亦弟喜胜于并食穆之十人馔，是无他，自今以后,方公使驾临,照此调理,而欲整鱼肉鸟肉,决勿怒弟无礼。

公度:中国礼俗,客就主席不饮食为大不敬,欲守吾礼,则不能恕君过也。

桂阁:我邦之礼,以主客食不食任自己所喜为好,却以应人之招或托病不来为大无礼、大不敬。

琴仙:敝邦必以主让客,客不食,则主亦不下箸,故无物必让之。

桂阁:说得有理。果然,则君何故叨饕餐诸色。

琴仙:弟让,阁下不食。

桂阁:惟饮而已。是系何酌? 叫烧卖则何物?

黍园:犹糕食也。

　　(我累了,箕踞而坐。)

公度:箕踞又大不敬。

桂阁:我有白眼看他世上人气象。

公度:看他们可也。若我辈,谅足下必不敢。

梅史:君不但箕踞,又眼大于箕。

桂阁:此物叫何?

琴仙:豚肉也,名曰东坡,因坡喜此烹调。

公度:山鲸之一种。

桂阁:朝云所云他酒肉云云,果系此。

琴仙:荤荠。

　　(饭端上来了。)

桂阁:饭硬如岩石,东洋人肠胃软弱,不堪吃焉。惟胆坚如铁,能并吞五大洲浩然气。

黍园:饭太湿不好。君如嫌燥,可用汤淘。

桂阁:方以话高木以谈并此一对而足,谢此盛膳(原文)。

梅史:请君来此,竟不能饱,歉甚!

　　(下略)

二十二、戊寅笔话　第二十一卷　第一四四话

（光绪四年八月十日　1878年9月6日）

（戊寅九月六日早晨,石川鸿斋写这封信给王泰园:）

恭奉白简。久不拜尊容,伏维动履安祥,欣喜曷加。日前所赐高作,渐付剞劂,发兑在十月,版权未下,故迟延及今日也。昨访沈梅翁,偶蝶儿不在室,闻颇恣贪鄙,故割爱绝绳。忽有一少年,豚尾辫发,长袖行縢,两耳着垂环,谈解邦语,仆无圣眼,不能判其雌雄,男装女饰,容貌殆不可辨也。问之梅翁,翁曰是粤人也。问其男女,笑而不对。盖我国顽童,有男为女饰者,且有艺妓中为男装者,梅翁之侍僮类是者欤? 然混混沌沌,阴阳未判,詹尹掷筊,京房弃龟,徒眉下悬,慧珠者不能辨之。

阁下素具真眼者,一目必炳然,因呈书乞教,冀垂示焉。

王晋卿仁台阁下

佛印老衲九拜

（因此,午后一时,我到梅史那儿笔谈。有一位年纪约十七八岁的中国少女在家,阿蝶却不知哪里去了。）

桂阁:秋暑未退,大致疏阔。今朝秋凉,乘兴而来,观燕斋文物排列,暨美人新来,颇感慕。君富潇洒风流,敢问美人艳姓丽号,籍贯妙龄,且会书画否?

梅史:炎暑蒸炽,仆与阁下皆畏之,故十馀日疏阔也。任、梁两友去后,收拾书室,此后友人至者,庶可安坐。阿蝶每日需索,惮于供应,故别觅一广东婢,姓王名瑞,聊以供烹茗扫地而已。

（这天梅史将房间腾广了。）

桂阁:辟土地,霸三国。

梅史:广土众民,君子欲之。

（这里挂着邵友濂的联幅。）

桂阁:邵公于学乐馀而为知己(原文),今见此书而如故,冀驰贵信赐邵公书一叶于弟。此邵公出身、官爵、籍贯请明示。

梅史:馀姚人。父为一品官。此人现为翰林,与弟同年作举人,故称同年。

（枢仙来了。）

桂阁：从花炮兴败以来，不接尊眉。敢问公署有一段风流冤家之佳话否？

枢仙：近日公署公事照常办理，惟各人私事则无一顺遂，殊闷闷过日。不审阁下有别品无字妹可赠一人以消遣否？

桂阁：古诗曰"丑妻恶妾胜空房"。想君欲拣一婵妍，故难得也。如欲拣如梅翁之广东婢者，则必多有。

枢仙：仆所期者东国之秀丽无字妹也。

桂阁：东国秀丽，以芙蓉峰为第一，如那白居易所言"芙蓉如面柳如眉"句，则为好。"无字妹"三个不解，盖曰无文字欤？

枢仙："无字妹"，谓未字人之女也，非无文字之谓。（妇人谓嫁曰字，《易》曰十年不字即无夫家者也。）

桂阁：有有，颇多有，未有其真然黄花女子，而口惟言未嫁耳。

枢仙：此亦不必深究，但观其貌如何耳。

桂阁：貌好者极多，情浓者亦极多，独不有其无字妹之真者也。

枢仙：若得貌好情浓者，余无憾矣。不识可购归否？倘仍是雇人，则恐余情殊为滥用。

桂阁：得貌好情浓者，则在财货之德，不在情爱之处。若论购归，则惟在君之方寸，非预所可言也。

枢仙：不先言明，终非正办。

枢仙：前日请书画纨扇已就否？

桂阁：罪在桂香女史。

枢仙：阁下曾写否？

桂阁：女史未写，弟何越俎？

枢仙：宜静以俟之可矣，毋过迫也。

（黄公度来了。）

桂阁：贵恙愈否？时一冷一暑，请自重。

公度：久不相见，想酷暑不出，道体定获佳胜。弟比来为病累，消瘦许多。前阁下招饮及贵舅氏纪家之召，均不能赴，多谢厚意。

桂阁：闻尊恙系痔疾，谓其病势如何？

公度：病痔十馀日不能坐，又时患呕吐，比尚未愈也。

桂阁：其剧者乃疼欤？痒欤？使美人舐之如何？

公度：为无美人舐，所以不即愈也。剧则痛痒皆相关，此刻尚未能久坐也。

桂阁：闻广东地方暑热酷烈，如今者处暑之时候，比之敝邦则如何？

公度：广东比此更热，然此间热至八十五度以上，使人烦闷，盖海气郁蒸，或土性异也。广东殊不尔。

（石川鸿斋也来了，他从怀里拿出这首诗稿来。）

赠梅翁侍僮王瑞氏

　　窈窕又婵娟，清姿恰如仙。丰肉还彻骨，靥辅宜笑嫣。辫发一条长，耳环垂两肩。短袍无五彩，不敢施钗钿。闻自南粤来，甲可二八年。翩跹能舞曲，长歌善四弦。形容异绿珠，复不似董贤。不知男耶女，眼瞠不亮然。主人笑不答，退问之史编。史编卜不兆，詹尹把筮捐。当日混缁素，今亦想前愆。借问秋夜梦，深闺与谁眠？

（梅史和韵而作）

　　秋宵月娟娟，抱月思飞仙。无奈花间蝶，相对口微嫣。碧玉娇回身，锦瑟长及肩。朝朝求罗绮，夜夜索珠钿。宠新矜玉貌，爱弛恃芳年。因觅康成婢，得此鲍四弦。献果礼诗佛，烹茗侍高贤。本无莽英姿，素面但天然。开镜舞粉黛，添香捧简编。良异断袖癖，庶无秋扇捐。柔情固易辨，佳期未可愆。如何佛印僧，欲嘲琴操眠。

鸿斋：觅郑康成婢云云，此僮定知善吟咏，亦足闺中兴，可羡。

桂阁：闻王美人在横滨，能知日本语，不知在横滨何地方、何商馆营生？何干的？

梅史：此亦友人所赠，不知旧属何处也。

桂阁："夜半无人私语时"，何不问之？

梅史：出家人何预人家事，佛印真假矣。

（梅史出去了。）

桂阁：弟尝游横滨商郑典臣，此人广东籍也，蓄妾徐氏，名玉笙，容貌艳丽，纤手细腰，弟于贵邦女子，未见如斯之美人。至今日见梅翁婢，而却不美此徐氏。

公度：梅翁但求果腹，不择精粗如此如此。横滨商又有一姓郑者，以一千八百金买一日本人为妾，今四年，言语举动，皆与广东人无二也。

桂阁：此郑名字何？

公度：名文饶，字诵之。

桂阁：王美人头发亦辫。弟见那郑家之徐氏，非如斯辫者，不知扮侍童否？

公度：广东婢皆辫发如男子，嫁则异矣。

桂阁：佛印而不呈书于东坡，却呈书于晋卿，其意恐属晋卿之家姬是无疑。

公度：阁下今观之，知为男女否？仆尚未敢骤决也。

（中国少年来了，梅史也回来了。）

桂阁：所来之标致少年姓名官职居何？

枢仙：是麦翻译之义子，姓金名备，是王泰园兄同乡人。

桂阁：姓加卯刀二字，则可帝蜀国。

公度：麦嘉缔为美国人，是（人）为一半美人。是人幼养于麦嘉缔家，通美国语言。

桂阁：以何缘故为麦氏之螟蛉？

梅史：此人之父为麦氏通事，早死，故麦氏育之。

（宫胁通赫来了。）

（中略）

（我把罗贯中写的书给他们看。）

桂阁：前日领《三国志》之高鉴，而此俗本那罗贯中之作欤？见其书中，注释叮咛，不知何人注焉？弟想此书罕世矣，购之亦有益欤？将无益欤？然而参考双方异本者亦不无益乎？请乞昭示。

梅史：购之亦可。

桂阁：请告此书作者暨注者之名，且赐高鉴。

公度：此书在明中叶本甚古，其注释之名均不可考，中土流传之本，惟有金圣叹所批，知为罗贯中作而已。罗贯中为元末明初人，其他著述皆不可知，盖此种小说，民间盛行，而藏书家及《四库目》皆不著于录，故不可知。此书为明板无疑。

桂阁：此书比毛声山别集《金批第一才子书》，其价大廉。盖敝邦人知有毛氏著，不知此书故也。不知此书如在贵邦坊间，则其价孰与毛氏别集之书贵？

公度：明板之书，藏书者不重之。然既为古本，购之为宜。敝土未见之。

桂阁：《声山别集·凡例》所载曰"俗本"者盖是欤？俗本"乎"、"也"、"者"等字不正，且文字冗长，不知俗本的怎么书？

公度：亦不知即指是等书否？声山为国初人，其时明板书流传极多，声山有学问，其校正之本，终胜于流俗。然在当时即为俗本，在今日即为古书，购之正可以校勘同异，知其所长也。

奈园：书系古语，今日可译以汉文而翻刻之如何？

鸿斋：民间小说传敝邦者甚尠，《水浒传》、《三国志》、《金瓶梅》、《西游记》、《肉蒲团》数种而已。

公度：《红楼梦》乃开天辟地、从古到今第一部好小说，当与日月争光，万古不磨者。恨贵邦人不通中语，不能尽得其妙也。

（这时候奈园来了。）

奈园：《红楼梦》写尽闺阁儿女性情，而才人之能事尽矣。读之可以悟道，可以参禅。至世情之变幻，人事之盛衰，皆形容至于其极。欲谈经济者，于（此）可领略于其中。

公度：论其文章，直与《左》、《国》、《史》、《汉》并妙。

桂阁：敝邦呼《源氏物语》者，其作意能相似。他说荣国府、宁国府闺闱，我写九重禁庭之情，其作者亦系才女子紫式部① 者，于此一事而使曹氏惊悸。

鸿斋：此文古语，虽国人解之者亦少。

公度：《源氏物语》，亦恨不通日本语，未能读之。今坊间流行小说，女儿手执一本者，仆谓亦必有妙处。

鸿斋：近世有曲亭马琴② 者，效《水浒传》作《八犬传》，颇行世，凡百有馀卷，今现为演戏行之岛原新富座。

公度：贵国演戏，尽态极妍，无微不至，仆亟喜观之，恨未知音耳。

桂阁：此书非为戏而作，故方演其戏，近来俗辈换其脚色，却失马琴本意矣。敝邦戏之妙者，以《忠臣库》等为第一，盖因为戏而作也。然其学问浅薄，非其《还魂记》、《西厢记》之类，皆可笑也。

公度：萨摩之变，既有演戏者，足下观之否？

鸿斋：已观之，大违实事。

---

① 紫式部（987—1015），原称藤式部，后改称紫式部，平安中期的女文学家，《源氏物语》著者，该书为日本文学中第一部小说，还著有《紫式部日记》、《紫式部集》等。

② 曲亭马琴（1767—1848），即泷泽马琴，姓泷泽，名兴邦，别号曲亭马琴、信天翁、傀儡子等。江户时代小说家。

枢仙:君前购《金瓶梅》,想已阅毕,恳饬贵价顺携到署,俾仆等一观,至嘱。

桂阁:诺,必不食言。

　　(中略)

　　(这时候,通赫走了。因为天气太热,那个中国妇女拉下帘子来,打到梅史的头。)

桂阁:(武大郎家)紫石街头天暮处,莫将帘子骇官人。(见撤席、上了帘有感。)

黍园:楼上无潘金莲。

桂阁:他云先在张大户家,使他死了,是以知为金莲。慎勿使孟玉楼小童入此室。

梅史:满口《金瓶梅》。

公度:敢先告退,有事未了。

桂阁:偶弟之来,请缓缓相谈,尊托公事去了?

公度:尚非限时刻为之者,少座可也。

枢仙:名古屋之春信近有消息否?

鸿斋:既谈梅君日前甘泉氏者,请公使写贯序,日日促仆两三回,序始成文之。公度君促名古屋妇乎? 仆进退维谷矣。

公度:此亦如西门庆之闹王婆,情急势切,不能不尔也。

黍园:君何善为人作介,无怪敝(惫)于奔命也。是亦和尚多事,岂得谓慈悲心肠如是乎?

鸿斋:仆生于世,无一事夸人,唯欲窃积善事,灭罪障,故颇积阴德而已,却为其所苦心神,阁下以为如何?

黍园:只恐阴功未满,已惹烦恼。

　　(中略)

枢仙:名古屋之信,须急讨来,不然恐黄郎病入膏肓,将不可医,奈何奈何!

鸿斋:有一妇颜如莼花,年亦二十左右,日前索之,有老母曰:"到西京,不日可归宅。"想必有好男而到者。此妇实系猫儿,现今春颇发英名,随财主去。闻财主已离别,今乃寡居,然未归也。

桂阁:想是与李桂姐一般,业已使鸿斋氏剪阿良之一柳(绺)发。

桂阁:名古屋者,不过我邦之一都会,难以曰大都,且其地窄狭,人情懦弱,虽女子犹有此病。妇人之性,惟爱其美,而不爱其性,是皮相耳。至其气质潇洒,志量贞洁,能事丈夫,则为东京良家之子为第一,岂何待那碌碌偏僻陬邑之女乎?

鸿斋:此妇颇好读书,日日来读汉籍,故知之也。一为西京人妾,以四百金所购,居一岁,再到大阪为猫,亦复来东京,其美貌虽西施、飞燕不可及也。欲知其真,仆处有写真像。

棻园:此公翁初愿所不及也。

梅史:和尚不诳语否?

鸿斋:仆不诳人,然此妇甚难配,若欲一见,仆可俱偕来。盖此妇自夸容貌,今浅草两国边写真标多揭载之,名小园,初为神奈川县令妾,后为西京本愿寺大教正妾,重后为蛎町米商妾,今乃寡居。其所配皆颇金满主,故骄奢最甚,侍女亦有二人,其居比公仆一唱一弹,客掷数十金。然性好读书,故来仆家闻讲义。今闻在大阪,不日可必来。然欲得之,所谓卞氏璧天下无二者,恐不肯也。

公度:写真先乞一观可乎? 在大阪何为? 其土籍东西京否? 好读书,是汉文否?

鸿斋:仆教《文章轨范》,皆熟矣。今取写真请先一观。

公度:年不多,遂易数主,妇弃夫耶? 夫弃妇耶?

鸿斋:骄奢殊甚,千金不足一月费,故夫弃妇也。然以容貌绝世,他夫交来求配,不知今有配否也。

棻园:他人不与也,但恐媒人先偷尝滋味。

梅史:献昭君如何不留下画图?

鸿斋:初撰东京三十六美人,又撰六美人,又撰三美,是三美之一。

枢仙:此假雨村业已占此甄氏丫头了,甄氏丫头乃阁下之爱妾也,谁敢在虎头上扪虱?

桂阁:葫芦庙内小沙弥颇张嘴。

棻园:想自闻大讲义,则前日骄奢岂化矣。

梅史:公度当改称兰成。

鸿斋:今写真来观,画图尚胜,抱寻常一样妇,勿流涎三尺。

公度:观之而后信。

（我打发房吉到鸿斋那里取小园的照像来。公度看了说。）

公度：是人性情沉鸷，吾畏之。

鸿斋：勿以澹台灭明，此人英敏散才，颇善弦歌，然闺阁中其老功手段，使人恍惚荡然，"沉鸷"二字，虽不当，不远也。

公度：其英敏可一望而知；详细观之，则其中沉鸷，未易得其欢心也。

桂阁：弟相此人圆眼耸颡，鼻孔朝天，长颈过度，毛发不稳，想是一般凶恶之风。

枢仙：圆则俱圆，耸则俱耸，朝则俱朝，其妙真不可思议者，试细参之。

桂阁：有闺中之妙味，固悍贼泼妇了，如那潘金莲、李桂姐可以证。

枢仙：此则当无凶恶之相，第聪明渐露耳。

桂阁：妇有长舌，惟厉之阶；哲妇倾城，亦可畏哉！

鸿斋：本为一华族胤，落魄流来都门也，故其容貌有出凡之相。然妲妃、杨妃之类，倾国倾城自是钦。

公度：是人终久不沦落下贱者，在大阪何所为？

鸿斋：道顿堀。

鸿斋：石龙子曾曰此妇后年可必配贵族。阁下言然？

桂阁：否。"人生勿为妇人身，期年苦乐由他人。"

公度：光武曰何由知非仆耶？

桂阁：光武又曰娶妻当得阴丽华。

公度：彼为帝王，终娶阴丽华。有为者亦若是。

桂阁：已废郭后矣，以之为后亦可。

公度：谁氏？

桂阁：卑贱之小妇，不详其姓。不过彼虚称"衔愚夫"，假谓成濑氏辈族也，亦为不稳。世有此类颇多，勿必为真。

公度：食而知其味，乃可以言。即烦阁下觅一东京良家子如何？

桂阁：君之所尝食者乃鄙野之菜蔬耳，而非大牢之滋味。如一味之，则筋恐不遑措。

公度：尊论极是！尊论极是！尊论极是！有求于人，必先下之，故不敢违君言也。

枢仙：请问东京良家女可购而贮之金屋否？

桂阁：求之非金，得之非媒，惟情一字耳。

枢仙：无媒之者，情以何用？

桂阁：有情者乃逢良家女儿，可自诱之，何待媒乎？如那宋江于阎婆，武大郎于金莲，不知情之真者。

黍园：君谅无戏言也，如有戏言，罚当去势。

桂阁：宫辟颇妙。

黍园：公翁易名子山方可。

（鸿斋把小园的照片珍重地密藏怀里，却被公度抢去了。）

公度：若其母见问，则言既授其婿矣。

桂阁：攫夺颇妙。君所为却忠于阿良生母。

黍园：若媒者不力，罚亦如是。

鸿斋：卿等不仁，妄夺去宝物，若携来真妇，亦强夺之耶？《游仙窟》中一绿林徒。

梅史：国之利器，不可以示人。

公度：是亦未可知。

鸿斋：既媒灼假小园，阁下具开祝宴。

黍园：他日得真面目，假面当还君也。

桂阁：小园如归来，则弟请作主，聘似侑酒。

梅史：留此为息壤。

公度：是亦艺者否？——西京？

桂阁：又是西都宾来夸东都主人。

公度：仆以后刻一印曰"东都主人"。

梅史：一个娇姝，来自西都，赛过了石家绿珠。害得那书呆，朝思暮想，指望着同衾共枕，粉腻香酥。怎藏将小园春色，夺得来气喘吁吁。问冰人，献昭君，如何不留下画图？

公度：呀，盼得到佳期，汝是罗敷，侬是罗敷之夫，又何用一幅真真小画图？

黍园：终是你冰人太糊涂，说这么天上有，人间无，害得那小书生，病成相思，泪眼欲枯。

梅史：可与小园歌之。

桂阁：使小园为雪儿如何？

公度：呀，从今后，我想你柳腰樱口，花貌雪肌肤；朝朝暮暮，当你个观音大士，焚香顶礼唱"南無"。

（今天的笔谈，大家都聚精会神，很有兴趣，我走的时候，已是午后五时了。）

二十三、戊寅笔话　第二十二卷　第一四七话

（光绪四年八月十五日　1878 年 9 月 12 日）

（戊寅九月十二日午后，在梅史的房间里笔谈。）

桂阁：前日之宴会，惟有纪氏之信，而不蒙公署宠招，故余踌躇了。加(中间一字不明)天稍欲雨，犯沾湿，而行车也有害于敝体，以之不来，请恕焉。

梅史：因阁下不能餐，恐在此受饿，故昨日不招也。

桂阁：所赐之点心，真珍物，颁诸举家眷族，复及外族，寸裂无剩，味之者亦殆知其贵。

桂阁：公事倘闲，则叙谈；若不闲，则宜归了。

（公度来了。）

公度：此种点心，豕膏太厚，仆不喜食之，广州人喜食之。点心似浙江之嘉兴、湖州为最佳。

桂阁：嘉兴、湖州点心不知何制法？想彼玉带糕、雪片乃是欤？

公度：大抵皆用米麦和以糖而已，其制法变化无穷，玉带糕其一种耳，其清脆甜美，真有嚼雪和梅光景。广东点心亦有佳者。此为月饼，中秋时作之，馀(下二字不明。)

（黍园来了。）

黍园：纪君与柴浦氏同来。

桂阁：柴浦之量，与纪氏锤之，则减几分。

梅史：阁下谓柴浦食量大好，昨日大不能餐，此举不实也。

桂阁：荐举大违矣。虽然，他固夸大餐，盖吃罄几许肴乎？

公度：植邨、堀田二公皆大能食，二公所食，足兼柴浦十人之餐也。

桂阁：堀田、植邨皆能餐，想华族浑是贪餐之人，恐为封邑数万户之流习；如余则封土不丰饶，致此饿亦有故欤。

梅史：君于日本馔尚不甚举箸，华馔更不能也。

桂阁：华馔多是豕膏所加味，故弟难吃，盖守医言也。弟方秋分寒露之候，有浊唾喘息之病，苦恼已积年，顷者良医施药疗之，稍觉全愈。其摄养之法，惟在禁贪餐，专行步耳。故至春分清明之候，则无发此病，随意吃华馔洋馔，决无妨也。

梅史：病既愈，不必如此戒口，此亦医者过火语也。近有华人云：在东京不得豕肉食，阳具萎软，至横滨大餐，勃然怒举。仆笑曰：如此春药方至稳当，当登之新闻纸，使东京女子知之，当普劝男人吃豕肉也。

桂阁：豕肉之效，能勃起阳物，奈弟等阳具朝暮勃起，未有萎软之时，何豕肉之用？

梅史：恐君如破戒僧，背人偷吃之。

桂阁：君精医术，故问之。敝邦医云：敝疾在肠胃，常以食物泥滞难消化，发其病芽。于是务其消化，能健肠胃。豕膏牛肉鱼菜之类，浑居其浓者，则一切不食焉。吃其下剂，而整其腹部也。

梅史：积滞在肠胃，此但腹痛，不作痰喘，此脾胃不强也。

桂阁：弟前日假托魏鲤门之事，而突访艺者百代，他管待至厚（原文），遂乞弟以转问君，其言曰：前日卖茶楼之约，空了如何？而好否？

梅史：弟今买茶楼，呼酒肆，不呼……。

桂阁：百代衔怒道：梅君违卖茶楼之约，闻外有新（中间一字不明）而然乎？

（公度的仆人拿这封信来。）

　　所订今日偕往访友之约，乞即易衣同去，为祷。

梅史老兄

　　　　　　　　　　　　　　　　　　遵宪谨上

梅史：青山坠马受伤，故往视。

　　（下略）

二十四、戊寅笔话　第二十二卷　第一五〇话

（光绪四年九月二日　1878年9月27日）

（戊寅九月二十七日，我到华养院访问王泰园，和他笔谈。泰园给我看俞樾全集，说："你买这一部吧，价钱六元。"）

桂阁:弟唯闻俞公才学渊博,词藻婉丽,未知其为人暨履历等,请细告。

棎园:前乃翰林,放河南学政。今归老,以著述为事。现杭州诂经书院山长。

桂阁:俞公才学以使世人赏赞称誉者想必夥多,其中又有能惊人之佳话否? 此全集部分,凡分何部、何部? 几许?

棎园:此书经学、子学、丛谈、外集、内集、诗集、词集。

(我看见了一个十八九岁的"地狱"〔私娼〕。棎园却说"她是架工"。)

桂阁:与雇阿滨之价孰贵? 那人是何街人?

(梅史来了。)

桂阁:今日礼拜后五日,闻拜客之日了,两公访友否? 如不访友,则去一处小酌,畅谈积日疏阔之怀如何?

棎园:请问梅翁。

梅史:阁下示知在何处,弟因有马车换人事,须略等一刻,请阁下与棎兄先行,弟事毕随后来可也。

桂阁:刻惟一点而已,往游自四点至五点为好。马车事办了可也。又到其所游之处,随君所好而已。此马车换人云云之事,不知何事,请示。

梅史:如此则太迟了,弟且往视马车事如何?

(梅史出门之后,有人拿了这张字条来。)

今日为出门定日(西人礼拜五),外务书记宫本小一前来拜,应回候。既约枢翁、梅翁,阁下即易衣同去是祷。此上

棎园仁兄大人阁下

弟遵宪顿首

(不久,黄、廖、沈三人来到了华养院。)

桂阁:假托名于访宫本,其实去醉酒楼。不然,则何公府中一大记簿上所记载不便也。

公度:醉酒楼每日至六七点钟后可出,不同如此之早也。

桂阁:不早往则婵妍名妓为他人占去了。

棎园:即此刻去叫,亦定被华族人叫去。

桂阁:想君等犯雨而不在可访之人(原文)。

棎园:晴则友人他出,冒雨而访大好。且现定日曜后五日出门,则过今日

必待下金曜日也。

桂阁：弟以车跟随尊车而观其所往留，必定是酒楼了，请示其实。

黍园：宫本家酌酒。

枢仙：并顺询公馆消息。

桂阁：上之三字虚，下之二字实，如诸君可谓欺大使之大奸贼。

黍园：若是，则君乃奸贼之尤者也。

桂阁：何故下贼名？

黍园：如弟等为奸贼，君能看破奸，不可谓奸贼之尤者乎？

桂阁：前日君欺弟而召名妓小万于此处，弟颇有疑。如今者则恐近边之酒楼了。

黍园：过路君往近处酒楼去问，有支那人否。

桂阁：弟如问楼婢，则何曰有支那人在焉？君必投他于财货，使之箝其口，弟之问何贯彻之有？

黍园：弟等酌酒，何忌于阁下，而出此相欺也。

桂阁：如不忌嫌弟，则前日何摈乎弟而窃召名妓？

黍园：前日一时高兴，已傍晚矣，招妓一酌。当时欲招君同醉，想君已归，不及也。

　　（中略）

　　（不久，黄遵宪一个人坐车到华养院来。我和魏柴门很怀疑，悄悄地去看他，唉呀，原来他和黍园雇佣的阿滨，正在一个小房间里私谈，可笑可笑！）

二十五、戊寅笔话　第二十二卷　第一五一话

（光绪四年九月九日　1878 年 10 月 4 日）

　　（戊寅十月四日，我在新买的洋伞上写了如下的一首诗，拿到黍园那里去，和他笔谈。）

　　良工制就伞形圆，刘氏门前羽葆然，讵是獭精成美女，恍随鹤驾化神仙。裁来素绢如鹏翼，蓄得名香杂麝烟，一柄轻轻携取便，玲珑巧样仿苍天。

桂阁：仆常用之伞也，希君与梅翁次敝韵题一诗。至其所剩，则仆顺次乞

黄、廖等之次韵。

　　荄园：形如皓月一轮圆，信手携来便快然。

　　（梅史来了。）

　　桂阁：《名文斋骈文稿》之约，君限以五日，现今已经历旬馀了，冀取出而贷焉。如此稿不在座右，则他稿亦不妨。

　　梅史：此稿弟因友人借去，忘其人名，大约非小山朝弘，则高谷龙洲，尚未索取也。

　　桂阁：想尊府中小册必载此人之居处，如记载着，则弟当往取来。

　　荄园：待梅史兄自问小山或高谷则可，君去问不大好。

　　梅史：弟今日有事，失陪。

　　（廖枢仙、黄遵宪来了。）

　　桂阁：切愿君藏东来以前以后等之诗文稿则请贷焉，乃写了而已。

　　公度：弟所作诗文，皆随手录写，即随手散失，箧中实无一笔也。即如此扇中之诗，亦书扇时随书随作者。

　　桂阁：是必虚言，必定不耐携来之烦，故言如斯。余所言则非现时之事，暇时取出而示之，又使钜鹿氏代授与亦可，余进署之时受自钜鹿氏尤便。

　　荄园：应酬诗多不留稿。

　　桂阁：虽应酬诗不可不留其稿，想君诗多所忌讳于世上，故畏弟之示之于他人，而致此遁辞也。弟决不示外人，冀授尊稿。

　　公度：仆懒甚，一切皆不存，无论应酬诗也。梅史、枢仙、荄园皆未得见，何况君。

　　桂阁：如言则一篇诗稿了，何有无数篇文章之稿之理。君博学宏才，颇富文辞，曰不有其稿，亦人何实之乎？请枉意而借其稿，何必论东来以前以后。

　　公度：非不作也，不存也。仆谓诗文如人以为佳，听人编辑之可耳，何必沾沾然自存自抄自刻，自以送人乎？

　　桂阁：弟视尊诗文为甚可，意欲编辑之。虽然，不借其稿，则无编辑之道，请君为弟贷之。

　　荄园：即弟亦无稿。

　　（枢仙来了。）

　　枢仙：敝国文人，有几个人能存稿者，所有传稿皆后人爱其文章，辑而传之。若自以为可传世,自抄自刻,是妄人也,适为大雅齿冷耳。

桂阁:君自抄之传之,则是妄人了,弟论不然。弟纂诸君之稿而抄写之,以欲传敝国,何是妄人一班乎?

枢仙:惟有不敢自以为可传,故不存稿。支那三亿万馀人,读书作文者十之六七,以一人万首计之,该得多少,恐东海亦难容也。况阅世生人,人有数,而传之无数乎?

桂阁:何大人有《使东杂咏》之稿,沈氏亦有数篇诗文稿,弟已抄了。是等人又属妄人欤?如果为妄人,则君等亦一般之妄人了。

黍园:爱存者或存之,然亦不敢自辑以闻世;不爱者则不存。所谓妄人,乃自以为佳,刊刻行世。

公度:若支那人如日本之存诗文,则虽使焚稿成灰以填东海,犹可超而渡也。

桂阁:东海之广,思以尊稿填之,则请君假题数万首以填我品湾之一方,如今日之卑屈,岂何足填行潦乎?东海暂且不竭起,请君等借弟于尊稿,使敝库填塞为不能藏一个物,则幸甚也。

枢仙:实无存,非欺君也。

（我指着北京官话本《正音提要》中的话说。）

桂阁:"老慷慨"、"老四海",何语意?

枢仙:老字是北京话中口头语,如"好久"之意。

桂阁:是书官话了,不知别有纂北京土话者否?如那《红楼梦》中话,则照之而好否?

公度:其为北音一也。编《红楼梦》者乃北京旗人,又生长富贵之家,于一切描头画角零碎之语,无不通晓,则其音韵腔口,较官话书尤妙。然欲学中国音,从官话书学起,乃有门径。譬如学日本语,不能从《源氏物语》诸说入门也。

桂阁:弟转借此书于小矶氏,而欲抄写,请君许之。

公度:不如俟小矶抄出后,吾辈来此,日教以中音,将日本假字注上,阁下乃可学。不然亦何益也?

桂阁:小矶能贪睡,何日复落成了?不如弟自写,而就通辨者附以日本之训点则可也。

黍园:小矶首卷已抄。首卷拿去。

枢仙:本日是重阳节,君何不邀尊爷何公使登高? 仆等有上下之分,不便。君何不解意?

桂阁:弟意颇好,惟可惜阿爹有小恙。

黍园:君相邀,则无恙也。

（下略）

二十六、戊寅笔话　第二十二卷　第一五二话

（光绪四年九月十三日　1878 年 10 月 8 日）

（戊寅十月八日,我到入舟町周幼梅那里去笔谈。我看见一盒颜料,好象盛弁当——日本的简单的饭菜——的盒子。）

桂阁:叫何器? 而其用法如何?

幼梅:格碟,一名画盆。

（有大小两个圆砚。）

桂阁:价几何?

幼梅:三元。

桂阁:定额价之内,可减几分否?

幼梅:尊意价几何?

桂阁:深爱其形圆,想磨墨必便,故欲买焉。如聆则二元二分了,如减其几分之价则稳当,此研质未可必一顶上之贵品,请减其定价。

幼梅:原价大者三元,小者二元二分。

桂阁:夺其所爱,君子所不为。且小者又减其价几分乎?

幼梅:二元。

（有一张画儿,画着小孩子捉迷藏。）

桂阁:尊画之妙,所下手皆无所不佳,就中小儿嬉戏图,弟甚爱之,希君卖焉。而其嬉戏以手帕掩目者,叫做之何戏?

幼梅:俗语捉朦,贵国友属绘者。

桂阁:拙荆新造一柄伞,张以素绢,乃使诸名人写书画,以欲爱玩焉。现今命之伞工,想今午落成了,弟下午取来,再造府,欲烦尊画,乞画花卉暨那小儿捉瞽图而赐焉。盖为其伞也,有八个界分,如君惟烦其一个而已,幸许诺焉,并

愿限其写完之日子。

幼梅：十六日。

桂阁：幸不可缓其期为幸。

（中略）

（这是龟谷省轩和朋友们的笔谈，内容是关于他所写的《文章轨范》的问答。）

省轩：日前所指正韵法平仄之分，所圈如何？

梅史：上古无韵本，但以相谐者押之，未尝拘之也。后世韵本，乃朝廷为试士之用。古人作文，亦不拘于此，其押亦无法，可不必泥也。

省轩：不必拘，然不可不知叶韵之说，故仆反复而叩之耳。

梅史：叶韵本谬说也。中土九州，其方言之音或异，故所押时有不同，原非有意叶之也。以其自出方言，故无一定之书，后人纷纷聚讼，乃痴人说梦也。

省轩：叶韵之说始了，感荷甚。

梅史：支微或通庚霁，然亦一韵内有通有不通，既无成书定法，故不能画一也。《诗经》当日方音原相谐，后朱子不知其音，而强名为叶，实不然也。

省轩：拙作送序，感荷甚！《轨范》序，歆阙氏督促如火，愿拨忙政之。

梅史：十日内办。

（中略）

（公度来了。）

公度：青山先生既愈否？

省轩：久不晤，闻已愈。

公度：此札极古雅可诵。仆见此札后，贶以广东之黎峒丸，闻试之有验，极欲往视之；闻未能执笔作书，虑不便，仆又以病，故未出门也。

省轩：闻疾已愈，尚未能把笔如旧，此札想成于少女手也。

公度：长者极通汉学；尚有少者，闻通《论》、《孟》而已。

（枢仙来了。）

省轩：久不相晤，不知近来有何乐？想登高而赋诗，诗成而吐惊人之语耳。

枢仙：本拟到重阳节作登高会，流览贵邦名胜，一涤鄙怀。乃近来心绪不佳，足不出门，诗更未有兴作了，只终日闷闷静坐耳。

桂阁：龟谷氏云，今日幸运，倭、汉文士集来了，往游一处如何？弟前闻梅翁有病，不能行。如君有念于此，则伴黄君之辈一班而行如何！弟应以为主。

枢仙:黄君亦病新起,未审能行否?

桂阁:黄君病何症?

枢仙:初起是痢疾。

鸿斋:黄君准头有赤点,得非梅毒耶?

公度:病痢又且十日,昨日始不下,然尚未能代血成粪也。仆自六月以后,贱躯又时时不适,精神亦弱。

鸿斋:后门为痢,前门泄精,两道下落,非摄生之道,宜先治一道,而一道可慎。

公度:独宿。

鸿斋:小园在大阪,颇发大名,阪都豪商,日日招席,未得寸暇。日前飞书来,将为所购一富客,曰三千元。

梅史:小园三千元,大园如何?

鸿斋:大园在东京,老衰不当枕席,顷见杖藜参佛寺。

梅史:兰成之赋,增声价耶?

桂阁:龟谷氏期他日与鸿斋氏相访于敝庐,希其时君等俱来一酌于墨江。

鸿斋:十三日(礼拜日),沈、黄、廖三阁下欲往今户如何?

公度:十月八日。此礼拜日曾约廖君应横滨郑氏之招。彼招我者屡矣,以仆病辄迁延,既三易期,今不可更负约也。

二十七、戊寅笔话　第二十三卷　第一五五话

(光绪四年九月二十二日　1878年10月17日)

(戊寅十月十七日午后一时,在公使馆的客厅里,我把《甘雨亭丛书》送给何如璋,我们作了如下的笔谈。)

桂阁:此书一部系敝邦华族板仓胜明① 之著(此人已物故矣,距今三十有馀年,旧政府德川氏握大权之时),谨奉呈阁下,幸笑阅焉。恐阁下业已购之,弟不知其然否,试来呈之。

---

①　板仓胜明(1809—1857),字子赫,号甘雨、节山人。著有《甘雨亭丛书》、《西征纪行》、《游中禅寺记》等。

如璋：春间闻有此书，欲觅一览，嗣晤内务图书局书记何礼之，谭及此事，彼因送来一部。披览之，甚有名作。此贵国近刻好书也，大约数十年间东海名儒之作，具于此矣。

桂阁：礼之已为先鞭，儿追不及。虽然，携归亦不便，愿阁下转与少爷。

如璋：此书甚好，如兄家中未购，何不携回？暇时披阅，亦足增长识趣，且此为贵国儒者议论，参之海东风俗，尤为有用，足下固不可不阅也。

桂阁：敝库已藏此书矣，取披阅有趣味，则取来呈耳。何以不披阅之书呈渎尊览？

如璋：书价多少，请示知。

桂阁：遥下于前宵今村楼之酬宴。

如璋：仆问价有缘故，因何礼之送此书，欲觅一物以报之。请示知。前日本与石川约，有暇即到贵处，嗣以有事未果。

（如璋出门，公度来了。）

桂阁：那日增田、龟谷、石川三人来，梅史亦来，厀园与关湘云亦来，痛饮多时，诗兴大发。

公度：诸名士痛饮千秋楼，乞对之。一翻译分住三年町（麦嘉缔住三年町一番地）。一贤"侯"戏跳今户町（猴）。

（我请他在洋伞上写和韵诗。）

公度：圆、然、仙、烟、天。

（梅史来了。）

桂阁：墨江之游乐乎？

梅史：惜其地离此太远，一往一还，非二时不可。

桂阁：不如费长房缩地之术。

梅史：我当使愚公移之近处。

桂阁：移位之期已决定否？而永田町公馆营缮一切，君为之任，敢问其式浑仿贵邦否？

梅史：昨日交付房价，已买成，当稍加营缮即移居，约在下月中间。其式因本系贵邦之屋，改殊不易，拟稍加润色，略仿中土之制耳。

桂阁：起工约在何日？其工匠复何处人乎？不知委托之于何人？日本家屋之制，颇有精粗巧拙，真不非一样，不可不察也。

梅史：匠人有旧用者，亦有新荐来者，其用何人，且再斟酌。督率之事，弟当任之，精粗巧拙，当随时留意也。

（中略）

（我到泰园的房间，只见岳阳、鸿斋、子纶都在这里，梅史的弟弟芝生也在。）

桂阁：子纶何君脚气病，有一良药，极不易得，此药乃乳姆之破瓜者也。我朝满市自古皆称之矣，贵邦书复有此事否？

子纶：此药实不易得，仆不用也。

鸿斋：凡来敝国病脚气，非风土之异，非饮食之殊，皆从女色化来。彼脐下三寸穴，众病之所发。阁下多涉猎脐下，故酿此病也。而曰日本妇人不当意，其伪最甚矣，罪可服上刑。

泰园：往往染脚气者不在佣妇女之人，子纶君其明证也。署中有沈笛翁亦染脚疾，亦未佣女，想湿热之气，亦得从汤道出耳。

子纶：何定求（名），子纶（字）。

鸿斋：令兄号璞山，君号巫山。

桂阁：宜编《断肠集》。

鸿斋：沈翁俗事繁杂，不得闲乎？

（公度来了。）

鸿斋：我俗曰蕈者，俟秋冷生山中，不知贵国亦称蕈乎？但非深山幽丛中不生。

公度：中土亦有称蕈者，但不知同种否耳。其形状殊不异，弟不知是因秋冷而生否。

鸿斋：晚秋候，产山中及松林下，采食之，其味殊佳，与青菌稍同，味复胜，其形如阳物勃起，色亦然。

公度：即菌之一种，非因秋冷生，缘受夏暑郁蒸，至秋始生耳。

鸿斋：当餐欤。

桂阁：菌之为体，似阳物，秋始能生华养院圃中。

泰园：桂林庄上多有之，与桂同发，盖亦因秋而生耳。君云似阳物，则桂林庄中阳物丛生矣。

鸿斋：仆以为秋冷为候，馆中诸君脚气诸病皆平瘪，彼蕈者勃然蠢生欤。

泰园：如君所云，则和尚不可食。

（我对公度说。）

桂阁：今日复见得新李瓶儿，虽然，恐不如西门大官人之意，勿使廖君有子虚之思，弟以与君相谈洒落风流之会，为无上之乐，伏冀幸赐雅谈。

公度：适以上海轮舟来，多文书函札，故谈未及半而散。欲与我作何语，请先发难端。

桂阁：弟顷欲(作)《谏李瓶儿书》，而初稿未成，先于其起稿之时，不知自何事而下笔，请赐明示，是第一之难端了。

公度：高崎藩大河内辉声谨上书

瓶儿妆次：慕芳仪之日久矣，朝夕寝食，几至废弃。妻妾旁侍，责以何因？不言，则恐身命之陨；言之，又遭杖挞之辱。自顾渺小一沐猴，十二时跳掷不已，卒不得当，几不知置身之在何所也。辉声虽蒙宠睐，未亲芳体。顾以屡从姐夫游，或遂以子虚疑我，贾宝玉所谓早知眈了虚名不如（歇语）者也。愧恨交集，无以自存，伏惟哀怜而矜察之。

桂阁：李瓶儿回牍如何？冀并录。

公度：瓶儿复书：

桂阁贤侯足下：得书不解云云，原缄即以璧还，勿再哓渎，桀犬之吠，极可厌也。

鸿斋：仄闻顷者阋墙之事，辉声君以子虚疑云云此事欤？

公度：不解其云云，桀犬之吠，极可厌也。

（惕斋来了。）

鸿斋：名字如何？

惕斋：王惕斋。

桂阁：狡猾之商人也。

鸿斋：贤贤不易色之人。

桂阁：为其行也，终日乾乾。

（梅史穿着紫色呢绒，带着一本书来了。）

梅史：不知何人为介绍，疑或石川子之友，故问之。

鸿斋：阁下着丽服，往何处？

梅史：无美可访。

桂阁：闻永田街公馆已购了，君如有往于公务，则愿伴弟而拜观其所在，不知许否？

梅史：可。

（我说关于鸦片的事。）

棨园：此中鸦片大禁。馆中因尔国亦禁雅片，何人吃此者，何得乱言？此乃大干禁，君若乱言，外人误听之，弟有当不起之罪。

桂阁：敝邦俗语谓淫行曰假雅片，非中国之事也。

公度：君辈朝夕来此，而为此言，外人听之，将据君辈之言以为实，吾辈亦何乐与君交？

桂阁：谨领教。自今以后，弟誓不可言雅，惟言鸢雀耳；誓不可言片，当言隻耳。

（大家一同走了。）

二十八、戊寅笔话　第二十三卷　第一五九话

（光绪四年十月二日　1878 年 10 月 27 日）

（戊寅十月廿七日，因为关义臣的招请，午后时，我到两国中村屋上去笔谈。何、张、黄、廖、沈、棨都来了，副岛也来了。）

桂阁：辉声前日访棨园，棨园告以今日之佳会，辉声频欲会之，问之于棨园，他道宜与湘云谋，故与湘云相约，得会华筵。

公度：蝙蝠伞前日戏作四言铭，仍用阁下韵，托棨园寄语阁下遣价来取。棨园语余，今日阁下当来华养院，或者棨园来，一并携至也。石川亦题诗。

桂阁：明日、明后日之内，到华养院而携归耳。前日见廖君之祕佛矣。

公度：放鹇飞去。

桂阁：但剩空笼，自然别可养一鹤。

枢仙：不久移居，再作后图。

桂阁：君所写伞盖之铭诗，冀现写焉。

公度：亦方亦圆，随意萧然。朝朝暮暮，可以游仙。替笠行露，伴簑钓烟。举头见此，何知有天？

桂阁：丈夫以天为华盖，然天上一碧，别有天乎？而次韵诗请祈示。

公度：此意极言阁下高隐山林，随意自适，理乱不知，黜陟不闻耳。

枢仙：古人云幕天席地。既以蝙蝠伞为幕，则幕以上不见矣，即谓此为天可也，况其圆象天乎？

（斯桂骑马来了。）

桂阁：闻张君骑马缓行而来，可惜不使夫白蝙蝠携之。如携之，则扮一张果老耳。

梅史：此蝙蝠未满五百年，故尚黑色。

枢仙：中国官骑马用长柄红伞，以一人张之，俗名"日照"。贵邦少见，恐骇人目，自己持伞，少年人便之。张公老年，殊劳苦，故不用。

公度：同坐便于说游戏语。

桂阁：恣说游戏，余与君斗游戏耳。

（斯桂的脸如往常，好像那"五脏圆"招牌上的人一样。）

桂阁：张公恍似王恬在胡床。

公度：庾亮高据胡床，所谓老子兴复不浅也。

（三个雏妓来了，名子是小丝、阿爱、小好。）

桂阁：君请赐此三少艾之品评。

如璋：此爱子前有诗了。

桂阁：幸写其佳作。

如璋：问他，我忘了。

桂阁：他亦恐忘了，不如向他问一曲，想那三个处女盖系于三浦氏所见欤？

如璋：为爱莲花胜牡丹，天然富贵本来难，婷婷嫋嫋娇无力，妙舞真宜掌上看。

枢仙：伊（阿爱）扯大人辫发，罚他叩头谢罪。

桂阁：谋之通辨魏氏。以弟任之，则可谓越俎。

枢仙：此非魏氏所宜言也，君何不解意，殊乏雅韵。

桂阁：然则君直告之阿爱，非弟所管。

枢仙：弟苦言语不通，故倩君也。若魏氏可传，早命之矣。

桂阁：阿爱可爱之人，弟何忍为之？

枢仙：惟爱之故戏言罚之，不然则不屑也。

桂阁：如戏之，则莫若罚一大白。

枢仙：亦要君代达其意。

桂阁：君覆干其碗,而代大盏,岂俟弟乎?

枢仙：爱卿不知其意,则无趣也。

桂阁：使魏氏达其意,使君罚其盏,使弟抱腹呵呵大笑,亦不稳乎?

枢仙：吾始以君为雅人,故谋之。今而知非也,不复言此矣。

桂阁：君何恐阿爱之甚也。强以弟为不雅人,君却为一雅人。

枢仙：既不为矣,请作罢论。

斯桂：评小丝曰:

眉黛山烟犹未浓,桃源曾否洞门封? 怜君情似蚕丝绕,挑动琴心一点通。

画出春山黛色浓,桃源曾否洞门封? 若还渡口无人问,我拟渔舟一櫂通。

鸦髻高松螺黛浓,桃源曾否洞门封? 倘经攀折他人手,刘阮天台到亦重。

梅史：小髻轻烟粉色浓,花蹊何必问云封。刘郎若觅天台迳,眉翠新松黛影重。

黍园：长袖翩翩态倍浓,桃源曾否洞门封;武陵渔子纵多意,未许乘楂[①]一棹通。

酒边含笑最情浓,眉样愁多半欲封;相对未能通一语,巫山在望恨重重。

桂阁：小小秋色花更浓,桃源曾否洞门封? 武陵今日迷前路,得遇仙人境自通。(弟想通字一东,而浓封皆二冬,张公误用通字,故随张公耳。)

梅史：此老酒醉忘之。

桂阁：春色缤纷馥又浓,桃源曾否洞门封? 此中本是神仙境,隔着武陵山万重。

（中村屋的女佣人里麻脸的很多。）

桂阁：贵邦皆于文章佳处点圈了,他亦颜貌多圈,得不美乎?

公度：当日阎罗夸彼美,多多面上着加圈。

桂阁：彼孙悟空怎能压倒阎罗?

（中略）

桂阁：副岛凭栏与君笔谈,有何佳作?

公度：言富士山,又言吾国山水人物之佳。

桂阁：山水人物者,所谓寸马豆人之类欤? 呵呵!

---

① 乘楂,疑为乘槎。

公度：此言富士见山。若言吾国,则如子由上韩书所云云也。

桂阁：弟闻君所言,则在贵邦贵苏轼、魏禧;在敝邦贵赖衰、古贺朴①。弟尝以谓君作字,气骨勃勃,大逼苏家之风矣。不知君作字专临谁氏帖?

公度：弟作字素未临帖,生三十年,未尝一日伏案学书也。

桂阁：误勿踏项籍之辙,不知学剑否?

公度：不学项羽,欲学沛公,中土无容身处,当求之海外四大部洲。

桂阁：容身处都在东胜神州傲来国,君亦来而为石猴。

公度：我为众猴长亦自佳,所谓聊以自娱耳。

桂阁：不过为一僧之奴隶耳。

公度：至是时则此僧为中土人。

桂阁：此定逢九九之难,如那华养院所谓盘丝岭了。

公度：便当以德川氏故城为水帘洞,引玉川水为之。

桂阁：当作《东游记》也。

（九时散席。）

二十九、戊寅笔话　第二十三卷　第一六〇话

（光绪四年十月三日　1878 年 10 月 28 日）

（戊寅十月廿八日午后,我到华养院去,泰园、公度、梅史都在那里。公度很忙,还要在《红楼梦》上加圈子。我对他说。）

桂阁：呕走多颠踬,忙圈多错谬。

公度：伞有一套子否?

梅史：移居恐失之,取去为佳。

泰园：到黄公处取之。

公度：礼拜之五日最闲,前既刻新闻纸(《朝野新闻》),阁下未之见否?

桂阁：何日刻之公世?

公度：在二月前。

---

① 古贺朴,即古贺精里(1750—1817),名朴,字淳风,号精里。德川中期儒者。著有《精里文集抄》等。

桂阁：我邦腐儒辈频频出入公署，而为诸君之妨，所以此事欤？

公度：实不能不尔。

桂阁：想礼拜五日敝邦迁生争来，门无容车，故俟别日而来也。

（我在黄君的房里取洋伞套子。）

桂阁：多忙？

公度：此间以西人之礼拜四、五日为闲，一、二日最忙，往上海之船以礼拜三开。

（张斯桂叫我到他的房间去，他送给我他的孙子的照像。）

桂阁：尊影二叶谨奉挂敝庐，永以为宝。归航之后，传之于万古，又可谓荣也。

（他送给我水仙花。）

桂阁：水仙花之种，敝邦所产者，叶长伸而花小；贵邦之种，叶短花大，是所以为贵。多谢！多谢！

斯桂：贵邦水仙产于何处？其郡县山名，俱详告为要。

桂阁：弟浅学未读橐驼书，所以不知。虽然，敝邦水仙花浑出自东京近郊，至其且善则有别所产者，俟他日可告焉。阴历十月十日前后，菊花盛开，我有知己酒楼主人，家住目黑村，多栽菊花，年年期十月而呈奇观，如君有意，则弟与何大人同马车，一日可往赏，君以为如何？

斯桂：尊谕领悉，极快鄙怀，未知何公之意如何。倘有定期，弟当与君偕行。祈为示我，是所切祷。

桂阁：弟又谋何公，而后可报也。

（下略）

三十、戊寅笔话　第二十五卷　第一六八话

（光绪四年十月二十二日　1878 年 11 月 16 日）

（戊寅十一月十六日，我差房吉拿这字条到公使馆去。）

桂阁：旧高崎藩士、现群马县士族山田则明、宫部襄[①]。

---

① 宫部襄(1847—1923)，明治时期从事民权运动，曾被乡党推为群马代议士。

　　右二名来自群马县,昨宿敝庐,切请以拜观公署各位芝眉,而笔谈数番。辉声即诺,以本日午时与同藩士松井强哉、高本正贤相伴,趋公署,伏冀幸赐公使并诸贤之谒。则明现掌学务,襄现掌警察官,又垂爱。

黄公度、廖枢仙两君座下

源辉声顿首

　　（我带着山田、宫部、松井、高木四人到黄遵宪的房间。）

桂阁:山田、宫部两氏,高崎藩中屈指之人杰,各有功绩。山田氏学问笃厚,通晓书史,性沉勇刚毅,有大志,尝从军显功,虽有敌万馀,他无挠之,身被伤,尚进战不退,当时为一藩所赏,现掌簹务,孳孳有电。宫部氏亦博学雄才,诸子百家,率窥其渊,强记(中间一字虫蚀不明)达,善诗,尝入息轩安井氏门,游学数岁,议论警拔,门弟子多慑服者。辉声之在藩也,擢两氏专掌机务,以股肱爪牙焉。藩废之后,常通信缔交,以为益友。两氏才气,不辉声之比,希匆匆把笔,开数番之佳话,则幸甚,是辉声所偏愿也。

公度:仆南人也,生平不骑马,昨日往小石川,驰马而往,腰腿至今为之酸软。见君辈负勇力者,只益汗颜耳。

强哉:小弟松井强哉。弟尝从桂阁谒诸大君,尔来遂疏阔。今日亦从升高馆,幸拜贵颜之无恙,乞恕无礼之罪。黄君坐下!

宫部:仆等不省寡君之前话,敢不该矣。虽然,胸梗枉直,死以答主恩者,亦所不让耳。

公度:敬仰高义。近者土风日趋于浮薄,米利坚自由之说,一倡而百和,则竟可以视君父如敝屣。所赖诸公时以忠义之说维持世教耳。

　　（一会儿,来了琉球人。）

公度:顷有琉球人来谒,请少坐,仆不陪。

　　（在梅史的房里笔谈。）

强哉:(此处约有三行为强哉氏笔谈,以不知其所云,故从略。)

梅史:山田、宫部两公,文武全才,既能上马杀贼,复能下马作露布,钦慕之至! 今日得晤高贤,实获我心。弟西方浅学,宦游贵邦,幸赐教言,以匡其不逮。山田、宫部二先生寓居何处? 祈示知,以便拜访。

宫部:昨来今户,宿旧主邸。而山田生本贯者上野国高崎,则寡君在采地焉,仆亦同之。

桂阁:本欲乞君之美馆,弟想顷多忙,不能畅谈,所以乞黄、廖二人也。幸使此二个谒何、张两公,则万望之。且此二人明日归群马县,冀君熟计焉。昨宵投宿敝庐,而谈及此事,二个垂涎三尺,慕公使暨诸君之高德,如得见,则何喜如之。诸君察焉。

梅史:少停,当启请之。

桂阁:俟闲暇时可也。弟不甚谙贵邦语,而工匠事尤不谙,数日内忙甚,而究无头绪,可笑! 可愧!

梅史:弟拟题此室一联,暇日奉纸请阁下书之。

结屋岛中有书可读;舣槎海外随遇而安。

桂阁:何不亲写之,而乞之于小儿。

梅史:阁下隶书大佳,故请之。

桂阁:涂鸦污粉壁,何得名之?

梅史:非题于粉壁,书之纸上。

宫部:王治本先生近顷状奈何?

梅史:亦忙,较弟小可。贵邦多节义之士,与他洲惟工言利者殊,弟所以乐与诸贤游者在此。近日西学盛行,所以节义之士多隐居高蹈。然闻贵廷有改国,未知何如。擢用人才,是为一国大要事,顾当道者或未暇耶?

（枢仙来了。）

枢仙:仆姓廖字枢仙,适篦辫剃发,有失迎迓。二君远来相访,幸勿吝教为幸。

强哉:弟等固不知欧洲巧言令色趋利之敏,惟墨守孔孟之教,故乐诸先觉之游谈耳。

枢仙:孔孟之教,在贵邦今日几为《广陵散》矣,诸君犹能毅然守之,可谓人中之杰,不为世俗推移。敬服敬服!

桂阁:不为世俗推移,则沧浪之水浊,则奈何?

枢仙:世人皆醉我独醒,世人皆浊我独清,古人有行之者矣。况能守之,尚可以待其清醒乎?

强哉:闻大人顷迎美人,乞容许谒其美人否? 惟其宵宵春情密。

梅史:皆粗婢供烹茗扫地而已,美则未也。

桂阁:山田、宫部之来,弟大褒赞贵邦之风俗,及文物隆盛,器用精巧;而今谈又及华馔之事,幸君分食,则幸甚;不知许否? 前日所食之鸡肉软饭,颇适我口,其味不能忘,所以乞之。

梅史:弟之厨灶,今尚构造,所食草草,治具未足供客。他日治具奉请。

桂阁:敬诺,别买日本饭,又无劳郁厨。

梅史:俟厨灶整治,当烹鹜割鸡以邀诸公台驾。今先往张大人处如何?

　　(中略)

　　(傍晚,在泰园的房里笔谈。)

公度:即约廖君同去如何?

桂阁:弟能不知酒楼佳者,君请替我教其佳者。

公度:总在新桥。卖茶楼上有一楼(仅容一坐),甚清静。若有他客占之,则别往花月、太田俱可。

　　(我们都上卖茶楼去。妓女阿兰、新吉两人来。客人则黄、廖、沈、王、强哉、宫部、山田、高木和我,共九个人。)

桂阁:请君子食西洋食乎?

公度:日本(食)亦甚佳,但吾辈不惯食生冷,敢告主人。

桂阁:闻诸君常酌(于)日本亭,食洋馔。弟亦嗜洋食,君决勿惮。

公度:日本(食)西洋(食),均能食之。

泰园:天寒宜热食。

桂阁:豚之调整法以何为佳?

公度:每日食之,不用可也。

桂阁:弟住墨水以来,足未踏花柳之地。从交诸君,屡相往游楼狭斜,想足下辈复使弟回昔时少年之轻薄气质,呵呵!

公度:弟未尝一与君会饮,有小鬟侑酒者。千秋楼之席,记有一人,而是日主人不来。

桂阁:千秋楼之会,无一个佳丽,景致萧然。好男儿何缘踏此处!

公度:君学程子,心中无妓耶? 仆生平未尝一游花柳地,以为如佛所谓味如嚼蜡者。及来日本,以为东国佳丽之所萃,又每每呼之侑酒,是又学孔子之无可无不可也。

桂阁:所以鼻毛长自是也。鸿斋在则又可有佳话。

公度:鼻毛之长,前所谓以系蜻蜓,即士女亦在其中。呼艺妓否?

桂阁:呼否随君所言。

公度:呼小万、小竹。

桂阁:其币让君。

公度:他日吾为主人,币自归我。

黍园:小竹落乐籍桃太郎[1]。

公度:此桃可名夹竹。

桂阁:宜往鬼岛而呼来,敝邦俗谈曰桃太郎于鬼岛获珍宝。如无小万、桃太郎在,则谁又好。

黍园:小万必到。

桂阁:他之狡猾乃我师也,不必来。然君别有所见乎?

黍园:有能制其狡猾者,则小万驯服。

公度:仆论美人,以为苟美矣,痴亦好,妒亦好,狡猾亦好。

桂阁:仆亦论美人,以为丑亦好,淫亦好。

枢仙:名之曰美,则非丑也,何自相矛盾如是?

黍园:无日者不见,西施、嫫母,则一概为美——只要有一淡菜,便可吃得。

梅史:此物名东海夫人,《本草》言其补益,然否?

桂阁:补益二字甚好。裁歪诗乞硃正后欲示人:

满酌黄封三两杯,佳宾毕集笑颜开。嫦娥未许轻相见,半醉凭栏待妓来。

公度:酌酒同倾三百杯,豪游如此亦奇哉。琼楼玉宇高寒处,齐卷窗帘待月来。

桂阁:夺桂林庄主人意了。

公度:是诗不待七步而成,速则不工。

桂阁:有煮豆萁之大才。

枢仙:一曲琵琶酒一杯,大家欢喜醉颜开,中东宾主成高会,愿约他时结伴来。

黍园:兴到不愁三百杯,酒间得句亦豪哉,小鬟今日初相识,笑问客从何处来。

梅史:酿得洪梁露菊杯,秋声拥雁碧云开,与君共醉高楼上,夜半珠胎海月

---

① 桃太郎,姓田村氏,别号桃太郎,文政天保间人,狂歌师。初居江户,后移美浓。

来。

宫部：又飞花台酒一杯，青帘银烛笑颜开，此中休说人间事，爱见雪儿带笔来。

（中略）

桂阁：新堀女优坂东辰次者，其美丽胜于小万。

公度：有暇再往观。

桂阁：枢翁夹身桃李之蹊，何交友之无情？

枢仙：若如所云，则情之至也。

公度：楼头风月总常新，小饮围炉爱买春，弹到三弦求凤曲，问侬谁是意中人。

枢仙：竹既言矣，当转而爱栖竹之秦吉了(指艺妓阿吉)。

卖荼①　楼上始相逢，款款依人意自浓，莫怪翻飞秦吉了，效人调舌最惭侬。

有扇请赠一枝。

梅史：若教团扇能留赠，长咏吴绫裂雪词。

（中略）

桂阁：高楼举酒听歌声，红袖扶来别有情，只恨巫山难入梦，半轮明月满京城。

强哉：请发声吟一诗。

枢仙：强之为义实难哉，百折居然竟不回，今日相逢觇士气，始知东国有人材。子曰亭主人醉赠强哉生。

强哉：东野顽士不敢当。

（由于小万没有来）

公度：待来竟不来，姗姗何其迟？思君如银烛，更阑多泪垂。

荼园：相呼不遽来，蓄意故迟迟，好如见食猫，馋口涎自垂。

强哉：王贤且暂待，彼知己小满者今将来。

荼园：既领厚情，行将告别。

桂阁：现报道小万可来，何弃之而归，何言虚？试问之小婢。

---

① 荼，当为荼。

黍园：君路既遥,弟亦有事,不如早散。

桂阁：敝庐太近,不见小万誓不归。君如先归,则小万之来,何言而返之?不知可送之于公署欤?

公度：来则言吾辈久待至归矣,阁下独乐可也。若来,为我言,吾屡呼之,皆以他去不果来。所索书画,梅史迟不画,遂至今未齐备,吾欲以十二幅赠之。

宫部：黄大官者,襄倾盖百载之知己也,请暂留焉,襄誓而为大官拍致那小万婢。

三十一、戊寅笔话　第二十五卷　第一六九话

(光绪四年十月二十四日　1878年11月18日)

(戊寅十一月十八日午后,在公使馆黍园的房里笔谈。这时,黍园和一位少女正在吃饭。我送给他风月堂的糖果。)

桂阁：比目鸳鸯真可羡。随无事而来,非有可言之事。

黍园：君从何处而来? 何处食饭? 又携得果品相饷,意何厚也。

桂阁：新掘女优坂东辰次小照,欲使黄老爷一观而携,俟黄老爷来此而聆其品评。

黍园：与梅翁同往可也。弟今日有公事,无暇畅叙,请恕之。

(在沈梅史的房里笔谈。)

桂阁：弟欲抄写黄老爷所藏之沈石田山水图上之诗,盖有欲赠于匾额,黄氏之意也。纵令不往黄房,君暂借来,则刻于是抄写去耳。且此女优坂东辰次小照,欲呈黄、廖两君,故特携来矣。此女优现在东京柴浦新堀座张戏,鸿斋喋喋褒赞的。

梅史：黄氏诗弟即往抄来。

桂阁：弟又欲细见其山水人物位置,而缀小文章,希少见焉。

梅史：今日要发奏摺,乃将今年所办之事奏皇上,此事黄主稿,廖写之,而弟封之,故不得闲。他日可以畅坐谈画。黍园因有候京内友人信,其馀函须今日抄好,明日封发,因由此寄至上海,再寄入北京,迟则河冰,轮船不能往,故急急也。

梅史：弟事因尚未抄好,故封尚少待,可以少坐闲谈。

桂阁：仆所言，请改日可也。想君亦多忙，刻可告辞。虽然，仆庐路远，来请此事亦不易，愿俟其黄君处闲，而一时借得抄写，则望足下。不然，则弟告辞。

梅史：二十日。

桂阁：本约二十一日与鸿斋相访。

（回到泰园的房间，叫川岛浪速拿这封信到黄遵宪的房里去。）

弟欲赠"大痴境"三大字之额，而愿抄写那沈石田之诗，且观其全图景致，现乞之于梅翁，梅翁道黄公写信，无寸暇。虽然，弟今日特来，在欲抄写此诗而已，如辱一见，则幸甚也。想尊房匆忙，如然，则使贵价携泰园处，刻抄写奉返，希勿烦弟之愿。

黄老爷阁下

源辉声顿首

公度：前辱赐酒席，感谢！欲作一诗，匆匆不果也。今日实无寸暇可以陪话，石田画即送一览。观"大痴境"三字大佳，代隶是盼。

遵宪复

（画幅上写的诗是：）

画在大痴境中，诗在大痴境外，恰好二百年来，翻身出世作怪。

沈周

（这幅画是他叫浪速带回来的。当时我也送给他辰次的照片两张。）

桂阁：即抄写完了，请落手。此小照名古屋女优，现来东京演戏于芝山荣升榭者，乃谨奉呈黄、廖两君，幸赐爱顾。二十一日木曜日午后，与鸿斋氏俱奉访，许畅谈否？或二十二日方便也？请示其闲。

公度：廿一日、廿二日午后在三时前后均可来谭。美人图暂收。

宪白

（我对泰园说。）

桂阁：君到某日而始得闲？

泰园：过二十日可少暇。

桂阁：午前午后之内孰闲？

泰园：近二三日内有京信数十封，午前午后皆无暇，待二十日发出则少暇。

三十二、戊寅笔话　第二十六卷　第一七〇话

（光绪四年十月二十七日　1878 年 11 月 21 日）

（戊寅十一月廿一日午后,我和鸿斋到公使馆去,为的是请何如璋教《明史稿》的句读。）

桂阁:爹尝许授《明史》之句读,所以携来,幸勿叱。

如璋:此书系初印板,不漫漶,甚可观,且留案头,俟有暇时当为君一览。日来何事? 今晨下午一点半钟,当偕各公使到宫内省,问贵皇上出巡回来安。

桂阁:此书目录,别无施小圈、记句读之处,惟有上表而已。宫内省园中菊花盛开,想各公使亦有其同赏耳。

如璋:此则不知,须到去再说。

桂阁:此书儿深怕毁损,故平生欲收此箱,希知悉。敢问署中随员几名相随到宫内省?

如璋:俱不去。一物无成而不毁之理,金石且然,况书乎? 君何见之拘也。

桂阁:那帽名及玉名?

如璋:帽为江獭皮沽做者,系冬令时所用,顶为珊瑚。

鸿斋:今日祝仪,为皇上无恙还于本都也。赏菊系同族及宠臣。

如璋:此行即是此说。

鸿斋:阁下祭诗时,着此獭皮冠乎?

如璋:祭诗当用黄冠、卉服、芒鞋、竹杖。此系礼服,用之则不称。

桂阁:成之日,又进次册。其成之日请赐示。

如璋:全稿恐须十年告成。

桂阁:到鹤驾翔回之时,仅圈数本,决不为少,盖儿家残尊阅之书,颇大幸也。希暇日阅之。

如璋:大概《本纪》必可句读,明太祖、成祖“本纪”定须一阅,其馀择有功业者一观,其馀不欲批阅之也。观史如观戏,非好脚色不好看。

桂阁:康熙帝(或疑乾隆)楹联之句“日月灯光,汤武丑净”,盖是欤?

如璋:大意如此,《楹联丛记》中有之。

（我到了何子绲的房间,他正在梳发。）

（这里来了一位叫黄房的琉球人。不一会儿，公度也来了；又一会儿，梅史也来了。）

桂阁：现琉球军已退，倭军锐锋，想君难当，非暂休兵养气，讵笔战之为？

鸿斋：琉球亲方各有文才学者乎？

公度：琉球小国，从古自治，近为贵国小儿辈（执政之流）所欺凌。彼臣服我朝五百馀年，欲救援之。

鸿斋：琉球洋中一小国，先年为萨人岛津氏所夺掠，尔来贡于我，闻亦贡贵国，使者往贵国，忘用贵国年号；来于我者，用我国年号。中有漂然不为二国者。

公度：近来太政官乃告琉球阻我贡事，且欲干预其国政，又倡言于西人，既与我言明归日本，专属鼠偷狗窃之行，可耻孰甚？

梅史：遂夷于九县，非惟我国之所不忍听，亦西邻之所不能平也。

桂阁：琉球人笔话何故不许阅？

公度：方与贵国议此事，他日事结，亦无不可观。此事不欲告日本人，少留日本情面也。

桂阁：我非日本人，东胜神州傲来国华果山人也，何妨观。而那琉球先生姓名如何？

公度：皆其使馆之官，一尚姓，一毛姓。

桂阁：两人官系何职？

公度：毛法司，尚耳目。

（我对梅史说。）

桂阁：君有营缮之任，所以弟忠告焉。此庭植松梅花卉，甚似失景致。不如崖上施木栏，而不妨眼前远大之美景。君以为如何？

梅史：夏秋西阳酷热，故须绿荫遮蔽。

桂阁：此策极劣，如有夏日热炎害人，则讵不垂檐帷御之？

梅史：帘帷之属，恐不足当之。

公度：既由广东购碧瓦阑行，筑于崖上。此庭种小花木，不碍眼也。

鸿斋：美优名俊辰吉者，夜夜财家来促同床，辰吉不敢肯，非抛大金者不同睡也。

公度：敬闻命。

鸿斋：女优更换脚色，今又一归来，比前优美貌十倍，桂阁恋恋不能去，恍惚忘我，魂魄飞天外。阁下一日同桂君偕行睹之如何？

桂阁：我持论曰：凡天下之佳丽，才气钟于美人者，非娼妓也，非弦妓也，非良家女子也，非女史也；如那女优，或扮男，或扮女，变幻万态，使丈夫恋恋相死者也。

公度：山川清淑之气，不钟男子而钟妇人，莫日本为甚，古所谓妇儿国、美人国，殆即指日本也。

鸿斋：山川灵秀之地，以我尾及三为最。尾、三之妇，比之东北，其胜百不啻；如东京，自古山川鄙陋，妇人亦不甚美。若欲得美人，莫若我尾、三，请赍粮游于尾、三。

桂阁：上我观雨楼一览如何？

鸿斋：戏场脚色第一回

加藤重氏者，有两美妾，在一室围棋，皆熟眠。二妾头发，逆立为蛇形，共相斗争，重氏观之，惊愕，忽起菩提心，一夜，截发为僧，登高野山。高野山，僧空海所开辟，禁妇女登山。重氏遗石童者，慕父，独步登山，半途遇父，父不子视，石童悲叹！其母在山麓，艰苦不能言。此回（中间一字不明）往事。

公度：仆谓作人自圣人外皆作平等观。孔子吾不得为之矣，则为和尚可也，为官可也，为闲人亦可也，为色徒亦可也。吾未见和尚遂胜于色徒也，闲人遂不如作官也。

鸿斋：第二回

加藤氏有宝珠，比之隋珠，某侯恳望之，不与，将欲及一战，加藤氏力不能对之，因约与珠。即日使者来，加藤氏曰："此灵珠也，不使少女不遇男子者捧之，珠先失光辉。"某公因使一美少女迎珠。加藤氏出一好男子接之，饮以美酒及媚乐，美少女恍然飞魂于天外，遂与好男子密交。于是加藤氏谋作赝珠，与某少女。少女曰："珠失光辉，如何？"加藤氏曰："女既与男交，故失光矣。"少女惭怨，遂自刃死矣。

公度：此与《左氏》所谓使妇女饮之酒，同其狡谋，共争珠而赝作之，又与《家语》所谓赝鼎同也。少女自惭，杀身以殉，吾谓某侯失珠不足惜，失此少女，殊可哀也。

鸿斋：第三回

大阪有一艺妇,名梅枝,鲜妍如舜花,颇善舞。有忠兵者,与此妇密契,交情日深。有一财主欲购梅枝为妾,忠兵心神惑乱,欲购无金,偶有邮送他金,滥破匡而购之。忽罪恶暴露,虽得妇,身体维谷,因窃迹大阪,与妇偕至大和。途中艰劳,颇尝辛苦。

公度:异哉! 夫子所谓窃妻而逃者也。

(我拿出《国史略》来给公度看。)

公度:此篇自"政体"以下,祈代为译汉,但何以酬劳,祈足下自度,与王泰园言之。

鸿斋:政体以来迄尾译与欤?

公度:是书译毕,他尚有烦君者。一切纸笔之费,仆以为不如计篇数,如每十篇需多少,足下自审度之可也。

鸿斋:此文鄙拙,译之不甚佳,惟贯串意而已。仆尘事多端,请限今年毕业。

公度:是文虽鄙,阁下熟史,以意润色贯穿之可也。他日携归,可为君刊行之。

鸿斋:印行有限制,苟文部省书,不能再印之也,惟为阁下译之耳。在修史在,不有人祸,有天刑,观文公与刘秀书可知。仆不信柳子厚驳议。

公度:所谓印行,行于中土耳,无所谓板权免许也。仆阅史,喜阅志,故求足下先为此。

鸿斋:译新闻纸布令者,有其人乎? 未否?

公度:此间本有翻译冯姓者为之,然仆观之,不译亦知其事也。通西人语言文字者多,通日本语言文字者少。

桂阁:我邦文字之作用有数样,虽邦人未能悉辨,《万叶集》、《源氏物语》、《伊势物语》等数本,是谓之国语,犹贵邦之官话,然今人寡知之者。邦人硕学鸿儒,读贵邦典籍,又少知之者。其外平生普通之言异,于其州郡而又异焉,所以邦人亦不能解。

公度:遣人购地毡,又嫌欧人之太华而俗。

桂阁:不如铺日本席,如此则腰冷难堪。

公度:因其冷,故铺毡。铺席仍冷,仍需褥。

桂阁:此褥坚硬如石,又似瓦,招冷何招暖?

公度：西京有坐褥，文而华，五色相间，何名？欲托人在大阪购之。

桂阁：必定是西陲织物，其价值弟不能知。

公度：西京亦有卓毡，亦文而华。

鸿斋：闻阁下登卖茶楼，恋慕小万，真然否？

桂阁：今日雨天，萧条无以遣闷，愿君为主，伴弟与鸿斋而游小万室如何？小万当时于弟抛财则不肯，想君抛财必来，请试试。

公度：是不如君为主，而君不往，则阿万必来。

桂阁：未闻为人抛财，使其人恣径其娱，而我傍观之愚也。

公度：若君去，则万又不来。

鸿斋：桂阁曰：同小万欲观女伎场，君肯否？黄君慕小万，小万不想黄，如何一夜梦，恐不能同床。

公度：往小万之室，索然无味。仆之好色不如好声，好淫不如好色。老子高兴登楼一醉，鹍弦乱拨，笑声哗然，是一乐也。至缠头酒食之费，殆非所吝，亦未尝欲以此鸣豪，问钜鹿可知也。

桂阁：否。小万之幽室，结构广袤，容数客，颇便呼酒食，恍若一小酒楼，而其费又少。至鹍弦乱拨，亦复便，何迂而待登卖茶、湖月等乎？魏少年这厮惑恋百代之色，而阙信于朋友，初村之遁逃偷财，盖起自此事。君参赞官，掌管使馆庶务者讵不责问之？

公度：惑溺于色，是何足责？人患不好色耳，好色而善用情，推之可为孝子，可为忠臣，是人吾方病其不好色也。

桂阁：余亦既然一孝子一忠臣了，所以屡拥红裙。可惜君独今日不能访小万，虽欲为忠臣孝子，得乎？如欲为忠臣孝子，则请为东主而游他之室中。

公度：凡不知所自起，一往而深者为情；若此心不动，而曲徇他人之言，是伪也。伪则可为不忠不孝。

桂阁：君知其伪言之为不忠不孝，而前日告曰："币自归我，他日我为主，聘小万。"今所言则食言矣。

公度：所谓他日，安知其指今日乎？

桂阁：今日亦自前日见之，则他日也。果如君主"他日安知其指今日"云云，然今日亦他日也，今日为主又颇当。

公度：经籍中所谓他日者，如"他日君出"、"他日归"，皆无定之词。

　　桂阁：他字君所言固非其定之事，余以今日愿往，虽今日又他日也。况小万必伴君来，所以促之。

　　公度：弟本约魏君以今日往，雨遂阻兴；足下又屡促之，仆不受逼促，故不愿往。

　　桂阁：君不愿往，小万愿来，弟亦愿往，魏君亦愿往，雨何惧？况雨天萧条，天气静寂，颇便酌酒；且人各有报恩德之仪（义），弟前日抛财飨君，君报之，又至当之论也。

　　子绲：他不愿，弟当促他，他本邀弟同往故耳。

　　桂阁：促之何自君乎？黄君密思，游小万处颇好。

　　桂阁：古人曰"报仇以恩"，况朋友乎？纵令投木桃，报琼琚，又可谓好矣。如此一事，君不可不报弟前日之宴。

　　公度：责报不可出自友。

　　桂阁：君不知其报之为何物，故弟故促之，又朋友之信义也。君不忙，则畅谈无妨否？

　　公度：今日无事，惟早起忽患头风；午后诸公来，又令梳发人抽之，乃觉清爽如常。

　　桂阁：凡人气郁则生病。头风之患，盖不可过焉，当是时，如有使其气爽快，则病患可退。其法惟在呼美人，啖佳肴耳，况于美人之待君之驾临乎，不得郁病而何有？

　　公度：何不一往催小万乎？

　　桂阁：以弟充酒食之任，君尝任小万之聘职，而花月、卖茶皆价贵兴少，又不便呼小万，不如直向小万家而游，岂不廉宜且便乎？

　　公度：或卖茶楼，或花月楼，雨晴即偕往可也。小万家仆未尝一往。

　　桂阁：家在日枝街，新桥之侧也。闻他家玉宇雕栏，灿烂辉煌。而君登卖茶或花月，小万如前日而不应招，则空归而费财于画饼。到小万之家，则百发百中，恐他不能逃。

　　鸿斋：小万虽艺妓，实卖色鬻淫者，若欲同床共睡，不费数金，不能达本怀也。试掷十金，则有十金之情，掷百万，则有百金之味，欲使鸳声快活动床，非投数千金不能探其真情也。所谓倾国倾城者，不鉴前车覆辙乎？

　　桂阁：良话良论真良实良。

鸿斋:良字不当,换他字可。

（枢仙来了。）

枢仙:抱良人眠,对良人语,方知良语。君亦有良人可抱可语者乎？何由知良语良论而又真良诚良也？

桂阁:良固有良人,其良人神恩良善,吐良话,为良行,是良妇,所以能事良人也。费君谈弟以小万往访,君又以谁为知己？

枢仙:弟实未遇其人,故于群婢并无一常呼唤者,至知己则更难言矣。

（泰园来了。）

泰园:因雨客少,美人不致为别客所招,大妙。黄君何其拙也。

公度:足下将毋同。

桂阁:小万必定雨中寂寞,君如访之,亦可谓一大功德。

公度:君先往小万之室,弟与钜鹿即来。

（下略）

三十三、戊寅笔话　第二十六卷　第一七三话

（光绪四年十一月六日　1878年11月29日）

（戊寅十一月二十九日,我差人把这封信和一个匾额送给黄遵宪。）

桂阁:横额一　额钉一连

右奉呈哂纳,冀快令尊价揭楼中烟景最佳处,则幸甚！仆顷感冒恶风,不能出户,乃驰小价房吉携而进,并希赐锦回。

黄大老爷阁下

英历十二月二十九日　源辉声顿首

（匾额上写着）

大　痴　境

公度黄君所藏沈石田山水一幅,上题曰:“画在大痴境中,诗在大痴境外。”大痴者,黄公望也。按《丹青志》云:“石田氏每营一一障,长林巨壑,小市寒墟,高明委曲,风趣洽然,使夫览者若云务生于屋中,山川集于几上,是殆得大痴之传者矣。”今黄公度君与大痴姓相同,名相似,而豪放逸迈之气亦复相类,得此石田之神品,悬诸座右,朝夕玩赏,恍聚今古名士晤对一室中也。丁丑冬,君随

使来我邦,越戊寅九月,购置于霞关西署中君之楼居,远眺则芙蓉之高岫,竹垞之曲湾;近望则茜陵之村霭,鞠巷之炊烟。长林巨壑,愈出愈奇;小市寒墟,越深越妙。目力所穷,风情无限,则楼外之烟云直与画中之山水相吻合,是真景,非画景也。石田若预知此地之胜景而摹此画也?亦预知公度君之爱是画,而题是句也?此其中殆有夙因焉。余喜隶"大痴境"三字以赠。伏乞

公度仁兄大人粲政

（公度的回信。）

公度:拜谢,敬领,当悬高楼中。陈列皆中、东两土之物,无一欧罗巴错杂其中,阁下愿之乎?此复。

十一月六日　遵宪

桂阁贤侯阁下

（下略）

三十四、戊寅笔话　第二十六卷　第一七四话

（光绪四年十一月八日　1878 年 12 月 1 日）

（戊寅十二月一日,我在永田町公使馆和泰园笔谈。）

桂阁:微恙稍愈,方才得谢所圈八大家文之厚意。盖弟尝约君非把八大家文全篇悉圈之,随君所言,择君所喜之篇,而许标题首,印小圈,则幸甚。其外不烦君。

泰园:恐有误字,故全篇圈之。

桂阁:复厚意也。虽然,全篇圈之,不啻烦君,殆费日子耳。不如向题首而圈之,则得一知此篇君所悦、此篇君所不悦欤。

泰园:准圈篇首。数日内公事颇繁,上午九时办公,十二时退食;一时办公,四时退食,故少馀闲了。

（公度来了。）

公度:昨赐匾额,书文俱佳,拜谢拜谢。

（梅史来了。）

桂阁:如闲则趋府畅谈耳。

梅史:先所属画,今截之,长短如何,请阁下往观之。

桂阁：以其绢为全幅，复不截之。

梅史：今稍有暇，特作之。

桂阁：君许作此图而赠，想笠莺必甚可喜，弟亦有信于彼。

梅史：作图之间，弟逍遥门中，请君令房吉奴隶。

（梅史画山水画。）

桂阁：弟路远，明日来拜赐耳。希君期今日而写完，明日之来，惟拜领耳。

三十五、戊寅笔话　第二十六卷　第一七八话

（光绪四年十一月二十二日　1878 年 12 月 15 日）

（戊寅十二月十五日早上，我在公使馆和何如璋笔谈。）

如璋：忽然剃须，想是欲媚内之故。

桂阁：我邦妇人喜须，所以蓄焉。

（午饭，我吃中国菜。）

桂阁：闻贵邦进士有正途、异途之二件，敢问其详。又闻君践正途，而其正途、异途之规则概事实如何？

如璋：进士只有一途，并无正异之分。惟举进士后，则同一榜中，分用为翰林、主事、中书，外而知县，共四班，以翰林为优耳。

桂阁：尝闻他人乃曰正途得擢翰林，异途不得擢翰林，且异途虽学问才识未当其处，足以擢其任。疑是讹闻。虽然，华人亦说正异之别，敢问其事必有焉？想君或隐匿不明示，弟情如骨肉，何匿之有？

如璋：所谓正异途非进士之谓。吾国服官者，如读书得贡举为官者，即算正途；其他保举捐纳为官者，算异途。若进士则由举人而得，是正途之优者，不再别正异矣。何曰保举？何曰捐纳？其方法，保举者或办军务，或办国家，各事出力，赏之以官者为保举；若捐纳则平民自揣有才力可以为官，并有家赀可以报效者，视其纳赀于国家多少，赏之以官，为捐纳出身。

桂阁：百疑尽释了。此事是国朝之政体，如欲搜是等之政事，则以翻何书为好？

如璋：捐纳者有《捐例书》可查；系保举者，须查成案，较不易。大概中土选士为官，以正途为大宗（大约千员官有八百是正途也），此查《大清会典》可知。一二品

大官非正途出身者不易得。

桂阁：《大清会典》全部约几许卷？而其部分怎么？请赐教。

如璋：《大清会典》我朝典礼政事，分门别类，大小内外悉备。其全者共五百馀本，其略而摘要者约四十本。此书东京书籍馆有之；可以借看。我公事房中亦有之。公度有摘要一部，可借观也。

桂阁：久不陪鹤驾游郊外矣，君所好之日而游君所好（之地）。

如璋：有何处可游？梅花开于何时？

桂阁：东京梅花非立春则不发，纵有寒梅，亦不足观，不如待冻天而赏雪。

如璋：雪亦不易见。前一二日天阴欲雪，复寒雨而不成，殊败人兴也。近邻为高岛之居，此君识之否？《拙斋集》为青山延寿之父所著，送来求序者。

桂阁：高岛氏何者？儿未知之。

如璋：旧藩副岛之旧主。

桂阁：副岛之旧主乃锅岛氏[①] 也，其第系伊馆右侧，少许相距之地，想邸中树林，于是室可见。

如璋：君与交好否？

桂阁：前年尝与秋月种树[②]（亦华族也）俱访锅岛直大[③] 于其墨水别业，时今参议大隈、大木、副岛等数十人相陪行酒，故一相识也。

如璋：不甚深交，不可以言。仆因阶下之地与之相连，拟借其栅外数坪地共成一小园，俟他日招其旧识者与之商也。

桂阁：此任副岛氏可也。本日君他出否？

如璋：等等再看，无成心也。

桂阁：阅小说《平山冷燕》，书署曰"天花藏"云云，不知天花藏的系谁氏？请赐教。

如璋：此等说部，皆游戏闲人笔墨，所云云不必定有其事其名其人也。松

---

① 锅岛氏，即锅岛闲叟（1814—1871），名齐正、直正。佐贺藩主。明治元年上京辅助新政后任太政官大纳言。

② 秋月种树（1833—1904），名种树，号古香、三十六湾外史等。其父为高锅藩主秋月种任。明治初为明治天皇侍读，历任公议所议长、大学监、元老院议官、贵族院议员。能汉诗、书法。著有《古香公诗钞》等。

③ 锅岛直大（1846—1921），名茂实、直大。佐贺藩主。明治年间历任横滨裁判所副总督、左近卫权少将、驻意大利全权公使、贵族院议员、宫中顾问官、国学院大学长等。

平庆永系水户旧藩否?

桂阁:庆永越前诸侯,非水户藩之类。又庆永之祖先与水户祖先同族,皆是德川氏之支族。

如璋:水户藩现为谁? 维新时是何名字?

桂阁:现为德川韶武[①]。

如璋:其藩士有在朝者否?

桂阁:顷琉球人屡来公署,其事系谈文事欤? 将系谈俗累欤?

如璋:皆系为其国事而来,非文非俗,近乎公事。此事现与外务省言之,君知之否?

桂阁:现闲散放肆之人,岂何知公事? 更问琉球国或为贵邦之属,或为敝邦之属,从来论者不一定,其事实果如何? 儿视其衣服暨姓名等殆为贵邦之属,君以为如何?

如璋:顷与外务省言,照旧章办理,我两国均不必计较太明,此系交邻之善法,亦情理兼行之事。外务省似不遽喻此意,殊可惜。

桂阁:外务省论此事为谁? 何言而不喻之。

如璋:外务省所复之文,无理可言,第以虚词相答。鄙意琉球自为一国已千馀年,非贵国诸藩可比。若外务省执而不悟,我亦无法周全其间,此事所关贵国利害甚大,愚当不欲尽言之。

桂阁:此议之初起,在君未来敝邦之前欤? 或顷琉球人来怂恿之欤?

如璋:愚之所以来,系为此事居多。此事琉人于前年赴闽,求闽省督抚,该省为之转奏、交使臣查办之件,非来此始受球人之请而言也。且此等事关系两国政府,出使者亦不能擅与人言,此各国通例也。

桂阁:长坐妨读书之暇,且扰郁厨,且愧愧,且谢谢。一日陪鹤驾向游一处,以偿今日之罪。

如璋:一游何能偿乎?

　　(中略)

　　(我在黄氏的房间里笔谈。)

---

①　德川韶武(1853—1910),名昭德,字子明,号銮山。德川齐昭十八子,最后的水户藩主。明治维新后着手开发北海道。再度留学法国。

桂阁:本约弟本日与诸友伴诸君于一酒楼而耽吟咏,昨夜枩翁有信曰今者有别友招饮。今闻之则杨君招饮者也,必定小万可聘,公度之垂涎可想,故转订二十二日与诸友相与伴诸君于一酒楼,如此时则杨星垣君亦可伴也。

公度:二十二日之约,仆未审暇否。杨星垣精习泰西语言文字,亦通天文算学,其始为秀才,后习于同文馆凡十年,是人和平温雅,固我辈流也。

桂阁:希君二十二日之约不可违,如违则小万之来,复属空空了。纵令君不来,至其聘金,则弟可取于尊府。虽然,尚拒之否?

公度:至日或不负约,未审同坐有几人?

过日所书"大痴境"匾,感谢之至,既悬之楼上,阁下何不往观之?

桂阁:饰得整整齐齐,却愧拙书污高堂。二十二日即弟与诸友先到尊楼而叙谈,盖因在敝邦席也。

公度:谨扫榻以待。

三十六、己卯笔话　第十五卷　第八十八话

（光绪五年十一月六日　1879年12月18日）

（己卯——明治十二年,光绪五年,公元一八七九年——十二月十八日,我要访问何公使,把名片递给何绍文——绍文是公使的仆人,又名天育——,先和绍文笔谈。）

绍文:贵下到来,拜何大人?

桂阁:如公闲,则赐晤。君幸传话。

（我和何公使笔谈。）

桂阁:昨日阁下往观吹上御苑,试骑射否?

如璋:以雨阻,外务省有信来,告延期。此后未知何日。名为犬追物,究竟是何物事?

桂阁:此犬追物者,昔时诸侯所专用,以萨摩太守岛津氏为第一。现于吹上苑而演者,则岛津氏旧臣。盖此事大关礼式,可见我邦古礼格严,风俗淳美也。弓箭衣帽鞍鞯等一一有称有法。阁下等初观之,恐不能解其精细,得一精其事者在傍,一一言之,则阁下等或以归中土而为谈柄。仆亦蒙许观,奈朝廷有法,不能同阁下坐在傍,执笔研而说话。如在傍而一一话其事,则大有所乐。

不知通辨官中能识其事否？

如璋：何以名犬追物？

桂阁：不过铁骑之演习也。以犬为敌兵，放是于旷野，追射以中者为胜。又有称丸物者，以革造帘形，一人乘马系绳引之，一人追驱射之，皆一样昔日铁骑之演习。

如璋：然则马追犬，非犬追物也。犬则何事而为人之的乎？一笑。此间译官，唯鲤门一人，恐其年幼，亦不识此礼之名称。第马射一节，吾土尚以此校武士，惟所着之礼服或不同耳。校射时有以皮为的者，亦有以圆球为的者，谓之射地球。其人有翻身仰射、侧身倒射，各逞其技巧，其名目难以枚举。

桂阁：凡演射之法，各国略同。我邦亦有此事，如犬追物则浑用此法（按："物"则"者"之误矣。又有大笠悬、小笠悬、流镝、马骑射等），我邦旧有此习，藩士悉善弓马，仆于是知之。惜乎阁下观"犬追物"大有旧礼之存者，而不能穷其礼式之精。如仆为译官，则译言一一说话，以告我昔日礼仪之正。

如璋：异日观犬追物时，当邀阁下同往，大约此等事观者人多，亦不必尽有分别。

桂阁：此日仆之席与阁下不同，颇似无便宜。他日详一部《犬追物考》以奉呈。

（省轩来了。）

省轩：龟谷行，君知否？

如璋：知之。

桂阁：如不嫌，则来此处如何？

如璋：省轩先生久未晤，想近况必佳。昨日梅史已回国，先生与桂阁来此，少一坐谈之客矣。

省轩：久不得拜，此方浊尘万斛，愿听洪讲开心茅。

如璋：日间文字酬应极忙否？现仍寓旧所，抑已移别处也？

省轩：日间甚忙，然逢文字友则抛百事接之。敝寓依然，时赐枉驾，幸甚！

桂阁：昨归旧国留几月？

如璋：不过三旬，旋来。

省轩：梅史去，惆怅欠一良友。

如璋：梅史以事去，今日想已开行。

省轩：仆又一丈夫，别离无泪。唯梅史去，仆潸然有句曰："丈夫把别偏多泪。"

如璋：有一杨友在北京，书法极佳，学问亦博，欲招其来署，未知来否？

桂阁：阁下请察其情。有杨翁者，才学宏博，仆自今延颈而待杨翁来署。请问杨翁名字官职？

如璋：杨名守敬，字惺吾，湖北人，辛酉举人。顷寄我《楷法溯源》数十本，钩刻考据俱精详，暇日呈君一览。惺吾古君子，非好色之徒。

桂阁：仆初学楷法于东京市川孔阳①，字米庵，以颜真卿为书祖。仆腕弱笔钝，不能窥其蕴奥，惭恼惭恼！

如璋：惺吾之书法，古雅之极。若杨、梅合之，则成毒矣。

桂阁：杨书法盖法谁氏？

如璋：源于篆隶，不拘一家。

桂阁：又来而代梅史，能挑小园子。梅也，杨也，亦一样园中之物。

（中略）

（我和省轩到公度的房间去。石川鸿斋已经在这里。这是我们来到以前，公度和鸿斋的笔谈。）

鸿斋：今日有约，与龟谷访阁下。龟谷今在公使处。此人博学奇才，仆日本人为友者，唯此而已。

公度：仆最赏其诗文，向读其诗文，曾评曰："二十年后必有负天下盛名。"

鸿斋：如重野川田，一时得显官，然腹笥空寂无一物。其他皆不足论。如龟谷真英杰，取人失澹台，其谓之乎？

公度：仆来此，最钦慕者，龟谷子一人。重野川田氏之文，再过十年，亦如今日，盖无复进境矣。龟谷未可量也。

鸿斋：敝国作诗文（者），有一病，曰不多读书也。今以诗文为家者，恐不读千卷之书。为龟氏多读书而能诗文，其比亦少矣。

公度：仆之蓄于胸中未告人者曰日本人之弊，一曰不读书，一曰器小，一曰气弱，一曰字冗，是皆通患，悉除之，则善矣。

---

① 市川孔阳，即市河米庵(1779—1858)，名三亥，字孔阳，号米庵、百笔斋。书法家，书法崇尚米芾，以教授书法闻名，门人达五千人，著有《三家书诀》、《笔谱》等。

鸿斋：仆辈未免此病,顶门一针,可愧可愧!

公度：大约日本之文,为游记、画跋、诗序则甚工;求其博大昌明之文,不可多得也。近来《曾文正文集》,亦日本之所无也。

鸿斋：昔僧空海① 游于贵国,归来以书鸣于世。嵯峨帝② 召之,赐紫衣高爵,因曰:"朕近得墨本,遒劲殊妙,想华人高手者。"乃示之空海。空海曰:"是余在中华所书也。"帝曰:"勿欺,尔书劣于此,今以此为自书,恐虚语也。"空海曰:"在大国,气象自伟大也,故书势亦伟大也。今归日本,日本国小,书亦自缩小,是所以劣于前。"因是想之,国之大小,必显于书;仆一游贵邦,将经名山大川,养其胸中郁闷之气,然则如仆拙恶,诗文亦自有所见乎? 冀阁下归国伴仆去。

公度：空海云云,稍似英雄欺人语。然核其理,则太史公所谓游名大川以壮其气也。此理自不可诬。虽然,日本之为文,亦习为之也。先辈之所以教人者多为此种琐记、小序,则转相仿效,难以变矣。须得如阁下多读书之人,倡为其说,一以昌明博大为宗,则后进亦未可量也。

鸿斋：荆川之文似荆汉,震川之文似震泽,子厚在柳州,当如柳州山水。仆以为一游贵邦,得观天台、雁宕、西湖、嘉陵,亦自有所得乎? 如画山水,妄以想像写江南风景,其实心不安。若一游,写其真,亦必胜前时乎?

公度：日本山水灵秀清奇,未必输我,惟博厚高大之处或不及也。

鸿斋：东京近傍,山水平坦无所见。如信甲颇有胜地,比之五山、太湖,不当十之一,故人心亦自如此。

公度：请略少坐待龟谷氏,仆即来。

（这时候,我和省轩到了。）

省轩：今日过谒,或人云阁下往横滨不在。从来往往以此言拒客?

公度：阍人不择客而拒之,足见其无用也。向送梅史归,仆亦极感厚意。梅史归,失一文墨客矣。

---

① 空海(774—835),真言宗开山祖、入木道祖师。年十五入京都大学研修儒学,后倾心佛教,随遣唐使至中国,得密教玄底。回日后,受敕许立宗开教,为真言宗开山祖。著有《秘密曼荼罗十住心论》、《文镜祕府论》等。

② 嵯峨帝,即嵯峨天皇(786—842),名神野,第五十二代天皇。博通经史,能诗文、书法。对官制作过些改革。

省轩：弟与梅史交久矣，一朝相别，会期无日，使人为数日恶也。

公度：即仆亦与彼相见，未知更在何日？

省轩：先日所呈大著序，不知中用否？

公度：敬谢敬谢！虽然，序中有言"未及细看是诗"。仆意更欲他日刊印之后呈正，再乞序也。

省轩：宫岛栗香请诸君子评其诗，已成否？

公度：仆向日评其诗，久已还之矣。但仆持论，或以为过刻。

省轩：阁下近来有何著述？

公度：近来方编《日本国志》，恐至明年此时方能脱稿，为目十有二：曰国统，曰邻交，曰天文，曰地舆，曰职官，曰食货，曰兵，曰刑，曰学术，曰礼俗，曰物产，曰工艺，成书约有五六十卷。

省轩：所引用之书已具否？ 弟有所知，亦应言之。

公度：其之备不全者，当一一请教。虽然，仆之此书，期于有用，故详近而略古，详大而略小，所据多布告之书，及各官省年报也。

省轩：弟曾在史官，欲为国家造一代大典，网罗十馀函，分门数十，其书未成，弟亦罢官。寻皇城系祝融，草本举付乌有，诚可慨叹也。惟有《职官表》一册仅存，后之史官，冒为己著，其实弟成之也。

公度：是大可惜！今日内务省出版之书，层出不穷，无一人为此事，亦一大憾事。《大日本史》只有兵刑二志，蒲生① 氏《职官志》亦可补其缺，以外则寂寥无闻矣。诚得有志之士数人，编为巨典，仿《通政》、《通志》，则二千年来典章文献，不至无用，仆日夕引领望之，曾与今史馆诸公重野川田氏言之，不知其能否也。

省轩：敝土先辈，眼孔甚小，无见及之者。独伊藤东涯② 著《制度通》，公见之否？

公度：未见。源君美有此意，仆见其序，不见其书。此后则止有蒲氏君

<hr>

① 蒲生，即蒲生褧亭(1833—1901)，名重章，字子闇，号褧亭。幕末明治时代汉学者。明治间历任议政官史官、大学校三等教授、少史。著有《近世伟人传》、《褧亭诗钞》、《褧亭文钞》等。

② 伊藤东涯(1670—1736)，名长胤，字原藏。德川中期儒者。著作《制度通》、《学问关键》、《经史博论》、《绍述先生诗文集》等。

平① 而已。

省轩:此书直购一部。

公度:此刻史馆有塙田守巳?

省轩:塙忠敞今官史局,其父保巳② 以盲著书。

公度:有保巳一书为底稿,尚可为此。过二三十年,恐益无人为之,典章文献,终恐寥落矣。

省轩:羽仓胜堂著《甘雨亭丛书》,亦塙之类也,卷数未满五十。

公度:闻保巳以盲著书至千卷之多,真一奇男子也。

省轩:闻塙悉谙记所听之书,蒲生《伟人传》讥塙恐近诬,且非君子之言。

公度:中菁之言,即有之,亦不必道也。

省轩:白石著书百馀部,多有用书。

公度:恨其多和文,而外间又不流传。东京书籍所收不足此数。

省轩:《白石诗草》,仆藏之。

公度:仆止在《甘雨亭丛书》见其诗,全集未得见。

省轩:有韩人序跋,盖选本也,其诗何如?

公度:白石多读书,故胸襟气象,有甚好处,然诗未能(中间二字为蠹鱼所袭)。木下贞幹③ 之诗亦然。

省轩:今日领洪诲多矣,请此辞。

公度:愧甚,不敢当,仆受教多矣。

鸿斋:顷所愿评文,近日携来,伏乞赐一览,下妙辞。

公度:敬诺。敝国之不受者,亦敬谢其意也。

桂阁:仆初知采汀令弟,好文墨,愿缓缓畅谈,必是有益。

公度:仆此二弟也未来,其人颇善雕刻,工音乐,盖天姿卓绝,而不喜读书,为武事。人各有性,不可强也。

桂阁:君亲称其弟曰天姿卓绝,想必名士,如使君称其妇曰风采端丽。

---

① 蒲氏君平,即蒲生君平(1768—1813),名秀实,字君平。出身商户。立志研究古典。著有《山陵志》、《职官志》、《皇和表忠录》、《不恤纬》、《蒲生君平遗稿》等。

② 塙保巳,即塙保巳一(1746—1821),姓获野,名寅之助。江户时代和学者,编有《群书类丛》1273卷,著有《鸡林拾集》、《皇亲谱略》等。

③ 木下贞幹(1621—1698),号顺庵。儒学者。著有《木下顺庵诗集》、《锦里文集》。

鸿斋：采汀君现在此馆人欤？

公度：仆有一弟在此，然年幼无知。

桂阁：十年曰幼。见现在署内之令弟，察年过弱冠，何以言幼？

公度：古人所谓十九年犹有童心，彼无知识，谓之幼可也。

鸿斋：笠翁李渔尚称白发少年，然则如仆未至孩也。

桂阁：鸿翁近世老莱子，及班白尚作儿戏。

鸿斋：有一公子，与青衣间行，途上遇小蛇，公子曰："可怕！"青衣曰："微小，何足惧哉？"公子曰："我亦微小，汝不惧乎？"青衣赧然，不复为仕而去。如小雪微小，以为不足惧。小园曰："彼食蛇，何有不怕？如君小蛇，合三，恐不足也。"仆愕然。世俗所谓小囊小姬，不知其量，真然。

公度：宫岛绝诗律诗有佳者，古诗则尚未成家。

省轩：敝土人希能古诗者，不独栗香也。

公度：足下古诗大可成家，数今日之所造诣，既非馀子所能及矣。

省轩：长复无事，日把《少陵集》读之，似少有悟，将录近制，乞大政。

公度：阁下诗学杜甚好，专意习之，必有进境，近制愿拜读。仆不能作诗，然自喜论诗，颇得要领，足下暇日与仆一谭，不知果有所见否？

省轩：敝土诗近来纤靡成风，识者愧之。与栗香辈谈，亦慨之。与有志之士二三辈约，欲矫之以宋唐，愿得阁下提撕，一振颓风，以扶大雅。

公度：仆不肖，何敢当此？愿得随诸君子后，力著一鞭耳。诗之纤靡，一由于性，一由于习，习之弊又深于性。欲挽救之，仍不外老生常谈，曰多读书，以广其识，以壮其气。多读杜、韩大家，以观其如何耳。

省轩：有向山黄邨①者，颇能诗，相识否？

公度：仆未得读其全集，间见一二诗，似南宋江湖一派，然论其造诣，可谓工矣。

桂阁：省翁曰：一日与阁下与仆俱访向山氏如何？黄邨曩为德川氏之官吏，仆亦知之矣，未为叙话，颇欲见之。

公度：仆未访其家，其为人温雅，可交也。

---

① 向山黄邨（1826—1891），名一履，字欣文，号黄邨。曾参预外交事务，任驻法公使，明治后任教授，与诗友唱和度晚年。著有《景苏轩诗钞》等。

省轩：家在麻生，旧幕时为外国奉行。其诗颇精细，未能博大沉郁耳。

公度：是有性焉，有习焉，不可强而能也。虽然，诗之为道至博而大，若土地焉，如名山大川，自足壮大；则一丘一壑，亦有姿态，不可废也。

桂阁：仆曾游戏，园有二客相语曰：那活泼而扮丑者，使其人益勉为之，则可寐妙；那俊俏扮生者亦然，又益力励之则可，此其奥；且也，末也，皆各凭其能为之，不可使强异打扮。余在旁闻此言而感曰："人生万事，浑如斯兮！"阁下所论，实与之相同。

公度：是则至理随时有所见，而能悟道，是见聪明。人之秉受于天，如器焉，小者不可为大，是不可强也，性也；同一小者，可以为杯，可以为盘，是可学而能也，习也。

桂阁：仆好友善笔话者数十名，有议论确实而欠风雅者，有潇洒淡泊而欠学问者，省翁独有才有学而不有所欠，仆得省翁为好友，盖天佑我也。

公度：省翁信好友，日夕乞教，必有所益。

桂阁：现今我邦人而笔谈有学如比省翁者，别以谁氏？

公度：有青山延寿亦博雅，然其为人孤峭而冷严，非阁下所能友也。

桂阁：仆气宇亦能可伤观世音，或为谨敕，或为潇洒，或为寡默，或为多辩，随时悉能焉。虽遇青山季卿，恐不露马蹄。

公度：惟我能之，足下未也。

桂阁：阁下试延我过季卿家，仆当假为谨严沉默，求爱于那二女儿。阁下在旁，观我之不露马脚。蟾洲诗奇拔甚多，宦中有诗曰："报国何时时便(原缺一字)，与君把臂少怡欢，感恩一滴丈夫泪，期洒三千世界间。"君以为如何？

公度：果然奇特，乃极似仆诗。

桂阁：笔战寡敌手，愿驰伻呼一文士。

公度：一枝足矣。

桂阁："三猴弄一豚，豚颈硬直，不能回绕。"烦君乞好对。

公度：石川灌大河，龟谷幽深，正在左右。

省轩：此诗在楠亭所作，小园磨墨，小雪伸纸，弟颓然以醉笔书之，亦一时雅集也。

公度：想见名士美人一时雅集，恨仆未得与也。

省轩：恐被小万妒杀。

公度：阿万既为秋月夺去，仆谓校人之鱼，可谓得所矣。

桂阁：本日和汉名士会集，请君为索一豪兴。

公度：仆不敢当名士，诸葛公乃可谓名士也。

鸿斋：明后日岸田吟香①（新闻记者精锜水之主人）将一游贵国上海，顾与子纶同船乎？

公度：仆不能书，不敢强不知为知。

省轩：阁下之书，有唐人之风，想应有所学。

公度：仆平生极不喜作书，有生以来未尝端坐陈古人之帖而临之，故丑陋若此，言之惭矣。

鸿斋：阁下书顾学东坡者，而今则废之，然其气韵自溢纸上。凡今世之人，多化于赵松雪，加董华亭软弱之态。阁下则不然，本学何人书？ 请示教！

公度：仆实未尝学之，若谓其似谁，明古人学我也。

鸿斋：余尝云龟翁之书，不似其为人，挥笔如风扫落叶，如万马出营，妇人若观之，必可爱之。桂君之书，过于怒张，美人见之，必避三舍。梅翁仿佛妇女子。

公度：仆之为书，亦难博女人爱。

桂阁：仆书要随意应变，现三十二相，宜曰观音书法。

鸿斋：桂君自比观世音菩萨，以佛印评之，则三十三相之中，马头观音是也。佛见女人曰：外面如菩萨，内心如夜叉。如仆谓外面如阎罗，内心如地藏菩萨乎？ 地藏藏于地，犹虚空之藏于空，如仆乃藏于儒，如龟翁藏于诗文，如桂翁藏于谭，如阁下乃藏于官者，如梅史藏于妇室者乎？

桂阁：鸿翁劝我同游中华，其举极好。敝邦人无财者，使少有财者，入我所思之道，借其财金，我欲谓之于乘尻马。鸿斋者可谓欲乘尻船。

鸿斋：桂翁妄以仆恶言。仆虽不敏，不欲为尻船。宁为鸡口，不为尻船，苏秦之谓也。如桂翁，敝邦谓先船，虽有馀财，为公妇所摈。

桂阁：仆不为鸿斋所欺捐财。如阁下归国之时，则一往梦罗敷山下耳。

公度：罗浮仆尚未至，他日当与君同醉梅下一梦美人耳。

---

① 岸田吟香(1833—1905)，幼名银次。学西学，与西人海蓬合编《和英语林集成》，发行《海外新闻》，经营过航运业务，曾任日本侵台从军记者。后在东京开设乐善堂成药店，"精锜水"眼药水远销中国。晚年创立东亚同文会、同仁会。

鸿斋:阁下若游罗敷,不必偕桂翁,天下妇女嫌忌桂翁如虻蜂,若偕桂翁,徒醉眠耳,美人恐不入梦;偕仆,妇人充满一梦中,亦必虚劳耳。

桂阁:鸿、龟欲乘尻船游旗亭,阁下亦乘尻船否?

公度:屍(尻)船不解。

鸿斋:先船则东道之主人也,尻船则陪游者。

公度:仆不愿也。

桂阁:何故不愿?

公度:仆亦不知其何故。

桂阁:食色人所欲,何故辞之?

公度:今日偶不欲耳。

　　(星垣来了。)

桂阁:君亦同往,宜促公度。

鸿斋:桂君频荐阁下,将登一酒楼欢游也。阁下肯否?

公度:他日再谋。

桂阁:本日仆欲将西洋馔飨阁下,阁下果肯否?

公度:敬谢,敢固辞。

　　(下略)

三十七、己卯笔话　第十六卷　第九十话

(光绪五年十一月十二日　1878 年 12 月 24 日)

　　(己卯十二月廿四日,我到公使馆找黍园,黍园不在。我叫野碕把这封信送到公度的房间去。)

桂阁:源辉声白。刻见野碕剑卿于黍园处,野碕曰:"汝不欲见公度君乎?"余曰:"子请传语黄君而曰:今下午与黍园俱往访鹭津毅堂①,如君无事则同往如何?"野碕曰:"宜写一牍促公度君。"余于是火速挥毫告事于阁下,阁下请援笔写往否于末,白而复是幸。余亦有欲告之事。如无事,则暂来黍园房如何?

---

① 鹭津毅堂(1825—1882),名宣光,字重光,号毅堂。尾张藩士。先后在江户、尾张任教,任督学。后历任登米县权知事、五等判事、司法权大书记官等职。著有《毅堂集》等。

野碕言语喃喃不详尽意,冀写其情由是荷。

（回信）

公度：不能往。

（中略）

（在大阪町阿玩的家里笔谈）

桂阁：仆察君所爱在阿玩,而不在旗亭与妓仆也,故今夜惟伴阿玩醉旗亭最好,故使阿玩选其旗亭,一切要廉价并乐雅耳。君意如何?

荪园：阿玩亦秋娘,不过人尚伶俐,聊为寻欢,至酒楼可不必去也。

（在新住吉町千岁楼的菜馆里笔谈）

荪园：何似风流杜牧之,徜徉觞咏到天涯,兴来立饮杯三百,醉笔诗题酒屋楣。

桂阁：和玉韵乞正。仿佛文章韩退之,吟诗醉月兴无涯,今宵畅饮情何恨,千岁楼中题画楣。

荪园：嫣然一笑擅风姿,侑酒传书事事宜,不是退之情独重,晚年钟爱属桃枝。（赠玩娘）

桂阁：和玉韵赠阿玩作,伏乞斧正。淡淡春妆别有姿,酒楼卖醉最相宜,窃期春夕遗鞭去,八八桥边望柳枝。

（下略）

三十八、己卯笔话　第十六卷　第九十二话

（光绪五年十一月十六日　1879 年 12 月 28 日）

（己卯十[①] 月二十八日,在荪园的房间里笔谈。）

（前略）

桂阁：仆前日请琴仙兄圈《俞樾全集》句读,乃寄诗文集一本,今在何处?如在君处,则一时抛下。

荪园：君误矣,琴仙必圈不了此书,想存琴处。

---

① 据“己卯笔话”第十六卷第九十话所标时间为“己卯十二月廿四日”,故第九十二话所标时间“己卯十月二十八日”,疑为“十二月二十八日”之误。

桂阁:敝邦例礼,以腊月末进小物。仆于君虽每月献锱铢,要不过谢削正;爰更呈敝邦蔗一匣,想君恐不能吃之,如充宠姬尊伻之厨,则复足自补君之费耗,幸乞哂纳。

别言:

楮币三包。

右各一色赠宠姬、使婢、使童,以谢明治十二年内屡烦役焉。期哂纳。

黍园:谢不可言。

桂阁:想君有事,请勉为之,决不可对话。仆唯借屋吃饭而去耳。

(我给公度写这封信。)

桂阁:本日礼拜日,仆忖阁下必闲,如欲访友,则同往如何? 尝往青山其他二三友之约,所以言也。刻石川鸿斋来否? 仆现在黍园氏之房,幸乞锦回。

源辉声顿首

(公度的回信)

公度:弟顷方食饭,饭后即往横滨,未能奉陪。此复。石川子未来,前日偶一相见。

遵宪

三十九、庚辰笔话　第四卷　第二十一话

(光绪五年十二月二十二日　1880 年 2 月 2 日)

(庚辰——明治十三年,光绪六年,公元一八八〇年——二月初二日,我到公使馆黄公度的房间,何如璋、何虞臣都在这里。)

桂阁:据石川鸿斋言,阴历二十日公事毕,群贤闲暇,想便笔话了。今午晴明,来访黄,黄不在,恰得见阁下虞翁等,可谓天使我引见,不知频日暇否?

如璋:岁暮无一日之暇。君所居墨江,梅花何时可开?

桂阁:清明候最好。仆现到廨前庭上,见玩贵国纸鸢,觉其形与机与敝邦相类,而借引绳,风少鸢不飐,一笑之至。却为二三童子所嗤笑。

如璋:近日在家作何事?

桂阁:连日阴天,当炉避冷而已。案上惟有时时翻译《犬追物考》,成之日,奉阁下。仆才短学猥,糊涂无成文章,他日净写,乞珠正,幸勿却。虞翁、诗翁

何故去了？不知弟来妨畅谈，请恕请恕！

如璋：午饭后坐谈片刻未散，顷诗五到书房去了。虞臣在伊房，如足下到伊处，不妨坐谈也。

（公度回来，如璋归去。）

公度：石川鸿斋之言不谬，汉土皆如此，因无日曜给假之例，故年终放假耳。此间不然，譬外务省今日有文来，便应作答，不能迟至一月后也。

桂阁：梅史有信否？言云云？枀园亦有信乎？仆匆忙未写信，二人近日好否？幸见示。

公度：梅史既到家，布帆无恙。枀园亦有函来。梅史并告弟，见相知诸公，代为达意。

桂阁：鸿斋言，君所编《杂事诗》稿，敝邦人加评者有之，期取出赐览。又君言，将诗稿糊涂者瘗之于敝园，敝园已竖碑镌字，而未得其稿，如使之而止，则使后世传误也。幸并出抛下。仆之来，欲言此事也。

公度：择日于梅花开时践此约可耳。数日之后，有新刻《杂事诗》相赠，其日本所评，不过偶然一二，不足观也。墨江冷否？仆亦畏寒，手为之龟。广东极暖，不须寒衣，居此觉不惯也。

桂阁：冥账已毕否？弟欲与君俱娱一夕之小酌，岁末事必多端，可俟春初乎？请回答春初出游近郊否？

虞臣：请俟新年后当踵府拜候。

桂阁：仆未拜阅尊稿，冀取出赐览，仆当躬抄录以贮家库。

虞臣：愚学浅才疏，半生来并无拙作。今冬携琴剑来游贵邦，一睹文物声华之盛至矣。

桂阁：岂何谦之甚也！仆已忝为知交，想尔来饮酒招妓之间，必可有佳叶，临其时则无，亦谁许乎？今日取出见示，又与其日乘兴示人不相异其情。请幸勿辞，亟取来，赐一见。

虞臣：愚迭承宠召，又蒙赠珍物一盒，谢谢！愚远来贵邦，无家乡粗物可答，现已购得一宋苏眉山先生遗像，敢以答君区区之意，希为受纳。

桂阁：敝家已有一琴操了，今得东坡像，恐使我吃醋。谢谢！拜受。

虞臣：请到敝房坐，当出以献之。

桂阁：仆慕坡公久矣，常言如投胎于汉土，则当为数州转任，必伴朝云。从今日日拜此公,而学其风流而已。

虞臣:有宋名臣遗像,以赠海外名公,使得日相亲近。想君与坡公有夙契乎?

桂阁:苏学士中华之名士,便此到敝庐,可谓门户生光辉,惜乎坡公像不能言。今日现有何侍讲学士,生前降敝庐游玩,相传遗誉于子孙。

虞臣:此亦天假之缘也。

桂阁:应趋府坐谈。

(他送给我东坡的画像。)

桂阁:仆尝过何公使府中,见其隶绍文悬此幅,仆望赠,他爱不与仆,仆无力而归。不料受惠贶,其图浑与那幅无异,仆之喜悦,何以喻之? 请问伊幅之事历如何? 略请示。

虞臣:此幅本是星使之门房之物,其世传已数代,珍爱之至。愚因爱阁下厚情,思无可答,惟不惜以珍重之物易其所甚难求之项,伊亦忻然易之,彼此两得其便,以之献君,此亦烈士酬剑之雅意也。

桂阁:那幅像似拓非拓,似描非描,"寿"字亦然。而此幅传来必有谈柄,不知何州所产? 何人所作? 何时所用? 详示之。

虞臣:此幅向在敝邦亦甚少。京都琉璃厂屡有出重金以购之者,终不可而得。大约此物流传已久,然近代有版可摹也,敝邦士大夫竟以为瑞,悬挂堂中,可驱邪云云。至所出何处,仆不能妄举以对也。大抵物以晦而始新,千古名人类如此矣。

桂阁:琉璃厂鬻何如物件? 或是古董铺欤?

虞臣:书籍名器不一,凡所欲各省之件,俱要从此发出乃不谬。其属珍奇古玩世传宝物亦有。

桂阁:敝邦亦有是类铺,因项日古代物品为世所爱玩,开其津者日盛月炽。仆自幼时颇爱古董,经目则购,积及数十品,客岁新建一室,陈列其奇玩矣。想贵邦亦必有古代希有之名品埋没不施世者,仆尝欲一游贵邦,拥金频购名品,且游玩山水,则活命亦不足惜。

虞臣:尊府陈设珍奇之物,俱甚古雅,星使曾盛称之。华历新正初,当邀诗五等一赏识焉。至云到敝邦遨游,辙迹所至,欢听一倾,仆当瞥车以请也。

桂阁:星使每到敝庐,匆匆而归,故未观其小室。如君来则当前日赐邮便,宜扫榻煮茗以待。前日所乞之联幅,如暇则明日奉寄,幸赐玉挥。

虞臣:仆字画涂鸦,实不敢现拙。既蒙过爱,俟春间当有以奉教也。

桂阁:今日天气晴朗,同车而游玩如何? 仆约访仲陈氏相伴如何?

虞臣:陈君不卜暇否? 弟深蒙垂爱,自不敢再却也。请问陈君如何?

桂阁:仆写信问陈氏,请少俟其回答。

虞臣:未卜此刻太晚否?

桂阁:随阁下便可也。不知何时刻暇否?

虞臣:请俟明正可也。

　　　(杨星垣来了。)

　　　(中略)

星垣:近日尊夫人玉体康宁否?

桂阁:顷日倦绣慵妆,无为而获寒,自从搂抱无馀念(原文)。如尊夫人淑顺贞烈,寝不同席,居不同室,不同榧枷,不同饮食,何其无情之甚?

星垣:丑妇不敢见人。

桂阁:仆虽为曹孟德奸雄,尊夫人非邹夫人,何能挑之? 期拜见。

虞臣:愚从中酌之,二君夫人终须相会,俾旁观者安得寓目焉,快何如乎?

桂阁:群臣啧啧。

星垣:请尊夫人到敝舍一会可也。

桂阁:好,便贱荆趋府一见,仆与君可俱隔帘一见,此策如何?

星垣:仆与君宜远避,不可近,以威可畏故也。

虞臣:狐假虎威。

桂阁:仆方梅史、柰园之在东,每饮酒招妓,登临游玩,作一诗一文,必来乞正。今二人已去了,仆失受教者,恍若猢狲堕树,期君为仆裁正拙稿,何幸如之! 不知许否? 仆祈见尊稿,仿其体,作一篇乞正。幸出一篇示之,是仆之期也。

虞臣:阁下学博文富,洵推一世之雄欤! 请出巨制拜读,俾开茅塞,幸甚之至。仆此次来贵邦,系因敝省赴乡试后,便从海道而来,有些拙作,仍存在家,未带行箧,俟明春公馀稍暇,当录一二奉呈。

桂阁:公度云,业已有与张星使唱和之作,即示之。

虞臣:近有一二首,都不堪现拙。现有张星使数首仍在,君曾见否?

桂阁：梅史在春萍馆诗草,名《石稿文集》,公度有《日本杂事诗》,何公使有《使东杂咏》之大作,仆浑抄写藏之。每逢佳士,不得其集,则恍若入宝山空手而回。请君使仆得其宝。

虞臣：仆作同瓦砾,不堪入高人之目。但凡见有名才博雅之士,无不降心相从,以为集思广益之助。至于拙作不敢出以问世者,犹敝帚自珍之意也。

桂阁：黄氏《杂事诗》二卷,如无惜,则使仆拜借。据黄氏言,原刻多错谬,不日改正。仆频欲通读,幸贷之。据云:此二卷诗属即刻要同其校对,明日订定后,要先行寄去总理衙门云云。俟订定后,当代觅一部可也。

虞臣：此卷亦是总署刻来的,但有错误,仍欲校正云云。

桂阁：已请黄氏矣。

（我和何蔬荪笔谈。）

桂阁：请君烦数行文字赐谈。

蔬荪：仆自少失学,故至今仅成一尘俗人耳。蒙宠命文字之谈,抱愧多矣。

桂阁：君住广东乎? 或在燕京乎? 在国之日作何事? 来东之途中,大轮船中、不遭风涛危险乎?

蔬荪：家在广东,平日无所事事,一散游人耳。今冬间友人自贵国归,其说贵国种种佳处,因矢志一游为快。途次尚托庇平稳也。

四十、庚辰笔话　第四卷　第二十八话

（光绪六年一月五日　1880 年 2 月 14 日）

（庚辰二月十四日早晨,我偕石川鸿斋到曾根俊虎[①] 的家里,和张嘉昉(滋昉)笔谈。）

桂阁：据为一君言,先生昨夜呕血,请问玉体已愈否? 此位敝友石川鸿斋,又敝邦一儒,慕芳名,频索进谒,仆同车而来,盖厚朋友之厚谊也。请先生愿俱相交。

嘉昉：昨夜至新桥,归后至夜半丑刻,忽然吐血,约有少许,生平素无此病,

①　曾根俊虎(1846—1910),长崎人。明治初任海军少尉,随副岛种臣出使中国,上书建言侵占中国辽东半岛,后升海军大尉,驻中国公使馆武官。后因触犯上司及泄密嫌疑入狱。出狱后退职。

颇觉愕然。旋延医来,服药,今日虽稍愈,而精神甚委顿,宾友石川先生远来过访,益赐佳叶,仆以病躯不获奉陪,请恕之。他日全愈,再属和也。

桂阁:宜保养玉体。客中或缺事,弟甚伤之矣。弟今日来高斋,其意在欲谢昨日删正之厚且至也。又想颖中语多芜杂,先生删少矣,弟甚不安心,故再将原稿奉还,愿赐再阅。

萧昉:承关爱,甚感! 颖语虽冗,然尚可用。仆今日执笔甚觉眩晕,故不能代润色也。

桂阁:少愈则删正,而托邮便致此于敝庐,是祷。

萧昉:虽不能畅谭,何妨少坐。

鸿斋:初接芝眉,欣喜何堪! 闻先生有微恙,恐得非过饮乎? 若然,则宜在暖房静卧,勿系尘事。敝国酒烈,恐不适饮,冀勿多饮,请守摄生之术,他日再来问尊容。

萧昉:承教,足见爱我之深。仆素喜饮,昨日所饮乃西洋酒三种,想过烈,故受其害耳。先生初次来访,仆适在房中,不克奉陪,殊觉失敬之至。他日稍愈,则当造府面谢。

(中略)

(虞臣、诗五、公度都到乐水阁来。)

桂阁:虞翁初来,不可不治杯饮。敝楼狭小,僮婢不足,事多唐突,请移至于千秋楼,现使舟子佣,愿君不摈。如不喜扶桑馔,则请细示其撰式,仆快使厨僮试治可也。

公度:以速为妙,路远,归途太晚,多不便。酒、鸭、点心、鸡蛋、面皆熟食,如此足矣。他物空费钱,敬谢敬谢,客又不喜食,故不必也。

鸿斋:诸公有探梅之约,到向岛否? 时已过四点,近于暮,以为如何?

公度:天已晚矣,仆等拟等于六时回署。

鸿斋:仆今一访省轩,省轩到本所,恐四时可归,归后恐不能来。

公度:吾谓省轩必在此,携有一卷诗赠之,愿索其序,并乞其细阅详校,有错引典籍与事不当者告知,待改,又告其勿以示他人。省轩向日曾阅此诗未半,而其大夫人召之归。省轩旧有一序,吾以其未及看诗而作序,多揣摩之谈,故乞其再作。

鸿斋:谨领承。龟谷近日访仆,仆通阁下之意,若携来一本,仆归路送之省轩。仆初览尊稿,大率订正后,又再熟览,尚有数件与省轩商量详之。

桂阁:仆与石川氏奉陪,颇似无趣味。君如识敝邦人善笔话者住此边,则请示之,快呼迓以添兴。本日之会,惟见匆促而已,愿赋佳什以相乐清谈为幸。

公度:作诗更忙,索酒亦极忙,此乃不得不忙,忙乃主人之过也。

桂阁:客之过。

公度:主人安排一切,客不忙也。

桂阁:我乞登旗亭,思其便也。客强索鸭、蛋,客来悖主人之意,是自招忙也,岂何言客之礼? 君有答辞否?

公度:我谓在此饮酒,思其便也;索鸭、蛋,思其便也。主人不便,则主人之过。

桂阁:我素思诸君聘妓佐酒之便尽意十分,言旗亭而君不用,是蔑主人也,不客之过也。

公度:出妻妾敬客,胜于呼妓。吾谓诗五、虞臣初来,主人敬客当如此。是敬主人,何云蔑乎?

桂阁:仆非野碕,何谓君所挑?

公度:仆见君如见君之夫人故也。

鸿斋:阁下剪爪不知弃,为祈雨欤? 抑亦为见爱佳人欤?

公度:有麻姑长爪,为我搔痒,故仆去之。

鸿斋:今日宾客突然过此,故陪席者不以约期不来。龟谷近日来,归路访之可。今日龟到向岛舅家,恐非深更不归。

公度:龟谷本居下谷徒士町一丁目二十三——六七番地。

鸿斋:龟谷恐明日来敝房,以有他事也。桂翁谓聘妓,诸公馨观;妓本是售艺者,观之闻之耳,言语不通,何乐之有? 不如拥娼妓以味其肉。盍劝主人赴灯花中?

公度:闻君为陆军教导团教师,是否? 每月去几日?

鸿斋:每日一时间讲书,无虚日;午后一时,礼拜、水曜午前,若有事,仆欲为之帅之副参谋。

公度:教之读何书? 生徒几人?

鸿斋:所讲《孙子》及八大家文集、《孟子》,生徒凡六百人。

公度:大声疾呼而后众生徒能点悟。《孟子》"善战者服上刑"一章如何讲?

鸿斋：堂制上狭下广，四方玻璃不通气，虽微声能通彻。生徒皆粗暴，动辄好斗，仆惟讲仁义而已。

公度：仆谓今日时势，当改《孟子》曰：义战者受上赏，连诸侯者次之，辟草莱、任土地者又次之。一西乡小村，二井上，三黑田。

鸿斋：此三子仅滕国者，不知齐、楚之大，不足共论军。

公度：《战国策》：宋有雀生鹯。雀之小而生巨，必霸天下。

鸿斋：治乱强弱自有时。齐、晋之为霸也，天所以生桓、文。敝国三百年来前有其人，今则无焉，非论王霸之时也，但为西蛮之奴隶而已。

桂阁：墨陀胜景，四时俱备矣。今日雪已消，花未开，所谓四时之间也，不足使诸君娱耳目。请花时必来。仲春始开，名彼岸樱。

公度：有唐花否？非花时以火烘之使开曰"唐花"，能早一二月，严寒积雪中有牡丹、芍药诸花。

鸿斋：在暖室之中开者，俗曰"室笑"，笑亦作咲，如春山笑。牡丹、芍药皆早二三月。蟋蚌皆置之暖处，使误候，先时皆鸣。卖秋虫者初夏尚在衢巷，盖虫之室笑也。

公度：此种语入诗太佳。

鸿斋：樱一种最晚开、花瓣多者，名杨贵妃樱，特为绝品，恨不使明皇观。愿携一根去，移种骊山如何？

公度：菊、牡丹、梅皆有此名，花中之魁，为阿环占尽矣。

鸿斋：大江南北距凡几里？黄河(中缺一字)大河也？

公度：黄河一曲绝数千里，其远不得以尺丈数也。

鸿斋：是发源于昆仑之谓也。仆所闻不然。其南北相距舟路凡几里？

公度：对面茫无津涯，犹所谓海客谈瀛州，烟波缥缈信难求也。

鸿斋：高楼邀宾四望开，花间分韵且争才，若诗不就将行罚，当效李家金谷杯。

桂阁：春日飨筵顷刻开，我楼无客不雄才，墨塘墨水浑相对，诗成欣然举大杯。

诗五：主豪宾雅几筵开，尽是雕龙绣虎才，何幸东州客星聚，天教移会墨江杯。

四十一、庚辰笔话　第七卷　第四十七话

（光绪六年三月一日　1880年4月9日）

（庚辰四月初九日，何、张两公使、黄参赞等都到我家来看樱花。石川鸿斋、龟谷、省轩——行、冈千仞①——鹿门、高谷龙州、石幡贞等也来了。）

（张公使先到，我们在乐水阁笔谈。）

桂阁：前日拙稿赐细阅，何幸如之！惜乎文稿删正甚少，于仆心不安。

斯桂：文稿甚佳，无须多删。日前到麻布区去，过一桥，桥旁有一店，其牌额写"牛能知知卖捌所"是何物？

鸿斋：知知，敝（国）语乳也，则牛乳。

鹿门：捌字俗字，书无此书，谓配付之义，从手从别，以手别之之义。堤上樱标，远观却佳，先生赐一高咏，实此花之荣。

鸿斋：千住罗纱制处，不许纵览。来春开博览会，尔时偕与开室许观也。

（瓶中有棠棣之花。）

鸿斋：此黄花贵国名如何？黄宝珠，黄宝珠，真名欤？异名欤？

斯桂：大家都呼为黄宝珠，此地呼何名？

梅史：棠棣。

鹿门：郁李也，恐非草花。

桂阁：倭名曰耶魔富贵，以城州王川为最。

鹿门：先生乡贯四明，贺知章所生欤？所谓鉴湖，四明中湖水欤？

斯桂：鉴湖在绍兴府地也。

鹿门：天台山亦非四明乎？

斯桂：山跨绍兴、台州、宁波三府地也，四明山最大，天台山亦在其内。

鹿门：天台山中华胜地，骚客所艳称，先生曾游其地否？

斯桂：天台山之几处小地方，仆曾往游，其中大胜境未曾一到。雁宕为尤胜，乃天台之南山也。

---

① 冈千仞（1833—1914），字振衣，号鹿门。世代为仙台藩藩士之家。明治年间历任东京府教授、修史馆协修、东京图书馆馆长等职。著有《尊攘纪事》等。

鹿门:敝邦佛教分为八派,天台其一,意唐时高僧航渡传来者,不知今犹为缁徒宗地乎?

斯桂:天台山中缁流最多,古时或有高僧,今虽云亦有之,但恐不实,惟习拳棒者颇多;其不习拳棒者,多贪酒肉女色矣。

桂阁:仆想阁下倦笔话,不强责之,愿作小诗词以警倭儒是幸!

斯桂:寻春来到故侯家,小阁谈诗客不哗,万树樱花开正满,隔江红出水边花。

鸿斋:万树樱开高士家,春来邀客客无哗,豹胎麟脯杯浮蚁,恨少婵鬟解语花。

桂阁:春暮风光在我家,登楼一望笑言哗,移船招妓江中去,幻作波心镜里花。

鸿斋:一年春事在君家,勿厌纷纷雅客哗,却喜绮筵无少妇,囊中不卖缠头花。

　　　(何公使来了,黄公度也来了。)

如璋:鹿门先生是晚返家,为雨所霑否?

鹿门:无忧是事。诸公大车系在门前,唯乘人车者死人事,是事不可数。赏花者只称上野、墨陀,仆谓二地皆俗地,不若飞鸟山幽邃,纯于野趣,扇、海老二亭,临溪洒洒,尤觉可人,不知阁下一探否? 有此二亭可人,不必问樱花多少。

公度:此论更仆不能尽悉数能终,然仆硝有所见。

　　　(中略)

鸿斋:《脊令解语》七册大斧。仆又作《八歧大蛇解》,若有备考证,请加阁下所著《日本志》。

公度:冀一读。《杂事诗》有王紫诠刻本,俟再送呈一部。

省轩:敬诵《杂事诗》,胸储二酉,华驱风云,其所考证,凿凿中窍,诚不堪叹服! 弟强指摘一二,以成下问之美,近日携之上谒。

公度:今日见阁下寄紫诠诗极佳,前有紫诠序,后则阁下跋也。仆东来后,故友邮简云集,皆询大国事者,故作诗以简应对之烦,不意为王君携去,遽付手民,非仆意也。大国人见之,定不免隔靴搔痒之诮。阁下能为改润,感谢不胜。

省轩:寄紫诠拙作,不知从何处见之?

公度：《循环日报》中，《杂事诗》中多有人名地名避我朝庙讳改易者。

省轩：《杂事诗》中论文处，有以古贺精里比赖盐谷诸子。精里论文尚有佳作，至杂文则不能作。赖盐之文，阁下有所见乎？

公度：精里之文不多见，有《曹参论》一篇，可以步武苏氏父子。

省轩：此人有学问、有气魄，故往往有佳构。恨当时文事未开，故其集少可见者耳。《杂事诗》刻于贵邦，想洛阳纸价为之贵。

公度：一刻于北京，一刻于香港，敝邦人见之，以为见所未见，书(诗)之工拙不暇问也。

省轩：阁下之书，叙樱花之美，儿女之妍，使读者艳想。此书一行，好事之士，航海(而来)者(必)年多于一年。

公度：近又有一好事人曰陈曼寿来神户，能诗与书。

省轩：吏乎？游客乎？上海人乎？

公度：卫铸生流亚，禾中人。

省轩：吴瀚涛能诗，惜返去。

公度：此人卓荦不凡，不独能诗，年仅二十三四耳。

省轩：诵其诗，想其人，已知其才绝群，憾不一相见也。

公度：今在家庐墓，他日终为有用材，与仆极知好，书法亦好。昨得一书，云躬耕黄山，俟三四年再出。

省轩：守丧乎？

公度：仆若久居日本，必招之再来。

省轩：大好。人有才有识，其诗必好，书法亦随之。徒作书赋诗，亦无益耳。

公度：文章之佳，由于胸襟器识。寻章摘句，于字句求生活，是为无用人耳。

省轩：诂章训句，徒费力于断简，经生之无用更甚。

公度：国家承平无事，才智之士无所用，故令其读书，所谓英雄入彀中也。譬如富家巨室，衣食充裕，其子弟能喜古玩、好书画，亦是佳事。谓此古玩、书画为有用则不可也，谓为无用亦不必也，视其所处之时地何如耳。

省轩：洙泗之教人，本活泼事业，故其教人，常以《诗》、《书》、《六艺》。后世天理人欲之说盛，而圣人经世之意(中间一字不明)矣，是弟所慨也。

公度：孔子大成之圣，实为上下十二万年，纵横七万馀里，不能再有之人；其教人无所不备，不止《诗》、《书》、《六艺》已也。宋儒之学，为孔门别支，推其极不过学孟子耳，彼不知圣人为何等人也。

省轩：内库所藏有楠正成① 之砚，近出而赐成濑大域②。弟为大域作长歌，不日录呈，愿痛正之。

公度：愿赐一读。宕阴有《神铃记》一篇，文佳绝，若得好诗，可与之亚。

鹿门：闻之石川君，阁下近草《日本志》，仿何书体？既曰志，与史异其体者，此事水户史官所欲为而不能为，盖无足以供史料者也。蒲生君亦有此志，中途而止，亦坐无史料耳。《日本史》仆有刑法、兵马二志。

公度：有志焉，而恐力未逮，至速亦须明年乃能脱草。志之目十有二：天文、地理、职官、食货之类。此事大难，恐不成书。

鹿门：《扶桑游》上卷刻成，已付沈梅史，寄赠王先生。第二卷重野序之，不日刻成，本稿在栗木锄云③ 所。

公度：彼欲索草稿。

鹿门：宜就锄云氏而谋之，仆不关此事。

公度：敬谢。今日得王紫诠书，嘱仆见足下，索《扶桑游记》草稿中下卷，云将自刻。今日即托阁下，俟暇询之锄云，如何，即以函告我，庶可转复紫诠。仆不知此人，闻家在本庄。尚有本多正讷④ 所著《清史(中间一字不明)记》，紫诠序之，渠欲索刻本，仆未识本多氏，能代询之否？

鹿门：锄云氏为赏樱来，寓墨堤上一村亭，应后刻拉桂阁公往访，询《扶桑游记》事。

公度：北京所刻，寄到东京不过十馀部，故难以赠人，今仆家既乌有矣。

鹿门：大为憾事。紫诠氏还仆文稿，一一付评，曰在香港排印，宜写一本再

① 楠正成，即楠木正成（1294—1336）。建武中兴的忠臣。后奉命伐足利幕府，失利自杀。明治间追赠正一位，祀凑川神社。

② 成濑大域（1827—1902），幼名桂次郎，号桂斋。书法家。入安井息轩门下修经学，遂号大域。明治天皇赐以楠木正成之砚。著有《十体一览》、《真书正真偈》等。

③ 栗木锄云（1822—1897），名鲲，字化鹏，号匏庵。曾继承家业有医官，后转为士籍，设立医学院、饲育绵羊等。明治初入东京日日新闻社任记者十二年。著有《匏庵遗稿》、《栗木锄云遗稿》。

④ 本多正讷（1827—1885），名正讷，字士敏，号鲁堂。田中藩主。明治维新后为长尾藩主，后任长尾藩知事。

寄。紫诠先生何所取而为此事,真不可解者。

公度:紫诠穷老不得志,故煮字疗饥,耕砚自活。如仆诗彼尚不惮刻而卖之,况君文乎?

鹿门:先生《杂事诗》天下争购,所谓长安纸贵者,王先生刻之以为自活之计,极得矣。惟仆文庸劣,不当半文钱者,若王先生果取仆文,命刻(工)并刻,贾无所偿。唯(王)先生恳恳至此,(真)知已。

公度:冈本《万国史记》,上海翻刻之。

鹿门:昨夜见石幡贞,闻阁下今日会此,大喜,约进陪,应继来。此人新归(来)自朝鲜,熟韩地事情,必有新话。

公度:与之相识。渠作有《归好馀录》一书,仆见之。

鹿门:今方编《续录》,此书成,可领韩地一班。

公度:石幡贞颇通汉学,外务官员一人而已。

鹿门:此人曾从柳原公使游北京,有《航清纪游》,颇奇士。

公度:紫诠托其卖书,不知如何?

鹿门:闻所递《日本杂事诗》八十部,请者争至,以先睹为快。他书若求者寥寥。

公度:祈语成斋,若能代为尽卖,紫诠有托仆语曰:成斋处卖完敝处存本,假日紫诠百部,仍托成斋卖之。

鹿门:他日见成斋,应以是事告之。

公度:若买者少,则不必也。仆有二百部,系紫诠所赠。

鹿门:紫诠氏本细字不佳。先生在北京所刻大本,仆切欲。

公度:仆之殷殷问重野卖书消息,虑以此劣诗累紫诠耳。

鸿斋:先泛船,极观花之兴,归来再上斯楼,倾小酌。船中载酒,烈风亦可畏,不能暖酒也。缓步堤上,尘埃遮眼,甚不兴。阁下以为如何?

斯桂:江中涨,涂可填满,造三四间书楼,种几十本花卉,如何?

鹿门:此极好策。然如仆浮家泛它,往来苕云间可也。书楼花卉,已是多事。

鹿门:墨陀花已经一游观否?

如璋:今日当同诸公往游。

鸿斋:已命船,上舟往观。

桂阁：千秋楼上近日之景致，饮客颇多，每日无剩席，至下午则辞客。楼婢等言，如斯势而支数旬，则腰瘅足麻，盖其繁盛可想也。

公度：仆来此意在看花，不在饮酒；然不能强人人如我意，仆泛舟之后，将自往耳。

桂阁：仆颇畏喧杂，复畏河风，在家可待诸君之归，宜治杯茗，愿一见而归此处。

如璋：请觅一小舟，仆到墨堤一观樱花再来。

桂阁：阁下如有情于我，即往墨堤觅一二佳人来。

鹿门：沿岸舟行乎？上岸步行？阁下以为孰是？

如璋：不如上岸步游较为亲切。

鹿门：长命寺门前一小店楼，锄云氏小住，往物色之。

如璋：公等如可去，请在此相待。

（我和省轩都不要上岸去，只得留在船上。）

斯桂：花已全开看未迟，我随裙屐走斜陂，回头笑指沽春处，植半楼前飏一旗。

鸿斋：单瓣已开重瓣迟，寻芳尽日步长陂，杖头仅有青钱在，也到前村觅酒旗。

如璋：才见有背一酒筒者，其醉态甚可掬。

鹿门：曲江春嬉亦如此乎？

如璋：大致如此。由此可回舟，下此无多花矣。

鸿斋：前日促观花，诸公踟蹰不果看。至今日花已散矣，可慨叹哉！

公度：前日若来，亦不过尔。

（我们回到乐水阁。）

斯桂：招我来游墨水东，天然图画小楼中，半江萍藻沿堤绿，万树樱桃隔岸红。挥翰助谈逢旧雨，浮蛆打瓮醉春风。拟从彼岸移船去，游女如云一笑逢。

省轩：奉次张先生瑶韵：

樱花烂漫大江东，人在兰桡桂楫中。满岸清波新柳绿，一堤芳草夕阳红。烟深难认重重塔，春冷犹嫌淡淡风。且喜佳宾好词赋，年年常向酒边逢。

东韵用无妨乎？行未定草。

桂阁：和斯翁大人瑶韵，楼上望墨陀作，录呈粲政：

　　樱桃开满墨江东,收入楼头一望中。曳屐少年衣染艳,簪花娇女脸羞红。半瓶白乳茶寮水,一幅青帘酒国风。劝客登舟游彼岸,自惭抱病倚薰笼。

　　(红发女子恐其不美,结二语未能达意。)

如璋:写景如画。今日放舟看花,水陆俱领略之,可谓尽态极妍。又承设馔,顷已醉饱,请先告别,顺路尚可拜一客。

公度:今日之来,仆与石川子约看花耳。天晚无月,不便游矣。

据郑子瑜、实藤惠秀编校《黄遵宪与日本友人笔谈遗稿》(日本早稻田大学东洋文学研究会 1968 年出版)郑子瑜先生1992 年最新改订本

与日本友人宫岛诚一郎等笔谈

编者整理说明

　　一、本笔谈根据日本早稻田大学图书馆藏《宫岛诚一郎文书》(以下简称"宫岛文书一")笔谈原件、宫岛诚一郎于1893年(光绪十九年,明治26年)根据笔谈原件整理誊录的《粟香大人与支那人之问答录》(宫岛文书一C7,标题为宫岛诚一郎长子宫岛大八所题,以下简称"宫岛写本"),以及日本国会图书馆藏《宫岛诚一郎关系文书》(以下简称宫岛文书二)笔谈原件整理、编辑、标点。

　　二、凡笔谈原件现存者,以原件为底本,笔谈原件不存者,则以宫岛写本为底本,并分别参校宫岛写本及宫岛诚一郎的另一种誊录本《养浩堂丛书》(宫岛文书一C3,以下简称"丛书")。凡同一次笔谈中在笔谈原件之外以宫岛写本校补者,补足的文字置于方括号[　]内,不再一一加注出处;凡原文无法识读或文字空缺者,以□标示;据他本校订的文字或疑似文字,均出脚注说明。

　　三、宫岛诚一郎整理抄录笔谈及信函资料时加有一些说明文字,可资考订笔谈及写信的时间和背景情况的参考。整理时对这些文字予以保留,并加圆括号(　),排楷体字,以区别笔谈原文。笔谈参加者自己所加的注释性文字,则排小号字。

　　四、笔谈原件在流传过程中颇有散乱,有些经宫岛诚一郎装裱成卷者亦有前后文义不衔接、次序明显错乱的情况。整理时参考宫岛写本及笔谈内容、所用笺纸等做了一些缀合和次序调整。为便于读者进一步考订,除在每次笔谈后注明资料出处外,根据需要在页末出题注,用星花＊表示,对原资料的情况做些说明。凡经过缀合的资料,均在脚注中注明各件资料的编号。

　　五、笔谈日期根据笔谈及相关信函的内容、宫岛诚一郎整理时所加的说明,并参考宫岛诚一郎的日记资料以及其他有关资料加以考订。根据笔谈原件及宫岛写本的说明文字者不再一一注明,凡参考其他各种资料考订推定者在题注中注明。

六、关于笔谈参加者,根据笔谈原件的笔迹、笔谈内容及宫岛诚一郎整理时的标录分析判断。笔谈参加者姓氏略称如下:

重野:重野安绎,号成斋

三浦:三浦安,监事

青山:青山延寿(季卿)

小森泽:小森泽长政(宫岛诚一郎弟,过继为小森泽家养子,故姓小森泽)

中川:中川朓,名英助(雪堂)

副岛:副岛种臣,侍讲

伊地知正治:一等侍讲

榎木:榎木武扬(海军卿)

佐野常民:大藏卿

谷:谷干城(陆军中将)

姜:姜玮(朝鲜修信使属下)

李:李祖渊(朝鲜修信使属下)

荻原:荻原西畴

胜:胜海舟,胜安芳

吉:吉井三峰,吉井友实

宫岛:宫岛诚一郎(粟香、粟芗)

古贺:古贺谨堂,通称谨一郎

子峨:何如璋(驻日公使)

鲁生:张斯桂(驻日副使)

公度:黄遵宪

梅史:沈文荧

枢仙:廖锡恩

金:金弘(宏)集

一、光绪四年三月十七日(1878 年 4 月 19 日)笔谈

(四月十九日,访月界院。正使何子峨君、参赞黄遵宪公度笔谈。)

[**宫岛**:始接黄君公度,尔后愿赐大教。余有具庆。老父七十二岁,老母六十六岁。今录近作,博一笑。]

戊寅元旦试毫

五子八孙双老亲，樽前共祝岁华新。

一团和气蔼然动，不独梅花笑报春。

　　伏乞大正　　　　　　　　　　　　　　诚一郎拜

　　公度：如天之福，愿祝自今以往年年岁岁捧觞，祝亲子子孙孙绵绵延延也。黄遵宪拜。

　　宫岛：我邦依然东陬一桃源，不管世上兴衰已数千年。何图一自渔人一棹来于水源，不能独乐桃花开落。虽然，亦是今日地球上之大势，不得<u>止</u>也①。

　　公度：贵国独据名土，一姓相承二千馀年，盖为万国所绝无。今日之外交，亦时势不得不然。然仆辈得因此而观其山川之胜，士大夫之贤，政教之良，不可谓非大幸也。

　　宫岛：敝国与贵邦结交谊始于今日，而学汉字盖隋唐以来，连绵不绝。敝国本是东海孤岛，幸以贵邦之德，制度文章聊以增国光。今日更得拜晤，以后事事讲求，互讨论两国之是非，不无补益于政治②。

　　公度：敝国《三国志》既称贵邦文物之盛，风俗之美。隋唐以来，往来较密。深惜当时未及结盟耳。所云制度文章以增国光，夫则何敢。然至今虽参用西制，其规模颇有存者。仆辈此来，考证古制，亦一快事。望时时惠教为幸。

　　[**宫岛**：何出言之谦。]

　　公度：窃谓今日之西学，其富强之术，治国者诚不可不参取而采用之。然若论根本，圣贤之言，千秋万岁应无废时也。即如近日尊王之举，论者谓发于赖子成之推重楠公，故其子首建此议，是言不为无因。

　　宫岛：此论明确，千岁不废。我邦敬神爱国，即千岁之国教。自入孔圣之学，忠孝二字之大义益显著。今日之西学，唯取其各制以量事强耳③。

　　公度：圣贤之理，人同此心。所谓地之相距千有馀里，若合符节者。贵国

---

　　①　宫岛写本作"我邦孤立海中，不知世上兴衰殆数千年，亦是海东一桃源也。何料有渔人来津之事。尔来不复能独乐桃花，是为可怅。盖地球上之大势，不得不然也。""不得止"，日语词，意为不得已。

　　②　宫岛写本作"敝国与贵国结盟，以今为始。而学汉文，盖隋唐以来，连绵不绝。则虽孤立于海中，其制度文物亦得仅备者，乃是汉文之德居多。可谓文字增国光。今日始得拜晤于君，而后相共讨论是非，以谋两国幸福，仆之愿也。"

　　③　宫岛写本作"贵论极明确。我邦自古敬神尊君，乃是国教。中世自孔圣之道传来于我邦，忠孝大义因以益彰。今日之西学，唯取其长以谋富强而已。"

人亦然。不过得孔孟所论议,益明其理耳。仆岭南人,文物始盛亦在唐宋后,较之贵国虽为同土,被圣人之教盖未之能先。尝窃论之,欧罗巴富强之法近既及亚细亚,孔孟之说将来亦必遍及欧罗巴。未审君谓然否?

宫岛:近顷闻欧罗人颇学孔孟之道,未知其名。宗教之道,本以圣学为第一①。

公度:米利坚最多习之。近闻颇盛。顾耶苏教遍及天下,而行之中东两土辄废沮者,亦缘圣学为第一故也。欧人著书颇议敝国,而孔孟不敢置一辞,亦可见人同此心,同此理也。

公度:青山老人学问剧佳,品亦高雅,仆甚敬之重之。甚惜其年老而不得志也。

宫岛:敝国仕进之法未立。昔年尽以汉学入选,今日废藩新建县,渐渐应立仕途之法。青山老未得志,同叹。请宜怜恕②。

公度:此茶为武夷上品,未审喜饮之否?

宫岛:[茶真佳,颇爽口中。]先生观墨堤樱花乎?

公度:前日曾往观。此花可谓奇绝,盖中土所无。朱舜水盛称之,无怪其然也。

宫岛:或云贵邦樱桃是也,仆久存疑。若于贵邦有此花,文人骚客艳称不□口。然而贵邦唯爱成都海棠,想贵邦未有此花。如何? 请示教③。

公度:其种实亦似樱桃,想接以别木。又此土膏腴,栽者亦善,故作此烂漫奇观。深惜吾邦前代诗人不来名国而歌咏之也。

[**宫岛**:堂上瓶花,邦人呼以椿花。贵邦亦然乎?]

公度:是花曰茶花,贵邦人名以椿。敝国之椿,大者至数十合围。《庄子》所谓大椿以八千岁为春秋者。是树无花,其叶可食。

宫岛:敝国茶花,其本不大,十月十一月之交着红白花。贵邦椿木不着花,盖别种④。

---

① 宫岛写本作"近闻欧罗巴人亦颇学孔孟之道,未知果然。道德之教,固以孔孟为第一。"

② 宫岛写本作"敝国仕进之法未立。昔年大抵以汉学入选,今日废藩建县,百度改新。青山延寿老未得志,同叹。"

③ 宫岛写本作"闻贵国樱桃颇似此花,仆尝疑贵国如果有此花,文人之歌咏亦当有之。而其所以独及蜀之海棠而未及此花者何也? 或思所谓樱花贵国则无之。请教。"

④ 宫岛写本作"敝国所称茶花,其木不大。十月十一月之交着花,色有红白。今言贵邦之椿不着花,想盖别种。"

公度:贵国之椿即茶花。其花叶时候皆同,盖同种而两土异名耳。

[**宫岛**:仆昨游向岛看花,偶得一绝,录以呈。]

游向岛口占

步到墨陀日已斜,长堤春意太纷奢①。

香云一白茫无际,人在花中不见花。

公度:风调绝伦②。

芳树千枝花影斜,纷纷裙屐亦豪奢③。

衣冠诧是西来法,爱看侬家懒看花。

前游香岛读宫岛先生诗依韵奉和

宫岛:此般唯西来法颇妙。我辈穷措大,未到此等之佳境④。

公度:若使先生辱临敝国,则亦诧为东来法矣。

宫岛:佳谑到此绝倒。

公度:顷有他事,未及奉陪,敢先告辞。容暇走诣尊斋,再领教也。

据宫岛文书一 C33 笔谈原件,并以宫岛写本校补

二、光绪四年五月十四日(1878 年 6 月 14 日)笔谈

(六月十四日,养浩堂招何、张正副两公使、黄参赞公度、沈随员梅史开宴。来会者,重野编集官成斋、三浦监事安、青山延寿季卿、小森泽长政及译官某生也。)

梅史:日前得晤芝辉,心甚念念。阁下勤劳王事,想诸务烦重,所以不常造府。今幸休沐馀闲,得奉麈教,幸甚幸甚。尊大人前,乞叱名请安。

公度:园林剧好。今日初来,甚喜。比日想大好。堂上二尊人想杖履清适。

宫岛:二老幸健胜。今日愿拜何星使,不知许否?

公度:俟星使来,遵宪辈并请谒二尊人。

宫岛:两星使大人远辱来临,喜溢心胸。梅天之候,郁蒸恼人。阁下清福

---

① 宫岛写本作"万树堤樱齐放葩,春风十里最纷华"。

② 宫岛写本作"尊作风调绝伦,依韵奉和"。

③ 宫岛写本"芳树"作"万树","豪奢"作"豪华"。

④ "未到此等之佳境",宫岛写本作"未能会此佳境。呵呵"。

想多多。座上数名皆馆中同事,愿诸公同吾惠教,幸甚。

子峨:蒙爱见招,又座中都是雅客,殊快人意。唯仆智识短浅,恐笔谈不能尽达其意。如何?

重野:何公使大人:前日蒙高轩枉顾,仆适不在家,失奉迎,悚惧何堪。继当拜趋奉谢,亦以鄙冗迟延至今,不知所谢。

子峨:捡冈本君《东洋新报》,得读重野先生大著。纯茂渊懿,有经籍之光,不愧名家。想家中旧作必夥,他日仍当枉观也。

重野:过奖何当。仆燥发好文辞,但才识谫劣,且以生僻陬,未蒙大方提诲,辽豕自安。自今以往,拜趋门下,以乞教示。先生幸勿见弃。

公度:重野先生多日未相见,极以为念。比来想大好。

重野:久欠拜候,多罪多罪。时方向炎暑,台履清适,不堪欣慰。敝地梅天蒸溽,想当苦恼。何如?

子峨:三浦先生尊府何处? 今日得接芝仪,实为厚幸。有暇请枉顾敝馆,一领雅诲。

三浦:何公使阁下,久仰德望。今日始接芝眉,实为大幸。敝屋在滨町第二街一号,矮陋不敢希高过。他日将必诣高馆奉教。

公度、**梅史**:三浦先生阁下,久仰高才,幸晤芝眉,欢欣无量。

三浦:两先生座下,久仰德音,幸接芝颜,欢喜何穷。但仆武人,尤疏文字,不能笔语。愿以通辩得款语,幸甚。

公度、**梅史**:过谦过谦。仆辈何所知识,得亲炙光仪,极以为幸。

子峨:冈本先生在东京否? 观所辑《东洋新报》,亦有心人也。稍暇当造访之。

重野:冈本名监辅,家在椿山,故别号椿山。椿山地名,俗称目白台。住东京。顷游上总,距此十六七里,本地里程。近日将归到。仆且致尊意,渠应欣喜出望外。

子峨:小森泽兄在海军省,公务忙否? 闻英国所购之船已到二号①。管驾皆贵国人,抑英国人也?

小森泽:三舰航海中驾英人,而既到港后,我士官及水兵已尽转乘焉。现今三舰中扶桑、金刚、比睿。无一个英国人。

---

① 原文如此。

梅史：先生燃莲炬，披竹简，谅近日必多大著。天气渐热，谅道履安和。

重野：鄙生公私多冗，不与笔砚亲昵。加之才疏学肤，时有著作，亦皆芜陋，不足录焉，能供大方青盼。比日制佐濑得所碑文一篇，录在别纸，敢请赐批正。

宫岛：是成斋吊佐濑得所文，请正之。

梅史：雍容静穆，庙堂之文，而治世之音，安得不令人佩服。

重野：不敢当，不敢当。鄙文当呈之高馆，切请先生与黄先生肆意叱正，勿吝提撕。

梅史：才短识寡，何足当他山之石。

公度：大作蕴酿深醇，意味甚深。不审积稿多少？能惠一饱读否？向读《霞关临幸记》等篇，典雅深厚，盖骎骎乎比曾南丰。其尤佳处，乃似刘子政。佩服之至。

重野：揄扬太过，非所敢当。愧死愧死。

子峨：近刻有蒲生所著《伟人传》，先生见之否？其人如何？

重野：蒲生某仆稔知之。其人颇有慷慨气象。仆为作其小传，即在《伟人传》中，盖已经览。但其文辞则未为精练。若渠上谒，乞垂训诲，亦同人之幸也。

公度：青山先生：前在高斋相见后二三日，曾往女师范学校。见长女公子，未及通语也。

青山：四五日以前愚女归省，亦有此语。当日校师不语贵邦人至，及君等临之，始传之于女子辈。以故愚娘等学画颇觉狼狈云。

梅史：久暌杖履，寤念殊深。辰维道履绥和，阖府均吉。

青山：仆以尘事丛集，久不叩使君阁，愧谢愧谢①。过日见赠尊画团扇，二女拜赐，仆代道谢。至于画则婵娟可爱，比往日所赐墨梅，殆似胜之。如何？

子峨：两位女公子好。昨到女师范学校，见其作画，笔极生秀，真美材也。

青山：顷间娘子归省，始知有大使来观。至其画，仆亦不知为何颜面也。书已不工，画亦当拙劣也。仆一两日中欲至公馆呈前日见托拙书，今日俄闻大使来宫兄宅，急赍至，乃呈左右。勿罪轻忽，幸甚。仆之书风日本风而未至者，

---

① "仆以尘事"句宫岛写本无，据丛书补。

诗者学坡之畅达,未能熟也。

子峨:诗已古雅,书尤老健。寄归以奉家君,不啻拱璧。异日当踵门叩谢也。

梅史:翁庆龙近人中有书名,先生览之若何?

青山:翁名仆不知之。使君若有藏幅,愿一见之。

重野:敝邦初严禁吃菰,而令遂不行。不知贵邦亦有禁菰之事否?菰或蔫,又作莨,何字为适当?

公度:淡巴菰三字本西人语,中人译之作此三字,有音而无义。至或作蔫、作莨,又附会而为此。其实为敝国古来所无之物,故亦无字。敝邦人多作菸字,未及考其何如。

重野:顷阅《全谢山集》,有《淡巴菰赋》。云菰出自吕宋,又云传自日本。而敝邦则相传得种长崎,盖贵邦商舶赍到也。彼此传说正相反。请教示。

公度:淡巴菰实出自吕宋,西洋人能凿凿言之。彼此皆从商舶赍来,其或先或后,则不得而知。至云出日本,则讹也。

重野:菰之入敝邦在二百年前。宽永年间。未审其入贵邦在何时世也?

公度:淡巴菰之来不过三四百年,盛行于明末。崇祯时尚悬为厉禁,吸者罪至斩。西洋人亦言盛行各国不过三百年。

重野:敝邦禁烟之令始发,有黠商榷买烟管以骤致富资,知令遂不行也。至今其商家犹存。

青山:闻大邦人好食蚝油。按字书蚝与蛎同,此物以蛎为之否?其味果如何?

子峨:此生食好,熟食尤佳。岭南香山港所产,其味浓厚。

青山:敬承。如油字不解得。此物唯生熟食,别无蚝油者耶?

梅史:蚝即蛎之别名。以为油,则用蚝盐榨出其汁而供调和,如酱油之类。

公度:贵国所产海苔昆布,敝邦人皆喜食之。鲨鱼翅尤为珍品。

青山:贵邦西蜀尤嗜昆布,真然否?嗜之者爱其味耶?或别有药能耶?

公度:蜀人吾所不知。岭南人喜食之,以为解热毒,化痰滞。味则索然无味也。

鱼翅本为索然无味之物,敝邦人用鸡鸭汁调蒸之,必烂而后佳。盖借他物之味以为味。敝邦人习尚之,殊不可解也。

重野：鱼翅得他物成味，可知人亦藉交游成德，所谓以友辅德。异邦殊域，握手交欢，见其所未见，闻其所未闻，洵人生之幸福也。

公度：由小物悟入交游，足仰大德。其所云云，仆亦同之。敢谢厚意。并志私喜。

宫岛：此张旭书轴，我旧藩主上杉氏之所藏。朝鲜之役，藩祖从丰太阁入高丽，获之而来，三百年珍藏，未知果真否。

梅史：张颠书得之韩人者，当是真迹。其用笔沉着蕴蓄，后跋亦清挺。观吴匏庵跋，知流入三韩亦不久。唐代墨迹存人间者甚少，得见此至宝，眼福应不浅。

宫岛：他一本张旭，友人某氏所藏。

梅史：张长史书虽云狂草，然未有粗浮险躁而可以谓佳者。后得一卷，毫无深静之致，跋书如出一手，盖市贾所伪为也。

宫岛：家君今年七十二岁，请赐寿言。他日以呈家君履历，幸领此旨。

　　　　席上赋呈何张黄沈诸公乞正　　　　　　　　诚一郎未定

自有灵犀一点通，舌难传语意何穷。交情犹幸深如海，满室德薰君子风。

梅史：　　奉和宫岛先生玉韵即乞郢政　　　　　　沈文荧拜稿

东指蓬莱碧海通，挥毫雄辩乐无穷。高斋啸咏皆名士，荀令香薰散晚风。

公度：　　率笔次韵以博一笑　　　　　　　　　　黄遵宪

舌难传语笔能通，笔舌澜翻意未穷。不作佉卢蟹行字，一堂酬唱喜同风。

子峨：　　次韵　　　　　　　　　　　　　　　何如璋

近西人有电器名德律风，足以传语，故以此为戏

何须机电诩神通，寸管同掺用不穷。卷则退藏弥六合，好扬圣教被殊风。

子峨：尊公高年令德，愿得一瞻寿星。归寓当作芜词以祝。

宫岛：妓皆系柳桥籍，一名阿滨，一名阿梅，一名阿爱。皆请诸大家之名吟，愿各咏一诗以见赠。

书赠阿滨

好是相逢洛水滨，惊鸿翩若见丰神。果然标格环肥妙，题品由来出主人。

　　　　　　　　　　　　　　　　　　　　　何子峨醉墨

忆昔寻芳湘水滨，明珠解佩不胜春。偶从仙岛逢仙子，人面桃花一样新。

　　　　　　　　　　　　　　　　　　　　　张鲁生戏墨

金钗环侍席当中,绿酒微醺烛影红。我向水滨频细问,旁人莫笑马牛风。

东海黄公

滨町春色不寻常,绝妙金钗十二行。玉立亭亭纤影媚,就中独数窈窕娘。

醉梅史

书赠阿梅

情浓暮雨脸朝霞,信是人间萼绿华。我本罗浮山下客,欲扶清梦到梅花。

子峨

记曾点额寿阳妆,浓艳罗浮一样芳。听罢岳阳楼上笛,江城五月正飞觞。

鲁生

一曲江城唱落梅,当筵共醉酒千杯。霓裳缟袂翩迁舞,莫认人间等笛来。

公度

梅额樱唇妆饰新,小蛮樊素斗丰神。就中仙子罗浮客,半厣宫黄粉色匀。

梅史

书赠阿爱

国色天香爱牡丹,翩然风韵本来难。婷婷袅袅十三女,如意珠宜掌上看。

子峨

花容玉貌耐人看,我亦钟情割爱难。何日贮来金屋裹,锦衾角枕共春寒。

鲁生

双鬟便既值千金,最小娇姬弱不禁。醉后欲倾东海水,一齐并入爱河深。

公度

爱听流莺调舌初,香含豆蔻十三馀。明珠十斛当时选,翠翠红红总不如。

梅史

宫岛:诸大家名吟,所谓咳唾成珠者。三校书得此珠,颜色生光。余代谢。

子峨:重野、青山两先生,今夕之会,如明道先生入妓席不逃,别有风致。赋之以呈。

我是今生杜牧之,华堂亲见紫云时。狂言欲乞君应笑,且醉当筵酒一巵。

重野:厌厌夜饮,不醉无归。

子峨:"醉言归"、"醉言舞"。"彼美人兮,莫我肯顾。"

青山:君语真然。美人必云老物可恶。

子峨:他日招兄等再为雅会,赋之告辞。

旧雨不如今雨,他乡即是故乡。且订三山好会,拼他一醉流觞。

据宫岛文书一宫岛写本

三、光绪四年六月三日(1878 年 7 月 2 日)笔谈*

（七月二日,访清国公使于月界院。）

子峨:馆中课程,顷当酷暑。闻贵国各官署例给假五十天,从何日始? 君届时仍到馆中,抑过五十日后方到馆?

[**宫岛**:给假由七月十一日始,其间六十日,到九月十日终。各官便宜交替,互给三十天,即旧历六七月也。]

子峨:此例是贵国旧日通行者,还是维新后方有此例?

宫岛:吾辈始列朝班,在维新之二年后。初二三年之间,百事纷冗,无此事。明治六年夏初议立此例①。

公度:此月放灯,于何日止?

宫岛:定是五十日②。

公度:重野氏作大久保碑成否?

[**宫岛**:未闻成③。]

公度:川田瓮江作木户参议碑,闻至今未成,是否?

[**宫岛**:木户遗宅顷编纂履历,未闻碑成④。]

公度:有板垣退助者,亦维新功臣,闻已退居。其为人何如? [君知其人否?]

宫岛:明治之初年至六年,我辈大亲睦,共谋国事。其为人忠实果断,且有军功。今日所见少异政府议⑤。

────────────

　*　据宫岛文书一 C29。此件经宫岛诚一郎整理,与 10 月 19 日宫岛与何如璋笔谈等同装为一卷,题签墨书《清国使节何黄沈笔谈》,卷末有李经方题诗。

　①　宫岛写本作"小官始列朝班在维新三年之正月,当时无此例。始定此例在六年之夏。"

　②　宫岛写本作"黄曰:此月墨水放灯,于何日止? 诚曰:此亦五十日天。"

　③　丛书作"编纂大久保履历,先作小传,然后成碑文,应不日告成。"

　④　丛书作"木户遗宅近顷编纂其履历"。

　⑤　宫岛写本作"维新之初,仆与板垣交最亲切,且共谋国事。其为人忠实,颇有忧世之慨,尤多军功。今与政府异议。"

公度：其与政府异议者如何？

宫岛：板垣论以为，维新之初，天子下诏曰：广采众议，万机取决于公论，施行政治。今日政府之所见，全国士民知识未畅，朝廷先立国是，以施政事。此板垣与政府异其见也①。

梅史：贵国近尚西法。西人言利与民权，皆致乱之道也。人皆争利，不夺不厌。民苟有权，君于何有？西人之说则然。无为权首，必受其咎。此公之谓也。

公度：然其为人忠实果断，则大可兼收而并用也。

宫岛：兼收并用何义②？

公度：谓虽偶与政府不合，亦必有可补偏救弊者。朝廷用人，不必专以一格也。

宫岛：此论诚当③。

公度：是人近在何处？又何所作为？

宫岛：现在土佐国高知县立社，名曰立志社，想是为扩张人民权利之说④。

公度：士大夫退居，最以理乱不知、黜陟不闻为宜。自立一社，往往多事。明季士夫喜立社，推其弊至于乱国，可鉴也。

宫岛：仆亦所见有略同者，是所以忧板垣也。

公度：若如此，则忧板垣者岂第先生一人。

宫岛：大然。虽然，板垣之建论初，废藩为县，解武士之常职，广扩庶民之权利，废刀剑以起海陆之兵备，解各藩之军备以归朝廷，此事板垣之力居多。唯与一途之腕力论异矣⑤。

公度：其所为皆是也。废刀则不必。若今所云云，近于墨人自由之说。大邦二千馀年一姓相承，为君主之国，是岂可行？

---

① 宫岛写本作"板垣以为，维新之初，天子下诏，万机决于公论。然则今之时宜使国民参与政务。政府所见则否。全国士民智识未开，未可以参政务。朝廷先立国宪，而当施政治。板垣与政府异议者在此。"

② 此句宫岛写本无。

③ 此句宫岛写本无。

④ 宫岛写本作"现在土佐国高知县。新结一社，名曰立志社。闻此社为扩张民权之论。"

⑤ 宫岛写本作"然。虽然，板垣之向者为参议在政府，解武士之常职以广奖庶民之事业，解诸藩之兵备以归其权于朝廷，废武人各自之佩刀以定海陆军之兵制。当时废藩置县，板垣之力居多矣。"

宫岛：崇尊帝室，则吾邦固有之习气_{旁注：风}。前所云之政体，决不毁伤一姓皇统。我国武门执政七百年，全国人民气风大屈。今日宇内变通之际，仅仅武士守国，庶民亦漠然不知忧国家。所以废士职，励民心，在此也。全国三千万人任护国之责，而始传帝系于万万世，昭然者不疑也[①]。

公度：是事万万不可求急效。当先多设学校以教之，后定取士之法以用之，则平民之智识渐开，而权亦暂伸矣。

宫岛：现今论议纷纭。虽然，到底所归如贵说[②]。

公度：若以素日不学无术之人遽煽自由之说，又大国武风侠气渐染日久，其不为乱者几希。故仆私谓教士取士为今日莫急之务。如铁道等事，其次焉者也[③]。

宫岛：教士取士之法，他日详受高海。

梅史：教士之法，须使知忠义大节，则尊君爱上，风俗归厚。若教之以趋利求利之法，而不知大义，则作乱者多矣[④]。

子峨：贵国维新之治已逾十年，上下之际，议论不一，情意不通矣。宜亟定取士任官之法。不妨多分科目，以收罗通国之英俊，则彼为平民者知进身有阶，气愤自平。此制与倡民权自由之说者，有其利而无其弊。次第行之，国本始固。否则上下不一心，其害有不可胜言者。卓见以为然否？

宫岛：取士任官之法，请闻其尊论。

子峨：欲取士由教士始，教士由学校始，学校教士须立章程，其道理则不外孔孟忠君亲上、仁义道德之说。小子初入学，须令其读《四书》，塾师为之粗解其义。稍长，则视其材质所近，如文章、词赋、天文、算法，凡西洋机器之类，分

---

①　宫岛写本作"君主独（旁注：亲）裁，即我邦天子固有之主权。尊崇帝室，乃国民固有之良习。此是万世不易之国体也。前所说（旁注：述）者，乃政体之变通，决不害于皇统一姓。中古以来，王政渐衰。政权归于武门，凡七百馀年。其间篡夺无止，天子徒拥虚器而已。全国士民气风弥卑弥屈。方今宇内一变，敝邦亦维新之秋也。今既与万国对立，固宜谋其富强。然而有护国之职者，但有武士者（旁注：仅有诸藩武士而已）。而其数亦不甚多。自馀平民，岂复有知忧国家者哉！是故更革兵制，以废武士。征募兵赋，以重国民之任。如此而后，始可以独立东洋，传帝于万万世也。弊论异于墨人自由之说，请君勿疑。"

②　宫岛写本作"现今论议纷纭，到底学校造士如贵说。"

③　宫岛写本"又"作"加之"，"等"下无"事"字。

④　沈氏此语宫岛写本无。宫岛写本作"贵国今尚西法，言利与民权，皆致乱之道也。人皆争利，不夺不厌。民苟有权，于君何有？"

科造就。其业有成者,聚而考校之。择其尤者,授之以职事,由小而大。其奋勉者升之,不称者黜之。考而不及格者使之再学,定期再试,自不赴考者亦听之。考须有时,每县约取人数亦须有定额。其中节目繁多,有宜因地制宜者,非一言可尽也。再刻下人情有纷扰不定者,鄙意宜特令各县官撰其才异者,先授以官,亦收拾人心之一法。否则各有所私,徒滋人言,非弭乱之道也。经久之计,则须定选士取士任官之法,始行之无弊也。高见以为然否①?

梅史:知义而知兵则有益于国,知兵而不知义则有害于国。孔孟之道亦不去兵,尧舜之世亦不废兵。不过有本末轻重不同耳。

子峨:顷闻欧美有所谓贫富贵贱一致之教,入其会者,不论何国人,皆同志同心。此将来该各大乱之道也。不出三五十年矣。

[**宫岛**:贵国进士及弟之法可得闻乎?

梅史:一县所举曰秀才,一省所举曰举人,合十八省而考取曰进士,在殿内皇帝亲试之,其所取第一人曰状元及第,第二人曰榜眼,第三人曰探花,皆赐同及第。]

据宫岛文书一 C29 笔谈原件,并以宫岛写本校补

四、光绪四年七月十一日(1878 年 8 月 9 日)笔谈

(八月九日,黄遵宪公度、沈文荧梅史、廖锡恩枢仙被访②。)

公度:久不见,想道体佳胜。仆月来患痔,今既愈,然人为之消瘦。酷暑不得出门,今稍凉,故偕二公过访也。

宫岛:过日得接华翰,知仁兄患痔。又前访高馆,不得相晤,颇劳心。

梅史:前日惠临,值炎暑,未得邕叙,别后甚念之。今日往麻布町看基地,至则其地买③ 于他人。乘凉爽奉访,得晤幸甚。近因在馆之马车夫酗饮,欲换一人,不知有朴实谨慎者否? 近欲造公署,约用地三四千坪,不知有相宜而价廉者否? 价能每坪半元甚妙。

---

① 宫岛写本"小子"前有"鄙说"二字,"机器"下有"百般",无"自"字,"有"字下无"宜"字,"选士取士"作"造士","道"下无"也"字,"否"作"乎"。

② 丛书作"八月九日,黄遵宪、沈文荧、廖锡恩来访,自午后二时及四时始散,笔谈如左。"

③ 买,当为卖。

宫岛：公署何方为便宜？

梅史：能远近适中更好，然亦不拘。

宫岛：城市之地高低孰为好？

梅史：太高则遇雨人力车上下不便，低者能不积水亦佳。

公度：大著高绝。仆于此道未窥门户，率意妄言，幸恕。

宫岛：拙稿经评定，觉一新。邦人不解音节，如格律亦不免于暗中摸索。自今仰教高门，犹得穷渊奥乎？

公度：足下七古似稍逊一筹，揣足下未及多读耳。如子才力，何患不成家？仆当罄所知以相告。仆亦暗中摸索者，未敢为是也。

梅史：古诗长者，须有精神，方能不散，否则浅薄矣。观阁下大稿，气旺力足，当能办此也。

宫岛：果如黄君言。仆不多读，故识见浅薄。若欲作古诗，则当师何人而可？作诗又必要读历代史书乎？

公度：喜学某家，则多读某家。至于历代书籍，多读则气味自古，才力自富。与诗若相关，若不相关。足下此刻学古诗，且多读李杜苏三家。三家喜谁氏？

宫岛：仆平生喜读杜诗，但未至窥其域耳。

公度：喜杜诗最妙。

梅史：不必全读。他日弟为君选出读之可也。

宫岛：汉魏六朝诗有何集？

梅史：仆当送一书来，借君读之。

宫岛：余自幼时好作诗。唯僻邑乏良师，未能领受大方之教。今遇黄沈二方家，得叩其蕴奥，何等喜幸！仆不知所言。

梅史：他人竞作新声，如玻璃器具，必不耐久。阁下诗金相玉质，可为传世之宝。弟之推重以此，非虚誉也。此诗何不将圈出者抄一编付梓？

宫岛：拙集他日果及刊，敢请二公大序。

公度、梅史：敬诺。叙文且俟兴佳属草，以阁下所属，不敢草草也。

枢仙：久欲趋谒，无缘得达。今日始从沈黄二子登堂，少仰渴想。望不我弃，饱聆大教，幸幸。

宫岛：廖翁初被枉高轩，多谢多谢。日前于汽车中匆匆一晤，当日到横滨否?

枢仙:日昨在汽车遇阁下率文郎三人,半道分驰。匆匆一晤,深愧言语不达,又无管城子以为通事,殊不能释然于怀。仆到横滨,晚即回署。阁下乔梓何往? 几时始返? 望详示之,以释积闷。

宫岛:仆携三儿纳凉池上本门寺。有诗曰:"杖鞋来叩古禅关,树影蝉声白日闲。自有吟心尘不染,僧房深处坐看山①。"即乞正。

枢仙:　　　依韵奉和请即有正　　　锡恩

不是披书爱掩关,一年几日得身闲。羡君摆脱名缰外,车上相逢亦说山。

宫岛:席上即吟,有此高和。先生深熟此道,他日必当受教。

枢仙:仆于沈黄二子案上得观大作,幽情逸韵,爱玩不释。惜事忙时逼,未及卒读。望梓成速赐一部为祷。

公度:闻青山季卿游日光山坠马伤背,今尚未归,是否?

宫岛:顷闻归家而未愈。

公度:前闻其二女公子亦往山中视其父疾。其长女通汉学,青山盖相依为命者。然少者亦甚佳也。

宫岛:青山季卿颇富女子。女子能解文学,且屡得兄等之赏誉,颇增声价。

公度:仆欲于东京娶一闺中女为妾,足下能为我作蹇修乎?

宫岛:仆昨夜登新桥酒楼,有一名妓竹者,频说公度之事。何必要找娶一闺女?

公度:曾画一团扇贻之。新桥尚有一小万,年二十许,有名士举止,仆亦喜之。然仆欲娶为妾,不欲艺者。良家子肯嫁外国人为妾否?

宫岛:良家子素不许嫁外人,且兄等期满归国,便掷弃之耳。

公度:携归。

宫岛:兄尊府自有正夫人贞静以俟兄归,兄今于殊域聚妾,夫人其谓君何也? 止之止之。

梅史:公度至贵邦,如周穆西征,曰赤鸟氏美人之所出也,宝玉之所在也。必欲娶一美而后心安。

枢仙:黄君夫人亦是能逮下而无嫉妒者,可以出结。

———————

① 丛书诗后有小字注云:"八月七日作。"

宫岛：小万亦能解人情①。他日将呼小万、小竹以招兄等，而偿今日之责。兄等能来否？一笑。

梅史：阁下见招，必赴也。

据宫岛文书一　宫岛写本

五、光绪四年十一月十四日（1878 年 12 月 7 日）笔谈

（十二月七日，黄遵宪、沈文荧、廖锡恩被访。）

梅史：久欲奉访，忙冗遂迟。寿诗已书就，并怀君一诗呈缴，乞莞正之。尊老大人前代请福安。

寒夜有怀

移居霞关峰，林泉适幽兴。岁晚发寒花，香心霜雪净。秉烛夜相对，寂处思耿耿。念我素心友，弥日旷高咏。起步望青霄，馀辉灿参井。

拙句录请栗香仁兄大人正之　　　　　　沈文荧初稿

宫岛：老父寿诗大书殊好，永为家宝。寄怀尊作，幽远高淡，多谢多谢。

枢仙：前日命作尊大人寿诗，写在裱成册帙乎？抑别纸缮写乎？请知示。

宫岛：此一卷现在副岛氏宅，他日呈册帙以乞大作，幸赐寿言。

枢仙：昨曾作一诗赠副岛翁，录呈尊览。

泱泱扶桑国，如公有几人。来盟曾建节，学道旧传新。望系苍生重，诚求赤子真。东山应再起，翘企及西邻。

宫岛：天候新寒。厨下有酒可一酌，恨无下物供酒。

梅史：少饮甚佳，何必治馔。

宫岛：过日同副岛于使署赐华馔，其味不忘。

公度：足下能喜吾国馔，他日弟当再卜约副岛先生同来一饮也。新居几案未备，既购之广东，未来，此刻未能肃客也。

宫岛：副岛翁亦大喜华食，曰如游贵邦。

公度：吾国之馔不能咄嗟为之。豕鸡鹅鸭及一切海错，皆以水火调齐，使其真味远出。或烹或饪，或炙或燔，大抵皆由酝酿而出，故味厚而浓。若求急

---

① “能”，丛书作“颇”。

效而负近功,是为不知味者。先宜求鸡鸭美材以立其根本,次则问烹饪之法以别其体裁,次则调水火之功以善其制造。三者失一不可,尤在根本。根本不立,则绝无体裁,虽有善庖,亦不能制造也。

宫岛:作屋所以庇身,作食所以养体。贵邦之治馔,犹工匠择材。庖人匠工,同是一事。至言至言。

梅史:水火之齐,其后先有候,其配合有宜,如治国然。别材因时,故负鼎者可为阿衡,此事正不易易也。

公度:仆往友人家,每设酒醪。而惠临敝庐者,乃不能具一酒馔,亦以咄嗟立办之难也。苟贪立办之名而勉强为之,卒不可以食。既劳民,又伤财,究何益?盖各国自有规模,不能以中人所食之馔遽学日本之法也。

宫岛:敝国食味太过淡泊,无足食者。今日闻诸君之教,始知贵邦治馔如此其能丁宁,故有此浓厚之味。宜哉其能适口而善养体,亦见厨人苦心。

梅史:邻居咫尺,过从颇易。他日踏雪访君,不必如剡溪纡远也。

宫岛:君居芝山,仆屡相见。自霞关移居,却是契阔。真如"春明门内是天涯"之句。自今雪朝花夕,不绝往来,以畅襟怀,岂不快乎?

梅史:定当践约,以领嘉话。

枢仙:雪朝月夕,恐君与金屋阿娇携手遨游,互相歌啸。我辈如游方道士叩门,宁不讨厌乎?一笑。日之夕矣,当归晚餐。且有一客在馆相待同食,敢辞。

宫岛:请一酌防寒如何?

梅史:天晚,谢谢。

据宫岛文书一宫岛写本

六、光绪五年二月十日(1879年3月2日)笔谈*

（明治十二年己卯三月二日,清国出使大臣参赞官黄遵宪公度、出使随员沈文

---

　* 关于笔谈的日期,宫岛诚一郎事后在笔谈原件上的注记和宫岛写本均作3月2日,但宫岛诚一郎日记《己卯日志》(宫岛文书一A55,以下简称《己卯日志》)记黄遵宪、沈文荧到其家谈琉球处分问题在是年3月1日,3月2日的日记还记录了副岛种臣就该问题的对应态度对宫岛所做的忠告。此处暂据宫岛写本。

荧梅史来访,特谈琉球之事。)

公度、梅史:闻贵体违和,比当全愈,特相偕过访。

荧
宪 同白

宫岛:仆卧病三旬,殊不适服食,不访公馆亦将数旬。过日少愈,访何大人话少时。想两贤而来大好。廖兄之兵库,信否①?

公度:廖枢仙兄于正月杪赴神户,临行嘱代请安。顷睹尊容甚光腴,谅已全愈。且保养甚善,似精神胜平时也②。

梅史:春光明媚,天气温和,正是艳阳时候。惜乎将作归计,心绪怅,故偕公度兄来访,与阁下畅谈破闷耳。近因贵邦必欲郡县琉球,故公使与弟辈皆将返国也。

宫岛:琉球事情弟辈不谙得。朝议若果欲郡县之,必当与贵政府协议之。不知贵公使以彼事告外务省否③?

梅史:此事公使已告贵邦外务省。而外务省来文妆聋做哑,亦不论理之曲直,但言此事贵公使不必与闻之意。我国政府奉皇帝之命,令何公使就近与贵邦理论。今贵邦既不论是非曲直,则当归国复命。但该国朝贡已久,我国政府必不能漠然视之也。

公度:郡县之说,新闻纸所言不足尽凭。然贵政府若有事于球,非蔑球也,是轻我也。我两国修好条规第一条即言:"两国所属邦土,务各以礼相待,不可互有侵越。"条规可废,何必修好?故必绝聘问,罢互市。吾辈不得不归也。

宫岛:新年来频于新闻纸上见琉球处分之议。我辈于球之事未有所见,且非职务之所关。但此事关涉两国,以破交欢,不堪慨叹。必当有理论明白之说,不知可得闻乎④?

公度:凡事须彼此计较。若吾为此事,贵政府宁默尔乎?不能默尔而又不从

---

① 宫岛写本作"仆卧病三旬,服食极不适,是以久绝拜讯。顷因贱恙少愈,一访何公。今日辱二贤慰问,雅爱何深。谢谢。顷闻廖兄往兵库,信乎?"

② 宫岛写本作沈文荧语,据原件笔迹定为黄遵宪语。

③ 宫岛写本作"琉球事情弟辈本不深谙。朝议若果欲郡县之,必当与贵政府协议。不知贵公使已经照会外务省否?"

④ 宫岛写本作"新年来新闻纸频载琉球处分之说。琉球之事,余亦少有所虑,但非职务所关,故不敢言耳。虽然,若至破两国交欢,则弟辈最不堪慨叹也。想必当有二公所见明白者,不知可得闻乎?"

吾言,尚何理论? 吾辈且归,至于后事,未可知。或万一,当执鞭弭与君周旋也。

梅史:贵邦当局之意,以谓此事必球人在此控诸公使,故公使为之言。故令人恐吓琉球,使球人无复言,则我公使必不复论,所以遣松田前往。其实不然。我公使之来,受命于皇帝政府,力主其事。若非朝命及政府之意,则公使必不管也。至球人虽为贵邦挟制无复言,而我政府必不能漠然置之。盖球为我藩,欺球即欺我。虽与贵邦和好,其势不能得也。即贵邦已取其地,亦必力图返其地、立其君而后安。前之所以不张扬之,而令公使理论者,以贵邦前已误于人言,轻举妄动。今既和好,可以翻然改图。因公使之言而答曰:前者未有和约,故我欲取之。今既和好,自当舍之。如此转圆,则泯然无迹,不失两国体面也。今贵邦政府贪其地而不顾理之是非,将来用兵而致祸患,仆甚不解其惑也。且仆为贵邦筹大局,亦不宜与我国失好。今西人收取日本金银,以致有纸无银。他日倘责国债,势必以地偿之,其居心甚不可问。而贵国不忧此,乃欲失好于我国,一不可解也。中国之地大于贵国数倍,其富亦数倍,人民又多,兵饷之多于贵国,不问可知也。新平大乱,将帅士卒皆经百战。贵国与我国失好,能保必胜否? 此二不可解也。贵国财竭于府藏,民贫于昔日,反侧之徒尚未安。苟有事于外,则变必生于内。不求自治,而欲启外患以召内乱,此三不可解也。

公度:台湾之役,谋国者费多少苦心,为亚细亚大局而后议和。早知如此,不如遂一决裂。我政府有函来,言此悔之折骨。<small>谓深悔是事草率言和也。</small>我国近始遣使交邻,此事而遂置之,何以为国? 足下试为吾辈筹画,岂有遇此事犹腼面在此与贵国及他邦往来者乎?

宫岛:贵公使告我外务以书翰,外务必当答贵公使。其两样书翰,君持之乎①?

公度:外务复我公使之书,只有虚辞,无一实语。近者我政府复有寄外务书,昨既钞以达外务,未得复也。

宫岛:欧洲争乱之气势,今将渐波及亚细亚洲,抑亦气运乎? 但若贵邦与敝邦,则在亚洲最当勉交亲者。然而谈及此等之事,仆辈深慨之②。

---

　　① 宫岛写本作"贵公使照会我外务之书并与外务答贵公使,其两样书翰,君今持之乎?"

　　② 宫岛写本作"欧洲争乱之气,将渐波及亚细亚洲,抑亦气运使然乎? 如贵邦与敝国,则最可修交亲聘者。然而谈忽及此等之事,仆辈感慨所不能禁也。"

公度：我政府隐忍台役，即为维持亚洲大局起见。近日李爵相且驰书朝鲜，告以日本之可亲，俄人之可畏。且欲合纵两大，驱逐诸小，勿辱欧人之辱也。今贵国必欲绝好，吾亦无可奈何，不得已而应之。言及此，岂惟慨叹，实痛哭流涕之事也。李伯相之贻朝鲜书，即何公使以告伯相者。伯相之书①：何公使到日本，知日本于朝鲜非能利土地人民，实欲联络亚洲大局云。

宫岛：过日窃与何公使论亚洲之大局，颇有益于敝国，想当有益于贵邦。今俄国之势隐然并吞亚洲_{黄遵宪旁注：朝鲜亦在其中}。贵邦危则敝国亦危，敝国危则贵邦亦或危。今日之势，唇齿相持，维持亚洲也。可不深畏乎！如彼琉球小岛，则必有两便之法。不知为何观乎②？

公度：有两便之法，我政府固亦愿之。但若如近闻，则我弱小如此，何以为国？即不复能联络也。

梅史：此等事我辈与阁下皆不任之，从旁冷眼观之，为可慨耳。言之徒增怅，不如且谈风月。

宫岛：古来议治安之大道者，胸中必当有闲风月，若能谈之则妙。公度者在参赞官，想应有嫌疑。如君与我辈，则职外之闲散人，可以调和两国之交际，是真友谊也③。

梅史：若能开悟贵邦政府，以继好息民，则仆辈亦愿出力。不然恐数万生灵不免锋镝也。凡事当论理。譬如我与阁下相交，阁下有一仆，而我夺之。阁下向我婉告，而我答曰："君不必问。"阁下能忍之乎？一家尚不可，何况贵邦堂堂之国？若平心与公使商之，则必有理可说也。

宫岛：近善和语，诚妙④。

公度：以耳所闻者略言之，未尝学也。同馆皆作乡谭，引而置之庄岳之间，为楚语如故。谅终无解时⑤。

---

①　宫岛写本下有"曰"字。

②　宫岛写本作"前日窃与何公使论亚洲之大局，颇有益于两国。今俄国之势隐然并吞亚洲（黄曰：朝鲜专在其中），贵邦危则敝国亦危，敝国危则贵邦亦或危。今日之势，唇齿相持以维持亚洲之时也。宜深虑远谋也。如彼蠢尔小岛，则必当有两便之法，公等将为何等观乎？"

③　宫岛写本作"古来谈治世之大事者，其胸中必有风月存。如公度则官参赞，想不免或有嫌疑。如仆本是一个闲人，而沈君如甚相似焉。则调和两国以维持亚洲者，其在仆与沈君。盖平生之友谊各见直实时也。"

④　宫岛写本作"兄等近日善学和语，尤妙。"

⑤　"近善和语"以下原在"他日再奉攀雅话"之后，据宫岛写本移此。

梅史：此后八日，荧、宪作主人买舟游向岛，请阁下看梅，如何？

宫岛：谨从命。两君请缓坐，将呈薄酒①。

公度：不敢当厚意，仆且欲告归。

梅史：今日尚有他事，欲归。久谈妨清闲，罪甚。他日再奉攀雅话。

公度：阁下之诗未能刻就，乞择其尤者钞十数篇见赐，当携之归也。

宫岛：谨诺，直钞数篇系两君圈点者以拜赠。兄等促归期，不知果然乎？将刻何日出帆②？

公度：此固未定。仆如定期，再告。〔近日为《日本杂事诗》，凡百篇，脱稿再以呈，归亦钞寄。〕③

据宫岛文书一 C9《沈黄之卷》笔谈原件，并以宫岛写本校补

七、光绪五年二月二十三日（1879 年 3 月 15 日）笔谈

（三月十五日，东京府开汤岛圣庙，拜观文宣王孔子圣像，文学遗老古贺谨堂为魁。盖继述大久保故参议遗言。清国钦差何、张二公使，参赞随员黄、沈二氏来拜行礼。冈千仞为干事。清使大喜，曰："昨年东来以后之大快事，亦两国交际之一大关门。"）

宫岛：传云此圣像来自朝鲜。

子峨：像亦俨然。然第渡海涉风涛，略瘦耳。

宫岛：今日公使所着之服，此乃礼服乎？

公度：《会典》曰补服，始于明，成于我朝。所戴珠曰朝珠，因位阶有差等。日本旧史所称冠位，意与我同。大礼小礼，以名为别。大织小织，以制为别。今我所戴水晶珊瑚，亦随官阶而别。大礼用珊瑚，小礼用水晶。别有绣蟒服，今日仅行拜礼，故未穿是服，朝会祭祀用之。

宫岛：此宿儒者古贺谨堂也，通称谨一郎。昔时当幕府之代，主宰此圣堂。幸希相识。

公度：古贺与精里先生一家否？

---

① 宫岛写本"从命"作"奉"，"缓"作"宽"，"薄"作"献"。

② 宫岛写本无"期"字，"果然"作"真然"，"出帆"作"向国"。

③ "阁下之诗"以下原在"谅终无解时"之后，据宫岛写本移此。

古贺：精里即吾祖也。

公度：仆黄姓，名遵宪。东来读精里先生曹参王猛二论，以为可古大家之堂。不图得遇其文孙，乃须发如四皓。仰瞻先德，且喜且慰。

古贺：吾先亦出唐山刘氏也。归化二千年馀，书香则以祖为初。吾父侗庵著书四百馀卷、文诗六十卷，在日本为罕有。今与公等拜晤，如见同人，何喜之如。

宫岛：他日招古贺老于敝邸，请吾兄与何大人惠临，放谭今古。

公度：是灵帝后，与丹波同族否？

古贺：然。

据宫岛文书一宫岛写本

八、光绪五年三月二十五日（1879 年 4 月 16 日）笔谈 *

（四月十六日，访黄遵宪。）

宫岛：今日风恶，家居不堪无聊，特访贵馆遣闷。先生如无事诚大幸。尊著十月间成上卷，果可踏约乎①？

公度：此卷既钞就五十首，今日即以呈上。方校讹字未毕也。今日本欲走尊斋呈此诗。仆有一不情之求，望阁下于数日中即为改正。缘公使归不远，改正之后，即欲钞别本携还敝国也。未审能允许否？

宫岛：仆素无识薄才，欲改贵兄诗不能，唯改其事误谬以呈②。公使归期在近，真否？

公度：归期在贵历五月中旬，近既检点行李矣。

宫岛：贵兄进退如何③？

公度：仆或暂留此，亦未定也。

---

　　* 据宫岛文书二第 341.1 笔谈原件，补以宫岛写本。顺序据宫岛写本略有调整。宫岛《己卯日志》4 月 16 日记："午后访黄遵宪笔语。"

　　① 宫岛写本作"今日家居无聊，特访高馆遣积闷。先生若有暇则大幸。尊著《日本杂事诗》闻既脱稿。"

　　② 宫岛写本作"仆才薄识卑，何以遽望改削君之诗？若有事实误谬者，则少改之耳。"

　　③ "贵兄"宫岛写本作"足下"。

宫岛：副岛氏拜宫内御用挂之命，兄知之否？

公度：一等侍讲，是三等官矣。

宫岛：非，一等侍讲，官等即一等官，年俸四千元。唯非本官，御用挂，而职傍兼侍讲①。

公度：是诗数日间吾兄改定，亟以次卷上呈。仆俟兄阅毕后，以示青山、龟谷二子。仆是诗恐贻方家之笑，然意在记事，故拙亦不辞。仆居此，多有知其不工文者。若执此种诗以律敝国人，以为大概如此，则敝国文士便当攘臂而起，诟骂仆不置也。

宫岛：仆爱慕足下之学才，平生赏叹不置。今作此诗以传世，足下名于东方百世不朽。而足下与我交厚，亦仆之荣也②。

公度：望痛改之，极斥之。仆读君诗尚谬评如此，况君施于仆乎？仆生平无他长，唯乐闻过，能服善③，区区所窃自许者。再俟一月，当别钞一册存尊处，有友来都可请正。

宫岛：敬诺。锦里诗文虽疏恶，足观当时文运，请一阅④。

公度：其门人可谓盛极。承假是书，当敬读之。谢谢。

宫岛：黄氏与兄同姓，此人鸣于乾隆时乎？其诗磊落浑厚，幽远似李太白⑤。

公度：黄仲则诗天才卓越似太白。仆谓太白死后，能学其诗，今古一人而已。顾其名不甚著，没时年仅三十五耳。惜哉！

宫岛：仆阅清国大家诗不多，惟如此名家亦未多见。抑乾隆之人乎？其才锋胜王渔洋远⑥。

公度：仲则当乾隆时，末卷有小传甚详。其诗似在王渔洋上。渔洋一生处顺境，仲则不得志，又早夭。然所造就，已卓然可传。乾隆中人材鼎盛，如此种

---

　　①　宫岛写本"唯"作"但"，无"职傍"二字。

　　②　宫岛写本作"仆平生深爱足下之才，赞称不置。此书诗文两超绝，苟以传于世，则足下才名当与此书传百世不朽也。而余与足下有此交情，可谓余荣。"

　　③　宫岛写本作"唯闻过能服善"。

　　④　宫岛写本作"是《锦里集》者，古人木下顺庵作。诗文虽疏恶，足观当时文运之盛。请须一读。"

　　⑤　宫岛写本作"所借武进黄景仁《两当轩集》，其诗奇俊雄浑，磊落飘逸。以仆见之，颇似李太白。此人与足下同姓，鸣乾隆时乎？"

　　⑥　宫岛写本作"余阅贵朝诸家诗集太少，但如此名家，未曾有见。以仆视之，胜王渔洋远矣。"

人,名磨灭而不彰,此外更不知多少也。

宫岛:与兄同姓。仆择此诗之尤者,以欲上之木,以传此名敝国。兄为一序①。

贵邦上梓价高下如何? 如仆诗数者价将几元? 请教②。

公度:比日本价为高。其精者每千字约一元。此刻木工价也,印刷之工及纸费在其外。

宫岛:贵邦价易。

公度:铅板排印价必贱。刻工日本最精。仆此诗将来改定,欲此间上木,未知需金约几何?

宫岛:托之书肆。许专卖,书肆偿此价。若不许专卖,则大约此诗一纸一元③。

公度:仆许之专卖无不可,然他人欲翻刻则如何? 须请版权否?

宫岛:唯外国之人于我邦有许版权否,仆未知。仆代先生以上之木无不可,则妙。然则不许他人翻刻。细问之政府以答④。

公度:仆但欲刻就,自购百十部,归以赠友。若书贾任其赍,即听其专卖可也。若自刻之,费金殊多。自卖之,必无此理。

宫岛:仆与友人谋以告之兄,兄幸勿劳⑤。

　　　　武进黄景仁《两当轩集》

　　　　从四至七　　　一册

　　　　从十二至十七　一册

　　　　此他愿借用。

据宫岛文书二第 341 笔谈原件

---

① 宫岛写本作"仆择此诗尤佳者,欲刊行于世,足下为一序。"

② 宫岛写本作"贵邦上梓,其价高下如何?"

③ 宫岛写本"书肆偿此价"作"则书肆当自办此赍","则大约此诗一纸一元"作"则刻费大约一纸要一元"。

④ 宫岛写本作"未审我政府许外国人以板权。"

⑤ 宫岛写本作"仆与友人谋,当以告兄。"

九、光绪五年闰三月十七日（1879 年 5 月 7 日）笔谈

（五月七日，黄遵宪公度邀我于卖茶亭饮①。前一日有书简。）

公度：仆此诗日本杂事，于古人似谁？

宫岛：流丽而清新者，在唐刘禹锡；有气骨而峭劲者，似东坡，又似明李献吉。

公度：仆自觉于古人不唯不及，亦殊不似。仆自为仆之诗而已。

宫岛：日本不解音节而作诗，可谓不可思议。唯因有平仄，仅可言诗。

公度：日本天性善属文，使以汉音读书，便与中土之吴越同。

宫岛：诗有乐器否？

公度：无之。今我读诗，诸君试闻。读诗皆如此。音节好否？

宫岛：极妙。

公度：我朝有王次回，专工无题香奁。君见其集否？

宫岛：未经一见。君藏之乎？

公度：仆未携来，问同馆中。有之即当以送阅。是人天赋艳才，最能写男女之事，无微不备。有一女，亦以词著。

宫岛：蟉堂山田氏，我乡之儒，为我幼年之师。此卷即《蟉堂诗集》，其诗如何？

公度：笔气甚好，唯稍疏耳。质甚美而学未足。气多甚好，唯此气未经陶炼耳。

宫岛：吴泰伯、秦徐福来住我土，贵邦诸书有之。若此人果来我土，必当深隐山中。若果立我朝，当初必有汉文。而汉文自王仁携《论语》来为始。

公度：君可谓善思。此事仆初疑之。继思君房之来在秦皇帝时，其时方焚书坑儒。福又假托方士，所携皆童男女，理不得通文学。故汉文至王仁而始来也。若吴泰伯之说，因史称勾吴之俗断发文身，而日本始亦同此，故以为是吴后。是本无确据也。

宫岛：敝邦儒者，足下以何人为巨擘？

---

① 《己卯日志》本日记："为黄遵宪带路，饮于卖茶亭，小万、小今来。"

公度：物茂卿高材卓识，仆私许为日本儒者巨擘。而颇不容于当时者，一以生长江户，关西学者颇致不满；一则由赤穗义士之狱，物氏不是之也。赤穗之狱，鸠巢是之，茂卿非之。仆以为二人之说皆是也。一伸国宪，一作士气。

宫岛：今贵国何地最出人材？

公度：文章则江苏、浙江，经济则湖南、安徽。

宫岛：江南多文士，宜然。湖南、安徽出经济之人，有何缘由？

公度：曾文正公、左宗棠湖南，李鸿章①，此其尤著者。其馀不可胜数。

宫岛：彼土想经战乱否？

公度：土寇之乱，皆削平之。诸公本皆书生。道光末年，湖南先达忧天下将乱，皆喜谭武说经济，遂成风气。

宫岛：贵邦今指为中原，不知何边？

公度：古所谓中原，河南、山东也，陕西也。今并江南称。仆广东人，中原人素鄙之。

宫岛：今亚洲扫地，皆受欧人之侮笑。而贵邦与我国首当外难，将来两国宜相维持也。

公度：五部知有李中堂耳。左在李上，若曾胡诸公，又在左上。左则六十八，李则五十三。

宫岛：左公惜春秋已高。

公度：外人不尽知左公长。苟得如左公者数人供其驱策，何忧外侮。

宫岛：现在北京满人多作世家。仄闻其俗徒自尊大，知有清国，不知其他。吾邦旧幕旗下八万，维新之前殆有其风。未知果然否？

公度：此亦不尽然，然大概如是。

今我恭亲王其才力皆出诸臣之上，即今上之叔父也。

据宫岛文书一宫岛写本

十、光绪五年闰三月二十五日（1879 年 5 月 15 日）笔谈

（五月十五日，邀黄遵宪于卖茶亭小饮。）

---

① 原文如此，似为"李鸿章安徽"。

［宫岛：贵邦有官妓始于何代？

公度：世谓始管仲女闾三百。然《左传》序南宫万有云："陈人使妇人饮之酒。"苟非娼妓，何以能尔？则春秋时当早有之。管仲治齐，始为之立法耳。

宫岛：于新桥妓中若小万、小竹等尤适吾兄之意者，今召之供杯酌。幸宜宽心徐酌。

公度：仆评小万似过江名士，一裙一屐皆有风致。六朝名士皆北人，故称过江名士。晋室东迁，当时名士有此称。其时名士专尚清谭，裙屐自喜。仆以之评小万，以其风雅云尔。

宫岛：吾兄以昔日之风采直评今妓，洵称风雅。戏赋一首。

歌喉圆转舞容斜，脉脉秋波扇半遮。正是江南妓王宅，媚花人映媚人花。

公度：结句绝世妙语，余为次韵。］

绝好容颜比舜华，偶然露眼髻微斜。累人不敢平头视，真在花中不见花。

"人在花中不见花"，栗香词丈语也。［今偶用之]"①。

［**宫岛**：公度曾谓吾邦艺妓按歌曲颇似僧人梵贝为赋

姿态矜庄意海深，三弦度曲悦吾心。一裙一屐皆风致，唯恨歌声似梵音。

　　戏赠公度

一年三百六十日，开口之笑有几回？今日何日夕何夕，座有美人与高才。

公度：此诗先生代仆作可也。

宫岛：又戏赠公度

爱君好色又怜才，一日肠应转百回。微醉凭他美人膝，借将银管吸烟来。

公度：何等才情，何等艳思！斯人可妒可爱。和栗香韵

一年三百六十日，日日凭他枕一回。温柔兼得醉乡乐，直过今生一世来。

绝代风流绝代才，客星光照几多回。美人膝与帝王腹，并向先生枕上来。

宫岛：帝王腹姑置不论，世上几千万膝，先生独爱此一膝。爱护珍重，温柔之味可知耳。先生何为不专有此膝？呵呵。

公度：旧填词也。姑录之博一笑。

似此千重心事，便花言巧语，犹难尽说。何况兼葭相倚处，相对只唯脉脉。

宫岛：先饮一杯而把笔可也。

---

① 据宫岛文书—C27(11)、(12)笔谈原件。

公度：仆于此等事皆过眼云烟，逢场作戏。藉以泄其胸中磊落之气而已。其实小万之年岁不知其多少，其家亦不知其东西向在何处也。

宫岛：笔笔言言，善入圣贤之域。

公度：程子所谓目中有妓，心中无妓。仆不自知心目中之有无。彼学圣贤，我作豪杰，与之分道而行也。

宫岛：笔与心反。笔若有语，则当向先生诉何愚弄之甚也。

公度：辛稼轩词有云："唤取红巾翠袖，揾英雄泪。"

宫岛：着着多情，是所以英雄为好色家。

公度：过眼云烟非不情也。乃用情之极后有此达观。

宫岛：到此可谓自负极矣。

公度：达观二字，对天下人言之耳。仆亦不自知为达观也。

宫岛：遁辞知其所穷，古人为先生设此语。

公度：天下之事本无所谓彼此，一切皆平等视。有多情人，遂有达观人。有达观人，遂有多情人。两相比较，而后有此名。

宫岛　今日之游顿忘百忧，亦是人生之一大快事也。]

据宫岛文书—宫岛写本及 C27(11)、(12)笔谈原件

十一、光绪五年四月一日（1879 年 5 月 21 日）笔谈*

（五月二十一日访公度。）

[宫岛：仆近日欲游伊香保，闻此地温泉颇治疝疾。此行三周间辞京，仍来告别。

此文岩仓右大臣题大久保故参议书翰帖者，今代请正。]

公度：此文甚佳，情婉而意深。

公度：嗟夫！使大久保尚在，则琉球一事必不至此。此事虽发于若人，然能发之，必能收之。仆与何大使每论及此，为之咨嗟太息，而又以叹今之无人也。仆为此言盖有所因。大久保自吾辈来，眷眷相交，颇有唇齿相依之谊。渠

---

*　宫岛文书—C9《沈黄之卷》笔谈原件，该件与光绪五年四月一日（1879 年 3 月 2 日）笔谈，据宫岛写本可确定为 5 月 21 日笔谈。补以宫岛写本，顺序排列亦据宫岛写本略作调整。

若不死,必兴汉学,必联两国之交,能使是事化于无形。渠未死前数日过敝署,颇露心腹语。且自言不学无术,从前遇事求治太急云云。故其死也,何大人甚痛之。

[**宫岛**:考今之时,两国之交际,须益慎重,须益亲密。而其间通辞或不免为卑陋轻薄,遂为失礼者,皆文之不善,语之不通之故。自今以后,特愿大方家互通两国言语,是仆之大愿也。]

公度:仆意在此开一和文和语学校,招少年之聪颖者习之,有三年可成材。公使大谓然。既请于政府矣,因争属藩,行止未决,故不果成也。

[**宫岛**:琉球之一案,到底是两国交际成否之关门也。]

公度:去年大久保参议在时,我公使尝与言及此。谓在东京设一学校,日本生徒二十人,敝国生徒二十人,共延四师。其后遂不果行矣。

[**宫岛**:然。此事曾闻之大久保。可惜! 如君与我则宜期业于千秋,徐可成此事也。]

公度:此案悬而不结,虽女娲氏补天之手,不能引两国使亲密耳。无论今日不结,再过数年,交谊唯日疏耳。譬如鱼刺哽喉,终不能下咽也。

据宫岛文书一 C9《沈黄之卷》笔谈原件,并以宫岛写本校补

十二、光绪五年六月二十二日(1879年8月9日)笔谈

(八月九日,访黄、沈二君谈。)

[**宫岛**:前日寿诗大书送来,永以为宝额。特来拜谢。久不相见,二公俱健,贺贺。

公度:不敢当厚意。伊香保温泉之游乐否? 仆亟欲往日光一游,奈不得暇。

宫岛:三旬在山中。温泉殊妙,含铁与琉。如我肥体,尤觉快适。其他两毛、信越之诸山,朝夕呈紫翠于几案,爱抚不厌。但憾乏友人,时时怀词兄。

公度:游山当挟一美人可作良友者。

宫岛:此即杀风景。唯携儿一人耳,可谓谨愿极矣。

公度:携美人同浴尤妙。

宫岛:我兄有暇当携美人一游香山,异于新桥尘埃之地。

尊著]《日本杂事诗》何日成？

公度：都既脱稿，将寄香港排印之。以后竣工，谨当奉赠①。

[**宫岛**：每日雷雨，未觉清凉。

梅史：贵邦天气今年竟似中土，多雷多雨，炎暑而无地震。

宫岛：敝土蟠居海上，且多火山、地震。

公度：台湾亦多地震。

公度：此茗为别一种，味少近日本。

宫岛：茗名何？

公度：此茶不名于世，仆家之土产也。出不多，外人无购之者。名清凉山。

宫岛：此茗系贵家之产？谨而拜味。

公度：茶以武夷为佳，然上上者亦非人世所能购取。山中供佛外，豪家贵族得一二目而已。仆于潮州饮之，果甘美绝伦。

梅史：真武彝、芥片、龙井，皆不易得。得之不过一二目而已。味异与常。

> 武彝。福建，即古之北苑相近。
>
> 芥片。江苏宜兴，即古阳羡。
>
> 龙井。浙江杭州，在西湖中，近虎跑泉，辨才所住。

宫岛：此诗余曾和南洲西乡之诗，以寄赠。先西陲之事数月前也。请正。

梅史：诗豪俊。幸有末语，不然受叛人之累矣。所以立言贵得体。隆氏所望，欲于废藩后为丰太阁，而才不济。不得已而以兵胁上。不知叛名一著，人皆瓦解矣。其无识可知。

公度：西乡此种人，岂能老田间者？其叛也，愤郁不平，英雄技痒耳。其人但欲取快一己，无所谓爱国。

宫岛：人生一世之事业，盖棺论定。如西乡末路，余不能一言。

公度：比来萨人传言，有西乡星见于西南，闻之否？闻隆盛一生好禅不好色。

梅史：隆盛能忍嗜欲，盖其所图者专力于权势。奸臣如司马懿亦不置姬侍也。此等人大约阴狠。

公度：恨褚渊不早死耳。然西乡今实未死。始逃香港，后匿广东之罗浮，偕一僧复走南洋。有人言之凿凿可据。

---

① 据宫岛文书一 C41(13)，"成"宫岛写本作"付刊"。

宫岛：渊何人？

公度：渊者，宋齐间人。初负盛名，后为卖国贼。

宫岛：讹言西乡不死。余友陆军佐官某所率队兵实获西乡首级，并获怀中短铳与书翰二通。

梅史：或隆盛以此给人亦未可知。安知非纪信汉王衣冠也。

宫岛：山县、川村诸将亲检其首级及其遗体以与家族。

梅史：昔义经之死何曾无人检首级？

公度：是则政府以此给国人耳目，所以解叛徒也。如厨人濮之伪杀华登。

宫岛：先生等博学多识，故却来此疑。我辈本不多读书，又不多记故事。惟因其事与其故知之耳。

公度：西乡星尚在，亦一未死之据。

梅史：当时之事，惟学士如公等赤心为国，其馀有所图而为之也。

公度：此果子以密① 浸姜，风味如何？

宫岛：颇美。贵邦制果子最工，不失自然风味。

梅史：此间有栀子花香，何也？

宫岛：天将晚，告辞。]

据宫岛文书一宫岛写本及 C41(13)笔谈原件

十三、光绪五年七月十七日(1879年9月3日)笔谈

（九月三日，访黄、沈二氏。）

宫岛：敝国德川之初，林罗山推宋儒，讲道学。物茂卿徂徕一出，大排斥之，以为无用之学。

梅史：唐虞时事，中土史往往太略。中土之学为宋儒所害，讲无益之心性，而实学皆置不讲，其害也佛老同。贵邦徂徕，第近代第一有识见人。学者但当读《论语》、《学》、《庸》、《五经》，求实学问。

宫岛：我常读《四书》。惟读本文，不读其注，盖有害无益。

梅史：本文自明白。但有一一古训及人名地名，略考之可已。

---

① 密，当为蜜。

宫岛：如朱子《或问》诸类，如读一篇之演义，余颇厌之。

梅史：于坦途上着葛藤，反碍人行。

宫岛：人之居世，惟有衣食住耳。学问除此三者，更无别法。虽有圣人，于不食不衣之中，不能教民。唯与民同此利而已。朱子徒说心性，不要实学，于宋末天下，为何等之用？不知白鹿洞中惟餐烟霞乎？

梅史：以其学施之政事，第二个王安石也。治国第一当顺民心，而宋儒强拗性成。贵邦今日之西学亦虚浮，所谓使民足衣食者，吾未之见，但知百物贵而已。

宫岛：尊论大好。余于西学所取者，惟制造机器与军用诸具而已。他皆用我邦物可也。

梅史：银钱尽而民间大病，米谷贵而民不能生活。国债累累，西人索偿，将何以应？将来恐割地以偿，而地尽入于敌。

公度：《东京日日新闻》述君见克兰德君，赠以写真。上书一篇，文章殊佳。林根者何人[①]？ 是美前统领为刺客所杀者否？

宫岛：然。克兰为林根所拔为陆军大将，及林根毙，寻为统领矣。

公度：顷不逞之徒有欲刺杀大隈、伊藤之说，闻之乎？

宫岛：未知也。方今屡作此等之妄说，抑亦何故？

公度：贵政府处琉球不当理，恐我国加兵刃，献媚外国；辱国无大于此云云。

据宫岛文书—宫岛写本

十四、光绪五年八月二十六日（1879 年 10 月 11 日）笔谈

（十月十一日，访黄、沈二氏。）

[**宫岛**：顷闻贵邦驻俄大臣崇厚已于俄廷议决返还伊犁之事，其所偿俄廷四百五十万金。果然乎？

公度：此事果然。外人曰偿金员数仅少，颇有伎俩云云。

---

① 林根，原文如此。据《东京日日新闻》，宫岛致克兰德书中有"余常谒阁下之良友林根公真像于坐右，以拜其交谊之厚"，故黄遵宪有此问。

梅史：先时伊犁叛人扰及俄国，故俄伐之而逐叛人。其后与之言，俄人云："伊犁本中国地，应归中国。我之取伊犁，亦非侵中国，因叛人来扰害，故不得不逐之。而其地与中国隔绝，故不得不暂行管理。今中国来索，理当归还。惟我国代逐叛人，其兵费中国亦应偿之。"其言有理，故偿之。若无理，则我国亦不能也。

宫岛：今俄国虚党蜂起，势尤危急。贵邦盍乘此时结此局，是好机也。

梅史：前七八年，俄人有书与总理衙门，已云归还。彼非以强弱为低昂也。

宫岛：能到此者，左公宗棠尽力之故。若无左公，则恐不能到此也。

梅史：前之中国所以不索，俄人所以不还者，因乌鲁木齐之叛人未平，中间隔断。俄即归之中国，亦道路不通，不能管理也。

宫岛：伊犁地方广狭如何？人口物产其数俱几许？

梅史：伊犁地南北一千二百馀里，东西二千七百馀里，三百八十万二千五百方里。地多矿，亦宜麦。前未乱时颇繁庶，惟天气寒冷。新疆新收复，仆已东来，人口未能详。

宫岛：乌鲁木齐地方广狭如何？

梅史：乌鲁木齐西南和阗、叶尔羌共东西七千馀里，南北一千馀里。

宫岛：自今以往，诸外国共不瞥视贵国，是即同洲之一大幸事也。此际贵国益严兵备，以御外侮，一变旧习，以张国威。我国亦可敬重贵国也。]

公度：吾国之事①，非入局中者不知其艰辛。不如贵国之易于作事，易于收效也。譬如以手举二三斤物则从容，举数十斤则竭蹶矣，此理易明。请期之十数年后，君观其效。今政府皆知富强，然不能欲速也。日本欲以本国之事律我国，宜其枘凿也。

宫岛：我国今日之忧在轻进，自今学贵邦为大事不欲速之妙可矣。近吾国亦有大所戒②。

公度：吾国既古，土人气质多开明，易于倡祸。故须缓缓为之，使人人知此事当为，则易矣。吾国沿边诸地与外人交接，知其事者，百之一耳。故一时不能强不知者习之也。

---

① "吾国之事"以下据宫岛文书一 C27(38)。
② 宫岛写本作"我国今日之病在轻进，而若效贵邦不欲速之意，则有大所得者。"

宫岛：贵邦必有强兵之日，可推知。自今数年之后，能知海外之情，政府与人民一朝奋起，于东洋大得力。仆辈惟望之耳①

公度：前十年中，船厂、兵舰、西洋练兵皆无之，今皆有矣。十年之内必有电线，可卜也。

据宫岛文书一　宫岛写本及 C27(38)

十五、光绪五年九月一日（1879 年 10 月 15 日）笔谈*

（十月。）

宫岛：今日来访何公使，请诗序而来，不相见。日日天气不佳，想大想。过日乞拙诗，有暇愿一阅②。

公度：两日忙迫殊甚，未及细读。谨当如命。本署小使杀人奇变，想既闻之矣。

宫岛：愚民之愚，想烦贵虑。新纸种种，今日阅《日日》新纸，始知其确。而来想心绪不佳③。

公度：此被杀之人极其温和恭谨，合署上下皆爱怜之。遭此奇变，岂非佛家所谓前世冤愆乎？因是独耿耿在心耳。至凶犯既自戕身死，准我国例律，须杀头偿抵，如此尚不足蔽辜也。是人身长面白，颇知书史，宛如一书生。脸上多胡，惟未经留之使长耳。

宫岛：何年？

公度：三十六。

宫岛：被杀之人为何役？我每每访公使时捧茶来人乎？

公度：此署中扫地薙草点灯及诸贱役，皆其人司之。

---

①　宫岛写本作"以后贵国必有强兵之举，宜待举国能知海外之情之后，政府一朝振起之，则虽东洋亦兴矣。仆日望之"。

*　据宫岛文书一 C10(1—10)笔谈原件，部分顺序据宫岛写本和谈话内容略作调整。考明治 12 年 10 月 14 日《东京日日新闻》、《邮便报知新闻》等，清公使馆属员杀人事件发生在 10 月 13 日凌晨，黄遵宪笔谈云"两日忙迫殊甚"，当为此事。10 月 15 日，《东京日日新闻》杂报栏刊登清公使馆说明事件真象的文章，宫岛由《东京日日新闻》读到确实消息后来访，可知是日为公历 10 月 15 日，即旧历九月一日。

②　"想大想"，原文如此，疑有误。宫岛写本作"日来天候不佳，兄清适否？前乞删定拙著，请一阅。今日之来，为见何公请诗序。"

③　宫岛写本作"小人所为，往往出于思虑之外，诚可恶且畏也。得无烦贵虑。此事诸新闻种种纷纷记载，未辨其真伪。今日阅《日日新闻》，始知其确矣。"

宫岛：容貌温润，常含微笑。如此之人，有大幸福之人相，然而逢此变，实可怜①。

公度：公使之随役。如见客捧茶及出门谒客，皆其人随从。通名刺，记客名，即其所专司也。无一人不爱怜之。寻常寡言，常看书，书法极清润。署中不识字下人每求之代作家书。

宫岛：每每入门来通名刺，彼人每引我入室。今日不见此人，想彼人被杀，实可伤。公使今日实为之怜伤，心绪恶，为我言之②。

公度：又有一服役老妇人，年五十馀。闻呼惊起，亦被伤右臂数处。幸伤轻，不至死也。

宫岛：平生入堂关，关左有老妇，彼人乎③？

公度：被杀之人即居于关右者。或阃内有事，老妇人将命出告之，故老妇人亦常常在关之左右也。此种事在敝国实为非常奇事，何意吾辈乃目见之。吾国禁佩刀，平民家不许畜兵器。而房屋深邃而坚牢，夜间实未易入。故此种事极其罕闻。吾国皆砖墙，窗不大，每房止一门出入，而此门有枢，内有关锁，实不能一推即进也。

宫岛：我国寻常我家屋之体裁如此：

（示意图）

君邦寻常之房屋如何？

公度：敝国居式极不一，南北亦迥殊。

北人寻常之式：

（示意图）

有长有内寝，即所书妇人室是也。在宿外者则在书斋之旁。

今所书皆墙砖，乃所谓炼化石也。

若南人多用三合土，用泥四分、沙三分、灰三分。以版护，用木杵筑实。此最为坚固，水火俱不坏。故南人多有五六百年房室。

---

① 宫岛写本作"我之访使馆，渠常捧茶报接。容貌温润，居止风雅，善知待客之道。斯人而有此祸，是实可怜。"

② 宫岛写本作"余每入门来通名刺，每引我入室。今日不见其人，心先知其被杀矣。及访公使，知其然也。公使亦甚怜之。"

③ 生，当作日。宫岛写本作"平日入堂关，关左屡见老妇，无非其人乎？"

请草画一式：

（示意图）

宫岛：后墙如何？

寻常客，亲恳之友。寝室。

公度：一日食三回。

宫岛：平生与细君食乎？

公度：北人皆两食①。

［**宫岛**：闻内君不接客，果然乎？］

公度：此亦南北不同。北人亦见客，南人则有姻戚者相见，友朋至好亦不见也。

宫岛：其居邸地大者如何？小者如何？

公度：有长在内寝，即画书妇人室是也。有宿外者，则在书斋之旁。今所画者皆墙。

宫岛：石乎？板乎？

公度：砖，所谓炼化石也。

宫岛：略如我辈等级之房屋体裁？

公度：请草画式。

（示意图）

其大者不必言。论其寻常者，如今所居房之大，约五间。其旁隙地石墙相离，或数尺不等。十间馀，五间②。

宫岛：保寻常家者年费资本何百元？

寻常之人一年衣食住人费一人费何金③？又如此所画之房屋住人贮家赀何千元？大抵有分别乎？

公度：大略居此种房屋之人，其家中年费总在五百元以上。

宫岛：必因人口多少，夫妇两人子三人，婢何人？仆何人④？

公度：［夫妇两人，子三人，］寻常一婢一仆已耳。敝国女人多自理庖厨者。

---

① 此处对话宫岛写本作："诚曰：贵国人一日三回食，如何？黄曰：北人皆两餐，南人三餐。"
② 宫岛写本作"居地幅五间，长十间馀。"
③ 宫岛写本作"寻常人一年衣食住一人费金几许？"
④ 宫岛写本作"寻常之家凡人口几许？夫妇之外子凡几人？婢仆凡几人？"

宫岛：非官员外，平生为所营乎？平生有所营乎？工或商^①?

公度：国中之富者不在官而在商，不在城而在乡。

［**宫岛**：富家因土地而收其利，或种茶又棉乎？］

公度：敝国居乡之人每有数百万家产者。譬若潮州产蔗糖之地，有一二家拓土种糖，自收厚利。富家想有土地，土地种糖、茶，又种棉。收其利而为家计。

宫岛：无徒食者，不营业而徒食者^②?

公度：此种人亦有之。敝国产业通例父传子，子传孙。如祖父营业，子孙亦有不营而安享其利者。

［**宫岛**：吾邦维新前宅地房室皆政府，不收其租。如贵邦现在如何？］

公度：吾国租税最为奇特，与万国不同。凡房室政府皆不收租。敝国若以欧罗巴之法治之，利权皆操于上，则政府之富甲于五大部洲矣。

宫岛：发匪之乱，损土地之富产应多多^③。今复旧否？

公度：敝国三十年内寇之乱，不知者以为内政不修，而不知太平过久之故也。查明以前户口极盛时不过四千万人，而今日至四亿万。物产不足以养民，故生此极乱。而出外洋者，每每数百万人也。

宫岛：贵邦土地大清开国以来陪明几许^④? 想三陪^⑤。

公度：土地加一倍，人民加十倍。此其故由于本朝贤圣之君世世相承，如康熙、雍正、乾隆三帝，不知比尧舜如何。三代以下，无此圣君也。有此至治之政而太平过久，所以有内乱。一张一弛，国脉之常也^⑥。

据宫岛文书一 C10 笔谈原件，并以宫岛写本校补

十六、光绪五年十月二十六日（1879 年 12 月 9 日）笔谈

（十二月九日，访黄公度^⑦。）

---

① 宫岛写本作"士民除仕官之外，平日所营总有何业？工乎？或商乎？"

② "无徒食者"四字宫岛写本作黄遵宪语，"而"字以下抄本作"优游卒岁者有之乎"。

③ "损土地之富产应多多"，宫岛写本作"损耗殖产想应不少"。

④ 宫岛写本作"贵邦土地人民比之明代增凡几陪"，陪，当为倍。

⑤ 陪，当为倍。

⑥ "有此至治之政"以下宫岛写本作宫岛语。

⑦ 《己卯日志》12 月 9 日："访黄公度及何如璋。"

[**宫岛**：向者少病，为欠趋谭。顷接华翰，十一日午后三时招饮，谨遵命。日来寒气弥加，想安好否？

公度：惠然有来，谢不可言。同坐者，重野、秋月、藤野数人而已，想皆素好也。寒日甚，然仆颇能堪之。仆住北京者四年，住山东者比此间尤寒也。

宫岛：东京比我乡寒气殊薄。羽前极寒，下二十度。

公度：北海道久下雪矣。地动可畏。昨闻箱馆地震失火，焚二千馀店。七日午前五时之震。

宫岛：此事仆未闻之，先生由何知之？

公度：昨日横滨商人有电报云：箱馆税关焚去，吾土人店颇多被焚者。未知其详也。今年吾土陕西、四川、甘肃皆震，其甚者山崩川竭，是则二三百年之所未有也。

宫岛：是亚细亚洲可戒之兆乎？

前日有小盗白昼入我书斋，窥我不在，盗取数部去。所借之佳书幸不陷盗手。

公度：盗书太雅。仆书苟被盗，亦所愿也。

宫岛：此贼恐系穷士族也。数部之书，换金仅二元，可悯又可笑。

公度：穷士族不自聊，乃至作贼，殊可怜悯。仆著论谓亚细亚之弱由于户口太盛，他日以乞正。吾谓古人定三十娶二十嫁之期，盖虑其过多。而画井授田，乃得计口而洽仁术，不至穷也。

宫岛：我邦士族坐食几百年，今日废禄令出，而积日惯习未改，往往困穷。盗贼之多盖由之也。

公度：过三十年，士族乃可兴。此理吾征之吾乡。富者经乱荡然，其始必极穷，富贵之气未除故也。过是，渐习劳苦，乃得成人。

宫岛：阅历之言，可以为我鉴矣。

前日盗难之后，又有奇厄。]有童子《荒熊新闻》者揭姓名，曰诚一入枫山秘阁盗官本去，市街扬言者。仆归宅闻此事，又一惊。已诉之官，官缚社长下狱。今日世人贫穷，往往有糊口之计，仆大叹[1]。

---

① 宫岛写本作"有《荒熊新闻》者，揭出仆姓名，扬言市街，曰入枫山秘阁盗官本去。官缚其社长下狱。有新闻者未显于世，先书人误事，人诉之于官，名始显也。往往有此等之事。此辈或诮政府，或谗士民。大抵入狱为荣，障害人之名誉，为糊口上策，不必忌也。"

子峨：香港英人待狱中人极备。港中贫不能自存者，往往假犯小过，入狱以糊口。不料此中已有人接踵而起也。君所述之社长，今后不唯不怨君之诉，且将德君。然其私心又以为君已坠其术中矣。一笑。

君前所失书系何人取去？

宫岛：未获盗人①，[而先获书。西久保町有书肆牧野兼吉者，一日有人伺兼吉不在家，携书而卖之其妇，便我家所取之书也。兼吉归，知其所欺，直诉之官，于是书得复。贼自名大坂府士族冈本阳之进，盖伪名也。]刻下盗贼充满府下，公署宜用意矣②。[盗之来不在夜间，多在昼间。]

子峨：顷夜间添二人支更矣，唯日间则无复防之。

[东京新闻有多少家？大小有三十家否？]闻藤田之事已白，是否③？有云假做纸币无其事，是否④？然则警视忽捕之，何以自解？

宫岛：此事甚难事⑤。[不能答也。他日应自明了。]

宫岛：近日有雅事否？

子峨：殊乏雅兴。惟此月系西历度岁，后月则我亦将度岁。世人扰扰，吾辈亦不得安静也。君便中与当局言之：安民之道，以食为先。顷米价日贵，非治安之道。愚意与其全国力兴商务，种植出口之物，不如劝农民力耕旷土，为足食之计。粮多则价自平，贫民易于得食，自不为盗。若丝茶之类，生民日用有定，多产则价贱，只为西人役而已，非计之得也。此治世要言，愿君记之。此有征验。前岁横滨蚕卵纸过多，价低而卖不去，十馀万元，所知也。去岁少做数十万张，而所得之价比前岁多⑥。

宫岛：确言深服。

据宫岛文书一 C29 笔谈原件，并以宫岛写本校补

---

① 宫岛写本作"未获其盗"。

② "刻下"以下宫岛写本作"此间盗贼充满府下，阁下宜少用意。"

③ "藤田之事"，宫岛写本作"藤田中野之事"。

④ "是否"，宫岛写本作"果然否"。

⑤ 宫岛写本作"甚哉难事"。

⑥ 宫岛写本无"此有征验"、"十馀万元所知也"数字，"所得之价"后有"十馀万元"，"比前岁多"下有"此有征验可知也"。

十七、光绪五年十一月五日(1879年12月17日)笔谈

(十二月十七日,访黄公度。)

宫岛:此作送沈梅史席上和诗,请痛正之。

公度:音节意境骎骎入古人之室矣。惟结句无意,少弱。结句"离歌一曲不回顾,空将明月照相思"改作"三山风紧辀引去,欲倾海水量相思"。

宫岛:篇中多风字,如何?

公度:不关重复。复不忌字而忌意。

宫岛:古诗大抵复不忌字乎?

公度:即举此诗不犯复处言之。"悲风淅沥",言饯别之景也,"归帆饱风",想别后之景也,"三山风紧辀引去"又为隐括之辞,故意不犯复。若犯复字而犯复意,亦不可也。

公度:仆送梅史归:"我欲赠君鹈丸之宝刀,愁君锋芒逼人豪。我欲赠君雁皮之美纸,怜君忧患识字始。我欲赠君蓬莱方壶长春之草不死药,神仙今日亦何乐。鸡虫得失何足道,蛮触并吞徒扰扰。为君荡尽东海波,尘世纷纭终不了。海波茫茫夕阳红,回头旭影多朦胧。十年相见重话旧,再把子剑看子弓。新桥儿女长折柳,欲折赠君君岂受。西风萧萧吹马首,不如且醉此杯酒。"乞大正。

宫岛:妙篇杰作,足见先生之才不凡。如此诗,我辈不能梦作。

公度:阁下之诗实胜于仆,论诗则似不如我也。

宫岛:过誉,不敢当。

公度:仆作诗少,故不如君。然君作诗多,亦有不如仆处。

宫岛:我诗素乏学识,决不能及先生趾下。先生未免过誉之诮。

公度:此语实可不敢当。

宫岛:此一卷请痛删之。

公度:此卷亦大有好诗。魏叔子与其兄论诗文,其兄曰:"必篇删其章,章删其句,句删其字,乃可为简练。"叔子笑曰:"不如删题之为愈也。"仆删足下之诗,紫诠笑谓余曰:"如子言,则天下可删之诗多,虽不作可也。"仆亦应之曰:"若可删,自然不作可也。"

宫岛：紫诠评诗恐未免杂驳之见。紫诠评我诗，惟有赏赞耳，遂不有瓦玉之辨。

公度：紫诠天资绝人，下笔如流水。然若论诗文之奥妙，彼不如梅史也。

宫岛：仆亦同见。梅史选诗精确深密，大抵与我兄同。

公度：梅史亦天资绝人，下笔甚速。然彼阅人诗文亦一弊，曰不肯用心。虽然，其所见既多，有时草草下笔，或与作者之意相左，然此言要有理。

宫岛：此语当梅史心头。

此卷已又严削，请勿假借。诗虽小道，亦国风之本。今敝邦诗道大衰，因阁下挠正，欲兴起此风，所以有寸心也。

公度：谨当如命。

据宫岛文书一宫岛写本

十八、光绪五年十一月八日（1879年12月20日）笔谈

（十二月二十日，访黄公度①。）

宫岛：向者拜尝丰馈，过三日口角觉芬。今日来谢。

公度：惭不敢当。前者所言税所之子，既由钜鹿复告，当闻之矣。其中尚有未及言，弟本欲趋斋面陈。阁下来此，可一言。此间所用译人××氏为冶游，屡加禁戒，仍复怙恶不悛，久而亦只好听之。税氏子若来此，吾辈不得长暇与之言，弟亦不得通和语，未能长督责之。来则与××同住耳。将来日夕引为非类，在君不可以对故人子，弟辈即不可对君，故敢辞也。此意幸谅之。

宫岛：不得强请。

公度：是人年方十九耳。仆为此言，盖有所鉴。在此奔走之野崎，初极谨愿。近则时偕钜鹿作冶游，禁之未能听也。

宫岛：税氏之子为人笃实谨直，唯屡逼我，请来学贵馆。若得一回到贵馆学华语，则转学文部省可也。今日来见公使亦为之。今闻先生之言，颇有所顾虑。税所极谨恪，亦极淡泊之人，其子亦颇有父风。使彼交此等人，仆所不欲。

公度：税所子在东京否？

---

① 《己卯日志》12月20日："访黄遵宪致谢。"

宫岛：顷自堺县来，居友人吉井氏宅。宅即永田町也，与我宅最接近，故日日来请不已。

公度：吉井宅离此不远耳。虑钜鹿既先识其人，彼说之使求阁下耳。此事初发言者阁下，其后○○屡言之。仆即察其辞意若有别情者，故虑其来后必不能十分谨愿也。前与公使商此事，渠谓来此有损无益，恐误良子弟，故辞也。吉井少辅之为人，恳实而忠厚，税所之父与之友，其子来此，或颇禁戒之。吾虑其既与钜鹿氏友，借此学语为引端，实则受○○之欺耳。请因此言徐察之可也。

宫岛：钜鹿之屡言之，我使钜鹿请阁下复告也。恐税氏之子未熟知钜鹿也。

公度：然则阁下先与税氏子言之，并与吉井及其父言之，告其所以。或他日来此，为××氏引为非类，仆辈不受任过，而后再与公使商之可也。

宫岛：大解阁下之微意。多谢多谢。

公度：钜鹿聪明绝人，日本未见其流匹。仆初来，亟爱之。奈彼之不听良言，终至成为荡子，无所不为，可怜也。夫其狡诈百出，尚有出吾辈意外者。

宫岛：仆初一见，以为轻薄荡子，不能成终身之业者。

公度：诚然诚然。○○氏在此，通应酬语耳。至于关系大事，未尝藉彼也。

宫岛：税所县令于堺县设一学校，欲雇贵国文士，月给八十元乃至百二十元。当其望者，贵馆今在否？

公度：学语耶？并学文耶？

宫岛：未详定见。

公度：使馆今尚无其人。然必欲延请，仆当徐为招一笃实谨愿之君子耳。

据宫岛文书—宫岛写本

十九、光绪五年十一月十五日（1879 年 12 月 27 日）笔谈

（十二月廿七日，携税所笃三访使馆①。）

宫岛：今日携税所子来谒，愿自今寄宿华馆，总从馆中规则，请有所教戒。

---

① 《己卯日志》12 月 27 日："携税所笃三到清公使馆见黄遵宪。"

公度：自当如高谕。税子沈毅笃实，自是佳子弟。愧仆不学，无以副尊意耳。

宫岛：今岁将尽，可以新年来否？

公度：住馆一事再商之公使。仆书所言，为改文字，仆之所能尽力者耳。

宫岛：此子深望来公使馆，愿商议以报是祈。

公度：自当如命敬达。

宫岛：此子渐读《史》《汉》了。

公度：读《日本外史》否？此间所读《史》、《汉》用何本？

宫岛：《史记》、《汉书》皆用和刻八尾板。

公度：日本所刻《史》、《汉》系依何本翻刻？

宫岛：自《二十一史》中翻刻来。

公度：今吾国通行之《史记》有明南雍本、明北雍本、明汲古阁本、本朝武英殿刻本、南海陈氏刻本、明陈子龙刻本、本朝毕沅刻本。《汉书》亦各有异本。此中以武英殿板本为最，南北雍、毛氏皆多误。此外专论文字者有《史记评林》、《史记阐要》诸本，故举以为问也。

宫岛：此本托书贾购之，以几月来？

公度：托书肆购之不易得。虽然，南海陈氏刻本一一摹仿，购此本尚易也。近来江南、浙江皆有仿照武英殿刻之本，亦不难购买。欲觅殿本原刻，价昂而书少，殊不易耳。

宫岛：殿本价何金？

公度：此无定价。武英殿原本《廿四史》值价在七八百金之间，若家藏分史单有一二部《汉书》、《史记》者，有数十金可购。

宫岛：武英殿系帝宫号乎？

公度：其书所以重者，我高宗皇帝钦定。当时乾隆中，博学儒臣分任编纂，核订至精，而版刻纸料皆上品故也。

宫岛：贵国当康熙、乾隆二帝之时，武治兼文治，有过古昔，三代无不及。况网罗明末硕儒大才，编纂诸经史，诚属未曾有之盛运。

公度：此果试尝风味如何？

宫岛：风味尤美。是何糖果？

公度:柚皮风干,以密^① 煎之。

宫岛:柚吾土亦有之,南地最多。皮黄而肉白,味酸而香烈。

公度:皮厚而香,肉甜而爽为柚。多红肉者。其大者与此盘等,小亦与此盘之中等。

宫岛:饮食调理以及果物糖制,恐于五部洲以贵邦为冠。

公度:制果之法,论其风味,恐不得不推首。惟收藏之法,精致之式,较逊外国耳。吾土人为此种事,能使物无弃材。

宫岛:此种之事,尤可学者。

公度:制果之法,吾国多日本凡数百倍,大可仿行之。吾土人养育制造之法极多,但精致不及西人耳。往者大久保在时,偶与论吾土养鸡之法,人家无不有之。所食不过食馀,而岁出之鸡不可胜用。大久保颇为叹赏,以为是亦日本当学者。

宫岛:我首学养鸡之法。今食东京之鸡,味不甚美,多自近县来者。较之米泽,其味最下等。养育不足故也。

公度:食草虫为最,次则食米。

公度:日本食鱼为常馔,而价殊贵。吾土有种鱼之法,亦大可学。春二三月间,鱼初生子。取其鱼苗长一寸者分种池塘,喂以草花,覆以浮萍,其息百倍。运载鱼苗,虽陆路千里,但摇荡其水使动,便可不死。若载之船,亦摇簸之,比陆路尤易也。广东之种鱼者皆购苗于江西之九江,此法江西人最工为之。

宫岛:所种之鱼何名?

公度:鲫鲤鳇皆可种,而鲤为最多。

宫岛:鲤之大可一尺者价何钱?

公度:在广东值二钱三钱。

宫岛:贵邦百钱即当我十钱。

公度:以千铜钱换贸易银一元。

宫岛:一鸡之价几许?

公度:此值二三十铜钱耳。_{当我二三钱。}

---

① 密,当为蜜。

宫岛：我米价比贵邦高低如何？

公度：日本贵。今吾乡米价每石值贸易银三元。犹不及日二元又十分之八。日本值十元，亦十二元，三倍其价矣。日本每石二百四十斤，吾土石一百八十斤，欠六十斤。然亦比日本贱，此外亦间有不同者。

宫岛：升斗石量，贵邦比我似少。不知何代改斗量之法？

公度：官之升斗石与日本同，民间所用有循其旧习，轻重不齐者。吾所言是乡斗石，故有异也。我朝治国极宽大，不欲尽夺其所习而强之不便，故有不同。然民纳税租，必以官斗折算也。

公度：昨日失火，筑地流寓我商之居概遭焚失，少顷仆将再往一视。何公使顷去查问矣。

宫岛：昨日在史馆，忽闻警。急使人捡之，火发箔町，直达海滨。我友柳原秋月、东久世皆住筑地，幸不罹灾厄。

公度：幸货物不甚损失。本年五月间，我上海之东门一街烧去。去今二十年前，湖北武昌府之汉口遭大火，焚店二万间，财物损失在四五千万银之间。又三十年广东西门外遭大火，并及西商之店，火后竟将金银熔成一块，约有三十丈之长。此生平所闻最大也。

宫岛：昨日之火，我测延烧凡一万户。

公度：共八千四百馀户。一户以损失三十元通计之，值价二十四五万。

宫岛：合家屋与财货，烧失百万元以上。

公度：白日失火，财货少损失者。

宫岛：暴风吹火，一时延及海滨。人且不能避，况财货乎？因考之似不下百万元，人亦多焚死。

公度：仆闻人言只焚死救火巡查数人而已。

宫岛：仅所闻焚死十馀人。老幼尸体倒卧桥上。明日新纸详细告之。

据宫岛文书一宫岛写本

二十、光绪五年十二月（1880 年 1 月）笔谈

（一月）

宫岛：顷呈寸楮，不知达否？愚息大蒙厚教，不胜感荷。

公度：归去学习否？

宫岛：归宅唔咿到夜间不止。

公度：此诗韵，习完以后学语，易于为功。日本有反切，而无平上去入。故习其所无者，所以变易其旧音也。汉字一字只有一音，日本每有馀音，须去其馀音乃似。归为令郎言之。如曰风，日本必有一晤字音。今教令郎以上中下大小深浅等之字，加之实字，以悟入物理。譬如海曰深浅，山曰大小。他准之指南，渐得其方。

宫岛：空海入唐归朝之后，改汉字，造いろは。吉备造片假名いろは之字。此两人不造字之前，又无汉字。此时我朝有国歌，传于《万叶集》。以何字传此歌，君知之乎？

公度：王仁未来之先，以口耳相传而已。若谓是时无字，何以能记？则今之乡里鄙野不识字之人，其记古事往往在数百年之上，且有书籍所不载者。则口耳相传，不足怪也。

宫岛：曾问之伊地知君，如先生之言。余于是知先生之知识与彼翁无优劣，我惟有三叹而已。我朝以口耳传事千五百年，贵邦亦以口耳传，想三皇以上皆然。

公度：观神代史之诞妄，知其以口耳相传必矣。又观《万叶集》借汉字以填音，亦可知也。

宫岛：兄之识见如神。

宫岛：此新年之作，乞大正。

"寥寥短发不堪搔，镜里渐看点二毛。官迹屡迁心自得，诗情虽减气愈豪。新年歌吹一场酒，十载悲欢三寸毫。霜雪满城春未到，梅花与我独事高。"

公度：醇醇有味，诗律愈进矣。惟"点二毛"与上句微犯复。向与先生论诗，谓不可复意，此类是也。与其复意，宁可复字。今改作"头颅如此不堪搔，照镜偏惊见二毛"。如此则上虚下实，不犯复。篇中愈字仄声，改作逾。

宫岛：佩服。

公度：诗之为道，性情欲厚，根柢欲深。此其事似在诗外，而其实却在诗先，与文章同之者也。至诗中之事，有应讲求者，曰家法，曰句调，曰格律，曰风骨，是皆可学而至焉者。若夫兴象之深微，神韵之高浑，不可学而至焉者。优而柔之，泳而游之。或不期而至焉，或积久而后至焉，或终身而不能一至焉。

严沧浪谓诗有别肠。余谓譬如饮酒，其一斗而醉，一石而醉，多得之于天，而非人所能为。足下之诗得之于天，莫能究者，而足下以无意得之。然其蓄积于诗之先，讲求于诗之中，有所未逮也。谬论，请细思之。

宫岛：至言确论，谨当服膺。

公度：足下诗本出于性情，唯到其根柢，则有未足者。宜读古书。

宫岛：古书以何书为可？

公度：《汉书》大好，《文选》亦好。

宫岛：《汉魏丛书》如何？

公度：是书为张天如所偏① 者，稍好。然搜索未精，且亦多误。然都是汉魏六朝人著作，比宋明以下书容远胜之。

宫岛：张天如何代人？

公度：明人张溥。溥为明天启、崇祯间人，读书甚多，明末复社中之首也。

宫岛：杜工部诗集何集为可？余有《杜诗详解》，可乎？

公度：看此本看其注古事，其说诗不必都善也。杜诗善本以仇兆鳌《杜诗详注》为第一，然亦多牵强附会者。评杜诗以五家评杜为第一。

宫岛："渭城朝雨"，今北京人与广东人相共唱此诗，音相异乎？

公度：各操土音则大异。然士大夫读书者必习通行之音，是名曰正音。若操正音，则相同也。

宫岛：今日何日，谆谆提诲，所赐实多。归当眷眷服膺细思之。

据宫岛文书一宫岛写本

二十一、光绪六年一月(1880年2—3月)笔谈*

［**宫岛**：久不相晤。日前惠赠高著一部，永以珍藏。今日仆微疾不上宫内，因得小闲。何料故人惠然而来，实足慰中怀。］

---

① 偏，当为编。

* 宫岛写本系于2月27日，据光绪六年一月十八日(1880年2月27日)黄遵宪致宫岛诚一郎函，宫岛得到黄遵宪赠《日本杂事诗》在2月27日，此日笔谈中黄遵宪问及宫岛友人对《日本杂事诗》的反应，可知不可能在赠书当日。又据笔谈中宫岛请黄遵宪为其删订诗集等事，推定其时间当在2月27日之后黄遵宪归还诗稿的3月10日之间。

公度：前辱过访，适他出，公使陪坐少刻，失礼乞恕。《杂事诗》谬误当不少，仍求惠览时敢加斧削，以承见示。他日翻刻，庶可订正也。

宫岛：高著印行诚速，且书字奇丽，珍本也。若其谬误，亦他日呈愚见①。

公度：伊地知君寓何所？ 他日当因阁下求一见。

宫岛：今犹在热海。

公度：新大藏卿佐野君闻精通汉学，文部卿河野君亦然。近年风气当稍变耶？［佐野公笔谈可否？］

宫岛：此佐野先年在欧洲作也，请一言②。［佐君求订交公等，来此请媒久矣。此卷今经大阅，渠应忭欣。］

公度：《杂事诗》有友人阅之否？ 谓为何如？

宫岛：先生见我邦之事无大小不遗，实大方之手腕也。友人皆敬服此一部而来③。

宫岛：劣儿蒙大顾，日日拜趋，殊受贵弟先生爱眷，不堪感佩。愿叱责是乞。

公度：舍弟每日教之，云郎君聪明，极易进境也④。

公度：内阁诸公分离之事，为近今一变事。又闻太政官中？ 设六局曰会计、兵事等。其制如何？ 国会开设之议有成否⑤?

［**宫岛**：内阁分离之论，先年已有之，今日始施设之。但国会之议，明治五年仆已经上申内阁。当时仆为左院议官，故献此议，政府亦嘉纳之。而来政府更替，今日此议，则为在野之舆论，而政府亦颇厌之。仆深忧之，顷又献言大臣。

公度：然则国会之议，阁下距今九年前已所上奏。自今特望贵政府教育人材，以不谬舆论之所向。］

---

① 以上据宫岛文书一 C41(12)笔谈原件。宫岛写本"诚速"作"太速"，"奇丽"作"精丽"，"珍本"前有"实是"二字，"他日"前有"则俟"二字。

② 以上据宫岛文书一 C41(14)笔谈原件。"此佐野"句宫岛写本作"此诗佐野卿在欧洲时之作，请一评。"

③ 以上据宫岛文书一 C27(68)笔谈原件。"先生见我邦之事"句宫岛写本作"足下叙敝国之事大小无遗。居此仅一二年间而已有此著，友人见之者无不叹服，足见贵邦文辞之富赡。曾惠赠之一部转行诸方，须臾不在几上。"

④ 以上据宫岛文书一 C27(85)笔谈原件。

⑤ 以上据宫岛文书一 C27(67)笔谈原件。"兵事"下抄本有"法制"二字。

宫岛:[仆手钞拙稿]共五卷,诗六百五十馀首。今更愿大手严削,因其删去多少,更缩为三卷亦无妨。犹如纪晓岚评苏集。卷末必要阁下跋语。序则请阁下并何大人之笔①。仆作诗,十八、十九、二十最多。而后系国事,废笔墨,□般。

公度:谨当如命,[此次删定]另用一色笔分别之②。

[**宫岛**:共五卷,中四卷为编年,馀一卷自其中选出者,诗不与年关涉。但若事关涉于时,则为编年可乎? 如此则诸家评语位置错乱。不知高见为如何?]

公度:诗集终以编年为大方。此种评,删弃之可也。纪晓岚校苏集,每卷既毕,系以总评,似亦可学③。

[**宫岛**:谨遵雅意。]

公度:今日来此率意谈话,此中颇觉适然,有自乐之意。天晚应告归,他日俟伊地知君归京,订日偕访之④。

据宫岛文书一 C41 笔谈原件及宫岛写本

二十二、光绪六年二月二日(1880 年 3 月 12 日)笔谈

(三月十二日,访黄公度。)

公度:[第二第三大著已阅了。系以△者可删。]大著四、五两卷,仆欲将商量之评尽删去。盖平日就商,当举所知以求裨益。至于刻集,则不必下贬语。各有一理也⑤。

宫岛:第一卷先生未删一首。

公度:既经先生自删一过矣。

---

① 抄本作"仆手钞拙稿共五卷,诗数六百五十馀首。今更请足下严削,因删除多寡,缩为三卷亦可。拙作千篇一律,自读自厌。若使他人读之,必应呕吐。但此稿足下与梅史所评定,特愿一阅大削。如存其半,则大幸也。序当乞足下与何子峨大人。"

② 以上据宫岛文书一[C27(87)]笔谈原件,"仆作诗"至"□般"抄本无。

③ 据宫岛文书一[C27(64)]笔谈原件。

④ 据宫岛文书一[C27(63)]笔谈原件。

⑤ 据宫岛文书一[C27(84)]笔谈原件。

宫岛:自删不自信。此卷殊为幼作,欲请先生严削,不能,遗憾甚矣①。

公度:《竹夫人诗》第三联乃恶派。亦未入妙。[《僧家牡丹》]尚未恶派。

此题改作某寺。不大方。阿娇在前武帝,未练之故。明妃,元帝。阿娇,明妃同时。

为日本人存此诗如何? 警戒②。

[《赠楯溪大夫诗》],梅史此评言其诗骨耳。第三联语少粗,通篇气亦稍怒张。如此种诗,在可删可留之间。其三诗皆老到③。

[《洋船行》],此以王氏论为是。梅史此言似三百年前人语。日本三十年前。种放隐士之盗虚声者,宋人。此评损梅史之德,删。[《芸田歌》],此诗仆因其就聂夷中敷衍成长篇,无意境,故不取也④。

梅史诗学颇深。梅史所言有理。梅史之评多佳者⑤。

宫岛:我乡里之人中川雪堂近日来东京,欲见公等。六十三,有经学,苦诗⑥。

佐野公笔谈可否⑦?

据宫岛文书一 C27 笔谈原件及宫岛写本

二十三、光绪六年四月(1880 年 5 月)笔谈

(五月。)

公度:近日作《日本史志》,必至今年年尾乃能脱稿。分十三目,书约三十卷。

---

①　以上据宫岛文书一 C27(74)笔谈原件。宫岛语宫岛写本作"此卷殊幼时作,虽经自删,未能自信。请严削。"

②　以上据宫岛文书一 C27(76)笔谈原件。

③　据宫岛文书一 C27(4)笔谈原件。

④　"此以"以下据宫岛文书一 C27(65)及 C27(76)纸背笔谈。"王氏"宫岛写本作"紫诠",即王韬。"日本三十年前"宫岛写本作"乃日本三十年前之口气。"

⑤　据宫岛文书一 C27(80)笔谈原件。宫岛写本作"卷中梅史之评多佳者。梅史诗学颇深,言言有理。"

⑥　据宫岛文书一 C27(65)笔谈原件,宫岛写本无。因与"此诗仆因其就聂夷中敷衍成长篇"云云用同一张纸,故附此。又中川雪堂见到何如璋等在本年 6 月 17 日(中历五月)。

⑦　据宫岛文书一 C27(65)笔谈原件。按该语抄本作黄遵宪语,录于 2 月 27 日和 3 月 10 日书信与笔谈之间,因与上文"此诗仆因其就聂夷中敷衍成长篇"等用同一张纸,故系于此。其准确顺序不详。

宫岛：先生独力犹为此事乎？且有公事，应多忙。吾辈突然访高馆，费贵闲，甚无心。一卷何十叶？

公度：独力为之。每脱一稿，则何大使润色之。一卷三十叶左右①。

其目曰：国势、邻交上下、天文、地舆有图、食货为目者六、刑法、兵为目二、文学为目三、礼俗为目十二、物产、礼乐、工艺十一②。［有《礼俗志》一篇，中分十二目。有曰朝会，有曰祭祀者，此二事缺欠焉不详。阁下方官宫内省，必能缕悉之。幸于暇时别纸条示，感戴不尽。

一问　朝会日期。如天长节之类。

一问　常朝仪式。

一问　朝会时尚有卤簿否？

一问　朝会时仪式。

一问　宫中女官参朝仪式。

一问　天子亲祭之神。

一问　遣使祭告之神。

一问　祭祀仪式。

一问　祭祀时供设品物。

一问　祭祀时祝辞。

一问　臣庶家祭祀仪式。

以上所问，据现今所行而答。其古时制度，且略而弗道。阁下若有不及尽知者，祈转询之友人，是所至祷。］

宫岛：拜启：朝会祭祀许之。现以假皇居，未有确制。古制则详于邦典，阁下应悉知。朝会规则现于式部寮议定之，阁下若求之，则缓求之。比阁下尊著渐成，必应定制。虽然，大抵假定之制度有之，仆为阁下徐应编纂之。

顷自米泽有一诗人中川雪堂来，闻仆行，欲见之阁下，特愿③。

---

① 以上据宫岛文书一 C27(66)、(69)笔谈原件，顺序据问答内容及抄本略作调整。

② 据宫岛文书一 C27(70)笔谈原件。"兵"宫岛写本作"兵制"、"礼乐"宫岛写本作"职官、政治"。

③ 据宫岛文书一 C27(39′)笔谈原件，抄本改作"朝会祭祀许之。东迁后，因假定皇居，未有确制，不可以直告之。如古制，则详于邦典。现行规程，则现于式部寮编纂之。阁下若求之，则应徐请之。比尊著告成，仆为阁下编成一部以奉赠。此事豫申宫内卿而著手，未可望急效也。"又"直告之"之"直"为日语用法，意为立刻、马上。

公度:以为未可,乞转以见示,拜赐多矣①。

公度:博物馆中_{东京府下}。列品有写真否?

宫岛:无。

公度:何处有之? 能代觅否?

宫岛:问得能。

町田久成乃博物局长②。

朝会现今取调中,祭祀已成。

町田久成,识此人否?

公度:工刻印之否? 可求其刻否?

天晚告辞③。

[**宫岛**:町田工石刻,仆为阁下代乞刻,颇易事。]

公度:仆于近日将往箱根。先生曾游是地,暇时乞详告我,为先路之导为乞④。

据宫岛文书一 C27 笔谈原件及宫岛写本

二十四、光绪六年五月二日(1880 年 6 月 9 日)笔谈

（六月九日,黄公度来访。）

公度:昨日天灾逼近华邸,大有池鱼之恐。天佑善人,庭轩无恙,今日特来慰贺。昨日仆到此门外,未及面君,遣魏氏通意⑤。

[**宫岛**:昨日不幸在近失火,乍延烧数百家。敝庐幸免池鱼之厄,然园中梧桐芭蕉悉被火星,大半凋萎。家具一切搬移,仅避焰威。今日举家大疲劳,则止今日之宴。顷达此意于使馆,定当知悉。

公度:昨夕火星之流直达吾屋,亦可惊恐。

---

　　① 据宫岛文书一 C27(69)笔谈原件。原件在上文"近日作《日本史志》"之前,据宫岛写本知此为请求宫岛协助提供日本皇家朝会祭祀资料时的对话,故依宫岛写本移此。"乞"字下宫岛写本有"宫内卿"三字。

　　② 据宫岛文书一 C27(80)笔谈原件。

　　③ 据宫岛文书一 C27(83)笔谈原件。

　　④ 据宫岛文书一 C27(82)笔谈原件。

　　⑤ 据宫岛文书一 C27(9)笔谈原件。

宫岛：昨夕钜鹿来援,吾兄之惠也。深谢。]

伊地知闻阁下之来,赠以三品。请品此味。

公度：感极。他日当偕兄谒之。十三日有暇,仆往岩谷家去①。

宫岛：吾家老父母幸健。昨日从晚到夜,大尽力。今日无恙,请安意②。

公度：敬求为遵宪请老人安③。

[**宫岛**：何公昨夕令人存问,烦君请宜代谢何公。幸蒙天眷,阖家无恙。曾所借君之《镜烟堂集》一免盗难,一免火难,近日当奉上。]

公度：此集有百神拥护之耳,盖吾兄精神所钟④。

今日想疲劳,不敢久坐,并将到岩谷氏家一问也⑤。

据宫岛文书一 C27 笔谈原件及宫岛写本

二十五、光绪六年五月四日(1880 年 6 月 11 日)笔谈

(六月十一日访何公使,同日访黄公度。)

宫岛：前日之火灾,忽赐惠顾,感极。来谢迟迟,请恕。皇上巡幸,发东京在六月十六日。小官殊繁忙,为延当日之会。更约贵历五月十一日,勿此日。

公度：若仆未往箱根,必来。仆于贵历十六日往,或者再迟数日亦未定。若在东京,必不忘此会也。

宫岛：日前所诺朝会祭祀,拟译邦文为汉文,其告成应在巡幸发辇后。请恕。

公度：敢谢雅意。

大稿将携箱根读之。入今年来,他人文稿积几案者如山,都以箱根了此一切文字债也。

宫岛：曾所愿《蟫堂集》删定否?

公度：蟫堂诗留此过久,惭愧之至。并携往箱根了之。并其他友人之作,

---

① 据宫岛文书一 C27(10)笔谈原件。宫岛语宫岛写本作:"伊地知氏闻公等今日来此,赠烟果酒三品,皆系萨摩产。请尝此味。"

② 宫岛写本作:"吾家老父母幸安健。昨日从晚到夜半运搬家具,欣然无恙。"

③ 据宫岛文书一 C27(8)笔谈原件。

④ 据宫岛文书一 C27(81)笔谈原件。

⑤ 据宫岛文书一 C27(8)笔谈原件。

约有二十馀本。箱根无事,数日中能尽了之也。

　　宫岛:箱根同行之友谁?

　　公度:横滨之同乡商人也。

　　宫岛:先生此行果为病乎?

　　公度:久厌城市,欲一游山林耳,非有疾也。

　　宫岛:箱根仆未一往。此地温泉不适我体,为其山中有瘴冷云气。先生若往,则勿薄衣。又勿多浴,一日浴二三回为妙。但此地溪山最好,可养神气。

　　公度:仆体素羸弱,未知往箱根宜否? 热海何如?

　　宫岛:热海与箱根相反,温泉热气甚强。距东京三十六里许。

　　公度:热海旅店便否?

　　宫岛:今春有火,馆舍荡尽,灾后恐旅宿不便。唯为慰神,无如往箱根也。

　　公度:往箱根者十之八。

　　宫岛:在山凡几旬?

　　公度:约二十日,速归则十五日。

　　宫岛:两三日暇,欲访君山中,未知果否。

　　公度:如此则至妙。

　　宫岛:吾乡中川雪堂者,山田蠖堂门人。为人有气概,颇善诗及画,盖出于蓝者。仆幼师事之。菊池溪琴读渠诗,颇敬重之。顷来东京,因仆求谒先生,而先生会有此行,可惜之至。若迟数日,以十八日来临我会,大幸无过之。

　　公度:箱根之行,仆订一友偕往。若迟亦无不可,然须与之商耳。或者他日仆归,偕阁下谒翁,何如?

　　宫岛:雪堂昨日谒岩仓公。本期谒何公使并先生然后归乡,而归期太迫,因急为此会也。

　　公度:如此则定十七日可否?

　　宫岛:何公有暇否? 请通之何公。

　　公度:何公必有暇,愿转告。后明日即以函达。

　　宫岛:兄若十六日出馆,则仆以十五日会集亦无不可为。惟翌日系巡幸,洵是匆匆耳。

　　公度:仆迟二三日无不可者。十七日便否?

　　宫岛:十七日最为妙。今日发招胜与副岛之简。

公度：敬谢。十七日,定午后三时。

宫岛：近来有大作否?

公度：编《日本志》,时有序论,诗辞未之及也。

宫岛：菊池溪琴诗如何?

公度：溪琴之诗骨气极好,而造诣未至。至其长篇,时有剑拔弩张,不胜其力之态。其炼气未至耳。

宫岛：文章何人作尤佳乎?

公度：冈千仞文集数卷甚佳。有一友作《春秋大义》,亦颇佳。

宫岛：《春秋大义》,藤川三溪所编。三溪余知己,学问渊博,能窥见人所未窥。曾请同余谒先生。先生见其人乎?

公度：见其人。其书久留此,仆既为评点,订其来取,久未来。其书甚有确解,不腐不阔。祈先告之,仆归自箱根,再与此语。

宫岛：三溪亦有志之人。近日于上总边买地栽芦粟制糖,遂达其望。曾设捕鲸之策而不成。今仕修史馆,我深爱其文才。

我俗有称山师者,有一友问我曰,译之汉字则何字为当?

公度：无此名。此二字何取义?

宫岛：画空中楼阁以射利者谓之山师,邦言也。我邦掘取山中金银者,古来为最难。有贱丈夫思邂博大利,不择其果系矿山与否,力众人采掘。若果是矿山,所获之利亦极莫大①。盖百中一二耳,其馀大抵皆自破产失财,少能成者。故称射虚利者曰山师。

公度：常见诋毁米商者下此二字,今日乃知其解。米商盖商而博徒者也。

宫岛：山师世人恶之之称,不必限山也。此辈在贵邦有何称呼?

公度：《书经》所谓鸱义矫虔,解者谓鸱张其义,以矫诬世人,庶几近之。今也② 俗通行之语,则曰射利而已。

据宫岛文书一　宫岛写本

---

① 莫大:日语词,极多之意。

② 也,疑为世。

二十六、光绪六年五月十日(1880年6月17日)笔谈*

（六月十七日,于麴町平川邸养浩堂为招贤之会。此日来会者,清国钦差大臣何如璋、副大臣张斯桂、参赞官黄遵宪、一等侍讲副岛种臣、一等侍讲伊地知正治、正四位胜安芳、海军卿榎本武扬、大藏卿佐野常民、工部大辅吉井友实、陆军中将谷干城、驻扎和兰公使长冈护美、米泽旧知事、华族大久保利和诸公,并中川雪堂及弟小森泽长政也。命新桥艺妓数名佐酒,弹琵琶者西幸吉,吹洞箫者荒木古童。伊地知、胜两君有事不来。)

宫岛：我乡有一老儒,姓中川,名英助,号雪堂,今年六十五。今日欲谒诸公,以述素怀,请许之。

中川：稔闻鸿名,今日始接光仪,大慰调饥。且赐惠音,奚翅连城之璧,多谢多谢。

宫岛：大久保君携好弹琵琶者西幸吉来,又有荒木古童善吹洞箫,请酒间闻一曲。

子峨：大久保君足下,久违了。近况想极安好也。

谷：息轩《孟子定本》已脱稿,他日将寿梓。一再净书后,先生请一阅之。

公度：当敬读。其《管子纂沽①》一书为敝国人之注《管子》者所不及,仆尤爱之。

子峨：此洞箫"江城五月落梅花"之句可以移赠。梅雨不已,此时弹琵琶,弦声殊妙。

宫岛：阁下于弦上悟得妙理,可谓善得性情。

副岛：在治忽出纳五言者②,于何公乎有矣。

中川：仆青衫不能湿。君以为如何? 比之于贵邦琵琶,定低声。

公度：王子渊《洞箫赋》所述为七孔,尺八止有四孔,因是知其不同也。尺八在敝土已失传。

---

* 据宫岛明治13年《庚辰日记》(宫岛文书一 A56(3)),他6月16日在家中招待公使馆诸人及中川英助、副岛种臣、伊地知正治、胜安芳等人,次日又陪中川访问公使馆。因11日笔谈有16日为天皇巡幸之日多忙无暇及约定17日午后三时之语,故依笔谈系于本日。

① 沽,当为诂。

② 疑有误。

马端临《文献通考》谓即长笛，是又不然。笛皆横吹，尺八乃直吹。

（长冈君有诗）

"黄梅时节雨声多，不妨嘉宾一曲歌。忆昔膳城城外泊，琵琶湖上听琵琶。"

（何公使见和。）

"新诗感慨让公多，好倩关西大汉歌。一阕短箫相倍① 和，不须铁板与铜琶。"

宫岛：雪堂云我献酬之礼恐与贵邦礼矛盾。

子峨：一斗亦醉，一石亦醉。先生不必湿青衫。

中川：然则髭献一盏，君许否？

子峨："倾盆大雨下天浆，客饮如虹亦不怕。"

中川："宾之初筵，有□②，酌当如渑。"

子峨：旨酒佳肴，餍饫大德，谢谢。

榎本：楣上之额，赖山阳之所书。兄嘉之否？

贵国妇女吹烟否？

子峨：间亦有之。

榎本：闻贵国之妇人间有吹烟。苏堤春晓，扬州烟月，真可谓人间之快事矣。兄之说如何？ 吹烟未足以称快？

鲁生：南朝金粉，北里胭脂，西湖风月，最为盛事。

榎本：兄所谓老益壮者。

谷：何公闻有《使东杂咏》之大著，愿可径快睹乎？

子峨：客日当令黄呈一部请大教。

中川：奉和张公使瑶础

"今日初逢又别离，萧萧风雨欲昏时。明日家山归去道，回头应是步迟迟。"

仆明日归家山　　中川肫拜

据宫岛文书一　宫岛写本

---

① 倍，当为陪。

② □，画酒杯图。

二十七、光绪六年六月五日(1880年7月11日)笔谈

（七月十一日访黄遵宪。）

宫岛：闻顷自箱根归。游住数旬，沈雨郁蒸，想清兴如何？

公度：居山中十数日苦雨，然亦觉快甚。

宫岛：箱根有七个温泉，兄居何地？

公度：居宫下。

宫岛：宫下山水居处景况如何？

公度：其地饮食居处甚便，山水未佳。

箱根山水极好，木贺堂之岛皆佳。每日必步往，居一日而还。七汤中止一汤本未往，馀皆屐齿所经。

宫岛：兄往箱根在何日？而其还正① 何日？

公度：六月廿三日往，七月十日归。

宫岛：连日在山水清气之中，见兄颜色甚好。

公度：大著二本既为删定，复系篇末以评语。凡用△者删去。

宫岛：谨拜其赐。

公度：蠖堂之诗天资甚高，时有奇语，非人所能及。然其粗旷浅俗，亦难以言诗。其一本仆既为删而评之，《桐轩集》二本不敢复动笔也。

宫岛：拙著共五卷，得大手笔删正，始觉妥安。洵是阁下数年之厚意。况付之阁下之名，亦仆大幸无过之者。《蠖堂诗钞》经评开② ，又拜谢。

公度：见大著清稿在公使处者，曰某某删定、某某评批，最是俗例。若传之吾土，便为识者所鄙笑，虽有名篇，不再寓目。急宜删之。

宫岛：芜诗得大家删定始成篇。今刻集，记载大家名姓，意为公论，却是俗例。请教。

公度：无此体格。后人论定古人之集则有之。尊集只有作者名字足，于评语中系以某某曰已足矣，何必再标此数行乎？

---

① 正，疑为在。

② 开，疑有误。

宫岛：敬领高教。

公度：敝土刻集皆无圈点，无评语。然此二事沿日本通例，尚无不可。

宫岛：朝会祭祀两条，以二十四日为期，应奉送。

公度：谢谢。所询朝会祭祀事，望速以见示。详列近事，参古式。敬俟此事告我。

据宫岛文书一　宫岛写本

二十八、光绪六年七月二十四日（1880年8月29日）笔谈

（八月廿九日，花房朝鲜公使为主，邀朝鲜修信使金宏集及李祖渊、姜玮于飞鸟山暧依村庄，涩泽氏别业。偕清国钦差大臣何如璋及参赞官黄遵宪，会三国文士，欢饮挥毫。正午来会，到晚始散。）

子峨：今午雨，恐诸公不来。十点钟后，遣人到尊处探之，知驾已出门，始命车来也。

宫岛：今日之会系三国集一堂，旷古所稀。是为兴亚之始。唯恐路远天雨，诸公或不能来。忽得此佳契，何喜加之。

金：今日快奉雅教，则足以补文库之踦。幸何如之。

宫岛：一昨日始拜道范，不堪欣喜。又得陪观浅草文库，库中书籍纷杂，不便纵观，想应心闷。今日天晴，远路幸蒙枉顾。是为交欢之始。自今以后永好，谋三国之益，不堪渴望。

子峨：栗香先生深重同洲之谊，所虑深且远。今日之会，素非偶然。

宫岛：仆自何公使之东来，相交尤厚且久矣。其意专在联络三大国而兴起亚洲。今先生之来，若同此志，则可谓快极。

金：盛意偎不敢当。

（黄公度题额①）

宫岛：此卷仆拙作，愿记一言卷末。敢请。

金：仆笔墨甚拙劣，恐有佛头着粪之叹。然尊意难孤，谨当于卷尾书数字署名，以为他日替面之契矣。

---

① 题额见本集上册第234页。

姜:朱舜水先生此处有后昆否?

宫岛:此人真正义士,谋恢复不得,遂客死水户。终身不近妇人,故无后昆。

姜:敝邦先贤之裔亦多有漂寄贵土者云。此是风闻也,然或有近似者否?

散步暖依村庄赋

素心兰馥郁,可以订交情。　诚一起承

一去沧溟阔,何由寄远程。　姜玮转结

续题求正　　　　　　　　　　　　　　　　　　姜玮

燕去无遗影,人归有远情。此心朝暮遇,不必恨修程。

二十九、光绪六年八月二十四日(1880年9月28日)笔谈*

(是日午后四时,荻原西畴至,仍使人邀黄公度。)

宫岛:今敝历九月二十八日,即□曜日①。吾以今日误为土曜日,故来先生之疑,以贵历八月二十八日当土曜,致有今日废约之言。我已大谬。今我二十八日,为贵历之八月二十四日。然先生来信即谬为八月二十八日,彼此误日,可笑可笑。

公度:今日适作书时,忽思先生误所由来,以为误记阴历之二十八日,遂有此一误,真乃可笑。

宫岛:彼此各自皆误,而先生与荻原相会无些龃龉,亦不妙乎?然则历日不必有用于世者。一笑。

公度:"山中无历日",吾与子同处城市而有山林之思,故不复计日。矧古人所谓极乐国如桃花源者,乃不知有汉,无论魏晋。今虽误日,不至误年,然则不如世外人远矣。

荻原:往日于飞鸟山庄初得接芝眉,欢喜为甚。当日杯盘狼藉,未得笔陈其情,至今为憾。不料今日得于闲处拜晤,欢喜欢喜。向于主人坐上拜诵贵撰《日本杂事诗》,敝邦上古政治民俗迄近日之变更,铺叙历历,细大无遗,笔锋颖

＊ 宫岛写本本日笔谈前有"九月二十八日,黄公度有书",并录黄函,笔谈日期据此。

① 宫岛写本原空一字。考1880年9月28日为星期二,故空字当作"火"字。

利,实为大作。不胜感佩。

　　（以上两人黄、荻原,笔语略之。）

　　公度:几上《李义山集》,此为先生手批耶? 抑钞录他人批耶?

　　宫岛:此是所借君纪晓岚《镜烟堂集》也。余颇爱之,故录此批。

　　公度:晓岚先生博极群书,其论诗不偏不倚,语之入微。

　　宫岛:余读晓岚评诗始于《镜烟堂集》,可谓前无古人矣。

　　公度:古人论诗各有偏嗜,尝甘忌辛,是丹非素,《文通》既言之矣。纪宗伯一出以公心,其多见古人书,又悉能知其所以然,而表而出之,真良书也。纪宗伯所评尚有《文心雕龙》一书,抉发精微,尤为佳绝。古人论文谓譬如轮扁,父不能喻子,师不能喻弟。纪公所评,乃真言人所不能言者矣。

　　宫岛:此《东坡诗钞》好否?

　　公度:此本甚佳。此为番禺赵古农钞取纪批而去其所不取者,若得纪批原本,观其去取,非独见东坡佳处,而其瑕疵为后人所不宜学者亦可以征,尤为有益。

　　公度:山阳之子名复者,君识其人否?

　　宫岛:善知之。曾所乞跋山阳尺牍之末载渠与我之书。

　　公度:其人未尝一见。云居向岛,是否此人? 二子。字支峰。山阳之子三子。名醇者既为幕府杀死。宫岛注:复字士刚,醇字子春。

　　宫岛:山阳通称赖久太郎,艺州人。幼来京师,卜居鸭河,名曰山紫水明处。著书居此殆数十年,遂客死平安,葬东山。距今十七年前,余初到京师,访山阳遗宅。二子支峰出山阳临终自画肖像以示余,余赋七古赠支峰。支峰与余交善,维新后为教官,寓东京。今复在西京。

　　赖山阳先生旧宅观自画肖像赋此赠其子支峰

　　山阳先生真儒宗,宿心即此寻君踪。壁间遗像临镜写,褰衣升堂改我容。拜跪怅然莫由问,生晚怅未逢文运。新修外史论废兴,特书政记定名分。钦君著作千万言,举世人皆比典坟。今瞻君貌怀其德,衣冠俨然神气尊。唯貌与文共不朽,流泽洵堪光厥后。何幸山紫水明居,恍是仪范亲相受。

　　公度:山阳先生器识文章,仆谓日本盖无流匹。此诗放笔为之,神采奕奕,与人相称。

　　宫岛:余二十六岁初游京师,与支峰交。余接他藩人,支峰为始矣。

公度：支峰今为西京人。西京山水都丽名于天下，不知何日得蜡屐一游。

宫岛：敝邸此地有山林之趣。阁下他日有暇，一诗为我惠之，大愿也。

公度：此中花木大足宜人，不如我京华之十丈红尘，几无容觞咏地也。

宫岛：岭南如何？

公度：岭南广州城中富丽而整洁，日本实无此况。然城中居民及三百万，求有山林之趣，亦不可多得也。

宫岛：城中人家栉比，想是所谓人海。

公度：比屋鳞次，类多层楼。如此一席地，每每住居二人也。此间所呼薙草人，以年计赀，抑以日计赀耶？

宫岛：大抵日计也。

宫岛：此间秋冷伤人，家君亦少病。

公度：骤凉，不可不珍摄。

据宫岛文书一宫岛写本

三十、光绪六年十二月二十八日
（1881 年 1 月 27 日）笔谈*

（一月二十七日，访黄遵宪公度谈。）

公度：昨辱过访，适差池不得见。今日本拟答拜，忽承枉顾，谢谢。尊大人丧忌，仆等不知贵国礼俗，一切疏失，切望涵宥。

宫岛：葬式之日辱来吊，殊混杂，不成礼，请宥恕。又被赠挽联并谕，情意恳到，偕弟敬谢①。

公度：不及送葬，至今歉然。挽联为敝国二百年来通行之俗，犹古人诔唁之意也。

宫岛：诔唁何义？请教。

＊ 日期据宫岛写本。然考宫岛写本记此笔谈日期与下一次相同。检宫岛《明治辛巳日志》1 月 15 日至 1 月 29 日失记，无从考察。然据宫岛写本所录宫岛 1 月 28 日致何如璋函，知下一次笔谈日期确为 1 月 27 日，此处记载当有误。

① 宫岛写本作"营葬之日，殊辱来吊。当日混杂，不成礼节，请宥恕。又被赠吊文并挽联，情意恳到，偕弟长政敬谢。"

公度：哭死者之文。总其人美德而述之,谓之诔。吊生者之遭丧而致其辞,谓之唁。

宫岛：敝邦父母之丧定服制五十日。贵邦丁忧今犹有三年之丧否?

公度：今通行三年之丧。仕小者去职,服满再就宦,谓之起服。

宫岛：内阁大臣亦皆去职否? 政府半减丧服,谓之夺情,有之否?

公度：武官服丧百廿日,此外则朝廷倚任之臣时有夺情者。三年之久,不便于行政,故有是事。殆适有金革之事,不许去官①。

宫岛：葬仪有如敝邦佛葬者否②?

公度：亦有僧人,然无火葬之俗。

宫岛：大抵墓石③ 为何等形状?

公度：多是长方,然或独立,或附于壁,而治坟为堂屋之形④。

（示意图）

官职姓名无墓志铭如此,并有志生卒月日者。子孙名亦不一其制。首书子孙姓名,及其人行状记于碑阴者,南人多此式。其墓堂用三合土泥沙灰和合之,最坚实而洁净。

宫岛：墓主之姓名请高贵之人书之,有之否?

公度：亦不一。然坐高者多高七八尺,大二尺⑤。

据宫岛文书二 341 笔谈原件

三十一、光绪六年十二月二十八日
(1881 年 1 月 27 日)笔谈

（一月二十七日访使署,与黄公度晤。即阴历十二月二十八日。）

---

① “殆”,宫岛写本作“武官若”。
② 宫岛写本作“贵邦葬仪有如敝邦佛葬者乎?”
③ 宫岛写本作“墓石大抵”。
④ 宫岛写本下有“亦不一其制”五字。
⑤ 示意图以下宫岛写本作“诚曰:墓面记何样文字? 黄曰:官职姓名,正面记之。年月子孙名,左右记之。无墓志铭多如此,并有志生卒月日者,又有书子孙姓名及其人行状于碑阴者。诚曰:墓与碑有别乎? 墓即碑乎? 黄曰:葬所。（示意图）此即墓,即碑,为子孙拜扫之所。此离墓而立,南人多此式。其墓堂用三合泥沙灰和合为之,最坚实而洁净。墓石大小亦不一,然官高者多高七八尺,大二尺。诚曰:墓面姓名乞高贵人书之,有之否? 黄曰:有此事。”

宫岛：久不相晤。时属岁晚，想应多事。近顷忙否？

公度：岁晚差有事。何公使将于阳历三四月间归国，料理交代文书，亦殊忙也。

宫岛：或言转任驻扎于美国，有此说否？

公度：有此说，未确。

宫岛：我兄去就如何？

公度：今犹未奉政府归国之命。

宫岛：顷阅新闻纸，有许氏其人代何公，果信乎？

公度：然。

宫岛：何公归国，其喜可知。然而余最惜其别，深望自今以后，两国交际愈益亲密。何公为其始，接任必有终。

公度：许公俟天津开冻方来，故待至三四月也。

宫岛：此公属何省？

公度：浙江人。许公官与何公同处，为何公素知。年四十。

宫岛：君知此公乎？

公度：未知此公。

宫岛：清鲁和成，昨日闻之。果信乎？

公度：无此事。

宫岛：西洋人屡为此等之电报，为钓虚利，往往有之。

公度：此机密事，外人未得而知。然今在俄都议，若和成，西洋人必先知之。

宫岛：今在俄廷议此事，曾侯纪泽公使致力，果然乎？

公度：然。

宫岛：天气严寒。君所用平服，上等值几许？

公度：此值三十元。

宫岛：日本乏防寒之具。

公度：皮贵百元，缎相等，棉衣无百元之价。北京则用棉鞋棉袜，或用皮。

三十二、光绪七年六月二十日(1881 年 7 月 15 日)笔谈

（七月十五日，黄遵宪见访①。）

公度：仆以国恤之故，久未出门。今既百日，谨来谢屡次枉顾之劳。昨惠嘉果，一并拜谢②。

[**宫岛**：不敢当。]

公度：昨读新闻，云阁下兼勤史馆，今既辞罢，专任宫内，是否？

宫岛：名籍在史馆，兼勤宫内。今特专任宫内，想应兼勤史馆。所以然者，宫内多事③，一月得仅仅登史馆，故有此命④。

[**公度**：仆前承命作大集序，仆谊不敢辞。昨既脱稿，今以赍呈，未审可用否。

宫岛：此序意思佳绝，足以观二人交亲。别后读之慰怀，多谢厚意。

公度：此序若欲付刊，再行改定，择一能书人书之可也。此序仍望先生改定。

宫岛：请君自书之。若付他人，他日遐想，自欠几分。非君手书则不太妙。]

公度：仆书劣。

宫岛：明嘉庆⑤ 年间之人。此本系徂徕之藏书⑥。顷获此本，仆颇爱之。

公度：陈仁锡，明亡殉难⑦。

陈仁锡为明崇祯间翰林，著述甚富，有《评鉴》诸书。是编所采辑八篇，皆有明一代大家著作，于经世大要略既具备。此书流传本甚少，可重也⑧。

[**宫岛**：物茂卿既获此书，颇秘藏之。施诸经世，不为鲜少。此人有卓识。

---

① 《明治辛巳日记》7 月 15 日有"黄遵宪入来，拙著序文脱稿云云，持参。"

② 据宫岛文书一 C27(50)笔谈原件。

③ 据宫岛文书一 C27(51)笔谈原件。

④ 据宫岛文书一 C27(57)笔谈原件。宫岛语宫岛写本作"官籍以史馆为本，兼勤宫内。今特专任宫内，罢史馆七月十一日。宫内新编诸规，日来多事，每月到史馆仅两三日，故有此命。"

⑤ 嘉庆，当为"嘉靖"之误。

⑥ "此"下文字宫岛写本作"《八编类纂》系徂徕物茂卿之藏书"。

⑦ 据宫岛文书一 C27(59)笔谈原件。

⑧ 据宫岛文书一 C27(61)、(73)笔谈原件。

余今欲献此书皇帝。]

公度：于明人著述中论为有用之书。然明人著述殊为本朝人所不喜，即看卷首之图疏漏可笑极矣①。

宫岛：有赵子昂之书，真乎？请。

公度：仆于书法实不辨好丑，决古人之真伪，更非仆所能。

宫岛：仆一切不知之②。

公度：书之真伪非仆能辨，然下有项子京印。项墨林为第一赏鉴家，若此印不伪，则此书为真。明人，明三百年之第一收藏赏鉴家也。明以前故迹，经墨林钤印，则郑重加倍③。

宫岛：贵邦职制政治，精细记载本即《大清会典》乎？若有佳本，请教。

公度：《皇朝通典》《通考》、《通志》。又有《大清会典则例》，是书凡五百馀册④。

宫岛：宫中欲购一本，不知价几何⑤？

公度：仆今忘之，约日本金一百二三十元可购也。

宫岛：托筑地贵邦之商可购否？

公度：北京公使馆⑥。

宫岛：买之属无用乎？将有用乎？此本比《大清会典》如何？

君所编纂志类，脱稿如何⑦？

宫岛：顷于宫中购得《广东通志》一部，图画颇好。中有黄公度，系二百年前人。

公度：此公非广东人，南宋人字。《广东通志》中不知何以有黄公度？

---

① 据宫岛文书一 C27(60)笔谈原件。宫岛写本"于"字前有"此书"二字，"疏漏"下作"极矣，可笑。"

② 据宫岛文书一 C27(43)笔谈原件。"有赵子昂之书"句抄本作"友人顷携赵子昂书来，请一阅真伪。"

③ 据宫岛文书一 C27(45)、(72)笔谈原件。

④ 据宫岛文书一 C27(62)笔谈原件。宫岛语"职制政治"以下宫岛写本作"其记载之为最精确者何本？即《大清会典》之外，又别有佳本乎？"

⑤ 几何，宫岛写本作几许。

⑥ 据宫岛文书一 C27(56)笔谈原件。

⑦ 据宫岛文书一 C27(57)笔谈原件。"托筑地"以下内容宫岛写本无。"君所编纂志类"以下当与下文黄遵宪"仆所撰《日本志》十既成七八"相接。

宫岛:在职官部。姓氏官名①。

宫岛:公馆中所携西洋译本不知有何书?

公度:皆敝国所译者,尽有之,不能悉数也②。

宫岛:荻原裕昨日拜太政官御用出仕之命,专任外务部,继《显承述略》嘉永米使渡航之后③。

公度:可喜可贺,乞为致意④。

闻史馆新撰《明治史要》既脱稿,不知此书迄于何年?

宫岛:仅仅史要耳。其细目一年已将三百部。仅聚史料耳⑤。

公度:仆所撰《日本志》十既成七八。中有海军一门,所载《船舰表》恐有错误。意欲烦先生代询令弟小森泽君,不审可否⑥?

[**宫岛**:谨领尊意。]

公度:海军现在未有年报,其中未甚明白之事,都应请教。明日当开列一纸送到,乞以转烦小森泽君,感甚幸甚⑦。

宫岛:韩人数姓来都下,[鱼允中、洪英殖],君相见否? 曾闻李万孙为激昂之论,顷捕缚之,不知果真乎?

公度:频见韩人。仆尝读李万孙论,既赏其文章,复叹其人殊有忠爱之气,以为可惜在不达时变耳。前见韩人议论及此,仆劝韩廷拔用此人。自来倡锁港之论者,一变即为用夷之人。今日贵国显官即有前日放火焚英使馆脱走之人,固知李万孙辈将来大可用也⑧。

---

①　据宫岛文书一 C27(71)笔谈原件。宫岛写本"图画"下有"详密"二字,"颇好"下作"又有可异者,职官部中有黄公度,与君同姓名,系二百年前之人。黄曰:南宋人有此公,非广东人。《广东通志》中不知何以有黄公度?"

②　据宫岛文书一 C27(58)笔谈原件。"公馆"宫岛写本作"贵馆"。

③　宫岛写本"外务部"下作"傍编纂《显承述略》,嘉永米使渡航以后之事。"

④　据宫岛文书一 C27(55)笔谈原件。宫岛写本"出仕"前无"御用"二字,"继"作"傍编纂","渡航"下作"以后之事"二字。

⑤　据宫岛文书一 C27(54)笔谈原件。宫岛写本"仅仅"前有"此书","将"作"有","三百部"下作"《史要》仅记其大纲也。"

⑥　据宫岛文书一 C27(52)笔谈原件。宫岛写本"意"下无"烦"字。

⑦　据宫岛文书一 C27(53)笔谈原件。

⑧　以上据宫岛文书一 C27(6)、(42)、(44)笔谈原件。宫岛写本"韩人"前有"顷"字,"君"字下作"见其人否","曾"作"又","为激昂之论"作"时论颇激昂","顷"作"韩廷","不知果真乎"作"果然乎","固"作"因"。

宫岛:此卷仆曾于米泽之地创立西洋制丝场,[总效富冈]。时大久保[利通]、伊地知[正治]、吉井[友实诸君]等所往复之手翰,[取其有关系此事者,集为一轴],仆注解之,昨日三条相公为题辞。[今皇上巡幸羽州,比圣驾过米泽,仆携此轴到山形县奉迎,以供圣览。欲请临幸制丝场,洵昭代之一大庆事。]他日译此手翰为汉文,以供尊览,请为一跋①。

公度:富冈丝场为贵邦第一大事。此卷书翰多半伟人,足宝贵也②。[今也皇帝临幸米泽制丝场,君持此卷奉迎,亲近皇帝,上奏设立之颠末,人世不多有之事。]

公度:伊地知先生将卜家热海,是否?

宫岛:半有此事③。

公度:一两日与余谒公使君了此意④。

宫岛:何公归朝在何日?

公度:约在日本九月之末,十月之初。天晚告别。明日再有函奉托问海军事⑤。

据宫岛文书一 C27 笔谈原件及宫岛写本

三十三、光绪七年七月十二日(1881 年 8 月 6 日)笔谈

（八月六日,黄氏来访。）

宫岛:下午欲趋高斋,昨夜伤冷,顿发疝疾。针治到今,故不果问。昨呈一书,不知达否?

公度:前日奉尊书,具领贵意。谨当别具公函,乞海军省明示可也。惟前所呈船舰表,幸以见还,庶可附之公函中。

宫岛:顷以有巡幸之事,宫中殊多冗,不得清暇。久不见何公,安好否? 仆亦于九月初旬欲一往山形县,迎圣驾于米泽也。

---

　①　据宫岛文书一 C27(48)、(49)笔谈原件。"此卷"宫岛写本作"一轴","创立西洋"作"设一","题辞"作"题字"。"手翰"作"卷","供尊览"作"传世","请"作"愿阁下"。

　②　据宫岛文书一 C27(47)笔谈原件。

　③　据宫岛文书一 C27(75)笔谈原件。

　④　此语宫岛写本无。

　⑤　据宫岛文书一 C27(7)、(5)笔谈原件。

公度：闻小森泽君于九日出发横滨，俟其归再寄函可也。具海军公函询之他书记官，或托外务。尊体违和，千万珍重。不敢久扰，就此告辞。连日天气不佳，仆于前日受寒气，亦患吐，昨已愈矣。阁下愿将息，仆他日再过访。

据宫岛文书一　宫岛写本

三十四、光绪七年九月九日（1881年10月30日）笔谈

（十月三十日，访使署，与何星使、黄参赞晤。）

子峨：先生于何日回至东京？想远道初归，酬应必纷如。

宫岛：此行归旧里，以迎驾之暇日，与故友亲戚晤谈，颇慰十年之思。留凡四十日，便以本月十六日回东京。

公度：闻圣驾过米泽时极赞鹰山公遗泽，诚可欣忭。先生当作诗记之。

宫岛：此事实千秋快事，仆为之感泣。此行余携鹰山公真影，愿赞一语。余乡士族极多，皆能修业，生活之道已立。民亦据恒产，斯公之遗泽也。

"十年为客故乡归，城郭半非人未非。桑柘阴中三万户，家家无处不鸣机。"

公度：将来可成金穴。读之欣喜。

子峨：米泽是开化有成效，苟全国如此，复何患不富强。

公度：明治廿三年开设国会，仆辈捧读诏书，亦诚欢诚忭踏舞不已。君民共治之政体，实胜于寡人政治。况阀阅勋旧之所组织者。

宫岛：吾邦始开设国会，自今期十年。其间有馀裕，宜修成宪法而发布。君民共治固佳，但如英国组织，亦不可拟吾国耳。

公度：如德国似可，断不可为米国。

子峨：先生是王权主义。近日政府已定渐进章程，先生将如何？

公度：先生为王权党耶？抑官权党，民权党耶？

宫岛：现时党论纷如，余素不好党，只将为帝室显彰王章，以确定国本，仆之志也。

子峨：王党之权在官，自由之权在民。第上下势殊，未知胜负所在。

宫岛：仆过米泽，一万士人曾无结党之弊，将来颇乐之。

公度：望十年中贵藩鼓励人材，以备他日登用，一洗萨长政府之名。

宫岛：余过栗子隧道，此经费尽系人民，且感县令三岛氏积年忠悃，有此作。

"六年开凿几辛艰，隧道新通巉壑间。至竟精神动天地，銮舆初幸羽州山。"

公度：此事亦大可贺。

有云政府欲拜吉井君为参议而君辞之。

河野君先生识之否？此君作越后游否？仆恐其他日与板垣、中岛并而为三自由党魁。

福泽二三年前常持国会尚早之论，何以一变？其所著《时事小言》，君读之否？

福地亦然。在新富座击论开拓事，仆终以为过。

宫岛：国之大势，一波倒，一波又起。自今十年，始得平均，又非人力之所及也。

宫岛：余今清书拙著，苦无佳手。此等一二，孰为佳书？请采择之。

公度：先生自钞当留为子孙宝用。若付手民，此二本均佳。诗序经杨君书就，而有脱字。仆恳其再书。

子峨：中川先生承远寄佳笔，又承先生代递之劳，谢谢。

据宫岛文书一　宫岛写本

三十五、光绪七年十二月十六日（1882 年 2 月 4 日）笔谈

（二月四日，招何公使、黄参赞为饯饮，胜海舟伯、吉井三峰伯来助主。）

［**子峨**：海舟先生久违了。即候起居佳胜为颂。

胜：此杯三个，德川旧将军所持。杯中以金画龟，聊祝君长寿，为饯别，请见收。

吉井：公度兄多年辱交谊，临别赠所持短刀，请佩用。］

（税所子托当摩短刀，余转赠何氏。

席上因译人谈话，自国家经济及山川佳胜，不遑记载。雄辩如流，奇谈如涌。黄公度兴极，起席挥毫。）

［"天下英雄君操耳，高谈雄辩四筵惊。红髯碧眼正横甚，要与诸君为

弟兄。"

明治十五年春二月　遵宪

宫岛：此东西《汉书》及《史记》，我旧主上杉侯所藏。昔在镰仓为管领时，自宋国舶来之宝书。请赐览观。

子峨：此是南宋庆元板，在敝国难得见者。若论其价，一本当千金。

宫岛：酒间赋五言，乞正。

"此别真可惜，此夕不可忘。相对尽怀抱，明朝是参商。"]

附录：光绪七年十二月三十日（1882年2月17日）

（二月十七日，赠何公使书并物。（中略）同日赠黄公度书及物。）

公度先生阁下：

任满而归国乎？五载辱交，殊领佳教，感谢何已。乃今之别，惟有黯然魂消耳。仆之欲赆足下久矣，奈此间少佳物，无以为礼，惭愧无已。兹呈菲薄，聊表惜别之情，不见却，幸甚。书不尽意，顿首。

一　莳绘文函　　一　莳绘朱碗十　一　陶杯三组

黄公度先生　　　　　　　　　　　　　　　诚一郎

据宫岛文书一　宫岛写本

与日本友人冈千仞等笔谈

编者整理说明

一、本笔谈根据日本东京都立中央图书馆特别文库室所藏冈千仞(字振衣,号鹿门)根据笔谈原件编录的《莲池笔谭》手稿本,以及原来由冈千仞保存的一部分笔谈原件整理、编辑、标点。

二、凡原文无法识读或文字空缺者,以□标示,笔谈参加者姓氏略称如下:

公度:黄遵宪　　　　梅史:沈文荧　　　　泰园:王治本

冈:冈千仞(鹿门)　　龟谷:龟谷行(省轩)　　木原:木原元礼(老谷)

中村:中村鼎五(确堂)

一、光绪四年七月三日(1878 年 8 月 1 日)笔谈

(戊寅八月一月邀黄、沈二公使饮长酡亭,适王泰园来会。笔谈至晡,得十数纸。乃略次其前后,使勿剿挽之妨。)

公度:二先生皆多日未相见,比来想大好。

龟谷:近日有采薪之疾,不能趋候。今联车见临,顿慰饥渴,冀领洪诲。

公度:未知尊恙,有失问候。近想霍然,兹得把谈,快甚。

木原:昨辱盛招,要应速趋谢。老懒不果,极为欠敬。今日候台驾,惠然见临,深惬素怀,感谢感谢。

梅史:数旬盛暑,何敢劳大驾。今已凉爽,得领雅教,万幸万幸。

木原:久耳大名,今日始得谋面。自今得存录,为幸大矣。

茶园：久仰老先生雅望，悭于缘，故未谋面。今日得瞻道范，鹤骨龙髯，望之如神仙中人。不胜欣幸。

木原：闻先生创文社，极为盛事。会者谁某？

茶园：会者鹫津君、森君、小野君、小永井君、永坂君、中村君、大概① 君诸人。

木原：立春后二百十日，方俗为大风雨候，往往有应，农家以为一大厄。今日正值其日，幸恬静不碍大驾，极妙。中华不闻有此说，奈何？

公度：中土此种占验传于耕农歌、谚谣、士大夫歌诗者极多。立春后二百十日必有大风雨，则未之闻也。顷欲先到尊斋，在鹫津坐闻林信君言足下既他出，故未往。

龟谷：闻青山季卿堕马伤背，公既知之否？

公度：青山前以书告别，云往避暑，以一月为期。比既逾期，未相见，不知其受此惊也。伤不重否？ 今既归来否？

龟谷：赴伊香保温泉，山中马惊伤背，不知人事者一二日。家人赴救，今渐愈，方在温泉养病云。

龟谷：林氏说先生新移芝公署，敬贺。第憾忍池风月从今无人赏，任其寂寞耳。

茶园：步随黄、沈二公后。此中烟波风月，实有恋恋不忍去者。赖每月仍启一诗筵，期不负此佳景，亦韵事也。未审先生得同觞咏否？

龟谷：幸甚。琴仙兄再游何日？

茶园：阴历十月，阳历十一月，约在龟井户赏梅，时琴仙当同步履。

公度：残暑渐退，新凉骤生，荷花犹自开。诵姜白石闹江一舸词，觉置身神仙中。惟凭阑凝□，不免有莼菜秋风之感。奈何！

木原：星槎万里，非土之感可想。抑不知先生所思者不止莼羹鲈脍也。此先生自知，仆不敢言，何如何如。

木原：弊邦莼阴历二三月方可食，似是与贵邦莼异种。然观诗歌所咏，形状色香皆同。思水土之变，春秋异宜与？ 知我所谓鲈则似而非者矣。

梅史：莼菜中土自二三月后至八月皆可食，秋味尤美耳。鲈则贵邦与中土

---

①　原文如此，"大概"似为大槻之误。

名同而实异也。近日仆应关湘云兄招，评阅贵国名人稿。中有息轩、拙堂诸翁，皆不及子成氏远甚。

□：高评允当不可易。息轩胸中有许多书卷，然其文未活。管见，以为如何？

嫌笔力不及子成殊弱些。

冈：仆在家待见过，遂致迟迟，罪多罪多。

冈：同伴人为中村鼎五，仆同臭味人，请赐知。

中村：野田笛浦与贵国人朱柳桥笔话，并请诗文评正。以其稿示山阳，山阳书其后，叹不得同其游。仆所惜者，使山阳在今世，与贵国人对话，其喜果如何乎！

公度：若使山阳在今，必当遍历中土及欧米，必能各舍短而择其长。仆为山阳惜者在此。区区诗文，犹未也。

中村：山阳实为我邦文杰。然当时评之者为不及佐藤一斋之雅炼。《爱日楼集》经公一瞥否？

公度：近来曾文正公论文，谓文章自有二种：一为阳刚，一为阴柔。山阳、佐藤固自截然不同，然佐藤文未能到家，其神骨气味未能深厚，不足比山阳远甚。

中村：高论敬服，可谓眼光透纸背者。仆与山阳男支峰友善，当附邮奴报之，支峰必感戴。

冈：真松之集有何雅谈？

黍园：仆非褚先生毛中书不能谈，略叙寒温而已。

冈：席上满坐文人，褚先生毛中书岂无可博一笑者乎？

冈：我陋邦为洋学者，以邦语译读洋书者为变则，就洋人而受洋书者为正则。余辈在海外学中华文章，要之山阳以下皆变则文章。自今将安而受教门下，不知仆辈下手学文自何地？

梅史：仆之愚见，文章视其人，不朽之人自能为不朽之文阁下高材博学，何患不与古名大家比肩耶！如若等大材，师法秦汉可也。

冈：仆非长风人，何敢当云云。唯窃谓夫天于斯文，固无所私于东西，六经以外，自有英雄。九州而表，岂无真文章。加之方今宇内大开，如西洋人皆陆续游学中华。华文译述诸书，前后刊行。黄发绿瞳人犹成此文章，况我邦尊唐虞,师周孔,自国初至今日如一日。此仆之所以矻矻不敢废。伏请尔后指示,莫吝清论。

梅史:以君英雄,故有此论。幸无河汉鄙论,沉学秦汉,则笔自简,气自厚,非戏言也。

冈:往日诵黄先生嘲石川鸿斋长古一篇,纵横斡旋,实为韩苏手段,敬服敬服。弊邦能诗人唯限律绝。往时江稼圃来长崎之日,观邦人古诗概为失体,概不见之。果然否?

公度:嘲石川诗游戏之作,不足道也。谓日本古诗概失体,此太高之论。最① 不如律绝之佳。同坐龟谷氏,他日必以诗名世者也。

冈:龟谷子之诗得于广濑淡窗。号宜园,今青村养父。淡窗为近时大家,《远思楼诗钞》正续篇刊行,尝一瞥否?

公度:恨尚未见之也。

冈:应寻一部供高览。我邦能诗,徂徕、白石以下数十家,皆不足秽大方之览者。近时梁星岩盛以诗名,春涛、湖山诸人皆出其熏陶。不知《星岩集》经贵览否?

梅史:今日今雨社题《书湖上所见》,用星岩韵。

冈:星岩原作可得见否?

黍园:悬在真松亭壁上,是一绝句也。

昨日有《戏赋告别莲池》一律:"欲将别意告湖神,只恐湖神也蹙颦。三月流连同过客,几番觞咏谢诗人。闲鸥嗔我浑多事,归燕笑余未了困。正见秋风无赖甚,荷残柳老可怜辰。"乞博一粲。

龟谷:才人之笔,能发莲池精神。湖神之灵亦应以佳人为才子好述。呵呵。

梅史:大有灵均赋湖妃、子建赋洛神之意。想云璈水瑟,当谱此佳什矣。沈文荧拜读。

冈:仆不能作诗,惟好论诗。春涛方今能流,而仆深非其轻佻。兄以为如何?

梅史:诗以道性情。若论诗格,元白体固诗之下者。春涛翁善作香奁,亦

---

① 原文如此,疑有误。

其性之所近。

冈：此人面貌古怪，而善香奁。公为性之所近，真见于皮相外者。

公度：君所云云，就人论诗，非全是就诗论诗者。

梅史：先生谓白面郎君始应作黄① 奁耶？吾恐森氏引温钟馗作答也。

龟谷：冈天爵文坛飞将，除山阳外眼中无人，就国内言之。故其视下谷社流如一蹴可取者。如弟辈，深沟高垒，惴惴自守耳。

黍园：扁鹊入邯郸医小儿，先生亦作脂粉语。声名应震撼一世，奈何？

龟谷：仆并脂粉语亦不能作。

公度：极闻梁星岩诗名，其妻某似亦工诗，门人尤多。惜其集尚未见。星岩诗与山阳文齐名，山阳文仆所深喜。

冈：《星岩集》仆藏一本，应送上。惟山阳史学文章、学问渊源，实冠邦人。如星岩，瞠若其后，不啻三舍。

梅史：山阳文章固既横绝一世，仆以为学问似苏氏父子。是人倘生今日，托维新之际，必首唱勤王之说，其所设施，必有大裨益于国。惜乎其死也。

冈：山阳《外史》、《政记》，每事慨武人跋扈，王政不可复。自山阳诸书盛行以来，海内读书者始见及于此论，是义者纷然满国内。方今致维新之盛运，山阳实为之嚆矢。此仆之尤所以推服山阳氏也。

梅史：子成氏大有见识。

公度：山阳当旧幕时，能持论如此，表彰楠公尤至。世有著书当时不行而收效于数十年后者，此亦其一也。足下之论信然。

冈：拟子成以三苏，大过。试以明清大家求可比者，不知可以何人？

梅史：魏冰叔如何？

木原：山阳疏宕之文，冰叔以精整胜。文已不同，气象似亦异。惟魏喜论兵论世务，赖亦喜谈兵政，此为同耳。愚意赖最近苏。

公度：山阳、冰叔均所谓豪杰之士也，其规模大抵相同。然山阳不如冰叔之鞭辟入里也，冰叔尚不如山阳之高视阔步也。是否？

木原：论二氏学术极为切当，敬服敬服。然山阳亦竟文坛中人，其谈政事，亦儒者习气，使之当事，未必能也。仆见与先生异撰。

---

① 黄，疑为香之误。

公度：若论德行，吾未知之。若论政事，所见可谓违矣。然必谓纸上定言，遂一一可见施行，此事谈何容易！宋儒勿论，自孔子外，大贤如孟子，所言尚未必能尽行也，又何况赖山阳？

冈：山阳文艺实为我邦空前绝后。此人好作古风长古，诗钞盛行。诸公已经览否？不知中中华矩度否？

公度：诗不如文，然自有一种不可磨灭之精神，未易及也。

冈：有不可磨灭之精神七字，山阳在地下，当庆知己于百年之后也。沈兄为冰叔之流亚。其不求合于当世，高以文章气节标持，山阳不愧冰叔。惟文章到底日本人之文，岂可以冰叔拟乎！仆曾推冰叔不特冠皇清一代，元明以下诸大家皆无能并。老台以为如何？

公度：魏冰叔之文亦仆所最喜，我朝实未见其匹。山阳学文不如冰叔，其天资则尚当胜之。

中村：读斋藤拙堂《月濑观梅记》及《拙堂文话》等否？

梅史：见其《观梅记》，颇有幽胜之趣。惜其太繁。

龟谷：杨铁崖古诗如有奇气者，高见何如？

梅史：王渔洋所谓铁崖乐府气淋漓也。然以论乐府，如李西涯之咏史、尤西堂之《明史乐府》，即赖山阳乐府亦自有奇气。

龟谷：读《徐霞客游记》，知贵国多胜境。其所叙述太富赡。不知高论何如？

梅史：善写山水情状，莫如《水经注》。其文章古雅，论者或谓尚胜柳州游记。得此一部，足当卧游。霞客《游记》以一人遍历数万里，可谓豪壮，文章固非上品也。

龟谷：《后赤壁赋》篇末押韵不详，请垂教。

梅史：篇中除提纲外皆有韵，不独篇末。

木原：《祭十二郎文》似无韵者。

梅史：祭文有两体，有用韵者，有不用韵者。如《祭十二郎》则不用，盖哀戚之至则不用韵。其尤甚者，则并不多用文辞。如《丧乱》之奠告，但直言其事而已。

木原：《祭十二郎文》或议其絮语太甚，却不见哀。愚不知其他，但一读使人感怆，此文之至者。乞教。

梅史:仆读之已哀,不知谓不哀是何等肺肠。

冈:中华近古大家,冰叔以外,余最喜侯朝宗。如袁随园、愈长城[1],当以别派目之,盖渐轻薄也。朱彝尊经学大家,文章亦自为一家。他馀大家谁为最优?

梅史:高论诚然。朝宗之外,推汪钝翁。其馀如孙阆谷、胡天游辈,虽别调,最胜于俞长城。随园摹史公,一转即成小说,其故难言。

冈:仆惟唐宋八家之从事。自今将溯《左氏》、《国策》、马迁、《庄子》诸书,惟苦至高难及。乃如皇清诸家,特觉易入,然为之似无益。

梅史:以君英雄,故愿不守藩篱。幸勿妄自菲薄,安于小成。

木原:秋闱校士,有填榜及蓝笔墨义等字。填榜犹可解,蓝笔墨义不知作何等事?烦教。

梅史:榜列取中之人名次序。填者,书也。中土取士之制,主试官用墨笔,分校房官用蓝笔,以防弊窦。

木原:闻同光间有吴仲伦,著《初月堂文集》,其人学文言行有略传者耶?

梅史:其人其文皆未见。惟闻其人宦游江苏而已。

茶园:"秋柳梢头已落晖,漫将乘醉叱车归。湖滨暮色浑如许,林鸟双双自倦飞。"

龟谷:今日惠顾,领教不浅,大慰饥渴。偶将进莲饭,请稍迟迟。

梅史、公度:醉酒饱德,不必再赐二小人食矣。日向暮,敢告辞。敬谢敬谢。他日再畅谭。

文荧　白
遵宪

据日本东京都立中央图书馆特别文库室藏冈千仞《莲池笔谭》

---

① 愈长城,当为俞长城。

二、光绪五年二月（1879年3月）笔谈*

公度：前辱函以一字师三字为错引故实。一字师之典屡见，不关昌黎。仆本无心及此，作此语者，仆以一字尚不敢当，况竟称之乎！久欲趋访，以解先生胸中之疑。今日枉顾，何幸如之！

冈：邦人不熟故典，岂止仆一人。真可一笑者。

公度：谨当达意，想必趋谒。此事公使久欲踵诸公昨年之例而行之，即于校中会在京诸名士。以事迁延未果，长耿耿在心。惟愿今年我两国释嫌修好，愈图亲睦，则公使之志得遂，得与诸君子迭为宾主，欢乐一堂，是所幸也。

冈：果有此盛举，此文之大荣。

我邦释典式，幕府之时，将军代朝廷使林祭酒举式。春秋二丁，命三百藩奉豆实，百馀年间不改其式。式有飨乐，三献式，一一折衷之明清礼书，颇为备。事见于《昌平志》。此书先生一见否？本日十五日应当览式礼不纯处，赐批正，幸甚。

公度：此礼必大可观，恨不得身睹之耳。敝国今时衣冠亦非古昔。然窃谓三皇五帝礼乐不相沿袭，正不必泥古。今天下万国礼俗不同，然而其发于中者，诚敬之心，未尝不一也。但使尽其诚敬之心，虽使今日欧米之人行其礼俗，群拜于殿下，先圣在天之灵亦必受飨。大国自德川氏崇儒重道，林氏世为学官，其所定之礼式必不谬。即少有差误，谓之不合于我则可，谓之不纯于礼则不可也。

冈：王家之中兴，首建大学。仆时征为助教，与同僚议起释典式。是时国学者我邦从来有二学，一皇学用事，谓无祭异鬼之理。未几，国是大变，崇信洋学，至废大学，别开洋校，专讲西学，汉学一般目为迂疏不足取，故大成殿一闭不开至今日。仆一昨年受府命总书籍馆务，窃慨此式不兴，异端谬安横行无忌惮至此。极与馆僚议，每春秋设小式，聊表祭圣之诚。而力微，无由达之九重上。

---

* 原件无日期。按：冈千仞在笔谈中言及"一昨年"即两年前总书籍馆务，又谈到预定于15日举行的祭孔释典。考冈千仞于1877年任东京府书籍馆干事，1880年被迫辞职。在任期间，曾于1879年3月15日在书籍馆所在地东京汤岛圣堂举行祭孔释典，何如璋、张斯桂等人均前往观礼。此次笔谈既在释典前不久，可考其时间当在1879年3月15日之前。

惟举此薄式,所谓告朔之饩羊,犹胜已者。

　　公度:孔子之道,其大如天,不可分国而尊之。孔子鲁人,若分国师之,则晋秦齐卫亦不必师。有是理乎？今欧米尊事耶苏,未闻斥为罗马人而各尚其国学也。宋元以来儒者诚不免拘迂,然万不可以此并议孔子。人同此心,心同此理。天不变,道必不变也。先生有见于此,亟为此举,以为转移教化之权,功可谓大矣。往昔大久保在时,与之论造士之方。吾谓去国学汉洋学之名,仁义道德之说取之汉学,而勿事其拘陋泥古之习;行政立事、造器务材惠工之法取之泰西,而去其奔竞纵侈之习;其他衣冠风俗因于日本,舆地史书专求日本,而相戒去其轻浮之气、见小之心,则庶几其可乎！大久保君拍掌称快者再。故亟亟议学校读书先以《论语》、《孟子》为本。惜乎其遽遘难而死也。

　　冈:此论万古不磨。洋人之学出于罗马,所谓罗甸语者,英佛日俄皆活用此语为各国言语学术。东洋各国,如朝鲜、安南及陋邦,皆用汉字以为国体风俗,犹洋人活用罗甸语。然则汉学东洋各国之学,汉学以外,岂有国学者乎？鲁卫则亚细亚之罗马也。夫子之大德至圣,万国仰其泽者。耶苏以忘诞[①] 不经之教,犹能庙食百世。况以夫子之大中至圣,百异于耶苏以一切方便谕野蛮人民之比乎！

　　公度:仆考耶苏之学,尽同于墨子。昌黎有言:孔必用墨,使登圣人之门,要当是一贤人。其妄诞不经之说,则以当时泰西人尚野蛮,不为神奇,不足以坚其尊信之心回教亦如此。耳。然考其大旨,多有与吾儒相合者。在当时野蛮中忽出此人,可谓天纵聪明。至于今日,传教之士竞竞然奉之如天,敬之如地,则可笑也。耶苏之教施之未经开化之国则可行,必欲施于东洋诸国圣贤早出之邦,抑又愚矣。

　　冈:往日以拙稿呈钦差览,紫先生征仆文,曰刻之香港,_{前日已告。}将悉取近文付之三菱便,以呈王先生。敢请敢请。

　　公度:明后日即将奉璧。刻知公使尚未评就,仆将催促之。先生所译《法兰西志》,仆曾语紫诠以翻刻,他日必当及此。_{冈本氏之《万国史记》,上海既有翻刻本。}

　　冈:仆于此书刻苦,殆一夜发白者。为冈本氏《万国》一样之看,抹杀多少苦心者,有眼者必知之。

----

　　① 　原文如此,忘诞当为妄诞误。

公度：《万国史记》之书，不过一人口授一人笔译之作，未尝有费苦心。然吾土自《瀛环志略》之外，述西事者甚少，故喜而刻之。闻丁中丞撰《万国史》，卷帙既盈六百，书尚未成。此书一出，而冈本氏之书不必论也。《法兰西志》仆欲寄以一部，以备采择。阁下所著文笔雄深，若吾国有翻刻本，必当不胫而走。

冈：闻图及百卷之多。此书成，则东洋之惠。仆常有志于此事。惟连年眼疾，不能如意，此念遂已。今中华已有此著，可以已。陋邦洋学盛行以来，译书汗牛充栋皆以伊吕波者。而洋学者未曾学作文，故其书郁涩不可读。黄遵宪旁注：中村正直言不通汉学不能译洋书，洵然。故其书随刊随灭盖无读之者，其能行四方者无几何。真乎哉，文章之难！所谓辞之不文，不可以传久者。

□：所谓行人一骑。

公度：仆向来亦有志于此。专纪政令，成图表十馀卷。而力量不足，采辑未备。闻中丞之著，亦遂已。须大贵富人乃能成，盖非独力所能。冈本之书曾以草稿见示，仆告以无志无表，不足以考其政治之得失、国计之盈虚。彼大谓然，因既付刊，亦不复改。

□：荔枝。鲜者极佳，此干者。

冈：纪传犹可为，志表不可为。此《三国志》无志及我日本史所以不及此也。近日史馆有命撰《食货志》，王朝及幕府。成斋诸人伍之，不知能成得否。

公度：仆诗中有曰："兵刑志外征文献，深恨人无褚少孙。"望诸君子速为此事也。

冈：《兵刑志》亦不成体。拉杂，强具名目耳。不特无史料，并无史才也。

公度：真论。蒲生《职官志》甚精正，然恨其沿革不尽详。

冈：我邦政书可观惟有一《令义解》尔。他皆出于后人想像揣摩，不足取。《延喜式》惟苦文字不成义，虽然，当时纪实颇有可征。山阳约诸书著《新策》，奕奕有精神。

公度：《江家次第》亦然，然不及《延喜式》之博。白石最精熟掌故，恨其书不尽脱稿。山阳不及白石之博，然山阳《外史》、《政纪》、《新论》多半本白石，遂成一佳书。犹《史记》取材古人，遂成一家之言也。

冈：白石该博空前绝后，又有文才。惜著书皆以国字，且繁碎不成书。此为憾。《甘雨亭丛书》中载白石《奥羽海运录》，文章纯雅，可以见全豹。此外，伊藤东涯该博，多有用著书。

公度：闻古贺侗庵著述等身，惜未刻。其子茶溪为仆言之。

冈：《新论》、《刘子》，侗庵本刘氏。此二书极多创见，侗庵本领略尽此二书。他日就茶溪翁求见为可，仆为阁下先通此意。芦东山《先哲丛谈续集》中有传《无刑录》为完书。

公度：此书精整而浩博，法家书如此类者甚少，必传。

冈：东山弟乡人，故弟幼见此书，钦遗风。近日司法省吏复在宫城法署见之，大惊，刻之省中。东山幽囚终生，建白剑黄舍，藩主临学之日，引宋故事，论讲师坐列，以是触罪。幽囚四十年有此著，故精神所注，自然异他人所为。世人不知有此书，埋没百年，而司法省有此刻，真表幽德潜光者。

公度：屈于一时，伸于千古，芦君可瞑目矣。仆见大邦人著书多矣，似此浩博而精整，亦绝无仅有。

冈：仆读先生《杂事诗》，草一篇文，未脱稿。他日净写以请正。

他日修文辞净书以呈。若得附卷末以传，大幸。惟刻之之日，不删后半，必触人忌，而删之则抹杀作者苦心所在。

公度：委婉其辞可也。若曰"亦必有人撰书者，顾我未之见"，则能勉励人，亦不触忌人也。

据日本东京都立中央图书馆特别文库室藏

黄遵宪与冈千仞等笔谈原件

与日本友人增田贡等笔谈

编者整理说明

一、本笔谈根据日本东京都立中央图书馆特别资料室所藏增田贡(号岳阳)编录《清使笔语》手稿本整理、编辑、标点。

二、稿本栏外及行间有些为增田贡事后所做的补注和订正文字,凡补注内容的文字,整理时均按原注位置,注以"旁注"或"栏上注"字样,并排小字,以示区别;手稿文字不清无法识读或原文空缺者,以□标识。凡编者订正,或疑似文字,均出脚注说明。

三、笔谈参加者,除特别说明外,大体按增田贡在笔谈内容间隙处的标录。笔谈参加者姓氏略称如下:

公度:黄遵宪　　　　　　子峨:何如璋

梅史:沈文荧　　　　　　兰生:沈兰生

泰园:王治本　　　　　　紫诠:王韬(弢园)

子纶:何定求　　　　　　惕斋:王仁乾

增田:增田贡(岳阳)

一、光绪四年九月二十日(1878年10月15日)笔谈

(十月十五日抵芝山清使馆,黄遵宪、沈文荧、沈兰生、何子纶在室。王治本、王惕斋偶来。笔语至晡而去。)

增田:数数谒大兄何公,今始接高范,愿交欢。敝庐在下谷,暇日见顾否?

子纶:容后敬当趋谒。

增田:闻贵乡系岭南庾岭,罗浮在近境乎?

子纶：罗浮去敝乡三百馀里。此山在惠州，仆是潮州。

增田：潮有昌黎庙乎？鳄鱼再生否？其万安桥者，见蔡襄之记，今尚存乎？

子纶：鳄自韩公祭后，其患遂绝。昌黎庙在潮城之东山麓，郡人名其山为韩山，以表其遗德焉。万安桥仆不甚悉，不知即是湘桥否耳？

增田：足下所画梅花，见之桂阁君便面。神韵清绝，太似王元章之笔意。他日携佳楮至，请写一枝。

子纶：谨当如命，适足以贻笑大方耳。

增田：闻岭南候暖，终岁不见雪。梅花应以初冬开。

子纶：唐诗有句云"十月先开岭上梅"，此足为证。

增田：顷见足下答石鸿斋之书云："日本原少佳丽，晨星落落，无足当意者。"仆意邦俗女子不用弓鞋，故其脚大。如其面，岂让贵国耶？

子纶：仆不甚爱脚小者。敝国人取其袅娜。夫妇出自天然，何可以人力为耶？贵国本多佳丽，仆前言戏之耳。

增田：岭南女子双耳垂环，所不解也。

子纶：此是习俗使然，仆亦不解其故。

增田：旧年长毛贼乱，波及潮州乎？西洋人常来在埠乎？

子纶：长发之乱馀烬，于敝县则被之，潮城则未也。西洋人开埠在潮之汕头，在埠者不过四五十人而已。

增田：足下修举业，赴京试乎？潮州例年出进士若干人？

子纶：仆性鲁少学，才疏识浅，举业未习，然颇有其志。潮之贡士，年或一二人耳，无多也。

增田：大兄何公自状元拔侍讲乎？其雅号如何？

子纶：家兄号子峨，是二甲进士擢翰林。

增田：一甲限三人，二甲三甲无定数乎？

子纶：一甲三人为大魁、榜眼、探花，二甲无定数，三甲亦无定数，惟出皇上之意耳。

增田：墨水千秋楼陪游之后，疏阔负荆。文况常康裕，可庆。

公度：不晤面久矣。仆自七八月后，贱躯多疾，出门甚简。比秋深稍觉神爽。足下想康胜，喜慰之至。

增田：闻贵馆近日移永田，多事可想。待其苟完，携馔候门如何？

公度：迁居在一月中。俟舍馆既定，当粪除以待。仅薄具茗酒，作平日欢，岂不妙事？

公度：《会典》有曰《会典则例》者，书凡数百本，有之否？

增田：京校藏书数万卷，意当在其中。他日搜抽乞教。

增田：前日与桂阁君携足下饮墨楼，过醉亡状，幸恕。

梅史：叨领麈教，幸甚幸甚。

增田：今日始晤大弟兰生君，温良之气盎面，可贺。

梅史：年幼无知，幸复教诲之。

（偶携五弓士宪所属《温史摘评序》，出示请评略文。）

梅史：简而明，短而峭。使他人为之，恐千百言不了，而二百馀字该之，是善学《公》、《穀》、《檀弓》等文者。

增田：千秋楼同游，可谓盛会。意当时大作满囊，幸见示之。

棻园：席中曾作数诗，归后不复录草。

仆到贵邦二年，得蒙贵邦诸文士谬爱订交者众。最先相知者，小永井小舟、鹭津毅堂、永坂石埭、森春涛、中村敬宇、斋藤拜石、神波即山。其后得识者，宫岛诚一郎、大野诚、石川鸿斋诸君。久慕阁下，恨相见耳[①]。

增田：皆知，独不识石埭。

（《无肠公子传》在几上，试问作者之名。棻园对曰："仆随作随散，稿俱无存者。亦多未誊清。此篇戏作，乃改予学之文耳，劣甚，第供君喷饭耳。"）

增田：以绣肠写无肠，□行郭索之神进笔端，犹有肠，何等绝调。

前日散策，过足下旧寓之闻香楼前。败荷残柳，风色已荒。然池水汪汪，似胜芝山之景。何故弃之而迁此？

棻园：追想莲池风景，大半被白帝收拾矣。颇欲往彼一游，亦燕恋旧巢之意也。

兰生：弟姓沈，名兰生，梅史乳兄。

增田：仆与梅史大兄交情日密，可谓海外金兰。意足下亦同臭，勿见外。请示新篇。

兰生：弟数无俚句，何可见君眼了。

---

① 恨相见耳，原文如此，疑为"恨相见晚耳"。

增田：唐试士之制有墨义。愚顾唐以《尔雅》等书为题，墨义恐令解《墨子》之义者乎？足下以为如何？

荼园：应试之文名墨卷，想墨义即此文义也。

增田：王安石方田法中有均摊之语，均平分排之谓乎？仆以意推之，未知是否？

荼园：以有馀补不足之谓均，以其圆者使之方之谓。

增田：读《粤匪记略》，有河南一种贼，号捻匪。捻发之谓欤？

荼园：捻，两手相握，亦教匪之一名。

增田：握手通情相固者，亦系其邪教乎？

荼园：如西法逢人两手相握。

增田：又有广东边钱会匪，谓以金硃涂钱边，此钱与人，以结党之术，抑亦属邪教欤？

荼园：无此名。

增田：贵邦人分明记之，而谓无意①，足下未了悉耳。

增田：闻足下长朱顿之术，兼富文藻。故尝访贵寓，不遇，常以为憾。今日邂逅，适吾愿。

惕斋：蒙君枉顾，失候之歉，祈勿责。乃幸嗣后公暇时，还祈驾临，能欤？赐示知，则仆可扫径而待也。

据增田贡《清使笔语》卷三

二、光绪五年三月七日（1879 年 3 月 29 日）笔谈

（三月二十九日，诣清使馆，半日款晤而归。栏上注：以下黄遵宪。）

增田：春风薰暖，东台樱花方开。公馀高轩见过，仆将执吟鞭。

公度：谨当携来领教。

增田：贵乡系岭南，去庾岭梅关几许里？瘴气熏染，花候必早。

公度：敝乡今三月时，一白袷单衣可矣。梅花十月既开，此时早既谢却。

增田："江上清风新霁开，绿杨深处见楼台。老渔未肯抛蓑笠，犹恐轻雷送

---

① 意，疑为"无此名"。

雨来。"是彭玉麟克复金陵之诗也。时黄① 逆已熄,残贼未全灭,故转结隐然伏其意。毫无斧削痕,韵格极高,可谓绝调。余著《清史揽要》多载此老之战功,而始不知其为文人。及获此诗,益敬其为伟材。意今犹健在,官位亦必高。

公度:是为奇伟绝特之士,以耿介高节闻于天下。今朝廷命之每半年巡历长江水师,不为官而治事。彭公家居常呕血,好作梅花诗,工画。其印有"儿女心肠英雄肝胆"八字。

增田:久闻俞越② 先生之文名,请闻其为人。

公度:俞荫甫先生旧官翰林,年老辞职,为江南书院山长,教弟子千人。博学多闻,又能文章。

增田:我邦人游上海本名沪渎,又春申江者,往往与吴郡王韬紫铨结交,谓其人抱才不偶,专用意外国之事。新著传播,其中多述日本旁注:我之近状。先是,洪贼之乱,韬自赴上海,献雇洋人用洋械之策。当剿贼,其军果获常胜之名。此人不止善文,亦干用之才也。而弃捐在野,实为可惜。故我邦人某等怜其流落,资而迎之,欲结骚盟,行李当在海上也。余向著《清史揽要》,载其献策之言,可谓未面之知己。待其至,亦益将倾肝胆。意诸公亦详其为人?

公度:此为江东一老名士,久不试场屋,近将来此矣。其平生境遇颇坎坷,中岁尤多事,故不复治科第。家贫,藉笔砚为生活。

据增田贡《清使笔语》卷三

三、光绪五年四月五日(1879年5月25日)笔谈

(五月二十五日早,访王紫诠于筑地精养轩,紫诠喜出迎。)

增田:江东硕望紫诠王君足下:

贡阅贵著,其《瓮牖馀谈》载八户宏光事。宏光伤足下之抑塞,说涉纵横,而足下拒之。彼复自言江户将军之族子。将军姓德川,何其诪张也。《瀛壖杂志》记西洋器械,并及日本水龙之具,模写生动,笔笔有神。用意外国,何其切也。又读《弢园尺牍》,始信足下之利器断盘错。当洪贼之乱,沿江失守,足下

① 原文如此。黄当为洪之误(日语黄与洪发音相同)。
② 俞越,当为俞樾。

慨然献策曰:招募洋兵,人少饷费。不如以壮勇充数,而请洋官领队,平日以洋法教演火器,务令精练。西官率之以进,则胆壮力奋,亦可收功于行间。议乃行,上海始有洋枪队。米佛英之提督为之奋力,所向无前,号为常胜军。其后金陵之克复基上海,上海之常胜,实足下献策之功也。贡顷著《清史揽要》,同治元年之记揭纲曰:"贼侵上海,英佛米之水师提督合击破之。"其目曰:"吴郡处士王韬献策,始有洋枪队之设,故得破贼。已有此功,未闻赏及之,亦得无类忘筌乎!天涯倾想,望洋眼穿矣。忽闻观光驾至,贡之喜可知矣。乃待舍馆定来候,欲证缟纻之盟,敢非仿宏光纵横之辩也。　　　　岳阳增田贡再拜

　　　　并赠一律述事实。

　　献策辕门拂海氛,曾无茅土报功勋。养成壮勇洋枪队,收拾威名常胜军。欲使凤鸣向东日,忽看鹏翼背西云。楚材晋用吾能解,江表伟人推此君。

　　紫诠:前读《清史揽要》,于同治元年忽睹鄙名,惊喜交至。继知出阁下手笔,则又感甚。因叹曰:"此海外一知己也。"自此临风怀时不能忘。顾溟渤迢遥,安能觌面于万里之外。今弟泛槎来游,每见贵国文士,必询阁下近况。拟偕省轩先生一谒阁下,作登堂之拜,行执贽之礼。乃文旌惠然枉临,何幸如之!复读大著,过蒙奖誉,初何敢当。主主臣臣,弟甫里一逋客,天南一废民。穷而在下,老境颓唐,于文字学问,殊无真得。不知阁下何所见,而推爱若是,至投缟纻。弟愿附谱末,曷胜幸甚。

岳阳大人青及

　　　　　　　　　　　　愚弟王韬拜手上

　　增田:仆虽无似,愿为东道,到处说项斯。

　　明日张大使见访,先生亦临。

　　紫诠:猥蒙宠招,曷敢不趋赴。借杯杓以助清谈,并将数年之忱托管城子以写之,幸甚。

　　今日成斋诸同人约作后乐园之游,正在此时。阁下同往否?

　　紫诠:成斋氏诸同人见招,愿携先生同去。

　　　　(会寺田、池田某亦至,促余欲同游于砾川后乐园,乃连车。至,日将午。黄遵宪先生至,出迎。)

　　增田:明日张斯桂公、王韬先生有顾弊庐之命,先生赐光临否?

　　公度:前者梅史与君订廿一日之约,师丹善忘,未及与言,弟实不知也。廿

二日走横滨,方就道,梅史忽忆先生之言,约仆同往。仆实不暇,为代辞。归后方知参差,仆亦代为愧叹。亦欲致书述意,相遇于此。明日之约,仆实不得暇。仆于月曜、火曜日最忙也,惟祈鉴原,卜日再访高斋。　　遵宪拜

增田:弟午后每闲。命日报至,必清室候驾,当为文字饮。

公度:仆有《日本杂事诗》凡一百五十首,欲以呈正,但急切欲誊清稿。若能抽暇于十日中赐正掷还,则感荷不已。未审诺之否?

增田:宋景濂、张山来各有《日本竹枝》数首,而以身不到于此,犹有不尽善者。先生东来,洞览我国史至此浩多,一何盛,使人瞠若。请速得拜观。

增田:此园名“后乐”,故水户侯源光国所筑。明朱之瑜请援来,不还,为客卿。园门“后乐”之扁,之瑜所书。明人与贵邦为雠,使九原有知,则恐不喜逢诸公之观。

后乐园即事录呈大吟坛诲正　　　　　　　　增田贡未定稿

夷齐庙畔树萧森,追想西山后乐心。丘有夷齐庙。烟际游鱼跳碧沼,风前小鸟唤幽林。堂开绿野宾朋盛,园比平泉草木深。今日欣看名士集,砥川胜景可追寻。

紫诠:名园雅集得追陪,今日同倾河朔杯。四面环山皆树木,一样近水占楼台。清风百世臣心苦,史笔千秋生面开。喜见东西宾主美,鲰生何幸泛槎来。

增田:思昔黄门纷后陪,暑天退食唤荷杯。丛松谡谡招风阁,环水晶晶得月台。鲁玙旁注:文恭扁题迎客揭,夷齐庙貌向人开。今日名园添一胜,西方美士抱琴来。栏上注:改“名园今日添佳事,清国衣冠探胜来”。　　　次韵

公度:　　陪诸君游后乐园有感而作乞均正　　　　黄遵宪

泓峥萧瑟不可言,周遭水木围亭轩。初夏既有新秋意,褰裳来游后乐园。主人者谁源黄门,弊屐冠冕如丘樊。夷齐西山不可得,欲以此地为桃源。左携舜水右淡泊,想见时时顾空尊。呜呼源平霸者起,太阿倒持皈将军。黄门懿亲致自异,聊借薇蕨怀天恩。一编帝纪光日月,开馆彰考非为文。高山九郎好痛哭,相继呼天叩帝阍。布衣士,二三子,其力卒能使天王尊。即今宾主纷□尊,一堂款晤都温温。岂知当时图后乐,酒觞未举泪有痕。遗碑屹然颓祠古,夕阳丛鸦噪黄昏。欲起朱子使执笔,重纪米帛贻子孙。明治二年赐源光国子孙米帛①。

---

①　末有增田补注云:“贡按,高山之误也。”

紫诠：　　四月四日偕公度先生燕集后乐园即步原韵以博一笑

王韬

鲰生东游拙语言,叔度霞举何轩轩。幸陪游屐来此间,惟名士乃传名园。园为源公之创①,生薄冕绂潜丘樊。野史亭开勤荟萃,有异遗山于金源。惟公好士古无匹,时招俊彦倒醑樽。公学所造冠诸子,自足拨戟成一军。舜水先生寄高躅,眷念家国怀君恩。我来访古心慷慨,谁欤后起扶斯文。平泉绿野此仿佛,径留苔藓侵阶阍。泰西通市法一变,坐令西学群推尊。乾纲独秉太阿利,岂复跋扈如桓温。园中题字出遗老,摩挲犹有前朝痕。阴森古木坐浓绿,时未向晚日已昏。饮罢驱车偕子去,霸才谁是江东孙。

增田：　　右赓韵　　　　贡

园号取于宋相言,宁知又引清使轩。池塘竹树依然在,孰与洛阳留名园。义公桃李常在门,角巾私第脱笼樊。夷齐庙畔清风起,石梁如虹竟泉源。物换星移修外好,鹿鸣一唱酒满樽。江东豪士岭南俊,旗鼓骚坛两将军。延陵东里缟纻契,金兰相应亦君恩。鸟啼鱼跃日如岁,薰风细细水成文。灌木郁葱含烟雾,幽趣恰如叩禅阍。一斗百篇笔落纸,可知联翩文士尊。自今来多占佳境,好使池边钓石温。<small>栏上注：故诗来多钓石温。</small>盘桓偕体后乐意,不用先忧多泪痕。今日东西订雅集,付与画图传子孙。

据增田贡《清使笔语》卷三

四、光绪五年七月五日(1879 年 8 月 22 日)笔谈

（八月廿二日,抵骏台,告别王紫诠,赠以拙著之稿。）

增田：向著《清史揽要》,犹有遗漏,故编《清国史略》。犹尚有缺阙,故辑《清史览要**②** 拾遗》。盖《揽要》所无《史略》有,《史略》所无《拾遗》有。集而大成,将出一佳著。而足下夙嘉鄙意所寓,而有润色之命。故一并遗其草本,以托此著之结局。西畈稍闲,速相蒐阅,上梓之日,递寄一部是祈。且如贡序文,亦宜加斧正。《清史览要》为六卷,新加《史略》、《拾遗》之佳处,上若干卷。犹不失原名而可。

---

① 似脱一字。
② 览要,当为揽要。

（同日午后，赴大河内君墨水之宴，饯王韬。韬失约不来。沈文荧、黄遵宪、王治本来。清酌于千秋楼，笔语至二更。）

公度：《清史揽要》近有续稿否？

增田：前著犹有遗漏，故准拟狗续，未脱稿。贵邦之近事愿相报，将增加之。

公度：亟欲读之。《揽要》中一二错误，亦所不免。如近来刘公锦棠方从左侯以平定西域，功封二等男爵，今在乌鲁木齐。而大著中云其人既战亡，此亦误也。虽然，举世方尚西学，阁下独考究我史，可谓平然能自树立。况以一人之力，偏① 一代之史，是固未易无瑕疵。而大著大端要无误，所以难能可贵也。

增田：咸同贼乱之记，据官将军所纪之《澳门月报》。原文纷纭，且间俗语，初学之徒未易读，因往往改之正文。一手之扰，犹治乱丝，故不免有疵颣。夫以邦人纪邦事犹有此病，况据军中日报，纪万里海外之事。区区偏裨之生死，与我固如无关系。虽然，拜命之辱，不敢改窜耶！嗣后一一见告是祈。

公度：得暇当一一校正，敬遵命。

梅史：近年军务，仆辈尚能记忆，所知之事，当订正之。刘锦棠之叔松山于同治十年克复金积堡一役阵亡，恐因此而误。

增田：此类又必多。虽贵邦军报亦不免有误。百闻不如一见。以类阁下目击之事见告，谨不相从乎？

读贵邦史，多载乌鲁木齐之事。贡窃以为汉西域车师地。

公度：即车师地。沈梅史曾到哈密，于西域事颇熟。

（梅史不食鱼物，呼求熟鸡子，尝数枚未已。余戏之曰："昔苟变食二鸡子，为干城将。阁下西略哈密，东使日本，岂止小国卫臣之为。其食数枚不饱，不亦宜乎？"）

梅史：若仆大啖鸡子，使卫侯闻之大骇，而子思亦当以百口保之矣。

增田：阁下仪貌魁杰，兼以文武才略。李扬材之徒闻威名而肝胆破裂矣。

梅史：前在关中，曾以七骑却贼军三百。又在平凉以单骑入贼围三重也。

增田：何其勇也！他日请闻其功状之详。今所谓平凉，汉之凉州乎？而康熙乱王辅臣党于吴三桂所叛而据乎？

---

① 偏，原文如此，当为编。

梅史：高凉宋之高平关。王辅臣谋叛，即在其地。

增田：彭玉麟之事，有传于我者。其雅号或为雪岑，或为雪琴，不知孰是？

梅史：雪岑误，雪琴是。

增田：冰轮当槛，灯影疏密在树间，金龙山塔亦仿佛可辨，夜色特觉清绝。此处颇似秦淮否？

梅史：墨江游人颇众，诚繁华之薮泽。然秦淮河房灯船之胜，当偕公一游方佳。

增田：贼平已经年，秦淮风物意当复旧。今犹有唱后庭花者乎？阁下䢖浙之日，仆从行欲一游。

梅史：当偕渡沧海，以溯金陵。

增田：神已驰在钟山顶。

（酒间谐谑属鄙猥之言，舍旃不载。）

梅史：凡受暑肚中大痛，用钱蘸麻油于脊中及脊两旁、手腕、足挛刮之，见红紫点，即瘳。

据增田贡《清使笔语》卷四

五、光绪五年七月六日（1879 年 8 月 23 日）笔谈

（八月二十三日，王紫诠还长洲，故诸同人相谋饯行。）

清气楼祖帐赠王紫诠　　　　贡

二州桥畔会群英，清气楼高岳雪明。河朔千觞发豪兴，阳关一曲托哀情。风头稳送长洲客，潮势遥连沪渎城。自是各天对孤月，相思付与断鸿声。_{栏上注：唯付远鸿声。}

送王弢园还江苏

遥为暑路日光_{旁注：晁山游}，洗得烦襟瀑布流。泰斗名声动东海，鲲鹏心迹向西洲。鲈亭税笈清风夕，鹤市呼杯明月秋。缟纻结来不胜解，堪思李郭共仙舟。_{鲈亭鹤市，王氏乡土之名胜。}　　　　　　　合璧连珠　龟谷行评

是日清使一行亦临席上赋呈各位

避暑乾坤清气楼，豪游送客返长洲。银河此去应非远，汉使星槎半日留。

呈何如璋

　　枕水高楼暮色清,客中送客若何情。秋风已及莼鲈候,想像梦魂䬵四明。
呈张斯桂,张四明人。

　　水楼呼酒避尘埃,残热依然夕日颓。应想浙江潮热壮,凉天雪阵撼山来。
呈沈文荧,浙江人。

　　澄空如镜夕阳开,百尺江楼凉气催。欲洗岭南炎热想,莲峰白雪入栏来。
呈黄遵宪,岭南人。

　　公度:欠阁下诗债太多。仆畏暑喜懒,又兼多俗冗,故迟缓如此。然既诺,必不能食言。乞谅之。

岳阳先生

宪白

　　增田:先生聪敏有雅操,实一坐颜回。闻已著《日本纪事诗》百馀篇,迟缓之言不敢信。

　　公度:仆迂拙,故讷然若不出诸口,阁下误以为雅人也。暑中昨检阁下所著《清史揽要》,读之益钦仰。阁下所有诗债,必当急偿之。

　　增田:拙著必有所不适贵意,请一一垂教。如急偿,谨俟后命。

　　增田:前日安井翁墓额贵托之事,传之门生辈,闻欢声如雷。顷川田瓮江制翁之碑文,而评论垒涌,字数未定,以是致稽缓。不日送额式来,则与呈陈司马之书一并欲烦递送。瓮江又嘱贡曰:前日以沈公许贡之事语之何公,公亦额。故再自阁下通之何公,则阁下之义显,而贡等之请亦随著,实为两便。是瓮江所望于阁下也,请谅之。

　　梅史:拜诺。

　　增田:阁下称陈宝渠为司马,司马浙江总兵之谓乎?

　　梅史:司马系同知之称。

与朝鲜修信使金宏集笔谈

一、光绪六年七月十五日（1880 年 8 月 20 日）笔谈

（七月十五日。大清钦使参赞官黄遵宪、杨枢来。）

宪曰：海程遥远，王事驰驱，贤劳可敬。得接阁下大名，于四月中，有釜山递来消息，既如雷灌。及盼①　旌麾早临，得以略论时事，饰②　一切悃忱。今日初见，春风蔼然，使人起敬。第不知滞留此间，为多少日？钦使何公亟欲图晤，从容半日，畅彼此怀抱，不审何日乃得暇？使仆敬请命。

宏曰：今蒙两先生辱临，甚惬宿愿。钦使何公，业拟即谒请教，遽有冗扰，又值家忌，迄此迟滞，悚甚。明当进候。

宪曰：朝廷与贵国休戚相关，忧乐与共。近来时势，泰西诸国日见凌逼，我两国尤宜益加亲密。仆辈居东三年，与异类相酬酢，今得高轩之来，真不啻他乡逢故人，快慰莫可言。

宏曰：敝邦于中朝，义同内服。近日外事纷云，薪望更切，他乡故人之谕，实获我心。

宪曰：以仆鄙意，若得阁下常住东京，必于国事大有裨益。方今大势，实为四千年来之所未有，尧舜禹汤之所未及料，执古人之方以药今日之疾，未见其可。以阁下聪明，闻见日拓，将来主持国是，必能为亚细亚造福也。

---

① 及盼，当为亟盼。

② 饰，当为释误。

宏曰:此行约于数旬间竣事即还,不可常驻。宇内大势,高论诚然,敝国僻在一隅,从古不与外国毗连。今则海舶迭来,应接戛戛,而国少^①力弱,未易使彼知畏而退,甚切忧闷。然所恃者,惟中朝庇护之力。

宪曰:请此数语,足见忠爱之忧溢于言表。朝廷之于贵国,恩义甚固,为天下万国之所无。然思所以保此恩义使万世无疆者,今日之急务在力图自强而已。

宏曰:"自强"二字,至矣尽矣,敢不敬服。

宪曰:闻高论,使人豁然开朗,又使人肃拜,亦乞波及。

宪曰:明日何时枉顾,归当禀告,必应扫径拱候也。天晚,敢告辞,笔谈数纸,乞以见惠,感甚感甚。

宏曰:明日拜圣庙仍转晋,计似稍晚也。

据金宏集《修信使日记》(韩国《高丽大学影印丛书》第三辑
《金弘集遗稿》,据高丽大学中央图书馆藏写本影印,韩国高
丽大学出版部 1976 年版)

二、光绪六年七月十六日(1880 年 8 月 21 日)笔谈

(七月十六,往大清公署)

宏曰:旌节久驻海外,声□^②远播天下,引领东望,常切倾慕。今也萍缘幸凑,荆愿获遂,但叩谒此庭,是为悚仄。

璋曰:过誉,猥不敢当。阁下冒暑远役,此行良苦。昨日敝署黄参赞上谒,荷延接周至,谢谢。今日又承枉顾,得亲雅教,快甚。

宏曰:赐接款洽,极为逾分,愧甚悚甚。

璋曰:旌节已来,希在此多住几日,得以从容过从,畅聆大教,尤为快事。

宏曰:在此时敢不源源拜海。

璋曰:我朝与贵国义同一家,今日海外相逢,尤为亲密,彼此均不拘形迹。容日仆当趋晤畅谈也。

宏曰:盛教更为亲切然敬恭。

---

① 国少,当为国小。

② 声□,当为声威。

璋曰：使节之来，闻有大事三，不知既与日本外务言之否？唐突敢问。

宏曰：使事概为报聘，书契中有定税一事而已。

宪曰：钦使何公于商务能悉其利弊，于日本事能知其情伪。有所疑难，望一切与商。我两国如同一家，阁下必能鉴此。

宏曰：仆来此，大小事专仰钦使指导，而形迹亦不能不存嫌，所以稍迟迟，庶谅此意。

宪曰：贵国与日本所缔条约，仆未见汉文稿。能饬人抄惠一分，感谢不已。

宏曰：谨当如教。仆向请大著《日本杂事诗》，仰重大名久矣。又《日本志》，未及见，敢问卷帙可将几许？

宪曰：今日承雅教，欢慰之极。仆著《日本杂事诗》，近游戏之心，不知阁下何处见之？然既承青览，他日过访，再当敬呈数部乞正。《日本志》，仆与何公同为之，卷帙浩博，可为三十卷，姑未清草。

宏曰：《杂事诗》见惠之教多感。《日本志》异日入①。视同一家，感刻何极。宠临之命，猥不敢当。

璋曰：此间天气较贵国何如？月来酷暑逼人，想阁下行装甫卸，酬应纷纷，亦苦劳顿否？阁下精神志气正是英发之时，虽天气稍暑不劳也。

宏曰：此间晚暑与敝处一般。涉海之馀不应无恙也。

璋曰：此间官府诸事均极整理，阁下有暇，不妨约宫本先生到如② 处一览。

宏曰：指教可见相爱之至。才已偕宫本公历览一处而来。

璋曰：敝先生③ 是我国最通时务之人，今年逾六旬，神明犹如四十许人，亦异禀也。

宏曰：近读《万国公法》序文，先生蕴抱早已仰悉。年高德邵，神明益旺，尤可敬也。

璋曰：承高轩枉过，谢谢。改日走谒，畅聆大教。

据金宏集《修信使日记》

---

① 　原文如此。

② 　如，疑为此或各。

③ 　原缺三字，据文意，似指公使馆副使张斯桂。

三、光绪六年八月二日(1880年9月6日)笔谈

(八月初三日,黄参赞来)

宪曰:行程之发有日,特来一话,能稍假容易,幸甚。

宏曰:行期此迫,怅甚。午后通有干,伊前可以拜诲。

宪曰:闻花房公使同行,信否? 将附三菱商社轮船往耶,别乘何船耶?

宏曰:花房行期尚未闻。归时当乘三菱社船为计。

宪曰:仆平素与何公使商略贵国急务,非一朝一夕,今辄以其意见书之于策,凡数千言。知阁下行期逼促,恐一二见面不达其意,故迩来费数日之力草,虽谨冒渎尊严上呈,其中过激之言,千万乞恕,鉴其愚而怜其诚,是祷。

宏曰:见示册子,万万感铭,胜似逢场笔话多矣。得暇奉阅,仍当携归,俾我国人咸知上国诸公之眷念如是厚且挚矣。

宪曰:乞于暇时再熟览而深思之,第其中所未及,有近日商量之禁输出米、定税则二事,何公使尚有一二意见,徐陈大概。敢问此二事既议妥否?

宏曰:防米、定税,向与外务公干。两言不相合,且非委任,实难擅行,姑俟归后再行议妥。彼谓我全昧商务,而遽尔重税,必滋葛藤,非渠坚执云。本国从未识外国事情,此等处极是难办,甚闷甚闷。

宪曰:何公使每见日人,常劝其事事务持大体,且告之曰:"既欲两国之交以防俄,而多所要挟,益滋朝鲜疑惧,恐大局亦坏。"彼亦深以为然,故不甚坚执也。第输米一事,查日本全国产米甚富,所仰给于朝鲜者,惟对马岛耳,输出亦不足为大患。且我有所输出,彼亦有所输入。若遇饥馑,亦有利益。若欲防其输出太多,则惟有税则由我之一法。加税而防之,则操纵皆自我矣。前所送日本约稿,今纵不必防其值三十之重,但与之声明税则由我自定之一语,则事事不掣肘也。

宏曰:指教明晰,甚感。输米事,彼亦曰重其税而抑之,又限石数而节之,何害于国。我又诘其转售他国,则曰在公法,万国谷价常欲均平云。第俟定税时,另立重税却好。税尚未定而米税之自我先言,恐无济于事。

宪曰:万国公法不禁输米,若遇凶年,亦何以禁? 英、德之米麦常仰于俄,而今年不熟,亦禁输他国,亦不得有后言。故曰不如声明税则由我自主之一语

为善也。仆料禁输之事,彼不难应命,盖此事于彼无关大要也。特为朝鲜本国计,与其一切禁输致碍他日凶年之输入,不如加税防之之由我自主也。

宏曰:今观日人动静,只以我未识外事,代为闷查,苟得交情益固,似不以从前得失挂心。此果出于其情,而无可疑否?

宪曰:今日情势,日本万万不能图朝鲜,仆策中既详言之矣。其望朝鲜强,欲与朝鲜联衡,实出于真情。特其国人好胜贪利,不甚阔达,故时时有所碍难耳。朝鲜急图外交,于一切通弊了然于胸,彼自不能多所要求也。税则一事,以彼近事为言,所谓以矛陷盾,极为妙事。

宏曰:往在丙丁,敝土奇荒,彼输米到釜港出售,南民多得此粒食,始不出于好意。

宪曰:从前输米一事,彼非有别心,极欲望朝鲜之缔交,而为是而市欢心也。其所以如此者,仆策中详述之。而日本旧日收税收米不收金,是皆政府之所储,贩之又可以图利耳。

宪曰:收税之法有一极妙策,但使我定一值百抽多少之立意。如欲值百抽十,则于贸物到关时,由税吏占量时价,货值一百则取其十。彼商人不愿,则官吏受而购之。既与时价等,转卖之人,亦不至亏,彼商人无怨言。此日本税则中所不将事事物物逐一胪列者,即用此法也。此万国通行之例,能知此,无难事耳。

宏曰:此策果绝妙,仆亦来此闻之。欲为此,则税关得其入,且有财然后可行。

宪曰:此事究可行,关吏能知物价人为之足矣。受卖货物,不必国有财,盖明值百之货,结以九十,则不吃亏。总之,此刻贵国讲论税事,尚无关大得失。惟切记切记,与他人立约,必声明细则由我自主之一语,以待他日。不然则如日本需十数年乃能议改,而尚未定矣。日本新拟约稿,本系法文。由法译英文,由英译汉文,故其文义颇未明显。其中用意甚深,措辞极微,即花房公使所谓考求十数年而后有此也。恨为日无多,不及与阁下述其故,然后阁下解人,细观之,必知其情。但能师其大意,为益多矣。

宏曰:节节精到。税入多寡不足计,迟速不足论,惟自不被人牵制,为今日最急切之要务,敢不敬服。

宪曰:税之多寡,于国关系不重。惟输出之金银多于输入,则民生窘而国计危矣。财为生人养命之源，拱手而致之他人，民贫而乱作矣。日本通① 十数年，输出金银至于十二千万之多，朝野上下，半不聊生，此税则由他人商定之害也。苟能重课进口货，则外货米源不多，即金银输出不多，何至于此。故税则自定之语，一乃全国安危之所系，不可以不谨也。

宏曰：输出价值多于输入，则通商有利，安见其害？敝处输入想亦不多，而输出则国贫无产，尤当少少矣。输入之物，非公然与人，不失我之钱耶？欲救其弊，不得不师彼之所为，务农兴商，使我之出品亦足以取人之金钱而后可耶。敝国朝野，只有凛遵成宪，安于俭啬而已，万不可议此也。

宪曰：去年一岁，朝鲜输出之货多于输入价值七万有馀。今日通商尚无害，他日须设法防之，筹策救之耳。朝鲜苟能终闭关，未始非乐国，特无如不能何也，噫！

宏曰：通商虽无显害，日后应接极难，以是为苦。闭关亦不足无上善策，我国读书人皆以通商为不可，此论于时务何如？窃想中朝亦多有主持正大之论者矣。

宪曰：今日尚欲闭关，可谓不达时务之甚。仆策中既详及之，请归而与当局有力者力主持之。扶危正倾，是在君子。

又曰：归国之后，他日欲通音讯，当从何处寄乃不付浮沉？

宏曰：惠函由釜山领事馆转寄似好，或由北京永平游太守递送，如何？

宪曰：由北京转寄② 时日，由釜山寄又虑万一为人偷视。若得釜山商人住址，收到此间□③ 商人寄去。交东莱府伯，乃妥善耳。

宏曰：敝土无商业可信者，釜山有办察官常住，若此处商人到釜交伊，可免浮沉。

宪曰：仆意所虑偷视，按日本邮便规则，本无虑。特虑万一有急报，不得不密耳。寻常书函由釜山领事官交府伯，必无阻碍否？

宏曰：寻常书函由领事交府伯无碍，密线苦未易。

宪曰：机事务密，万万如此。惟今日形势，万国皆无所讳，在有心人求之耳。

---

① 原文如此，疑脱"商"字。
② 原文如此，疑有脱讹。
③ 原阙一字。

宏曰：当更深思，明晡时再告。

遵宪：明日再晤，仆有一团扇在院西手，乞赐书数字，明日见还。又有何公使之友人代购朝鲜碑帖一纸，请归国后择其都市通行，每样购二三份。其远道难致者则不必也。费神感甚。

宏曰：仆笔甚劣，恐徒污扇面。然吾辈相与，恐工拙亦不须计，当如戒。碑帖归后广求副教。东人罕嗜金石，得之未易，多少不敢预告也。

宪曰：都市中有者购之足矣。琐事不足介意，他日或有，由釜山寄来亦可。

宪曰：今日承麈教，怅慰莫甚。天涯相聚，可谓奇缘，未知何日再得良晤耳。

宏曰：天涯相逢，又当相别，此恨何堪。未知钦使何当复命。若得复见，阁下于金台之上，何幸何幸！

宪曰：本系三年任满，即为爪代① 之期。但代者未闻其人，恐在此再驻耳。若得相见于北京，幸甚幸甚！

据朝鲜金宏集《修信使日记》

---

① 爪代，当为瓜代。